D0673967

Jan Knopf   Brecht-Handbuch

Jan Knopf

Brecht-Handbuch

Lyrik, Prosa, Schriften

Eine Ästhetik der Widersprüche

Mit einem Anhang: Film

J. B. Metzlersche
Verlagsbuchhandlung
Stuttgart

CIP-Kurztitelaufnahme der Deutschen Bibliothek

Knopf, Jan:
Brecht-Handbuch / Jan Knopf. – Stuttgart :
Metzler
Lyrik, Prosa, Schriften : e. Ästhetik d. Wider-
sprüche ; mit e. Anh.: Film. – 1984.
ISBN 3-476-00524-0

ISBN 3-476-00524-0

Satz: Schwarz Computersatz, Stuttgart
Druck: Gulde-Druck, Tübingen
Printed in Germany

Über literarische Formen muß
man die Realität befragen,
nicht die Ästhetik, auch nicht
die des Realismus.

Bert Brecht

Inhalt

Prosa

Schriften

Einleitung

Der zweite Band des *Brecht-Handbuchs* stellt Bertolt Brechts Lyrik und Prosa ins Zentrum. Obwohl der Dramatiker, dem der erste Band galt, viel bekannter und als Klassiker »kanonisiert« ist, sind die Prosa und vor allem die Lyrik Brechts zur Zeit aktueller. Dennoch handelt es sich dabei immer noch um den *unbekannteren* Brecht. Obwohl »die Zeit der Lyrik« gekommen ist, und zwar schon seit einem halben Jahrzehnt, sind viele Gedichte und damit der wirkliche Umfang des lyrischen Werks vor knapp einem Jahr überhaupt erst allgemeiner bekannt geworden, z. B. auch die *Gedichte über die Liebe* (was manche Kritiker freilich veranlaßte, wieder am »Lyriker« Brecht zu zweifeln, wenn nicht zu verzweifeln). Brechts Lyrik läßt an Umfang die klassischen Lyriker des 20. Jahrhunderts, Rainer Maria Rilke und Gottfried Benn, weit hinter sich. Auch in der qualitativen Einschätzung beginnen sich längst tiefgreifende »Umschichtungen« (so sagt man heute doch) abzuzeichnen. Sicher ist, daß es noch viele Entdeckungen zu machen gibt. Um vorwegnehmend einige anzudeuten. Die Forschung stellte bisher die Einzelgedicht-Analyse in den Vordergrund, vergaß dabei aber, die von Brecht mit großer Sorgfalt vorgenommene Zusammenstellung der einzelnen Gedichte in den Zyklen zu beachten (*Lieder – Gedichte – Chöre, Svendborger Gedichte,* z. B.). Die Verwendung medialer Techniken bzw. die Umsetzung medialer Anschauung (Film) in lyrische Sprache und lyrische Bilder sind ein beinahe noch ganz ausgesparter Bereich, der für Brecht aber zentrale Bedeutung hat und ganz wesentlich zur Verbreiterung und »Modernisierung« lyrischen Sprechens beiträgt. Für die Analyse der *Kriegsfibel* z. B. ergeben sich völlig neue und wichtigere Dimensionen, als wenn man, nach »Mustern« suchend, allein in der Tradition nachgräbt. Überdies ist die Eigenart der Brechtschen Lyrik noch kaum im Bewußtsein. Die Interpreten bewegten sich vornehmlich entweder auf den üblichen Pfaden der Lyrik-Interpretation (Lyrik als – persönlicher – Ausdruck) oder verstanden die Lyrik – wie die Dramatik oft auch – als Transportmittel für irgendwelche (ideologische) Botschaften (wie man das zu nennen pflegt). Die Diskrepanz zwischen »objektiver«, distanzierter lyrischer Sprache und außerordentlich nachdrücklicher lyrischer Wirkung, die Diskrepanz zwischen oft sehr rationaler Thematik und dennoch lyrisch wirkendem »Ausdruck«, ist kaum thematisiert worden, obwohl gerade darin die Eigenart des neuen lyrischen Sprechens von Brecht liegt. Auf dem Fundament der bisher vorliegenden Forschung liefert das vorliegende *Brecht-Handbuch* eine Summe der – oft breitgestreuten – Forschung, berücksichtigt, häufig erstmals, aufgrund erneuter, eingehender Recherchen die bisher übersehenen oder nur am Rande behandelten, wichtigen Aspekte der Lyrik Brechts, beschreibt an Einzelbeispielen ihre ästhetische Verfahrensweise und gibt insgesamt einen Überblick über das lyrische Gesamtwerk – dieser Überblick ist der erste Gesamtüberblick überhaupt (das sage ich auch angesichts des Lyrik-Kommentars von Edgar Marsch; dazu unten mehr).

Es bedarf, so hoffe ich, keiner ausgiebigen Rechtfertigung, warum das *Brecht-Handbuch* nicht jedes einzelne Gedicht von Brecht berücksichtigt. Im Vordergrund steht die Absicht, Zusammenhänge klar darzustellen. Die Vielfalt des einzelnen, die wir gerne Komplexität nennen, um dann zur Tagesordnung überzugehen, liegt mit dem Werk selbst vor. Das *Handbuch* will sie nicht verdoppeln, sondern handhabbar und nutzbar machen. Exemplarische Einzelanalysen – das gilt analog auch für die Prosa – sind so eingefügt und ausgeführt, daß sie für den Leser auf andere Gedichte übertragbar werden. Das ist produktiver als ein – dies und das erläuternder – unvollständiger Kommentar (außerdem gibt es auch noch editorische Probleme).

Vom »unbekannten Erzähler« Brecht kann man inzwischen nicht mehr sprechen. Wie in der Forschung ein »Lyrik-Boom« zu verzeichnen ist, so haben die Arbeiten zu Brechts Prosa in letzter Zeit entschieden zugenommen. Insofern hat die Forschung begonnen, ein Defizit abzubauen. Dennoch gab es genau genommen die Berechtigung, vom »unbekannten Erzähler« zu sprechen, nie. Die Erzählung *Bargan läßt es sein* war beim Publikum Brechts erster großer literarischer Erfolg; den *Dreigroschenroman* bezeichnete die Kritik bei Erscheinen als Brechts »Hauptwerk«, und die *Kalendergeschichten*, die nach dem 2. Weltkrieg erschienen, sind zum Bestseller geworden (im Taschenbuch ca. 1 Million Exemplare) und damit sein bekanntestes Werk. Es war die Forschung, die mit der Prosa Brechts nichts anfangen konnte, wohingegen das Publikum sie nicht nur annahm, sondern offenbar auch »konsumierte« (der *Dreigroschenroman* hat im Taschenbuch allein ca. 350000 Auflage). Die Diskrepanz zwischen Publikumswirksamkeit der Prosa und ihrer Mißachtung in der Forschung ist ein Problem der Forschung selbst – und sie gereicht ihr nicht zur Ehre. Tatsache jedenfalls ist, daß der »einfache Leser« mehr Sinn für Qualität und Eigenarten der Brechtschen Prosa zeigte, als es die Brecht-Forschung lange Zeit vermochte. Die Entdeckung des »unbekannten Erzählers« war auch die Entdeckung ihrer eigenen Probleme.

Durch die Unterschätzung des Prosaisten Brecht kam der Forschung auch der Satiriker zu wenig ins Blickfeld. Durchaus unter dem selbstkritischen Eindruck, als Deutscher in der satirischen Schreibweise unbedarfter, traditionsloser und weniger elegant als die Franzosen (Diderot, Voltaire) oder die Engländer (Swift) zu sein, hat Brecht eine Kunst der Satire entwickelt, die bisher unter ideologischen Fragestellungen verschüttet war, wohl aber einzigartig in der deutschen Literatur nach Heinrich Heine sein dürfte. Der *Tui-Roman* ist auch als Fragment eines der humoristischsten Werke in der deutschen Literatur, die *Flüchtlingsgespräche*, die wohlgemerkt zur Prosa gehören, haben ihren Witz paradoxerweise in verschiedenen Aufführungen längst unter Beweis gestellt, und der *Dreigroschenroman* erzählt seine Geschichten so ironisch-süffisant, daß der übliche Ernst der Literaturwissenschaft an ihm scheitern mußte.

Hinzu kommt, daß erst die neuere und jüngere Brecht-Forschung erkannt hat, daß auch Lyrik und Prosa Brechts nachhaltig vom neuen, damals neuen Medium des Films beeinflußt sind. Nicht daß »Film« in ihnen thematisch würde, sondern daß Brecht filmische Verfahrensweise sprachlich realisiert hat. Der *Dreigroschenroman* z. B. ist ohne die filmische Sehweise überhaupt nicht angemessen zu lesen (d. h., das allgemeine Lesepublikum vermochte es), was bisher als seine Schwäche galt, ist inzwischen als herausragender Vorzug entdeckt worden (so ändern sich die Zeiten). Ähnliches gilt für die Lyrik, die insgesamt auf die neuen Seh- und Darstellungsweisen reagiert, im einzelnen aber auch raffiniert damit zu spielen vermag. Der »Boom« der *Buckower Elegien* in der jüngeren Forschung hat hier u. a. seine Wurzeln, wie überhaupt diese Sammlung inzwischen durch die Forschung in den Rang eines klassischen Meisterwerks erhoben worden ist – deshalb gibt es auch da noch viel zu entdecken.

Bereits der erste Band des *Brecht-Handbuchs* hatte erklärt, zuverlässiges Nachschlagewerk und Lesebuch zugleich sein zu wollen. Der Charakter des Nachschlagewerks soll einmal durch die Darstellung, die so viele Fakten wie möglich berücksichtigt, dann aber auch durch die ausgiebigen Register gewährleistet sein. Lesebuch meint nicht, daß Brecht-Texte ausführlich aneinandergereiht würden, sondern daß die analytische Darstellung so erfolgt, daß sie auch wirklich gelesen werden kann, als durchgängige, möglichst nicht bloß informative (positivistische), sondern argumentative (dialogisch-dialektische) Abhandlung. Dabei darf ich noch einmal betonen, daß es mir bei der Unterscheidung zwischen Analyse und Deutung ernst ist – so, wie ich sie in der Einleitung des ersten Bandes entworfen habe. Das meint nicht, daß ich damit von vornherein »meine« Analyse gegen die »anderen« Deutungen ausspielte und bevorzugte. *Jede* Analyse des *Handbuchs* verwertet, besser: arbeitet die vorangegangenen Interpretationen auf (vgl. auch die Literaturangaben), enthält sie also, besser: hebt sie auf (im doppelten Wortsinn). Insofern stecken auch die dann kritisierten Deutungen mit in der Analyse »darin«. So kann nur, so *muß* Wissenschaft arbeiten. Aber: Ich bin ein entschiedener Gegner der beliebigen Assoziationsdeutung in der Literaturwissenschaft, die inzwischen zur Ausgeburt der sogenannten »Empirischen Literaturwissenschaft« geführt hat. Diese erklärt jede Interpretation eines literarischen Werks als subjektiv zufällig, in jeder Hinsicht beliebig, und meint deshalb nun, die Rezeption eines literarischen Werks statistisch befragen und auswerten zu müssen, um so die Literaturwissenschaft als Wissenschaft erhalten zu können. Aus der Sicht der Rezeptionstheorie oder Wirkungsästhetik erscheint das literarische Werk als zweitrangig, als solches unwichtig. Erst der Rezipient, und zwar der soziologisch durchschnittliche, *macht*, produziert in Zukunft die Literatur. Interpretation ist jedoch nicht beliebig und, wenn sie wissenschaftlich betrieben wird, beileibe nicht subjektiv. Die objektiven Grenzen jeder Interpretation setzen der Text und die Zeit (der geschichtliche Zusammenhang), in der er entstanden ist; zu letzterer gehört auch der Autor als Produzent. Interpretationen, die den Text mißachten (einfach darauf losphantasieren) und seine Historizität für unwichtig halten (»ewige Dichtung«), nenne ich Deutungen, und wenn sie etwas anführen, was gerade schön für die Deutung paßt, nicht aber zum Gedeuteten, so nenne ich das »falsch« – und dabei bleibe ich, es sei denn, die Literaturwissenschaft erklärte endlich laut und wahrheitsgemäß, daß sie keine Wissenschaft mehr sein will. Ein kleines Beispiel – es ist glücklicherweise ein öst-westliches Mißverständnis. Das Gedicht vom *Schneider von Ulm* (9, 645f.) datiert Brecht mit »Ulm 1592« (so der Untertitel wie auch der spätere Titel in den *Kalendergeschichten*). Das Gedicht behandelt in Kinderlied-Form ein – auch Brecht bekanntes – Ereignis aus dem 19. Jahrhundert. 1811 versucht sich der Ulmer Schneider Albrecht Ludwig Berblinger im Flugversuch von der Adlerbastei und landet unter dem Hohnlachen seiner Mitbürger (lädiert, aber lebendig) in der Donau. Detlef Ignasiak schreibt zur Zusammenstellung des Gedichts mit den Geschichten *Das Experiment* und *Mantel des Ketzers* (sie spielen in einem Zeitraum: Wende 16./17. Jahrhundert), sie bildeten eine »Dreieinheit«: »Um diese Einheit zu ermöglichen, verlegte er [Brecht] die historische Tat des ›Schneiders von Ulm‹ in das ausgehende 16. Jahrhundert« (Ignasiak: Bertolt Brecht »Kalendergeschichten«. Berlin 1982. S. 212). Ähnlich behauptet Klaus-Detlef Müller: »Wie bewußt Brecht komponiert, zeigt sich an dem Gedicht *Ulm 1592*. Es steht zwischen den Erzählungen über die beiden Naturwissenschaftler Francis Bacon und Giordano Bruno. Offenbar aus Gründen der zyklischen Komposition hat Brecht die historische Episode vom Schneider von Ulm umdatiert« (Müller: Brecht-Kommentar zur erzählenden Prosa. München 1980. S. 311). Ein Blick ins *Bestandsverzeichnis* des Bertolt-Brecht-Archivs hätte genügt, diesen *Fehler* zu verhindern. Das Gedicht ist nämlich schon 1934, als von den *Kalendergeschichten* noch überhaupt nicht die Rede war, entstanden, und schon damals erwog Brecht den Titel *Ulm 1592* (BBA 354/51 = Nr. 7549, Bd. 2, S. 283). Die »Umdatierung« *erweist sich* als reine Spekulation (wobei ich betonen möchte, daß beide genannten Autoren nicht zu den Spekulierern gehören und den Fehler auch konzedierten). Objektiv belegt die – gewissermaßen zur Beruhigung führende – Annahme einer »Umdatierung« die mangelnde Fähigkeit der Lyrik-Forschung, mit dem Datum etwas anfangen zu können. Obwohl viel interpretiert, blieb das Datum stets sorgsam ausgespart. Die Deuter trauten Brecht nämlich nicht zu, was dieser dem kleinen Schneider von Ulm zusprach, eine welthistorische Tat – auch im Scheitern – mit seinem Flugversuch unternommen zu haben (100. Jahrestag der Amerika-Entdeckung durch Kolumbus). Brecht »poetisierte« aus einem Kleinbürgerstreit des 19. Jahrhunderts eine welthistorische Episode und gab ihr die Dimensionen, die er 1934 auch im »Kleinen« zu sehen wünschte: Der siegende Faschismus (Bischof) behält am Ende doch Unrecht, was jetzt noch scheitert, wird bald selbstverständlich sein. Das angegebene Beispiel ist vergleichsweise recht einfach, kann jedoch zeigen, in welche Richtung sich die Interpretation bewegt, wenn sie sich nicht von äußerster historischer Genauigkeit führen läßt (im übrigen eine Kärrnerarbeit, zu der sich der Wissenschaftsbetrieb der Literaturwissenschaft häufig überfordert sieht). Die sich anschließende Gedankenführung sieht dann schnell ganz anders aus, als sie analytisch zu erfolgen hätte, und die *richtigen* Schlüsse können dann nicht mehr erfolgen. Das heißt nicht, ich betone auch das noch einmal, daß die »Analyse« *fertig*, abgeschlossen, absolut richtig wäre. Natürlich kann es in ihr zunächst einmal Fehler geben, die die zukünftige Forschung hoffentlich richtigstellen wird. Aber sie ist auch prinzipiell »offen«, insofern die nachfolgenden Zeiten nicht nur über mehr Wissen verfügen werden (ich hoffe das wenigstens), sondern auch neue, relevante Gesichtspunkte entwickeln, die am jeweiligen historischen Werk mehr und auch anderes sehen lassen, was uns heute möglich ist. Die Analyse aber – soweit sie nicht (spekulative) Deutung ist, behält ihre historische Richtigkeit (die Überholbarkeit ist eingeschlossen) und geht in die neuen Analysen – sie überhaupt erst mit ermöglichend – ein: Sie wird »aufgehoben«, was ihr Sinn ist, und je schneller, desto besser (aber da habe ich meine Zweifel, was die Schnelligkeit betrifft).

In der Konsequenz der vorangegangenen Überlegungen steht auch die folgende Richtigstellung von möglichen Mißverständnissen. Eine Analyse ist, wenn sie nicht lediglich einen Beginn setzt, auf Vorarbeiten angewiesen – vor allem in einem Handbuch, das eine Fülle von Einzelwerken zu verarbeiten hat – übrigens auch dann, wenn es sie nicht gesondert nennt! Ergiebigkeit und Umfang der Analysen bestimmen sich daher im *Brecht-Handbuch* nicht unwesentlich durch die Forschungslage. So kann es zu gewissen Ungleichgewichten dadurch kommen, daß, aus welchen Gründen auch immer, ein Werk Brechts besonders gut bearbeitet worden ist, obwohl dies vielleicht nicht seiner Bedeutung entspricht, oder es anderen gegenüber bevorzugt. Die Darstellung der frühen Dramen im ersten Band des *Brecht-Handbuchs* hatte insofern etwas Pech, als der plötzlich Mode werdende junge Brecht (Baalstyp) in eine Zeit fiel, als die Kapitel schon fertig waren. Insofern wirken sie angesichts des plötzlich einsetzenden Interesses schmaler als andere Kapitel zu anderen Dramen, obwohl sie dem damaligen Forschungsstand entsprechen (mich beruhigt nicht nur, daß die Moden schnell wechseln, sondern daß auch die berühmte Erfurter Aufführung in der DDR von 1982 mit meinem *Handbuch*-Artikel über den *Baal* einiges anzufangen wußte – trotzdem).

Liebgewonnene Kleinigkeiten, irgendwann einmal ausgebrochene Mode-Aspekte (etc.) gehören nicht in ein *Brecht-Handbuch*, und aus diesem Grunde fehlt in der Regel, was fehlt, mit Recht. Es war klar, daß immer mal wieder Brecht-Kenner aufgetaucht sind, die meiner Darstellung im ersten Band Einseitigkeit deshalb vorwarfen, weil gerade ihr Lieblingsthema nicht berücksichtigt worden ist. Meine Arbeit, die nicht nur Sekundärliteratur, sondern auch eine Unmenge von Quellen auszuwerten hat, muß den Mut zur Entscheidung haben, Deutungen dann auszulassen, wenn sie nur Peripheres anzubieten haben. Warum z. B. sollte ich lange Ausführungen über Richard Wagners *Walküre* aus dem *Ring des Nibelungen* in die Analyse von *Trommeln in der Nacht* aufnehmen, wenn der 3. Akt, der »Walkürenritt«, bei Brecht überhaupt nichts mit Wagners Oper zu tun hat. Dieser Art Angebote gibt es in der Brecht-Forschung massenhaft, z. B. wird neuerdings über vage Nietzsche-Parallelen, die es tatsächlich gibt (aber nicht so, wie die Forschung will), nun auch noch der Bezug zu Spinoza hergestellt (Nietzsche hatte ihn zu seinem Vorgänger erhoben). So entstehen Ketten ohne Ende, deren Prüfung in Einzeluntersuchungen ihren Sinn haben mag, in einem *Handbuch* jedoch unsinnig wäre und zur Unbrauchbarkeit führte. Das Werk Brechts setzt die Grenzen und die Perspektiven.

Ziel des *Handbuchs* ist es auch, in die Unüberschaubarkeit der Brecht-Forschung wieder Richtlinien zu bringen, die sie überschaubar werden lassen. Aus diesem Grunde fehlt häufig auch der Nachweis älterer, verdienstvoller Brecht-Literatur: Sie ist häufig im (guten) Sinn in der neueren Forschung aufgehoben. Die Würdigung dieser Literatur müßte einem neu zu schreibenden Forschungsbericht vorbehalten bleiben. Die beigegebenen Literaturangaben jedoch verweisen auf diese Arbeiten stets mit.

Einige wenige Hinweise auf die Forschungssituation zu Lyrik und Prosa: Anders als beim ersten Band des *Brecht-Handbuchs* liegen zu Lyrik und Prosa zwei handbuchartige Darstellungen bereits vor:

Edgar *Marsch*: Brecht-Kommentar zum lyrischen Werk. München 1974 (= Winkler-Kommentare).

Klaus-Detlef *Müller*: Brecht-Kommentar zur erzählenden Prosa. München 1980 (= Winkler-Kommentare).

Obwohl beide Kommentare in einer Reihe erschienen sind, unterscheiden sie sich beträchtlich. Es ist nicht zu leugnen, daß Marschs Arbeit einige Verdienste hat und auch durchaus – für jedes Gedicht einzeln, meist in der Reihenfolge der *Werkausgabe* – benutzbare und nützliche Informationen liefert, insgesamt jedoch ist es unbrauchbar (vor allem für Nicht-Brecht-Spezialisten). Die Informationen sind in der Regel zufällig, oft so allgemein, daß sie in jedem einbändigen Lexikon nachzuschlagen wären, häufig falsch und, wenn sie interpretativ vorgehen, fast immer schief. Wichtige Gedichte fehlen (z. B. das *Lehrgedicht von der Natur der Menschen*), andere werden miteinander verwechselt, und die Kenntnis von Brechts außerlyrischem Werk ist gering. Sicherlich hatte Marsch den Nachteil, 1974 von der Forschung noch weitgehend im Stich gelassen worden zu sein, jedoch gab es schon wesentlich mehr Informationen, als Marsch dann wirklich auch zu Rate gezogen hat. Meine Hoffnung, durch Marsch entscheidende Arbeit abgenommen zu erhalten, hat sich leider nicht erfüllt; ich habe das Buch jedoch in den Abschnitten zur Lyrik verarbeitet (ein Forschungsbericht zur neuesten Lyrik-Forschung liefert übrigens das von mir neugegründete BRECHT-JOURNAL in der Edition Suhrkamp, das im November 1983 erscheint).

Ganz anders steht es mit Klaus-Detlef Müllers Kommentar zur Prosa. Hier ist ein Brecht-Kenner am Werk, der den Überblick hat und solide in jeder Hinsicht arbeitet. Die Informationen sind (fast immer) stichhaltig und durch das Werk Brechts geleitet. Hier ergab sich eine zuverlässige

Arbeitsgrundlage, die zu erheblicher Arbeitserleichterung beitrug. Dennoch ergibt sich zwischen Müllers *Kommentar* und dem *Brecht-Handbuch* keine Konkurrenz. Die Anlage beider Werke ist grundverschieden. Müller geht, dem Reihenkonzept gemäß, durch Einzelwerk-Analyse vor, dabei durchaus die Chronologie beachtend, im wesentlichen aber auf das einzelne Werk fixiert. Sein Kommentar hält sich streng an die Abfolge der *Werkausgabe* – auch hier die chronologischen Aspekte berücksichtigend – und ist in der Grundtendenz positivistisch ausgerichtet, gibt also im wesentlichen Fakten wieder bzw. referiert Ergebnisse. Das *Brecht-Handbuch* stellt umgekehrt die Zusammenhänge, die übergreifenden Gesichtspunkte in den Mittelpunkt und versucht, die Einzelwerke miteinander zu verbinden und damit die Fülle des einzelnen in den Griff (und Begriff) zu bekommen, und zwar sowohl im Hinblick auf Brechts »Entwicklung«, wie auch im Hinblick auf die verarbeiteten zeitgenössischen wie historischen Ereignisse oder Quellen. Die Einzelwerk-Analyse fehlt im *Handbuch* keineswegs, aber sie steht im spezifischen Werk- *und* Geschichts-Zusammenhang. Auch die vielen Fakten erscheinen nicht vornehmlich positivistisch, sondern in bestimmter Weise sprechend oder – um es mit Goethe zu sagen – »bedeutend«. Darüber hinaus aber konnte ich mich bei der Prosa für eine wesentlich breitere Textbasis entscheiden, wobei mir Müllers Kommentar Entscheidungshilfe gewesen ist. Erstmals sind im vorliegenden *Handbuch* die lyrischen und erzählenden Texte des jungen Brecht analytisch einbezogen und diskutiert (wobei manche Differenzierung anzubringen war). Und erstmals konnten die Analysen der großen Prosaprojekte mit dem (gesamten) Nachlaß-Material durchgeführt werden. Dazu war mir neben der – zunehmend erfreulichen – neueren Brecht-Forschungsliteratur vor allem die Karlsruher »Brechtologie« behilflich: Dieter Baldo, Monika Dreyer, Marion Fuhrmann, Wolfgang Jeske, Roland Jost, Gabriele Knopf und Peter Zahn. Publiziert sind (bzw. werden in Kürze) folgende Arbeiten:

Roland *Jost*: »Er war unser Lehrer«. Bertolt Brechts Leninrezeption am Beispiel der »Maßnahme«, des »Me-ti/Buch der Wendungen« und der »Marxistischen Studien«. Köln: Pahl-Rugenstein 1981 (= Literatur und Geschichte. 88).

Wolfgang *Jeske*: Bertolt Brechts Poetik des Romans. Arbeitsweisen und Wirklichkeitsdarstellung. Frankfurt a. M.: Suhrkamp 1984.

Brechts Romane und Roman-Projekte. Hg. von Wolfgang *Jeske*. Frankfurt a. M.: Suhrkamp 1984 (= Suhrkamp Taschenbuch. Materialien. 2042).

Brecht-Journal. Von Jan *Knopf*. Frankfurt a. M.: Suhrkamp 1983 (= Edition Suhrkamp. 1191 – Neue Folge).

Außerdem war ich in der Lage, die neuere und neueste Literatur der DDR-Forschung in ungeahntem Umfang zu verarbeiten (was Müller alles noch nicht konnte). Das machte einerseits die neue Reihe des Brecht-Zentrums der DDR, die *Brecht-Studien* (inzwischen 12 Bände), möglich, andererseits der persönliche Kontakt zu Werner Hecht, dem Direktor des Brecht-Zentrums. Werner Hecht ist im November 1981 zu einer ergiebigen Arbeitstagung nach Karlsruhe gekommen und hat im Februar 1983 Roland Jost und mich nach Berlin, zu den *Brecht-Tagen*, die alljährlich stattfinden, eingeladen und damit einen umfassenden (und kritischen) Meinungsaustausch ermöglicht. Damit waren für den zweiten Band des *Brecht-Handbuchs* Arbeitsvoraussetzungen geschaffen, die ein westlicher Forscher bisher noch nicht zur Verfügung hatte. Insofern gehen viele Kapitel über eine »Zusammenfassung« der bisherigen Forschung weit hinaus.

Das *Brecht-Handbuch* will zeigen oder wenigstens andeuten, wieviel Spaß die Lektüre von Brechts Werk vermitteln kann und wieviel Humor und (satirischer) Witz in ihm enthalten ist. Daß es gleichzeitig eine grandiose poetische Darstellung von und Auseinandersetzung mit der Realität ist, die Brecht erlebt hat und erleben mußte, ergibt sich gleichsam als Nebeneffekt: Aufdecken von Wirklichkeit ohne verkniffenen schulmeisterlichen Blick oder ideologischen Zeigefinger.

Es scheint nicht überflüssig, den Leser zu verständigen – so formulierte Thomas Mann einmal in bewußter Umständlichkeit –, daß die vorliegende ausgiebige Beschäftigung mit Brechts Werk keiner Rechtfertigung mehr bedarf. Dabei darf ich noch einmal sagen, daß ich kein BB-Fan bin und alle Identifikationsversuche u. Ä. für wissenschaftliches 19. Jahrhundert halte. Brecht gehört längst zur Weltliteratur, sein Rang, und zwar nicht nur für die deutsche Literatur und auch nicht nur für die des 20. Jahrhunderts, ist unbestritten. Es bedarf keiner Prophetie, daß Brecht der »Goethe des 21. Jahrhunderts« werden wird.

Zum Aufbau des Handbuchs

Die einzelnen Artikel sind so abgefaßt worden, daß sie einzeln – und das gilt auch für die jeweiligen Abschnitte – gelesen werden können, wenn der Leser lediglich an einem bestimmten Themenkomplex interessiert ist; zugleich aber habe ich darauf geachtet, daß die fortlaufende Lektüre Brechts Werk »in der Geschichte« dokumentiert, d. h., daß mit der Geschichte der Brechtschen Literatur auch die Entwicklung ihrer inhaltlichen und formalen Möglichkeiten sowie die jeweilige Auseinandersetzung mit der Zeit verdeutlicht werden.

Jeder Artikel wurde so geschrieben, daß dem Leser die Arbeit wirklich abgenommen und nicht zusätzliche verursacht wird: Seine Produktivität soll vielmehr auf den Widerspruch gegen Argumentationen, die ihn nicht überzeugen, und auf die Weiterentwicklung von Gedanken und Urteilen gelenkt sein. Ich bin immer so verfahren, daß ich Hinweise auf verarbeitete Fakten, Quellen, Vorlagen, Anspielungen etc. nicht nur mit genauer Quellenangabe versehen, sondern auch in der jeweiligen Bedeutung erläutert habe, so daß der Stellenwert einer Übernahme u. ä. auch deutlich wird. Die Beschränkung auf kurze Verweise wäre entweder für den Leser arbeitsintensiv geworden oder sie hätten ihm nichts genützt, wie dies bei Handbüchern leider oft der Fall zu sein pflegt. Wer nur den reinen Text will, der überlese einfach die an- und eingefügten Klammern, die die näheren Angaben enthalten. Ich darf anmerken, daß die Konkretisierung der Angaben oftmals langwierige Kärrnerarbeit gewesen ist, die dann sinnvoll wird, wenn sie dem Leser nützt.

Konkretion gilt auch für die Literaturangaben. Ich habe darauf verzichtet im oben entwickelten Sinn meines Vorgehens, alle zur Verfügung stehenden Titel der Literatur anzuführen; angegeben sind die Titel, die a) zitiert werden, b) der Analyse nützlich gewesen sind, c) bestimmte Deutungen enthalten, auf die verwiesen wird. Jeder angegebene (und viele auch nicht angegebene) Titel sind von mir durchgearbeitet und ausgewertet worden. Damit der Leser die Möglichkeit hat, wenn er ein Werk, eine Frage intensiver weiterverfolgen will, dies mit sinnvoller Orientierung zu tun, habe ich grundsätzlich – es sei denn ein Titel war im ganzen wichtig – die entsprechenden Seitenzahlen notiert (in Klammern hinter dem Titelzitat): So bleibt dem Leser lange Sucherei erspart, und die sinnvolle Fortsetzung der Arbeit ist gewährleistet.

Die Literatur ist mit ihrem Haupttitel grundsätzlich ganz (und ohne Abkürzungen) zitiert; Untertitel sind nur dann angeführt, wenn sie für das Verständnis des Haupttitels vonnöten sind oder das abgehandelte Thema spezifizieren. Dagegen habe ich auf Reihentitel u. ä. ganz verzichtet; dafür sind aber grundsätzlich – über die benutzte Ausgabe hinaus – für den jeweiligen Fall die Erstveröffentlichungsdaten genannt, damit der Leser weiß, aus welcher Zeit ein bestimmter Beitrag stammt. Weiterführende und womöglich ausführlichere Literaturangaben sind der angegebenen Literatur – und da vor allem der jüngsten – zu entnehmen.

Die Literaturangaben sind den jeweiligen Artikeln und oft auch den entsprechenden Artikelabschnitten nachgestellt – mit Verweisen innerhalb der Artikel (bei mehrfacher Zitierung). War ein Titel für mehrere Artikel zu nutzen, dann findet er sich jeweils innerhalb eines Artikels einmal erneut ganz zitiert (mit den entsprechenden Seitenverweisen). Im Text selbst tauchen lediglich die Verfassernamen (oder, wo gegeben, der Sachtitel) auf. Zitate sind grundsätzlich mit der dem Verfassernamen nachgestellten, durch Komma getrennten Seitenzahl bzw. -zahlen nachgewiesen. Auch dieses Vorgehen, das hie und da die Lesbarkeit leicht beeinträchtigen mag, scheint mir notwendig zu sein: Es ist immer mißlich, Zitate nicht wiederzufinden oder überprüfen zu können (oder erst nach großem Aufwand). Es gehört zum Charakter dieses Werks, sich der Überprüfung zu stellen.

Drei Register schlüsseln das verarbeitete Material auf: a) das Namenregister, b) das Werkverzeichnis Brechts mit seinen Quellen und Vorlagen, c) das Verzeichnis der wichtigsten Begriffe Brechts (mit Beschränkung auf die Stellen, an denen sie entweder im Zuge einer Werkanalyse, der Formbeschreibung oder in den theoretischen Abhandlungen genauer beschrieben oder definiert werden). Auf diese Weise ist es dem Leser möglich, eine bestimmte Frage, die ihn interessiert, mit Hilfe der Register schnell zu finden und sich auch die Sucherei im Inhaltsverzeichnis bzw. einer benutzten Quelle zu ersparen.

Brechts Texte sind grundsätzlich nach der *Werkausgabe* zitiert:

Bertolt *Brecht*: Gesammelte Werke in 20 Bänden. Hg. vom Suhrkamp Verlag in Zusammenarbeit mit Elisabeth *Hauptmann*. Frankfurt a. M. 1967 (und spätere Auflagen).

Bertolt *Brecht*: Gedichte aus dem Nachlaß. Supplementbände zur 20-bändigen Werkausgabe. 2 Bände. Hg. v. Herta *Ramthun*. Frankfurt a. M. 1982. [= III, IV]

Bertolt *Brecht*: Texte für Filme. Teil 1: Drehbücher, Protokolle »Kuhle Wampe«. Teil 2: Exposés und Szenarien. 2 Tle. in 1 Bd. 1969. 676 S. Frankfurt a. M. 1969. [= I, II]

Mit den Stichwörtern »Tagebücher« und »Briefe« (hier Angabe nach der jeweiligen Nummer) wird auf die folgenden Bände verwiesen:

Bertolt *Brecht*: Tagebücher 1920–1922. Autobiographische Aufzeichnungen. Hg. v. Herta *Ramthun*. Frankfurt a. M. 1975.

Bertolt *Brecht*: Briefe. 2 Bände. Hg. und kommentiert von Günter *Glaeser*. Frankfurt a. M. 1981.

Da die *Werkausgabe* – auf die mit der Abkürzung »wa« verwiesen wird – die späten Fassungen der Werke und Schriften abdruckt, war es immer notwendig, vorhandene Erstausgaben, vorliegende historisch-kritische oder sonstige, die verschiedenen Fassungen berücksichtigende Ausgaben heranzuziehen; diese Ausgaben sind am jeweiligen Ort vollständig zitiert. Wenn die *Werkausgabe* Lesarten nicht aufweist, dann wurde – unter Angabe der Ausgabe – nach dem jeweilig benutzten Text zitiert. Die Zitierweise nach der *Werkausgabe* folgt dem allgemeinen Usus:

Bandzahl, Seitenzahl (bzw. -zahlen); z. B.: 12, 421 = Band 12 (= Prosa 2 = »Me-ti«), Seite 421.

Neben der *Werkausgabe* sind in den Literaturangaben auch die Ausgaben der *Gedichte, Prosa* sowie der *Schriften* berücksichtigt:

Bertolt *Brecht*: Gedichte. 10 Bände. Frankfurt a. M. 1960–1976.

Bertolt *Brecht*: Prosa. 5 Bände. Frankfurt a. M. 1965.

Bertolt *Brecht*: Schriften zur Literatur und Kunst. 3 Bände. Frankfurt a. M. 1967. – Bertolt *Brecht*: Schriften zur Politik und Gesellschaft. Frankfurt a. M. 1968.

Materialien aus dem »Bertolt-Brecht-Archiv« werden nur dann zitiert, wenn sie bereits im Rahmen anderer Publikationen veröffentlicht sind; die Literatur, der das Zitat entnommen ist, wird am Ort genannt und zusätzlich auf die Archiv-Mappe (und Seite) sowie auf die Notierung des Materials im »Bestandsverzeichnis« nach der dortigen Nummer, Bandzahl und Seitenzahl verwiesen:

Bertolt-Brecht-Archiv. Bestandsverzeichnis des literarischen Nachlasses. 4 Bände. Bearbeitet von Herta *Ramthun*. Berlin und Weimar (Aufbau Verlag) 1969–1973.

Die Zitierweise ist folgende:

BBA 490/1–106 = Nr. 1476, Bd. 1, S. 126, das heißt: verwiesen ist auf die Mappe 490 des Bertolt-Brecht-Archivs, und zwar auf deren Blätter 1–106 (= Urfassung von *Mutter Courage und ihre Kinder*, 1939); sie ist verzeichnet unter der fortlaufenden Nummer des »Bestandsverzeichnisses« 1476, zu finden im Band 1 (= Stücke), auf Seite 126.

Mit der Abkürzung »AJ« mit nachgestellter Seitenzahl und – nach Semikolon – Datumsangabe wird zitiert:

Bertolt *Brecht*: Arbeitsjournal 1938 bis 1955. Anmerkungen von Werner *Hecht*. 3 Bände. Frankfurt a. M. (Suhrkamp Verlag) 1973. (Die Seitenzahlen stimmen auch mit anderen einbändigen Raubdrucken, nicht aber mit der Sonderausgabe in der Edition Suhrkamp überein; notfalls sind die Notizen über die Datumsangaben zu finden.)
Beispiel: »AJ 85; vom 29. 1. 1940« verweist auf den Band 1, die Seite 85 und auf die dort unter dem Datum abgedruckte Notiz.

Auf weitere Abkürzungen habe ich bewußt verzichtet, abgesehen natürlich von den allgemein gängigen wie denen von Parteien u. ä., um dem Leser eine dauernde Blätterei zu ersparen. Das heißt: Alle hier nicht aufgeführten Titel finden sich am entsprechenden Ort ausführlich zitiert. Aus diesem Grund konnte auch auf ein allgemeines Literaturverzeichnis verzichtet werden.

Abschließend möchte ich all denjenigen danken, die mich während der Arbeit an meinem Buch sozusagen bei Laune gehalten haben: Die Studenten, die inzwischen von ihren Professoren öffentlich der Dummheit und der Leseunwilligkeit geziehen werden, haben sich in Karlsruhe als lernwillig, kritisch sowie lese- und diskutierfreudig erwiesen, so daß ich den Spaß an meinen Lehrveranstaltungen nie verlor; es gelang ihnen, ihren Lehrer wesentlich zu fördern. Meine Doktoranden haben in Sachen Brecht außerordentlich viel Material beigesteuert und in Diskussionen im Doktoranden-Kolloquium neue Gedanken angeregt. Die Freunde sorgten mit ausgiebigen Debatten sowie sporadisch erneuerten Eß- und Trinkgelagen für weitere Produktionsmittel, wie die Kinder Jan und Peggy mit ihren Arbeiten, Freuden und Sorgen jeglichen Verlust alltäglicher Realität beim Verfassen von Büchern im Keim erstickten. Peter Zahn hat einen großen Teil des Manuskripts Korrektur und kritisch kommentierend gelesen, Gabriele Knopf das gesamte Manuskript in der häuslichen Zensurstelle auf Schnittlosigkeit und »geistige« Unabhängigkeit hin untersucht und für den Druck freigegeben. Bernd Lutz sorgte dafür beim Verlag. – Ich danke allen.

Karlsruhe, am 1. September 1983

Jan Knopf

Lyrik

Vorbemerkung: der Lyriker Bertolt Brecht

Kurt Tucholsky beendet eine – durchaus kritische – Besprechung der *Hauspostille* Bertolt Brechts in der *Weltbühne* mit den Worten: Gottfried Benn und Bertolt Brecht seien »die größten lyrischen Begabungen, die heute in Deutschland leben«. Das war 1928. 1950, als alle über den Stückeschreiber Brecht diskutierten, schrieb Hannah Arendt: »Ich habe keinen Zweifel daran, daß Bertolt Brecht der größte lebende deutsche Lyriker ist« (Benn lebte damals auch noch). Ernst Bloch notierte in seinem *Brecht-Epitaph* zum 14. August 1956:

> Der Schlag, den uns Brechts Tod zufügt, ist durch Brecht selber gedämpft. Dem Leben wie dem Tod ist der Dichter mit nüchtern-tiefer, klangvoll-genauer Weisheit gerecht geworden. Ein anderer Westöstlicher Diwan, völlig neu und ebenso uralt, Achtzehnter Brumaire und Laotse in Begegnung, das eine durch das andere lesend und bewährend. Die Wolke, »sehr weiß und ungeheuer oben«, von der Brechts »Erinnerung an die Marie A.« spricht, wird nie vergehen. Sie ist er selber geworden, hoch und nah, lauter Licht und ganz menschlich.

Der Lyriker Bertolt Brecht ist keine Entdeckung unserer Zeit. Walter Hinck schrieb, dies wohl wissend, als er 1978 eine kleine Bestandsaufnahme über den nun Mode gewordenen Lyriker Brecht publizierte: »Die Stunde der Lyrik Brechts ist (endgültig) gekommen«. Da war sie schon immer, aber lange Zeit noch bediente Rilkes und Benns tief deutsch gefärbte Innerlichkeitslyrik die Gemüter der vergeßlichen Nachkriegsdeutschen besser als eine Lyrik, die einerseits in vollkommener Weise den lyrischen Ton traf, andererseits aber die übliche Stimmung, die übliche »Verinnerung«, das von der Realität entfernende Sentiment verwarf, die früh schon weise, weil distanziert war, und dennoch zutiefst »traf«, erschütterte, weil sie »stimmte«. Es bedurfte einiger Zeit – und deshalb kam die Stunde der Lyrik Brechts endgültig erst, nachdem man durch seine dramatische Schule gegangen war –, bis der westöstliche Ausgleich, marxistische Realitätskenntnis und fernöstliche Distanz zur Realität, allgemeiner verstehbar werden konnten: die Rezeption, die sich heute so gern zur eigentlichen Produktion (und lyrischen Praxis) umdeutet, hinkt immer hinterher.

Es ist hier nicht der Ort, die drei großen deutschen Lyriker, wie man sie gemeinhin zählt für das 20. Jahrhundert, Rainer Maria Rilke (1875–1926), Gottfried Benn (1886–1956) und Bertolt Brecht (1898–1956), gegeneinander auszuspielen, bekanntlich hielt Brecht von Rilke nichts, von Benn wenig, die Umkehr der Urteile wäre leicht vorstellbar. Dennoch sollte daran erinnert werden, daß Benn und Rilke weitgehend mit ihrer Lyrik identifiziert werden und folglich vornehmlich als *Lyriker* gelten, weil eindeutig die übrigen Gattungen in ihrem Werk nur eine untergeordnete Rolle gespielt haben und ihre Bedeutung gerade dadurch erhalten, daß sie von der dominierenden Lyrik bestimmt sind (das gilt für Benns lyrisch gestimmte Prosa ebenso wie für Rilkes *Malte*, dessen Qualitäten ebenfalls »lyrisch« sind). Brecht dagegen verstand nicht nur sich selbst als Stückeschreiber, seine Arbeit war auch vornehmlich von der Dramatik beherrscht, dennoch aber ist seine Lyrik nicht »dramatisch«, dennoch hat er zugleich ein breites Prosawerk geschaffen, das ebenfalls »eigene«, andere Wege geht. Und was noch erstaunlicher sein mag: mit den drei umfangreichen Bänden Lyrik (in der *Werkausgabe*) und den zwei weiteren Supplementbänden (in der *Werkausgabe*) ist Brechts lyrisches Werk umfangreicher als das von Rilke, von Benns schmalem Werk ganz zu schweigen.

Und noch eins. Es gibt keinen persönlichen Brecht-Ton, eine lyrische Stimmung, die den Verfasser selbst sozusagen in jedem Gedicht versteckt, anwesend sein läßt. Benns und Rilkes Werk dagegen ist weitgehend von den Dichterpersönlichkeiten besetzt; die meisten Gedichte lassen den Verfasser erkennen, tragen sein persönliches Mal. Das heißt aber auch: Rilkes und Benns Lyrik sind bei aller Vielfalt auch sehr einseitig, bestimmt von dem, was den Dichter als Person beschäftigte, was aus seinem »Innern« nach Ausdruck »rang« (wie die einschlägige Terminologie lautet).

Brechts Gedichte dagegen bewahren eine nicht zu vereinheitlichende Vielfalt. Es gibt auch für sie einheitliche Kennzeichnungen, nämlich ihre Genauigkeit und ihre Distanz; da beide Kennzeichen aber nicht Ausdruck des Persönlichen, sondern stets – da, wo sie vollkommen erscheinen – Ausdruck der dargestellten Sache sind, unterwerfen sie sich stets auch der Vielfalt des Dargestellten, dessen lyrische Sprache sie werden. Brecht verstand seine Dichtung jedenfalls von da ab, als er sich theoretische Rechenschaft gab, als im umfassenden Sinn »Zeit-Dichtung«, Dichtung, die versucht, die kollektiven Fragen der Zeit (zu der auch die persönlichen gehören) angemessen zur Sprache zu bringen. Da Brecht in stürmischen Zeiten gelebt hat, da er auch unfreiwillig viel erleben mußte und den Rückzug von der Welt gerade vermied (vgl. dagegen Rilke, weniger ausgeprägt Benn), ging auch viel und Vieles in seine Dichtung, in seine Lyrik ein. Aber nicht nur das: Brechts Lyrik hat nachhaltig und wesentlich den Begriff von »Lyrik« erweitert und verändert. Weil er sich von der Tradition der bürgerlichen Lyrik als »Ausdruck des Persönlichen« abwendete, öffnete er für die Lyrik ein ungeahntes neues Feld, dessen Grenzen bisher nicht abgeschritten, geschweige denn bekannt sind.

Die Forschung hat sich »naturgemäß« zunächst der frühen Lyrik zugewendet: sie war der traditionellen bürgerlichen Lyrik noch am ähnlichsten und nächsten – wie auch keine heißen politischen Eisen angefaßt werden mußten. Inzwischen hat sich das Bild gewandelt: als (sozusagen) Nachklapp zur Studentenbewegung begannen sich Untersuchungen zu häufen, die sich der späten, kritischen Lyrik Brechts, vor allem den *Buckower Elegien* widmeten. In letzter Zeit sind auch erste Ansätze zu Gesamtdarstellungen hinzugekommen, überzeugende und weniger überzeugende. Der Befund bleibt dennoch: trotz der vielen (z.T. außerordentlich disparaten) Einzeluntersuchungen, trotz der durchweg guten umfassenden Darstellung der Lyrik des frühen Brecht und trotz der sehr unterschiedlichen, z.T. unhaltbaren oder oberflächlichen Deutungen der späten Lyrik, gilt weiterhin: Brechts Lyrik ist insgesamt immer noch ziemlich unbekannt, wenig analysiert, in ihrer spezifischen Vielfalt ignoriert.

Was die Forschung bisher nicht geleistet hat, kann ein Handbuch nicht nachholen. Dennoch geht es neue, andere Wege als die Forschung, weil ich leider oft – bei der Überprüfung der vorgetragenen Thesen – auf Fehler, Ungenauigkeiten oder Oberflächlichkeiten stieß, oder weil ich die Wege, die durch diese Vielfalt geschlagen waren, als beschwerlich, wenn nicht unpassierbar entdecken mußte. Die Gefahr, der üblichen Vereinzelung der Gedichte (auch das ist bürgerlicher Usus) zu erliegen, hat sich auch bei der Brecht-Interpretation als groß erwiesen. Dabei hat Brecht, indem er mit den vielen Zyklen, die er zusammenstellte, um die Vereinzelung der Gedichte aufzuheben, den einen möglichen Weg gewiesen, bereits Orientierungen gegeben: nämlich die Zyklen als Lyrik-*Sammlungen* zu betrachten und dem einzelnen Gedicht größere Zusammenhänge zu geben als die, die es selbst thematisiert. Außerdem mußte vermieden werden, der üblichen Periodisierung, dem Schema der Entwicklung des Bürgers zum Marxisten (parteilichen Dichter) sich wieder zu unterwerfen. Die Fragestellung sollte umgekehrt werden: nicht vom Telos aus, sondern von den Herkünften weg; die Erledigung der Vergangenheit als Garant für eine zu bewältigende Zukunft. Nicht, was Brecht alles noch nicht wußte, steht im Vordergrund, im Vordergrund der Fragestellung steht vielmehr: wieviel er schon wußte, über wieviel er schon verfügte. Und schließlich war zu vermeiden, daß die Widersprüche zugedeckt werden. Das kontinuierliche »Ich« sei eine Mythe, hat Brecht einmal gesagt, und zwar gesagt, weil es eine seiner nachhaltigsten Erfahrungen der Zeit, die er »wissenschaftliches Zeitalter« nannte, war und ihn zu anderen Darstellungsweisen drängte. In einer Darstellung über Brechts Lyrik dieses »Ich« wiederherzustellen, wäre ein Rückfall hinter Brechts Einsicht (die im ersten Band dieses *Handbuchs* bereits häufig konkret dargestellt worden ist). Rechne ich also mit Widersprüchen, mit nicht aufgehenden Resten: sie sind der Realität näher als der dadurch glücklich geschlossene Koffer – in Charles Chaplins unvergessener Szene –, indem man die überstehenden Reste der Kleider einfach abschneidet.

Die folgende Darstellung der Lyrik geht – soweit dies möglich ist – von den (gesellschaftlichen) Zusammenhängen aus, die sie zur Sprache bringt, dabei die Gedichte selbst als empirisches (auch dokumentarisches, historisches) Material nutzend. Alle Zyklen werden gesondert besprochen. Um zu vermeiden, daß die Analyse eines Gedichts zum Exemplum für alle Gedichte unangemessen verallgemeinert wird, gehen Einzelanalysen einer überschauartigen Untersuchung der Lyrik eines bestimmten Zeitraums (Themen, Formen) stets *nach* und nicht voran. Die Einzelanalyse ist dazu da, einerseits den Stand der lyrischen Möglichkeiten zu einem Zeitpunkt konkret zu fixieren (darin mag dann auch eine gewisse Exemplarität gesehen werden), andererseits aber vor allem auch die Vielfalt Brechtscher Lyrik an den verschiedensten Einzelgedichten zu demonstrieren. Ihre Auswahl geschieht denn auch unter dem Gesichtspunkt, die inhaltlich wie formal radikalsten Gedichte Brechts möglichst zu berücksichtigen (nicht nur die »berühmten«).

Kurt *Tucholsky:* Bertolt Brechts »Hauspostille«. In: K'T': Gesammelte Werke. Hamburg 1961. Band 2 (S. 1062–64) (zuerst 1928 in der *Weltbühne*). – Hannah *Arendt:* Der Dichter Bert Brecht. In: Neue Rundschau 61, 1950, S. 53–67 (damals noch Amsterdam). – Ernst *Bloch:* Brecht-Epitaph. In: E'B': Die Kunst, Schiller zu sprechen und andere literarische Aufsätze. Frankfurt a.M. 1969. S. 148. – Ausgewählte Gedichte Brechts mit Interpretationen. Hg. v. Walter *Hinck.* Frankfurt a.M. 1978. S. 7 und ff.

Augsburger Lyrik 1912-1917

Einordnung und Themen

1913 gründen Schüler des Realgymnasiums von Augsburg die Zeitung *Die Ernte;* im August erscheint die erste von sechs Nummern, eine siebente Ausgabe wird zwar noch vorbereitet, aber nicht mehr publiziert (vgl. Frisch/Obermeier, 58 f.). Es handelt sich um Brechts erstes Publikationsorgan; er unterzeichnet mit seinem Vornamen Berthold Eugen (als Pseudonym). 1913 gilt denn auch allgemein als das Jahr, in dem Brecht mit dem Schreiben beginnt. Sowohl die Textausgaben der Lyrik datieren ab 1913, als auch die Darstellungen in der Regel mit dem Jahr 1913 beginnen (Schuhmann, Schwarz erst ab 1914). Sicher ist, daß ein wichtiges Jugendgedicht, *Das Lied vom Geierbaum* (8, 31–33) aus dem Jahr 1912 stammt, in das auch die *Geschichte auf einem Schiff* fälschlich (11, 44–46) datiert wird (vgl. Völker, Chronik, 6 und Anmerkungen in wa 11, 2). An lyrische Versuche aus dem Jahr 1912 erinnert sich – recht konkret (Zitat) – auch der Mitschüler Brechts Franz Xaver Schiller (bei Frisch/Obermeier, 44 und f.). Diese Fakten legen es nahe, den Beginn der lyrischen Produktion Brechts in das Jahr 1912 vorzuverlegen.

In der Einschätzung der frühesten Lyrik ist sich die Forschung merkwürdig einig. Brecht, der aus bürgerlichem Haus stammte und in der Schule eine weitgehend chauvinistische Erziehung genoß, schließt sich den Parolen der Zeit an, schreibt begeisterte Artikel über die »Notwendigkeit des begonnenen Kriegs« (z.B. den *Augsburger Kriegsbrief;* Text bei Frisch/Obermeier, 229–231; vom 14.8.1914) und bedichtet den Kaiser im Stil der pathetischen Heldenlieder der Zeit. Er zeugt also von mangelnder Realitätskenntnis, wie er auch jeglicher gesellschaftskritischen Einstellung entbehrt (vgl. Schuhmann, 10–12; Pietzcker, 25). Durch die Bereitstellung der vielen Zeugnisse aus Brechts Augsburger Zeit durch Werner Frisch und K.W. Obermeier scheint sich diese Einschätzung von Brechts Einstellung in den Jahren 1912–1916 (zumindest) noch entschiedener bestätigt zu haben. Sie führen konkret vor, mit welchen Zeugnissen deutscher (oder urbayrischer) Kunst die Kinder vollgestopft worden sind. Z.B. pflegte die bayrische Königshymne bei den Schulfesten (und wahrscheinlich nicht nur da) inbrünstig gesungen zu werden:

Heil unserm König, Heil!
Lang Leben sei sein Teil!
Gerecht und fromm und mild
Ist er dein Ebenbild.
Gott, gib ihm Glück!

Fest wie des Königs Thron,
Die Wahrheit seine Kron'
Und Recht sein Schwert.
Von Vaterlieb erfüllt
Regiert er groß und mild.
Heil sei ihm, Heil!

So geht es noch zwei Strophen weiter. Wenn Brecht 1915 seinem Kaiser (Wilhelm II.) die folgende *Silhouette* widmet, so scheint der Beweis dafür erbracht, daß sich die erlernten Vorbilder tief ins Gemüt des Schülers eingegraben haben:

Steil. Treu. Unbeugsam. Stolz. Gerad.
König des Lands
Immanuel Kants.
Hart kämpfend um der Schätze hehrsten:
Den Frieden. So: im Frieden Streiter und Soldat.
Einer Welt zum Trotz hielt *er* Frieden dem Staat. –
Und – trug ihn am schwersten. (Supplementbd. III, 20)

Es folgt eine nicht minder berauschende zweite Strophe; publiziert wurde das Ganze in den *Augsburger Neuesten Nachrichten.* Nicht viel anders fallen die aus dem Nachlaß publizierten Gedichte *Dankgottesdienst, Der heilige Gewinn* oder die Verse auf der von Brecht vertriebenen Postkarte *Zum Besten des Roten Kreuzes und der Kriegsfürsorge* aus (zuerst bei Frisch/Obermeier, 235f., 257; Supplementbd. III, 17f., 20).

Nach der gängigen Forschungsmeinung hält Brecht diese chauvinistische Haltung bis 1916 im großen und ganzen bei, wenn sich auch Töne des Leids (vor allem in der Gestalt der Mutter; vgl. *Mutter sein...*; Supplementbd, III, 19), der Trauer (über gefallene »Helden«) und der Gottverlassenheit (Vorbereitung des Nihilismusthemas) hineinmischen. Den entscheidenden Umbruch sieht man traditionell nach Schuhmanns Einteilung im Jahr 1916, konkret mit dem Gedicht *Das Lied von der Eisenbahntruppe vom Fort Donald* (frühe Fassung bei Schuhmann, 26f.), als gegeben an. Die äußeren Ereignisse wie Stellungskrieg, Hungerwinter, lassen auch Brecht nicht unbeeindruckt, so daß er – wie übrigens auch größere Teile der deutschen Bevölkerung – von der Kriegs- und unkritischen Gesellschaftverherrlichung abrückt und sich von der Gesellschaft abwendet. Carl Pietzcker sieht diese Entwicklung im doppelten Vaterverlust vorbereitet, nämlich im Verlust des aushäusigen leiblichen Vaters, der sich für die Firma engagiert, der Familie aber weitgehend fehlt, und, wenn er bei ihr ist, als gefürchtete Instanz auftritt, und im Verlust des gesellschaftlichen Vaters, der angedichteten Kaiserfigur, in der sich auch noch der religiöse Übervater (Gott) spiegelt (vgl. Pietzcker, 146). Die ganz frühen Gedichte produzieren danach ein »außergesellschaftliches masochistisches Phantasiebild« (brennender Baum als Ausdruck von Sexualangst, Kastrationsängste), werden von ebenso masochistischen, aber nun auf die Gesellschaft bezogenen Kriegsgedichten abgelöst, die wiederum einem neuen außergesellschaftlichen masochistischen Phantasiebild weichen müssen, nämlich den Naturgedichten ab 1916. Dem Verlust der Väter folgt nun die Wendung zur Mutter, der Versuch (Ödipuskomplex), in sie hineinzugehen, dort Geborgenheit zu finden (Bilder des Eingehens in die Natur) (Pietzcker, 218; vgl. vor allem 215–230).

Dieser eingängigen, aber widerspruchslosen Entwicklungsgeschichte stehen einige Daten entgegen, die zumindest dazu anhalten müßten, die Einsträngigkeit dieser Abfolge mit einigen Brüchen zu versehen. Bekannt ist der vielzitierte Aufsatz Brechts aus dem Schuljahr 1915/16, als die Schüler der Obersekunda über Horaz' Ausspruch, daß es süß und ehrenvoll sei, für das Vaterland zu sterben, einen zustimmenden Aufsatz abzuliefern hatten, Brecht jedoch den Spruch als »Zweckpropaganda« bezeichnete: »Der Abschied vom Leben fällt immer schwer, im Bett wie auf dem Schlachtfeld, am meisten gewiß jungen Menschen in der Blüte ihrer Jahre. Nur Hohlköpfe können die Eitelkeit so weit treiben, von einem leichten Sprung durch das dunkle Tor zu reden, und auch dies nur, solange sie sich weitab von der letzten Stunde glauben. Tritt der Knochenmann aber an sie selbst heran, dann nehmen sie den Schild auf den Rücken und entwetzen, wie des Imperators feister Hofnarr bei Philippi, der diesen Spruch ersann« (Frisch/Obermeier, 86f.). Weiterhin erinnert sich Wilhelm Brüstle, der verantwortliche Redakteur der *Augsburger Neuesten Nachrichten*, einen kritischen jungen Mann, mit linker Einstellung, 1915 kennengelernt zu haben (bei Frisch/Obermeier, 66; Frisch und Obermeier, die sonst alle Aussagen der befragten Personen akzeptieren, bringen bei Brüstle »Richtigstellungen« 66f.). Darüber hinaus enthalten Brechts frühe Prosaarbeiten, vor allem auch der ansonsten chauvinistische Text *Turmwacht* (bei Frisch/Obermeier, 225f.), Passagen, die durch sprachkritische Einsichten oder ironisierende Relativierungen (»düstere Wolken am Himmel« mit der Bemerkung: »wie ich mir aus einem Roman gemerkt habe«) gegen den eigenen Text zeugen. Auch einige der frühen Gedichte (worauf unten eingegangen wird) sprechen durchaus nicht für eine gesellschaftskonforme Einstellung. Als die erste Verlustliste von Brecht gemeldet wird, vermerkt er durchaus ironisch, daß man »ein weniges beunruhigt« sei: »Bis jetzt scheinen noch keine Bayern gefallen zu sein« (Frisch, Obermeier, 233). Solche Töne sind noch häufiger anzutreffen. Diese Fakten lassen danach fragen, ob Brecht nicht etwa einige Gedichte auf Bestellung, in Annahme der (geforderten) Rollenfunktion geschrieben und publiziert hat. Jedenfalls muß der Widerspruch aufhorchen lassen, wenn ein und derselbe Autor zur selben Zeit einmal übelste Ergebenheitsadressen und Kriegsgeheul anstimmt, dann aber auch in sehr kräftiger, realistischer Weise sich weigert, die geforderte Stellungnahme für den Krieg abzulegen, was Brecht übrigens beinahe den Schulverweis eingebracht hätte. Kann es nicht sein, daß sich Brüstle richtig erinnert und daß Brecht sich in den chauvinistischen Texten verstellt oder zumindest stets auf den Publikationsort geachtet hat, für den kritische Texte nicht druckbar gewesen wären. Es muß ja nicht unbedingt ein bewußtes, ein durchtriebenes Vorgehen des jungen Autors angenommen werden (vgl. z. B. Frisch/Obermeier, 85f.), wenn man ihn für fähig hält, Gelegenheitstexte im eingeübten Stil – und Brecht konnte ja nachahmen (wenn nicht »klauen«) – zu verfassen, ohne deshalb schon der geäußerten Meinung zu sein. Psychologisch könnte es sich auch um einen (inneren) Zwiespalt handeln, nach dem einmal die öffentlich geforderte Rolle, zum anderen die eigene Überzeugung im unausgetragenen Konflikt liegen. Wie dem auch sei: Brecht verfügte auf alle Fälle über zwei Möglichkeiten, sich stilistisch und meinungsmäßig zu äußern.

Insofern ist das »Umbruchsjahr 1916« zumindest zu relativieren. Daß zu dieser Zeit, es sei denn, man wäre unmittelbar politisch engagiert gewesen, chauvinistische Texte zurücktreten und zumindest nachdenklich stimmende, von Trauer durchzogene Betrachtungen an ihre Stelle rückten, ist allgemein der Fall: die vielen Toten waren nicht mehr zu übersehen, und das Land hungerte (von den Kriegsgewinnlern aller Sorten abgesehen). Daß sich auch bei Brecht Gedichte zu häufen beginnen, die das Leid der Gefallenen und der trauernden Mütter besingen, stellt seine schriftstellerische Produktion ganz in das Zeitübliche (vgl. besonders *Der Fähnrich*; 8, 6f.; das zur zeitüblichen Gedichtgattung der Fähnrich-Gedichte gehört). Insofern gehören die frühen kriegsbejahenden Gedichte in eine Reihe mit den, den Krieg dann distanziert und als Erfahrung des Leids beschreibenden Gedichten: sie erfüllen alle die öffentlich geforderte bzw. übliche Funktion, den Krieg als Faktum anzuerkennen und womöglich auch zu unterstützen. In diesem Zusammenhang aber sollte beachtet sein, daß Brechts Lyrik nicht als Ausdruckslyrik begann, sondern offenbar als Auftragslyrik, ein Begriff, der auch dann paßt, wenn Brecht sich damit von sich aus eine Publikationsmöglichkeit verschaffen wollte. Auffällig ist, daß die – bei Bürgersöhnen üblichen – frühen Liebesgedichte (als Selbstausdruck oder als Liebesadressen an die Damen) fehlen.

Dem Befund widerspricht nicht, wenn die frühesten der überlieferten Gedichte (*Lied vom Geierbaum, Der brennende Baum*; 8, 31–33, 3) offenbar persönliche Probleme zum Ausdruck bringen: beide Gedichte sind nämlich lyrische Beschreibungen von »sterbenden« Bäumen mit epischem Charakter (auch Verwendung des Präteritums). Diese Gedichte nehmen ein Thema auf, das in der gleichzeitigen expressionistischen Lyrik ebenfalls vorherrscht, nämlich die Darstellungen vom untergehenden (bürgerlichen) Individuum. Während Benn aber z. B. in seiner *Morgue*-Sammlung radikale gesellschaftskritische Bilder sucht, und während Georg Heym das Individuum in einer mythisierten Natur ein- und aufgehen läßt, stellt Brecht den Untergang des Individuums in einer »Natur«-Metapher dar, die jegliche gesellschaftliche Bezüge vermissen läßt. Der Baum wird anthropomorphisiert; sein Tod steht (abstrakt) stellvertretend für die an weiterer Entwicklung gehinderte Individualität. Daß die Metapher stimmt, diese Tatsache verdankt sich der traditionellen Pflanzenmetaphorik, in der vorwiegend im 19. Jahrhundert die Entwicklung des (bürgerlichen) Individuums beschrieben worden ist. Daß Brecht hier eine möglicherweise am eigenen Leib erfahrene, gesellschaftliche Realität beschreiben möchte, läßt sich einmal mit dem dramatischen Erstling *Die Bibel* (1913; vgl. BH 1, 12f.) belegen, aber auch mit der Tatsache, daß im *Lied vom Geierbaum* undeutlich zwar, jedoch mit Kriegsmetaphern bestückt, mit den Geiern auch die Verursacher des Baumsterbens genannt sind. Sicherlich sind diese Gedichte nicht gesellschaftskritisch (gegenüber Benns *Morgue*-Gedichten sind sie zudem außerordentlich zahm). Insofern paßt der Ausdruck einer »ontologisierenden Situationserhellung« (Pietzcker, 31 und ff.) durchaus: aus allgemeinmenschlicher Sicht wird der Zustand erfaßt, die historisch-gesellschaftlichen Ursachen bleiben noch weitgehend außerhalb der Gestaltung. Dennoch läßt die Distanziertheit der lyrischen Darstellung, der Mangel an Selbstausdruck auf eine gewisse Bewußtheit dessen schließen, was Brecht lyrisch beschreibt.

Zum Brechtschen »Selbstausdruck« dagegen gehören die Liebeslieder zur Klampfe, die 1918 im Notizbuch gesammelt und aufgezeichnet werden (sie dürften aus der Zeit zwischen 1916–1918 stammen). Sie sollten einen eigenen Zyklus bilden mit dem Titel *Lieder zur Klampfe von Bert Brecht und seinen Freunden* (mit Noten). Diese Lieder sind in den bisherigen Darstellungen der frühen Lyrik weitgehend ausgelassen worden, weil sie noch nicht gedruckt vorlagen oder an verstreuten Stellen »verschwanden«. Sie könnten nach der traditionellen Einordnung natürlich nach dem »Bruch« (1916) liegen, dennoch aber passen sie nicht ins Bild, weil sie ganz und gar nicht »Flucht in die Natur« bedeuten, sondern regelrecht als gesellschaftliche Akte zelebriert worden sind. Mögen die Inhalte der Gedichte ganz »gesellschaftsfern« anmuten, es ist bei ihnen jedoch nicht zu übersehen, daß sie (meist öffentlich) gesungen wurden und zwar entweder auf der Straße, wo Brecht und seine Freunde mit Lampions und Gitarren »bürgerschrecklich« daherzogen, oder in Gablers Taverne, dem abendlichen Treffpunkt der Brechtclique (1916/17): »Es war eine Kneipe am mittleren Lech, eine der üblichen Schenken, die bei Brecht später Fuhrmannskneipen hießen. [...] Brecht ließ sich mit seinen Freunden für mindestens zwei Jahre in Gablers Taverne nieder. Die Freunde waren Pfanzelt [Orge], Neher [Cas], Bezold, Münsterer, Hagg, Bayerl und Müllereisert. Oft waren auch

Mädels dabei.« (Xaver Schaller bei Frisch/Obermeier, 107f.). Es gab Feste (Kostümfeste), aber insgesamt wenig Ekzesse (geringer Alkoholkonsum). Solche Lebensweise war zu dieser Zeit – Einzelheiten sind vor allem aus dem Jahr 1917 überliefert (vgl. Völker, Chronik, 9) – natürlich nur Bürgerkindern vorbehalten, die es sich leisten konnten, den Krieg im Alltag einfach zu vergessen. Insofern ist das Verhalten Brechts und seiner (womöglich auch nachträglich stilisierten) Clique innerhalb der bürgerlichen Gesellschaft ganz normal, auch wenn die Züge durch die Stadt den Bürgern herausfordernd erschienen sein mögen. Auch der überlieferte Prostituiertengang (Völker, 21), dem sich der 17jährige unterzogen haben soll, um sich die nötigen Kenntnisse zu verschaffen, gehört zur bürgerlichen Normalität; ob er dann freilich seine 15jährige »sehr reife« Dame wirklich angemessen »bedient« hat, kann offen bleiben. Daß man darüber möglichst stolz sprach oder dichtete, entspricht wiederum bürgerlichen Handelns. Da Brecht aber seine Liebesgedichte fast durchweg als Liebeslieder schrieb und öffentlich sang, fehlte ihnen schon von ihrer Anlage her die bloß persönlich gefärbte »Erlebnis«-Haltung und gleichzeitig kam in ihnen der – übliche – anzügliche, doppeldeutige Witz hinzu, der für die öffentliche Wirkung unabdingbar ist, am schönsten wohl in der *Keuschheitsballade in Dur* (7, 2729f.), die später in das Stück *Kleinbürgerhochzeit* aufgenommen worden ist: »Er als Mucker, sie als Dirne / Sie gestehn, Scham auf der Stirne: / Es ist doch nur Sauerei«.

Diese Liebesgedichte lassen aber wiederum keine eindeutige Periodisierung zu, weil Brecht Gedichte dieser Art, also gereimte Lieder zur Klampfe, weiterhin verfaßt. Der Augsburger Kreis bleibt bis 1921 einigermaßen erhalten, als Brecht noch zwischen München und Augsburg hin und her fährt, die allmähliche Ablösung vollzieht sich 1922, endgültig erst mit der Übersiedlung nach Berlin 1924.

Die Veränderung von Brechts Lyrik 1916 ist auf dem Hintergrund einer im ganzen bürgerlichen »Entwicklung« zu sehen, zwischen Anpassung an die geforderten Normen, die sicherstellten, daß man in ihrem Rahmen über die Stränge schlug (»Liebe«, Alkohol, herausforderndes Verhalten), und der Sicherstellung der gesellschaftlichen Kenntnisse, die nötig waren, die eigene Position zu wahren. Entgegen der traditionellen Forschungsmeinung ist bei Brecht mit tiefergehenden gesellschaftlichen Kenntnissen zu rechnen, die bald auch zu gesellschaftskritischer Darstellung führen, konsequent und in vieler Hinsicht in fast schon klassischer Vollendung in der ebenfalls sangbaren *Legende vom toten Soldaten* (1918; 9, 256–259). Die Fähigkeit zu solcher kraftvollen Darstellung, die nicht vereinzelt ist (vgl. z. B. *Baal*), kann nicht »plötzlich« hervorbrechen: zu solch konkreten gesellschaftskritischen Bildern kann man nur durch verarbeitete Kenntnisse gelangen. Die Gesellschaftskritik aber – das muß betont sein – ist noch nicht »materialistisch« (im marxistischen Sinn) und auch noch ohne jede gesellschaftliche Alternative. Das heißt: Brecht hat – wohl gerade durch den bewußt erlebten Zwiespalt von Affirmation und eigner Position – genauere gesellschaftliche Kenntnisse des Bürgertums, in dem er lebte, gewonnen, die allenfalls am Rande berührt waren von der Erfahrung der Lage der Arbeiter (immerhin wohnte Brecht in einer Arbeitersiedlung). Er war in der Lage – was durch die gesellschaftliche Entwicklung entschieden begünstigt wurde (Niedergang des Kaiserreichs, Kriegsende, Revolution) –, die Widersprüche und die Ansprüche des Bürgertums zu sezieren, und zwar zunehmend. Von einer *anderen* Kraft jedoch wußte er nichts (vgl. noch *Trommeln in der Nacht*, wo die Revolution ohne Gesicht bleibt), und daß er auch von ihr nichts verstand, belegt der *Gesang des Soldaten der roten Armee* (1919; 8, 41–43), in dem gerade der von alten kaiserlichen Truppen brutal niedergeschlagene Versuch einer bayrischen Räterepublik (auf sie bezieht sich die »rote Armee«, nicht auf die russische) als »Unmenschlichkeit« beschrieben wird (das Gedicht brachte Brecht manche Kritik von linker Seite ein, zumal es in der *Hauspostillen*ausgabe von 1927 noch stand). Brecht hat, so darf man pointiert sagen, von den politischen Ereignissen 1918/19 überhaupt nichts verstanden (die »Anschauungen« gingen quer durch die Familie; während Walter Brecht zeitweise aktiv mit den »Weißen« mitmachte, soll Brecht sich als Beschützer von »Roten« betätigt haben (vgl. die Aussage von Prem bei Frisch/Obermeier, 167f.), was aber alles nicht sehr konkret berichtet wird; er soll zu den Spartakisten – die's mehr in Berlin gab! – »gute Verbindungen« gehabt und sich über den Ausgang der Revolution enttäuscht geäußert haben, die Enttäuschung könnte aber auch in die Richtung des *Gesangs* gegangen sein; vgl. Frisch/Obermeier, 166). Kurz: Brechts Kenntnisse waren nicht politisch, und gesellschaftlich waren sie begrenzt auf die Widersprüche der eigenen Klasse (neuer Mittelstand und der Bourgeoisie, die Brecht in *Baal*, Soiree-Szene, *Trommeln in der Nacht*, Balicke als Korbfabrikbesitzer u. a. berücksichtigt). Hier entwickelt sich dann auch die Kritik, die freilich für die Augsburger und Münchner Zeit ganz auf den gesellschaftlichen Außenseiter (Baal-Typus) beschränkt bleibt. Die Verweigerung der Anpassung gewährleistet spannungsreich, aber schließlich tödlich die Erhaltung der gefährdeten Individualität; der angepaßte Bürger hingegen (Kragler-Typus) verschwindet »gleichgemacht«, aber lebenstüchtig in der Raubgesellschaft. Ihrem »Haifischcharakter« wird das Werk noch lange gewidmet sein.

Die Naturgedichte bzw. die »Abenteuer«-Balladen hingegen können auf der Grundlage einer insgesamt gesicherten bürgerlichen Existenz als Versuch, neue Wirklichkeitsräume individualistisch zu erschließen oder zu phantasieren, gesehen werden, daß sie jedoch Flucht vor der Gesellschaft ausdrücken, kann nicht bestätigt werden. Dem widerspricht einmal die Gleichzeitigkeit der Abenteuer-Balladen mit der gesellschaftskritischen *Legende vom toten Soldaten*, dann widerspricht dem auch die bei Brecht so häufig zu beobachtende Distanz des (fiktiven) Darstellers zum Dargestellten (vgl. den Abschnitt über den Rollencharakter der *Hauspostillen*-Gedichte).

Texte: Gedichte 1913–1929 (= Gedichte II). Frankfurt a. M. 1960. S. 7–13, 36–38. – wa 8, 3–33. – Werner *Frisch*/K. W. *Obermeier:* Brecht in Augsburg. Erinnerungen, Dokumente, Texte, Fotos. Berlin und Weimar 1975. (S. 223–287). – wa, Supplementband III, 11-27.

Klaus *Schuhmann*: Der Lyriker Bertolt Brecht 1913–1933. Berlin 1964 (S. 7–34). – Peter Paul *Schwarz*: Brechts frühe Lyrik 1914–1922. Bonn 1971. – Klaus *Völker*: Brecht-Chronik. Daten zu Leben und Werk. München 1971 (2. Aufl. 1974) (S. 6–9). – Carl *Pietzcker*: Die Lyrik des jungen Brecht. Frankfurt a. M. 1974 (S. 31–75, 215–218) – Edgar *Marsch*: Brecht-Kommentar zum Lyrischen Werk. München 1974 (S. 77–84). – Klaus *Völker*: Bertolt Brecht. Eine Biographie. München 1976 (S. 9–23). – *Frisch/Obermeier* (s. o.).

Moderne Legende (1914)

Das Gedicht, das erstmals in den *Augsburger Neuesten Nachrichten* vom 2. 12. 1914 gedruckt worden ist, entstand im November des Jahres. Einen ersten Entwurf teilt Brecht dem Freund Caspar Neher mit, der bereits die Schlußstrophe (in anderer Form) enthält. Das antithetische Schema ist fixiert, die Gemeinsamkeit des mütterlichen Leids als Zentrum des Gedichts ausgewiesen (Briefe, Nr. 3; vom 10. 11. 1914). Außer den üblichen Vereinheitlichungen, die Brechts Gedichte in den späteren Ausgaben erfahren haben, blieb das Gedicht unangetastet; im folgenden ist es zitiert nach dem Erstdruck (bei Schuhmann, 12 f.):

Als der Abend übers Schlachtfeld wehte
waren die Feinde geschlagen.
Klingend die Telegraphendrähte
haben die Kunde hinausgetragen.

Da schwoll am einen Ende der Welt
ein Heulen, das am Himmelsgewölbe zerschellt'
ein Schrei, der aus rasenden Mündern quoll
und wahnsinnstrunken zum Himmel schwoll.
Tausend Lippen wurden vom Fluchen blaß,
tausend Hände ballten sich wild im Haß.

Und am andern Ende der Welt
ein Jauchzen am Himmelsgewölbe zerschellt,
ein Jubeln, ein Toben, ein Rasen der Lust,
ein freies Aufatmen und Recken der Brust.
Tausend Lippen wühlten im alten Gebet,
tausend Hände falteten fromm sich und stet.

In der Nacht noch spät
sangen die Telegraphendräht'
von den Toten, die auf dem Schlachtfeld geblieben...
siehe, da ward es still bei Freunden und Feinden.

Nur die Mütter weinten
Hüben – und drüben.

(vgl. 8,4) (nach Schuhmann, 12 f.)

Dieses Gedicht kann als typisch gelten, um die Einstellung und Haltung des frühen Brecht zu kennzeichnen. Auffällig ist zunächst die starke Traditionsbindung: die Überschrift spricht von *Legende*, Jubel und Trauer über Sieg bzw. Niederlage vollziehen sich in überlieferten rituellen Formen. Die Transzendenz ist da, sowohl bei den geschlagenen Feinden, deren Jammer zum Himmel schwillt, als auch bei den Freunden, deren alte Gebete den Dank, den frommen, zum Himmel zu melden haben. Legende verweist auf Märtyrer-Berichte, auf göttliche Wunder, getätigt im irdischen Jammertal; christliche Erbauungsbücher sind angesprochen, die Erinnerung daran, daß üblicherweise die großen Siege mit Legenden großer Kämpfer verbunden werden. Brechts *Legende* jedoch ist modern. Es ist auffällig, daß der Autor der Darstellung des Jubels und des Jammers jegliche personale Darstellung verweigert: das Heulen und das Jauchzen verselbständigen sich, vollziehen sich kollektiv in tradierten Formen, sie vollziehen – will man es pointiert sagen – Unmenschliches, indem sie *alte* Gebete wiederholen, indem sie in alten Riten verharren, die die Realität des Schlachtfeldes vergessen machen.

»Modern« ist eine andere Kommunikationsform geworden: die Telegraphendrähte. Gegenüber den »alten« Gebeten sind sie die modernen Nachrichtenmittel, die den alten Legenden deshalb wehren, weil sie Realitäten übermitteln, und zwar direkt, ohne die Möglichkeit, den Tod auf dem Schlachtfeld (der sog. Ehre) zu glorifizieren. Die moderne Legende ist die *Nachricht.* Sie funktioniert weiter, wenn der öffentlich bestellte Jubel, das Wehgeschrei alle konkrete Realität zum Schweigen zu bringen suchen. In der Trauer, im Leid vereinen sich die Mütter – sie wie die Toten erhalten Personalität – von Sieger und Besiegten, hüben und drüben.

Damit hat Brecht bereits früh eine, für sein Werk charakteristische, Einsicht gewonnen. Sieg und Niederlage nützen denjenigen, die die wirklichen Opfer zu bringen haben, nichts: sie sind immer die Besiegten. Der junge Brecht formuliert die Einsicht noch ohne jeglichen klassenkämpferischen Bezug: die Mütter, die die Söhne verlieren, sind ganz allgemein angesprochen. Welche konkrete Erfahrung sich 1914 dahinter verbirgt, hat die Brecht-Forschung bisher nicht interessiert. Aber es sollte schon an diesem Gedicht deutlich werden, daß die dem Kaiser gewidmete Silhouette, wonach dieser an allem »am schwersten« trägt, in diametralem Gegensatz zu diesem Gedicht steht, in dem – wenn auch in sehr allgemeiner Weise – konkretes Leid thematisiert ist, das Sieg oder Niederlage zu sekundären Erscheinungen degradiert.

Hinzu kommt, daß Brecht, wie schon Schuhmann eindrücklich herausgearbeitet hat, auch in diesem Fall »nicht persönlich Erlebtes« gestaltet, sondern »tradierte Ereignisse von den Schlachtfeldern des ersten Weltkrieges« übernimmt (Schuhmann, 14f.). Das lenkt den Blick auf die gewählte formale Lösung des Gedichts, das als Überschrift eine epische Gattung (Legende) avisiert, sie dann aber nur entschieden umgedeutet einlöst. Zwar wählt Brecht das Präteritum, das epische Tempus, aber er verweigert dem »Legendären« das, was es bisher ausgezeichnet hat: personale Identität. Alles, was mit Sieg und Niederlage verknüpft ist, bleibt impersonal. Weder die »Märtyrer« der Sieger noch die der Besiegten – die wortreich beschworen zu werden pflegen (es gibt heute noch »Ritterkreuze«) – erhalten personale Gesichter; aber alles dies vollzieht sich in »alten« Formen. Der Leser ist also gehalten, sich die üblichen Mystifikationen hinzuzudenken, die Zeitungen waren ja voll davon. Dazu gehört auch die Transzendenz, die mit den Stichworten »Himmel« und »Gebet« als übliche Legitimation auf *beiden* Seiten für das, was den Müttern angetan wird, zitiert ist. Diese Formen entlarvt das Gedicht – mit seiner sprachlich-stilistischen Formung – als hohle, überlebte Formen, als impersonale, deshalb unmenschliche Riten, denen das Leid gegenübersteht. Indem das Gedicht seine letzte Strophe, zwar den Reim erhaltend, »zerreißt«, deutet es auch formal an, daß es die alten Formen zwar zitiert, aber selbst nicht mehr gewahrt wissen will (zu einer regelrechten Zerstörung der Form kommt es noch nicht, die Tendenz aber ist deutlich). Dabei ist zu beachten, daß die – gegen die Regel – Großschreibung des letzten Verses (»Hüben – und drüben«), die in der *Werkausgabe* wegen der einheitlichen Großschreibung nicht mehr erkennbar ist, Brechts später sogenannte gestische Verse zumindest schon andeutet: der letzte Vers wird gegenüber seiner syntaktischen Zugehörigkeit isoliert und erhält starkes Eigengewicht, das sich spannungsreich gegen die formale Eingebundenheit (Reimschema) stemmt und die Pointe des Gedichts noch einmal (oder überhaupt erst) auf den Begriff bringt.

Klaus *Schuhmann* (s. o.; S. 12–15).

Die Lyrik der Münchner Zeit 1917–1922

Zur Chronologie

Im Grunde ist die Augsburger und Münchner Lyrik nicht voneinander zu trennen; nicht nur weil Brecht – vor allem in den ersten Münchner Jahren – ständig zwischen Augsburg und München zu pendeln pflegte und den alten Kreis erhielt, sondern auch deshalb, weil sich die für den frühen Brecht typische Lyrik bereits in der Augsburger Zeit ausprägt. 1916 erschien in den *Augsburger Neuesten Nachrichten* (13.7.) Das *Lied von der Eisenbahntruppe vom Fort Donald,* das erstmals mit dem Namen Brechts unterzeichnet ist (»Bert Brecht«, vorher: »Berthold Eugen«). Erstmals ist von Amerika die Rede, ein Thema, das dann vor allem die Großstadtlyrik der zwanziger Jahre bestimmen soll; erstmals scheinen sich auch Lesefrüchte niederzuschlagen, genannt werden u. a. die Autoren Walt Whitman, Rudyard Kipling, Bret Harte, Johannes Vilhelm Jensen und Charles Sealsfield (eig. Karl Anton Postl) (Seliger, 7; nach

Seliger spielt das Gedicht zugleich auf den Untergang der Titanic 1912 an, in dessen Zusammenhang berichtet worden ist, daß die vom Todé bedrohten Menschen bis zuletzt Choräle gesungen hätten, vor allem *Nearer my God to Thee* von Sarah Flower Adams, den auch die Männer von der Eisenbahntruppe, jedenfalls in der ersten Fassung des Gedichts, singen; Seliger, 10; Text bei Schuhmann, 26f.). 1917 entstehen so für den *Hauspostillen*dichter typische Lieder wie die *Serenade* (»Jetzt wachen nur noch Mond und Katz / Die Mädchen schlafen schon / Da trottet übern Rathausplatz / Bert Brecht mit seinem Lampion«; Frisch/Obermeier, 106). *Von den Sündern in der Hölle* (8, 20–22), ein Gedicht, das der engeren Clique gewidmet ist (Otto Müller, Caspar Neher, George Pfanzelt, Marie Rose Aman), das *Plärrerlied* (Frühjahr 1917; 8, 27f.) und *Romantik*, gewidmet Ernestine M., einer Cousine des Schulfreundes Rudolf Hartmann (Faksimile bei Frisch/Obermeier, 99; 8, 27).

Andererseits hören die Kriegsgedichte 1916 auf. Deutschland wird auf andere, neue Weise Thema – als geschlagenes, gedemütigtes Land, zugleich aber auch als Land innerer Spannung (*Legende vom toten Soldaten*; 8, 256–259; *O Falladah, die du hangest;* 8, 61f.; das das Märchen der Gebrüder Grimm von der *Gänsemagd*, sprechendes Pferd, aufnimmt). – Die Liebeslyrik, die erst jetzt in vollem Umfang zugänglich geworden ist, beginnt sich auffällig zu häufen: viele, auch recht deftige Gedichte entstehen zwischen 1917 und 1922 (ein Thema, das Brecht freilich nie mehr verlassen sollte). – Und es beginnt auch die Zeit, der satirisch-parodistischen lyrischen Befreiung von der – durch die bürgerliche Erziehung vermittelten – Transzendenz.

Insofern ist es möglich, die Augsburger und die Münchner Lyrik periodisch voneinander zu trennen. Wenn auch Übergänge und Kontinuitäten da sind, die den »Bruch« von 1916 relativieren, gibt es tendenzielle Unterschiede und eben Widersprüchlichkeiten, die sich jedoch verlagern: in Augsburg ging es noch – Schule! (Elternhaus) – um Anpassung, in München läßt sich die eigene Position deutlicher markieren, die Kritik offener formulieren. Die eingeschränkten politischen Einsichten jedoch lassen weiterhin nur eingeschränkte, auf die eigene Klasse bezogene, konkrete Kritik zu. Der Entwurf von allerdings distanziert beschriebenen Gegenwelten tritt an die Stelle affirmativer Vaterlandslyrik bzw. allgemeiner lyrischer Stellungnahmen zum Krieg (z.T. affirmativ, z.T. das Leid darstellend). Eine einheitliche Entwicklung jedoch ist nicht gegeben und die frühe (eingeschränkte) Realitätskenntnis größer als erwartet: sie ermöglicht es, Anpassung auch zu spielen.

Folgende chronologische Einteilung ist vorzuschlagen:

1. 1912–1916 a) frühe »Naturlyrik« (1912–13)
   b) Zeitgedichte (affirmativ) (1913–1915)
   c) Kriegsgedichte (1914–1916)
2. 1916–1917 a) Beginn neuer »Naturlyrik« (1916–1922)
   b) Beginn der »Liebeslyrik« (1917–1922)
   c) »Cliquen«-Lyrik (»anti-bürgerlich«) (1917–1922)
3. 1917–1922 a) »Natur«- und Abenteuerlyrik (1916–1922)
   b) Zeitgedichte (kritisch) (1918–1924)
   c) Liebeslyrik (sexuell geprägt) (1918–1925)
   d) Satiren (anti-metaphysisch) (1920–1922)
4. 1921–1926 Großstadtpoesie (kritisch).

Klaus *Schuhmann*: Der Lyriker Bertolt Brecht 1913–1933. Berlin 1964. (S. 7–84). – Helfried W. *Seliger*: Das Amerikabild Bertolt Brechts. Bonn 1974 (S. 7–18). – Werner *Frisch*/K. W. *Obermeier*: Brecht in Augsburg. Berlin und Weimar 1975.

Themen

Todesmotiv (Natur- und Abenteuergedichte)

Da die meisten Natur- und Abenteuergedichte in die *Hauspostille* eingegangen sind, kann an dieser Stelle auf den entsprechenden Abschnitt im *Handbuch* hingewiesen werden. Hier hat das – für diese Lyrik so kennzeichnende – Todesmotiv eingehender zu interessieren. Es steht ja – im Zusammenhang mit der gesamten Untergangsthematik beim jungen Brecht – in der Regel für den »Nihilismus« Brechts ein, genauer den »anarchischen Nihilismus«. Während die frühe Forschung (Schwarz) den Nihilismus ganz beim Wort genommen hat, hat Carl Pietzcker gezeigt, daß es so ernst damit nicht ist. Am Beispiel des wenig beachteten Gedichts *Unsere Erde zerfällt* (8, 69–71) hat er geschrieben: »Der anarchische Nihilismus Brechts ist eine Übergangsstation. Die anarchische Zerstörung bestehender Verständnisweisen in seiner Lyrik, die über sich hinausweist auf die Vernichtung und den Zerfall der bürgerlichen Ordnung, führt vor das Nichts und macht zugleich den Weg frei für ein neues Leben [...]. Der anarchische Nihilist erfährt Untergang und Zerfall als Wiedergeburt und Befreiung. Er ängstet sich *noch*, lacht *schon* und sucht zugleich, sich kein Gefühl zu gestatten«

(Pietzcker, 113). Pietzcker bleibt freilich beim »Grauen vor dem Nichts« noch stehen, während sich in der neuesten Forschung (Lehmann/Lethen) die Anzeichen mehren, daß es auch mit dem Grauen, über das bereits gelacht werden kann, nicht so ernst ist. Das Gedicht *Ich beginne zu sprechen vom Tod* (entstanden um 1920; 8, 65f.) erfaßt das Motiv – ganz ähnlich wie das Schlußkapitel der *Hauspostille* – unter dem Aspekt, daß der Tod gerade an das Leben gemahnen müsse; weil es ein Irrglauben ist, vom Tod irgend etwas zu erwarten, weist er auf die Wichtigkeit des Lebens hin. »Die Welt gewinnt, wer das vergißt: / Daß der Tod ein halber Atemzug ist«, und weiter: es sei »das Zu-Wenig, was den Angstschweiß austreibt«, weshalb gelte: Weise ist, wer darin irrt / Und meint, daß er sterbend fertig wird«. Wie sich der Tod in der Abenteuerlyrik vor allem als Kennzeichen des natürlichen Stoffwechsels (und dem der Natur) erweist – also als Zeichen von Veränderung (vgl. den Abschnitt über die *Hauspostille*) –, so steht das Todesmotiv primär dafür ein, an das unbedingt zu lebende Leben – Welt-Gewinn – zu erinnern. Da der Nihilismusbegriff sich weitgehend mit der Vernichtung von Glauben und Werten verbindet, tendiert die entsprechende Thematik bei Brecht vielmehr dazu, das aus der nihilistischen Einsicht gewonnene Leben zu propagieren. Das Grauen vor dem Untergang bzw. dem Verlassen-Sein ist ein Zustand, der nicht nur als zu überwindender, sondern bereits weitgehend als überwundener beschrieben wird. Pietzckers Darstellung wäre in dieser Hinsicht zu modifizieren.

Wichtig wird noch ein weiterer Aspekt, den ebenfalls Pietzcker zuerst erarbeitet hat. Das Untergangs- bzw. Todesmotiv steht auch in politischem Zusammenhang. Das Gedicht *Unsere Erde zerfällt* (8, 69–71), entstanden 1919/1920, nimmt direkt Bezug auf den Untergang Deutschlands, der im Gedicht *Deutschland, du blondes, bleiches* (8, 68f.) bejammert wird, freilich, indem Brecht die »Jungen, die du / Nicht verdorben hast«, vom Untergang ausnimmt: in ihnen erwache Amerika. Das Gedicht über die »zerfallende Erde« führt dieses Erwachen sozusagen als abenteuerlichen Auszug der Jungen aus den deutschen Städten weiter. Sie verlassen die Eltern, sie verlassen die Geliebten und ziehen ins Freie. Der junge Mensch »spuckt auf die Häuser, die Dächer mit Fieber / Der Himmel genügt ihm mit Orion und Bär / Auf Kästen morschen Holzes jagd er lieber / Hinter den Haien, die nach ihm hungern, her« (8, 70). Ganz abgesehen also davon, wie vital die Reaktion der »Jungen« auf dem Untergang ist, erscheint die Abkehr von der Gesellschaft in ihrem Zustand selbst begründet. Wer sich auf sie einläßt, wer in ihr bleibt, wird von ihr in den Abgrund gerissen, stirbt in ihr (mag er auch leben). Die Gegenwelt zur Gesellschaft bleibt unbestimmt, in den frühen Gedichten als vage Ferne, als »Amerika«, wie es im 18./19. Jahrhundert als Land der (unbegrenzten) Möglichkeiten in den Köpfen spukte; jedoch legen es die Abenteuer- und Naturgedichte insgesamt nahe, die Gegenwelt weniger real zu lokalisieren, sondern sie als Ausdruck einer anderen *Lebenseinstellung* in der existierenden, aber abgelehnten Gesellschaft zu erkennen. Man sucht die Freiräume, die die (Raub-)Gesellschaft läßt, und lebt so »natürlich«, wie es geht (wobei sich das natürliche Leben vor allem als nicht-gesellschaftskonformes Leben definiert; vgl. z. B. Briefe, Nr. 35 und 36; vom Juli 1918). Mit wieviel innerer Distanz dieses Leben aber von Brecht gesehen worden ist, beweisen die zwei Verse der letzten Strophe dieses Gedichts: »Doch schon ist Gelächter, Lachen, oh, Lachen! / In ihm, des Lasziven Kindergemüt!« (8, 71), beweist aber auch die Tatsache, daß Brecht Schiller anspielend zitiert: »Aus dem Aasloch Europa erhebt sich befreiter / Ein neues Geschlecht, und es dehnt sich und wächst« (8, 69; vgl. *Jungfrau von Orleans*, 3. Aufzug, 3. Szene, wo sich »Ein neu verjüngter Phönix aus der Asche« erhebt, wo das »kommende Geschlecht [...] blühen« wird).

Deutschlandmotiv (Zeitgedichte)

Das Kriegsende und die fehlgeschlagene Revolution haben sich in den Gedichten der Münchner Zeit nachhaltiger niedergeschlagen. Da man bisher die früheste chauvinistische Lyrik als Brechts eigene Anschauung (miß-)verstanden hat, war es möglich, die späteren Zeitgedichte unter den Stichworten »Zusammenbruch von Brechts eigenem, idealistischem Deutschlandbild« (Schwarz, 34) zusammenzufassen. Erstmals soll sich der Zusammenbruch in dem Gedicht *Von einem Maler*, entstanden 1917/18, zeigen, das von Caspar Neher handelt, der ein Gemälde, sein bestes, mit drei Farben, nämlich den deutschen Nationalfarben (schwarz, weiß, rot), an die Wand eines Schiffes malt; das Schiff geht unter, der Maler rettet sich: »Auf das Bild ist Cas stolz. Es war unverkäuflich« (8, 30f.). Die konkreten Bezüge zu Brechts Einstellung und Leben sind durch die Publikation der Briefe nachprüfbar geworden; Caspar Neher war der gewichtigste Briefpartner des jungen Brecht. Er war derjenige aus der Clique, der zuerst an die Front mußte. Brecht schrieb Briefe, die den Freund geradezu wütend von der Front zurückwünschen (Briefe, Nr. 35; vom Juli 1918) und Neher das Heraushalten nahelegen. Aus diesen Briefen geht klar hervor, daß Brecht der Krieg (und »Deutschland«) nicht interessiert, einzig, daß der Freund nicht da ist und seinem natürlichem Leben sowie seinen Gedanken (Indien, Kanada etc.) nicht nahe sein kann. Wichtig ist, daß der Freund nicht den allgemeinen Untergang teilen muß; der – aufgrund des beschriebenen außergesellschaftlichen Lebens – bereits ausgemacht ist. Entsprechend handelt auch das Gedicht nicht von Deutschland, seinem Untergang, sondern von der Rettung des Freundes. Dabei ist die Bewertung des verlorengegangenen Bildes (auf der morschen Schiffswand) wichtig: es ist der Preis, den »Cas« zahlt. In der Unverkäuflichkeit des Bildes spiegelt sich die Lebensrettung, die den Freund aus dem allgemeinen Untergang ausnimmt.

Auch das 1920 entstandene Gedicht *Deutschland, du blondes, bleiches* (8, 68f.) läßt sich kaum als Zusammenbruch eines »Bildes« von Deutschland interpretieren. Zwar hat das Gedicht einen gewissen mitleidenden, wehmütigen Ton, aber nur die ersten Strophen gelten den äußeren Geiern, die übe das »Aasloch Europas« hergefallen sind, die späteren Strophen sprechen von den eigenen Fehlern: »dein Herz [...] das du verkauft hast«, »Und hast dafür / Fahnen erhandelt!«, »Scham würgt die Erinnerung / Und in den Jungen, die du / Nicht verdorben hast / Erwacht Amerika«! (8, 69). Würde ein altes »Idealbild« zerfällt, wäre der Angriff heftiger, die Stoßrichtung allgemeiner. Auffällig ist die Differenzierung, die das Gedicht vornimmt. Deutschland hat einen »guten Leib« (der zerfleischt wird), die Flüsse waren »sanft«, ehe sie jetzt vergiftet sind, und die Kinder hungern, eine nachhaltige Erfahrung Brechts (freilich nicht am eigenen Leibe). Das Land, in dem man lebt, bleibt positiv bewertet, die Haltung – offenbar die politische – dagegen ist negativ eingeschätzt, so daß für die Jungen, die nicht verdorben worden sind, nur die Abwendung bleibt.

Ein bislang ungedrucktes Nachlaßgedicht läßt noch weitere Differenzierung zu; es ist die *Ode an meinen Vater*, die ein ungemein positives Bild entwirft: »Alles verdankt er sich selbst: nichts ward ihm geschenkt«. Des Vaters Tüchtigkeit, die der Sohn als eigentliche »Größe« feiert, steht das Geschwätz der eitlen Politiker gegenüber, die das Land zerstören werden. Sicherlich darf man auch an diesem Gedicht das hymnische Vaterbild nicht allzu ernst nehmen. Es ist davon auszugehen, daß der Sohn es für einen Anlaß (Geburtstag o.Ä.) verfaßte, der keine kritischen Töne vertragen hätte, und eine gewisse berufliche Tüchtigkeit war ja dem alten Brecht in keiner Weise abzusprechen; daß »die Macht [...] er fühlen uns nie« ließ, darf allerdings bezweifelt werden. Wichtig ist, daß Brecht mit dem »Land«, dem Deutschland, ganz persönliche Bindungen (Vater) identifiziert, die Politik aber als eitles Geschwätz, das den Untergang bereitet, ablehnt.

Die kritische Einstellung zum Staat führt zu dem Gedicht, das allgemein als das auffallenste und stärkste Gedicht des frühen Brecht angesehen wird, zur *Legende vom toten Soldaten* (auch *Ballade* genannt; 19, 395). Die Entstehungszeit wird allgemein mit Frühjahr 1918 angenommen unter Berufung auf Brechts Äußerung von 1938 (vgl. 19, 422). Zwei Indizien lassen die Entstehungszeit möglicherweise ein ganzes Jahr später nicht unwahrscheinlich werden: die frühsterhaltenen Fassungen haben noch sämtlich in der ersten Strophe die Zeitangabe »im fünften Lenz« (vgl. BBA 123/75 bzw. 1939/76 = Nr. 5934, Bd. 2, S. 111), die auf Frühjahr 1919 datiert; außerdem hat die erste (die 1922 im Drei-Masken-Verlag publizierte) Fassung von *Trommeln in der Nacht* die (dort so benannte) *Ballade* noch als integrativen Bestandteil. Im 4. Akt singt der Destillateur Glubb die *Moritat vom toten Soldaten* zur Klampfe, die im Anhang als *Die Ballade vom toten Soldaten* abgedruckt ist mit der zynischen Anmerkung: »Zum Gedächtnis des Infanteristen Christian Grumbeis, geboren den 11. April 1897, gestorben in der Karwoche 1918 in Karasin (Süd-Rußland). Friede seiner Asche! Er hat durchgehalten« (Erstausgabe München 1922, S. 65 und 96–99). Karl Riha hat auf eine verblüffende Ähnlichkeit von Brechts Gedicht mit einer satirischen Zeichnung von George Grosz aufmerksam gemacht, die 1919 in der Zeitschrift *Die Pleite* (Nr. 3, S. 3, Malik-Verlag Berlin-Leipzig) publiziert worden ist. Dort sitzt eine Kommission von Militärärzten am Tisch, einer untersucht ein verdrecktes, noch von Fleischfetzen behangenes Gerippe und gibt durch eine Sprechblase die Diagnose »KV« (= »kriegsverwendungsfähig«, die offizielle Bezeichnung für den beschlossenen Kriegseinsatz). Die Bildunterschrift lautet: »4 ½ Jahre haben sie dem Tod seine Beute gesichert; jetzt, als sie Menschen das Leben erhalten sollten, haben sie gestreikt. Sie haben sich nicht geändert. Sie sind sich gleich geblieben. Sie passen in die ›deutsche Revolution‹«, und über der Karikatur steht: »Den Ärzten von Stuttgart, Greifswald, Erfurt und Leipzig gewidmet«. Die Übereinstimmungen von Grosz und Brecht sind in der Tat so frappierend, daß Riha die Karikatur von Grosz als Anreger für Brechts *Legende* vermutet. Dies zu entscheiden, ließe sich nur über das exakte Entstehungsdatum von Brechts Gedicht ermitteln. Wenn die Jahreszahl 1918 (BBA 1409/4–6 = Nr. 5932, Bd. 2, S. 111) stimmt, dann müßte die Abhängigkeit umgekehrt sein, das heißt, Grosz wäre für seine Karikatur durch Brechts *Legende* angeregt worden. Daß Riha vermutet, Grosz' Zeichnung stamme schon aus dem Jahr 1917 und Brecht könnte sie vor der Publikation in einer Mappe bei verschiedenen Gelegenheiten gesehen haben (Riha, 39), läßt sich nicht aufrecht erhalten, weil Grosz' Karikatur Ereignisse aus dem Frühjahr 1919 aufs Korn nimmt, nämlich die Weigerung von Ärzten, verwundete »Revolutionäre« (wegen »Vaterlandsverrats«) zu behandeln.

Die poetische Kraft gewinnt die *Legende* daraus, daß sie satirisch alte Moritaten-Motive zitiert, politisch auf die verschiedenen gesellschaftlichen Schichten zielt, die den menschenmordenden Krieg bis zum letzten führen wollen (Ärzte, Militärs, Kirche, Kaiser), und das Ganze in die Groteske kleidet, daß ausgerechnet ein Soldat, der bereits den Heldentod gestorben ist, noch einmal ausgegraben und zum Kriegsdienst (»k. v.«) verpflichtet wird, was natürlich nicht ohne entsprechende grotesk-komische, zugleich aber satirisch genaue Veranstaltungen möglich ist:

> 8
> Und weil der Soldat nach Verwesung stinkt
> Drum hinkt ein Pfaffe voran
> Der über ihn ein Weihrauchfaß schwingt
> Daß er nicht stinken kann. (8, 257)

Brecht zitiert – dabei den Kaiser bis zu seinen niederen Schergen beim Namen nennend – die Palette der »Aufbruchs«-Stereotypen: das »Tschindrara«, den flotten Marsch, die vom Arsch geschmissenen Beine, die gestärkte Brust etc. Aber diesmal geht es nicht in den fröhlichen Krieg (wie man noch am Beginn des 1. Weltkriegs glaubte), sondern in einen Leidenszug hinein, der die Verantwortlichen entlarven soll. Das sind Töne, die man bis da vom jungen Brecht nicht kannte, indem er – wenn seine Erinnerung richtig ist – die im Volk 1918 umgehende Formulierung »Man gräbt schon die Toten aus für den Kriegsdienst« (vgl. 19, 422) beim Wort nahm. Die Reaktionen waren entsprechend: Brecht soll auf der berüchtigten Liste der Nationalsozialisten, welche Personen nach der Machtergreifung zu verhaften sind, bereits 1923 an fünfter Stelle gestanden haben, und zwar als Verfasser dieser *Legende*. Die *Taschenpostille* konnte nicht realisiert werden, weil Gesellschafter des Kiepenheuer-Verlags 1926 gegen die Aufnahme dieses Gedichts votierten: auch mit einem Lied läßt sich also einiges erreichen.

Lieben (Gedichte über die Liebe)

Der Umfang von Brechts frühen Liebesgedichten ist erst mit den Nachlaß-Bänden 1982 deutlich geworden: er ist groß, und vor allem sind die Gedichte auch von einiger Drastik. Vor allem die Jahre 1917–1920 sind da überproportional vertreten. Es ist die wohl intensivste Zeit der Brecht-Clique, die letzte Zeit der Schule, der glücklich umgangene Wehrdienst (Kriegshilfsdienst 1917, Militärkrankenwärter 1918), das begonnene Studium in München, zugleich auch die Zeit der Befreiung vom elterlichen Haus (die freilich wegen der Krankheit der Mutter, der Aushäusigkeit des Vaters und Brechts relativ selbständigem Leben in der Mansarde außerhalb der Elternwohnung schon in den Schuljahren vorbereitet war). Die Forschung überliefert »Liebesabenteuer« Brechts (auf sie soll und kann hier nicht näher eingegangen werden, sie bleiben einer Biografie vorbehalten) mit Marie Rose Aman (seit 1916), mit Paula Banholzer (seit 1917, genannt »Bie«, Hedda Kuhn (seit 1919, genannt »He« oder »Hei«), Sophie Renner (seit 1917), Ernestine Müller (seit 1916; die Liebesgedichte an sie sind – außer *Romantik*; 8, 27 – verbrannt), Dora Mannheim (seit 1920) und Marianne Zoff (seit 1920, genannt »Ma« oder »Mar«). Brecht gilt allgemein als »jugendlicher Frauenheld«; feststeht, daß 1919 Paula Banholzer den gemeinsamen Sohn Frank, Marianne Zoff 1923 die gemeinsame Tochter Hanne zur Welt bringen.

Nur wenige Gedichte Brechts sind Liebesgedichte im üblichen Sinn: nämlich Anbetungen, Werbungen der begehrten oder geliebten Frauen. Es sind vielmehr – wie Werner Hecht auch den 1982 edierten Band genannt hat – *Gedichte über die Liebe*, vor allem zu verstehen als Gedichte über das

Lieben, also recht eindeutig sexuelle Gedichte. Da die meisten Gedichte erst 1982 bekannt geworden sind, ist ihre Aufnahme – in den Rezensionen des Hecht-Bandes – recht reserviert ausgefallen: der bisher als (bloß rationaler) Lehrmeister eingeschätzte Brecht verwendet das »Fick«- und »Vögel«-Vokabular des niederen »Volksvermögens«, stellt männlich sexuelles Machtgehabe aus und läßt erkennen, daß seine Verbalsauereien »gegen ein nur unterdrücktes Schmutz-, ja Sündenbewußtsein angedichtet« sind (Baumgart; *Spiegel*, vom 6. 12. 1982). Der Eindruck ist naheliegend, aber doch zumindest relativierbar. Im Brief vom September 1917 schreibt Brecht an Caspar Neher ins Feld folgende Gedicht-Zeilen, die er unter der Überschrift »Motive« ankündigt:

> Die jungen Mädchen lieben uns nicht – wir Dichter
> *singen* ja nur von der Liebe, zum Scherze...
> Und Lichter sind sie nicht. Allerdings *haben* sie Lichter.
> Aber vom Licht benützen *sie* nur die – Kerze.
> Unsre Träume zeigen eben nur, daß wir – schlafen
> und auch das im Traum nur und nicht – mit ihnen...
> Ach, zu faul zum Herrn und auch zu faul zum Sklaven
> Und zu verschwenderisch sind wir, um was zu
> verdienen.
>
> [...]
>
> Nur an unsre Worte glauben wir in unsern Gebeten.
> Und *was* sind im Bett die schönen Ideale?
>
> (Briefe, Nr. 7)

Der immerhin 19jährige Brecht formuliert hier seine Angst, seine Zurückhaltung vor sexueller Nähe. Die Frauen spielen kaum oder nur eine geringe Rolle: ihre Befriedigung in Sachen Sex müssen sie sich durch Masturbation suchen (Kerze). Entscheidend für dieses Gedicht ist, daß die Dichtung nicht als Sublimation sexueller Träume, als Abreaktion sexueller Wünsche erscheint, daß sie vielmehr das ist, was die Dichter davon abhält, überhaupt auf sexuelle Gedanken zu kommen. Mehr verliebt in Worte anstatt in Frauen; keine Rolle (Herr oder Sklave) in der körperlichen Liebe ist ihnen angenehm, und die Damen erhalten fürs Bett lediglich ihre Gedichte, nicht die Männer dazu. Inwieweit sich darin wiederum sexuelle Phantasien sublimieren – immerhin notiert Brecht im selben Brief: »Die stärksten Männer haben Angst vor kleinen Kindern« –, muß der Einzelforschung überlassen bleiben; denn es zeigen sich mit den neu edierten Gedichten noch viele Erkenntnisse an, die erst eine eingehende Einzeluntersuchung gewinnen kann. Für eine allgemeinere Einschätzung (hier) aber ist festzuhalten, daß Brecht in distanzierter, direkter, aber auch scherzhafter Weise die Rolle der Dichter – als verschmähende und deshalb verschmähte Liebhaber – lyrisch zu beschreiben weiß.

Hinzu kommt, daß nicht wenige der frühen Liebesgedichte Rollengedichte sind, in denen Frauen reden (z. B. *Anna redet schlecht von Bidi*; 8, 52), in denen von Liebeserlebnissen anderer berichtet wird (z. B. *Beuteltier mit Weinkrampf*; Supplementbd. III, 46 f.), in denen sich Brecht in Rollen »objektiviert«, bzw. seine dichterischen Figuren als Erlebnisträger einsetzt, Bidi (Name für Brecht) oder Baal (z. B. *Baals Lied*; Supplementbd. III, 40), und folglich sich nur relativ wenige Gedichte finden lassen, die »ich« sagen und deshalb doch noch nicht »Brecht« selbst meinen müssen. Zu meinen nämlich, die Wasserleichen, die er z. B. im *Hauspostillen*gedicht *Von den verführten Mädchen* als Liebesopfer die Flüsse hinabschwimmen läßt (8, 251), wären reale Leichen, ist absolut irrig: »Wohin diese gönnerhaft freundlichen Gewalttaten damals führen konnten [womit Brecht sich poetisch brüstet: Komm, Mädchen, laß dich stopfen[...]«, wissen alle Leser von Brechts frühen Gedichten; zu den auf Flüssen treibenden, schwangeren Mädchenleichen« (Baumgart). Danach müßte der Lech einigermaßen davon angefüllt gewesen sein (nur die Überlieferung sagt überhaupt nichts davon). Wenn es schon Leichen gegeben hat, dann durch Abtreibung, von der Brecht aber zumindest lyrisch nichts hielt:

> Eines Tages Geheul und Geweine
> Aber Frau Rosa Palitzki bringt die Sache ins reine
> Eine Jungfrau ist züchtig und munter
> Der deutsche Shakespeare fließt den Kanal hinunter.

Brecht ließ sie wachsen, die kleinen Brechts, und die »verführten Mädchen« der frühen Lyrik handeln realiter höchstens von den Frauen/Mädchen, die sich sexuell wieder entzogen haben und nun – mit bürgerlichem Anstand – wieder »Jungfrau« spielen (»Ließen mir einen entzündeten Leib und kein Bacchanal«; 8, 251). Es handelt sich bei den Gestalten der Liebesgedichte vornehmlich, so muß der Schluß lauten, um poetische, nicht reale Gestalten: inwieweit diese Rollenfiguren wiederum auf reale Personen verweisen, ist erst durch eine genauere Analyse der Differenz zwischen Poesie und Realität zu bestimmen (vielleicht entpuppt sich dann auch der »jugendliche Frauenheld« weitgehend nur als literarischer »Jungfernskalp«-Räuber).

Darüber hinaus ist bei der Einschätzung der

Liebeslyrik nicht zu vergessen, daß Brecht ein Bürgersohn gewesen ist, der von den Sexualphantasien seiner Herkunft (und das heißt vor allem von der traditionellen Sexualunterdrückung und ihren Folgen) kaum ausgenommen gewesen sein kann, daß er – wenn er über ein einigermaßen ausgeprägtes Triebleben verfügt hat (wofür vieles spricht) – auch sexuelle Schwierigkeiten gehabt haben muß, wobei die der Partnerinnen und deren Einfluß sowie Rückwirkung auf Brecht nicht zu unterschätzen sind (zum Beweis genügen die kleinbürgerlichen Auslassungen von Paula Banholzer 1981), daß Brecht auch nicht vom üblichen Frauen- und Männerbild des Bürgertums sowie von dem damit verbundenen Rollenverhalten ausgenommen sein konnte und daß er schließlich seine sexuellen Erlebnisse (real oder phantasiert) weitgehend im Rahmen (das heißt nicht nur: innerhalb) der Gruppe gewonnen hat. Das beweisen nicht nur die »Gruppen«-Sex-Gedichte (z. B. *Aus verblichenen Jugendbriefen*; 8, 95 f.), sondern auch die Liebesgedichte über andere Angehörige der »Brecht-Clique« (vornehmlich über Otto Müller, genannt Müllereisert, auch »Hei«, »Heilgei«, z.B. *Lied von Liebe*; Supplementbd. III, 39) und die Tatsache, daß die meisten Liebesgedichte in der »Natur«, im Freien (Wasser, Wiese, Himmel) und nicht in der bürgerlichen »Schlafkammer« spielen. Der Liebesgenuß ist so jedenfalls schon weitgehend vom versteckt-bürgerlichen Vollzug entfernt. Ausschlaggebend jedoch ist, ob der Dichter bei der Wiedergabe dessen, was womöglich weitgehend poetische Erfindung ist, ihm erliegt oder sich dichterisch davon distanziert, wenn nicht befreit, ob es als »Ausdruck« unbewältigter Erlebnisse oder Verarbeitung (Erledigung) von vorgefundener Realität zu nehmen ist.

Dominierende Motive der Liebeslyrik sind: an erster Stelle das »vergehende Gesicht« der Geliebten (sogar personifiziert in der »Anna Wölkegesicht«, mit der die berühmte Wolke aus der *Erinnerung an die Marie A.* sich spiegelt; vgl. u.v.a die Gedichte, die der Anna Gewölke gewidmet sind: *Gedichte über die Liebe,* 65 f., 67, 123; außerdem 8, 52 f., 155 f.; das Motiv ist ausführlich von Carl Pietzcker untersucht worden, freilich noch ohne Kenntnis der nachgelassenen Liebesgedichte: Pietzcker, 267–272, 334, 339, 349, 353, 359 u. ö.), dann die Orange, die Brecht anstatt des üblichen Apfels (der angebissen wird) setzt (»orange« tritt weitgehend attributiv auf, z.B. als »orangener Himmel« »orangene Seligkeiten«; vgl. z.B. *Oh, die unerhörten Möglichkeiten*, Supplementbd. III, 36–38; oder 8, 251 u. ö.), weiterhin das Motiv des Todes bzw. Untergangs, das mit dem der Wolke korrespondiert, aber wie dies als poetische Metapher für Vergessen (und entsprechend neues Leben bzw. als Klage darüber, daß es nicht möglich wird) aufzufassen ist (eine ausgefallene Gestaltung weist das Motiv im *Soldatengesang*, der nicht vom »Feldsoldaten« handelt, sondern vom Liebhaber, der »fällt«, das heißt, sich nach gängiger bürgerlicher Auffassung durch den außerehelichen und zu frühen Geschlechtsgenuß zu den moralisch Gefallenen gesellt; Supplementbd. III, 52), weiterhin das Wasser, in der Gestalt von Flüssen, Seen und Meeren (es handelt sich dabei um ein sehr altes, aus der Psychoanalyse außerordentlich bekanntes Motiv: die Vagina der Frau, in die sich der Mann wie ins Meer stürzt; vgl. z. B. *Gesang vom Meer*; Supplementbd. III, 60 f.) dann die Fische (ein volkstümliches Motiv), und schließlich das Motiv der Homosexualität (von Pietzcker bereits ausführlicher behandelt, 233–238), das Brecht im Zusammenhang mit der Baal-Figur verwendet (der Himmel, mit dem sich Baal zudeckt und der ehemals von Gott-Vater bewohnt war), aber auch in direkter »Ich«-Aussage (»Ich habe ein Verhältnis mit dem Himmel [...]. Es ist Männerliebe«) oder im Rollengedicht (8, 235–238: *Ballade von der Freundschaft*). Hingewiesen sei schließlich noch auf die ebenfalls alte Sexualmetapher (die z. B. schon Grimmelshausen im *Simplicissimus* im selben Sinn verwendet hat; Continuatio, XXV. Kapitel) der Pflaume, die wegen der Ähnlichkeit mit den Schamlippen der Frauen zum Ausdruck für diese geworden ist (vgl. den Pflaumenbaum in *Erinnerung an die Marie A.*; 8, 232).

»Enttäuschung« (Psalmen, Parodien)

Peter Paul Schwarz hat die »Wolkenlandschaft Brechts als permanente Fiktion dieser scheinhaften Transzendenz« beschrieben, der Transzendenz, die in der frühen Lyrik ex negativo – als »Nihilismus« – den »Werkzusammenhang« garantiert (Schwarz, 55). Im Zusammenhang mit der Besprechung der (entsprechenden) *Hauspostillen*gedichte plädiere ich dafür, den Nihilismus nicht als »Ausdruck« zu verstehen, sondern als Negation von Leben und Lebenswillen. Dennoch ist es richtig, in der Nihilismusthematik auch eine weltanschauliche Auseinandersetzung des jungen

Brecht mit der angestammten bürgerlichen Glaubensideologie zu sehen, mit dem Christentum und dem christlichen Gott-Vater. Es gibt genügend Gedichte, die diese Thematik so eindeutig und auch auf Weltanschauliches bezogen aufgreifen, daß man sie kaum mit bloßer Kritik an den von der Forschung verwendeten Termini (Nihilismus: Schwarz; anarchischer Nihilismus: Pietzcker) erledigen kann (so Hagen, 231–248). Zwei Gedichte, die schon 1917 konzipierte *Hymne an Gott,* endgültige Fassung um 1919, und *Der Himmel der Enttäuschten,* um 1919, können für eine Präzisierung der Thematik herangezogen werden (8, 54 und 55). Das letztere Gedicht nimmt mit dem Terminus der »Enttäuschten«, hier personifiziert, einen bei Nietzsche in dieser doppelten Bedeutung schon verwendeten Begriff auf:

1
Halben Weges zwischen Nacht und Morgen
Nackt und frierend zwischen dem Gestein
Unter kaltem Himmel wie verborgen
Wird der Himmel der Enttäuschten sein.

2
Alle tausend Jahre weiße Wolken
Hoch am Himmel. Tausend Jahre nie.
Aber alle tausend Jahre immer
Hoch am Himmel. Weiß und lachend. Sie.

3
Immer Stille über großen Steinen
Wenig Helle, aber immer Schein
Trübe Seelen, satt sogar vom Greinen
Sitzen traumlos [1. Fass.: tränenlos], stumm und sehr allein.

4
Aber aus dem untern Himmel singen
Manchmal Stimmen feierlich und rein:
Aus dem Himmel der Bewundrer dringen
Zarte Hymnen manchmal oben ein. (8, 55)

Der Begriff »Enttäuschung« meint nicht nur die – meist gefühlsmäßig besetzte – Unzufriedenheit mit dem Himmel, dem Ausbleiben seiner Versprechen, seiner Hoffnungen, der Begriff will auch beim Wort genommen sein, also erhält er erkenntnistheoretischen Doppelsinn: der Himmel ist enttäuscht, was er verspricht ist bloßer Schein (vgl. die 3. Strophe, die wiederum doppeldeutig vom »Schein« im Sinn von »Licht-Schein« und von Scheinbarkeit redet). Da zugleich auch noch die weitere Nihilismus-Metapher Nietzsches, der »kalte Himmel« vorkommt, sind die weltanschaulichen Bezüge mehr als deutlich (vgl. Nietzsches Gedicht *Vereinsamt,* dessen Rauch-Metapher – ebenfalls auf Nihilismus verweisend – Brecht im *Gesang aus der Opiumhöhle* verwendet hat; 8, 90 f.; Nietzsches Enttäuschungs-Begriff, oft auch im Fremdnamen des Phänomenalismus, ist etwa belegt in *Fröhliche Wissenschaft,* Aphorismen 354, 569, in *Wille zur Macht,* Aphorismen 12, 16, 37, nach der Zählung der Kröner-Ausgabe Stuttgart 1964 ff.). Der Schein des Himmels, als die Garantie für die Existenz Gottes. – als des gütigen Vaters –, ist bloßer Schein, die Menschen sind allein gelassen. Aber – so sagt es die 4. Strophe in der Umkehrung des Blicks – es gibt »untern Himmel«, also den künstlich geschaffenen Himmel der Religion, deren zarte Hymnen nach oben steigen und den »oberen« Himmel anfüllen. Mit der Umkehrung des Blicks ist auch schon benannt, woher der obere Himmel seinen Schein erhält: von unten nämlich, durch die Gläubigen. Der redliche Schluß also muß heißen: die Ent-täuschung beseitigt nicht einen einmal geglaubten Gott, sie läßt vielmehr die Lüge, die das, was »Gott« genannt worden ist, als Realität eines gütigen Übervaters in den Himmel projiziert hat, durchschauen. Gott ist nur eine Projektion, die durch die frommen Lügen der Religion weiterhin – wenn auch schwächlich – am Leben gehalten wird.

Die noch früher liegende *Hymne an Gott,* die freilich keine Hymne aus dem »untern Himmel« ist, macht die Konsequenzen klar:

4
Viele sagen, du bist nicht und das sei besser so.
Aber wie kann *das* nicht sein, das so betrügen kann?
Wo so viel leben von dir und anders nicht sterben konnten –
Sag mir, was heißt das dagegen – daß du nicht bist? (8, 54)

Es ist merkwürdig, daß dieses vielbeachtete Gedicht (Schwarz, 45 ff.; Schuhmann, 72–74; Pietzcker, 150 f.) in seinen materialistischen erkenntnistheoretischen Schlußfolgerungen völlig verkannt worden ist (Enttäuschung ist dabei eben nur eindeutig und damit moralisch mißverstanden worden). Während der Nietzschesche Nihilismus den ehemaligen Glauben (aktiv) vernichtet, ihn als bloßen Schein, bloße Projektion erweist, geht Brecht einen entscheidenden Schritt weiter: *diese* Projektion ist deshalb doch sehr wirklichkeitsgetreu, weil sie in der gesellschaftlichen Realität – im täglichen Leben und Sterben – eine große Rolle spielt. Diese Hymne fragt – in umgekehrter Funktion zu den Hymnen, mit denen die Gläubigen den göttlichen Schein »realisieren« – gar nicht mehr nach Gott, auch wenn Gott angesprochen wird, sondern nach der Funktion der göttlichen Projektion in der gesellschaftlichen Realität. *Da* ist Gott trotz allem weltanschaulichen Nihilismus vorhanden, da spielt er seine durchaus reale Rolle (was übrigens ganz der marxistischen Einsicht entspricht, daß den – als Schein zu entlarvenden – Überbauprojektionen sehr wohl die gesellschaftliche Realität entspricht, daß dieser »Ausdruck« von real vorhandenen, erst durchschaubar zu machenden Erscheinungen gegenübersteht; Nietzsche dagegen bleibt bei den bloßen weltanschaulichen Sekundärphänomenen stehen und erklärt dann alles für *Täuschung*). Das heißt, um es noch einmal zu betonen: Brecht geht zwar von den weltanschaulichen Fragestellungen Nietzsches aus, aber er benutzt sie, um nach der gesellschaftlichen (also nicht mehr negativ transzendenten, »nihilistischen«) Realität zu fragen; die weltanschauliche Fragestellung führt zur gesellschaftlichen hin: ist diese gefunden, kann die weltanschauliche Fragestellung als nutzloser Ballast abgeworfen werden. Die Gedichte der Münchner Zeit markieren diesen Übergang (besonders im *Bericht vom Zeck*, 1919, beschreibt Brecht sehr handgreiflich die am Leben des Menschen schmarotzende Existenz des Kerls in Violett, der durch die Riten der Religion beängstigende Existenz erhält; das Gedicht läßt sich als exemplarischer Lebenslauf eines Gläubigen lesen, der durch den Glauben vom Leben abgehalten wird; in *diesem* Lebenslauf wiederum spiegelt sich die Menschheitsgeschichte nach christlichem Muster; Anspielungen z.B. die Apfelbäume – als »Erkenntnisbäume«, die Taube – als »Heiliger Geist«; 8, 187–189).

Für diesen Übergang vom Weltanschaulichen zum Gesellschaftlichen sprechen auch die verschiedenen Parodien (vor allem in den Gedichten der *Hauspostille*, aber auch in ihrer Anlage als Gebrauchs- und Verbrauchsbuch) und die Psalmen, die durch die 1982 veröffentlichten Nachlaßgedichte um einige Stücke ergänzt worden sind (8, 75–83; Supplementbd. III, 75–83). Diese Parodien bleiben noch – wie die weltanschaulichen Gedichte – abhängig von dem, gegen das sie angehen: in der eindeutig erkennbaren Form beansprucht das Zu-Überwindende noch seine Realität; aber schon besteht für den Verfasser Distanz zu ihr, schon kann er sich von der Verbindlichkeit ihres Inhalts und dem damit verbundenen Glauben lösen. Am weitesten gehen von diesen Parodien die Psalmen, z.B. der *Psalm im Frühjahr* (8, 75):

1. Jetzt liege ich auf der Lauer nach dem Sommer, Jungens.
2. Wir haben Rum eingekauft und auf die Gitarre neue Därme aufgezogen. Weiße Hemden müssen noch verdient werden.
3. Unsere Glieder wachsen wie das Gras im Juni und Mitte August verschwinden die Jungfrauen. Die Wonne nimmt um diese Zeit überhand.
4. Der Himmel füllt sich Tag für Tag mit sanftem Glanz und seine Nächte rauben einem den Schlaf.

Formal schließen die Psalmen Brechts mit ihrer Zählung sowohl der Psalmen (nach den in den Supplementbänden publizierten Zählungen waren zumindest 19 Psalmen konzipiert; möglicherweise dachte Brecht an einen eigenen *Psalter*; Supplementbd. III, 75 ff.) als auch der »Verse« an den im *Alten Testament* überlieferten Psalter an (vgl. die entsprechenden Luther-Bibel-Ausgaben, die Brecht benutzt haben dürfte). Freilich wirken Brechts »Verse« (ihre genaue Zeileneinteilung ist bis heute in den Ausgaben noch nicht einheitlich gelöst; erst die Supplementbände setzen sie grafisch ab – oben wiederholt) außerordentlich prosaisch gegenüber den eigenen Gedichten dieser Zeit (um 1920) und gegenüber der Tatsache, daß die Psalter der Bibel Lieder zum Saitenspiel (David) darstellen. Den religiösen Inhalt des Psalters kehren Brechts Psalmen total um, so sehr, daß kaum mehr der parodistische Name gerechtfertigt ist: die Psalmen gelten nicht der Negation Gottes (also kein Nihilismus-Thema), sondern der Feier des Ich und des Irdischen. Brechts erster Psalm feiert das Frühjahr; er ist recht eindeutig erotisch-sexuell gefärbt, vergißt freilich nicht, auch den Gesang selbst, die Dichtung, zu loben. Sie gilt aber nicht mehr der Preisung Gottes, dem Dank an den himmlischen Vater, das Wieder-Erwachen des eigenen Sexus im Frühjahr ist Thema geworden, es wird – ganz irdisch – mit den Därmen der Gitarre, dem »Darmvieh«, besungen (wenn man so will, sind die Psalmen lauter Darmwinde, Fürze; vgl. den *Gesang von mir*, in dem es heißt: »es sind Därme von Vieh, die Gitarre singt viehisch, es ist ein großes Tier, das mir am Leib hängt wie eine Zecke, und es schreit wohltönend, wenn ich es würge«; Supplementbd. III, 81). Der Himmel spielt als Transzendenz keine Rolle mehr; er ist der Himmel der Liebe geworden, tagsüber hell, nachts, wenn er gerade »nicht da« ist, schlafraubend, weil die Jungfrauen verschwinden müssen. Angesprochen ist ebenfalls nicht mehr Gott, sondern die Gruppe (der anderen Jungen), denen ebenfalls die Glieder (vor allem eines) wachsen und sich der Körperlichkeit ganz hingeben. Daß der Gesang darüber, das heilige Lied, als sehr irdisches Körpergeräusch entpuppt, verweist nicht einmal auf die Vielfalt der Brechtschen Lyrik-Töne, sondern auch auf seine spielerische Distanz zu seinen Themen.

Texte: Gedichte 1913–1929 (= Gedichte II). Frankfurt a. M. 1960. S. 14–35, 39–103. – wa 8, 3–121. – Gedichte über die Liebe. Hg. v. Werner Hecht. Frankfurt a. M. 1982 (passim; verteilt über den ganzen Band; Entstehungsdaten im Anhang). – wa, Supplementband III, 9–83.

Klaus *Schuhmann* (s. o.; S. 46–84). – Peter Paul *Schwarz*: Brechts frühe Lyrik 1914–1922. Bonn 1971. – Karl *Riha*: Notizen zur »Legende vom toten Soldaten«. Ein Paradigma der frühen Lyrik Brechts. In: Bertolt Brecht II. Sonderband aus der Reihe Text + Kritik. Hg. v. Heinz Ludwig *Arnold*. München 1973. S. 30–40. [Riha hat ähnliche Ausführungen im 3. Kapitel seines Buchs: Moritat, Bänkelsong, Protestballade. Frankfurt a. M. 1975. S. 63–75, publiziert]. – Carl *Pietzcker*: Die Lyrik des jungen Brecht. Frankfurt a. M. 1974. – Werner *Frisch*, K.W. *Obermeier* (s. o.). – Wolfgang *Hagen*: Listig Nihilistisches. Zum Nihilismus-Gemeinplatz der Brechtforschung und zu einigen ihrer Verfahrensweisen. In: Bertolt Brechts »Hauspostille«. Text und kollektives Lesen. Hg. v. Hans-Thies *Lehmann*/Helmut *Lethen*. Stuttgart 1978. S. 231–249 [der Aufsatz ist leider nachlässig gearbeitet, er enthält Fehler, die Nachweise sind lückenhaft]. – Paula *Banholzer*: So viel wie eine Liebe. München 1981 (S. 7–99). – Reinhard *Baumgart*: Baal auf Balz. In: Der Spiegel 49, 6.12. 1982, S. 214–217.

Tahiti (1920)

Zur Einzelinterpretation sei ein relativ unbeachtetes Gedicht ausgewählt, das sich jedoch vorzüglich anbietet, weil es Beziehung zu nicht weniger als drei Stücken Brechts, *Trommeln in der Nacht, Im Dickicht der Städte* und *Aufstieg und Fall der Stadt Mahagonny* aufweist und zugleich die Vorstellung von der »Flucht in Natur und Abenteuer« als Abwendung von einer Gesellschaft, von derem ehemaligen Idealbild der junge Autor durch bittere Erfahrungen enttäuscht worden sei, zu relativieren vermag.

1
Der Schnaps ist in die Toiletten geflossen
Die rosa Jalousien herab
Der Tabak geraucht, das Leben genossen
Wir segelten nach Tahiti ab.

2
Wir fuhren auf einem Roßhaarkanapee
Stürmisch die Nacht und hoch ging die See
Das Schiff, es schlingert, die Nacht, sie sank weit
Sechs von uns drei hatten die Seekrankheit.

3
Tabak war da, Schnaps, Papier, Irrigator
Das Bettlakensegel von Topp bedient
Mit: Gedde, zieh dich aus, es wird heiß, der Äquator!
Und: Bidi, setz den Hut fest, der Golfstromwind!

4
Kap Good Horn passierend durch Riechgewässer
Welch ein Kampf mit Piraten und eisgrünem Mond!
Welch ein Taifun bei Java! Drei Menschenfresser
Sangen: Nearer, my God! in den Horizont.

5
Hinter Java mußte schließlich noch Schnaps fließen
Denn Bidi mußte Topp standrechtlich erschießen
Zwei Tage später bekam Gedde von einer Möve ein Kind
Und sie fuhren weiter zu dritt gegen den Nordpassatwind.

(8, 105 f.)

Die Entstehungszeit des Gedichts ist nicht zweifelsfrei gesichert. Die *Werkausgabe* (vgl. *Chronologisches Register*, 10, Anmerkungen 35) und das Archiv (BBA 4/11 = Nr. 6418, Bd. 2, S. 163) datieren auf »um 1921«; Marsch dagegen setzt (ohne Nennung von Gründen) »um 1920« an (Marsch, 109). Das Zitat der Zeile »Stürmisch die Nacht und hoch ging die See« verweist zurück auf *Trommeln in der Nacht.* Im 2. Akt zitiert Anna Balicke in der »Picadillybar« den bekanntesten Vers aus dem populären Schlager *Seemannslos* (1,93). Der Name der Bar – inzwischen wieder umbenannt in »Café Vaterland« – ist kennzeichnend für die Exotik, die mit solchen fernen Namen, die im Prinzip völlig inhaltslos bleiben (es sei denn, eine Kitschausstattung setzte »fernöstliche Zeichen«), das Besondere, das Unalltägliche suggerieren sollen. Brecht kannte die Zusammenhänge aus Trivialfilmen, wie es sein – nach solchen Mustern entworfener – Film *Mysterium in der Jamaika-Bar* (entstanden 1921) beweist (Texte für Filme I, 77–115). Wie der Vers aus dem *Seemannslos* läßt sich auch das 2. Zitat aus einem populären Lied, nämlich »Nearer, my God«, aus dem Kirchenlied von Sarah Flower Adams, auf ein Werk Brechts zurückführen; diesmal geht die Verbindung sogar noch weiter zurück als mit den *Trommeln* (1919), und zwar auf die Ballade *Lied von der Eisenbahntruppe vom Fort Donald.* In der 1. Fassung, die nicht in der Werkausgabe steht, singen die in den Wassern Ohios versinkenden Bahnarbeiter das Lied, das nach Auskünften von Überlebenden die Untergehenden auf der Titanic bis zum letzten Atemzug gesungen haben sollen: »Näher, mein Gott zu dir« (Text bei Seliger, 9). »Tahiti« als Wort für eine unbestimmte exotische Ferne überliefert Brechts Tagebuch im Zusammenhang mit seinen Filmplänen nach Trivialmustern. Das ist im

März 1921, als die Auseinandersetzungen zwischen Rudolf Recht und Bertolt Brecht – ein ungeschriebenes Kapitel der Biografie – um Marianne Zoff auf dem Höhepunkt sind: »Ich hoble die Bohlen schon, ich arbeite wie ein Verrückter, nächste Woche sind 3 Filme fertig, und sie heiratet. Ich will vielleicht Tahiti nicht aufgeben, sie hat vielleicht keinen Mann dereinst, aber hat sie einen Mann, wenn sie Recht hat?« (Tagebücher, 97) Recht, der als »Schwein« sein Denkmal im *Hauspostillen*gedicht *Historie vom verliebten Schwein Malchus* (8, 201–205) erhalten hat, steht für die (klein-)bürgerliche Lösung, Brecht mit »Tahiti« für die unbürgerliche Lösung, zwischen denen die von Brecht anscheinend schwangere, aber mit Recht immer noch intim verkehrende Marianne Zoff zu wählen hat. »Tahiti« steht dann nicht nur für die Unstetheit, die Unverläßlichkeit, sondern auch für die (phantasierte) Ferne und damit auch für die Dichtung selbst. Dieser unmittelbare Zusammenhang mit der Biografie macht eine Entstehungszeit des Gedichts für März 1921 sehr wahrscheinlich, zumal in dieser Zeit auch die entscheidenden Arbeiten an *Im Dickicht der Städte* beginnen. Dort kommt das Stichwort »Tahiti« wiederum vor im Zusammenhang von Literatur (Leihbibliothek) und Ersatz von realem Reisen. Die Literatur muß die Exotik ersetzen, die das Leben nicht bieten kann: »Man wählt sich seine Unterhaltungen nach Geschmack. Reisen sind Luxus. Man leistet sich ihn. Wenn sie nichts dagegen haben. Man liebt Tahiti« (vgl. 1, 129 mit verkürztem Text; dieser Text nach der Erstfassung von 1922; Angaben s. BH 1, 35). Als konkrete Quelle für »Tahiti« ist mit diesem Stück (in der Erstfassung) auch der Band *Noa-Noa 1891–1893* von Paul Gauguin und Charles Morice (1900 erstmals erschienen) auszumachen; er berichtet über Gauguins Südseeaufenthalt und vermittelte für die Europäer ein buntes, anziehendes Bild eines von den »Segnungen« der modernen Zivilisation unberührten Lebens. Garga, die eine Hauptfigur des Stücks, flieht mit »Tahiti« aus der kalten Großstadt, aus Chicago, aber eben nur in Gedanken (vgl. BH 1, 34 und 39). Die weiteren Verbindungen in Brechts Werk stellen sich durch die *Mahagonny-Oper* her, die drei Strophen des Lieds (1, 3, 2, mit Änderungen und anderen Personen des Stücks) zitiert und die im Lied vorgestellte Szenerie auch dramatisch realisiert: »Alle haben aus einem Billardtisch, einer Storestange und ähnlichem ein ›Schiff‹ gebaut, das nun Paul, Heinrich und Jenny besteigen. Jenny, Paul und Heinrich benehmen sich seemännisch auf dem Billardtisch« (2, 543). Da *Mahagonny* freilich in einem fiktiven Amerika liegt, geht die Fahrt diesmal nicht nach Tahiti, sondern nach Alaska. Erhalten geblieben ist jedoch das Künstliche: es handelt sich nicht um die realistische Imagination (Naturalismus) einer Schiffsfahrt, sondern um ein Spiel im dramatischen Spiel, um Kunst. Den Text des zitierten *Seemannslos* schließlich, und damit schließt sich der Kreis, findet sich noch einmal – diesmal vollständig – im *Dreigroschenroman* (13, 1079), hier als ironisches Zitat, da die Schiffe diesmal nicht durch die Gewalt der Natur, sondern durch die des Kapitals das Los der Seemänner besiegeln.

Schon aus diesen Daten geht hervor, daß es sich bei *Tahiti* um ein Schlüsselgedicht Brechts handelt. Bedenkt man darüber hinaus noch, welche große Rolle das »Schiff« als Metapher im Werk, vor allem der Lyrik Brechts spielt, wird das noch deutlicher. Im Frühwerk gibt es viele Schiffe-Gedichte, die meist mit dem Untergangsmotiv verbunden sind (vgl. vor allem *Das Schiff*, entstanden 1919; 8, 179–181, und jetzt aus dem Nachlaß publiziert *Ich meinerseits liebe nicht die sichern Schiffe*; Supplementbd. III, 99 f.), zugleich aber auch die Dichtung selbst thematisieren. Segel setzen, sich auf die »imaginäre« Reise begeben, ist eine alte Metapher für die Dichtung, die bis auf Vergil (70–19 v. Chr.) zurückzuführen ist. In der *Georgica* (2. Gesang, Vers 41) definiert Vergil: »Dichten« heißt »die Segel setzen, absegeln« (lateinisch: »vela dare«; vgl. dazu Ernst Robert Curtius: Europäische Literatur und lateinisches Mittelalter. Bern und München 1965, 5. Aufl. S. 138–141). Mit dieser Metapher läßt sich der Bogen in Brechts Werk noch entschieden weiter schlagen als nur bis zum *Dreigroschenroman* (1934 veröffentlicht), und zwar bis zu den *Buckower Elegien* von 1953, die das Motto tragen:

> Ginge da ein Wind
> Könnte ich ein Segel stellen.
> Wäre da kein Segel
> Machte ich eines aus Stecken und Plane.
>
> (10, 1009)

Unschwer läßt sich die Kontinuität des ursprünglichen Motivs erkennen: die Künstlichkeit, das Spielerische an dem Vorgang des Segel-Setzens bleibt betont, die Parallelität des Vorgangs zum Dichten erhalten.

Zurück zu *Tahiti* selbst. Vordergründig singt das Lied von einer Orgie (episch), wie sie in

Brechts jüngeren Jahren des öfteren vorgefallen zu sein scheint (die Tagebücher berichten von einem ziemlichen Exzeß September 1920; Tagebücher, 52 f.: »Otto liegt, halbvoll, hinter dem Schreibtisch mit einer Maid und arbeitet hart«; »Ich singe wieder, ein klein wenig betrunken, im Zylinder, sehe gemein aus, es ist eine Lasterhöhle, gefilmt wurde schon, wir stehen herum, ich fange an, unter den Salven des Klaviers, einen Monolog Malvis auf ein Zeitungspapier zu schmieren« etc.). Zu dritt vergnügen sich – »Tahiti« phantasierend – zwei Männer und eine Frau auf dem Kanapee (wobei »Bidi« auf Brecht selbst verweist; der Herr »Topp« und die Dame »Gedde« sind noch nicht entschlüsselt). Die Hinweise auf Striptease (»zieh dich aus, es wird heiß«) und Geschlechtsverkehr (»bekam Gedde von einer Möwe ein Kind« – mit vorausgegangenem Hahnenkampf, den Bidi »standrechtlich« löst) sind unüberhörbar; dazu natürlich der Suff, besonders deutlich im Vers »Sechs von uns drei hatten die Seekrankheit« als Anspielung auf das »Doppeltsehen«, und das Rauchen, das bei Brecht nie fehlen durfte. Die Orgie ist veranstaltet als Abenteuerfahrt nach einer imaginären Südsee. Die verschiedenen Stationen markieren die Höhepunkte der Orgie, wobei übrigens alle Orte und Personen Projektionen darstellen, also nichts »von außen«, Reales hinzukommt: auch die drei Menschenfresser, die bei Java singen, beziehen sich auf die drei Kanapeefahrer. Insgesamt handelt es sich also um eine in Schiffahrtsmetaphern gekleidete Darstellung eines Geschlechtsverkehrs zu dritt, wobei ich ausdrücklich Homosexualität nicht ausschließen möchte (auch darauf läßt sich das »standrechtlich erschießen« gut beziehen).

Damit weist das Gedicht bereits im Inhaltlichen zwei Ebenen auf: die Orgie wird spielerisch als abenteuerliche Schiffahrt realisiert. Durch die Tradition der Schiffahrtsmetapher – als Bild für Dichten und Dichtung – kommt eine dritte Bedeutungsebene hinzu: auch so vollzieht sich Dichtung. Sie ist einerseits die abenteuerliche Ausfahrt der poetischen Phantasie, andererseits aber auch das Abenteuer sexueller Imagination; auch die Sexualmetaphern verweisen aufs Dichten. Damit eröffnet sich ein weites Feld für die Analyse der Gedichte Brechts über die Liebe. Sollte vieles, was vordergründig bloß auf sexuelles Gehabe, Potenzhuberei verweist, auch Dichtung meinen (vgl. Baal-Figur, die Männerliebe mit dem Himmel etc.)? Sollte, was die psychoanalytische Literaturwissenschaft auf das Unbewußte zurückführt, auch ein Spiel Brechtscher dichterischer Imagination sein, die mit dem, was für andere unbewußt bleiben mag, bewußt und auch listig (grinsend) spielt? Fragen sind an dieser Stelle mehr angebracht als Antworten.

Text: wa 8, 105 f. (die übrigen Text-Nachweise sind in der Analyse geführt).

Helfried W. *Seliger*: Das Amerikabild Bertolt Brechts. Bonn 1974 (S. 8–10, 142). – Carl *Pietzcker*: Die Lyrik des jungen Brecht. Frankfurt a. M. 1974 (Pietzcker handelt nicht ausdrücklich von diesem Gedicht; er ist angeführt für die psychoanalytische literaturwissenschaftliche Deutung). – Edgar Marsch: Brecht-Kommentar zum lyrischen Werk. München 1974 (S. 109 f.).

Bertolt Brechts Hauspostille (1927)

Entstehung

Brechts bekannteste Gedichtsammlung hat eine außerordentlich komplizierte und langwierige Entstehungsgeschichte, die in fünf größere Phasen einteilbar ist. Die Auswahl und die Zusammenstellung der Gedichte hat sich dabei immer wieder geändert, wie auch einzelne Gedichte umgeschrieben wurden. Im folgenden kann lediglich ein Überblick gegeben werden.

1. Phase (1921/22): Brecht konzipiert eine Sammlung seiner »Balladen«, wie er die Gedichte mit Sammelnamen benennt, und zwar mit dem Titel *»Hauspostille«*. Das Manuskript liegt Ende 1921 dem Kiepenheuer-Verlag in Berlin-Potsdam vor. Hermann Kasack, der Lektor, berichtet darüber: »Ich war davon so fasziniert, daß ich sofort zu Loerke fuhr. Auch er war von dem Ungewöhnlichen dieser Verse überzeugt« (zitiert bei Schuhmann, 8). 1922 kündigt der Verlag das Erscheinen der *Hauspostille* an; der Druck erfolgt jedoch nicht. Im Oktober 1922 schreibt Brecht an Herbert Jhering: »Die ›Hauspostille‹ enthält die Balladen und ist noch nicht in Druck gegangen. Sie haben sie, sobald es einen Abzug gibt« (Briefe, Nr. 74). – Im Bertolt-Brecht-Archiv ist ein Inhaltsverzeichnis der frühen Sammlung erhalten geblieben (BBA 452/66–69 = Nr. 4926, Bd. 2, S. 1). Daraus geht hervor, daß die Konzeption der frühen Sammlung als (allerdings unchristliches) Gebrauchsbuch bereits feststeht. Die Einteilung in *Lektionen* ist bereits dokumentiert, geplant waren fünf (die vierte fehlt allerdings), wobei für die ersten drei auch schon die spätere Reihenfolge vorgesehen war: *Bittgänge, Exerzitien, Chroniken.* Die fünfte Lektion sollte *Anhang* sein; sie ist vom späteren Aussehen noch am weitesten entfernt. Insgesamt ist für die frühe Konzeption, die, wie es der Brief Brechts an Jhering nahelegt, fertigstellt gewesen sein müßte, kennzeichnend, daß sie als reine *Balladen*sammlung geplant war, wobei die »Gattungen« Legende, Gesang, Bericht und Rede als Untergattungen der Ballade in den Gedichttiteln aufzutauchen pflegten (diese Gattungsbezeichnungen wurden später wieder weitgehend getilgt, z. B. *Ballade von der Kindesmörderin Marie Farrar* wird zu *Von der Kindesmörderin Marie Farrar*). In der ersten Lektion waren die später gestrichenen Gedichte *Kleine Ballade von der Kälte* und *Die Ballade von der roten Rosa*, die als verloren gelten, enthalten (vgl. Marsch, 115; die *Liturgie vom Hauch*, die später ins Zentrum der ersten Lektion rückt, fehlt noch; sie entsteht erst Anfang 1924). Die zweite Lektion umfaßt 16 Gedichte, von denen drei ausgeschieden werden: *Lied für Unmüde, Ermahnung für die kleinen Leute, Vom Kalender*, die ebenfalls als verloren gelten (Marsch, 116). In der späteren Ausgabe kommt dafür das Gedicht *Von der Freundlichkeit der Welt* (um 1922 entstanden) hinzu. Die dritte Lektion sammelt die Balladen der Augsburger Zeit, die Brecht mit Gitarre vorzusingen pflegte. Ausgetauscht werden in der späteren Ausgabe *Larrys Ballade von der Mama Armee* durch *Lied der drei Soldaten* (der sog. *Kanonensong*); außerdem fiel die *Ballade von Evelyn Rue* der Streichung zum Opfer; sie stand auch in der frühesten Fassung des *Baal* (1918), und zwar dort bereits unter dem späteren Titel *Die Legende der Dirne Evlyn Roe* (8, 18–20; frühere Fassung in: Bertolt Brecht: Baal. Drei Fassungen. Hg. v. Dieter Schmidt. Frankfurt a. M. 1966. S. 25–28). Die fünfte Lektion (die vierte ist verloren) sollte acht Gedichte umfassen als *Anhang.* Die drei Gedichte, die später den *Anhang: Vom armen B. B.* bilden werden, sind unter den Titeln *Von den Sündern in der Hölle, Bericht vom schlechten Gebiß* und *Ballade vom Bert Brecht* zusammengestellt, an siebenter Stelle findet sich das spätere *Schlußkapitel* (vor dem *Anhang*) unter dem Titel *Letzte Warnung* (später *Gegen Verführung*). Von diesem Gedicht aus – so vermutet Klaus Schuhmann (13) – ging dann der gesamte Umbau der fünften Lektion und des Anhangs aus: seine Ausgliederung provozierte eine Neukonzeption des 5. Teils und legte es nahe, die drei auf die Freunde und Brecht selbst unmittelbarer bezogenen Gedichte auszugliedern. – Warum und auf welche Weise der geplante Druck 1922 nicht zustandekam, ist der Forschung bisher unbekannt geblieben. Vermutlich hat die *Legende vom toten Soldaten*, die ausreichte, um Brecht später auf die schwarzen Listen der Nationalsozialisten zu bringen, dabei eine Rolle gespielt (in der fünften Lektion).

2. Phase (1925), Taschenpostille: 1925 nimmt Brecht, inzwischen mit Elisabeth Hauptmann bekannt, den Plan zur Sammlung wieder auf. Der ursprüngliche Titel wird in *Taschenpostille* geändert, und zwar in erster Linie des Taschenformats wegen, in dem diese Ausgabe geplant ist. Die vierte Lektion *(Mahagonnygesänge)* ist hier erstmals dokumentiert; die fünfte Lektion ist überschrieben mit *Die kleinen Tagzeiten der Abgestorbenen* (mit den fünf späteren Gedichten), das *Schlußkapitel* mit dem neuen Gedichttitel *Gegen Verführung* ist ausgegliedert, der *Anhang* heißt *Vom armen Bidi* (Bidi ist ein Name für Brecht) und enthält vier Gedichte (gegenüber der späteren *Hauspostille* steht hier an 2. Stelle noch das Gedicht *Von seiner Sterblichkeit*; 8, 114f.). – Die entscheidenden Änderungen gegenüber der geplanten Ausgabe von 1922 liegen in der nun konsequent durchgeführten Numerierung der Gedichtstrophen und in den beinahe durchgehenden Neufassungen der Gedichte. Mit der Numerierung der Gedichte, die von Schuhmann als »Verfremdung« (Schuhmann, 22) bezeichnet worden ist, sind grundsätzlichere Aspekte verbunden, die auch in der Bezeichnung *Kapitel* für »Gedicht« und in der Änderung »direkter« Titel in »Abhandlungs-Titel« (statt *Tod im Walde* nun *Vom Tod im Wald*; Nachahmung des lateinischen »de«) zum Audruck kommt. Brecht nimmt den Gedichten ihre lyrische Direktheit, er distanziert den Leser durch äußere Signale vom Text und versucht dadurch, Unmittelbarkeit auszuscheiden. Die Texte sollen als Kapitel von Lektionen gelesen und zugleich als »Abhandlung« über ein bestimmtes Thema aufgefaßt werden. Daß diese äußerliche Kennzeichnung nicht aufgesetzt ist, sondern in der Konsequenz der Gedichte liegt, die Brecht möglicherweise erst durch den zunehmenden zeitlichen Abstand zur früheren Konzeption bewußt geworden ist, wird die Analyse belegen: die formale Gestaltung soll die inhaltliche Darstellung stützen und stärker betonen. Die vielfältigen Änderungen, die Brecht an den Gedichten vornahm, sind im einzelnen nicht auszubreiten, zumal sie auch nur für wenige Beispiele durchgeführt worden sind (vgl. Schuhmann, 16–18, der auf die Änderungen des Gedichts *Das Lied von der Eisenbahntruppe vom Fort Donald* eingeht). Die Tendenz der Änderungen ist Verknappung (gegenüber der frühen Weitschweifigkeit), Modernisierung und Reinigung von Sentiments (vgl. Schuhmann, 21). Die *Mahagonnygesänge* sind womöglich erst für diese Ausgabe geschrieben worden (ihr Fehlen im Plan der Ausgabe für 1922 wurde als Unvollständigkeit der frühen Konzeption gedeutet), es gibt aber auch Anzeichen, daß zumindest der Name »Mahagonny« schon 1921 gefunden war (vgl. BH 1, 65 f.). Die Entstehungszeit, die Marsch für die einzelnen Songs angibt, nämlich 1926 (Marsch, 137 f.), ist auf alle Fälle falsch. Zwischen 1920 und 1923 ist in der Supplement-Ausgabe der Gedichte ein *Chancon* mit dem Titel *Civilis* aufgenommen, das den Begriff bereits so verwendet, wie im *Mahagonnygesang Nr. 1* (8, 243 f.). Es kann also gut sein, daß die *Gesänge* entweder 1921/22 schon vorlagen oder konzipiert worden sind, so daß ihre Entstehung zwischen 1921 bis 1925 vorläufig anzusetzen ist. – Auch die *Taschenpostille* erscheint nicht als regulärer Buchdruck. Der Verlag Kiepenheuer, der seit der Inflation als Aktiengesellschaft firmiert und unter der »Geschäftsaufsicht« von Banken steht, wird von einem Geldgeber, der sich als »deutscher Mann« entdeckt, erpreßt, auf die Publikation der *Legende vom toten Soldaten* zu verzichten und die *Taschenpostille* entsprechend zu zensieren. Da Brecht sich jedoch nicht darauf einläßt, muß der Vertrag aufgehoben werden. Der fertige Satz freilich lag schon vor, so daß der Verlag einen Privatdruck herstellen konnte. 25 seltene Exemplare, eine der größten literarischen Raritäten des 20. Jahrhunderts, kamen so zustande. – Diese Ausgabe ist die erste Sammelausgabe von Brechts Gedichten, die als Gesamtkonzept zu würdigen ist, wobei auch Format und Aufmachung hinzukommen. Mit 11 × 15 cm weist die Ausgabe echtes Taschenformat auf; sie hat einen flexiblen Ledereinband, Dünndruckpapier, ist in zwei Spalten und roten Kapitelüberschriften gedruckt (Bibelähnlichkeit). Diese Aufmachung soll an sakrale Bücher erinnern, gegen die sich die *Taschenpostille* satirisch wendet, wobei freilich der »Gebrauch« ebenso sichergestellt sein will wie der der religiösen Gebrauchsbücher, ein Alltags-Begleiter. Diese Ausgabe ist als Ganzes näher an Brechts Vorstellungen als die 1927 publizierte *Hauspostille.*

3. Phase (1927): Elisabeth Hauptmann, die bereits an der *Taschenpostille* mitgewirkt hat, stellt mit dem neuen Leiter des Berliner Propyläen-Verlag, Julius Elias, die Kontakte her, die dann zur endlichen Buchpublikation der Sammlung führen. Allerdings gelingt es Brecht nicht, seine Vorstellungen durchzusetzen, weil der beauftragte Drucker ganz andere Vorstellungen entwickelte, nämlich ein »großes, leder- und goldgebundenes Buch« (vgl. Schuhmann, 26). Es kam zum Kompromiß, wobei freilich sowohl das Format als auch der zweispaltige Druck geopfert werden mußten, so daß ein recht »gewöhnlicher« Gedichtband entstand. Wohl deshalb auch greift Brecht – die Entscheidung muß zum Jahreswechsel 1926/27 gefallen sein – auf den alten Titel *Hauspostille* zurück, wobei übrigens in der *Anleitung zum Gebrauch der einzelnen Lektionen* der alte Titel an einer Stelle (wohl irrtümlich) stehen bleibt (S. XII; ebd. und auf S. 139 ist übrigens der Name von George Pfanzelt als »Pflanzelt« falsch geschrieben). Gegenüber der *Taschenpostille* gibt es textlich dagegen (außer der Eliminierung des Gedichts *Von seiner Sterblichkeit*) kaum noch Änderungen.

4. Phase (1938): Als Brecht 1937 beginnt, die *Gesammelten Werke* für den Malik-Verlag (Prag) vorzubereiten, entsteht auch eine neue Fassung der *Hauspostille*, die als Zyklus aber erhalten bleiben sollte (denkbar wäre ja auch eine chronologische Anordnung der Gedichte o. Ä. gewesen). In der ersten Lektion tilgt Brecht den *Gesang des Soldaten der roten Armee*; das Gedicht war auf die sowjetische »Rote Armee« bezogen worden, Brecht hatte dagegen die bayrische Revolutionsarmee gemeint (überdies war er zu einer anderen politischen Einschätzung der damals noch ziemlich ahnungslos beobachteten Vorgänge um die Münchner Räterepublik gekommen). Die *Liturgie vom Hauch*, die damit allerdings von ihren politischen Bezügen (»rote Männer«, »roter Bär«) durch den unmittelbar voranstehenden *Gesang* »gereinigt« wird, steht jetzt im Zentrum der ersten Lektion. Aus der zweiten Lektion beseitigt Brecht das Gedicht *Über den Schnapsgenuß* und fügt zwei neue Gedichte ein, *Historie von der Witwe Queck*, die auf das Stück *Der Brotladen* (vgl. BH 1, 355–358) verweist, und *Armen Mannes Pfund*, das den Bezug zum *Dreigroschenroman* herstellt (dort das Schlußkapitel). In die dritte Lektion rückt die Ballade *Herr der Fische*. Die vierte Lektion erhält eine neue Gestalt; sie nennt sich *Literarische So-*

nette und enthält die Gedichte »*Über die Gedichte des Dante auf die Beatrice, Über Schillers Gedicht »Die Bürgschaft«* und *Über Goethes Gedicht »Der Gott und die Bajadere«* (9, 610–612). In der Gebrauchsanleitung schreibt Brecht: »Die vierte Lektion (literarische Sonette) ist für die wenigen Leser bestimmt, welche niedrige Motive noch in den erlesensten Kunstgebilden zu schätzen wissen, für Leser, welche imstande sind, Werke der Vergangenheit zu verstehen. Jedoch mag erinnert werden daran, daß, wie das Volk sagt, mit siebzehn auch der Teufel einmal schön war«. Die neue Lektion fügte sich zwar im Ton ein, verwässerte jedoch das ursprüngliche satirische Konzept (Brecht wollte diese Texte offenbar als andere »geheiligte« Texte verstanden wissen). Die ursprünglich vierte und fünfte Lektion wurden nun unverändert fünfte und sechste Lektion. Das *Schlußkapitel*, den Anhang aber bildet nur noch – ohne gesonderte »Kapitelüberschrift« – das Gedicht *Vom armen B.B.* Die Gesangsnoten, die *Taschenpostille* und *Hauspostille* gleichermaßen haben, entfallen wegen des anderen Charakters einer Ausgabe *Gesammelter Werke.* An dieser Neufassung war Margarete Steffin beteiligt. – Die Ausgabe erschien nicht, weil Prag inzwischen von den Hitlertruppen überfallen und besetzt worden war; textliche Änderungen sind auf diese Weise nicht (mehr) zu dokumentieren. Im *Arbeitsjournal* notierte Brecht seine damalige Einschätzung seiner ersten Sammlung:

die HAUSPOSTILLE, meine erste lyrische publikation, trägt zweifellos den stempel der dekadenz der bürgerlichen klasse. die fülle der empfindungen enthält die verwirrung der empfindungen. die differenziertheit des ausdrucks enthält zerfallsmomente. der reichtum der motive enthält das moment der ziellosigkeit. die kraftvolle sprache ist salopp. usw. usw. (AJ 28; vom 10. 9. 38)

5. Phase (1950/1951; 1955; 1956): Brecht kommt mit der frühen Sammlung wieder in Kontakt, als er den Band *Hundert Gedichte* zusammenstellt: die früheren Texte werden kritisch durchgesehen, Fehler werden verbessert, Neufassungen erwogen; diese Arbeit war mit dem Erscheinen der *Hundert Gedichte* 1951 abgeschlossen. – Mitte des Jahrzehnts aber – als Vorbereitung für die *Gedichte*-Ausgabe – richtet Brecht die *Hauspostille* nochmals ganz neu ein: diese Neufassung sollte für die späteren Drucke verbindlich sein. Er benutzt dazu den Korrekturabzug des 3. Bandes der Malik-Ausgabe (das einzige, was von ihr übrig war). Aus der ersten Lektion eliminiert er *Prototyp eines Bösen* und *Vom François Villon* (8, 22–24, 38f.). In der zweiten Lektion streicht er die neuaufgenommenen Gedichte *Historie von der Witwe Queck, Armen Mannes* sowie *Orges Gesang* und *Ballade von den Geheimnissen jedweden Mannes* (7, 2948f.; 13, 1150; 1,15; 8, 218f.); während die letztgenannte *Ballade* in die dritte Lektion wandert, nimmt Brecht aus ihr das Gedicht *Der Herr der Fische* in die zweite Lektion. Hinzu kommen außerdem neu: *Lied von der verderbten Unschuld beim Wäschefalten, Von der Willfährigkeit der Natur, Orges Wunschliste* und *Über die Städte.* Die *Chroniken* der 3. Lektion werden auffällig dezimiert; wegfallen die Gedichte *Vom Tod im Wald, Das Lied von der Eisenbahntruppe von Fort Donald* und *Lied der drei Soldaten* (1, 56f.; 8, 13f., 127f.). Die ursprüngliche vierte Lektion – wie auch die fünfte – wird wiederhergestellt, indem Brecht die *Literarischen Sonette* ersatzlos streicht; sie werden nun unter *Studien* zusammengefaßt (als solche waren sie in den *Versuchen*, Nr. 11, 1951, S. 79–88, mit weiteren Sonetten erschienen). Die *Mahagonnygesänge* allerdings werden um die *Psalmen* ergänzt (möglicherweise waren sie sogar als Alternative zu den frühen Liedern gedacht); von den Gesängen werden gestrichen *Alabama Song* und *Mahagonnygesang Nr. 2* (2, 504, 507). Die fünfte Lektion erhält wieder ihr altes Aussehen, das Schlußkapitel bleibt, der Anhang jedoch umfaßt lediglich noch – wie 1938 vorgesehen – das Gedicht *Vom armen B.B.* (Abbildungen von den Korrekturen finden sich in *Gedichte 1*, Frankfurt a.M. 1960, zwischen den Seiten 4 und 5). Die textlichen Änderungen sind relativ geringfügig (weitgehend Fehlerverbesserungen); tiefgreifendere Eingriffe weisen die *Moritat von Jakob Apfelböck* (Entfallen der 4. Strophe u.a.), *Von der Freundlichkeit der Welt* (Entfallen der 3. Strophe), *Liturgie vom Hauch* (Änderungen am Ende, der »Bär« auf; vom Gedicht *Morgendliche Rede an den Baum Griehn* allerdings entsteht eine völlige Neufassung. Das Gewicht kleinerer Änderungen müßte mit Hilfe einer historisch-kritischen Ausgabe erschlossen werden.

Ganz abgesehen von den interpretatorischen Schwierigkeiten, die die *Hauspostillen*-Gedichte ohnehin bieten, erschwert die wiederholt geänderte Textlage sowie auch die Umstellung bei der Anordnung eine historisch genaue Analyse. Bereits für die erste Ausgabe gilt, daß die in ihr enthaltenen Gedichte in der Regel über fünf Jahre alt sind und da schon nicht mehr in ihrer historischen Gestalt auftauchen (neben der Zählung der

Strophen sind auch weitere Änderungen an den Gedichten in dem frühen Stadium – *Taschenpostille* – wahrscheinlich). Die *Hauspostillen*-Ausgabe (1927) ist vom ersten – schon weitgehend festen – Konzept bereits über sechs Jahre entfernt und wahrlich keine »Jugendausgabe« mehr. Die späteren Fassungen sind so weit von der historischen Position entfernt, daß sie nicht mehr als »Original« angesehen werden können: sie sind schon spätere Interpretationen des Autors. Auf alle Fälle ist zu beachten, daß die Texte der letzten Ausgaben – sie sind die, die allgemein zugänglich sind – *nicht* zur Grundlage für die Analyse gewählt werden; sie entsprechen durchweg Brechts »letztem Willen« und lassen historische Analysen nicht zu; zur Beobachtung von Veränderungen freilich sind sie oft recht aufschlußreich.

Die vorliegende Analyse hält sich an die Ausgabe der *Hauspostille*, die als Erstpublikation der Sammlung gelten muß, auch wenn die *Taschenpostille* näher am Autorwillen ist; da die *Taschenpostille* jedoch trotz Nachdrucks (1958 in der DDR) kaum greifbar ist, andererseits die Unterschiede zur *Hauspostille* ausgeführt worden sind, muß diese Notlösung vorerst gelten. Bei Gedichten, die näher analysiert werden, sind die früheren Texte, soweit sie publiziert sind, stets herangezogen worden. Wichtige Textänderungen werden angegeben.

Texte: Bertolt Brechts Taschenpostille. Mit Anleitungen, Gesangsnoten und einem Anhange. Potsdam: Gustav Kiepenheuer 1926 [Nachdruck: Berlin 1958. Hg. v. *Klaus Schuhmann*]. – Bertolt Brechts Hauspostille. Mit Anleitungen, Gesangsnoten und einem Anhange. Berlin: Propyläen 1927 [Nachdruck: Frankfurt a.M. 1970. Hg. v. *Bernhard Zeller*, Beiheft v. *Klaus Schuhmann*]. – Bertolt Brechts Hauspostille. Frankfurt a.M. 1951 (= Bibliothek Suhrkamp. 4) [Text folgt in etwa der Ausgabe von 1927; er ist allerdings fehlerhaft; *Gesang des Soldaten der roten Armee* fehlt]. – Gedichte 1918–1929 (= Gedichte 1). Frankfurt a.M. 1960 (S. 5–158; einschließlich Gesangsnoten). – wa 8, 172–263 (ohne Gesangsnoten).

Klaus *Schuhmann*: Brechts »Hauspostille«. Zur Geschichte eines Gedichtbuchs. In: K'Sch': Untersuchungen zur Lyrik Brechts. Berlin und Weimar 1973. S. 5–48. – Edgar *Marsch*: Brecht-Kommentar zum lyrischen Werk. München 1974 (S. 114–148). – Christiane *Bohnert*: Brechts Lyrik im Kontext. Zyklen und Exil. Königstein/Ts. 1982 (S. 19–31).

Name, Komposition

Seit Martin Luthers *Kirchen- und Hauspostille* (1527) zur Erbauung für »die christliche Welt« ist der Begriff nicht mehr mit der Kommentierung biblischer Texte (post-illa = nachher, also: kommentierte Nacherzählung) verbunden, sondern bezeichnet jetzt eine Sammlung von Predigten, die der Erbauung der Gläubigen, stückweise in Lektionen verabreicht, bei häuslicher Benutzung dienen sollten. Mit der *Hauspostille* unterstützte Luther die moralische Erziehung seiner Protestanten, welche ja nirgends der neuen Art von Erbauung und Moral entgehen sollten: daraus entstand mit der Zeit der protestantische, moralische und weltliche Rigorismus (gegenüber der weltlichen Nonchalance des »gemeinen« Katholiken). Damit verband sich mit dem Buch sogleich auch der »Gebrauchswert« und (sittlich-moralische) Nutzen, die sich Brecht beide bei der polemischen Anknüpfung an die Tradition der »Postille« selbst zu Nutzen macht. Die Gedichte werden als Gebrauchsgegenstände ausgewiesen, dies nicht nur durch den Titel der Sammlung, nicht nur durch die Einleitung, die die verschiedenen Gebrauchsstadien und -umstände festlegt, sondern auch durch die Einteilung in Lektionen und die Bezeichnung der Gedichte als »Kapitel«: schon damit verhindert Brecht jegliches Mißverständnis; Lyrik als Gefühl, als subjektiver »Aus-Druck« ist nicht zu erwarten. Der Band (1927) wird eröffnet mit der *Anleitung zum Gebrauch der einzelnen Lektionen* (S. IX–XII), die beginnt: »Diese Hauspostille ist für den Gebrauch der Leser bestimmt. Sie soll nicht sinnlos hineingefressen werden.« Die erste Lektion heißt *Bittgänge* (1–29); im religiösen Sinn sind dies Gemeinschaftsübungen innerhalb des katholischen Ritus (mit festgelegten Gebeten, vorgeschriebenem Verlauf der Prozession) an bestimmten Tagen des Jahres. Die Fürbitten gelten guten Ernten oder der Abwendung von Unheil und Unwetter. Brechts Bittgänge dagegen gelten Opfern der bürgerlichen Gesellschaft, die zunächst gar nicht wie Opfer aussehen mögen (z.B. dem Elternmörder Apfelböck, der Kindsmörderin Farrar), deren Taten, geschildert in scheinbar gefühl- und mitleidloser Distanz, die ganze Ausweglosigkeit und Inhumanität der Gesellschaft entlarven. Gerade den Räubern und Mördern gilt die Fürbitte des nichtchristlichen Dichters, deren Schicksal als sozialer Fall, deren Taten als Schuld der Gesellschaft vorgeführt werden: Apfelböck ist die Lilie (d.h. Unschuld) auf dem Feld, unschuldig Schuldiger.

Die zweite Lektion (31–62) hat die Überschrift *Exerzitien*, die sich ebenfalls auf den katholischen Ritus beziehen, (Exerzitien gibt es seit Ignatius von Loyola): es sind Buß- und Andachtsübungen, die dem Sünder den läuternden Weg zu

Gott öffnen soll. Bei Brecht werden die Exerzitien zu Demonstrationen zeitgenössischer (aussichtsloser) Haltungen: der läuternde Weg bleibt verschlossen. Exemplarische Lebensläufe zeigen den Menschen in einem schäbigen, freudenlosen Dasein zwischen Geburt und Tod. Die »Freundlichkeit der Welt« (47) ist reduziert auf das Besorgen der unmittelbaren materiellen Bedürfnisse: die Windel, die die Mutter dem Kind gibt, das »Beider-Hand-Nehmen« des Ehepartners, die Erde, die aufs Grab geschüttet wird. In dem Bild des »schwarzen Samstag in der elften Stunde der Nacht vor Ostern« wird die Möglichkeit zur Auferstehung grundsätzlich negiert.

Die dritte Lektion bilden die *Chroniken* (63–99), die nun nicht mehr, jedenfalls auf den ersten Blick nicht, an das religiöse Vorbild anknüpfen; jedoch kennen sowohl die Bibel (Altes Testament) Chroniken als auch der christliche Kultus, indem er in ihnen »exemplarische« Taten und Lebensläufe (auch der Heiligen) als Zeichen Gottes (monstra Dei) niederlegte, um den Gläubigen daran zu gemahnen, daß die Erdengeschichte nur als Welttheater vorm Angesicht Gottes, als Theatrum mundi, dem Menschen zur Bewährung und Entscheidung für Gott, abläuft. Bei Brecht erhält der Begriff eine andere Akzentuierung: zwar sind auch seine Lebensläufe durchaus exemplarisch, aber nicht im Hinblick auf transzendente Zeichen, sondern im Hinblick auf den ungerechten und inhumanen Lauf der Welt. Augenfällig ist, daß in den *Chroniken* Brechts keine historisch herausragenden, »bedeutsamen« Menschen, sondern nur die »kleinen Leute« beschrieben werden, die so nicht nur chronikalen (exemplarischen) Rang erhalten, sondern zugleich auch die bürgerliche Heldengeschichtsschreibung (zurückhaltend) zu unterlaufen beginnen; nicht zu übersehen ist auch die Thematisierung des Kriegs in der Gestalt des »vergehenden« Soldaten: »Er verging wie der Rauch, und die Wärme ging auch / Und es wärmten sie nicht seine Taten« (99).

Die vierte Lektion (101–113) nimmt mit *Mahagonnygesänge* einen Begriff auf, der erst durch die spätere *Oper* allgemeiner bekannt werden sollte, der jedoch hier auch im Zusammenhang gesehen werden kann, über den Arnolt Bronnen berichtet: »Es [das Wort] war in ihm [Brecht] aufgetaucht, als er diese Massen braunbehemdeter Kleinbürger gesehen hatte, hölzerne Gestalten mit ihrer falsch eingefärbten, durchlöcherten roten Fahne« (Bronnen, 116). Die gewollte, geradezu sich aufdrängende Primitivität der Songs mit den »zündenden« Melodien (alle Noten dazu stehen im Anhang, 150–155) ist auf alle Fälle als Persiflage auf die Primitivsongs und populären Schlager der sog. »Goldenen Zwanziger« zu werten. Vielleicht aber stehen sie auch im Zusammenhang mit dem Ursprung des Worts: die marschierende, drohende Kleinbürgerlichkeit mit ihrer verkitschten Romantik und der Bierhausidylle, die amerikanisiert im Whisky-Salon erscheint, in dem man das »Geldpapier« (das Inflationsgeld?) (103f.) umsetzt. In *Mahagonny* auch die biblische Anspielung auf »Babylon« zu sehen, liegt nahe, als »Großstadt« schlechthin freilich ist Mahagonny nicht zu werten: denn das Stück faßt Mahagonny zunächst gerade als eine Gegengründung zur »Großstadt schlechthin« auf (vgl. BH 1,65f.).

Die fünfte Lektion lautet *Die kleinen Tagzeiten der Abgestorbenen* (115–130), wieder polemisch an den katholischen Ritus anknüpfend, der die geregelte (kurze = kleine) Andacht an die Verstorbenen vorsieht. Freilich ist schon der Terminus »Abgestorbenen« ein Affront: er betont nicht mehr die Geborgenheit in Gott, sondern das Eingehen, Zurückkehren in die Natur (Pflanzenmetapher; vgl. z.B. das ertrunkene Mädchen), eine Natur, die mehr Zuflucht und Vertrauen bietet als die verrottete Gesellschaft, die den Lebenslauf des Mannes Baal nicht zulassen will. Als Gegenpol gehört in die Lektion das Kapitel vom toten Soldaten: die Gesellschaft läßt, ihr Unheil durchzuführen, noch nicht einmal die Toten ruhen (und verspielt sich damit für diesen Verfasser endgültig den Himmel, den Baal dagegen als bergende Decke benutzt). – Es schließt sich an: das *Schlußkapitel* (131–134), bestehend aus nur einem Gedicht, das nach der Anleitung auch jede Lektüre beschließen soll (XII) und das in Umkehr der christlichen Maxime, sich vor Verführung zu hüten, die Verführung empfiehlt: als Verführung zum Leben. Der *Anhang: Vom armen B. B.* (135–143) sammelt neben dem gleichnamigen Gedicht, zwei weitere Gedichte, die Brechts und seiner Freunde (Otto Müller, Georg Pfanzelt, Caspar Neher, Marie Rose Aman) gedenken und ihnen ein Denkmal setzen. Diese Selbstdokumentation schließt in anderer Weise an die Tradition der Postille an: sie verweist auf die Zeit der Renaissance, wo der Mensch begonnen hat, sich zu sich selbst zu bekennen (auch Luthers Maxime ist dies einmal gewesen), sich auf sich selbst zu stellen; eben diese Maxime wird durch den Anhang, nun freilich jeglicher transzendenter Hoffnungen polemisch entkleidet, aufgenommen und zum Programm der Selbstfindung gemacht. Gesangsnoten (145–156) schließen das Buch ab.

Analyse

Vorbemerkung: Die Gedichte der *Hauspostille* gehören zu den bekanntesten und meistinterpretierten Gedichten Brechts. Die »Fülle der Empfindungen« (vgl. AJ 28; vom 10. 9. 38) hat immer neue Deutungen herausgefordert, ihre Dunkelheiten haben stets neue Einschätzungen provoziert. Da jedes einzelne Gedicht bereits eine interpretatorische Herausforderung ist, stellt sich eine Gesamtanalyse des Bandes im hier gegebenen Rahmen geradezu als unmöglich dar. Es ist deshalb auch außerordentlich auffallend, daß außer – nur als »Abrisse« zu bezeichnenden – Gesamtwürdigungen, die ganz dem parodierten Postillen-Muster folgen, lediglich Einzelinterpretationen vorliegen, die, als »exemplarisch« ausgegeben, dann auf die Einschätzung des Gesamtbandes ausgedehnt werden. Außer einem »Nihilismus« als »Werkzusammenhang« (Schwarz) ist als gemeinsames (»strukturales«) Kennzeichen der *Hauspostille* bzw. der frühen Lyrik nichts auszumachen, sieht man einmal von den in der Germanistik üblichen »Motiv«- oder »Symboluntersuchungen« ab (z. B. Steffensen), die sich gerade dadurch auszeichnen, die Besonderheiten Brechtscher Lyrik bei der überangestrengten Suche nach »Vorbildern«, »Abhängigkeiten« (Villon, Wedekind, Kippling, Rimbaud) zu vernachlässigen. Auf die Forschungslage wird insgesamt in einem gesonderten Kapitel näher eingegangen. Im folgenden versuche ich – geleitet vor allem durch die neueren Untersuchungen (Pietzcker, Lehmann/Lethen) –, strukturale und thematische Gemeinsamkeiten herauszuarbeiten, wobei das einzelne Gedicht (als »Kapitel« genommen) lediglich »Belegcharakter« hat, als solches aber nicht gesondert analysiert wird. Der Versuch, die vielen Einzelinterpretationen zu dokumentieren, würde den Rahmen sprengen; auf wichtige Abhandlungen zu einzelnen Gedichten wird in den Literaturangaben hingewiesen. Das (parodistische) Gedicht *Liturgie vom Hauch* habe ich anschließend einer Einzelanalyse unterzogen; sie hat aber keinen Anspruch, »exemplarisch« für die gesamte *Hauspostille* zu sein. Es soll an ihr deutlich werden, wie viele Einzelfragen jedes Gedicht aufwirft.

Rollenlyrik

Bereits der parodistische Zusammenhang, in dem alle Gedichte als »Kapitel« eines anti-religiösen Gebrauchsbuchs stehen, weist jedem Gedicht eine bestimmte Rolle zu, die überdies in den Leseanleitungen zu den einzelnen Lektionen genauer festgelegt ist. Diese Lyrik versteht sich – das wird aus Anlage und Aufbau des gesammten Zyklus unmißverständlich deutlich – nicht als *Ausdruck*, nicht als subjektive Erlebnislyrik. Sie fordert vielmehr eine gewisse Bewußtheit vom parodierten Rahmen, und Distanziertheit, nämlich Gefühle zu kontrollieren, vom Leser geradezu heraus. Die Gedichte sollen nicht, so sagt es die *Anleitung* »sinnlos hineingefressen werden«, und die Gedichte, die »sich direkt an das Gefühl des Lesers« wenden, sollen möglichst »nicht zuviel... auf einmal« gelesen werden. Überdies empfiehlt die Anleitung, die Lektüre jeweils mit dem *Schlußkapitel (Gegen Verführung)* abzuschließen, was diesem Gedicht und seinem Thema auch eine strukturelle Bedeutung für den Zyklus zuweist, sich nämlich gegen die üblichen Verführungen (in allgemeinster Form: vom Leben weg, zu Hirngespinsten und moralischen Maximen aller Art hin) zu wehren. Brecht wußte also, als er die *Anleitung* formuliert hat, daß womöglich das einzelne Gedicht seinen »Kapitel«-Charakter in der Sammlung vergessen machen könnte, so daß er – was natürlich nur bedingt verbindlich ist, aber zum Band als ihn bestimmendes Kennzeichen gehört – nach jedem Lesen wieder zu Bewußtsein gebracht wird. Das womöglich isolierte Einzelgedicht ordnet sich, hält man sich an die Anleitung, wieder in den Zusammenhang der Sammlung ein und erhält seine Funktion, Kapitel in einem Anti-Erbauungsbuch zu sein, zurück.

Brecht hat diesen Funktions-Charakter der einzelnen Gedichte durch den Entschluß, alle Strophen der Gedichte stets durchzunumerieren (*Taschenpostille* zuerst), unterstrichen. Die Numerierung nimmt jedem Gedicht seine womöglich so wirkende Unmittelbarkeit und markiert es als künstliches Gebilde, als hergestelltes Produkt.

Wie ernst Brecht diese Kennzeichnung der Gedichte gemeint hat, belegt noch die gar nicht mehr Brechts ursprünglichen Vorstellungen entsprechende Ausgabe der *Hauspostille* von 1927. Jede Seite hat eine Kopfleiste, in der die jeweilige Überschrift der Lektion steht und gleichzeitig auch jedes Gedicht innerhalb der Lektion gezählt ist.

Außerdem stehen die Nummernzahlen der Strophen in der Seitenmitte und heben sie damit als strukturelle Markierung jedes Gedichts heraus. Im Zusammenhang der Numerierung ist darüber hinaus zu beachten, daß viele der Gedichte zu singen sind: der Notenanhang gehört mit zur Gesamtanlage des Zyklus (es spricht viel dafür, daß noch wesentlich mehr Melodien, als im Notenanhang gedruckt, existiert haben). Die Melodie ist also wenigstens bei den berücksichtigten Gedichten des Notenanhangs mitzudenken, und die Strophen sind dadurch noch zusätzlich als Liedstrophen ausgewiesen.

Die genannten Merkmale blieben jedoch weitgehend Äußerlichkeiten, wenn sie nicht Entsprechungen in den Gedichten fänden. Der Rollencharakter vieler Gedichte ist von der Forschung entweder nicht gesehen oder nur als nebensachlich abgetan worden. Immer wieder hat man so die lyrische Darstellung als subjektiven Selbstausdruck genommen, als Erlebnisdichtung, die Schlüsse auf die Lebenseinstellung und die Weltanschauung des jungen Brecht ohne weiteres zulasse (Stichworte: Anarchismus, Vitalismus, Nihilismus). Der Gegenbeweis ist – ehe ich andere Zeugen anführe – am schwierigsten Gedicht zu führen, an *Erinnerung an die Marie A.*, das durch seine Deutungen (vor allem durch Albrecht Schöne) zum Prototyp bürgerlicher Dichtkunst erhoben worden ist. Das »Wunder dieses Gedichts« liege darin, »daß gerade dieses Sinnbild der Flüchtigkeit [die Wolke] durch die Kühnheit der Sprache, die Kraft des Rhythmus, den Zauber des Klanges und die Steigerung der Bildwiederholung sich verwandelt ins eigentlich Dauernde und Gegenwärtige. Die Zentralfigur gleitet an die Peripherie, das Mittelstück des Gedichtes sinkt ab ins Gespräch und verfällt dem Prosaischen. Die Wolkenbilder der Flügelstrophen aber überwinden das Sentimentale und das Zynische unwahrhaftiger Erinnerungsberichte, entziehen sich dem Zwang ihrer präteritalen Gestaltung, erheben sich liedhaft, zeichenhaft, bedeutungsträchtig und bewahren den Abglanz jenes Augenblicks in der geformten Beständigkeit des Kunstwerks« (Schöne, 494). Diese Deutung entzieht dem Gedicht jeden Gebrauchscharakter und jede Rollenfunktion; der alte Erbauungscharakter ist wiederhergestellt, das Flüchtige hat wieder Ewigkeitswert. Gerade bei diesem Gedicht sind zunächst die »prosaischen« Zusammenhänge wiederherzustellen. Die mittlere Strophe – und damit den zunächst »sentimentalen« Ausdruck der ersten Strophe völlig zerstörend – markiert das gesamte Gedicht als »Dialog«:

> Und fragst du mich, was mit der Liebe sei?
> So sag ich dir: ich kann mich nicht erinnern
> Und doch, gewiß, ich weiß schon, was du meinst.
> Doch ihr Gesicht, das weiß ich wirklich nimmer
> Ich weiß nur mehr: ich küßte es dereinst. (8,232)

Gerade diese Passage wiederholt das Titelstichwort »Erinnerung« und negiert es: es gibt gar keine Erinnerung, die Marie A., die benannt ist, stellt sich als die damals geliebte Person nicht mehr ein. Zugleich weist der fiktive Sprecher (»lyrisches Ich«) das Gedicht als Liebesgedicht zurück; der Dialogpartner meint das »Übliche« (»ich weiß schon, was du meinst«), der Sprecher dagegen etwas ganz Anderes, was offensichtlich mit der Wolke zu tun hat. Bedenkt man dabei noch die Zusammenhänge, in denen das Gedicht ursprünglich stand, so wird die ganze Angelegenheit noch prosaischer. Brecht schrieb das Gedicht am 21. 2. 1920, im Zug nach Berlin. Ein Liebesgedicht also eines jungen Mannes, der hier ein »Ich« sprechen läßt, das zumindest in »reifen Mannesjahren« ist und »elegisch« zurückblickt. Schon darin steckt eine – vom Autor aus gesehen – ungeheure Distanz zu den »erinnerten« Vorgängen, die durch den Dialog – es geht gar nicht um Erlebnisausdruck – noch verstärkt wird. Brecht schrieb das Gedicht in sein Notizbuch (in etwas veränderter Fassung, vor allem in der ersten Strophe ist der »Liebesfall« genauer, direkter gefaßt: »aufstand« heißt es statt »aufsah«, und die »stille bleiche Liebe« ist eine »Bleiche Stille Liebe«; Faksimiledruck bei Werner Hecht (Hg.): Bertolt Brecht. Sein Leben in Bildern und Texten. Frankfurt a. M. 1978. S. 38 f.); unmittelbar darunter steht die Bemerkung: »Im Zustand der gefüllten Samenblase sieht der Mann in jedem Weib Aphrodite«, unterzeichnet mit »Geh. R. Kraus« (ob sich das auf irgendeine Augsburger Größe oder auf Karl Kraus bezieht, ist nicht geklärt). Schließlich ist daran zu erinnern, daß die frühe Fassung mit *Sentimentales Lied Nr. 1004* überschrieben ist. Unbeachtet blieb auch Schuhmanns Exkurs (in der Neuausgabe von 1971, S. 402), in dem er nachweist, daß die Melodie des berühmten Gedichts dem elegischen Schmachtgesang von Charlos Marlo *Verlor'nes Glück* entnommen ist, ein Lied, das ebenfalls drei Strophen umfaßt und sich verlorener Liebesmühen entsinnt (»Zu jener Zeit, da liebt' ich dich, mein Leben, / ich hätt geküßt die Spur von deinem Tritt, / hätt gerne alles für dich hingegeben...«). Brechts Gedicht ist damit zusätzlich auch noch als parodistischer Gegenentwurf zu bürgerlicher Liebeslyrik anzusehen. Die ursprüngliche Überschrift, die bisher lediglich als Numerierung weiterer *Sentimentaler Lieder* (vgl. Nr. 78, 8, 97f.) verstanden worden ist, hat Bedeutung, wenn man die Zahl der von Giacomo Casanova »geliebten« Frauen unterlegt (*Histoire de ma vie*, 1789–1798); da sind es nämlich 1003. Brecht besingt – sozusagen in Fortsetzung – die 1004. Das verstärkt nicht nur den Rollencharakter (auf Distanz) des »Sprechers«, auch die Liebesgeschichte wird so allen Sentiments von vornherein entkleidet: die legendäre Zahl, die von Casanova überliefert ist, trägt die Tendenz, die Brechts Gedicht dann bestimmt, bereits in sich, sie zählt Unsinniges, sie nivelliert die je einzelne »Liebe« zum nicht mehr erinnerbaren Ereignis. Der große Liebende – so wird später auch Max Frischs Deutung in *Don Juan oder Die Liebe zur Geometrie* (1952) ausfallen – ist in Wahrheit Narziß, einer, der nur sich selbst liebt und die Frauen lediglich zu seiner Bestätigung benötigt. Der »Verlust der Frau« ist aber auch das Ergebnis von Brechts dialogischer Nachfrage, und der vordergründige zynische Grund liegt in der »gefüllten Samenblase«, zu deren Entleerung dann jede Frau willkommen ist: sie hat schon in der Aktualität kein Gesicht. Distanzierter, selbstgewisser und »verarbeiteter« läßt sich kaum ein Gedicht eines jungen Autors denken. Wer so zu schreiben vermag, wer dermaßen traditionsgeladen und distanziert Lyrik formuliert mit solchem Thema, kann nicht vordergründig auf »Erlebnis«- oder »Selbstausdruck« fixiert werden, ebensowenig, wie es möglich ist, dieser Feier des erhobenen Selbstgenusses die Weihe des »Ewigen« zu verleihen. Der flüchtige Selbstgenuß, in Abwehr aller bürgerlicher sentimentaler Liebesbeschwörungen, ist Thema und »Ausdruck« des Gedichts.

Auf den Rollen- bzw. Funktions-(Gebrauchs-)Charakter der Gedichte ist die häufig anzutreffende Überschrift vom Typus »Von...« (lateinisch »de«) zu beziehen (*Vom Brot und den Kindlein, Vom Mitmensch* u. v. a.). Der Titel gemahnt an Abhandlungen, an Aufsatztitel, nicht aber an Gedichtüberschriften. Das bleibt aber keineswegs auf die Überschriften beschränkt. So berühmte Gedichte wie *Vom Klettern in Bäumen* und *Vom Schwimmen in Seen und Flüssen*, die traditionell als Erlebnisgedichte des jungen Brecht aufgefaßt worden sind, formulieren regelrechte Anweisungen, handeln also »von etwas«, wie man sich verhalten soll, formulieren aber kein »Erlebnis« (»Wenn ihr aus eurem Wasser steigt am Abend/... / Dann steigt auch noch auf eure großen Bäume«; ich lese übrigens das Gedicht auch als sexuelle Gebrauchsanweisung. Oder: »Im bleichen Sommer [...] Muß man in Flüssen liegen«). Andere Gedichte wiederum entpuppen sich als indirekte Wiedergabe von Vernehmungsprotokollen oder Augenzeugenberichten; besonders deutlich in *Von der Kindesmörderin Marie Farrar*, wo ein eingeschobenes »Sie sagt« mit anschließender indirekter Rede, das gesamte Gedicht in die Distanz der Übermittlung von Information rückt, oder in *Das Schiff*, wo am Ende die Schiffer »aussagen« (vor der Wasserschutzbehörde z. B.). Nicht weniger auf Rollenlyrik deutet auch, um ein abschließendes Beispiel zu nennen, das berühmte Gedicht *Vom armen B. B.*, ein lyrischer Lebenslauf und eine distanzierende Selbststilisierung zugleich: der Autor bringt nicht nur (wie auch in *Von den Sündern in der Hölle*) das eigene »Ich« spielerisch ein, er hat auch so viel Abstand, daß er sein lyrisches Ich in den verschiedenen Stadien seiner Lyriksammlung selbst ansiedeln kann (von den schwarzen Wäldern bis nach Mahagonny-USA).

Lebenslust und Nihilismus

Die *Anleitung* zur *Hauspostille* schlägt vor, jede Lektüre mit dem *Schlußkapitel* zu beenden. Sein Titel *Gegen Verführung* könnte auch in der christlichen Postille stehen: die christlichen Gebote mahnen, sich nicht von den (vergänglichen) Lüsten und Anfeindungen der Welt und ihres Lebens verführen zu lassen; wer dies tut, dem droht ewiges Verderben. Brechts Gedicht kehrt diese Mahnung um: sie sagt gerade, daß man sich nicht von den lebens- und weltfeindlichen Geboten verführen lassen soll, daß es gut und richtig ist, möglichst intensiv und ausgiebig zu sündigen (wer die *Hauspostille* gelesen hat, weiß, daß da *alles* dazu gehört: Frauenliebe, Männerliebe, Suff, Gesang, »Leben« in der Natur bis zu den Vergnügungen auf dem Abort).

> 4
> Laßt euch nicht verführen
> Zu Fron und Ausgezehr!
> Was kann euch Angst noch rühren?
> Ihr sterbt mit allen Tieren
> Und es kommt nichts nachher. (8,260)

Über dieses Gedicht läßt sich auch am ehesten konkret fassen, was »Nihilismus« beim jungen

Brecht bedeutet. Nach der Deutung von Schwarz, der den Nihilismus als Werkzusammenhang der frühen Lyrik interpretiert hat, handelt es sich dabei um den von Nietzsche prophezeiten »europäischen Nihilismus« als der Zerschlagung sowohl der christlichen Ideologie als auch der christlichen Werte (Moralvorstellungen und -gebote). Als Glauben an »Nichts« bzw. als bloße Anti-Ideologie gegen die bisherigen Verbindlichkeiten bleibt jedoch dieser Nihilismus – Begriff merkwürdig blaß (die Kritik daran habe ich in meinem Forschungsbericht formuliert; Knopf, 134–138; vgl. neuerdings auch Lehmann/Lethen, 231–249). Dieser »Nihilismus«, der mit den »Chiffren der ›Kälte‹, des ›Bittren‹ und der ›Finsternis‹« u.a. belegt zu werden pflegt, ist von Schwarz als »Lebensgefühl« des frühen (Augsburger) Brecht beschrieben worden, aus dem heraus sich – so kommt die Komponente des Vitalismus hinzu – eine »vitale Bejahung des Nichts« ergebe (Schwarz, 58).

Carl Pietzcker hat die Nihilismus-These erheblich modifiziert und vor allem konkretisiert, indem er die gesellschaftlichen Ursachen dieser »Nichts-Bejahung« untersucht. Brecht gehörte danach zum Mittelstand, dessen gesellschaftliche Entwicklung zunehmend von der Vaterlosigkeit geprägt ist (Auflösung der familiären Produktionsgemeinschaft; Identifikation des Vaters mit der Firma, entsprechende Aushäusigkeit und mangelnde Anwesenheit in der Familie); verbunden ist mit dieser Entwicklung der Rückgang des Religiösen, wobei in Deutschland schließlich auch noch die Ablösung des alten Kaiserreichs, sein Zusammenbruch im Krieg, dazukommt, eine »Vaterlosigkeit des zweiten Grades« (Pietzcker, 134). Brechts persönliche Entwicklung nun ist – nach Pietzcker – dadurch gekennzeichnet, daß er sich allmählich von seinem mittelständischem Ausgangspunkt ablöst, diese Ablösung aber nur unter der weitgehend unbewußt bleibenden Erfahrung eines Verlusts vorgegebener Autoritäten, Werte und Bindungen realisieren kann. Die gesellschaftlichen (konkreten) Nihilismus-Erfahrungen werden weitgehend als religiöser (Gott-ist-tot) oder moralischer Nihilismus künstlerisch verarbeitet. Daraus erst entwickelt sich nach Pietzcker allmählich die Erkenntnis der gesellschaftlichen Ursachen, die den späteren Marxisten Brecht auszeichnen. Dieser Analyse Pietzckers ist ganz zu folgen, die Frage bleibt nur, ob die Gedichte als unbewußter Ausdruck von Brechts »Ablösungsentwicklung« mit den Methoden der psychoanalytischen Literaturwissenschaft zu deuten sind oder ob die Gedichte die »Nihilismuserfahrung« bereits bewußt gestalten, mit ihr spielen, sie »erledigen«? Die Frage ist sicherlich nicht leicht zu beantworten, aber es gibt nicht wenige Indizien, daß Brecht bereits bewußt über den »Nihilismus« verfügt, ihm nicht mehr unterworfen ist und ihn also auch nicht mit seinen lyrischen Produkten »abarbeitet«.

Das Gedicht *Gegen Verführung* bleibt zwar – wie die Sammlung selbst – seinem Muster, das es parodiert, verpflichtet; aber es formuliert kein *Leiden* mehr am »Nihilismus«. Im Gegenteil formuliert es die Tatsache, daß »nichts nachher« kommt, als Ausgangspunkt dafür, sich dem Lebensgenuß hinzugeben. Nicht das »Nichts« wird bejaht, das Leben vielmehr wird bejaht, weil eben nach ihm »Nichts« kommt. Diese Haltung ist schon weit weg vom Nihilismus Nietzsches, auf den Brecht immer häufiger verpflichtet wird (vgl. Grimm, 156 ff.), der nicht nur pathetisch den christlichen Himmel leergeräumt hatte, sondern auch ebenso mit Pathos das weitere Zertrümmern der Werte empfohlen hatte (passiver und aktiver Nihilismus). Indem sich Nietzsche auf die Seite der Zertrümmerer schlug, kompensierte er das eigene Leiden daran, allein gelassen zu sein. Bei Brecht dagegen ist dieser Prozeß längst abgeschlossen, das nihilistische Resultat liegt vor. Mit Pietzcker ist zwar festzustellen, daß dieses Resultat zwar kaum als das Endergebnis einer gesellschaftlichen Entwicklung dargestellt und »erledigt« ist (vielmehr als Verlust von Transzendenz, Geborgenheit im »Über-Ich« Gottes oder des Vaters allgemein), gegen ihn aber ist festzuhalten, daß der Nihilismus der Gedichte kein Problem mehr für den Autor bildet. Er sucht vielmehr nach neuen Wegen, die den Nihilismus zur »erledigten« Voraussetzung haben, und dieser Weg führt ins Leben und »in die Natur«. Angst und Leiden sind längst dispensiert, nur noch eine Angelegenheit für diejenigen, die immer noch auf die Sprüche der Gesellschaft hereinfallen.

In diesen Zusammenhang gehört auch die »Untergangs«-Thematik, die in vielen Gedichten anzutreffen ist, meist wohl aber nicht primär auf Gesellschaftliches, sondern auf das Individuum bezogen ist. Die »Entindividualisierung«, wie sie erstmals von Carl Pietzcker genau beschrieben worden ist, ist ein durchgehendes Thema in der frühen Lyrik. In den ersten Gedichten findet sie zweifellos noch häufig leidvollen Ausdruck, in der *Hauspostille* jedoch ist sie ebenso bereits verarbeitet wie die Nihilismus-Erfahrung (vgl. Pietzcker, 155 ff.). Der beschriebene Rollen-Charakter (vgl. vor allem *Vom armen B. B.*) beweist, daß der erfahrenen Entindividualisierung die Suche nach neuen, oft spielerisch eingesetzten Rollen entgegengesetzt wird (als Metapher taucht in der *Hauspostille* immer wieder das sich entziehende bzw. das vergessene Gesicht – als intensivster Ausdruck der Individuation – auf; Pietzcker erläutert dies beispielhaft am Gedicht *Vom ertrunkenen Mädchen*; Pietzcker, 155–190). Das schwierige Gedicht *Das Schiff*, das Arthur Rimbauds *Bateau ivre* mitverarbeitet, läßt sich auch als Chiffre für das untergehende Individuum lesen, wobei freilich wiederum nicht der konkrete gesellschaftliche Vorgang nachgezeichnet wird, sondern Brecht mit naturhaften Bildern arbeitet und zugleich parodistisch auf die Passion Christi anspielt. Entscheidend jedoch ist, daß der Untergang nicht als grundsätzlicher Verlust, auch nicht als Leiden, sondern als bewußt angenommene »Schwangerschaft« beschrieben wird, die als Himmelfahrt endet. Diese Himmelfahrt aber ist keine in den Himmel hinein, sondern eine auf ihn los. Sie ist also veranstaltet, um den Himmel zu beseitigen. Zugleich aber gibt das Gedicht am Ende die »Innenperspektive« auf – das Schiff hatte rollenhaft selbst gesprochen – und wählt die Außenschau der Fischer, die den Vorgang beobachten. Der Wechsel von der subjektiven Perspektive zur Außenschau vollzieht den Untergang als gesellschaftliches Ereignis (freilich immer noch weitgehend in der Natur bzw. quasi auf Naturvorgänge bezogen). Und es ist kennzeichnend, daß das Schiff selbst – beim Nahen – immer mehr verschwimmt: das Individuelle entzieht sich, zeigt dennoch aber – in der Gesellschaft besprochene und bemerkte – Wirkungen. Es handelt sich folglich noch nicht um Angriffe auf die Gesellschaft, aber die Beseitigung ihrer religiösen Anschauungen und Werte ist kein Problem mehr. Sie bildet immerhin schon einen komplementären Vorgang zum Untergang des bürgerlichen Individuums; damit deutet sich die kommende gesellschaftliche Perspektive wenigstens teilweise schon an.

Natur

Der adäquaten Einschätzung der Natur in der frühen Lyrik und vor allem der *Hauspostille* steht die im (deutschen) Bürgertum traditionell eingefleischte Auffassung der Natur als »Objekt«, das »dem Menschen gegenüber steht« oder in das er womöglich, der Gesellschaft zu entfliehen, »hinein geht«, um wieder »zu sich« etc. zu kommen. Diese Andeutung muß hier (bei einer inzwischen ausgeuferten Thematik) genügen, um daran zu erinnern, daß Natur zuerst und vor allem Stoffwechsel bedeutet, daß Gesellschaft und Natur keine absoluten Gegensätze sind, sondern (auch nach marxistischer Auffassung) die gesellschaftliche Entwicklung sich in der primären Natur, sie erkennend, verändernd, ausbeutend, vollzieht und demnach auch das »Objekt« Natur ständig umwandelt und neu bestimmt. Bürgerliche Ideologie hat ganz entsprechend der (auch religiös geprägten) Körperverachtung Natur weitgehend mit »Anschauung« verbunden (und ihre »Funktionalität« unterdrückt), die in der Natur aber ablaufenden Prozesse – zu denen auch die »Natur« des Menschen gehört – sind dabei unbedacht geblieben.

Brechts lyrische Wendung in die/zur Natur mit den *Hauspostillen*-Gedichten ist schon häufiger beschrieben worden; die Forschung hat sich weitgehend darauf geeinigt, sie als Abkehr von der Gesellschaft zu werten, als Suche nach neuer Vitalität, mit der dann – gestärkt und kritisch – in die Gesellschaft zurückgekehrt werden kann. Der verlorengegangenen transzendenten Bestimmung entspreche nun der Eingang und die Auflösung des Menschen im Vegetativen und Animalischen (so etwa Schwarz, passim). Übersehen ist dabei die »andere« Natur. Es ist auffällig, wie viele Gedichte von Übergangsstadien, von Verfaulen, Aas-Werden etc. handeln, in denen das »Eingehen« in Natur nicht so figuriert wie in den *Männern vom Fort Donald* oder den allmählich zuwachsenden Männern in der *Ballade von des Cortez Leuten*. Im ersten Gedicht ist – freilich auch im übertragenen Sinn – vom Brot, das die »Leibes Not« stillen muß, die Rede: es verschimmelt ungegessen im Schrank und beschwert sich. Im *Apfelböck*-Gedicht verfaulen Mutter und Vater im Schrank, und der Mord wird dadurch entdeckt. Das folgende Gedicht *(Von der Kindesmörderin Marie Farrar)* handelt von der Geburt, die die Farrar »überfiel«, und der Ermordung des Kindes. Das vierte Gedicht führt den Untergang eines Schiffs vor, das nicht nur selbst sich allmählich auflöst, sondern zugleich auch von Mövenkot schimmert, »Voll von Alge, Wasser, Mond und Totem«. Das fünfte Gedicht spricht metaphorisch von den Tigergebissen der (bayrischen) roten Armee und deutet die politische Farbe »rot« in die des Blutes um. Und so geht es weiter. Besonders deutlich kommt die Natur als »Stoffwechsel« noch vor in *Vom François Villon*, dem alles »schmeckt« und deshalb dem Himmel seinen Arsch hinhält, in *Vom Mitmensch*, ein Gedicht, das nur die Fortpflanzungsgeschichte des Menschen erzählt (»Sie zählen grinsend seine Zähne / Und warten gläubig vorm Abort«), gleich wiederum anschließend in *Orges Gesang*, dem dieser gesteht, »Der liebste Ort / Auf Erden war ihm immer der Abort«, »Dies sei ein Ort, wo man zufrieden ist / Daß drüber Sterne sind und drunter Mist«. Typus der Annahme von Natur als notwendigen Stoffwechsels, zu dem in einem weiteren Bogen dann auch die Sexualität gezählt ist, ist Baal, der weniger jemand ist, der »in die Natur« geht, sondern einer, der die Natur des Menschen akzeptiert, sie nicht leugnet und auszuleben beansprucht, und sich deshalb gegen die Gesellschaft und ihre lebensfeindlichen Formen, Prinzipien wendet. Gerade im *Choral des Mannes Baal* ist zu erwägen, ob die auf »Natur« bezogenen Begriffe nicht eigentlich Metaphern sind dafür, daß Baal mit der Natur »zurechtkommt«, daß er »in ihr« sein kann, weil sie vornehmlich auch in ihm wirken kann. Die »Himmels«-Metapher – »Nur der Himmel, aber *immer* Himmel / Deckte mächtig seine Blöße zu« – sagt ja im Kontext der Sammlung weniger, daß Baal vornehmlich »im Freien« (in der freien Natur) ist, als vielmehr daß er sich den von Transzendenz entleerten Himmel als Bedekkung seiner Blöße zunutze macht, die bürgerlichen Bedeckungen aber (als Verdeckungen und Hinderungen des vollen Auslebens) verachtet. So läßt sich auch das berühmte Gedicht *Vom ertrunkenen Mädchen* weniger als Gedicht über verlorene Transzendenz lesen, sondern als illusionslose Antwort auf den Verlust: es kann nichts aufgehalten werden, alles vergeht, alles verändert sich. Es sei nur am Rande vermerkt, daß die spätere Betonung des Veränderlichen und Veränderbaren, das dann gesellschaftlich konkretisiert ist, ja auch einer »Vorbereitung« bedarf. Entscheidend ist, daß Vergehen, Untergang, Veränderung nicht mehr als Leiden, sondern als Annahme natürlicher Notwendigkeiten markiert sind: »alles in Bewegung, und die Zeit, die rinnt!«, schreibt Brecht z. B. in den *Tagebüchern* (Tagebücher, 58) September 1920.

Aber auch die eigentlichen Natur-Gedichte, voran die *Ballade von des Cortez Leuten* und *Das Lied von der Eisenbahntruppe vom Fort Donald* lassen die Deutung, eine »Flucht in die Natur« zu realisieren, nur bedingt zu. Pietzcker z. B. schreibt: »Von Gott verlassen gehen sie [die Männer der Eisenbahntruppe] unter [...]. Brecht, der sich in seinen Gedichten von der Gesellschaft abwendet, entfaltet das Todes- und Verlassenheitsmotiv nun in der Naturlyrik. An die Stelle des Verlassenseins von Kaiser und Gott im Krieg tritt das Verlassensein von Gott in der Natur« (Pietzcker, 146). Diese Deutung, die das Dargestellte als Selbstausdruck des Verfassers nimmt, übersieht aber die letzte, die 6. Strophe, die lautet:

> Die Männer von Fort Donald – hohé!
> Die Züge sausen über sie weg an den Eriesee
> Und der Wind an der Stelle singt eine dumme Melodie
> Und die Kiefern schrein den Zügen nach: Hohé!
> Damals kam der Morgen nie, schreien sie
> Ja, sie versoffen vor der Früh, schreien sie
> Unser Wind singt abends oft noch ihren »Jonny über der See«.

Zitiert ist die späte Fassung (*Hauspostille*, 1927, S. 74; die früheren Fassungen differieren deutlich, haben aber ebenfalls den entscheidenden Aspekt der Strophe »Modern unter den Zuggeleisen, die tragen durch ewige Wälder zum sonnigen Tag«; Text bei Schuhmann, 27). Die Schlußstrophe macht einen starken zeitlichen Sprung. Die Eisenbahnlinie, die die Eisenbahntruppe anzulegen ausgezogen war, ist gebaut, die Züge fahren. Der Zustand der Natur, die in der ersten Fassung noch »ewig« ist, hat sich geändert, die Züge fahren durch sie, der lyrische Berichterstatter fährt in ihnen. Das »Eingehen in die Natur« und das »Aufgehoben-Sein« in ihr ist bereits »aufgehoben«, im Hegelschen Sinn, konserviert, aber auch negiert. Die Natur singt zwar ihr Lied weiter, aber der lyrische Berichterstatter erlebt nicht mehr, er hört selbst bereits Übermitteltes. Sein lyrischer Bericht ist nicht unmittelbar, sondern selbst Übermittelung und beruht auf Übermitteltem. Und die Natur, die die Eisenbahntruppe überwältigt hat, ist längst ihrerseits bewältigt. (In diesem Zusammenhang ist auch an die *Mahagonnygesänge* zu erinnern, die eine Verabsolutierung der »Naturlyrik« ohnehin nicht zulassen).

Nicht anders ist es im *Cortez*-Gedicht. Die Ballade erzählt zwar ein konkretes Ereignis, das aber weder aus personaler Perspektive (sozusagen von »innen« heraus) geschrieben (»Sie sangen sich *wohl* zu«), noch ohne weiterführenden Sinn ist. Da des Cortez Leute ausgerechnet am 7. Tag rasten und also die notwendige Arbeit, sich nämlich die sie umgebende Natur »freizuschlagen«, unterlassen, hat das Gedicht symbolischen Sinn: Im Gegensatz zur (in der biblischen Schöpfungsgeschichte überlieferten) Ruhe, die sich Gott nach seiner Schöpfungsarbeit leistet, kann der Mensch sich nicht von der natürlichen Arbeit befreien. Er ist der Natur hilflos unterworfen, wenn er sie nicht stetig bearbeitet. Damit aber formuliert sich eine Distanz zum Dargestellten, die es nicht gestattet, das Dargestellte als »Ausdruck« des Subjekts, das ohnehin zu leichtfertig mit dem Verfasser identifiziert wird, zu fixieren. Selbst die lyrischen »Ich« stehen oft schon außerhalb dessen, was sie berichten, um so mehr der Verfasser der Gedichte.

Thematisierung des Literarischen

Auf einen bisher übersehenen Aspekt der Deutungsmöglichkeiten der *Hauspostillen*-Gedichte haben Hans-Thies Lehmann und Helmut Lethen aufmerksam gemacht. Sie sehen in den Gedichten nämlich gleichzeitig das Dichten bzw. die Dichtung selbst thematisiert: im sprachlichen Akt produziert sich die fiktive Realität des Gedichts, die nicht einfach mit Realität (außerhalb) zu verwechseln ist und das Kunstgebilde als eigenständiges Produkt ausweist. Da Lehmann und Lethen jedoch diesen Aspekt verallgemeinern, prinzipiell verstehen, verliert er für die Analyse seine vorhandene argumentative Kraft. Denn in dieser Allgemeinheit gilt er für *jede* Dichtung. »Die Fiktion schafft die eigenständige Realität des Gedichts. Der Text ist mit dem Erschaffen einer Welt zu vergleichen« (Lehmann/Lethen, 162). Solche grundsätzlichen Formulierungen wiederholen nur bekannte Positionen der »immanenten« Interpretationslehre (Emil Staigers z. B.). Beschränkt man ihn jedoch präzis auf die Gedichte, die sich als Gedichte thematisieren, so läßt sich bei vielen Gedichten des Bandes noch eine weitere Bedeutungsschicht freilegen. Z. B. erhält die *Liturgie vom Hauch*, insofern die »Vögelein« literarische Zitate sind, einen zusätzlichen Aspekt des Literarischen: der Bär am Ende kann so – im freien Spiel der Fiktion – einen literarischen Aufruhr veranstalten, der nicht unbedingt auf Wirklichkeit beziehbar sein muß. (Was Lehmann und Schnarr jedoch sonst in freier Assoziation dem Text alles zuschieben, bleibt ohne analytische Überzeugungskraft; Lehmann/Lethen, 21–45). Das *Schiff*-Gedicht läßt sich weiterhin, und zwar auf dem Hintergrund von Rimbauds *Bateau ivre*, als Selbstdarstellung der Poesie (Metapher vom »Segel setzen«) *zusätzlich* verstehen, wie die Leiche in *Vom ertrunkenen Mädchen auch* aus der Literatur stammt (Ophelia-Motiv; Shakespeares *Hamlet*, Rimbauds *Ophelia*-Gedicht). Selbst ein *Abenteuergedicht* wie das *Lied von der Eisenbahntruppe vom Fort Donald* gewinnt unter dem Aspekt des Literarischen eine ungeahnte Bedeutungsschicht hinzu: das im Titel genannte Lied ist doppeldeutig, es kann sich auf die Gattung des Gedichts selbst beziehen, inhaltlich aber auch auf das Lied (*Johnny über der See*), das »unser Wind« den nachgeborenen Eisenbahnfahrern singt. Das Lied übermittelt das Lied der Eisenbahntruppe, indem es gesungen wird, werden – erinnernd – auch noch einmal die Eisenbahner zum Singen gebracht. Das Kunstprodukt verweist auf sich selbst zurück und thematisiert die Art seiner Übermittlung.

Bernhard *Blume*: Das ertrunkene Mädchen. Rimbauds Ophelia. In: Germanisch-Romanische Monatsschrift, N.F. 4, 1954, S. 108–119. – Albrecht *Schöne*: Bertolt Brecht. Erinnerung an die Marie A. In: Die deutsche Lyrik. Band 2. Hg. v. Benno von *Wiese*. Düsseldorf 1956. S. 485–494. – Klaus *Schuhmann*: Der Lyriker Bertolt Brecht 1913–1933. Berlin 1964 (S. 26–84, 123–128) [Neuausgabe mit angehängten *Exkursen*: München 1971 (S. 35–113, 164–171, 397–407)]. – Bernhard *Blume*: Motive in der frühen Lyrik Brechts. In *Monatshefte*, 57, 1965, S. 97–112, 273–281. – Peter Paul *Schwarz*: Brechts frühe Lyrik 1914–1922. Nihilismus als Werkzusammenhang der frühen Lyrik Brechts. Bonn 1971. – Steffen *Steffensen*: Bertolt Brechts Gedichte. Kopenhagen 1972 (zuerst 1964) (S. 19–88). – Regine *Wagenknecht*: Bertolt Brechts Hauspostille. In: Bertolt Brecht II. Sonderband der Reihe Text und Kritik. Hg. v. Heinz Ludwig *Arnold*. München 1973. S. 20–29. – Carl *Pietzcker*: Die Lyrik des jungen Brecht. Vom anarchischen Nihilismus zum Marxismus. Frankfurt a. M. 1974 – Jan *Knopf*: Bertolt Brecht. Ein kritischer Forschungsbericht. Frankfurt a. M. 1974 (S. 124–138). – Bertolt Brechts »Hauspostille«. Text und kollektives Lesen. Hg. v. Hans-Thies *Lehmann* und Helmut *Lethen*. Stuttgart 1978. – Reinhold *Grimm*: Brecht und Nietzsche oder Geständnisse eines Dichters. Frankfurt a. M. 1979 (S. 156–245).

Melodie und Musik

Darstellungen über die *Hauspostille* sind unvollständig, wenn sie vergessen, daß es sich bei den meisten seiner Gedichte um Lieder, gesungene Balladen handelt, die nachweislich auch von Brecht häufig zur Klampfe (»Därme von Vieh«; 8, 243) gesungen worden sind. Brecht und seine Freunde pflegten abends durch Augsburg mit Lampion und Gitarre lauthals singend zu ziehen. Melodien erfanden, oft auch aus dem Stehgreif, vor allem Georg Pfanzelt und Brechts Bruder Walter. Überliefert ist auch, daß Brecht 1918 eine Gedichtsammlung mit dem Titel *Lieder zur Klamp-*

fe von Bert Brecht und seinen Freunden in sein Notizbuch handschriftlich zusammengestellt hatte (vgl. Ritter, 206). Und zur *Hauspostille* selbst erinnert sich Brecht später so: »Mein erstes Gedichtbuch enthielt fast nur Lieder und Balladen [...]; sie sollten fast alle singbar sein, und zwar auf einfachste Weise, ich selber komponierte sie« (19, 395).

Ein Aspekt der Kompositionen ist – wie die Anlage des Buchs insgesamt – natürlich die Parodie, die Parodie des christlichen Kirchenlieds, des Chorals. Das vorgegebene Muster wird »falsch« verwendet, mit Mißtönen seiner erbaulichen und verschleiernden Funktion beraubt. Das besagen bereits die Passagen aus der *Anleitung zum Gebrauch*, wenn empfohlen wird, das Kapitel von den verführten Mädchen »unter Anschlag harter Mißlaute auf einem Saiteninstrument« zu singen (S. XII), wenn die Chroniken rauchend vorgetragen werden sollen oder die *Mahagonnygesänge* mit der »Höchstleistung an Stimme und Gefühl« intoniert sein sollten (S. XI).

Auf weitere Muster, die Brecht aufnimmt und bricht, hat Hans Martin Ritter, von dem die bisher einzige Analyse der *Hauspostillen*-Musik stammt, aufmerksam gemacht: Bänkellied (Villon war in der Ausgabe von 1927 u. a. mit einem Gedicht berücksichtigt), Moritat, Kneipenlied, Bar- und Tanzmusik (kommerzialisierter Jazz nach dem 1. Weltkrieg), bayrisch-schwäbische Folklore, volkstümliches Erbauungslied und nicht zuletzt auch die Schnulze (Melodie zu *Erinnerung an die Marie A.* nach dem Schlager *Verlor'nes Glück* von Charlos Marlo). »Diesen Liedtypen gemeinsam ist, daß sie immer auf spezifische soziale Situationen zugeschnitten sind. Sie stellen eine bestimmte Beziehung her zwischen Sänger und Zuhörer oder Mitsänger in einer mehr oder weniger geläufigen Alltagssituation (oder auch ›Sonntagssituation‹)« (Ritter, 210). Das heißt, daß die Lieder auch musikalisch stets einen sozialen Zusammenhang zitieren, in dem sie üblicherweise stehen, und »damit zugleich bestimmte gesellschaftliche Haltung« zum Ausdruck bringen (Ritter führt als Beispiel das *Apfelböck*-Lied an, das im zweiten Titel *Lilie auf dem Felde* noch direkt auf das Erbauungslied weist; Brecht freilich kehrt die Tendenz diametral um und richtet sie gegen jegliche Erbauung; ihr alter Kontext aber ist als zitierte Folie sowohl inhaltlich als auch musikalisch »aufgehoben«, konserviert und negiert zugleich).

Ritter hat – soweit Zeugnisse vorliegen – sowohl Brechts eigene Ausführungen in Sachen Musik genauer untersucht als auch die erhaltenen Melodien mit dem entsprechenden Text nachgesungen. Dabei hat sich ergeben, daß Brecht die Uneindeutigkeit, den Bruch, den Widerspruch und größtmögliche rhythmische Variation gesucht hat, alles Kennzeichen dafür, daß die sprachliche »Aufrauung« durch melodische Aufrauhungen entschieden unterstützt werden sollten. »Schöne« Lieder, gleichmäßig durchgesungene Strophen waren gerade nicht gefragt, wie Brecht auch darauf achtete, sinntragende Wörter auch gegen den vorgegebenen Takt rhythmisch und durch die Intonation herauszuheben, z. T. überdeutlich aus dem Zusammenhang zu »reißen«: diese Bruchstellen waren es, die markiert werden sollten.

Hans Martin Ritter weist mit seinen musikalischen Untersuchungen und Proben die These von Klaus Birkenhauer (wie ich meine: überzeugend) zurück, der behauptet hatte, bei Brecht herrsche eine »grundsätzliche Gleichgewichtigkeit der Wörter«, die als Bauprinzip der *Hauspostille* wirksam werde (Birkenhauer, 14 und ff.). Brecht suche nicht die »›künstliche Redeweise, fern vom normalen Sprachgebrauch‹ (Birkenhauer), sondern eben dieser ›normale‹ Sprachgebrauch ist der Ausgangspunkt für die durchaus ›künstliche Redeweise‹ Brechts. Diese entsteht durch eine ›Sammlung ausgewählter Tonfälle‹, deren Natürlichkeit ›bei der Auswahl nicht verloren gehen‹ darf durch die ›Übersetzung des Natürlichen ins Künstliche‹«, denn übersetzt werde nach dem Sinn, als im Hinblick auf die inhaltliche Bedeutung der Wörter (Ritter, 229; vgl. 15, 370). Ritter befindet sich damit – er beruft sich auch auf entsprechende Äußerungen – im Einklang mit theoretischen Äußerungen und Reflexionen Brechts.

Klaus *Birkenhauer*: Die eigenrhythmische Lyrik Bertolt Brechts. Theorie eines kommunikativen Sprachstils. Tübingen 1971 (S. 8–24). – Hans Martin *Ritter*: Die Lieder der Hauspostille – Untersuchungen zu Brechts eigenen Kompositionen und ihrer Aufführungspraxis. In: Bertolt Brechts »Hauspostille«. Hg. v. Hans-Thies *Lehmann* und Helmut *Lethen*. Stuttgart 1978. (S. 204–230). – Eine Schallplattenaufnahme der *Hauspostille* insgesamt (Fassung 1955) liegt bei der Deutschen Grammophon vor.

Hinweise zur Forschungslage

Die klassische wissenschaftliche Darstellung der frühen Lyrik Brechts ist die von Klaus Schuhmann (1964), die die *Hauspostillen*-Gedichte im Rahmen der Entstehungsgeschichte behandelt und auf den Zyklus am historischen Ort (1926/27) nach den

Gesichtspunkten »Entstehung und Komposition« eingeht (123–128). Nach chauvinistischen Anfängen des Schülers Brecht, der u. a. den Kaiser hymnisch andichtete oder in Feuilleton-Beiträgen die Notwendigkeit des Kriegs verkündete, sieht Schuhmann 1916 eine Abwendung von der negativ empfundenen geschichtlichen Entwicklung (Beginn des mörderischen Stellungskriegs, Hungerwinter) ausgeprägt. Brecht fliehe vor der gesellschaftlichen Wirklichkeit in die Natur (paradigmatisch steht dafür das *Lied von der Eisenbahntruppe vom Fort Donald*; 1916 entstanden). Daß die Naturwendung jedoch keine prinzipielle Flucht vor der Wirklichkeit wird, daran hindert nach Schuhmann die materialistische Grundeinstellung Brechts. Während die gleichzeitigen Expressionisten die Natur mythisieren und als geistigen Kosmos erfassen (z. B. Georg Heym; Schuhmann, 44 ff.), sieht Brecht in der Natur die materiellen Kräfte wirken (Zerfall, Verwesung, aber auch Vitalität). So komme es, daß Brechts Antibürgerlichkeit, die er mit den Expressionisten teilt, nicht zum Aufbau neuer Illusionierungen führe: »Er mißtraute den scheinrevolutionären ›Reden, Manifesten, Gesängen von Tribünen‹. Seine Einsichten drängten ihn immer wieder dazu, das zu zerstören, was ihm als eine Versöhnung mit der widerspruchsvollen Wirklichkeit erschien. Er desillusionierte, während die Expressionisten neue Illusionen weckten« (Schuhmann, 44).

Während Schuhmann versucht, Brechts frühe Lyrik (die *Hauspostillen*-Gedichte stammen mit ganz wenigen Ausnahmen aus der Zeit zwischen 1916 und 1921) in den geschichtlichen Prozeß einzuordnen, freilich nicht ohne – für die DDR-Forschung übliche – Wertung des jeweiligen Stands an historischer Einsicht des Autors, stellt das westdeutsche Pendant, die Arbeit von Peter Paul Schwarz (1971), einen geistesgeschichtlichen Zusammenhang her, und zwar durch den von Friedrich Nietzsche propagierten und »vorausgesagten« Nihilismus. Schwarz' zentrale These lautet: »sämtliche thematische oder strukturelle Zusammenhänge« lassen sich auf Brechts Entwicklung zum Nihilismus »vorbereitend, begleitend oder distanzierend« beziehen (Schwarz, 183). Schwarz betont deshalb die Abwesenheit von Transzendenz, von Gott und ihr komplementär entsprechend eine »vitale Bejahung des Nichts« (Schwarz, 56). In zahlreichen Einzelinterpretationen, die noch immer viel Material bereitstellen und (auch Kritik herausfördernde) Denkanstöße vermitteln, untersucht Schwarz die frühe Lyrik insgesamt und manche Gedichte der *Hauspostille* im besonderen auf diese weltanschaulichen Zusammenhänge hin. Der Grundeinwand, nämlich die geistesgeschichtliche Deutung rigoros anzuwenden, ist von mir im *Forschungsbericht* (1974) formuliert worden. Die Unterschiede, die Schuhmann zwischen Brecht und den Expressionisten herausgearbeitet hat, gehen bei einer solchen Interpretation wieder weitgehend verloren. Das gilt auch für die unbrauchbare Arbeit von Steffen Steffensen, die nur hier kurz erwähnt sei (1964; deutsch 1972): die bloß aufgezählte Motivgleichheit von französischen Vorbildern (Rimbaud), von Kipling, Wedekind oder expressionistischen Zeitgenossen Brechts beweist noch nichts; und daß Brecht ein »nihilistischer Empörer« gewesen sei, bleibt in dieser Allgemeinheit blaß und kann mit Schwarz' Analysen nicht konkurrieren (Steffensen, 73).

Der entscheidende nächste Schritt wird mit Carl Pietzckers Buch über die Lyrik des jungen Brecht vollzogen, das sich, wie die anderen auch, nicht auf die *Hauspostillen*-Gedichte beschränkt, sie aber sehr wohl in den Mittelpunkt stellt. Pietzckers Buch zeichnet sich zunächst dadurch aus, daß es sorgfältig und in unangestrengt ruhiger Diktion ausführliche Einzelinterpretationen liefert, von denen aus dann größere Bögen zur weiteren Lyrik des jungen Brecht gezogen werden (im Zentrum des Buchs stehen: *Von der Freundlichkeit der Welt*, das *Apfelböck*-Gedicht, *Vom ertrunkenen Mädchen*, das »*Schwimmgedicht*«). Pietzcker sieht entgegen der bis dahin vertretenen »Bruch-These«, nämlich die um 1926 einsetzende Wendung zum Marxismus mit entsprechend unvermittelt vollzogener Abkehr von individualistischen und anarchistischen Positionen, als konsequente Entwicklung. Brecht beginne zunächst mit kritischen Bestandsaufnahmen der bürgerlichen Zustände, die er zunehmend ablehnt und schließlich in einem weitgehend individuell ausgelebten Anarchismus bekämpft (Baal-Typus). Seine nihilistische Einstellung erfaßt Pietzcker damit aber nicht mehr als abstrakten geistesgeschichtlichen Zusammenhang, sondern als konkreten Ablösungsprozeß: nämlich der Ablösung vom Mittelstand, zu dem er durch Geburt gehört hat (»Vaterlosigkeit«). Ausdruck wird dafür, daß er das bürgerliche Individuum, die scheinbare Individualität überhaupt, negiert, daß er sich von der Gesellschaft abkehrt (Vitalismus, Natur-»Flucht«) und aggressive Haltungen entwickelt (unterdrückte Sexualität), die er zunächst gegen sich selbst, dann aber zunehmend nach außen wendet und dadurch allmählich zu bewußten Positionen gelangt, die nicht mehr ziellos sind, sondern sich konkret gegen gesellschaftliche Unterdrückung richten. Pietzckers psychoanalytischer Ansatz lenkt zwar das Hauptinteresse auf die persönliche Entwicklung Brechts – und bleibt insofern wie üblich beim Primat des Subjekts, von dem aus gedeutet wird (Lyrik als Ausdruck) –, sucht aber stets die individuelle Entwicklung im gesellschaftlichen Kontext zu bestimmen. Nicht nur der Nihilismusbegriff (ob mit oder ohne psychoanalytische Komponente) erhält dadurch wünschenswerte Konturen.

Den Haupteinwand gegen Pietzckers Buch hat die Autorengruppe um Lehmann und Lethen (1978) formuliert: Pietzcker schließe zwischen der »Aussage« des Gedichts und Selbstaussage des Autors kurz; alles, was im Gedicht gesagt ist, wird als Meinung, Haltung, unbewußte Position des Autors genommen (vgl. vor allem 171 f.). Oder anders gesagt, und dies legen gerade die *Hauspostillen*-Gedichte *innerhalb* des Zyklus nahe, Pietzcker – und die psychoanalytische Literaturwissenschaft überhaupt – erwägt nicht, daß Gedichte in bewußter Rollendistanz geschrieben sein könnten und also gar nicht Meinungen oder unbewußte Projektionen oder Phantasien des Autors darstellen. Freilich kann die Position, von der die Gruppe die Kritik an Pietzcker formuliert, wiederum nicht ohne Gegenkritik bleiben: daß der Text eine »eigene sprachliche Wirklichkeit« sei, die im »kollektiven Leseprozeß« mehr oder minder erst konstituiert wird, ist entweder eine kaum verwertbare Allgemeinheit oder in dieser Verabsolutierung falsch. Die Frage ist ja gerade, wie konkret der Verweisungszusammenhang von künstlichen Gebilden (die Gedichte – und nicht nur diese – allemal sind) und gesellschaftlicher Realität zu erfassen ist, ob also die Gedichte sowohl auf die Realitätserfahrung des Autors als auch auf die der Gesellschaft, in der er lebt und schreibt, schließen lassen. Pietzcker hat die Rollenhaftigkeit z. B. des Schwimmgedichts durchaus gesehen (vgl. Pietzcker, 196 f.), was ihm vorzuwerfen wäre, ist, die Frage nach dem Schluß von Gedicht auf den Autor nicht explizit diskutiert zu haben. Aber klar bleiben sollte – was sich wiederum die Gruppe um Lehmann und Lethen nicht explizit deutlich gemacht hat –, daß eine materialistische Analyse das Gedicht nicht als »besonderen« Gegenstand sprachlicher »Wirklichkeit« isolieren kann, sondern die Bezüge zur gesellschaftlichen Realität der Zeit und des Autors suchen *muß*. Die Frage ist nur, welche möglicherweise vorhandenen Hindernisse direkter Schlußfolgerungen konkret zu bedenken sind.

Die Gruppe um Lehmann und Lethen liefert die erste große Monographie zur *Hauspostille* und geht dabei ausführlichst auf folgende Gedichte ein: *Liturgie vom Hauch* (21–45), *Apfelböck* (46–73), *Von der Kindesmörderin Marie Farrar* (74–98), *Das Schiff* (99–121), *Vom Schwimmen in Seen und Flüssen* (146–172), *Vom ertrunkenen Mädchen* (122–145) und *Ballade von der Hanna Cash* (273–203). Überdies berücksichtigt der Band die Lieder, wie oben dargestellt (Hans Martin Ritter) und geht ausführlicher auf den Nihilismus-Gemeinplatz der Brechtforschung ein; der Band endet mit einem Ausblick auf Brechts Entwicklung zum politischen Dichter. Die Texte werden erschlossen durch produktive »Sinnkonstitution« (Berufung auf Wolfgang Iser), methodisch also schließt sich die Gruppe – übrigens nicht immer in der Praxis – den modischen Positionen an, wonach vor allem das »Lesen«, das als kollektives *hier* vollzogen wird, erst den Text »schafft«. Der Realitätsbezug des *historischen* Textes, der Text als »Dokument«, geht dabei verloren, zumindest wird er zugedrängt. Die Bedeutungen sind besetzt von teilweiser aggressiver Polemik gegen andere Positionen, deren möglicherweise eingeschränkte Haltbarkeit (z. B. die von Schwarz) gar nicht mehr erwogen wird. Das Verfahren, »Freie Bahn den Assoziationen« (Lehmann/Lethen, 9) führt z. T. zu kuriosen Einfällen, die durchaus nicht immer rational gebändigt werden, ganz abgesehen davon, daß der historische Sinn des Texts zugunsten des modernen Lesers gerade unterdrückt wird. Insgesamt – und darin liegt die anregende Produktivität der Gruppe – laufen die Deutungen alle darauf hinaus, die Gedichte der *Hauspostille* als Selbstdarstellungen der Poesie zu verstehen und ihren Spiel- und Rollencharakter zu betonen (wie gesagt, die Ergebnisse sind unterschiedlich). Damit aber werden die Gedichte auch fast durchgängig unverbindlich, beliebig oder mit dem Neologismus der Gruppe zu sagen »albernst« (aus albern und ernst) (Lehmann/Lethen, 32).

Die jüngste Darstellung neben Christiane Bohnerts Behandlung der *Taschenpostille* als Zyklus (s. o.) ist die sich als Gesamtdarstellung der Lyrik Brechts präsentierende, aber bloß Einzelinterpretationen reihende Untersuchung von Franz Norbert Mennemeier (1982). Die *Hauspostille* selbst ist nicht (bzw. kaum) Thema, an einzelnen Gedichten werden interpretiert: *Das Schiff* (25–38), die »Naturgedichte« (das Schwimmgedicht, *Vom Klettern in Bäumen*; 49–59) und *Liturgie vom Hauch* (75–90) sowie zusammengefaßt die dritte Lektion der Balladen (39–48). Die Deutungen sind geistesgeschichtlich orientiert, insgesamt recht allgemein, oft so abstrakt, daß man sich um die Erläuterungen der Schwierigkeiten betrogen fühlt, und ohne Verarbeitung der Sekundärliteratur, die gerade bei diesen Gedichten notwendig gewesen wäre. So jedenfalls bleibt Mennemeiers Untersuchung unergiebig.

Insgesamt bleibt die *Hauspostille* trotz (oder besser wegen) der Tatsache, daß sie Brechts bekannteste und populärste Gedichtsammlung (und damit die des 20. Jahrhunderts überhaupt) ist, lohnender Gegenstand für weitere Analysen. Das Deutungsangebot ist dermaßen breit und widersprüchlich, daß neben dem Versuch, die verschiedenen Ansätze zu »synthetisieren«, auch noch ein weites Feld für bloß positivistische Sammelarbeit bleibt, die dann weitere Analysen sicherstellen kann.

Klaus *Schuhmann* (s. o.). – Peter Paul *Schwarz* (s. o.). – Steffen *Steffensen* (s. o.). – Carl *Pietzcker* (s. o.) – Bertolt Brechts »Hauspostille«. Hg. *Lethen/Lehmann* (s o.). – Christiane *Bohnert* (s. o.). – Franz Norbert *Mennemeier*: Bertolt Brechts Lyrik. Aspekte, Tendenzen. Düsseldorf 1982 (S. 25–59, 75–84).

Liturgie vom Hauch

Texte: Das Gedicht entstand Anfang 1924 (vgl. BBA 461/26, 29–30 = Nr. 6034, Bd. 2, S. 123). Von ihm liegen drei Druckfassungen vor. Die erste Fassung enthielt die *Taschenpostille* von 1926, die das Gedicht – wie die anderen Gedichte dieses Zyklus auch – erstmals konsequent durchnumeriert hat, und zwar in 40 Abschnitte. Diese Fassung unterscheidet sich von der zweiten Druckfassung in der *Hauspostille* dadurch, daß sie statt des »roten Bärs« einen »großen Lämmergeier« die Vöglein im Walde fressen läßt (1927; Erstausgabe, S. 17–22). Die dritte Druckfassung, die in allen späteren Ausgaben zu finden ist, entstand nach 1951 und vor 1955, in der Zeit, als Brecht nach dem Vorbild seiner »Durchsichten« der Stücke auch die Gedichte erneut durchging. Die *Liturgie* erhielt nun 41 Abschnitte, ließ die Männer (Abschnitt 31) nicht mehr »rot« sein, änderte in Abschnitt 38 den 2. Halbsatz in »das brauchte er nicht als Bär.« und fügte als Abschnitt 39 ein »Doch er war nicht von gestern und ging nicht auf jeden Teer«, so daß die beiden folgenden Abschnitte als 40 und 41 zählen. Außerdem tilgte diese Neufassung des Gedichts die Variation von »Vöglein« und »Vögelein« (ab Abschnitt 24 schrieb die *Hauspostille* »Vögelein«), indem sie durchgängig »Vöglein« aufweist. Einer angemessenen Analyse ist die zweite Fassung, diejenige, die Brecht dann auch umfassend publizieren ließ, zugrundezulegen; die erste Fassung ist dabei selbstverständlich zu berücksichtigen. Die dritte Fassung dagegen dokumentiert Brechts späteres Verständnis des Gedichts, dessen Änderungen übrigens recht schwach und oberflächlich ausfallen. – Eine weitere indirekte »Textänderung« zwischen zweiter und dritter Fassung tritt dadurch ein, daß Brecht bereits 1938 für die Malik-Ausgabe seiner Werke das der *Liturgie* unmittelbar vorangehende Gedicht *Gesang des Soldaten der roten Armee* (Erstausgabe, S. 15–17) tilgt, weil es von der (linken) Kritik mißverstanden worden ist (Alexander Abusch in der *Roten Fahne*). Man las das Attribut des Titels als »Roten Armee« und bezog es fälschlich auf die bolschewistische rote Armee der Sowjetunion. Brecht dagegen meinte – das geht auch aus dem Inhalt deutlich hervor (»Ihr Herz zerfror im Januarwind«, Anspielung auf Januarereignisse in Deutschland) – die »rote Armee«, die sich in Bayern gebildet hatte, um die Münchner Räterepublik militärisch durchzusetzen. Durch dieses Gedicht ist nicht nur der Begriff »rot« als politischer Begriff vorbestimmt, die *Liturgie* erhält dadurch auch recht eindeutige zeitgenössische Bezüge.

Analyse: Die bei diesem Gedicht besonders auffällige Numerierung, die außer dem Refrain jeden Vers einzeln zählt, unterstreicht den »Liturgie«-Charakter ebenso wie die ständigen, sehr bewußt eingesetzten Wiederholungen sowie die Stereotypie des Reims (durchgängig sind der durch das erste Reimwort »einher« sowie der durch das Refrainwort »balde« vorgegebene Reim); hinzu kommt, daß sich je sechs Abschnitte zu sechs Strophen verbinden, wobei nur die letzten vier Abschnitte mit der bezeichnenden Änderung vom Schema abweichen. »Liturgie« heißt die strenge Ordnung im (vor allem katholischen) Gottesdienst, die auch durch entsprechende liturgische Bücher reglementiert zu werden pflegt. Die strenge Abfolge dieses Gedichts wird besonders deutlich beim lauten Lesen, und zwar wenn man die Abschnittszahlen jeweils mitliest. Um Ordnung aber geht es nicht nur in der Form, sondern auch im Inhalt, die in Abschnitt 14 auch so genannt ist.

Die erste Strophe (Abschnitte 1–6) knüpft – Brecht schrieb das Gedicht, wie gesagt, 1924 – unmittelbar an die Erfahrungen des Hungers in Deutschland an. Hungersnöte herrschten seit dem 2. »Kriegswinter« 1915/16 mit steigender Tendenz (ab 1916/17 sogenannter »Kohlrübenwinter«); es starben Zigtausende von Menschen ohne jegliche Kriegseinwirkung in Deutschland. Der Hunger blieb für die armen Leute herrschend bis 1924 (Ende der Inflation), als dann die Scheinblüte der »Goldenen Zwanziger« einsetzte (sog. »Hungerküchen« bestimmten mit langen Schlangen die deutschen Straßenbilder). Da die erste Strophe den Zusammenhang von Hunger und Militär herstellt, ist damit indirekt auch die Kriegszeit genannt: das Militär verschlingt alles, und die Einwohner, für die die Frau steht, sterben vor Hunger.

Der Refrain zitiert, freilich mit erheblichen Modifikationen, Goethes Gedicht *Wandrers Nachtlied*, das in den Goethe-Ausgaben deshalb mit »Ein gleiches« überschrieben zu sein pflegt, weil unmittelbar davor ein weiteres *Wandrers Nachtlied* steht.

Über allen Gipfeln
Ist Ruh,
In allen Wipfeln
Spürest du
Kaum einen Hauch;
Die Vögelein schweigen im Walde.
Warte nur, balde
Ruhest du auch.

Es handelt sich um eines der bekanntesten Gedichte Goethes, das bereits vor Brecht in zahlreichen Varianten aufgenommen und parodiert worden ist. Die schönste Variation nach Brecht schrieb Ernst Jandl, der den mißverständlichen Titel des Gedichts »Ein gleiches« beim Wort nimmt und das Gedicht als Lautgedicht – mit Sinn – regelrecht wiederholt (inhaltlich nützt Jandl die in der Goetheschen Fassung bei parodierender Lesung durchaus mißverständlichen »Vögelein« als »Vögeleien« aus; möglicherweise hat Brechts dritte Fassung diese »Miß«-Lesung vermeiden wollen). Über Brechts Veränderungen ist viel spekuliert worden, worauf z. T. noch einzugehen sein wird, wenn der »kulturelle« Aspekt des Gedichts zu erörtern ist. Hier interessiert zunächst der buchstäbliche Sinn. Brecht zieht die »schweigenden Vöglein« nach vorn und verbindet ihr Schweigen temporal und auch kausal durch das als Konjunktion gebrauchte »Darauf« (Doppelsinn von »darauf hin« = »dann« und »daher«). Während im Goethegedicht die Bewegung der sich ausbreitenden Ruhe von »oben« – »Über allen Gipfeln« – her kommt, geht sie bei Brecht nur von den Vöglein aus: sie sind die Verursacher des Schweigens. Durch die beschriebenen Vorgänge lassen sie sich zur Ruhe bringen, anstatt gegen sie aufzubegehren – wenigstens verbal.

Dadurch daß die Vöglein als Verursacher des Schweigens konkret benannt sind, läßt sich auch der Austausch der »Gipfel« und der »Wipfel« bei Brecht inhaltlich konkret bestimmen. Bei Goethe ist, wohlgemerkt, von »allen« Gipfeln die Rede, es handelt sich also nicht um eine bestimmte Landschaft, sondern um eine höchst künstliche, universale. »Über« den Gipfeln ist der Himmel, der indirekt durch die erste Zeile angesprochen ist – in der Bewegung von ganz oben bis ganz unten (ruhen in der Erde – also vom Himmel zur Erde und in sie hinein). Goethes Gedicht, das normalerweise als Idylle vollkommener Ruhe gedeutet wird, ist weder idyllisch, noch »drückt« es vollkommene Ruhe »aus«. Theodor W. Adorno hat schon darauf hingewiesen, daß die Unruhe »noch« herrscht, daß sie – indem ein Zustand der Ruhe entworfen wird – dennoch im Gedicht »nachzittert« (Adorno, 81). Überdies erscheint die verhießene Ruhe alles anderes als beruhigend. Wenn auch über den Gipfeln Ruhe herrscht und dem angesprochenen »Du« Ruhe versprochen wird, so verweist das Gedicht neben dem vordergründigen Sinn, daß sich die Natur »zur Ruhe begibt« am Ende des Tages, auf den hintergründigen Sinn vom Sterben des Menschen, das offenbar von keiner transzendenten Tröstung (Himmel) mehr aufgehoben wird. Gerade dieser beunruhigende Hintersinn ist es gewesen, der dem Gedicht seine fortwirkende Kraft gab und es zugleich für alle möglichen »Drohungen« dieser Art (»Warte nur...!«) parodistisch öffnete. Für den modernen Autor – vor allem einem wie Brecht – ist klar, daß der Himmel, der bei Goethe noch besetzt zu sein pflegte, nicht mehr als Ort der Transzendenz – und sei es auch in der Negation – gelten kann. Der im Goethe-Gedicht noch unausgesprochen anwesende Himmel muß denn also getilgt werden. Von daher rechtfertigt sich die »Vertauschung«: der Verweis auf etwas, was »über den Gipfeln« ist, wird getilgt. Daß die Tilgung notwendig ist, macht spätestens der

Refrain der letzten »Strophe« (40 bzw. Neufassung 41) deutlich. *Was* sollte denn »über den Gipfeln« für Unruhe sorgen? Die entscheidende Sinnumpolung liegt also darin, daß das Gedicht Goethes ganz auf die Erde herunter geholt wird: die Ruhe ist verursacht, ihr Bezug zur Ruhe in der Natur – als natürlicher Ruhe – und zum Sterben ist getilgt.

Die zweite Strophe (Abschnitte 7–12) verschärft den Sachverhalt der ersten Strophe insofern, als der Hungertod der alten Frau nicht etwa Anlaß wird, die gesellschaftlichen Ursachen des Todes aufzudecken und zu beklagen, vielmehr im Gegenteil dazu dient, die Ursachen zu beseitigen und zu verdecken. Die Bildung »Totenarzt« (den es realiter ja nicht gibt) erinnert nicht nur an die Ärzte in der *Legende vom toten Soldaten*, in der sie den bereits gefallenen Soldaten noch einmal für die Schlacht »zubereiten« (»k. v.« = kriegsverwendungsfähig), also in perverser Umkehr ihres Berufs nicht heilen, sondern sterben helfen. Daß die Alte auch beim Verscharren das Attribut »hungrig« behält, ist nicht so zu verstehen, daß sie etwa noch nicht tot wäre; vielmehr ist sie als Tote Zeugnis des herrschenden Hungers geblieben, weshalb sie auch beseitigt werden muß. Der »Schein« wird dadurch doppeldeutig: nicht nur der Totenschein ist gemeint, sondern auch die Ideologie, der »Schein als ob«, mit dem der Arzt – die Alte besteht ja auf ihm – ihren Fall »erledigt«, als sei er gar nicht geschehen. Da ihr Tod so noch nicht einmal »Zeichen« sein darf für eine brutale Realität, kann der Arzt über sie lachen. Der Refrain ist diesmal mit einem »Auch« angeschlossen: die Vöglein, die ganz offenbar Zeugen des Geschehens sind, schweigen wie die Alte auch und werden so zu Stützen einer solchen Ordnung.

Die dritte Strophe nennt die Ordnung beim Wort, die durch die ersten beiden Strophen als Raubordnung beschrieben und charakterisiert ist. Der einzelne Mann nimmt eine allgemein humanistische Position ein, also den kleinsten gemeinsamen Nenner zwischenmenschlicher Beziehung, daß der Mensch seinen Lebensunterhalt wenigstens gewährt bekommen müßte; aber bereits die zurückhaltend, fast untertänig geäußerte Bitte führt zu brutaler Reaktion von seiten der »Ordnung«, die Gegenstand der vierten Strophe (19–24) ist. Der Ordnungshüter, der Kommissar, erschlägt den Mann und bringt seinen Ruf nach Menschlichkeit zum Erliegen. Daß dieser Mann offenbar zu den metaphorisch sogenannten Vöglein gehört, besagt die Modifikation des Refrains. In diesem Fall wird er vom Kommissar gesprochen – die Ordnung redet die Stimme der Humanität nieder –, und sein Inhalt figuriert nun als Ergebnis, als Folge der brutalen Tat: weil der Kommissar den Mann umgebracht hat, schweigen auch die Vöglein (wieder).

Die fünfte Strophe steigert die gesellschaftliche Auseinandersetzung, als jetzt drei Männer gegen die Ordnung auftreten und den Tod der Frau sowie den Mord an dem Mann als gesellschaftlichen Fall beschreiben: es gilt nun nicht bloß eine allgemein humanistische Position, vielmehr wird der gesellschaftliche Schaden benannt und gegen ihn aufgerufen (Solidarität). Die »Antwort« der Ordnung kommt hier bereits in gesteigerter Form, durch Schußwaffen nämlich, nicht mehr von einem einzelnen, sondern von einer (nicht näher bezeichneten) gesellschaftlichen »Ordnungs«-Macht. Daß Brecht die Maden durch das Fleisch der Männer kriechen läßt, ist als Hinweis auf Opfer und Nutznießer der Gesellschaft zu lesen. Die eine Gruppe haust wie die Made im Fleisch, die anderen müssen für diese ihr Fleisch regelrecht »hinhalten«. Daß es keinen Sinn ergibt, in den drei bärtigen Männern die »Ideologen« des Marxismus zu erkennen, Marx, Engels, Lenin, sollte zumindest angedeutet sein (vgl. dagegen Lehmann/Schnarr, 27): weder haben sie zur schweigenden Mehrheit gehört, noch haben sie irgendwelche gesellschaftlichen Zustände gerechtfertigt oder gar verteidigt, und Lenin gar hat nicht nur mit dem Wort »geredet«. Da – wie auch in der folgenden Strophe deutlich wird – der »Widerstand«, der rein verbal bleibt, sich nur in einer Reihe eskalierender Niederlagen manifestiert, Niederlagen, die von der Masse des Volkes schweigend hingenommen werden, kann es sich – wenn man zeitgeschichtliche Parallelen sucht – nur um deutsche Verhältnisse handeln. Da die bärtigen Männer überdies *keine* »Roten« sind, dürfte mit ihrer Gruppe die gesellschaftskritische, sonst aber untätige deutsche Intgelligenz angesprochen sein. Im Vergleich mit der sechsten Strophe ergibt sich, daß die drei bärtigen Männer ähnlich allgemein bleiben wie der einzelne Mann, weil sie niemand direkt ansprechen.

Die sechste Strophe formuliert, indem sie den Männern das später wieder getilgte Attribut »rot« gibt, erstmals politischen Widerstand, der sich auch direkt gegen die – bereits in der ersten Strophe als Nutznießer der gesellschaftlichen »Ordnung« genannten – Macht des Militärs wendet. Ihr (verbaler) Widerstand muß bereits mit Maschinengewehren, also mit modernster Kriegstechnik bekämpft werden, und ihr Zeugnis (die Falte in der Stirn) läßt sich im Gegensatz zu dem der alten Frau nicht mehr (ganz) beseitigen. Da der Refrain erneut das Fortbestehen der alten Ordnung beschreibt, kann es sich bei den vielen »roten Männern« doch auch wieder nur um eine Minderheit handeln, die von der Mehrheit im Stich gelassen wird. Die zeitgeschichtliche Parallele ist hier zur deutschen Novemberrevolution zu ziehen, die bekanntlich keine wirkliche Revolution gewesen ist, da sich die sie tragenden Kräfte (SPD/USPD) lediglich als Exekutoren des alten Kaiserreichs verstanden und mit dem Militär gegen das eigene Volk vorgegangen sind. Da Brecht mit *Trommeln in der Nacht* die »verratene Revolution« bereits in diesem desillusionierten Sinn dramatisch gestaltet hat, läßt sich in diesem Gedicht unschwer eine ähnliche Einstufung der Vorgänge festmachen (daß Brecht später das Attribut »rot« beseitigt hat, erklärt sich konsequent aus der Einsicht, daß die deutsche Revolution ja keine »rote« – wie die in Rußland – gewesen ist; wie *Trommeln in der Nacht* beweist, wußte Brecht kaum Konkretes über die Ereignisse und deren Akteure). Dennoch ist festzuhalten, daß das Gedicht nicht behauptet, daß sich »gar nichts« gerührt habe – wie bereits in Goethes Gedicht ist noch »Unruhe« (genauer: Hauch). Brecht schildert Protestversuche, die jedoch mit dem Schweigen der Mehrheit enden. Freilich beschränkt sich der Protest auf bloß verbale »Aktionen«, die sich nicht einmal als »Widerstand« charakterisieren lassen. Selbst bei den vielen roten Männern bleibt die Formulierung bewußt zurückhaltend: »wollten einmal reden«. Die Reaktionen der Ordnungsmacht sind jeweils »unangemessen«, so daß in der sechsten Strophe (31–36) schließlich die Redeversuche metaphorisch umgedeutet werden: wo Maschinengewehre, wo Gewalt, »reden«, nützt Reden nichts mehr. »Reden« heißt jetzt: Gegengewalt anwenden, also die revolutionäre Lösung zu suchen.

Die siebente Strophe (37–40) scheint die revolutionäre Lösung zu bringen. Da der »Bär« traditionell politisch mit Rußland (allerdings mit dem zaristischen Rußland) identifiziert worden ist, liegt es nahe, nun im »roten Bär« die erfolgreiche russische Oktoberrevolution angespielt zu sehen, die einmal nach Deutschland – bzw. in die beschriebene Ordnung – einbrechen und sie auflösen wird. Der Bär redet nicht mehr, er handelt. Damit jedoch hat man mehr Fragen gestellt als beantwortet. Der Bär kommt »von überm Meer« (Abschnitt 38), als irgendwo her, nicht aber aus »Rußland« direkt. Er kommt aus einer ganz anderen Welt und kennt die Ordnung »hier« nicht. Außerdem frißt er nicht das »Militär«, das für die die Ordnung verkörpernde Macht im Gedicht einsteht, sondern die »Vögelein«, die jetzt ihr Schweigen aufgeben, offenbar nun aber nicht nur mundtot gemacht, sondern – durchs Gefressenwerden – realiter getötet werden. Dies gibt aber alles nach den vorangegangenen und ja offenbar genau kalkulierten Strophen keinen stimmigen Sinn. Hier kann auch daran erinnert werden, daß in der *Taschenpostille* noch ein Lämmergeier die Vögelein fraß, daß also zwei Jahre lang eine Lesart für Brecht gegolten hat, auf die die »rote« Lösung ganz offenbar nicht angespielt wissen wollte. Durch den »Lämmergeier« wären die schweigenden Vögelein noch einmal charakterisiert, nämlich als die geduldigen, dummen »Lämmer«, die sich scheren und schlachten lassen, ohne sich zu rühren. Der Bär läßt sich schon deshalb rechtfertigen, weil die Vöglein – ganz abgesehen von ihrer metaphorischen Verdoppelung, die inkonsequent wäre – sich am Ende eben doch rühren, also sich nicht wie die Lämmer schlachten lassen.

In der Konsequenz des Gedichts, das die Vöglein als »feige und verkommene Handlanger der Kapitalistenklasse« (Schuhmann, 143) anprangert, wäre eine sinnvolle revolutionäre Lösung doch eigentlich nur von innen heraus möglich, dann nämlich, wenn die Vöglein nicht schwiegen und die angemessene »redende« Antwort fänden, die revolutionäre Gewalt. *Diese* Lösung aber tritt nicht ein, so daß sich zwischen der sechsten und siebenten Strophe ein Bruch ergibt, der jedoch formal nicht realisiert wird. Die formale Gestaltung, den »Bruch« in einer Folge mit den vorangegangenen Ereignissen sprachlich zu realisieren, läßt sich kaum anders analysieren als ein Hinweis darauf, daß eine Revolution durch die Mehrheit des Volkes ausgeschlossen ist. Wenn eine Revolution kommt, dann eine von außen, die aber – und das ist dann der »Witz« – dem Volk nichts nützt: es wird nämlich von der eigenen Revolution, die nicht die eigene war, gefressen. Daß die Revolution ihre Kinder frißt, war Brecht als dem Büchner-Leser bekannt. In *Dantons Tod* erscheint die Revolution als ein Vorgang, der dem französischen Volk nicht nur nichts eingebracht hat, sondern ihm in den nachfolgenden Auseinandersetzungen direkt an die Knochen geht: das Volk ist »materiell elend«, heißt es, es blutet für die Revolution, und Danton bestätigt die Ausführungen von Lacroix mit den Worten: »Ich weiß wohl – die Revolution ist wie Saturn, sie frißt ihre eigenen Kinder« (1. Akt, Szene »Ein Zimmer«; Georg Büchner: Werke und Briefe. Mit e. Nachwort von Fritz Bergemann. München 1965. S. 19).

Brecht, der nachweislich von der russischen Revolution zu dieser Zeit kaum etwas wußte und die deutschen Revolutionsversuche z. B. im *Gesang des Soldaten der roten Armee* als Verrat der versprochenen Freiheit, als »blutrot« und »unmenschlich« beschrieb, hat demnach mit dem roten Bär weniger an die russische Revolution gedacht, sondern an die Revolution, die im Blut der eigenen Leute watet. Die Identifikation von »rot« als politischem Begriff und »rot« als Farbe des vergossenen Blutes hat die *Hauspostille* durch die Zusammenstellung beider Gedichte bereits hergestellt. Es liegt also nahe, das zunächst politische Attribut bei den »vielen roten Männern« auf die Revolution des Bärs als Zeichen des vergossenen Bluts – die Revolution frißt ihre eigenen Kinder – zu übertragen und die Linie fortgesetzt zu sehen: die durch die Revolution – sie ging ja wegen der üblen Zustände in vereinzelten Aufruhrversuchen bis 1923 »weiter« – scheinbar verbesserten Zustände richten sich gegen das eigene Volk, das freilich von sich aus nicht fähig war, revolutionär zu sein. So gesehen ist das Gedicht eine der nachhaltigsten Stellungnahmen Brechts gegen *jede* Revolution: sie bringen alle nichts. Das Volk ist zu angepaßt, die eigene Sache zu vertreten, und die Revolutionen, die stattgefunden haben, haben nur deren Opfer gekostet, für die sie angeblich angetreten sind. Die »Lösung« ist defaitistisch.

Das entspricht durchaus der Haltung des jungen und jüngeren Brecht. Er war – das belegen bereits seine frühen Dramen – ein ausgeprägter Kenner der *bürgerlichen* Verhältnisse, die er nicht nur scharf zu zeichnen, sondern auch in ihren Widersprüchen und in ihrer stets latenten, wenn nicht offenbaren Brutalität zu gestalten wußte. Insofern war er ein früher (bürgerlicher) Realist. Eine – wie immer auch positive – Gestaltung der Gegenkräfte jedoch ist bis mindestens 1926 nicht anzutreffen, wenn auch – wie im *Eduard* – die Leiden des Volkes immer wieder beschrieben werden. Das Volk ist also keineswegs ausgeblendet, es tritt aber noch nicht als geschichtsmächtige Gewalt auf. Bester Beweis dafür sind die *Trommeln*, die die Teilnahme an der Revolution, die sich vage und »bürgerschreckend« im Hintergrund abspielt, als »Schnapsidee« realisieren. Daß auch da der Mond nicht nur politisch »rot«, sondern auch vom Blut rot ist, sei nur angemerkt.

Die spätere Umarbeitung der letzten Strophe (neue Abschnitte 37–41) läßt sich kaum anders als Versuch sehen, die übliche Deutung des roten Bärs – als russische Revolution – zu unterstützen, also die frühe defaitistische Lösung in einer (schein-)revolutionären zu verstecken (Zeugnisse, daß so gelesen wurde, hatte Brecht). Wenn mit dem Bär die russische Revolution gemeint ist, dann ist wenigstens in abstrakter (und idealistischer) Weise die Möglichkeit zu einer »positiven« Revolution angedeutet. Aber – wie gesagt – einen vernünftigen Sinn bekommt diese Variante nicht, weil niemand mehr da ist, für den die Revolution von Nutzen sein könnte.

Da das Gedicht mit einem bekannten literarischen Zitat arbeitet, hat man es früh auch als Zeugnis analysiert, das in seinem vordergründig buchstäblich-zeitgenössischen Sinn noch einen »kulturellen« Sinn verbirgt, die Auseinandersetzung nämlich mit der ästhetischen Tradition, die mit Goethes Gedicht berufen ist. Daß sich das Gedicht nicht gegen Goethe wendet, braucht kaum betont zu werden, jedoch liegt in der Veränderung und Umdeutung der Verse Goethes eine bestimmte Einschätzung des kulturellen »Erbes«. Brecht »schlachtet« es für seine Zwecke »aus« und tilgt an ihm völlig seinen vorgegebenen historischen Sinn. Der abgehobenen Sprache des Klassikers setzt Brecht bewußt seine karge, umgangssprachliche Diktion entgegen (die gestischen »da« und ebenso eingesetzten Relativpronomen: »die hatte...«, »der sagte...« u. Ä.), die jeden weihevollen Ton zurücknimmt. Dadurch werden die Worte des Klassikers noch einmal verändert: ihr Ton ist als falscher Gefühlston denunziert, die Ruhe, die sich von oben herabsenkt, als falsche, ideologische Beruhigung entlarvt. Ob man darin einen Verstoß gegen den »historischen« Geist des Goethegedichts – wie Schuhmann (147) – sehen will oder besser ein Affront gegen den Gebrauch der Klassiker in der von Brecht beschriebenen Gesellschaft, mag dahingestellt sein. Jedoch hat der Nachweis, daß Brechts Änderungen Sinn haben, gezeigt, daß Brecht dem Gedicht Goethes offenbar einiges Verständnis entgegengebracht hat, was nicht auf verharmlosenden bzw. gänzlich unhistorischen Gebrauch der klassischen Literatur schließen läßt.

Deutungen: Klaus Schuhmann hat in seiner Untersuchung über die Lyrik Brechts bis 1933 die erste eingehende Analyse des Gedichts geleistet und dabei die kritische Darstellung der bürgerlichen Gesellschaft betont. In den »Vögelein« sieht Schuhmann die »Fürsprecher und Beschöniger dieser ungerechten Welt«; es handele sich um »jene Dichter und Denker, die im Einverständnis mit der bestehenden ungerechten Sozialordnung leben. Sie kämpfen nicht mit auf der Straße, sondern sehen aus sicherer Entfernung den Vorgängen in der Wirklichkeit zu. Sie klagen nicht an, sie schweigen« (Schuhmann, 145). Durch diese Festlegung kann Schuhmann in den »Vöglein« nicht nur die Schweiger getroffen sehen, sondern auch zugleich diejenigen, die – in der Nachfolge Goethes – noch in diesen Zeiten von »Waldesruh und Einsamkeit« dichten. Der Bär wird relativ konkret als »Vertreter einer gerechten sozialen Weltordnung« gedeutet und (möglicherweise) auf die Sowjetunion beziehbar angesehen. Schuhmann kritisiert Brechts »Gebrauchswert«-Haltung gegenüber der klassischen Dichtung jedoch heftigst. Wie er in der »Lösung« am Ende noch keine Einsichten in den historischen Materialismus verrate, so bleibe auch die künstlerische Lösung bei der reinen Negation stehen, die »nicht über die Grenzen der kapitalistischen Gesellschaftsordnung« hinausführten.

Eine völlige Neudeutung gegenüber der Schuhmannschen, die mit einigen Modifikationen und anderer Einschätzung der »reinen Negation« kanonisch geworden ist, haben Hans-Thies Lehmann und Bernd Schnarr versucht. Sie fassen den Text als eine »Praxis« auf, »die sich zwischen den verschiedenen Feldern der etablierten Sprachen, der kulturellen Überlieferungen, der abgesteckten Diskurse, ansiedelt« (Lehmann/Schnarr, 44)! Wiederum steht der »kulturelle« Aspekt des Gedichts im Vordergrund, wobei diesmal dafür plädiert wird, die Spielereien des Texts ernst zu nehmen und den offenbaren »Unsinn« als den eigentlichen Sinn zu akzeptieren. Es seien eben literarische Vögel, die da schwiegen, und Brecht habe mit der Vertauschung von »Gipfel« und »Wipfel«, deren möglicher Sinn nicht erwogen wird, die Parole zur »Albernheit« gegeben. So sei im Grunde alles nur literarisches Spiel, so daß es dann auch möglich sei, im Bär den »Dichter-Bär« (»Bärt Brecht«) zu identifizieren: der nämlich fresse die literarischen Vögel Goethes: »Er verleibt sich das ›Kulturgut‹ ein. Er hat es ›gefressen‹, wie man von etwas Verhaßtem sagt, aber dennoch wird es gebraucht. Man muß es ›verdauen‹, es zerpflücken, zersetzen und verwandeln – dann erst beginnt es zu sprechen« (Lehmann/Schnarr, 43). Wie der »Leitspruch« der Autoren lautet »*Freie Bahn den Assoziationen*« (Lehmann/Lethen, 9), so vage und assoziationsreich ist auch die »Argumentation« bei diesem Gedicht. Brecht schrieb 1926: »*Ich bin ein Gegner der assoziierenden Schreibweise, und ich sage ihren baldigen völligen Bankrott voraus*« (18, 50). Die Schreibweise dieses Gedichts hält sich an Brechts Worte. – Wulf Segebrecht deutet den Schluß des Gedichts – die vorangehenden Strophen sind seit Schuhmanns Darstellung »gesichert« – als die Schaffung der Voraussetzungen für eine Revolution, nicht aber als Revolution selbst. Indem die Vögel aufgefressen würden, würden die weiteren Kämpfe »nun nicht mehr vor dem Hintergrund einer gleichgültig oder verängstigt schweigenden Bevölkerung ausgetragen, die durch ihr Schweigen zur Ergebnislosigkeit des bisherigen Kampfes beigetragen hatte« (Segebrecht, 145). Bloß *wer* da noch »revolutionieren« soll, wenn die Vöglein weg sind, verschweigt der Interpret. Segebrecht versucht den »Hauch« des letzten Verses beim Wort zu nehmen: es sei eben nur ein »Hauch«, aber keine Revolution – was völlig richtig ist, aber auch schon in den vorangegangenen Refrains spürt man »kaum einen Hauch«, also durchaus etwas (wie bei Goethe auch, was immer wieder vergessen wird!). Es gibt nicht mehr als »Hauch« – also keine wirklich verändernde, das Volk befreiende Revolution – nach diesem Gedicht, das *Liturgie vom Hauch* heißt.

Die bisher jüngste Deutung stammt von Franz Norbert Mennemeier, der das politische Engagement des Gedichts heraushebt, das einen späteren Sieg der Arbeiterklasse bereits vorausnehme. In seiner politischen Aussage wachse Brecht »hier über den fröhlichen ›Nihilismus‹ der jungen Jahre sichtbar hinaus« (Mennemeier, 84). Die Crux dieses Gedichts aber sei seine zweite Ebene: sie verhindere durch ihre »provokante ›Interesselosigkeit‹« (Mennemeier, 83) in der Verarbeitung des klassischen Musters die notwendige plebejische Direktheit, mit der die politische ›Botschaft‹ weitergegeben werden könnte. So stelle dieses Gedicht die intendierte Brechtsche »Volkstümlichkeit als rezeptionsästhetisches Problem« (Titel des Kapitels; Mennemeier, 75 und ff.) dar.

Text: Bertolt Brechts Taschenpostille. Mit Anleitungen, Gesangsnoten und einem Anhange. Potsdam [Kiepenheuer] 1926 [Privatdruck in 25 Exemplaren]. Neuausgabe: Berlin (DDR) 1958. S. 10–13. – Bertolt Brechts Hauspostille. Mit Anleitungen, Gesangsnoten und einem Anhange. Berlin [Propyläen] 1927. S. 17–22. – wa 8, 181–186.

Alexander *Abusch*: Bert Brechts Hauspostille. In: Die Rote Fahne, 15. 10.1927 (Nachdruck, hg. von Manfred *Brauneck*. München 1973. S. 299f.). – Klaus *Schuhmann*: Der Lyriker Bertolt Brecht. 1913–1933. Berlin 1964 (S. 139–148). – Hans-Thies *Lehmann*, Bernd *Schnarr*: Brecht das Schweigen. In: H'-Th' *L*/ Helmut *Lethen* (Hg.): Bertolt Brechts »Hauspostille«. Text und kollektives Lesen. Stuttgart 1978 (S. 21-45). – Wulf *Segebrecht*: Johann Wolfgang Goethes Gedicht »Über allen Gipfeln ist Ruh« und seine Folgen. Zum Gebrauchswert klassischer Lyrik. Text, Materialien, Kommentar. München 1978 (S. 141–149; der Text Jandls ebd. S. 116 f.). – Franz Norbert *Mennemeier*: Bertolt Brechts Lyrik. Aspekte, Tendenzen. Düsseldorf 1982 (S. 75–84).

Die Lyrik der Berliner Zeit 1924–1933

Zur Chronologie

Der vorliegende Abschnitt behandelt die Berliner Zeit als »Einheit«, die sie so natürlich nicht gewesen ist. Dennoch ist die Orientierung am Wohnort keine bloße Äußerlichkeit. Mag die Wahl von München noch weitgehend davon bestimmt gewesen sein, einen Studienort in der Nähe der Heimatstadt Augsburg zu wählen, so hat Brecht den Wechsel nach Berlin nicht nur lange vorbereitet, sondern auch als notwendig angesehen: die große Stadt, in der das kulturelle (nicht nur Theater-) Leben so einflußreich ist, daß es der eigenen Produktion zugutekommt. Die heutige Mode der Schriftsteller, sich aufs Land, aus dem Getriebe zurückzuziehen (auch das gab es damals), ist zugleich Konzentration auf die eigene Subjektivität (die Ergebnisse sind oft dementsprechend). Ein Schriftsteller wie Brecht benötigte Kontakte, Gespräche, Anregungen, Betrieb – keinen wie immer gearteten Rückzug (der spätere nach Buckow 1953 hat seine bestimmten Gründe). Da, wo die Besten versammelt waren, sah Brecht seinen Platz, nur dort konnte seine Arbeit auf Trapp kommen, nur dort war gewährleistet, daß man sich nicht auf seinen subjektiven Ausdruck, sondern auf die äußere, gesellschaftliche Realität einrichtete: *sie* war es, die Brecht erfassen und poetisch beschreiben wollte. Sie konnte nur dort am besten erfahren werden, wo sie am intensivsten sich ausprägte. Was aber wiederum nicht bedeutet, daß sich Brecht unbedingt in der großen Stadt wohlgefühlt, daß er ihre Widersprüche und Inhumanitäten nicht gespürt hätte. Im Gegenteil: das Stück, das sich am entschiedensten mit den inhumanen Kämpfen der Großstadt auseinandergesetzt hat, *Im Dickicht der Städte*, liegt schon vor der Berliner Zeit.

Die Berliner Zeit en bloc zusammenzufassen, bedeutet zugleich eine Abgrenzung gegen die sog. »Phasentheorie« der Forschung, die trotz erheblicher Einwände bis heute – weil das Schema so schön und einfach ist – bestehen blieb (vgl. Knopf, 80–90). Das entscheidende »Umbruchsjahr« 1926 (Marxlektüre) kann ich nicht anerkennen, weil seine Annahme unmaterialistisch ist: da wird so getan, als ob ein wenig Marx-Lektüre plötzlich das ganze »Weltbild« umstürzte. Dieser »Umsturz« muß vorbereitet sein, muß seine Gründe in der Wirklichkeitserfahrung finden, wenn man nicht idealistischen Kurzschlüssen folgen will (zugegeben: die anderen Argumentationen sind handgreiflicher, aber eben auch simpler, das heißt wirklichkeitsferner). Die Wahl Berlins war eine bewußte Entscheidung, sich bestimmten Wirklichkeiten der Weimarer Gesellschaft zu stellen; sie war, wie gesagt, lange vorbereitet durch viele Reisen der Münchner Zeit: 1. Reise 21. 2. – 13. 3. 1920, 2. Reise 7./8. 11. 1921 – 26. 4. 1922, 3. Reise 8./9. 10. – 13. 10. 1922, 4. Reise Ende Nov. – 20. 12. 1922, 5. Reise Anfang Febr. – Ende März 1923, 6. Reise Ende März und Anfang Sept. 1924 endgültige Übersiedlung nach Berlin (zu Helene Weigel). Berlin war für Brecht Programm, hier wollte er die bereits gemachten Erfahrungen der Großstadt vertiefen (München wirkte übrigens, wie zahlreiche Zeugnisse belegen, nicht als Großstadt, sondern als ein großes, verspießertes Dorf). Nicht nur die Lyrik beweist, daß sehr reale Erfahrungen den »Umsturz« vorbereiten: 1926 markiert nur insofern einen Einschnitt, als da Brecht bewußt wird, was für politisch-ideologische Konsequenzen seine Wirklichkeitssicht hat, nämlich die marxistische. Auch dieses Datum ist bedeutsam, aber nur ein wichtiger Schritt auf einem längst begonnenen Weg.

Die Münchner Zeit ist geprägt von Neuorientierungen und entsprechenden neuen Themen, zugleich aber bleibt der stetige Bezug auf die Vaterstadt Augsburg erhalten (bis 1925; da entstehen in Augsburg die *Sonette*). Entscheidend neu ist die Erfahrung der großen Stadt, die erstmals für den

November 1921 durch Brechts eigene Aussagen belegt ist. Über Berlin schreibt Brecht: »Es ist eine graue Stadt, eine gute Stadt, ich trolle mich so durch. Da ist Kälte, friß sie!« (Tagebücher, 174). Und: »Eines ist im ›Dickicht‹: die Stadt. Die ihre Wildheit zurückhat, ihre Dunkelheit und ihre Mysterien. Wie ›Baal‹ der Gesang der Landschaft ist, der Schwanengesang. Hier wird eine Mythologie aufgeschnuppert« (Tagebücher, 176). Der 2. Berlinaufenthalt löst an realer Erfahrung ein, was Brecht bisher nur sekundär, durch Lektüre kannte, und zwar durch Upton Sinclairs Roman *Der Sumpf* (The Jungle, 1906, dt. 1906), den Brecht schon 1920 entschieden zur Weiterlektüre an die Freunde empfiehlt (15, 11), durch Johannes Vilhelm Jensens Roman *Das Rad* (1905, dt. 1908) und Rudyard Kiplings Bücher, deren Lektüre für 1921 belegt ist (18, 14 = Tagebücher, 145): »Als ich mir überlegte, was Kipling für die Nation machte, die die Welt ›zivilisiert‹, kam ich zu der epochalen Entdeckung, daß eigentlich noch kein Mensch die große Stadt als Dschungel beschrieben hat [...], ihre Poesie ist noch nicht geschaffen«. Die reale Erfahrung der großen Stadt führt denn auch dazu, daß Brecht sein Stück *Im Dickicht der Städte*, konzipiert nach der Lektüre, schnell zu Ende schreiben kann.

Diese Hinweise sollen genügen; sie belegen, das die neue Thematik, die gewöhnlich der »Neuen Sachlichkeit« (davon unten mehr) zugeschlagen wird, bereits seit 1920 vorbereitet ist. Die neue lyrische Thematik, nämlich die Gedichte über soziale Notstände, macht das unübersehbar. Schon von 1919 datiert ein eigentümliches Rollengedicht, das in »Märchenform« ein Pferd sprechen läßt, das von den hungernden Leuten auf der Straße regelrecht zerfetzt wird. Der Name »Falladah« (*O Falladah, die du hangest!*; 8, 61 f.) geht zurück auf *Die Gänsemagd*, das Grimmsche Märchen, in dem ebenfalls ein sprechendes Pferd mit gleichem Namen auftritt. Das Gedicht zeigt die Veränderungen, die in den Menschen vorgehen, wenn sie durch Hunger genötigt werden, sich um jede Möglichkeit, zu Essen zu kommen, raufen müssen: »Einst mir so freundlich und mir so feindlich heute! / Plötzlich waren sie wie ausgewechselt! Ach, was war mit ihnen geschehen?« Die Fragen des Pferdes gelten nicht ihm selbst, seiner Zerfleischung, deren Bejammerung, sie gelten vielmehr den Ursachen, die die Menschen so weit »kommen« läßt. Das Gedicht endet mit dem (allgemeinen) Aufruf: »So helfet ihnen doch! Und tut es in Bälde! / Sonst passiert euch etwas, was ihr nicht für möglich haltet!«. Kein Wort von Moral, kein Selbstmitleid, sondern die Frage nach den Verhältnissen, die die Menschen zu Handlungen anstiften, die nicht für möglich gehalten werden. Dieser Sachverhalt ist bedeutsam, insofern sich in der »Phase«, in der Brechts Haltung angeblich (allein) durch Flucht aus der Gesellschaft geprägt ist, soziale Fragen artikulieren.

Mit diesem Gedicht läßt sich auch der konkrete Ausgangspunkt für die soziale Thematik bei Brecht bestimmen: die Erfahrung des Hungers in der (deutschen) Bevölkerung (vor allem) nach dem Krieg (dem als Pendant die Bereicherung der Kriegsgewinnler steht, die Brecht in *Trommeln in der Nacht* kritisch auf die Bühne gebracht hat). Das Thema des Hungerns als Ausgangspunkt für soziales Engagement (mit allerdings defaitistischer Lösung) prägt das 1924 entstandene, stets als zentral empfundene Gedicht *Liturgie vom Hauch*; dazwischen stehen die sog. *Weihnachtsgedichte*, deren Entstehungszeit die Münchner und Berliner Jahre umfaßt.

Jan *Knopf*: Bertolt Brecht. Ein kritischer Forschungsbericht. Frankfurt a. M. 1974.

Weihnachtsgedichte

Das Bertolt-Brecht-Archiv kennt diesen Zyklus nicht; möglicherweise geht er nicht auf Brecht, sondern auf Elisabeth Hauptmann zurück, die im 2. Band der *Gedichte* die drei Gedichte *Maria* (1922), *Weihnachtslegende* (1923) und *Die gute Nacht* (1926) zusammengestellt hat. Danach sollen die Gedichte auf Zeitungsaufträge zurückgehen, die – wie hier zu Weihnachten – bestimmte Anlässe feiern wollten (aufgrund der präzisen Datierung trifft dies aber kaum für die *Weihnachtslegende* zu, die als Gelegenheitsgedicht am 25. 12. 1923 entstanden ist und da wohl nicht mehr für eine Zeitung aktuell gewesen wäre (Publikation frühestens einen Tag *nach* Weihnachten) (BBA 451/57 = Nr. 6605, Bd. 2, S. 184; vgl. Hauptmann, Gedichte II, 256; 8, 123f.).

Die Gedichte werden durch ihre soziale Thematik zusammengehalten; zwei (erstes und drittes) erzählen die Weihnachtsgeschichte anders, als sie gewöhnlich überliefert worden ist; ein Gedicht gilt armen Leuten am Heiligen Abend, die sich mit dem letzten, was sie haben, innen und außen noch einmal einheizen und dann sterben. Der große

Jubeltag der Geburt des Herren wird für sie zum Tag bzw. zur Nacht des Todes; die Verheißung, daß Gott seinen Sohn *allen* (vor allem den Armen) geschickt habe, erfüllt sich gerade nicht.

Für die Entwicklung des Lyrikers Brecht ist das früheste Gedicht am kennzeichnendsten. Es führt vor, wie aus einer gewöhnlichen Geburt bei armen Leuten die Legende von der Geburt des Gottessohnes geworden ist. Die Beobachtung, daß die Geburt bei den Armen im Gegensatz zur Geburt bei den Reichen, die es sich leisten können, sich in ihre Gemächer (bei Mithilfe von Berufsgeburtshelfern) zurückzuziehen, öffentlich geschieht, ist Ausgangspunkt für die Umdeutung. Die wenigen Räume, hier gar nur der Stall, führen dazu, daß die Hirten dabei sind: »Aber vor allem vergaß sie die bittere Scham / Nicht allein zu sein / Die dem Armen zu eigen ist«. Diese übliche Öffentlichkeit wird in späteren Jahren als »Fest« erinnert, »bei dem / Alles dabei war«. Das »rohe Geschwätz der Hirten« verstummt, sie selbst wandeln sich zu Königen, der Stern, der in der kalten Nacht durch das Loch im Dach hereinschien, verabsolutiert sich: vergessen sind die Umstände, vergessen die Schmach, vergessen die historische Realität. Ursache freilich für die Möglichkeit dieser Umdeutung ist die Tatsache, daß der in Armut geborene Sohn sich später daran gewöhnt, mit Königen umzugehen (»die Gewohnheit hatte, unter Königen zu leben«). Diese Gewohnheit vermag sich – so der unausgesprochene Schluß – nur zu rechtfertigen, wenn man die eigene Abkunft als eine besondere stilisiert, zur Legende werden läßt. Christus bleibt bei den Reichen, die Legende hat ihn zu den »Großen« gesellt – und deshalb ist sein »Heil« für die Armen unerreichbar geworden. Ihr Tod ist Thema der *Weihnachtslegende*, in der der Begriff der »Legende« negativ expliziert wird: die fromme Legende der Weihnachtsgeschichte verliert ihren Wahrheitsanspruch, weil ihr keine (soziale) Realität entspricht. Die *Weihnachtsgedichte* argumentieren also nicht mit dem »Unglauben«, mit der Zurückweisung Christi (als Scharlatan etc.) – im Gegenteil: das Kind ist schön, sein Gesicht anziehend etc. –, sie argumentieren vielmehr mit der Diskrepanz von (legendärer) Verheißung und sozialer Realität, eine Diskrepanz, die Brecht allerdings schon auf die Lebensgeschichte Christi selbst zurückführt (er lud die Armen zu sich, verkehrte aber unter Königen). Das aber heißt: die Weihnachtslegende ist für die Armen zur bloßen Lüge geworden.

Am Gedicht *Maria* weist vor allem die formale Gestaltung voraus: auf die reimlose Lyrik mit unregelmäßigen Rhythmen. Der Ton des Gedichts hat bereits etwas von der späteren »Gestik«, die die frühen ungereimten Gedichte noch nicht auszeichnet (die meisten Gedichte dieser Zeit – bis *Hauspostille* – sind gereimt mit aufgerauhten, aber »regelmäßigen« Rhythmen):

> Ja, von dem Loch im Dach, das den Frost einließ, blieb nur
> Der Stern, der hineinsah.
> Alles dies
> Kam vom Gesicht ihres Sohnes, der leicht war
> Gesang liebte
> Arme zu sich lud
> Und die Gewohnheit hatte, unter Königen zu leben
> Und einen Stern über sich zu sehen zur Nachtzeit.
> (8, 122)

Die Kalkulation von Vers»bruch« und Zeilenstil (Syntax- und Versgrenze sind weitgehend identisch) ist genau fixiert: am Versende und am Versanfang werden durch den Zeilenbruch die Wörter herausgehoben, sehr wirksam das »nur« und »Der Stern«, der sich auf diese Weise auch im Sinn verabsolutiert und so zum (prophezeihenden) Weihnachtsstern wird. Die Isolierung von »Alles dies« in einem Vers verallgemeinert die vorher durch Zeilenbruch hergestellte Verabsolutierung: wie nur der Stern blieb, so blieb auch von den anderen Umständen nur das scheinbar Besondere. Der von da an beginnende Zeilenstil aber markiert die Diskrepanz zwischen Anspruch und realem Verhalten in der Einheit des Widerspruchs: die Tatsache, daß Christus die Armen zu sich lädt, zugleich aber die Gewohnheit hat, unter Königen zu leben, wird im Sinn überspielt. Christus selbst will sie nicht sehen, aber auch die späteren Ideologen nicht. Da Brecht bereits diese Ideologie kritisch aufgebrochen hat, kann er das Gedicht in der Scheinversöhnung der Ideologie enden lassen: diese Versöhnung eben ist die Lüge.

Texte: Gedichte 1913–1929 (= Gedichte II). Frankfurt a. M. 1960. S. 104–107. – wa 8, 122–125.

Dorothee *Sölle*: Bertolt Brechts Weihnachtsgedichte, interpretiert im Zusammenhang seiner lyrischen Theorie. In: Euphorion 61, 1967, S. 84–103.

Großstadtgedichte, Gedichte über große Männer

Die Großstadt war bereits ausgiebiges Thema der Expressionisten: sie waren es, die erstmals auf die neuen Realitäten einer Massengesellschaft, zu der die sog. Menschenanballungen ebenso gehören wie die industrialisierte Arbeit (und dazu wiederum die industrialisierte Kunst = Film), intensiv und sensibel reagiert haben. Für sie jedoch war die Großstadt weitgehend ein dämonartiges, den einzelnen bedrohendes, aufsaugendes Gebilde, dessen Wirklichkeit hinter mythologischen oder »naturhaft«-irrationalen Bildern versank (am berühmtesten in den Gedichten Georg Heyms *Umbra vitae* und *Der Gott der Stadt*). Von Brecht kennt man auch in der frühesten Zeit solche Gedichte nicht, im Gegenteil belegt ja die Tagebucheintragung von 1921 (s. o.), daß er die Mystifikationen der Großstadt erkannt hatte, wenn er schreibt, daß sie »ihre Wildheit [...], ihre Dunkelheit und ihre Mysterien« zurückhabe (Tagebücher, 176). Da Brecht *keine* Gedichte dieser Art verfaßt hat (auch *Im Dickicht der Städte* ist ganz unexpressionistisch), handelt es sich offenbar um eine Einsicht, die für die Großstadtpoesie Voraussetzung ist.

Klaus Schuhmann hat Brechts andere Sicht auf die Städte mit der allgemeinen Haltung der »Neuen Sachlichkeit« nach dem Krieg begründet: »Als Brecht das Thema noch einmal aufgreift, hat es längst die geheimnisumwitterte Schrecklichkeit eingebüßt, von der die expressionistischen Lyriker inspiriert waren. Die Entwicklung in den Nachkriegsjahren ließ die großstädtische Zivilisation zur Selbstverständlichkeit werden, das Angsttrauma Georg Heyms wurde durch eine betont sachliche Haltung des Beobachtens verdrängt. Brecht demonstriert in seinen Gedichten diese neue Einstellung« (Schuhmann, 87). Die distanzierte Haltung Brechts jedoch ist in diesem Zusammenhang (der vorstehenden Ausführungen) keine Besonderheit mehr, und überdies darf bezweifelt werden, ob damit die Hauptcharakteristik der Gedichte erfaßt ist.

Bisher ist übersehen worden, daß alle Großstadtgedichte im Zusammenhang mit Brechts Dramen und vor allem Dramenentwürfen stehen: *Dan Drew* (vgl. BH 1, 367), *Joe Fleischhacker* (vgl. BH 1, 368), *Sintflut* (vgl. BH 1, 367), *Im Dickicht der Städte* und *Mann ist Mann.* Es gibt Gedichte, die die unmittelbare Beziehung eklatant machen, nämlich *Der Mann-ist-Mann-Song* (8, 138 ff.), der die Austauschbarkeit der Menschen zum Inhalt hat, *Lied einer Familie aus der Savannah*, das ein Bruchstück der (Teil-)Neubearbeitung von *Im Dikkicht* darstellt (Seliger, 117), und das bekannte Gedicht *Über den Einzug der Menschheit in die großen Städte zu Beginn des Dritten Jahrtausends*, das zum *Joe Fleischhacker*-Projekt gehört und u. a. auch über sein Scheitern Auskunft gibt (8, 143–145). Damit ist eine andere Grundthematik, als üblich erörtert, vorgegeben: die der »Masse«, des massenhaften Zusammenlebens der Menschen auf engstem Raum. Ex negativo ist zugleich auch das Individuum thematisiert: nicht aber wie bei den Expressionisten, die – indem sie die Großstadt dämonisieren – noch einmal das Individuum als die eigentlich menschliche Bastion retten wollen, sondern dadurch, daß seine »Auflösung«, sein Eingehen in die Masse als *gesellschaftliche Tatsache* – ohne große, wie immer moralisch umschriebene, Weinerlichkeit – dokumentiert wird. Oder anders gesagt: die Städte verändern die Menschen, sie werden durch die gesellschaftliche Entwicklung *andere.* Freilich: noch ist das Eingehen in die Masse vorwiegend als negativer Vorgang beschrieben, positive Begriffe wie »Kollektiv«, »Kollektivität« stehen noch nicht zur Verfügung. Aber es zeigt sich Brechts Einstellung, sich den Entwicklungen zu stellen und ihre – durchaus als notwendig anerkannte – Realität anzuerkennen (daraus entwickelt sich dann für die *Lehrstücke* die Thematik des »Einverständnisses« (vgl. BH 1, 89 f.).

Das Gedicht *Kleine Epistel, einige Unstimmigkeiten entfernt berührend* (8, 126 f.; entstanden Ende 1924/Anfang 1925) liefert zunächst einmal die positiven Gesichtspunkte für die gegenwärtige Entwicklung der Gesellschaft: die Technik und die Technisierung werden ausnahmslos als fortschrittlich und notwendig angesehen. Es sind idealistische Querulanten, die meinen, sich gegen den Suezkanal, gegen die Chinesische Mauer, gegen die Eisenbahnen zu wenden; Brecht geißelt die reaktionäre Rederei, die sich gegen die Technisierungen wendet:

> 4
> Als die Eisenbahnen jung waren
> Sagten die Postkutschenbesitzer über sie Abfälliges.
> Sie hätten keinen Schwanz und fräßen keinen Hafer
> Und in ihnen sähe man die Gegend nicht langsam
> Und wo habe man je eine Lokomotive mit Stuhlgang gesehen
> Und je besser sie redeten
> Desto bessere Redner waren sie.

Im Gegensatz aber zur »Neuen Sachlichkeit«, in der die Technik als neue Natur glorifiziert wird, beschreibt Brecht den Unterschied zwischen Zeitaltern, markiert also die prinzipiellen gesellschaftlichen Veränderungen. Dieses Gedicht, das sich gattungsmäßig als »Brief« (Epistel) ausgibt, geschrieben aus den neuen Zeiten an die alten, bereitet ein weiteres durchgängiges Thema Brechts vor, nämlich die Abgrenzung der Zeitalter, verbunden mit ihm die Forderung, *seinem* Zeitalter gegenüber die ihm angemessene Einstellung und Haltung einzunehmen (Theater des Wissenschaftlichen Zeitalters; vgl. Ernst Blochs Begriff der »Ungleichzeitigkeit«, der besagt, daß – z. B. der Nationalsozialismus – mit Parolen, Überzeugungen, Mythen etc. arbeitet, die nicht mehr an der Zeit sind, daß aus fernen, eigentlich abgestorbenen Zeiten Haltungen in die neue Zeit ungleichzeitig hineinwirken). Später benutzt Brecht andere Vergleiche, die aber genau diese historische Differenz benennen: gegenüber Thomas Mann und seinem Sohn Klaus den Vergleich zwischen Droschke und Auto (»in einem eventuellen Disput zwischen einer Droschke und einem Auto [wird] es bestimmt die Droschke sein [...], die den Unterschied geringfügig findet«; 15, 43, von ca. 1926) und den Vergleich zwischen Dampf- und Segelschiffahrt in bezug auf das Geschäftsgebahren im *Dreigroschenroman* von 1933 (vgl. 13, 1129).

Die übrigen Städtegedichte außerhalb des *Lesebuchs für Städtebewohner* (s. folgenden Abschnitt) sind – mit einer Ausnahme – weitgehend negativ gegenüber der Stadt eingestellt. Die Stadt führt zur Entfremdung selbst zwischen Ehepaaren (*Der Gast*; 8, 145 f.), die Verhältnisse in den Städten sind so verwirrt, daß Verständigung nicht möglich ist (*Diese babylonische Verwirrung*; 8, 149 ff.), in den Städten wird man hart und verliert seine Freundlichkeit (*Ich höre*; 8, 132), die Individualität geht verloren (s. o.) oder man erfährt, was es heißt, in ihnen kein Geld zu haben. Das scheint die übliche Negativ-Einschätzung der Stadt zu sein, die bereits im *Dickicht* den Hintergrund abgibt. Aber es sind einige bemerkenswerte Erkenntnisse Brechts festzuhalten. Im Gedicht *Das Entsetzen, arm zu sein* (8, 156 f.; eingeordnet um 1925/26) artikuliert sich erstmals das große spätere Thema von der verborgenen Gewalt der schlechten sozialen Zustände (vgl. vor allem *Der Brotladen*, wo die Gewalt der Zustände erstmals konsequent dramatisch umgesetzt worden ist; s. BH 1, 355–358):

Abortgerüche und faulige Tapeten
Warfen die breitbrüstigen Männer nieder wie Stiere.
Die wäßrigen Gemüse
Zerstören Pläne, die ein Volk stark machen.
Ohne Badewasser, Einsamkeit und Tabak
Ist nichts zu verlangen.
Die Mißachtung des Publikums
Ruiniert das Rückgrat.

Weiterhin kündigt sich in *Diese babylonische Verwirrung* (entstanden um 1926) Brechts Weigerung an, die »komplexen Verhältnisse« der Großstadt als Naturphänomen, als gegebene Tatsache, hinzunehmen. Der negativen Beschreibung der Stadt korrespondiert der (künstliche) Blick der kommenden Geschlechter zurück: für sie entwirrt sich die Verwirrung, die u. a. zum Scheitern des *Joe Fleischhacker* (ursprünglich auch Titel *Weizen* vorgesehen) geführt hat. Das fiktive »Ich« spricht die fiktiven kommenden Geschlechter an, versucht ihnen die Verwirrungen der kapitalistischen Geschäfte zu erläutern und meint dann, daß ihr Kopfschütteln bedeutete: »daß ich / Etwas erzählte, was / Ein Mensch nicht verstehen kann«. Die kommenden Geschlechter jedoch antworten:

Sagten sie zu mir: Ihr hättet müssen
Eure Häuser ändern oder euer Essen
Oder euch. Sage du uns, gab es
Keine Vorlage für euch, und war es
Nur in Büchern vielleicht älterer Zeiten
Vorlage von Menschen, gezeichneten oder
Beschriebenen, denn uns scheint
Es war ganz niedrig, was euch bewegte
Ganz leicht änderbar, beinah von jedem
Zu durchschauen als falsch, unmenschlich und
einmalig.
Gab es nicht solch einen alten
Einfachen Plan, daß ihr euch
Danach gerichtet hättet in Verwirrung? (8, 150 f.)

Für die späteren Geschlechter lichtet sich die Verwirrung – die Gründe, nämlich die (kapitalistische) Gewinnsucht, liegen dann offen. Was komplex, ja unerklärbar erscheint, ist einfach und gleichzeitig niedrig. Darüber hinaus realisiert das Gedicht Brechts die – für die Dramatik gültig gewordene – Haltung, die eigene Epoche mit dem Blick der kommenden Epoche zu betrachten. Damit gewinnt man nicht nur eine ihr »fremde« Einstellung (»Verfremdung«), man erhält auch die nötige Distanz, die gegenwärtigen Verwirrungen mit »anderen« Augen zu entwirren.

An dem erst 1965 bekannt gewordenen Gedicht (erste Publikation in *Gedichte 9*, 13 f.) *Über den Einzug der Menschheit in die großen Städte zu Beginn des dritten Jahrtausends* (8, 143 f.) hat Helfried W. Seliger gezeigt, daß in ihm bereits die kommenden Siege der Unterdrückten zumindest angedeutet sind (das Gedicht wird traditionell »um 1925« eingestuft, von Seliger erst 1927): »Wenn die Städte sich zusammenschließen« wird die »neue Zeit« kommen, »Die Unglücklichen sind nicht mehr geduldet, denn / Menschsein ist eine große Sache«. Das Gedicht sollte von der

Figur Calvin im *Joe Fleischhacker* unmittelbar vor seiner Hinrichtung gesprochen werden: der Untergang des einzelnen (was auch im übertragenen Sinn von verlorengegangener Individualität aber im positiven Sinn zu verstehen ist) wird und kann die allgemeine Entwicklung zu einer positiven »Massen«-Gesellschaft nicht aufhalten. Wie wichtig Brecht dieser Aspekt gewesen ist, läßt sich daran belegen, daß die Passage »Und auf den lachenden Kontinenten / Spricht es sich herum, das große gefürchtete Meer / Sei ein kleines Wasser« sowohl im *Ozeanflug* (2, 575) als auch im *Galilei* (3, 1233) wörtlich zitiert wird. »Calvin findet als kämpfender Proletarier sein Ende und wird auf dem elektrischen Stuhl zum Sprecher der zahllosen Unterdrückten. Aus dieser Sicht gewinnen seine Worte einen völlig neuen Sinn. [...] Calvin Mitchel nimmt hier das Endresultat der beginnenden Proteste, Unruhen und Streiks vorweg, er sieht den Sieg der Unterdrückten voraus« (Seliger, 122f.). Wie richtig diese Einschätzung ist, bestätigt die Schlußpassage über die »babylonische Verwirrung«. Die kommenden Geschlechter tun die Entschuldigungen des lyrischen »Ich«, die überkommenen Kenntnisse seiner Vorfahren nicht aufgearbeitet und damit die Haltung geübt zu haben, die die kommenden Geschlechter haben, ab, indem sie sich »Mit dem lässigen Bedauern / Glücklicher Leute« abwenden (8, 151).

Daß Brecht in dieser Zeit auch auf das Thema der »großen Männer« kommt, das später gegen die »Führer«-Apotheosen der Nazis sich noch entschiedener ausprägt, hängt, so stellt es sich unter der Grundthematik »Masse« – einzelner dar, mit den Großstadtgedichten unmittelbar zusammen. Die Frage stellt sich nämlich, ob im Massen- und Industriezeitalter die »großen« einzelnen für sich »so viel« beanspruchen können, konkret: ob der »große Alexander, um zu leben« »die Großstadt Babylon« benötigte (8, 146). Demgegenüber stehen die armen, »kleinen Leute«:

> Ich sage ja nichts gegen Alexander.
> Nur
> Habe ich Leute gesehen, bei denen
> War es sehr merkwürdig
> Eurer Bewunderung höchst würdig
> Daß sie
> Überhaupt lebten. (8, 141)

Mit anderen Worten: ihr Elend ist so groß, die Leiden so entsetzlich, das Kämpfen um jeden Bissen Brot so mühselig, daß man eigentlich, wie es später in der *Kriegsfibel* heißt, »Der Völker unerklärliche Geduld«, dermaßen großes Leid (für einige wenige »Große«) bewundern müßte. Deutlich wird: es geht weniger um die »großen« Männer als vielmehr um die sozialen Gegensätze, um den »Preis« des Einsatzes (zur *Kriegsfibel*; vgl. 10, 1047). Dabei sollte man die Gedichte über die »Großen Männer« (vor allem *Von den großen Männern*; 8, 146f.) nicht zu ernst nehmen (wie es Schuhmann tut, 98f.). Brecht fügt sich erstens selbst in die illustre Reihe der »großen Männer« ein, die »viele dumme Sachen« sagen und denen man nicht glauben soll, so daß schon von daher das Gedicht nicht ernst genommen werden kann. Es warnt ja vor sich selbst, ruft den Leser auf, das Gedicht mit in die Kritik einzubeziehen. Überdies ergibt sich der Zusammenhang in diesem Gedicht über zwei Themen: *jeder* muß essen, das heißt: die Großen haben keinen Anspruch, für ihre Zwecke, die »Städte« auszuplündern, ganze Großstädte aufzuzehren (der übertragbare Sinn wird explizit), und: die Geschichte verändert sich, so daß sich notwendig auch die Einschätzung von Individuum und »Masse« ändern muß. Wenn Brecht in dieser Reihe Kopernikus anführt, so erfährt der Gelehrte keine »ungebührlich harte und ungerechte Beurteilung« (Schuhmann, 99), indem seine wichtige Entdeckung etwa zur Diskussion gestellt würde (im Gegenteil: sie gilt), gegeißelt wird vielmehr sein Glauben: »daß er den Himmel [nun] verstand« (8, 147). In den eigenen Einsichten und Entdeckungen das *Ende* des Wissens, der Entdeckungsmöglichkeiten zu sehen, das ist es, was Brecht angeprangert wissen will. Es gibt nämlich zukünftige Geschlechter, die wieder alles anders und besser wissen werden.

Texte: Gedichte 1913–1929 (= Gedichte II). Frankfurt a. M. 1960, S. 108–130, 184–190, 200f., 202–211 *(Mahagonny)*. – wa 8, 126–159. – wa III, S. 159–267.

Klaus *Schuhmann*: Der Lyriker Bertolt Brecht 1913–1933. Berlin 1964 (S. 85–109). – Helfried W. *Seliger*: Das Amerikabild Bertolt Brechts. Bonn 1974 (S. 90–99, 109–126). – Franz Norbert *Mennemeier*: Bertolt Brechts Lyrik. Düsseldorf 1982 (S. 91–105, unter dem Stichwort »Negative Didaktik«; vor allem zum *Lesebuch*: negative Zustände würden angeprangert).

Aus einem Lesebuch für Städtebewohner (1930)

Die zehn Gedichte, die Brecht 1930 für das 2. Heft der *Versuche* zusammengestellt hat, entstanden 1926 und 1927; sie gehören in den Zusammenhang der Städtegedichte, die Brecht zwischen 1921 und 1926 geschrieben hat und von denen einige für die Publikation in der *Hauspostille* gedacht waren, die dann aber nur einen Teil der *Mahagonny-Gesänge* aufweist; außerdem gehören sie in das größere Vorhaben, den *Einzug der Menschheit in die großen Städte* zu gestalten, ein Vorhaben, dem viele der dramatischen Pläne Brechts in dieser Zeit galten, das sich aber auch in der lyrischen Produktion niederschlug, wie sich beide Gattungen ja überdies durch eingebaute Songs, Gedichte, Spiele ohnehin überschnitten. Nach dem Erscheinen der *Hauspostille* war es offenbar vorgesehen, einen lyrischen Zyklus der Städtegedichte (also des gesamten *Lesebuchs)* auf Schallplatte aufzunehmen; es blieb dann aber bei der Publikation in den *Versuchen*.

Die Gedichte bilden, obwohl sie eng miteinander zusammenhängen, keinen geschlossenen Zyklus; und der Titel ist als Hinweis auf ein projektiertes größeres Ganzes zu verstehen, dessen »Prinzipien« sozusagen hier vorgeführt wurden; die zum »Lesebuch« gehörigen Gedichte folgen ihnen ebenfalls; eine gesonderte Besprechung ist daher nicht notwendig.

Es gibt formale wie inhaltliche Zusammenhänge zwischen den einzelnen Gedichten des unvollendeten *Lesebuchs:* die ersten drei Gedichte zeichnen sich durch Imperative aus, die Verhaltensmaßregeln und Vorschriften für das Leben in den Städten abgeben; die drei folgenden formulieren dann die bereits gemachten Erfahrungen in den Städten in berichtender Form; alle sechs ersten Gedichte wiederum hängen formal durch die einzeilige, eingeklammerte Schlußstrophe zusammen, die die Anweisungen bzw. Erfahrungen ihrer zunächst so erscheinenden Direktheit entkleidet und als Übermittlungen, als Gesagtes, Nicht-Unmittelbares ausweist: »(Das hast du schon sagen hören.)«. Das 7. und 8. Gedicht, beide wieder als Anreden und Hinweise (zurückhaltender, ohne Imperative) formuliert, knüpfen an die ersten drei an, weisen zugleich aber ein Verhalten aus, das sich nicht mehr einstellt auf das, was ist, sondern Widerstände dagegen setzt. Das 9. Gedicht enthält vier Aufforderungen »an einen Mann von verschiedener Seite zu verschiedenen Zeiten«, sich nämlich in den Städten häuslich einzurichten: zuerst beim reichen Bürger, der ihm sein ganzes Heim überläßt, überlassen kann (»Hier bleibe«), dann beim gewerbetreibenden Kleinbürger, der ihm ein eigenes Zimmer zwar, sonst aber nur die gemeinsame Stube zur Verfügung stellen kann und ihn zur Mitarbeit einlädt (»Bleibe bei uns«), dann beim armen Proletarier, der nicht einmal mehr über eine eigene Bettstatt verfügt (»Bleibe ruhig bei uns«), schließlich bei der Dirne, die ihr Bett ständig teilen muß, wo die ganze Nacht »extra« kostet (»Du kannst also dableiben«). Das letzte Gedicht schließlich thematisiert die Sprache des *Lesebuchs* und seine Haltung: »Wenn ich mit dir rede / Kalt und allgemein / Mit den trockensten Wörtern [...] / So rede ich doch nur / Wie die Wirklichkeit selber«.

Als Brecht sich entschloß, die Städtegedichte nicht der *Hauspostille* einzugliedern, begründete er dies damit, daß sie in eine andere Sammlung gehörten, »die sich mit dem neuen Menschen befaßt« (Sinn und Form. 2. Sonderheft Bertolt Brecht, 1957, S. 242). Anweisungs- und Mahncharakter der Gedichte zeigen in diese Richtung: nicht, daß ein neuer Mensch, wie im Expressionismus kreiert würde, sondern daß den gegenwärtigen Menschen Haltung gezeigt, aufgedrängt werden, die den tatsächlichen Umständen entsprechen. Diese Haltungen setzen sich von dem Menschenbild entschieden ab, das die *Hauspostille* noch verkündet hat: sind es da die Individuen, die sich durch Genuß und Selbstgenuß behaupten wollen in der Welt, so radiert das *Lesebuch* auf entschiedene Weise alle Individualität und auch die Möglichkeit zu ungestörtem Selbstgenuß aus: dieser ist, wenn er überhaupt noch möglich ist, nur im Kampf gegen die anderen und auf ihre Kosten möglich. Genuß führt aber auf keinen Fall mehr – wie in der *Hauspostille* – zur Bestätigung der eigenen Individualität, zur Versicherung, man selbst zu sein (wie im *Baal*), sondern zur Selbstauslöschung. Der Abstieg, den das Gedicht der vier Aufforderungen vorführt, endet zumindest auf der Straße: das letzte Bett, das der Mann findet, muß er unmittelbar bezahlen, und die Aufforderung von »Hier bleibe« hat sich geändert in »Du kannst also bleiben«, ja, wenn er bleiben kann; daß er es nicht kann, zeigt die Tendenz des Gedichts: er hat das Geld nicht, das letzte Bett ist ihm verwehrt, da die Existenz der (armen) Dirne eben von ihm abhängt, sie aber nicht Liebe schenken, sondern nur verkaufen kann.

Die Städtegedichte, insbesondere die des *Lesebuchs* gelten in der Forschung durchweg als »behavioristisch« (wobei ausgerechnet das 9. Gedicht von den *Aufforderungen* als ein Hinweis für eine Überwindung des Behaviorismus verstanden wird: »Die soziale Abstufung (›verschiedene Seiten‹) ist ihm [Brecht] zweifellos erstmals in solch einer gesellschaftlichen Konkretheit gelungen«

(Schuhmann, 227). Die Gedichte redeten vom Menschen und den zwischenmenschlichen Beziehungen in der Großstadt »sachlich, nüchtern und unbeteiligt« (Schuhmann, 214); die Neutralität des Berichts sei bewußt gesucht, »mit seiner kommentarlosen Zitierung der Realität [sei Brecht] bisweilen ins Inhumane geraten« (Jacobs nach Mayer, 85); es herrsche eine »Bemühung um vorurteilsfreie Nüchternheit« vor, die in der »Nähe szientifischer Objektivierungstendenzen« angesiedelt sei (Jacobs, 80): »Denn er verzichtet bei der von ihm bevorzugten Darstellungsweise nicht nur, wie ihm scheint, auf die introspektive Psychologie bürgerlicher Observanz, sondern auch auf die Bewußtseinsinhalte jener Menschen, die in der Theorie des Marxismus-Leninismus eine Anleitung zum Handeln finden«, und »Die Eliminierung des subjektiven Faktors führt den Lyriker und Stückeschreiber nicht nur zu einer mechanischen Bewertung des Menschen, sondern erschwert auch das Verständnis für den Kampf der Arbeiterklasse und ihrer Partei« (Schuhmann, 223). Entsprechend sei, was Brecht in den Gedichten an Anweisungen und Erfahrungen wiedergibt, nichts anderes als ein Ausdruck jener Psychologie, die mit allem Subjektiven aufräumte, das Bewußtsein als Faktor aufhob und den Menschen allein nach seinem äußeren Verhalten erfaßte (was Brecht dann hier einübte); der wirkliche Mensch kommt abhanden, er wird reduziert auf objektive Reflexe der ihn umgebenden und bedrohenden kapitalistischen Welt. Soziale Unterschiede blieben außer acht; das Proletariat als geschichtliche Kraft ist nicht gewürdigt.

Gegen diese Deutung ist geltend zu machen, daß die Gedichte Brechts das, was in ihnen als direkte Wiedergabe und entsprechend direktes Bekenntnis des Autors aufgenommen wird, distanziert und indirekt wiedergeben, also gerade von der Unmittelbarkeit befreien, für die der Behaviorismus (und entsprechend die »Neue Sachlichkeit«) Ausdruck ist. Der subjektive Faktor (versteht man ihn als prinzipiell proletarischen Standpunkt) fehlt nirgends. Schon das erste Gedicht ist eine Anweisung an ein »Du«: *Verwisch die Spuren*, das sich hinterher als das »lyrische Ich« selbst entpuppt: »(Das wurde mir gelehrt.)«. Das ist nicht nur eine überraschende Pointe, eine Umkehrung des zunächst suggerierten Standpunkts, es weist überdies das ganze Gedicht als eine Selbstaufforderung und somit auch Selbstreflexion aus darüber, wie man sich in den großen Städten verhalten soll, ja muß, wenn man in ihnen überleben will (den Beginn bildet der Bahnhof: das »Ich« betritt also gerade die Stadt). Damit wird auch deutlicher, warum Brecht immer wieder die Sprache sowohl inhaltlich, indem er von ihr und ihrer nicht mehr gewährleisteten Funktion der Kommunikation spricht (»Du suchst ein Wort, mit dem / Du fortgehen kannst«; 8, 268; »Denkt nur nicht nach, was ihr zu sagen habt: / Ihr werdet nicht gefragt«, 8, 275), als auch poetologisch thematisiert, indem er alles, was das lyrische Ich sagt, als bereits ihm Gesagtes, Überliefertes ausweist, als vermittelte Erfahrungen, Ratschläge also. Das aber heißt: der mangelnden Kommunikation des Alltags in den Städten, ihrer totalen Vereinsamung und Vereinzelung korrespondiert die Sprache des Gedichts *nicht*: sie ist noch kommunikabel, ja sie scheint in besonderer Weise Kommunikation zu gewährleisten, indem sie ein Medium des Bewußtseins (als bewußten Seins) und der (auch kritischen) Reflexion ist, wie es z. B. mit einer weiteren poetologischen Metapher, der Spiegelmetapher ebenfalls erfaßt wird:

> Ich weiß, was ich brauche.
> Ich sehe einfach in den Spiegel
> Und sehe, ich muß
> Mehr schlafen; [...]
> [...]
>
> Wenn ich mich singen höre, sage ich:
> [...] (8,270)

Das ist alles von höchster Bewußtheit und Reflexion: die Fähigkeit, sich von selbst zu distanzieren, die eigene Situation real zu sehen, ohne Schleier, ohne Beschönigungen, die angesichts der geschilderten Verhältnisse auch nicht am Platz wären. Diese Fähigkeit garantiert auch die Möglichkeit zur Kritik und zum kritischen Widerstand: »(Aber das soll euch nicht entmutigen!)« (8, 275), heißt es ausdrücklich, und ein anderer, der als verloren gilt, »will *allerdings* noch ein Haus bauen« (8, 273). Von einem einfachen Mechanismus, der die Menschen bloß als Reflexe sieht, kann nicht die Rede sein; der subjektive Faktor bleibt nicht ausgespart, die Reflexion, das Bewußtsein bleiben gewahrt.

Das *Lesebuch* ist die Aufforderung an den zeitgenössischen Leser, sich der Wirklichkeit der kapitalistischen Welt ohne Illusionen auszusetzen, nicht aber, um ihr zu unterliegen, sondern um dadurch ihre Wirklichkeit und die Rolle des Kapitalismus in ihr kennen und beherrschen zu lernen. Widerstand und Überleben sind nur gewährleistet für den, der Bescheid weiß, für den, der sich eingerichtet hat, der sinnvoll durchzukommen weiß, (eine revolutionäre Komponente fehlt noch). Zu lernen ist, daß die kapitalistische Wirklichkeit der großen Städte einen neuen Menschentypus gebildet hat, der sich seiner Existenz auch bewußt werden muß, um eine Zukunft zu haben, und zwar eine Zukunft ohne den Kapitalismus. So sind die Gedichte auch keineswegs statisch (wie es beim Behaviorismus und der Neuen Sachlichkeit der Fall wäre), sondern prozessual; ganz deutlich im 5. Gedicht, wo eine Frau berichtet, daß sie ein Dreck sei, »Schwäche, Verrat und Verkommenheit«, daß sie aber Einsichten aus der Wirklichkeit zu gewinnen vermag (als sie ganz durch Rauschgift verseucht scheint, »hört sie sofort auf«), um schließlich am Ende vom Dreck zum »harten Mörtel« zu werden:

> Ich bin ein Dreck; aber es müssen
> Alle Dinge mir zum besten dienen, ich
> Komme herauf, ich bin
> Unvermeidlich, das Geschlecht von morgen
> Bald schon kein Dreck mehr, sondern
> Der harte Mörtel, aus dem
> Die Städte gebaut sind. (8, 272 f.)

Nicht der Mensch ist Ausdruck der Dinge, dient ihnen; vielmehr gilt umgekehrt, daß er es lernen muß, sich die Dinge dienstbar zu machen. Das ist genau die Umkehrung, die die Brecht-Forschung bisher geleugnet hat; nicht der Primat der Sachen, sondern der Primat des Menschen, der die Dinge beherrschen lernen muß. Dies freilich geht nur so, wie es das Abschlußgedicht noch einmal programmatisch für die Dichtung selbst formuliert:

> Wenn ich mit dir rede
> Kalt und allgemein
> Mit den trockensten Wörtern
> Ohne dich anzublicken
> (Ich erkenne dich scheinbar nicht
> In deiner besonderen Artung und Schwierigkeit)
>
> So rede ich doch nur
> Wie die Wirklichkeit selber
> (Die nüchterne, durch deine besondere Artung unbestechliche
> Deiner Schwierigkeit überdrüssige)
> Die du mir nicht zu erkennen scheinst.
> (Versuche, Neudruck, 116)

Das Gedicht ist nicht nur ein nachträglicher Kommentar über ihre Machart und Sprache (ganz ähnlich, wie im einzelnen Gedicht nachträglich die Direktheit zurückgenommen wird), nicht nur Formulierung ihres Sinns, Erkenntnis zu bewirken über die reale Situation, es hebt auch die Menschlichkeit auf, die sonst nicht zur Sprache zu kommen scheint: nur *scheinbar* zielt die Erkenntnis der Wirklichkeit nicht auch auf Menschen-Kenntnis, auf Erkenntnis der Menschen, nur scheinbar überwuchert die Sachbeziehung die zwischenmenschliche Beziehung; aber: der Blick auf das »Du« wird erst wieder möglich, wenn auch das »Du«, das das *Lesebuch* anspricht, sich zu seiner Wirklichkeitserkenntnis bekennt: daß es sie bereits »erkannt« hat, sagt der Schlußvers, aber noch ist der Bezug vom Leser zum Menschen, zu sich selbst nicht gefunden. Er beharrt auf seiner besonderen Artung, er beharrt auf seinen Schwierigkeiten; so lange sorgt er gerade dafür, daß der Blick von den Sachen auf den Menschen nicht zurückgefunden wird. Es ist der gewandelte, neue Mensch, der seine Artung, seine Schwierigkeit abwirft und sie neu definiert. Dann ist er wieder Mensch, ein Mensch, der durch die Wirklichkeit hindurchgegangen ist, der eingesehen hat, daß er sich *nicht autonom* zu verwirklichen vermag. Über diese Einsicht geht Brechts Weg; erst über sie gewinnt er den proletarischen Standpunkt, und das ist mehr, als das ständige Postulat vom Proletarier, dessen Klasse im Deutschland der Weimarer Republik ohne Chance blieb. Das ist die Wirklichkeit.

Text: wa 8, 267–276 (*Aus einem Lesebuch für Städtebewohner*, ohne das Abschlußgedicht *wenn ich mit dir rede;* dies steht wa 12, 498, im *Me-ti*), wa 8, 277–295; vgl. 128–132 (die dazugehörigen Gedichte). – Erstausgabe in Versuche 2, 116–122 (Neudruck: 108–116). – Gedichte 1918–1929 (= Gedichte I). Frankfurt a. M. 1960. S. 159–195.

Klaus *Schuhmann:* Der Lyriker Bertolt Brecht 1913–1933. Berlin 1964 (S. 149–177); zit. nach Ausg. München 1971 (S. 213–237). – Edgar *Marsch:* Brecht-Kommentar zum lyrischen Werk. München 1974 (S. 154–168). – Jürgen *Jacobs:* Wie die Wirklichkeit selber. In: Brecht-Jahrbuch 1974, S. 77–91.

Kranlieder und Sang der Maschinen 1927

Die Kranlieder und der *Sang der Maschinen* gehören zum Projekt eines *Ruhrepos* und wären, wenn es zustande gekommen wäre, im Zusammenhang des Dramas zu behandeln gewesen. Das *Ruhrepos* war ein Projekt von Brecht, Kurt Weill, Caspar Neher und dem Filmemacher Carl Koch (Berlin), das im Frühjahr 1927 mit den »Städtischen Bühnen« und der Stadt Essen geplant worden ist. Das Epos, das dann an der Borniertheit der Behörden, die »propagandistische Wirkungen« befürchteten, scheiterte, sollte »den Beginn einer Form von künstlerischer Kooperation« markieren, »die die Vereinzelung und die damit gesetzten Grenzen individueller Kunstproduktion zu überwinden in der Lage war« (Köhn, 74). Das Projekt ist für Brechts »Entwicklung« außerordentlich bedeutsam, indem er in seinem Verlauf nicht nur direkten Kontakt mit der Arbeitswelt, des Ruhrpotts, erhielt und entsprechend wiedergab, sondern zugleich auch neue künstlerische Formen ausprobierte; da ist zunächst der Begriff des »Epischen« (obwohl es sich um eine Art »Revue« gehandelt hätte), der 1926 theoretisch gefunden worden war; da ist die intendierte Lehrhaftigkeit, die an das 17. Jahrhundert anschließen sollte: ein »Orbis Pictus, der das Weltbild dieses Jahrhunderts in einfachen Bildern wiedergibt« und in »künstlerischer Form zu belehren suchte« (Köhn, 60 und 59); weiterhin ist da die Betonung, »daß die Kunst in unserer [Zeit] es nicht verschmäht, der Wirklichkeit zu dienen«, also der Primat der Wirklichkeit, hinter den die Abbildungen zurückzutreten hätten. Gezeigt werden sollte »der Start großer technischer Rekorde«; denn die »Geschichte der Menschheit hat wenig Imposanteres« (Köhn, 60). Aber die Technik und ihre Glorifizierung werden nicht isoliert, sondern verbunden mit den Menschen, die sie bedienen: »Szenische Ausschnitte aus der allerletzten Geschichte des Ruhrgebietes, ein In Memoriam für die im Kampf mit der Natur Gefallenen, eine Eroika der Arbeit« (Köhn, 61) verbunden mit einfachen Liedern und lustigen Auftritten.

Die Verbindung der Darstellung von Technik und Arbeiter, der sie bedient, gibt dem geplanten »Ruhrepos« die soziale Komponente, zugleich auch eine Bewertung der Arbeit der Arbeiter selbst, wie sie im Gedicht, das dem *Lesebuch für Städtebewohner* zugeordnet wird, *Anleitung für die Oberen*, formuliert ist: dort wird der »unbekannte gefallene Soldat«, dem Ehrung zuteil zu werden pflegt, in Parallele zum »Unbekannten Arbeiter« »Aus den großen Städten der bevölkerten Kontinente« gesetzt, dem endlich auch eine Ehrung bereitet gehörte (wa 8, 294 f.). Damit erscheint erstmals in Brechts Werk der Arbeiter als das Opfer der Geschichte, kommt erstmals der Proletarier (und dies 1927) als Klasse in sein Gesichtsfeld. Die scheinbar anspruchslosen (»einfachen«) *Kranlieder* werden auf diesem Hintergrund in ihrer Komplexität deutlich. Brecht bezeichnet die *Kranlieder* gattungsmäßig als *Kinderlieder* und *Song* (vgl. 8, 299, 301), wählt bewußt »niedere« Kunstformen und unterlegt ihnen dialogischen Charakter. Nach dem »volkstümlichen« Lied *Maikäfer flieg*, reimt Brecht:

1
Beiß, Greifer, beiß
Die Kohle hat 'nen Preis
Die Kohle, die ist schon bestellt
Der Millionär braucht wieder Geld
Das kostet uns viel Schweiß
Beiß, Greifer, beiß.

2
Die Kohle, die sauft Schweiß
Ohne Schweiß kein Preis!
Wenn ich mal zu lang scheißen tu
Dann steigt der Kohlenpreis im Nu
Bei Kind und Mann und Greis
Das Wasser, das ist Schweiß. (8, 299)

Das sogenannte *Kinderlied* führt den Kran als den verlängerten Arm des Kapitalismus vor, der dem Millionär den – immer garantierten – Profit, dem Arbeiter bloß den Schweiß einbringt, wobei in Abwandlung der »volkstümlichen« Redewendung »Ohne Fleiß kein Preis« die Diskrepanz von Mühe und Lohn thematisiert wird: während der Kapitalist immer seinen Preis hat – wenn der Arbeiter »zu lang scheißen tut«, also nicht arbeitet und wenig Kohle fördert, wird der Preis erhöht und der Profit bleibt gewahrt –, steigt den Proleten das Wasser bis zum Hals, geht es ihnen an den Kragen: dies ist ihr Schweiß und ihr Los, ohne »Preis«.

Der *Sang der Maschinen* scheint dagegen auf den ersten Blick die Technik an sich zu verherrlichen: ihre Möglichkeiten, ihre Neuigkeiten, ihre neue Sprache, die verbrämt als Maschinensang dargestellt erscheint, ebenso wie in der Zeit die »Maschinenseele« verherrlicht wird, ihre Intimität und ihre Eleganz Anlaß zu Bewunderung werden. Während aber die Neue Sachlichkeit (vgl. Schuhmann, 299 f.) die Maschine vermenschlicht, ihr die Attribute des Menschseins bis zur Romantisierung aufdrückt, direkt wiedergibt und dadurch den Menschen ihr unterordnet, ihren ›Ausdruck‹ werden läßt, bleibt bei Brecht der sie bearbeitende, bedienende Mensch immer präsent; während die Maschinen singen, singen die Arbeiter:

Das ist kein Wind im Ahorn, mein Junge
Das ist kein Lied an den einsamen Stern
Das ist das wilde Geheul unserer täglichen Arbeit
Wir verfluchen es und wir haben es gern
Denn es ist die Stimme unserer Städte
Es ist das Lied, das uns gefällt
Es ist die Sprache, die wir alle verstehen
Und bald ist es die Muttersprache der Welt. (8, 297 f.)

Brecht teilt mit der »Neuen Sachlichkeit« die Abkehr von Gefühl und Sentimentalität (die höchstens den neuen Dingen selbst zukommen dürfen), aber er teilt weder ihre Ausblendung des Menschen, noch ihre Unmittelbarkeit, die die Sache selbst zu Wort kommen läßt, noch ihre deklarierte Ganzheit. Die Maschine und ihr Gesang sind widersprüchlich: verflucht und geliebt sind sie, noch sind sie nicht befreit. Aber – und das ist Brechts Überzeugung in der Zeit – er hofft, daß die Zukunft durch die neue Welt der Maschinen und der Städte, also durch den Kapitalismus, der das alte bürgerliche Individuum austilgt und den neuen Massenmenschen ausbildet, gewährleistet sein wird: »Man darf nie vergessen, daß der Hauptvorwurf aller konservativer Elemente gegen den Sozialismus, er stelle eine Fortführung (und also wenn man will: eine Steigerung) des Kapitalismus dar, eine einfache Wahrheit ist, die noch nicht alle Sozialisten begriffen haben.« (20,48) Brecht hoffte damals darauf, daß der Arbeiter durch die Maschine, die ihn noch unterdrückte, zu befreien sei. Dies wird deutlich im wichtigsten Gedicht des geplanten *Ruhrepos,* im *Song des Krans Milchsack IV:*

1
Mein Nam' ist Milchsack Nummer IV
Ich saufe Schmieröl, du saufst Bier
Ich fresse Kohlen, du frißt Brot
Du lebst noch nicht, ich bin noch tot
Ich mache täglich meine Tour
Ich war vor dir hier an der Ruhr
Bist du's nicht mehr, bin ich's noch lang
Ich kenne dich an deinem Gang.
Freilich, bald seh ich dich nimmer
Doch ich denke an dich immer
Denn du hast ja ein Gefühl für mich
Wir gehören schon zusammen
Als Genossen, denn wir stammen
Aus dem Proletariat
Du und ich. (8,301)

Die Maschine, die hier in scheinbar neusachlicher Weise selbst spricht, fühlt sich mit dem Arbeiter und seiner Arbeit verbunden, wie sich der Arbeiter (2. Strophe) mit der Maschine verbunden fühlt und sie »Genosse« nennt, und dies, obwohl die Maschine den Arbeitern gefährlich ist (sie zerquetscht ihnen den Fuß; 3. Strophe) und sie überlebt. Auf dem Hintergrund – *Ruhrepos* –, daß die Maschine ja Eigentum der Unternehmer ist, dem Arbeiter also ganz und gar nicht gehört, wird die provozierende Parallelität zwischen Maschine und Arbeiter sichtbar: sie säuft Schmieröl, er Bier etc., wie auch nur der Arbeiter und nicht der Besitzer das »Gefühl« für die Maschine entwickelt. Die Maschine wie der Arbeiter gehören zur Produktion, aber sie haben noch keinen produktiven Sinn: »Du lebst noch nicht, ich bin noch tot«. Solange dem Arbeiter die Maschine, die zu ihm als Produzierende gehört, nicht auch wirklich gehört, ist der Arbeiter noch nicht am Leben, und die Maschine ist noch im Zustand einer toten, unnützen Sache; aber die Gemeinsamkeit, die sich durch die Produktion ergibt (und die den Unternehmer als dem Nicht-Produzierenden ausschließt), verbürgt für Brecht die mögliche Befreiung beider (weitab aller Maschinenstürmerei). Kurz: die Technik hat dann ihren Sinn, wenn ihre Produktivität (nicht ihre Möglichkeiten durch den Konsum wie im Fordismus) für die Menschen genutzt wird und die Arbeiter ihr nicht unterworfen, sondern durch ihre Produktivität befreit werden. – Das war damals eine Illusion: und man neigt dazu, dies als eine grundsätzliche Illusion anzusehen. Aber es entsteht, legt man sie unmißverständlich frei, ein differenziertes Bild von Brecht, das sich nicht auf die Neue Sachlichkeit reduzieren läßt, auch wenn Brecht mit ihr die Themen teilt. Brecht unterwirft sich nicht der scheinbar neutralen Perspektive der Maschine und ihrer desillusionierenden Sachlichkeit, er sieht den sie bedienenden Menschen und die Perspektive seiner möglichen Zukunft mit der Maschine.

Text: Gedichte 1913–1929 (= Gedichte II.) Frankfurt a. M. 1960. S. 158–164. – wa 8, 297 f. und 299–302.

Edgar *Marsch*: Brecht-Kommentar zum lyrischen Werk. München 1974 (S. 176 f. und 177 f.). – Eckhardt *Köhn*: Das »Ruhrepos«. Dokumentation eines gescheiterten Projekts. In: Brecht-Jahrbuch 1977, S. 52–80.

Augsburger Sonette (Liebesgedichte) 1925/1927

Trotz der Tatsache, daß durch die Publikation der Supplement-Gedicht-Bände nun die (vorhandenen) Texte vorliegen, ist die Forschungslage über die *Augsburger Sonette* immer noch dunkel. Nach Hans Otto Münsterer reichen die Ursprünge der geplanten Sammlung von Liebesgedichten bis ins Jahr 1919 zurück, als Brecht den Plan gefaßt habe, eine »Reihe von Gedichten mehr intimen Charakters« in einem eigenen Buch zusammenzufassen, das *Meine Achillesverse* heißen sollte (der Name ist ein Wortspiel, als er die verwundbare Stelle, die Ferse des trojanischen Helden, lautgleich als Gedichtverse übersetzt und folglich die »Liebe« als die Schwachstelle und als Anlaß zum Dichten zugleich bedeutet; ein gleichnamiges Gedicht ist von diesem Plan übriggeblieben; 8, 53; vgl. Gedichte II, 95). Münsterer schreibt weiter: »Später sind daraus wohl im Hinblick auf Aretino [Brechts literarisches Vorbild] und auf den Verlagsort, die *Augsburger Sonette* geworden, obwohl sie vielfach berlinerisches Leben wiedergaben und nicht durchweg Sonettform aufwiesen« (Münsterer, 144). Diese Erinnerung mag insofern zutreffen, als der Plan, Liebesgedichte zusammenzustellen, schon viel älter ist, aber kein einziges der später für die Sammlung erwogenen Gedichte ist bereits zu diesem frühen Zeitpunkt entstanden. Möglicherweise sind einige der Sonette schon 1924 geschrieben worden, wie Schuhmann vermutet (Schuhmann, 178), die konkreten Zeugnisse weisen jedoch die ersten Sonette ins Jahr 1925. Die Angabe 1922, die Marsch angibt, ist völlig irreführend; er übernimmt die Jahreszahl von Schuhmann, der das Gedicht *Meine Achillesverse* auf 1922 datiert, das aber nach dem Archiv »Um 1920« anzusetzen ist; diesen Zeitpunkt legen auch Münsterers Ausführungen nahe; ein Sonett von 1922 gibt es nicht (Marsch, 150 und f., Schuhmann 177 f., BBA 4/34 = Nr. 6168, Bd. 2, S. 137). Die ersten Sonette entstehen in Augsburg 1925 und in Baden (bei Wien), als Brecht dort Marianne Zoff und seine Tochter Hanne besucht. In einem Brief an Helene Weigel schreibt er im Juni 1925: »Hier habe ich mit viel Nikotin wenige Sonette hergestellt« (Briefe, Nr. 99). Von daher ist es durchaus möglich, daß der Titel nicht durch den Druck-, sondern durch den Entstehungsort angeregt wurde. Mit den 1925 entstandenen Sonetten ist eine erste Gruppe der (Liebes-)Sonette erfaßt, die übrigens, was das Sexuelle anbetrifft, recht harmlos sind (8, 160–165).

Die weitaus größere und sexuell eindeutigere Gruppe der Sonette entsteht aber erst 1927, und zwar wiederum in Augsburg. Wieder geht der Sachverhalt aus einem Brief an Helene Weigel hervor: »Ich arbeite am »Fatzer« sehr langsam, aber nicht schlecht. Außerdem wie immer, wenn unbeschäftigt und verwaist, pornografische Sonette« (Briefe, Nr. 126; vom August/September 1927).

Ende 1927 will Brecht die Sonette in einem Privatdruck veröffentlichen, zieht dann aber den Auftrag zurück (die Gründe sind unbekannt, womöglich hinderte ihn seine inzwischen deutlicher akzentuierte politische Einstellung daran, weiterhin die Rolle des herausfordernden, dem Bürgertum in die Suppe spuckenden »Baal« zu spielen). Von diesem vorgesehenen Druck sind im Archiv Bürstenabzüge (d. h. die Kopien von einigen Seiten) erhalten geblieben, die Brecht 1953 von Hans Otto Münsterer angefordert hat (vgl. Briefe, Nr. 738). Nach Brechts Formulierung (er hat eine Abschrift der Sonette von Münsterer erhalten) könnten die übriggebliebenen Kopien durchaus den *ganzen* Umfang der geplanten Sammlung enthalten (es sind die Gedichte: *Sonett Nr. 1, Ratschläge einer älteren Fohse an eine jüngere, Kuh beim Fressen, Ein Mann bringt sich zu Bett, Über eine alte Fohse, Über die Notwendigkeit der Schminke, Vom Genuß der Ehemänner, Vom Liebhaber, Von der inneren Leere* und *Über den Gebrauch gemeiner Wörter,* also insgesamt nur zehn Sonette, die übrigens nicht der Reihenfolge nach numeriert gewesen sind; vgl. BBA 21135–21144, Bd. 4, S. 295). Die Sammlung sah es also vor, Sonette von 1925 und 1927 zu vereinigen, wobei ein Gedicht, das in den Druckfahnen mit *Lehrstück No 2* überschrieben ist, die *Ratschläge einer älteren Fohse an eine jüngere,* keine Sonettform aufweist.

Der geplante Zyklus und die weiteren Liebesgedichte der Zeit zwischen 1925 und 1927 können hier zu einer Einheit zusammengefaßt werden, da sie nicht nur im Zyklus zusammengefaßt worden wären, sondern Brecht die Form (Sonett) offenbar auch als Metapher verstanden hat. Sie leitet sich aus der italienischen Tradition her, und zwar in doppelter Weise. Die Sonett-Form war die Gedichtform, in der sich die »vulgäre« Sprache des Volkes erstmals dichterisch artikulierte (vor allem durch Dante, 1265–1321, der in seiner Schrift *De vulgari eloquentia,* die Verwendung der Volkssprache = »Vulgärsprache« gegenüber dem gelehrten Latein verteidigte), und die Sonett-Form hat zugleich – übrigens wiederum in Italien – »pornografische« Tradition: Pietro Aretino (1492–1556) war es, der neben seinen *Kurtisanengesprächen* (*Ragionamenti,* 1534–1536), die handfeste und detailgenaue Anleitungen der Hure Nanna über die Kunst des Liebens geben, mit seinen *Sonetti lussuriosi* (»Luxuriöse Sonette«) sechzehn pornografische Gedichte verfaßt hatte. Sie wurden als Privatdrukke in den zwanziger Jahren gehandelt (vgl. Schuhmann), und möglicherweise wollte Brecht dies mit seinen Sonetten kopieren. Die Liebesgedichte erhalten durch diese Fakten ein gewisses Programm: sie wollen bewußt die Sprache des Volkes sprechen, die diesmal eben die »der Gosse« sein muß, und zugleich befragen sie ihre Zeit, wie es mit der Kunst des Liebens steht. Darüber hinaus entnehmen Brechts Gedichte nicht selten die Form der »Anleitung«, der »Verhaltensanweisung« (vgl. vor allem die *Ratschläge)* den historischen Vorbildern.

Es wären wohl kaum Brecht-Gedichte, wenn sie bloß wiederholten, was die Vorbilder bereits geliefert haben. Der Leser bekommt also keine Anweisungen über die »Techniken« des Liebens (was Aretino schon genugsam geleistet hat); es handelt sich vielmehr um eine Bestandsaufnahme über das Lieben (nicht über die Liebe) in der Zeit. Und die fällt recht negativ aus. Die Forschung hat die Negativbilanz vor allem an dem Gedicht *Sonett* (8, 160) gezogen (Schuhmann, 179–181; Pietzcker, 261–267). Das Gedicht schildert ein Liebespaar, das noch nebeneinander liegt, aber bereits völlig »abwesend« voneinander ist. Das lyrische »Ich«, der Mann, weiß nichts von der Frau außer einigen unbedeutenden, vor allem sie nicht individuell kennzeichnenden Merkmalen, auch ihr Gesicht, das Individuellste des Menschen (nach traditioneller Auffassung), stellt sich als solches nicht ein: es ist durchsichtig. Aber auch die Frau macht sich keine Illusionen, wie es das abschließende Terzett sagt: sie weiß, daß sie vergessen würde, und falls sie dieses Gedicht, das von ihr handelt, läse, »sie wüßt nicht, wer es ist«. Deutlicher läßt sich die Entfremdung zwischen den Menschen kaum markieren. Der Geschlechtsakt, der nach traditionell bürgerlicher Vorstellung die »vollkommene Vereinigung« zweier Menschen bedeutet (bedeuten soll), ist von Brecht zur Erfahrung totaler Entzweiung umgepolt. Selbst in der Intimität treffen nicht zwei »sich begegnende« Menschen zusammen, sondern Fremde, die – wie es stets nur von der Frau gesagt zu werden pflegte – sich nicht mehr »hingeben«, aber auch gar nicht mehr hingeben wollen, denn sie wissen über ihren Zustand Bescheid.

Dieses Gedicht beschreibt das »Phänomen« der Entfremdung, nicht die Gründe. Daß sie in der Verfassung der kapitalistischen Gesellschaft der Weimarer Republik zu finden sind, hat schon Schuhmann behauptet: »Sie [die Sonette] müssen als Spiegelbilder einer spätbürgerlichen Krisensituation gedeutet werden, in der die achtlos gepflegte Liebe die einzige Möglichkeit zu sein scheint, sich gegen die Entwertung der Liebe zynisch zur Wehr zu setzen« (Schuhmann, 179). Die Gesetze des Marktes haben die Liebe und das Lieben erfaßt, nicht mehr, wie Brecht es 1930 in einem Wortspiel nennt, die »wahre Liebe«, sondern die »Ware Liebe« gilt (zum *Guten Menschen von Sezuan;* vgl. BH 1, 201). Was in der bürgerlichen Ehe (so) weitgehend verborgen ist, bringt die Prostitution ans Licht. In einem der deftigsten Gedichte der Zeit reimt Brecht so:

2
Mit Faulheit ist's bei jedem gleich verhunzt
Riskier nur, daß er dich zusammenstaucht
Und er, wenn du ihn fickst, daß dir die Fotze raucht
Stinkfaul am Arsch liegst und: »Mehr Demboh!«
grunzt.
Und nennt der Herr die beste Arbeit schlecht
Halt deinen Rand: der Herr hat immer recht.
(III, 187)

Die Beziehung Kunde–Dirne (Brecht benutzt den Ausdruck »Fose«, in der Nachlaßausgabe übrigens ohne »h« geschrieben, er benennt »volkstümlich« die Vagina und übertragen die Dirne selbst) beschreibt Brecht sehr genau als Verhältnis von »Arbeitgeber« und »Arbeitnehmer« und zugleich, da er den Ausdruck »Mann«, »Kunde« vermeidet, als Verhältnis von Herrschaft–Knechtschaft. Die Dirne hat keinerlei Rechte; sie hat für ihr Geld zu tun, was von ihr verlangt ist, und irgendwelche Beurteilungen ihrer »Arbeit« stehen ihr nicht an. Aber, da es sich bei Brechts Gedicht um »Ratschläge« einer älteren Dirne an ihre jüngere Kollegin handelt, sind sich die Dirnen dieses (ausbeuterischen) Abhängigkeitsverhältnisses bewußt bzw. vermittelt die ältere der jüngeren diese Bewußtheit. Damit kann sich die Dirne – was sie selbst anbetrifft – »heraushalten«. Indem sie das ohnehin total veräußerlichte »Liebes«-Verhältnis als entfremdete Arbeit bewußt eingeht, kann sie wenigstens sich heraushalten: sie *spielt* die Rolle, die der Kunde von ihr verlangt, aber sie selbst (als bewußter Mensch) ist *nicht* dabei. In der Vermittlung dieses Bewußtseins deutet sich – das sei nur nebenbei gesagt – eine Überlegenheit der Unterlegenen an: der Kunde weiß nicht, daß er durchschaut ist und macht sich womöglich Illusionen über die gerade *ihm* geleisteten Dienste.

Die als »Arbeit« versachlichte sexuelle Beziehung in der Prostitution findet ihr Pendant in der bürgerlichen Ehe. Formell handelt es sich um einen Ehevertrag zwischen gleichberechtigten Partnern, die verschiedene Aufgaben übernehmen. Die ursprünglich »persönliche« Beziehung in der feudalen Gesellschaft, in der die Frau dem Mann aufgrund seiner ökonomischen Macht unterworfen war (quasi als Eigentum), sie ihm aber die Unterwerfung als persönliche Treue »zurückgab« ist aber nicht völlig verschwunden. Sowohl ideologisch erkennt das Bürgertum die Ehe nicht als ein Sachverhältnis zwischen autonomen Partnern an, indem sie persönliche Gefühle wie Liebe, Treue (vor allem von der Frau) fordert, als auch sachlich ist die Gleichberechtigung für die Frauen oft nicht gegeben, dann nämlich, wenn sie nicht berufstätig sind und der Mann aufgrund »seines« Geldes die Herrschaft fordert. Die *Versachlichung* der Ehe – als Vertrag über ein gegenseitiges Tauschverhältnis (der das Sexuelle miteinschließt) – führt einerseits zur Vereinzelung der Partner, weil die Gründe, warum sie zusammenleben, nicht mehr (primär) auf persönlicher Bindung (der in der Regel auch eine entsprechende Produktionsgemeinschaft innerhalb der Familie entsprach: Familienbetrieb), sondern auf sachgegebenen Gemeinsamkeiten beruhen, andererseits aber bleibt durch das Hineinragen der (feudalen) patriarchalischen in die bürgerliche Form der Ehe der Eigentumscharakter der bürgerlichen (größtenteils bourgeoisen) Frau erhalten. Das bedeutet: sie ist nicht nur vereinzelt, indem die persönliche Beziehung nicht mehr zum Partner besteht, sie pflegt sich auch für ihre Liebe bezahlen, aushalten zu lassen; sie steht dafür, daß der Mann sie ökonomisch versorgt, ihm sexuell zur Verfügung, aber sie »gibt sich« ihm nicht mehr »hin«, sondern läßt sich für ihre Dienste bezahlen, so daß ihre sexuelle Rolle sich weitgehend mit der der Dirne identifiziert (vgl. hierzu vor allem Pietzcker, 261–266).

Die Folge ist, daß sich nicht mehr »sich selbst darstellende« Subjekte begegnen, sondern über die »Sache« definierte und gekennzeichnete Menschen. Die Liebe wird ebenso zum nach Kants berühmt-berüchtigter Definition »lebenslänglichen gegenseitigen Gebrauch der Geschlechtsorgane« *(Metaphysik der Sitten,* Paragraph 25, F. Meiner-Ausgabe, S. 92) wie der normale bürgerliche Tauschvertrag. Die gesuchte Person, die gerade geliebte Frau, nach der das *Sonett* fahndet, stellt sich nicht ein, kann sich nicht mehr einstellen. »Echte« Gefühle tauchen nur noch in rudimentären Formen auf und halten nicht lange:

> Des Morgens nüchterner Abschied, eine Frau
> Kühl zwischen Tür und Angel, kühl besehn.
> Da sah ich: eine Strähn in ihrem Haar war grau
> Ich konnt mich nicht entschließen mehr zu gehn.
>
> (8,160)

Das erste Quartett des Sonetts *Entdeckung an einer jungen Frau* läßt den Liebhaber der vergangenen Nacht (der Tauschvertrag ist zu Ende, entsprechend das Ende kühl) eine Einzelheit an der Geliebten entdecken, die auf einmal Gefühl in ihm entfacht, so daß er »stumm« ihre Brust »nimmt«, sie mit »du« anspricht, zu ihr, die dennoch nur »eine Frau« bleibt, eine persönliche Beziehung findet und schließlich von »Begierde« übermannt wird. Dennoch: die Entdeckung gilt nicht der Frau als Person, sondern des plötzlichen Bewußtwerdens, daß die junge Frau altern wird, daß sie »vergehen« wird. Keine – wie immer geartete – »ewige« Liebe bricht da aus, sondern lediglich das Bewußtsein der Vergänglichkeit, das die Frau noch einmal begehrenswert macht (das Gedicht ist übrigens ganz vom »männlichen Standpunkt« aus geschrieben, stellt ihn aber auch dar). Was bleibt, ist das Vergehende, und der nächste Abschied wird kommen. Das Gedicht jedenfalls verweigert der Frau Individualität.

Es sei noch darauf hingewiesen, daß in den Zusammenhang der »pornografischen« Sonette auch die sich in Brechts Werk zunehmend konturierende Gestalt der (positiv gezeichneten) Hure gehört, am deutlichsten wohl in der Gestalt der »Seeräuber«-Jenny, die sich mit den *Mahagonnygesängen* ausbildet. Es handelt sich um die »bewußte« Hure, die ihre Rolle (vor-)spielt und auf die Gelegenheit wartet, den »Herren« zukommenzulassen, was ihnen gebührt. Brecht hat mit der Hure eine Gestalt gefunden, mit der er nicht nur die bürgerlichen Fassaden aufreißen, die Widersprüche aufdecken kann, sondern die ihn konsequent auch zu den »anderen«, zu den Ausgebeuteten führt. Ein bewußter Klassenstandpunkt allerdings markiert sich zu diesem Zeitpunkt noch nicht. Noch steckt Brecht in der Lektüre der Klassiker, noch muß er sich informieren; die wichtigen Themen aber sind längst gefunden.

Texte: Gedichte 1913–1929 (= Gedichte II). Frankfurt a. M. 1960. S. 140–155 [die Überschrift »Aus den ›Augsburger Sonetten‹«, 149, ist mißverständlich, weil nachweislich auch von den früheren Sonetten einige Gedichte in die Sammlung eingehen sollten]. – wa 8, 160–165, 311–313. – Supplementband III, 31–155.

Hans Otto *Münsterer:* Bert Brecht. Erinnerungen aus den Jahren 1917–22. Zürich 1963 (S. 144 f.). – Klaus *Schuhmann:* Der Lyriker Bertolt Brecht 1913–1933. Berlin 1964 (S. 177–189). – Edgar *Marsch:* Brecht-Kommentar zum lyrischen Werk. München 1974 (S. 149–152). – Carl *Pietzcker:* Die Lyrik des jungen Brecht. Frankfurt a. M. 1974 (S. 261–288).

Sonett Nr. 9
(Über die Notwendigkeit der Schminke) (1927)

Das Gedicht gehört zu den *Augsburger Sonetten* im engeren Sinn (als Nr. 6 innerhalb des Zyklus, da aber mit der »No 10« versehen); es ist 1927 entstanden. Die oben bereits beschriebene Parallelität zwischen bürgerlicher Ehefrau und Dirne ist hier pointiert Thema geworden; dabei kommen aber auch die Gegensätze ans Licht.

> Die Frauen, welche ihren Schoß verstecken
> Vor aller Aug gleich einem faulen Fisch
> Und zeigen ihr Gesicht entblößt bei Tisch
> Das ihre Herren öffentlich belecken
>
> Sie geben schnell den Leib dem, der mit rauher
> Hand lässig ihnen an den Busen kam
> Schließend die Augen, stehend an der Mauer
> Sehen sie schaudernd nicht, welcher sie nahm.
>
> Wie anders jene, die mit leicht bemaltem Munde
> Und stummem Auge aus dem Fenster winkt
> Dem, der vorübergeht, und sei es einem Hunde.
>
> Wie wenig lag doch ihr Gesicht am Tage!
> Wie höflich war sie doch, von der ich sage
> Sie muß gestorben sein: sie ist nicht mehr geschminkt!
> (8, 312)

Die »Ware Liebe« ist für dieses Gedicht schon Voraussetzung für sein Verständnis. Bürgerlicher Anstand verlangt, »den Schoß« zu verstecken, also die Sexualität und die damit verbundene (natürliche) Begierde »als Scham« zu verbergen (der Fisch-Vergleich ist »volkstümlich«, er deutet auf nasse Schöße). Dafür aber soll man, hat man »Gesicht« zu zeigen. Die Gesichter aber, die hier bloß liegen, sind nicht Gesichter von Individuen – auch die Versachlichung ist Voraussetzung dieses Gedichts –, sondern die obszönen Gesichter der Lust, die von den Männern als Ausdruck ihres Besitzes umschmeichelt werden. Brecht setzt präzise den Begriff der »Herren«, und in der Metapher vom »Belecken« verbirgt sich »hündisches« Benehmen. Die Herren jedenfalls beanspruchen die nur notdürftig verborgene Lust für sich und demonstrieren diesen Anspruch öffentlich, wobei die erste Strophe die schlüpfrige Atmosphäre bürgerlicher Etablissements (mit Varieté u. ä.) ausstrahlt.

Da die Herren jedoch – »bürgerlicher Anstand« (sie gehen zur Hure, um sich auszutoben) – die unterdrückte Sexualität nicht zu befriedigen vermögen, werfen sich die bürgerlichen Anstandsdamen vorübergehenden Kerlen an den Hals (in der *Keuschheitsballade in Dur,* entstanden schon 1918, ist es ein »strammer Kerl«, der die keusche Dame über die Treppe »hinhaut«; vgl. 7, 2730). Aber sie vermeiden es dabei streng, ihr Gesicht zu zeigen, also ihre Identität, damit auch ihre Individualität zu erkennen zu geben. Der sexuelle Vorgang vollzieht sich gleichsam anonym, als Befriedigung »niederer« Bedürfnisse, die nicht ganz zu umgehen sind (auch hier scheint die Hunde-Metapher wieder durch: sie befriedigen ihre sexuellen Bedürfnisse wie läufige Hündinnen in buchstäblich jeder Lage, bei jeder Gelegenheit).

Die Dirnen dagegen verbergen ihr Gesicht unter der Schminke, verstecken dagegen – das klingt unausgesprochen mit – ihren Schoß nicht, den sie bewußt feilbieten. Das Auge bleibt stumm, verrät also nichts »Inneres«, nichts Persönliches, die Haltung ist freundlich, aber auch geschäftsmäßig, und sei es ein »Hund«, hier als Metapher für einen »armen Hund«, einen armen Menschen zu verstehen, der auch ein Recht hat, sein sexuelles Bedürfnis zu befriedigen. Die Tatsache, daß die Hure ihren Schoß nicht versteckt, sich offen feilbietet, macht es ihr möglich, ihre Individualität, ihr Gesicht zu wahren. Sie weiß, wie Brecht unterstellt, was sie tut, die bürgerlichen Damen dagegen nicht; sie tragen ihr Gesicht, das heißt: ihre Absichten, offen zu Tage.

Von hier aus gesehen, wird die Überschrift doppeldeutig. Zunächst bezieht sie sich auf die geschminkte Dirne, die unter der Schminke ihr eigenes Gesicht verbirgt und es von daher vermag, trotz der »Öffentlichkeit« ihrer Tätigkeit, »sich selbst« herauszuhalten. In der Umkehrung aber – bezogen auf die bürgerlichen Frauen – erhält das Verstecken des Schoßes ebenfalls den Charakter des »Schminkens«. Während die Hure ihren Schoß öffentlich »zeigt«, entblößen die bürgerlichen Damen ihr Gesicht öffentlich, und umgekehrt gilt, während die Hure ihr Gesicht wahrt, verstecken die bürgerlichen Frauen ihren Schoß: die »Scham«, das heißt: die bürgerliche Moral, ist ihre Schminke; auch sie ist notwendig, weil sonst die versachlichte Kauf-Beziehung zu den »Herren« offen zu Tage träte. Die »Umwertung«, die Brechts Gedicht vornimmt, ist radikal. Glaubt das Bürgertum mit seiner (verlogenen) Moral und durch die Tradition ihrer »Partnerbeziehung« menschliche Würde und Individualität zu erhalten und schätzt es entsprechend die Huren als »entmenschte«, entindividualisierte, »niedrige« Wesen ein, kehrt Brecht die Bewertung um und entlarvt den bloßen scheinhaften (geschminkten) Anspruch des Bürgertums, dem keine Realität entspricht. Allein die Hure, die die »Ware Liebe« durchschaut hat, vermag sich als »Person« zu erhalten – des Dichters Bedauern (das heißt des lyrischen »Ichs«) gilt einer Frau, die sich offensichtlich in die bürgerliche Rolle »verloren« hat. Das »gestorben sein« dürfte metaphorisch zu verstehen sein: die Hure ist als Individuum, als *diese* Person, die sich versteckt hat, gestorben, weil sie –

so der unausgesprochene Schluß – in die bürgerliche Ehe hineingegangen ist und also jetzt auch den Schoß versteckt und das Gesicht offenlegt. In ihm ist nichts mehr als unbefriedigte sexuelle Gier und das Nicht-Bewußtsein über den Kaufvertrag der Ehe. Was »normalerweise« als die große Rettung der Dirne gefeiert wird, wenn es ihr gelingen sollte, doch noch ihrem »Schicksal« zu entkommen, vermerkt das lyrische Ich in diesem Gedicht mit Bedauern. Es gilt: die bürgerliche Moral als Scheinmoral, als Anspruch (dem nichts entspricht) und als täuschende Maskierung (Schminke), ist nicht zu retten. Immerhin eine sich radikalisierende antibürgerliche Einstellung Brechts um 1927.

Die Lyrik der sog. »Übergangszeit« 1926–1929

Den Terminus der »Übergangszeit« hat Klaus Schuhmann in die Forschung eingeführt (149). Damit soll die Zeit erfaßt werden, in der Brecht beginnt, sich von seinen anarchistisch-nihilistischen Anfängen zu lösen und den bewußten Klassenstandpunkt – als Verräter seiner Klasse – einzunehmen. Von 1930 ab zählt dann die Lyrik Brechts zur »sozialistischen Lyrik«. Die vorliegende Darstellung nimmt an dieser Einschätzung der »Entwicklung« Brechts – die meist »von hinten«, das heißt vom Telos des zu erreichenden sozialistischen Standpunkts aus, bewertet wird – eine Modifikation, wenn nicht Korrektur vor. Es ist zwar richtig, daß Brecht in dieser Zeit beginnt, sich in Sachen Marxismus zu orientieren und auch Partei zu ergreifen, was mit der *Maßnahme* (1929/30) auch öffentlich dokumentiert ist, es ist aber falsch, einen prinzipiellen Wandel Brechts gegenüber seinem frühen Werk zu konstatieren, wie auch Brechts sozialistischer Standpunkt durchaus kein parteikommunistischer Standpunkt gewesen ist. Brecht blieb auf Distanz, und seine Parteinahme war wesentlich von den jeweiligen – von ihm so eingeschätzten – gesellschaftlichen Notwendigkeiten bestimmt. Im Kampf gegen den aufkommenden Faschismus gab es für Brecht keinerlei Differenzen zum Parteistandpunkt, da für ihn die Abwehr des Faschismus die Hauptsache darstellte (und er war da auch zunehmend bereit, seine Interessen, seine anderen Ansichten zurückzustellen, um eine gewisse Einheitlichkeit zu wahren). Jedoch gab es sowohl in der Einschätzung der »Dialektik« als auch vor allem in der Kunst ganz eklatante Unterschiede, die eher zunahmen (abzulesen in seiner Haltung gegenüber Johannes R. Becher z. B.). So empfiehlt Brecht in einer Rundfrage nach den besten Büchern des Jahres 1928 an erster Stelle den *Ulysses* von James Joyce (Roman, Erstausgabe 1922, deutsch 1927), das Buch, das für den »sozialistischen Realismus« *der* Stein des Anstoßes werden sollte, den Karl Radek auf dem 1. Allunionskongreß der Sowjetschriftsteller von 1934 als einen »von Würmern wimmelnden Misthaufen, mit einer Filmkamera durch ein Mikroskop aufgenommen« bezeichnet. (Zitat in: Sozialistische Realismuskonzeptionen. Hg. v. Hans-Jürgen Schmitt und Godehard Schramm. Frankfurt a. M. 1974. S. 205).

Brechts Lyrik und Einstellung zur Lyrik ist in dieser Zeit gekennzeichnet durch ein entschiedenes Abrücken von der bürgerlichen »Ausdrucks«-Lyrik und durch eine intensivere, mit Kenntnissen erheblich erweiterte kritische und dann auch marxistisch orientierte Hinwendung zur gesellschaftlichen Realität: die sozialen, gesellschaftlichen Themen nehmen entschieden zu, die Erkenntnisse der »Klassiker« werden verarbeitet (in erster Linie fallen die Namen von Marx und Lenin). Es ist wohl kein Zufall, daß der Beginn der Marx-Lektüre, die im Zusammenhang mit dem *Joe Fleischhacker*-Projekt erfolgt (Juni/Juli 1926; vgl. 20, 46), zugleich zu einer Abgrenzung gegen die bürgerliche Literatur führt, vornehmlich gegen Thomas Mann, Rainer Maria Rilke und Gottfried Benn, also gegen die »Créme«. Brecht wird seine eigene Schreibhaltung, sein »Stil« bewußt (nicht »neu«), er bemerkt, daß er nicht nur thematisch, sondern auch sprachlich völlig anders arbeitet, nämlich nicht »assoziierend« (das Gefühl, das Innere ansprechend und »ausdrückend«), sondern – wie er es ab 1929 nennen wird – »gestisch«: auf die Wirklichkeit hinzeigend, sie »nachbildend« offenlegend. 1927 findet der legendäre Lyrikwettbewerb mit Brecht als einzigem Juroren statt, in dem Brecht den dichtenden Nachwuchslyrikern Sentimentalität, Unechtheit, Weltfremdheit vorwirft und urteilt: »Das sind ja wieder diese stillen, feinen, verträumten Menschen, empfindsamer Teil einer verbrauchten Bourgeoisie, mit der ich nichts zu tun haben will« (18, 56). Zu Rilke notiert er ebenfalls 1927: »In einigen seiner Gedichte kommt Gott vor. Ich richte Ihre Aufmerksamkeit darauf, daß Rilkes Ausdruck, wenn er sich mit Gott befaßt, absolut schwul ist. Niemand, dem dies je auffiel, kann je wieder eine Zeile dieser Verse ohne ein entstellendes Grinsen lesen« (18, 60; Brecht dachte sicher u.a. an das Gedicht

Herbsttag aus dem *Buch der Bilder,* dessen erste Strophe lautet: »HERR: es ist Zeit. Der Sommer war sehr groß. / Leg deinen Schatten auf die Sonnenuhren, / und auf den Fluren laß die Winde los.«). Über Benn heißt es 1928: »Dieser Schleim legt Wert darauf, mindestens eine halbe Million Jahre alt zu sein. Während dieser Zeit ist er immer von neuem geworden, mehrmals vergangen, leider immer wieder geworden. Ein Schleim von höchstem Adel« (18, 62). Um solche Urteile zu fällen, die veranlaßt sind durch (meist Radio-) Umfragen, brauchte es keiner Neuorientierung: Brecht hat so wie Rilke oder Benn nie gedichtet, seine von vornherein zu beobachtende distanzierte Haltung und die Weigerung, »sich auszudrücken«, markierte von Anfang an eklatante Unterschiede.

Brechts zunehmende Hinwendung zur gesellschaftlichen Realität ergibt sich aus seinem Interesse, die neue Art des gesellschaftlichen Zusammenlebens in der industrialisierten Massengesellschaft poetisch zu erfassen (das Thema: Masse-Individuum spielt von jetzt ab eine entscheidende Rolle). Notwendigerweise stieß er dabei auf die Geschäfte und damit – das war ja der reale Ausgangspunkt – auf die Frage nach den Ursachen der sozialen Unterschiede, die dem einen bitterste Armut brachte (die in den frühen Gedichten häufig Thema ist), dem anderen immensen Reichtum. Es lag nahe, dabei zu Amerika, zu amerikanischen Stoffen zu greifen. Jedoch meine ich nicht, daß, wie Helfried W. Seliger es dargestellt hat, in der Lyrik dieser »Übergangszeit« sich das ehemals »mythische« Amerikabild in ein »realistisches« wandelt.

Das frühe »Amerikabild« war nicht eigentlich ein Bild von Amerika, sondern ein Phantasiegebilde, das – wie Tahiti, Indien, Ägypten, Timbuktu (vgl. Tagebücher, 11, 97, 98, 99) – der deutschen gesellschaftlichen Realität als Gegenbild vorgehalten wurde (auch »Mahagonny« ist keine »amerikanische« Stadt, sondern eine Gegengründung zur realen Großstadt, die sich als Illusion erweist; s. BH 1, 64–71). Nun dagegen beginnt Brecht mit einem intensiven Studium der amerikanischen Realitäten, das wie die marxistischen Studien nötig geworden ist, um die gesellschaftliche Realität angemessen zu erfassen. Jetzt erkennt Brecht, daß die amerikanische Gesellschaft – deren »System« nach Europa exportiert worden ist – das fortgeschrittendste Stadium des Kapitalismus ausprägt. Eine Kenntnis ist notwendig, um die europäische Entwicklung erkennen und »abbilden« zu können. Brecht liest 1926 Gustavus Myers *Geschichte der großen amerikanischen Vermögen* (Berlin 1923, 2 Bände), die auch im späteren Werk eine unerschöpfliche Quelle bleiben wird, um die Betrügereien der amerikanischen Ehrenmänner – wie Morgan, Rockefeller, Vanderbilt – aufzudecken. Er empfiehlt Erich Mendelsohns Bildband *Amerika* (Berlin 1926) (vgl. 18, 51 f.) und liest Sherwood Andersons Roman *Pour Whites,* der die aufsteigenden Städte und die zunehmende Industrialisierung zum Thema hat (Anderson 1876–1941; der Roman entstand 1920; deutsch 1925).

Nach Andersons Roman entsteht 1926 das Gedicht *Kohlen für Mike,* das Brecht später in die *Chroniken* der *Svendborger Gedichte* einordnet (9, 669 f.). Es versifiziert in enger Anlehnung eine Episode aus *Der arme Weiße* (Leipzig 1925; S. 252–257). Es handelt sich um ein episches Gedicht in freien Rhythmen, ungereimt; es erzählt die Geschichte solidarischen Handelns der Eisenbahner der amerikanischen »Wheeling Railroad«. Der Bremser McCoy ist »wegen zu schwacher Lunge / Auf den Kohlenzügen Ohios« gestorben (Name und Todesursache hat Brecht erfunden), seine Witwe lebt in großer Armut, aber täglich werfen ihr die vorbeirasenden Kameraden einen Kohlenklumpen vom Tender des Zuges: »Mit rauher Stimme eilig ausrufend: für Mike!« Das soziale Elend und die Tatsache, daß der Kamerad ein Opfer seines Berufs geworden ist, führen zu solidarischem Handeln gegen die eigene Gesellschaft (eine Art Sabotage; ein Thema, das Brecht noch häufiger lyrisch beschäftigt). Diese Solidarität ist nicht zufällig, sondern organisiert, regelmäßig, dauerhaft und nicht ohne Gefahr. In ihr deutet sich ein gesellschaftliches Handeln an, das – wird es massenhaft – diese Gesellschaft bedrohen, schließlich verändern kann: »Von nun an sind die anonymen Arbeiter, kameradschaftlichen Helfer und solidarischen Kämpfer die Helden seiner Werke« (Seliger, 131). Geht dieser Schluß in seiner Ausschließlichkeit auch zu weit, so benennt er doch einen wesentlichen neuen Aspekt in Brechts Werk. Neben die Darstellung des (verrotteten) Bürgertums tritt die positive Darstellung der »anderen«, des Proletariats, das sich gegen die soziale Ungerechtigkeit aufzulehnen beginnt und Formen solidarischen Handelns erprobt.

Brechts Empfehlung von Hannes Küpper – als Brüskierung der bürgerlichen Lyriker – im Lyrik-Wettbewerb von 1927 ist stets als Bekenntnis zur »Neuen Sachlichkeit« der Zeit gewertet worden. Küpper gehört zu den unbekannt gebliebenen, in den Schriftsteller-Lexika nicht geführten Dichtern, die in ihren Gedichten den Sieg der Maschinen über die Naturgewalten und den Sieg des Ingenieurs über die als irrational geschilderte traditionelle (metaphysisch geprägte) Kultur feiern. Nach zeitgenössischem Kommentar sind seine Gedichte folgendermaßen zu charakterisieren: »Hannes Küpper geht mit dem Auge des Naturwissenschaftlers an die Stoffe heran, ordnet sie nach ihren physikalischen Gesetzen, die nicht Willkür, sondern Notwendigkeit sind« (Literarische Welt 5, Nr. 28, 12. Juli 1929, S. 7). Entsprechend prägt sich in ihnen eine Haltung aus, die in ständig neuen Zielen, Rekorden lebt und leben will (Rausch der technischen Neuerungen) und die Technik als »Sport« umdeutet. Das rasende Auto *(327 Stundenkilometer)* wird zum Symbol, daß es immer weiter geht, daß die Rekorde immer höher zu schrauben sind: »Es ist vollbracht, das einmal einzige Ereignis,/denn: / Diese Fahrt bleibt ewig ohne Gleichnis,/ und / Jene, die den Rekord überbieten, morgen und später,/alle / Müssen rasen im Schatten von Segraves 327 Stundenkilometer«; zitiert nach Lethen, 66 f.). Es gibt einige Gedichte Brechts aus dieser Zeit, die den Gedichten Küppers sehr nahe zu kommen scheinen. 1927 entsteht die *Gedenktafel für 12 Weltmeister* (8, 307–310), die »lyrisch« der Reihe nach die Box-Weltmeister im Mittelgewicht vom Jahr 1891 bis 1927 aufreiht, und zwar in geradezu herausfordernder Weise (eine frühe Vorwegnahme des »Gedichts« von Peter Handke *Aufstellung des 1. FC Nürnberg vom 27.1.1968;* enthalten in: Die Innenwelt der Außenwelt der Innenwelt. Frankfurt a.M. 1969. S. 59). Brecht besingt das Geld (*Vom Geld;* 8, 303), macht ein Gedicht auf seinen »Steyrwagen« (*Singende Steyrwägen*; 8, 318) oder meint »Alles Neue ist besser als alles Alte« (gleichnamiges Gedicht; 8, 314–316; entstanden wie die anderen auch um 1928). Dennoch sind die Unterschiede zu Küppers beträchtlich – wie auch die im Zusammenhang mit dem *Lesebuch für Städtebewohner* erörterten Differenzen gelten. Teilt zwar Brecht mit Küppers die Abneigung gegen die übliche Innerlichkeitskultur, die Lyrik als »Ausdruck« und den metaphysischen Tiefgang der (vor allem lyrischen) Dichtung, so ist er doch weit entfernt davon, die Technik zu verherrlichen oder den »Sport« (Boxen) als angemessene technische Umdeutung anzuerkennen. Daß Brecht das Boxen so liebte und empfahl, lag daran, daß er in ihm eine Kampfart sah, die im Gegensatz zu den verdeckten, aber rüden Regeln der kapitalistischen Gesellschaft in offener, sichtbarer Weise die Gegnerschaft austrägt:

> Dies sind die Namen von 12 Männern
> Die auf ihrem Gebiet die besten ihrer Zeit waren
> Festgestellt durch harten Kampf
> Unter Beobachtung der Spielregeln
> Vor den Augen der Welt. (8, 310)

Er behandelt die Boxer so, als hätten sie Geschichte gemacht, das heißt: er behandelt sie nach dem üblichen Schema der bürgerlichen Historiografie, einen großen Mann auf den anderen folgen zu lassen. Der Affront gilt den »eigentlich lyrischen« Themen, aber auch der üblichen Politik, die die Männer ausstellt, aber die eigentlichen Entscheidungen in Geheimdiplomatie fällt. Der Boxkampf dagegen erinnert bei aller Brutalität (die das Gedicht nicht unterschlägt) an überschaubare Kampfformen.

Auch die anderen »neusachlichen Gedichte« sind weit weg von der Glorifizierung von Technik oder technischer Gesellschaft. Das Gedicht *Vom Geld* handelt von der »Wertstellung« des Menschen über das Geld (»Geld ist Wahrheit. Geld ist Heldentum«); das Gedicht über den Steyrwagen ist ein Auftragsgedicht für die Firma (die Brecht das Auto dafür kostenlos überließ) und also nicht unbedingt als Brechts Meinung auszugeben (überdies ist es nicht ohne – teilweise verborgenen – Witz, indem es die Autos sich selbst darstellen läßt und die Werbeslogans der Firma zitiert). Das Gedicht, das »alles Neue« empfichlt, bricht seine Aussage in der letzten Strophe selbst ironisch:

> Dieses oberflächliche neuerungssüchtige Gesindel
> Das seine Stiefel nicht zu Ende trägt
> Seine Bücher nicht ausliest
> Seine Gedanken wieder vergißt
> Das ist die natürliche
> Hoffnung der Welt.
> Und wenn sie es nicht ist
> So ist alles Neue
> Besser als alles Alte. (8, 315 f.)

Einmal mehr bewährt sich Brechts Distanz; und es empfiehlt sich von daher, auch die spielerischen Momente der Lyrik zu beachten und in die Reflexion einzubeziehen.

Wie wenig Brecht auf den neusachlichen Technikkult zu verpflichten ist, belegt auch das bemerkenswerte Gedicht *Über das Frühjahr* (um 1928; 8, 314):

> Lange bevor
> Wir uns stürzten auf Erdöl, Eisen und Ammoniak
> Gab es in jedem Jahr

Die Zeit der unaufhaltsam und heftig grünenden
Bäume.
Wir alle erinnern uns
Verlängerter Tage
Helleren Himmels
Änderung der Luft
Des gewiß kommenden Frühjahrs.
Noch lesen wir in Büchern
Von dieser gefeierten Jahreszeit
Und doch sind schon lange
Nicht mehr gesichtet worden über unseren Städten
Die berühmten Schwärme der Vögel.
[...]

Schuhmann hat das Gedicht als »Naturgedicht« interpretiert. Es zeige die gesellschaftliche Entfremdung des Menschen von der Natur: »Der Kapitalismus hat die Natur entromantisiert und zum Kampfplatz verwandelt. Der Mensch begnügt sich nicht mehr mit der folgenlosen Bewunderung der Frühlingslandschaft, sondern erforscht, was die Erde in ihrem Inneren verbirgt. Es entsteht ein nüchternes Verwertungsverhältnis zur Natur« (Schuhmann, 196). Diese Deutung ist wiederum geprägt davon, daß die Natur als äußeres Gegenüber, vorwiegend als Objekt der Anschauung, eingeschränkt wird. Das Gedicht geht jedoch weiter, wenn es die Folgen der »Naturentfremdung« auf die Menschen beschreibt (es heißt im weiteren Verlauf, daß am ehesten noch das Volk, »sitzend in Eisenbahnen« auf das Frühjahr aufmerke: in den Ebenen nämlich zeige es sich noch). Die zunehmende Technisierung, für die Erdöl, Eisen, Ammoniak stehen, hat die Menschen so von der Natur entfernt, daß sie ihren Wechsel kaum noch wahrnehmen, ihn allenfalls noch aus der Lektüre alter Bücher kennen. Wie die frühen Gedichte Natur als Stoffwechsel thematisiert haben, der an- und hinzunehmen ist, so bringen die späteren »Natur«-Gedichte den Aspekt der gesellschaftlichen Fortentwicklung hinzu: der Mensch entfernt sich mit der Technik in steigendem Maße von der ursprünglichen (ersten) Natur und wird zunehmend von der zweiten, gesellschaftlichen Natur geprägt. Er wird immer mehr – auch in seiner Natur – zum gesellschaftlichen Wesen. Waren die frühen Gedichte ungesellschaftlich ausgerichtet, so bringen die späteren Gedichte den gesellschaftlichen Aspekt *hinzu,* setzen die frühe Einsicht aber nicht außer Kraft; denn der Mensch bleibt auch »Naturwesen«, er ist nur nicht mehr primär von ihr geprägt. Beim späteren, sogar beim späten Brecht bleibt die positive Einstellung zur ersten Natur (zu der auch die Kraft der Liebe, genauer: des Liebens zählt) erhalten. Das »Frühjahr« ist bei Brecht ein Dauerthema und auch in schwersten Zeiten stets positiv begrüßt worden (vgl. z. B. die Gedichte *Das Frühjahr* von 1931, *Frühling 1938, Finnische Landschaft* von 1940 bis hin zur Buckower Elegie *Der Blumengarten).* Daß das Volk dann noch am ehesten den Frühling erfährt, während er in den »Höhen« nur noch die Antennen berührt, hat nichts mit irgendwelchen mystischen Nähen des Volkes zur Natur zu tun, sondern damit, daß das arme Leben notwendigerweise näher an der ersten Natur ist als das reiche. Während das Volk weiß, was die Kälte des Winters bedeutet und täglich zur Arbeit verfrachtet wird, um den kümmerlichen Lohn zu erhalten (»sitzend in Eisenbahnen«), bleiben die »Höheren« davon unberührt.

Ein aus dem Nachlaß publiziertes Gedicht *Über den Winter* (Supplementband III, 221) kann die Deutung, daß das Volk noch eine gewisse Nähe zur »Natur« hat, bestätigen. Es bringt die Erfahrungen des harten Winters 1928/29, der gerade in die Weltwirtschaftskrise fiel, in Verse:

Frühjahr, Sommer und Herbst – wie ich euch sagte
Sind den Städten ein Nichts, aber der Winter
Ist merkbar.
Denn der Winter
Lange von Dichtern »der sanfte« geheißen
Ist der schreckliche wieder geworden
Jetzt wie in der Stunde des Anfangs
[...]

Plötzlich beteiligt sich auch noch der
Gleichgültige Himmel an der Vernichtung
Und kommt mit Kälte.

Die Masse, nach ihrer täglichen Peinigung
Findet zurückkehrend die Höhlen dunkel
Und von jetzt ab
Teilen Hunger und Kälte sich
In der Armen Besitztum!

Als ob nicht der Mensch ausreichte
Den Menschen
Auszurotten!

Das Gedicht hebt die Erkenntnis, daß sich die modernen Menschen von der ersten Natur entfernt haben, nicht auf. Die soziale Differenzierung aber betont die unterschiedliche Verteilung der technischen »Segnungen«, die bei aller »Neuen Sachlichkeit« nicht vergessen werden darf.

Das Gedicht *700 Intellektuelle beten einen Öltank an* (8, 316 f.), das gewöhnlich als Abkehr von der »Neuen Sachlichkeit« und ihrer unliterarisch-technik-verherrlichenden Einstellung eingeschätzt wird, ist hier als konsequenter Abschluß von Brechts Auseinandersetzung mit *seiner* Zeit zu würdigen. Er beschreibt ihre Notwendigkeiten, teilt ihre anti-mystische, ganz »ungeistige«, »fortschrittliche« Haltung und verurteilt sie dennoch als tief reaktionär, und das heißt hier bereits, den Zwecken des ausbeuterischen Kapitalismus dienend: »Die Sachlichkeit wird kommen, und es wird gut sein, wenn sie kommt – ich wünsche es beim Lenin –, vorher kann man gar nichts weiter unternehmen; aber dieser unvermeidliche und absolut nötige Fortschritt wird eine reaktionäre Angelegenheit sein, das ist es, was ich behaupten möchte: Die neue Sachlichkeit ist reaktionär« (15, 161). Das Gedicht verabschiedet die »Neue Sachlichkeit« mit einer Satire (übrigens am 11.2.1929 im *Simplicissimus*, der führenden satirischen Zeitschrift, publiziert). Der Öltank hat nun Gottes Stelle eingenommen (für die Intellektuellen wohlgemerkt), ein sichtbarer, ganz »entmythologisierter« Gott aus Eisen: »In Dir ist kein Geheimnis / Sondern Öl. / Und du verfährst mit uns / Nicht nach Gutdünken, noch unerforschlich / Sondern nach Berechnung«. »Ratio« und »Statistik« sind die neuen »Werte«, denen die Menschen unterworfen sind, das »Übel des Geistes« (also auch des Denkens) ist beseitigt. Brecht prangert den Technikkult des (vorübergegangenen) kapitalistischen Aufschwungs der »Zwanziger Jahre« an, »dessen literarische Verklärung Brecht immer mehr als Apologie des Kapitalismus durchschaut und unverhohlen verspottet« (Schuhmann, 231; vgl. 228–232).

In dieser Zeit entstehen schließlich auch die ersten Gedichte, die die Arbeiterbewegung direkt verarbeiten. Nach der Melodie des Liedes *Prinz Eugenius, der edle Ritter* dichtet Brecht die *Ballade vom Stahlhelm* für den *Knüppel*, eine satirische Zeitschrift (Mitarbeiter u.a. John Heartfield; Sondernummer Juni 1927; 8, 304 f.). Sie knüpft an an die *Legende vom toten Soldaten*, hat aber nicht ihre satirische Schärfe, obwohl sie primär *gegen* den (deutschen) Militarismus gerichtet ist und erst sekundär für die sozialistische Bewegung, vorab für die durch die russische Revolution geschaffene Gesellschaft Partei nimmt (der »Stahlhelm« bezieht sich auf die deutsche Kriegsausrüstung wie auch auf die sog. Soldatenverbände). Das ansonsten recht blasse Gedicht darf nicht ohne die parodistische Wirkung des alten Prinz-Eugen-Lieds gedacht werden. Der siegreiche Marsch dort (auf Belgrad) verkehrt sich hier in die Niederlage des »Stahlhelms«. Der mögliche Reiz des Liedes ergibt sich aus der Diskrepanz von strahlend-»heldischer« Melodie und ihrer entgegengesetzten inhaltlichen »Ausfüllung«. Schuhmann urteilt: »Mit dieser Ballade hebt Brecht die Trennung zwischen den realen Gesellschaftsproblemen und seinem künstlerischen Schaffen zum ersten Male bewußt auf. Seine politischen Interessen stimmen bereits weitgehend mit den Kampfzielen der Arbeiterklasse und ihrer marxistischen Vorhut überein. Brecht nimmt mit dem künstlerischen Wort Partei. Das Gedicht erhält politischen Gebrauchswert« (Schuhmann, 201).

Texte: Gedichte 1913–1929 (= Gedichte II). Frankfurt a. M. 1960. S. 131–138, 165–171. – wa 8, 303–310, 314–318. – Supplementband III, 179–227.

Klaus *Schuhmann:* Der Lyriker Bertolt Brecht 1913–1933. Berlin 1964 (S. 149–238). – Helfried W. *Seliger:* Das Amerikabild Bertolt Brechts. Bonn 1974 (S. 109–131). Helmut *Lethen:* Neue Sachlichkeit 1924–1932. Stuttgart 1970 (S. 58–92).

Beginn der engagierten Lyrik 1929–1932

Die klassische Darstellung von Klaus Schuhmann rechnet den »sozialistischen Lyriker« Brecht ab 1930 (Schuhmann, 239 ff.). Das Jahr soll nahelegen, daß die Übergangsphase der *Lehrstücke*, an denen sie sich traditionell manifestieren soll, im ganzen vorbei ist. In der Dramatik pflegt in der Regel deshalb 1931/32, die Entstehungs- und Erstaufführungszeit der *Mutter* (vgl. BH 1, 119 ff.), angesetzt zu werden. Die Lyrik zeigt, daß dies viel zu spät ist, wie ja auch die Zeit der *Lehrstücke* durchaus nicht vorbei ist (vgl. *Die Horatier und die Kuriatier* von 1934; s. BH 1, 143: die durch die neuere Forschung bereitgestellten Daten und Einsichten lassen die »Lehrstückphase« in neuem Licht erscheinen). Es ist bezeichnend, daß erstmals gehäuft die engagierte (auch kritische) Lyrik parallel zu den *Lehrstücken* auftritt. Hanns Eisler berichtet: »Wir haben in den politischen Tageskampf eingegriffen! Gab es ein neues Ereignis, war der erste Mann, der mich anrief, Brecht. ›Da müßten wir doch etwas ganz rasch machen...‹ Zum Beispiel über den berüchtigten Paragraphen 218 hat Brecht eine Ballade geschrieben und über den ›Osthilfe-Skandal‹. Bei der großen Arbeitslosigkeit schrieben wir das *Arbeitslosenlied*. Eine aktuelle Sache, an die wir anknüpften, war die Wahlkampagne 1929« (Eisler bei Schuhmann, 242). Das »Arbeitslosenlied« *(Diese Arbeitslosigkeit!;* 8, 330 f.) ist wohl das früheste erhaltene Gedicht von Brechts und Eislers engagierter Zusammenarbeit. Es hat deutlich klassenkämpferische Töne, wenn es zunächst die üblichen Argumente der Herrschenden (als »Meine Herrn« angesprochen) aufnimmt, nämlich die »Unerklärlichkeit« der Arbeitslosigkeit, um sie dann umzukehren und gegen die Herren zu richten: nur wenn diese »arbeitslos« werden, kann die Arbeitslosigkeit beseitigt werden. Sie »verschwindet nicht von selbst, wie es glauben gemacht werden soll.

Brecht hat damit ein Thema der Lyrik dieser Zeit gefunden. In den Städten, in der Gesellschaft herrscht ein verborgener Kampf, an dem er auf der »anderen« Seite bereit ist teilzunehmen. Brecht versteht sich als »Renegat« der eigenen Klasse:

> ALS ICH sie auf den Märkten
> Meinen Namen ausprechen hörte
> Hoffnungsvoll und ermunternd
> Sagte ich mir:
> Ich muß sie enttäuschen
> Nichts von dem, was sie erwarten, wird
> Eintreten. Das Haus wird geöffnet sein
> Aber der Gast
> Wird nicht einziehen.
> Über den erhaltenden Schüsseln
> Werden die Gastgeber böse
> Also werde ich zurücknehmen, was
> Ich gesagt habe.
> Meine Geschenke werde ich wieder abholen.
> Und am Telefon werde ich sagen:
> Hier ist der
> Der es nicht gewesen ist. (Supplementbd. III, 233)

Die Abwendung, die in dem später (1938) entstandenen Gedicht *Verjagt mit gutem Grund* (9, 721 f.) ihre klassische Formulierung findet, ist aktiv und selbstbewußt, ohne Bedauern, ja sogar mit Forderungen (Rückgabe der Geschenke) verbunden. Brecht sieht sich durchaus nicht als total »Umgedrehter«, der plötzlich ganz anderer Meinung ist. Zwar hat er einiges »zurückzunehmen«, also im neuen Sinn »Falsches« gesagt, getan, aber er fordert dies zugleich (doppeldeutig) als Geschenke von sich zurück, auch seine Vergangenheit gehört nicht mehr der »verratenen« bürgerlichen Klasse. Statt sich an den gemachten Tisch zu setzen, wird er von nun an in der Küche arbeiten (wie Brecht es mit Lenins Metapher beschreibt; vgl. z. B. das Gedicht *Die Bolschewiki entdecken im Sommer 1917 im Smolny, wo das Volk vertreten war: in der Küche;* 8, 392 f.). Mit dem Klassenkampf-Gedanken verbindet sich überdies die mit ihm verbundene, das spätere Werk entschieden prägende Aufforderung, die Waffen nicht gegen die anderen Völker, sondern gegen die eigenen Unterdrücker zu richten. Die »äußeren« Kriege werden von den herrschenden Klassen im Land als Krieg des gesamten Volkes (gegen ein anderes) ausgegeben. Aber diese Darstellung verdeckt nicht nur die »inneren« Kriege (= Klassenkämpfe), sondern verschleiert auch, daß die äußeren Kriege stets dann geführt zu werden pflegen, wenn die inneren Kriege die Interessen der Herrschenden ernsthaft zu gefährden beginnen. In dem weitgehenden Gedicht *Lob des Dolchstoßes* von 1931 (8, 372 f.) entwickelt Brecht diese Gedanken, indem er die politische Dolchstoßlegende aufnimmt, mit der die Nazis und konservativen Kreise der Weimarer Republik die Novemberrevolution als »Verrat am Volk« umgedeutet haben, und empfiehlt, mit ihr endlich ernst zu machen: nämlich *gegen* diejenigen, die *die Dolchstoßlegende* vertreten:

> Wenn die Suppe ausgeht
> Hört eure Hoffnung auf. Der Zweifel beginnt. Bald
> Wißt ihr: der Krieg
> Ist nicht euer Krieg. Hinter euch erblickt ihr
> Den eigentlichen Feind.
> Die Gewehre werden umgedreht
> Es beginnt: der Kampf um die Suppe. (8, 373)

Brecht empfiehlt eindeutig die revolutionäre Lösung. Das belegen nicht nur die vielen »Lob«-Lieder, die für das Lehrstück *Die Maßnahme* bzw. im Zusammenhang mit ihm entstehen (um 1930), sondern auch die Lieder für den Film *Kuhle Wampe* (1931), allen voran das *Solidaritätslied* (8, 369 f., vertont von Hans Eisler) und vor allem die Gedichte, die sich gegen »reformistische« Lösungen wenden, wie *Die Nachtlager* (1932; 8, 373 f.), die eine Episode aus dem Roman *Sister Carrie* von Theodore Dreiser (New York 1932) versifizieren. Obdachlose erhalten Winterquartiere und vermögen so den Winter zu überleben:

> Aber die Welt wird dadurch nicht anders
> Die Beziehungen zwischen den Menschen bessern sich
> dadurch nicht
> Das Zeitalter der Ausbeutung wird dadurch nicht
> verkürzt.

Brecht vertritt damit einen Standpunkt, der zurecht als (zumindest) KPD-nahe beschrieben wird, sich auf alle Fälle gegen alle Hoffnungen wendet, daß – wie es die Haltung der SPD war – durch Reformen der Kapitalismus »vermenschlicht« werden könnte. Bemerkenswert ist in diesem Zusammenhang das 1931 entstandene Gedicht *Ballade vom Tropfen auf den heißen Stein* (8, 370 f.). Es nimmt das »Natur«-Bild der früheren Gedichte wieder auf, scheinbar sie negierend, insofern jetzt davor gewarnt wird, sich der Natur anzuvertrauen, »in sie hineinzugehen« (so fälschlich Pietzcker, 259 f.; Schuhmann, 263–265). Jedoch geht es in diesem Gedicht nicht mehr um die »Natur«, sondern um die falsche Hoffnung auf die bessere, günstigere Jahreszeit. Die Ballade steht im Zusammenhang der »Naturgedichte«, die die eingetretene Entfernung des Menschen zur ersten Natur behandelt haben. Nur die Armen, das »Volk«, spürten sie noch hautnah, vor allem im Winter. Im Sommer jedoch könnte – und davor warnt das Gedicht – der falsche Eindruck entstehen, daß das Volk die sozialen Mißstände ertragen könnte, weil die Natur *vorübergehend* sich freundlich zeigt, »Schutz« bietet. *Diese* Tröstungen sind nur »Tropfen auf den heißen Stein«, weshalb weiterhin – auch wenn sich die Zeiten zu »bessern« scheinen (Reformismus-Argument) – die revolutionäre Lösung zu suchen ist.

Mit dem Film *Kuhle Wampe* (1931) und dem Stück *Die Mutter* (1932) kommt dann auch das Proletariat als positiv gezeichnete geschichtliche Kraft in die Lyrik Brechts (*Sportlied, Solidaritätslied*; 8, 368–370; *Lob des Kommunismus*; 9, 463, vgl. 2, 823–906, vor allem *Lob des Lernens* und *Lob des Revolutionärs*; 2, 857, 858 f.). Das *Solidaritätslied* wurde, nicht zuletzt wegen Hanns Eislers Vertonung, eines der wichtigsten Lieder der Arbeiterbewegung (wie sehr es mit »Kommunismus« identifiziert wurde, mußte Eisler in seinem langwierigen Prozeß um ein Dauervisum in den USA spüren; daß er ausgerechnet der Komponist dieses Liedes war, reichte bereits aus, ihn für die Einwanderungsbehörden und die sie anweisende Politik als subversives »Element« verdächtig zu machen). Allerdings ist die erste Fassung des Liedes – zu der Eisler nach Brechts Entwürfen die Musik komponierte – noch ganz der Filmhandlung verpflichtet und weit entfernt von der »klassischen« Fassung des Texts, der erst nach dem 2. Weltkrieg, wahrscheinlich zur Ausgabe der *Hundert Gedichte* (1951), entstanden ist. Diese Fassung zitiert in der letzten (fünften) Strophe den Schlußsatz des *Kommunistischen Manifests* von Marx und Engels (1848) in modifizierter Weise (»Proletarier aller Länder / Einigt euch und ihr seid frei«; 8, 370) und kommt mit dem Aufruf (»Völker dieser Erde«) der *Internationale* (1871) recht nahe. Zwischenfassungen, die den Aufruf bereits enthalten, ansonsten aber ebenfalls weit entfernt sind von der klassischen Fassung der Ausgaben, gibt es aus den dreißiger Jahren (wahrscheinlich 1938, *Hamburger Solidaritätslied* genannt; Text teilweise bei Lerg-Kill, 241 f.). Für die historische Analyse sind die späteren Fassungen unbrauchbar (mit falschem Text deuten Schuhmann, 242–245; Lerg-Kill, 68–70; Marsch, 190 u. a.). Die Fassung des Films und (abgedruckt: Bertolt Brecht. Kuhle Wampe. Hg. v. W. Gersch u. W. Hecht. Frankfurt a. M. 1969, 3. Aufl. 1978. S. 57 f., 62, 76 f.) ist in der »wir«-Form gefaßt und ermuntert die im Film auftretenden Arbeitergruppierungen, zusammenzuhalten, sich der eigenen Stärke zu besinnen und »vorwärts« zu gehen (Weg-Metaphorik). Das Lied endet mit zwei Fragen: »Wessen Straße ist die Straße / Wessen Welt ist die Welt?« und markiert damit zugleich den (offenen) Schluß des Films. Teile dieses Schlusses werden in der späteren Fassung dem Refrain zugeschlagen, sind da aber nurmehr rhetorisch. Eine Beschreibung der Musik gibt es von Hartmut Fladt (s. Literatur).

Schließlich gehören hierher die *Geschichten aus der Revolution*, die Brecht als Nr. 16 der *Versuche* im 7. Heft zusammen mit der *Mutter* publiziert hat (1933). Es handelt sich um die – recht ausufernden – epischen Gedichte *Die Bolschewiki entdekken im Sommer 1917 im Smolny, wo das Volk vertreten war: in der Küche* und *Die Teppichweber von Kujan-Bulak* (mit erweitertem Titel eingegangen in die *Svendborger Gedichte*; 9, 666–668; Erstdruck: Berlin 1933. S. 79–82. Neudruck Versuche, S. 243–245). Ein drittes Gedicht, *Die Internationale*, sollte ebenfalls den (da noch sogenannten) *Erzählungen aus der Revolution* zugeschlagen werden, fiel aber dem Korrekturgang zum Opfer (Brecht entschied sich dabei auch für den doppeldeutigen, umfassenderen Begriff der »Geschichten«; vgl. BBA 337/45 f., 336/36 f. = Nr. 5542, Bd. 2, S. 69). Die *Geschichten* nehmen vorbildliche Haltungen und Handlungen aus der (mit 1917 nicht beendeten) Revolution in Rußland auf (vor allem auch die Person Lenins) und empfehlen sie als angemessene Handlungsanweisungen an die eigene Zeit. Auch hier ist die Parteinahme und die Stoßrichtung eindeutig und engagiert.

Texte: Gedichte 1918–1929 (= Gedichte I). Frankfurt a. M. 1960. S. 197–203 (Geschichten aus der Revolution). – Gedichte 1930–1933 (= Gedichte III). Frankfurt a. M. 1961. S. 155–197. – wa 8, 329–339, 364–397.

Klaus *Schuhmann*: Der Lyriker Bertolt Brecht 1913–1933. Berlin 1964 (S. 216–266). – Ulla C. *Lerg-Kill*: Dichterwort und Parteiparole. Propagandistische Gedichte und Lieder Bertolt Brechts. Bad Homburg v. d. H. u. a. 1968 (S. 68–70, 240–242). – Helfried W. *Seliger*: Das Amerikabild Bertolt Brechts. Bonn 1974 (S. 183–203). – Edgar *Marsch*: Brecht-Kommentar zum lyrischen Werk. München 1974 (S. 188–198). – Carl *Pietzcker*: Die Lyrik des jungen Brecht. Frankfurt a. M. 1974 (S. 250–260, 326–359). – Hartmut *Fladt*: *Solidaritätslied.* In: Hanns Eisler (= Argument Sonderband AS 5). Karlsruhe 1965. S. 167–171.

Die drei Soldaten (1932)

Das *Kinderbuch* (so auch der Untertitel) ist von der Brechtforschung kaum beachtet worden, obwohl sich Brecht hier erstmals in eine Literatur einarbeitet, die in seinem späteren Werk weiter Bedeutung haben wird, nämlich Literatur für Kinder zu schreiben, das heißt einfache und überschaubare Gedichte (Geschichten) zu entwerfen, die dennoch nicht primitiv (oberflächlich, die Kinder nicht ernstnehmend) sind und von der Realität ablenken (Märchen, Phantasien ohne Realitätsgehalt). Daß die Realitätsfrage dabei nicht vordergründig gemeint ist, zeigt schon dieser Text, den man möglichst in der *Versuche*-Ausgabe lesen sollte: großzügige Textaufteilung und vor allem Zeichnungen von George Grosz, die dem vierzehnteiligen Text richtige Buchform geben (Einzelausgaben wären empfehlenswert). Er präsentiert sich durchaus in märchenhafter Form, insofern er den Hunger, den Unfall und den Husten personifiziert in der Gestalt der »drei Soldaten«. Der Eingang gibt sich zunächst ganz vordergründig realistisch. Der 1. Weltkrieg ist zu Ende, die »drei Soldaten« aber werden nicht »abgelöst«, weil ihr Sergeant gefallen ist und folglich niemand ihnen Befehle geben kann; jeder, der zu nahe kommt, wird erschossen. Erst die 2. »Geschichte« identifiziert die drei Soldaten als die Allegorien für den Tod aus Armut (Hunger), den Tod durch ausgebeutete Arbeit (Unfall) und den Tod durch Krankheit (Keuchhusten, Lungenentzündung = Husten). Als »Allegorien« dieser Art aber werden sie dem Leser erst entdeckt, als sie selbst unsichtbar geworden sind. Gott, der bei den Reichen am Tisch sitzt, beschließt die allegorisierten Tode dadurch aus der Welt zu entfernen, daß er sie aus der sichtbaren Welt entfernt; denn jede andere Lösung hieße für die Reichen, auf ihr Geld, auf ihren Profit zu verzichten. Als unsichtbare Mächte ziehen sie durch die Welt – deren Ungerechtigkeit allerdings offenliegt. Das unsichtbare Elend gibt den Blick auf das Unrecht frei (»Sie selber aber sah man nicht / Sie wirkten eher wie ein starkes Scheinwerferlicht«; 8, 344). Sie vollziehen ihre Exekutionen: am Zugführer durch Unfall (er hat sich überarbeitet; 4. Geschichte), an den vielen Mietern, die in zu engen Wohnungen hausen durch Krankheit (5. Geschichte), an den Kinderreichen und ihren Kindern, wiederum durch Krankheit (6. Geschichte), an einem religiösen Bäckerjungen durch Hunger (7. Geschichte), an Arbeiterinnen durch Unfall (8. Geschichte), an den Armen durch Hunger (9. Geschichte, 10. Geschichte), an den Arbeitern einer Giftgasfabrik durch Krankheit (Vergiftung; 11. Geschichte), am lieben Gott schließlich (12. Geschichte). Diese kleinen, in sich abgeschlossenen Geschichten thematisieren ganz bestimmte Krisenerscheinungen der Weimarer Republik: Wohnungsnot, Paragraph 218, Überproduktionskrise (Weizenvernichtung), Arbeitslosigkeit, entfremdete Arbeit mit Ausbeutung. Ohne diese Themen zeitgeschichtlich weiter zu konkretisieren, konnte auch ein Kind diese Konkretionen aus eigener (meist schlechter) Erfahrung leisten.

Dennoch geht es Brecht weniger um die Darstellung der Todesfälle. Er befragt vielmehr ein Verhalten: wieso dulden die Menschen das so offenbare Unrecht. Sind zwar Krankheit, Hunger, ausgebeutete Arbeit (weitgehend) der Sichtbarkeit entzogen – genauer: ist die menschenmordende *Gewalt* dieser »Tode« nicht offenbar –, so bleibt die ungerechte Verteilung der Güter (und der Arbeit) sichtbar. Aber, die Leute lassen sich das Unrecht gefallen, nehmen es hin, wenden sich nicht gegen ihren Tod. Da sie sich so verhalten, nehmen die »Allegorien« die Exekutionen ohne Mitleid, ja geradezu ständig verärgerter werdend, vor. Wenn jemand meint, sich durch »Wohlverhalten«, Anpassung und ohne Widerstand durchlavieren zu können, obwohl er am eigenen Leib erfährt, daß dadurch die Zustände nicht besser, sondern noch schlechter werden, der gehört erbarmungslos exekutiert, eine durchaus »zynische«, aber nicht zynisch wirkende »Lösung« der drei Soldaten, die die Welt durchstreifen und nicht glauben wollen, daß die Menschen so wenig Einsicht in ihre eigenen Verhältnisse haben, vor allem haben wollen. Die Allegorien sind aus diesen Gründen nicht als bloß »negativ«, todbringend zu sehen. Sie sollen vielmehr auch anstachelnd, auf andere Lösungen drängend erscheinen (z. B. fordern sie den Bäckerjungen auf, sich an den Brötchen, die er für die Reichen austrägt, zu bedienen etc.; das auf einzelne bezogen »Sabotagethema« kündigt sich in dieser Zeit bei Brecht an – der Techniker, der einen *kleinen*, aber entscheidenden Fehler macht, der Wissenschaftler, der sich irrt; vgl. auch den *Schweyk*). So gesehen, liegt in der Folge der Geschichten eine Steigerung durch Häufung, die dazu führt, daß die drei Soldaten Gott töten, damit (er steht für Ideologie überhaupt, Tröstung auf andere Welten) der eigentliche Kampf wieder sichtbar werden kann: der Kampf nämlich der Klassen gegeneinander. Im

13. Kaptiel des Buchs zeigen sich nun – es ist zweifellos das eindrucksvollste – die alltäglichen Normalitäten als brutaler Kampf aller gegen alle:

> Die Häuser standen eben noch ruhig dort
> Da waren plötzlich die Mauern fort
> Und hinter der verschwundenen Wand
> War ein blutiger Krieg entbrannt.
> Da wälzten sich Menschenknäuel im Kampf
> Von unten nach oben ging durch die Häuser ein Krampf.
> Ohne zu reden und ohne zu schrein
> Hieben sie aufeinander ein!
> Da kamen auch schon von den Enden der Straßen
> Bis an die Zähne bewaffnete Massen
> Die kämpften über und unter dem Boden
> Und füllten sie Stadt mit Krüppeln und Toten.
> Aber ohne daß sich im täglichen Leben der Städte
> Irgend etwas geändert hätte. (8, 361)

»Der Frieden wurde sichtbar als ein Krieg« (8, 360), darauf zielen die einzelnen Geschichten, eben weil gilt: »Viel mehr als jemals durch die Kanonen / Sterben Leute, die in schlechten Häusern wohnen« (8, 346). »Sichtbarmachen des gesellschaftlich Unsichtbaren« ließe sich das Verfahren auf die Formel bringen; es geschicht auf höchst künstliche Weise, durch Personifikationen, durch den (zweifachen) persönlichen Auftritt Gottes, durch die Schilderung sehr einfacher, aber aufs Allgemeine weisende »Fälle« (im doppelten Sinn). – Die 14. Geschichte löst auch noch den märchenhaften guten Schluß ein, der zum »Kinderbuch« zu gehören pflegt. Die drei Soldaten kommen nach Moskau, finden dort zwar keine paradiesischen Zustände, aber keinen, »der sich hätte etwas gefallen lassen« (8, 362). Die Menge auf dem Roten Platz, die die Drei erkennt, treibt sie zusammen und stellt sie an die Wand:

> Und als sie sahen in den Stahl
> Da lachten die Drei, zum erstenmal
> Und sagten: »Jetzt haben wir hier gesprochen mit allen
> Und keiner läßt sich das Elend gefallen.
> Das sind Leute, die haben einen Verstand
> Die stellen uns einfach an die Wand.«
> Sie schrien noch mitten im Erschießen
> Daß sie sich's gern gefallen ließen. (8, 363)

»Das Buch soll, vorgelesen, den Kindern Anlaß zu Fragen geben«, besagt eine Notiz in der Erstpublikation der *Versuche* (Neudruck, Versuche 13–19, S. 107). Intendiert ist, Fragen nach dem Zusammenhang von äußerem und innerem Krieg zu provozieren, nach den gesellschaftlichen Ursachen des Elends, nach *seiner* Gewalt, die sich nicht offen als Gewalt zeigt, und schließlich nach den Möglichkeiten der (aktiven) Veränderung, des Herausdrehens aus dem Zusammenhang von innerem und äußerem Krieg, dessen Folge ohne eingreifende Veränderung unabsehbar zu sein scheint. Ob Brecht die Gelegenheit hatte, die Wirkung des Buches zu prüfen, ist nicht bekannt (es erschien mit den Zeichnungen Grosz' 1932). Möglicherweise hat Brecht an einen Einsatz innerhalb seiner »kleinen Pädagogik« (vgl. BH 1, 421 f.) gedacht; auch können Anregungen oder sogar Pläne zu einer (literarisch-)pädagogischen Zusammenarbeit mit Asja Lacis, der russischen Pädagogin und Theaterwissenschaftlerin, die Brecht seit 1923 aus München kannte, vermutet werden. James K. Lyons Annahme, das Kinderbuch der *Drei Soldaten* lasse sich auf das Vorbild der *Soldiers Three* (Kurzgeschichten; zuerst 1888, deutsch 1900) von Rudyard Kipling zurückführen (»wenn auch nur entfernt«), ist kaum zu verifizieren: dazu ist die Wandlung der (zunächst als »normale« Soldaten eingeführten) Personifikationen zu tiefgreifend. Während das *Lied der drei Soldaten* (8, 127 f.; von um 1919) auf Kipling zurückführbar ist (Namengebung, Verhalten), läßt sich die Umdeutung der Soldaten in die unsichtbaren Gewalten des Klassenkampfes, der inneren Kriege, nicht mehr mit Kipling verbinden; und die Dreizahl ist zu verbreitet, als daß sie auf eine bestimmte Quelle festlegbar wäre.

Text: Versuche 14 [= Versuche, Heft 6]. Berlin 1932 (Neudruck, Versuche 13–19, S. 105–165) [jeweils mit den Zeichnungen von George Grosz]. – Gedichte 1930–1933 (= Gedichte III). Frankfurt a. M. 1961. S. 103–130. – wa 8, 340–363.

Edgar *Marsch*: Brecht-Kommentar zum lyrischen Werk. München 1974 (S. 183–187). – James K. *Lyon*: Bertolt Brecht und Rudyard *Kipling*. Frankfurt a. M. 1976 (S. 95 f.).

Antifaschistische Lyrik 1932/33

Während die engagierte Lyrik vor allem in den Jahren 1929–1931 von einem revolutionären, recht hoffnungsvollen Elan getragen ist – tatsächlich schien sich eine vorrevolutionäre gesellschaftliche Konstellation anzubahnen –, äußern sich spätestens ab 1932 lyrische Töne, die nurmehr hoffen, den nationalsozialistischen Vormarsch stoppen zu helfen. Die revolutionär engagierte Lyrik weicht mehr und mehr der antifaschistischen Lyrik, die freilich das Ziel einer proletarischen Revolution nicht aufgibt, aber jetzt eine andere Stoßrichtung einnimmt, nämlich das Wort gegen den Faschismus zu richten, zugleich die Antifaschisten an ihre Gemeinsamkeiten zu gemahnen. Prinzipiell ist die engagierte Lyrik Brechts von der antifaschistischen Lyrik nicht zu trennen, aber mit dieser Unterscheidung läßt sich der allmählich eintretende Wandel der gesellschaftlichen Verhältnisse in Deutschland, auf die Brecht (nicht nur lyrisch) reagiert, markieren und differenzieren. Die Hoffnungen auf eine revolutionäre Veränderung beginnen rapide zu sinken, der unmittelbare Kampf gegen den Nationalsozialismus, der es verstanden hat, die Krise der Gesellschaft für seine Zwecke zu nutzen, wird immer notwendiger.

Die letzten Gedichte, die vor der Flucht ins Exil entstehen, behandeln nicht mehr den selbstbewußten Verrat des »Renegaten« Brecht an der bürgerlichen Klasse, vielmehr kehrt sich die Blickrichtung um: die Freunde beginnen, sich auf die andere Seite zu schlagen, sie bemerken, daß sie dort – durch Anpassung – persönlich besser leben.

> Immer wieder, seit wir zu mehreren arbeiten
> In großen, für viele bestimmten und langdauernden
> Bemühungen
> Verschwindet ein Mann aus unserer Gemeinschaft
> Um nicht mehr zurückzukehren.
>
> Sie klatschen ihm Beifall
> Sie stecken ihn in einen feinen Anzug
> Sie geben ihm einen Vertrag mit viel Geld. (8, 403)

Das Gedicht nennt am Ende dieses Verhalten »den üblichen Weg« (8, 404), den persönlich bequemen, den weniger mühsamen Weg. Zugleich stellt sich auch die Frage nach dem eigenen Verhalten, die in einem Gedicht von 1932 so beantwortet wird: *Es gibt kein größeres Verbrechen als Weggehen* (8, 399f.). Aktiver Kampf gegen den Faschismus und Selbstrettung durch Flucht geraten in Widerstreit; der Verlaß auf die anderen, aber auch auf sich selbst, beginnt mit Zweifeln besetzt zu werden.

> Die da wegkönnen, sollen weggehen
> Sie sollen nicht gebeten werden, zu bleiben.
> Bleiben sollen nur, die nicht wegkönnen.
>
> Wie soll man den halten können
> Der auch gehen kann?
> Leute, die in Bedrängnis sind
> Können niemand halten. (8, 398)

Noch ist das Thema nicht auf Emigration bezogen, was betont werden muß, weil das aufgezwungene Exil nicht unter die Entscheidung fällt, ob man den Kampf verläßt: Brecht ist immer dafür eingetreten, die Exilierten nicht als »Auswanderer«, sondern als Vertriebene, Verbannte einzuschätzen (vgl. *Über die Bezeichnung Emigranten*; 9, 718). Hier geht es noch darum, sich in den verändernden politischen Konstellationen einzurichten, konkret: die bürgerliche Klasse und ihr relatives Wohlleben wieder aufzusuchen. Es ist im Prinzip noch einmal das Thema der *Heiligen Johanna der Schlachthöfe*. Johanna geht zu den Armen, versucht mit ihnen zu kämpfen, versagt aber, weil sie im Gegensatz zu den Proletariern die Möglichkeit hat, sich vom Kampf zu entfernen, und dies schließlich auch tut. Deutlich wird aus den Gedichten, daß sie den Selbstzweifel Brechts (rollenhaft) formulieren, versuchen, die entscheidende Frage angesichts des aufkommenden Faschismus zu stellen: Ist man auch jetzt noch bereit, wenn der Kampf aussichtsloser, grausamer, opferreich wird, die Sache des Proletariats zu vertreten?

Brechts Adressen an die Antifaschisten, die ebenfalls 1932 und 1933 formuliert werden, beantworten die Frage für Brecht relativ eindeutig. Er plädiert bereits 1932 für eine »Rote Einheitsfront« (hier vor allem auch an die Adresse der SPD gerichtet) und macht an einem fiktiven Fall klar, daß das Heraustreten aus der Front nur zur Vereinzelung und damit Selbstgefährdung führt (vgl. die Gedichte *Als der Faschismus immer stärker wurde* und *Wir haben einen Fehler begangen*; 8, 400f.). Es gibt für Brecht kein »Zurück«, denn dies bedeutete, radikaler als je zuvor die kommende Barbarei zu unterstützen.

> Du sagst: Du hast zu lange gehofft. Du kannst nicht
> mehr hoffen.
> Was hast du gehofft
> Daß der Kampf leicht sei?
>
> Das ist nicht der Fall.
> Unsere Lage ist schlimmer, als du gedacht hast.
>
> Sie ist so:
> Wenn wir nicht das Übermenschliche leisten
> Sind wir verloren.
> Wenn wir nicht tun können, was niemand von uns
> verlangen kann
> Gehen wir unter.
>
> Unsere Feinde warten darauf
> Daß wir müde werden. (8, 405)

Am 27. 2. 1933 brennt der Reichstag; am 28. 2. flieht Brecht, der Verfasser der *Legende vom toten Soldaten*, mit seiner Frau Helene Weigel und Sohn Stefan nach Prag. Die Berliner Zeit und ihre Lyrik nehmen ein gewaltsames Ende. Am 10. Mai brennen in Berlin die Bücher, die die Gewalt bereits beschrieben und vor ihr gewarnt hatten, als sie noch unsichtbar war.

Texte: Gedichte 1930–1933 (= Gedichte III). Frankfurt a. M. 1961. S. 153–197. – wa 8, 398–406.

Klaus *Schuhmann*: Der Lyriker Bertolt Brecht 1913–1933. Berlin 1964 (S. 285–295).

Lob des Revolutionärs (1931)

Das Gedicht ist Bestandteil des Stücks *Die Mutter (nach Gorki)* (2, 858f.) und geht in die erste Gedichtsammlung des Exils *Lieder – Gedichte – Chöre* ein; es ist daher eins der Gedichte, die die »alte« Zeit in Deutschland und die »neue« Zeit des Exils verklammern. Es ist aber auch in anderer Hinsicht symptomatisch. Zitiert wird die erste Fassung (veränderte 1. Strophe); die heute in den Ausgaben abgedruckte Fassung entstand erst 1938, als Brecht die Gedichte für die Malik-Ausgabe der *Gesammelten Werke* überarbeitete (dieser Text 9, 466f.; vgl. BBA 1381/34f. = Nr. 6131, Bd. 2, S. 133 = 3. Bd. der *Werke*, ist nicht mehr erschienen; die Angaben bei Lerg-Kill, 83f., und Marsch, 221, sind falsch: die erste Fassung im Stück und in der Sammlung differieren *nicht*).

Viele sind zuviel
Wenn sie fort sind, ist es besser
Aber wenn er fort ist, fehlt er.

Er organisiert seinen Kampf
Um den Lohngroschen, um das Teewasser
Und um die Macht im Staat.
Er fragt das Eigentum:
Woher kommst du?
Er fragt die Ansichten:
Wem nützt ihr?

Wo immer geschwiegen wird
Dort wird er sprechen
Und wo Unterdrückung herrscht und von Schicksal die Rede ist
Wird er die Namen nennen.

Wo er sich zu Tisch setzt
Setzt sich die Unzufriedenheit zu Tisch
Das Essen wird schlecht
Und als eng wird erkannt die Kammer.

Wohin sie ihn jagen, dorthin
Geht der Aufruhr, und wo er verjagt ist
Bleibt die Unruhe doch.
(Lieder-Gedichte-Chöre, 82f.)

Das Gedicht ist für die lyrischen Fähigkeiten Brechts zu dieser Zeit und den Zuwachs seiner sprachlichen Möglichkeiten bezeichnend. Vordergründig, höchst einfach stellt es sich dar, der Erörterung kaum bedürftig, als bloßes Propaganda-Gedicht, goutierbar lediglich für denjenigen, der die Ansichten teilt. Je mehr man jedoch bereit ist, sich mit dem Lied, von Hanns Eisler vertont, aufzuhalten, entpuppt es sich als Resultat komplexer Einsichten, als das »Einfache, das schwer zu machen ist«.

Ulla C. Lerg-Kill hat zunächst gezeigt – freilich das Gedicht ansonsten sehr vordergründig auffassend –, daß das Lied verschiedene Passagen aus dem Werk Lenins zusammenfaßt bzw. hindeutend zitiert, vor allem die Schrift *Was tun?* (Ausgewählte Werke. Berlin 1961. Bd. 1, S. 256ff.). Die von Lenin entworfenen Vorstellungen über die Organisation der Revolutionäre, ihre Taktik, ihre Arbeit in den Massen gehen verkürzt in den Text ein. Darüber hinaus ist die klassische Frage: »Wer wen?«, die Frage nach der Parteilichkeit und dem Nutzen von Handlungen und Maßnahmen modifiziert zitiert: »Wem nützt ihr?« Das lenkt den Blick auf die differenzierenden Konkretionen des Gedichts.

Die erste Strophe unterscheidet nicht – wie Lerg-Kill annimmt (84) – zwischen »Masse« und »dem Revolutionär«. »Viele sind zu viel«, ist vielmehr das reduzierte Resultat der gesellschaftlichen Ausbeutung: »viele« haben »zu viel«, sie leben auf Kosten der anderen (eine spätere Fassung – bei Lerg-Kill, 247 – erwägt »manche«), und weil sie zu viel haben, sind sie auch »zu viel«, das heißt: sie besitzen ein zu großes Übergewicht in der Gesellschaft (insofern paßt das »viele« durchaus); deshalb werden sie überflüssig, und es ist kein Schade (für die anderen), wenn sie fort sind. Die Zustände verbessern sich dann. Da das Gedicht sich aus dem Stück entwickelt, ist dieses Verständnis vorgezeichnet, weil der Klassenkampf dort thematisch ist. Auch die dritte Zeile der ersten Strophe hat zunächst konkreten Sinn im Stück: Pawel wird fortgehen und andere revolutionäre Aufgaben übernehmen. Allgemeiner aber bedeutet sie auch, daß ohne »den« Revolutionär sowohl die Klassen-Gegensätze verborgen bleiben als auch keine »Besserung« eintreten kann (die »Vielen« gehen nicht von allein!).

Die zweite Strophe beginnt zu verdeutlichen, daß nicht ein einzelner gemeint ist: Organisation von Kampf um Lohn und Unterhalt – Brecht nennt die Konkreta (es geht um *jeden* Groschen gegenüber dem »zuviel« der Herrschenden) – verweist auf die Hauptarbeit der Revolutionäre (entsprechend wird Lenins Wort zitiert; vgl. Lerg-Kill, 84). Damit ist eine weitere Differenzierung gegeben. »Der« Revolutionär – hier immer noch als einzelner fixiert – ist Organisator des Kampfes, der nur mit den Massen (den Proletariern) zusammen geführt werden kann. Der Begriff der Organisation zeigt auf die Massen-Prozesse hin, die für den Erfolg notwendig sind. Hinter den konkreten Kämpfen steckt nicht irgendein Einzelinteresse, sondern der Kampf um die Macht im Staat. Das

Konkrete verweist auf das Allgemeine, und es wird deutlich, daß der Revolutionär der aktive, sich der Zusammenhänge bewußte Kämpfer ist. Er gibt keine Rezepte, sondern lehrt Fragen stellen, wobei die Personifikation des Eigentums und der Ansichten, ihre – als Zustand übliche – Verdinglichung (und damit schicksalhafte Unangreifbarkeit) auflöst. »Eigentum« und »Ansichten« (primär hier »Ideologie« im verpönten Sinn) sind konkret befragbar, aber sie sind auch an Menschen, Personen gebunden, die man »im« Eigentum, »hinter« den Ansichten suchen muß. Damit wird auch das Argument des »Sachzwangs« (Gürtel enger schnallen, wir sitzen alle in einem Boot etc.) von vornherein abgewehrt. Es bedarf aber der Herausforderung, wenn man die Wahrheit erkennen, die richtigen Aktionen vorbereiten will.

Die dritte Strophe nimmt den einen Aspekt, die Ansichten nämlich, von der zweiten Strophe auf und gibt dem Gedicht zugleich eine weitere Dimension. Der fiktive Dialog mit den Personifikationen gab an, daß man die Verdinglichungen zum Sprechen bringen muß, wenn man ihre gesellschaftliche Rolle, ihre Funktion erkennen und erfahren will: *wem* sie dienen. Jetzt werden auch die Folgen der Verdinglichung auf die Menschen einbezogen. Es ist augenfällig, daß die dritte Strophe *keine* Menschen nennt, sondern »Orte« (wo). Das »Schweigen« bleibt impersonal, weil erst durch den Revolutionär die Sprache hinzukommt, er das Schweigen aufhebt. Das Schweigen ist aufgezwungen – es kann sich auf Dinge wie auf Menschen beziehen. Ohne die die verborgenen Widersprüche herausfordernden Fragen sprechen die Dinge nicht (bleiben verdinglicht), sprechen aber auch nicht die unterdrückten Personen. Diese nämlich bleiben der – wiederum personifizierten, aber (noch) unerkannten – Unterdrückung ausgeliefert. Sie wiederum wird – in falscher Ideologisierung – »als Schicksal« benannt. Folglich gibt es zweierlei Rede. Die eine ideologisierende Rede rechtfertigt die Entfremdung, einen Begriff, der als Oberbegriff für die verdinglichten (versachlichten) Beziehungen zwischen den Menschen einzuführen ist. Sie nennt sie notwendig, allgemein, »Schicksal«, folglich unbeeinflußbar. Diese Rede bringt nichts »zum Sprechen«, sie ist einzig dazu da, die wahren Verhältnisse zu verschweigen, aber auch zum Schweigen zu bringen. Die zweite Rede dagegen »nennt« die Namen. Die Redewendung, endlich mal die Dinge beim Namen zu nennen, das heißt: realistisch, deutlich, konkret, ohne Rücksicht zu sprechen, schwingt mit. »Namen« nennen, ist doppeldeutig. Namen meinen einerseits Personen, was an die Personifikationen anschließt, andererseits aber auch die wahren Ursachen für die herrschenden Zustände – also nicht »allgemeines Schicksal«, sondern konkrete Eigentumsinteressen, konkrete Ideologien, die sie veschleiern.

Die vierte Strophe konkretisiert die Eigentumsverhältnisse und löst die bereits beobachtete Tendenz, daß es sich beim »Revolutionär« nicht um einen einzelnen handelt, ein. Die neue Personifikation der »Unzufriedenheit«, nun auf den Revolutionär bezogen, weist auf die durch die Konkretisierungen geleistete »Allgemeinheit« der revolutionären Haltung und des Verhaltens hin: keine Verdinglichung, sondern – wiederum mit genauen Formulierungen – die Vermittlung neuen Verhaltens. Die Person setzt sich an den Tisch, mit ihr setzt sich die Unzufriedenheit. Diese aber kann sich nur zeigen als Verhalten, dieses wiederum nicht primär als das eines einzelnen, sondern aller, die um den Tisch sitzen. Das Verhalten stört, ja läßt sogar das Essen schlecht werden, die Kammer eng. Wie genau die Formulierungen »sitzen«, zeigt der unscheinbare Vers: »Das Essen wird schlecht«, der ja nicht meint, daß – weil Unruhe entstanden ist – das Essen zu lange steht, also verdirbt. Ganz im Gegenteil: indem Brecht nicht sagt, daß das Essen schlecht »ist«, sondern das Prozessuale betont, führt er den Bewußtwerdungsprozeß regelrecht vor. Je länger die Leute nachdenken, um so mehr merken sie, daß ihr Essen wirklich *schlecht* ist (im Gegensatz zu denen, die zuviel haben), daß ihre Kammer, das heißt die Wohnung, eng, unzumutbar ist. Das bedeutet: Die Interessen der Betroffenen müssen stets neu bewußt gemacht werden, eine Hinnahme des Gegebenen ist gefährlich und *täuscht*, wie die Ideologie der Reichen, über die wahren Verhältnisse hinweg. Die Verhältnisse aber zeigen sich nur, wenn man sich ihnen angemessen verhält, sie sind nicht abstrakt, sondern *menschliche* Verhältnisse. Die vierte Strophe ergänzt die dritte in einem wichtigen Moment: bloßes Sprechen allein reicht nicht aus, das Sprechen muß mit entsprechendem Verhalten verbunden werden, um die Verhältnisse zum Sprechen zu bringen, beim Namen zu nennen. Sprechen als Verhalten ist ein wichtiges Thema des »marxistischen« Brecht.

Die letzte Strophe schließlich schlägt den Bogen zurück zur ersten. Der Revolutionär wird fehlen, wenn er nicht mehr da ist. Aber: er nimmt sowohl seine Unruhe, seinen »Aufruhr« mit, wie er auch dort, – eben weil es nicht um den einzelnen geht, sondern um das vorbildliche Erkennen gesellschaftlicher Verhältnisse und ihnen angemessenes Verhalten – wo er gewesen ist, Unruhe hinterläßt. Er hat sich – und nur so auch ist »er« da – gesellschaftlich mitgeteilt im Sprechen, im Verhalten, eine Mitteilung, die sich den Betroffenen – wie intensiv immer – eingeprägt hat. Die Personalität des Revolutionärs resultiert aus seiner kollektiven Kommunikation (im weitesten, beschriebenen Sinn), ein Gedankengang Hegels, dort allerdings auf die Sprache beschränkt, wenn er dialektisches Sprechen als kollektive Wirkung, besser: kollektives Einwirken, Einprägen »in« den, die anderen beschreibt. Brecht ergänzt dies durch die materialistische Komponente des Verhaltens (vgl. Georg Wilhelm Friedrich Hegel: Phänomenologie des Geistes. Bamberg und Würzburg 1807. Meiner-Ausgabe Hamburg 1952. 6. Aufl. S. 229ff. Hegel arbeitet die Intersubjektivität der Sprache heraus, die Tatsache, daß sie eigentlich gar nichts »Subjektives« mitteilen kann; er zitiert zustimmend Schillers geflügeltes Wort aus den Votivtafeln, Nr. 47: »*Spricht* die Seele, so spricht, ach! schon die *Seele* nicht mehr«). Bewußtes Sprechen – »Sprechen wie die widersprüchliche Wirklichkeit selber« – und bewußtes Verhalten heben den einzelnen, wie es die Schlußstrophe noch einmal besagt, auf. Er fehlt, weil jeder fehlt, der die Revolution vorbereitet, aber er ist auch ersetzbar (das Stück *Die Mutter* zeigt dies als schmerzlichen Prozeß, aber mit Hoffnung). Er ist Individuum – als solches fehlt er –, aber er pocht nicht auf (bürgerliche) Individualität. Der Revolutionär führt kollektives Verhalten vor (als Aufdeckung der Verhältnisse), sein Ziel aber ist es, sich persönlich überflüssig zu machen, weil *sein* Kampf nur dann ein erfolgreicher Kampf sein kann, wenn er der Kampf aller Unterdrückten geworden ist. Deshalb gibt er keine Parolen aus, sondern leitet zum richtigen Verhalten an, das ihn »aufhebt«.

Das Gedicht selbst bringt zur Sprache, was es inhaltlich vorführt: es reflektiert in seiner Form, die sich als vereinfachte sprachliche Vermittlung von Verhalten und Verhältnissen vorstellt, die Thematik auf einer weiteren Ebene. Wie der Revolutionär die Verdinglichungen zum Reden bringt, das Schweigen bricht, ebenso verfährt das Gedicht. Seine Sprache ist so, daß sie – für den, der das Gedicht nicht einfach als ideologisch abtut – zur gesellschaftlichen Konkretisierung zwingt und falsche Personifikationen durchschaubar macht (als Verdinglichungen) sowie richtige Personifikationen (als kollektives Verhalten zum Umsturz der Verhältnisse) aufbaut. Brechts Sprache bringt die Verhältnisse zum Sprechen, indem er ihre widersprüchlichen Prozesse als Prozesse vorführt und auf das ihnen entsprechende menschliche Verhalten hinweist. Gerade die »einfache«, die reduzierte Sprache provoziert dazu – wenn sie (dialektisches) Resultat realer Prozesse ist –, sie diesen Prozessen wieder zu öffnen, sie in die Sprache eingreifen zu lassen, wie umgekehrt solche Sprache dazu dient, dem Eingreifen in die Realität die revolutionären Wege zu bahnen.

Text: Bertolt *Brecht*, Hanns *Eisler*: Lieder – Gedichte – Chöre. Mit 32 Seiten Notenbeilage. Paris 1934 (S. 82f., Noten S. [147–150] der Notenanhang ist nicht paginiert). – wa 9, 466f. (Text von 1938). – wa 2, 858f. (Text von 1953).

Klaus *Schuhmann*: Der Lyriker Bertolt Brecht 1913–1933. Berlin 1964 (S. 251–253). – Ulla C. *Lerg-Kill*: Dichterwort und Parteiparole. Bad Homburg v.d. Höhe u.a. 1968 (S. 83–85, 246f.). – Edgar *Marsch*: Brecht-Kommentar zum lyrischen Werk. München 1974 (S. 221f.). – Silvia *Volckmann*: Lob des Revolutionärs. In: Ausgewählte Gedichte Brechts mit Interpretationen. Hg. v. Walter Hinck. Frankfurt a.M. 1978. S. 35–40.

Lieder – Gedichte – Chöre (1934)

Entstehung

Nach der Flucht aus Hitler-Deutschland leben Brecht, seine Familie und seine Mitarbeiter in verschiedenen europäischen Städten (Prag, Wien, Zürich, Berlin), »öfter als die Schuhe die Länder wechselnd« (9, 725), bis es möglich wird – durch den Vorschuß auf den *Dreigroschenroman* – ein Haus auf der Insel Fünen in Skovsbostrand bei Svendborg (Dänemark) zu erwerben. Im Dezember 1933 wird es bezogen (Familie Brecht sowie Ruth Berlau, Margarete Steffin). Konzeption und auch die Entstehung nicht weniger Gedichte der Sammlung *Lieder-Gedichte-Chöre* liegen vor dem Umzug nach Svendborg. Die Hauptarbeit ist für den September 1933, als Brecht weitgehend in Paris gewesen ist, anzusetzen; daß Hanns Eisler, der als gleichberechtigter Mitverfasser zeichnet, direkt bei der Zusammenstellung mitgewirkt hat, ist in Einzelheiten nicht bekannt, gilt aber als gesichert. Margarete Steffin hat die Verhandlungen mit dem Exilverlag Editions du Carrefour, den Willi Münzenberg leitete, geführt und war auch bei der Zusammenstellung beteiligt, ebenso wie Elisabeth Hauptmann, die an der Schlußredation mitwirkte. Sicher ist, daß die Schlußredaktion des Bandes im Oktober, wenn nicht erst im November oder Dezember erfolgt ist, denn das Gedicht *Adresse an den Genossen Dimitroff, als er vor dem Leipziger Gerichtshof kämpfte* (Erstausgabe, S. 63 f.) kann frühestens nach Georgi Dimitroffs erstem mutigen Auftreten im Oktober 1933 geschrieben worden sein. Dimitroff war im »Reichstagsbrandprozeß« in Leipzig (vom 22. 9. 1933–24. 12. 1933) Mitangeklagter, trat aber sehr beherzt (trotz sprachlicher Schwierigkeiten – als Bulgare) gegen das Gericht und vor allem gegen Göring auf, die den Prozeß benutzen wollten, um die wahren Ursachen für den Brand zu vertuschen (er war ja der letzte Auslöser für Brechts Flucht geworden). Das Auftreten Dimitroffs führte immerhin dazu, daß die wahren Zusammenhänge zur Sprache kamen und daß die Nazis die vorgesehene Verurteilung aller Angeklagten nicht durchzusetzen vermochten. Damit setzte Dimitroff ein Zeichen für erfolgreichen Widerstand mitten in Deutschland und unmittelbar vor den »Größen« der Nazis. Ein, wenn auch begrenzter, Widerstand erwies sich also als möglich und aussichtsreich, um zu verdeutlichen, daß die Propaganda sich für *ganz* Deutschland zu sprechen anmaßte, durchaus aber nicht ganz Deutschland hinter den Nazis stand. Die Erinnerung an diesen Sachverhalt wird Brecht während der ganzen Nazi-(und Exil-)Zeit wachhalten.

Da die Sammlung in ihrem ersten Teil bewußt auf die Geschichte der Weimarer Republik zurückweist, gehen in sie auch Gedichte ein, die vor 1933 entstanden sind und bis 1918 zurückreichen *(Legende vom toten Soldaten)*. Die Gedichte der zweiten Abteilung *(1933)* sind, wie die Überschrift besagt und durchweg auf aktuelle Ereignisse bezogen, 1933 entstanden. Die Gedichte der dritten Abteilung sind wie die Stücke, aus denen sie stammen, 1930–1931 entstanden, durchweg in Zusammenarbeit von Hanns Eisler und Brecht. Nicht nur mit diesen Liedern und Chören aus der *Maßnahme* und der *Mutter* rechtfertigt sich die gleichberechtigte Nennung der Verfassernamen, hat doch Brecht auch auf die Musik, wie umgekehrt Eisler auf den Text, eingewirkt. Aber auch die Einstellung Brechts, das kollektive Arbeiten zu betonen, dürfte für die Doppelnennung ausschlaggebend gewesen sein. Die Gedichte des Anhangs greifen ebenfalls zurück, ins Jahr 1930 (Gedicht über New York), ins Jahr 1932 *(Ballade von der Billigung der Welt)* und eventuell auch noch in die zwanziger Jahre (*Lied der Lyriker*; das Lied ist nicht genau datiert, weist aber so große Ähnlichkeit mit der *Ballade* von 1932 auf, daß es sehr wahrscheinlich auch ins Jahr 1932 zu datieren ist. Marschs Vermutung, es sei schon 1927 entstanden – im Zusammenhang mit dem Lyrik-Wettbewerb – ist oberflächlich begründet; Marsch, 224). Das *Deutschland*-Gedicht schließlich stammt wieder aus dem Jahr 1933. Die Notenbeilage am Schluß (übrigens ohne weitere Namensnennung) sammelt Liedmelodien zum ersten und zum dritten Teil (entstanden 1931 und 1932).

Ende 1932 meldet ein Brief Brechts an Tretjakow, daß der Band noch in Paris fertiggestellt worden sei (Briefe, Nr. 193). Die Sammlung erscheint im Frühjahr 1934 in Paris in einer Startauflage von 3000; der weitaus größte Teil davon sollte nach Deutschland verschickt werden. Die Werbung dafür war groß, vor allem durch Vorabdrukke in wichtigen Exilzeitschriften (*Neue Deutsche Blätter*, Prag, 15. 2. 1934; *Unsere Zeit*, Paris, Basel, Dez. 1933 u. a.). Wie die tatsächliche Verbreitung der Sammlung ausgesehen hat, ist nicht bekannt.

Eine Überarbeitung der *Lieder-Gedichte-Chöre* erfolgte 1938 für den vorgesehenen Druck der Malik-Ausgabe der *Gesammelten Werke* (3. Band). War es der ersten Ausgabe darum gegangen, den Weg der Weimarer Republik in die Hitler-Diktatur zu zeigen und zugleich die zur Zeit herrschende faschistische Diktatur bloßzustellen (in der Hoffnung auf gesteigerten Widerstand dagegen), so legte Brecht bei der Neuzusammenstellung den Hauptakzent auf den (kommenden) 2. Weltkrieg, für den es zu dieser Zeit keinerlei prophetischer Künste mehr bedurfte. Brecht läßt am Beginn die *Legende vom toten Soldaten* aus und beginnt gleich mit den Gedichten vom *Unbekannten Soldaten*, dessen 2. Gedicht bereits in der Erstausgabe vor der Gefahr kommender Kriege gewarnt hatte. Der Zusammenhang von Weimarer Republik und Hitlerdiktatur war damit nicht getilgt, aber die akute Kriegsgefahr deutlicher herausgestellt. Der »Reichstagsbrandprozeß«, der im ersten Druck noch aktuelle Gegenwart war, erhält nun durch die nach den *Hitler-Chorälen* im zweiten Abschnitt eingefügte *Moritat vom Reichstagsbrand* (in der *Werkausgabe* nicht innerhalb der Sammlung; 8, 408–412) den Charakter eines wesentlichen Symptoms für das Vorgehen und die Herrschaft der Nazis. Das *Deutschland*-Gedicht wird ohne sein früheres Motto an den Abschluß des zweiten Abschnitts gesetzt; es beendet den aktuellen Teil. Während der dritte Abschnitt im wesentlichen erhalten bleibt, benennt Brecht den *Anhang* in *Chroniken* um: was einmal Gegenwart war, ist Geschichte geworden; das Bürgertum und seine (aufgedonnerte) Kultur haben sich endgültig korrumpiert. Die ironisch-witzigen Bezüge, die die Gedichte in der ersten Sammlung noch hatten, erhalten durch die Überschrift einen sarkastischen Unterton (aber nicht des besserwisserischen). Mit den Intellektuellen, mit deren antifaschistischer Volksfront Brecht 1933/34 noch gerechnet hatte, war nicht mehr zu rechnen (die endgültige Desillusionierung brachte der Schriftstellerkongreß 1935 in Paris). Folglich waren auf sie nurmehr »Abgesänge« angebracht.

Dieser Band der Malik-Ausgabe konnte wegen des Überfalls auf die Tschechoslowakei durch die Hitlertruppen 1938 nicht mehr ausgeliefert werden: erhalten blieben die korrigierten Fahnen des 3. Bands. Die späteren Drucke verfahren unterschiedlich. Während die Ausgabe der *Gedichte* (Band III) die Anordnung der ersten Ausgabe erhält (ohne Notenanhang), zugleich aber die späteren Fassungen der Gedichte abdruckt, scheut sich die *Werkausgabe* vor einer Wiederholung der voranstehenden *Legende vom toten Soldaten*, gibt dann aber auch nicht die Anordnung der Malik-Ausgabe, sondern die der Erstausgabe wieder, und zwar wiederum mit den späteren Texten. Für eine angemessene Analyse ist der Rückgriff auf die erste Ausgabe von 1934 unerläßlich, zumal sie neben den späteren Änderungen (die nicht sehr weitgehen) auch einige druckgrafische Hervorhebungen sowie in den Hitler-Chorälen abweichende Orthographie ausweist, die durchaus sinntragend sind (Großschreibung von »ER«, »IHM«; Kursivierungen).

Texte: Bertolt *Brecht*, Hanns *Eisler*: Lieder Gedichte Chöre. Mit 32 Seiten Notenbeilage. Paris: Editions du Carrefour 1934. – Gedichte 1930–1933 (= Gedichte III). Frankfurt a. M. 1961. S. 5–101. – wa 9, 423–488.

Ulla C. *Lerg-Kill*: Dichterwort und Parteiparole. Bad Homburg u. a. 1968 (S. 192f., 277f.). – Edgar *Marsch*: Brecht-Kommentar zum lyrischen Werk. München 1974 (S. 205–224).

Komposition

Gegenüber der bereits recht streng geordneten *Hauspostille* erweist sich die Kompostion des Zyklus *Lieder-Gedichte-Chöre* als die geschlossenste in Brechts lyrischem Werk, und dies trotz des Titels, der keinerlei inhaltliche Hinweise gibt und Beliebigkeit suggeriert. Die Sammlung hat fünf Abschnitte, und zwar *1918–1933*, *1933*, *Lieder und Chöre aus den Stücken »Die Mutter« und »Die Maßnahme«*, *Anhang* überschrieben, sowie die *Notenbeilage*, die das Inhaltsverzeichnis zwar zum *Anhang* zählt, die aber im Band als eigener Abschnitt (wie die übrigen) abgesetzt ist, so daß sie als gesonderter, fünfter Teil des Bandes einzuschätzen ist. Die Gedichte des ersten Abschnitts schlagen den Bogen vom Ende des 1. Weltkrieges über die Weimarer Republik, die als kapitalistische Gesellschaft, das heißt als Ausbeutergesellschaft, beschrieben wird, zum Beginn des Faschismus. Am Ende des 1. Weltkriegs war diese Entwicklung bereits vorgezeichnet, zwar nicht als notwendige, jedoch als naheliegende Entwicklung, weil die sozialistische Revolution ausgeblieben ist und die Demokratie nicht real, sondern lediglich formal eingeführt wurde (Brecht hatte neben seinen in diesen Jahren beginnenden Aufzeichnungen zum *Tui*-Komplex bereits in den Gedichten *Drei Paragraphen der Weimarer Verfassung*, nämlich 1, 111 und 115, lyrisch in Frage gestellt; besonders kennzeichnend für die bloße formale Demokratie war ihm der Paragraph 111, der jedem das Recht zubilligte, ein Grundstück zu erwerben; vgl. 8, 378–381, von 1931). Die Gedichte erfassen aber diese Entwicklung durchaus nicht als einsträngige; die Alternativen vielmehr sind stark betont. Gedacht wird der »Roten Rosa«, also Rosa Luxemburgs, die sich für eine revolutionäre Lösung eingesetzt hatte, jedoch von den »Reichen«, wie das Gedicht sagt, »aus der Welt gejagt« worden ist (9, 429). Mit den *Wiegenliedern*, die eine proletarische Mutter ihrem Sohn vorsingt, verstärkt sich die proletarische »Alternative«. Die Mutter mahnt ihren Sohn, sich ja nicht auf die herrschenden Verhältnisse einzulassen, da sonst ihre Mühe, ihr Kampf um das tägliche Brot umsonst gewesen sei. Im folgenden Rollengedicht *Lied vom SA-Mann* führt Brecht die falsche Entscheidung vor: der hungernde Arbeiter läßt sich von den Parolen der Nazis verführen und schließt sich ihnen an; dabei erscheint der Arbeiter nicht als dummer, leicht verführbarer Mensch, sondern als einer, den die Not zwingt und der sich trotz seines Handelns bewußt bleibt, daß er sich – auf seine »Brüder« schießend – selbst liquidiert. Das den Abschnitt abschließende Gedicht *Lied vom Klassenfeind* umfaßt noch einmal die gesamte Geschichte der Weimarer Republik, gesehen aus der Sicht eines betroffenen Arbeiters, der in Hitler, der sich ja mit »sozialistischen« Parolen umgab, um so die Arbeiter zu täuschen, den Klassenfeind erkennt. Die zusammenfassenden Aspekte des ersten Abschnitts sind denn also einmal die Geschichte der Weimarer Republik, so daß man von einer Art lyrischer Historiographie sprechen könnte, zum anderen der Klassenkampf und drittens die Kontinuität der alten Raubgesellschaft, die – so deuten es die beiden Gedichte vom *Unbekannten Soldaten* unmißverständlich an – das Volk wiederum in einen Krieg hetzen wird, wenn sie nicht beseitigt wird.

Der zweite Abschnitt des Zyklus fixiert das Jahr 1933. Der Klassenkampf hat nicht zur Revolution geführt; die Arbeiter haben sich vielmehr – wie die Metapher lautet – »anschmieren« lassen (9, 442). Auch hier verfährt die Sammlung doppelgleisig, das heißt, sie sieht den Klassenkampf nicht als beendet an. Zunächst kommt Hitler (und mit ihm der Faschismus) ins Blickfeld, er ist der »Anstreicher«, derjenige, der die Widersprüche der Gesellschaft einfach zukleistert, also eine »Einheit«, eine »Volksgemeinschaft« suggeriert, die in Wirklichkeit nicht besteht. Im zweiten Teil dieses Abschnitts ist denn auch der weiter bestehende Widerstand berücksichtigt. Die KZs wertet Brecht nicht bloß – wie üblich – als »barbarische Ausgeburten kranker Hirne« (u.ä.), sondern als die – von seiten der Nazis aus gesehen – notwendigen Gefängnisse für die politischen Gegner, also Zeugnisse des weiter bestehenden Klassenkampfes. Der Abschnitt endet mit dem Dimitroff-Gedicht, das trotz der konsolidierten faschistischen Gewalt Sinn und auch Effektivität des klassenkämpferischen Widerstands dokumentiert. Die Erinnerung an den fortdauernden Klassenkampf ist von Nöten, um die Hoffnung auf ein erfolgreiches Niederschlagen des Faschismus nicht aufzugeben.

Der dritte Abschnitt erinnert im Rückgriff auf die Lieder und Chöre aus Eislers und Brechts »Revolutionsstücken« an das historische Beispiel: die russische Revolution. Ihr Erfolg erscheint als Garant dafür, daß auch der Hitlerstaat zu besiegen sein wird – freilich im Sinn dieses Zyklus nur durch eine proletarische Revolution. Die Zusammenstellung der Lieder und Gedichte aus der *Maßnahme* und aus der *Mutter* beweist übrigens, daß der von der DDR-Forschung konstruierte »Bruch« bzw. »Reifungsprozeß« Brechts nicht besteht. Danach gehörte die *Maßnahme* noch zu den Stücken, in denen der Marxismus lediglich äußerlich, mechanisch, »undialektisch« angewendet sei, wohingegen in der *Mutter* der konkrete, »dialektisch richtige« Klassenkampf wiedergegeben worden sei. Hätte sich Brechts Einstellung so entschieden gewandelt, so hätte er Skrupel zeigen müssen, ausgerechnet die *Maßnahme* für diese Sammlung zu berücksichtigen. Die Lieder und Chöre dieses Abschnitts haben die Notwendigkeit der proletarischen Organisation (Partei), die Schwierigkeiten des (auch illegalen) Kampfes, die Veränderbarkeit der Verhältnisse sowie die revolutionäre Zuversicht der Proletarier zum Inhalt. Die – auch von den Lehrstücken propagierte – Solidarität der Unterdrückten vermittelt sich als historische Notwendigkeit, die sich aus den in der Sammlung angesprochenen Daten der jüngsten Geschichte ergibt.

Der *Anhang* erscheint auf den ersten Blick ungeordnet, da er Gedichte, die sich mit der »Billigung« der schlechten Zustände, mit Amerika, mit (preiswerten) Lyrikern und schließlich mit der Figuration der »Mutter Deutschland« befassen, zusammenstellt. Der Zusammenhalt ergibt sich jedoch dadurch, daß die Gedichte des Anhangs das Dichten, im weiteren Sinn die Kultur, thematisieren, also danach fragen, wie eine angemessene Kunst, eine angemessene Literatur auszusehen hat, wenn sie nicht zur Billigung der ausbeuterischen, schließlich faschistischen Verhältnisse beitragen will. Das erste Gedicht, dessen Rollen-Ich ein Lyriker ist wie im Gedicht *Lied der Lyriker*, geht alle möglichen, vornehmlich »intellektuelle« Berufsvertreter durch – vom Unternehmer bis zum Pfaffen – und führt ihr – die schlechten Verhältnisse – »billigendes« Verhalten vor; der Dichter bezieht sich ein:

> Doch zu dem Schmutze eurer schmutzigen Welt
> Gehört – ich weiß es – meine Billigung. (9, 475)

Diese Billigung realisiert rückblickend das dritte Gedicht über die Lyriker, die sich haben kaufen lassen, um den Machthabern die angebliche Schönheit ihrer Welt zu besingen und die nun arbeitslos geworden sind, weil der Faschismus seine eigene Ästhetik hat. Zum zweiten Gedicht, dem Amerika-Gedicht (*Verschollener Ruhm der Riesenstadt New York;* 9, 475–483), ergibt sich der

Zusammenhang durch die Tatsache, daß der »Ruhm«, den Amerika als Land der unbegrenzten Möglichkeiten und des Self-Made-Man hatte, sich als (erdichtete) Illusion erwiesen hat. Der Ruhm bestand bloß in den »Epen« (»episch gefeiertes Becken«; 9, 475) und hatte »homerische Ausmaße« (9, 477). Diese Desillusionierung schließt die Desillusionierung aller Hoffnungen, die sich historisch mit Amerika verbunden haben, ein. Der Untergang New Yorks vollzieht sich parallel zum Untergang Weimars; es gibt da nichts mehr zu erwarten (das heißt umgekehrt, daß nur der Sozialismus den Ausweg aus dem Faschismus zeigen kann). Das abschließende Gedicht über die »bleiche Mutter« Deutschland stellt den Gegenwartsbezug des dritten Abschnitts wieder her: im Zusammenhang der übrigen drei Gedichte des *Anhangs* soll es als Beispiel angemessenen lyrischen Sprechens gelesen werden. Die vorangehenden Reime sind aufgegeben, der »epische« (hexametrische) Ton verlassen.

Die Notenbeilagen der Sammlung sind unpaginiert. Sie enthalten Noten und (eingeschriebene) Texte zum ersten und zweiten Abschnitt sowie zu den Liedern aus der *Mutter*. Für die *Hitler-Choräle* sind Noten nicht nötig, weil sie nach bekannten Kirchenliedern zu singen sind (freilich hat die Forschung für den 6. Choral nach der Melodie *Ein strenger Herr ist unser Gott*! noch kein Vorbild aufgetrieben). Daß die Chöre der *Maßnahme* ohne Noten bleiben, läßt sich als Hinweis auf ihre – bereits vorausgesetzte – »Klassizität« als Massenlieder verstehen.

Aufs Ganze gesehen läßt der Zyklus *Lieder-Gedichte-Chöre* das historisch orientierte Aufbau-Prinzip erkennen: Ende des Kaiserreichs (verratene Revolution) – Weimarer Republik (Kontinuität des kapitalistischen Raubsystems) – Faschismus (Konsequenz des Kapitalismus) – Revolution (zukünftiger, zu erkämpfender Sozialismus). Der Anhang vollzieht das Aufbauprinzip noch einmal für die Kunst mit dem Ergebnis: auch sie muß sich ändern, sie muß für den Sozialismus kämpfen.

Christiane *Bohnert*: Brechts Lyrik im Kontext. Königstein/Ts. 1982 (S. 50–53).

Analyse

Christiane Bohnert, von der die bisher einzige Untersuchung zum Zyklus gedruckt vorliegt, meint, daß der Zyklus von der Erwartung geprägt sei, »der Sturz des Faschismus könne nur durch die sozialistische Revolution erfolgen, und diese stünde insofern kurz bevor« (Bohnert, 47). Brecht habe diese Ansicht mit einer großen Zahl von antifaschistischen Schriftstellern und Publizisten geteilt und seine Rückkehr nach Deutschland bald erwartet. Erst 1935 hätten die Exilierten ihren Irrtum zu bemerken begonnen. Richtig ist, daß Brecht viel von der Bildung der sog. »Volksfront« hielt und daß er glaubte, auch die (bürgerlichen) Schriftsteller dafür gewinnen zu können, was sich in der Tat 1935 auf dem Schriftstellerkongreß als unhaltbar erwies. Daß Brecht jedoch von einer kurz bevorstehenden Revolution überzeugt gewesen sei, läßt sich zumindest in dieser Einseitigkeit kaum behaupten. Im Brief an Sergej Tretjakow vom Dezember 1933, in dem er die Fertigstellung des Zyklus meldet, rechtfertigt sich Brecht gegen den Vorwurf, nicht bei der »Antifa-Aktion« (Antifaschisten-Aktion) hervorgetreten zu sein, mit der »sehr einfachen« Antwort: »Die Zeit der glänzenden Aufrufe, Proteste usw. ist bis auf weiteres vorüber. Nötig ist jetzt eine geduldige, zähe, mühsame Arbeit der Aufklärung, auch des Studiums. Unter anderem haben wir [...] ein Archiv zum Studium des Faschismus zu gründen versucht; natürlich ist das alles sehr schwer« (Briefe, Nr. 193). Auf Revolution gestimmte Töne finden sich nirgends, wenn es auch Äußerungen gibt, die mit einem schnelleren Ende des Faschismus rechnen: »Im ganzen zieht sich der Machtapparat immer mehr zusammen, wird fester, aber isolierter, verliert seine Metastasen im ›Volk‹, tritt ihm immer mehr als Fremdkörper *gegenüber*. Das ist zweifellos gut. Und der Prozeß geht schnell. Das Regime kräftigt sich also zwar, aber wie es das auch in der Arbeitsbeschaffungsfrage macht, es lebt vom Budget der Zukunft darin.« (Briefe, Nr. 215; an Bernard v. Brentano vom Juli 1934). Es ist also zu differenzieren. Brecht hat eine revolutionäre »Lösung« erwartet, die sich allerdings erst herausbilden mußte, durch die Konfrontationen, die die Machtherrschaft der Nazis und ihre Wirtschaft schufen. Die Revolution war also nicht sofort zu erwarten, sondern allein durch die zunehmende Erstarkung des Faschismus (daß dies auch Krieg bedeuten konnte, war Brecht stets klar). Hinzu kommt, daß Brecht die Tatsache, daß die Nazis mit Terror herrschen mußten, auf eine recht starke Opposition in Deutschland zurückführte, folglich annahm, daß wesentlich größere potentielle Widerstandskräfte in Deutschland vorhanden seien, als sich dann wirklich herausstellten. Dennoch ist auch an dieser Annahme viel Richtiges gewesen: nicht das *ganze* deutsche Volk war »nazistisch«. Es gab viel passiven, weniger aktiven Widerstand, es gab genügend Menschen, die auch durch ihr Ausharren in Deutschland (viele hatten keine Mittel zur Flucht) sich nicht korrumpiert haben. Daß sich freilich selbst in der Niederlage keine revolutionären Kräfte entwickelt haben, hat Brecht später bedauert, aber auch begründet. Darüber hinaus ist zu bedenken, daß Brecht an der Ansicht festgehalten hat, daß *nur* eine Revolution die Verhältnisse grundlegend verändern könnte (die zu besprechenden Schwierigkeiten, die sich in der DDR für Brecht ergeben haben, liegen u. a. darin begründet, daß Brecht die »Revolutionierung« der damaligen Ostzone als »erschwindelte Revolution« einschätzte und folglich den Anteil der Beteiligung des »Volkes« am Aufbau der neuen Ordnung als zu gering veranschlagte). Insofern ist die im Zyklus angesprochene Notwendigkeit der proletarischen Revolution, die sich aus der geschichtlichen Entwicklung ergeben hat, nicht auf ihre (unmittelbar bevorstehende) Realisierung zu beziehen. Sie muß jedoch – in Brechts Verständnis – als Ziel vor Augen bleiben. Sie ist aber auch Anlaß zu Hoffnungen, daß diese Zeit nicht »ewig« bleiben wird, wie es ja die nazistische Propaganda einreden wollte. Der Zyklus läßt keinen Zweifel daran, daß vorläufig der Faschismus herrscht und es sogar verstanden hat, die Arbeiter fehlzuleiten (das heißt: einen großen Teil von ihnen). Er versucht aber – und deshalb sollte er möglichst breit in Deutschland wirken –, sowohl zu beweisen, daß der Klassenkampf durch Hitlers Sieg nicht beendet ist, als auch Hoffnungen zu erwecken, daß das neue System nicht von großer Dauer ist und sein kann (auch darauf ist das Amerika-Gedicht gemünzt). Alle aufgedonnerte Größe wird jämmerlich in sich zusammenfallen; ihr kann auf die Dauer keine Realität entsprechen. Und überdies belegte ja die Tatsache der russischen Revolution, daß es auch in hoffnungslosesten Lagen revolutionäre Hoffnungen gab.

Darüber hinaus ist nicht zu übersehen, daß Brecht mit den drei Eingangsgedichten die Kriegsgefahr, die der Faschismus mit sich gebracht hat, stark unterstreicht. Wenn Brecht ausgerechnet mit der *Legende vom toten Soldaten* beginnt, mit dem Gedicht, das ihn auf die schwarze Liste der Nazis schon in den zwanziger Jahren brachte, setzt er nicht nur ein persönliches Zeichen, er führt auch gleichsam den historischen Beweis, daß die Nazis ihre kriegerischen Ziele mit allen Mitteln verbergen wollen. Die folgenden beiden Gedichte vom *Unbekannten Soldaten* sparen nicht mit Sarkasmus, wenn sie den Triumphbogen (zu Paris, Place de l'Etoile) als riesigen Steinklotz umdeuten, der verhindern soll, daß der »unbekannte Soldat« gegen seine Peiniger aufsteht und vor (Gottes) Gericht gegen sie zeugt, und wenn sie dann – das zweite Gedicht widerruft die Möglichkeit eines solchen Gerichts – die Nachgeborenen fragen, warum sie »noch nicht« erschlagen wären: wer nicht aus der Geschichte gelernt hat, wird ihr nächstes Opfer sein.

Die Geschichte der Weimarer Republik, die die folgenden Gedichte ausbreiten, erscheint vor allem in den *Wiegenliedern* als Elendszeit (Bohnert, 57) für die Proletarier. Der Kampf ums tägliche Brot wird dabei mit Kriegshandlungen verglichen, deren Dimensionen den meisten gar nicht klar sind:

> Brot und ein Schluck Milch sind Siege!
> Warme Stube: gewonnene Schlacht!
> Eh ich dich da groß kriege
> Muß ich kämpfen Tag und Nacht. (9,431)

Die *Wiegenlieder* üben damit auch eine Haltung ein, sich von der üblichen »Größe«, die die Politiker und Krieger sich anmaßen, von vornherein nicht verführen zu lassen. Der »kleine« Kampf im Alltag ums pure Überleben hat seine eigenen Dimensionen und seine eigene Größe.

Unterschiedliche Einschätzung haben in der Forschung die *Hitler-Choräle* erfahren. Schuhmann hat ihnen gescheitertes »Parodieverfahren« vorgeworfen, weil wenig Hoffnung bestünde, »daß die Adressaten erkennen, warum gerade das Gegenteil von dem geschehen muß, was ihnen im Choral empfohlen wird« (Schuhmann, 276). Schuhmann meint die Tatsache, daß die Choräle durchweg an Hitler alias Gott gerichtet sind und sich ganz ernst geben – als Huldigungsadressen der »Schafe« (und Kälber) an ihren Herrn. Christiane Bohnert schreibt dazu: »Wo der Glaube jedoch auf die mit der Allmacht verbundene Güte Gottes baut, kann sich der Proletarier nur Hitlers bewährtem terroristischem System anheimgeben. Durch diese Substitution wird der auf Hitler gerichtete Massenwahn in Teilen des Volkes parodiert. Der beibehaltene liebevolle religiöse Tonfall läßt den Text fast als literarische Groteske erscheinen« (ein Begriff, den Schuhmann, 276, ebenfalls schon verwendet hat; Bohnert, 60). Bohnert kommt entsprechend zu einem positiven Urteil.

Der entscheidende Punkt jedoch der Parodien auf bekannte Kirchenlieder ist damit noch nicht benannt. Es geht Brecht – wie es der *Anhang* dann noch deutlicher beweist – auch um bestimmte ästhetische Haltungen, die zu entlarven sind. Anders als in den *Parodien* der *Hauspostille*, die den religiösen Inhalt unterliefen, demonstrieren die *Hitler-Choräle* eine bekannte ästhetische Form der panegyrischen (lobredenden) Dichtung. Das Motto, genau gelesen, macht klar, worum es Brecht ästhetisch geht:

Sie tragen ein Kreuz voran
Auf blutroten Fahnen
Das hat für den armen Mann
Einen großen Haken. (9,441)

Brecht zieht Verbindungslinien des nazistischen Symbols des Hakenkreuzes, das durch das Gedicht eine quasi-etymologische Ausdeutung erfährt, zu bekannten Symbolen, mit denen sich *ebenfalls* eine (bereits bekannte, anerkannte) Ergebenheitshaltung ausdrückt. Das Vorantragen des Kreuzes ist aus dem (vor allem katholischen) christlichen Ritus bekannt (längst zur Demonstration von Macht und Pracht verkommen). In ebensolcher Weise drapiert sich der Nationalsozialismus, in ebensolcher Weise läßt sich Hitler als Herr feiern. Indem Brecht die traditionellen Formen der Unterwerfung und »Führung« (die Kirche spricht ebenfalls gern nach biblischem Muster von den »Schafen« nach z. B. Psalm 77, 26 oder von gezüchtigten Kälbern nach Jeremias 31, 18) zitiert, versucht er die Parallelen bloßzulegen, zu zeigen, daß Hitler an solche Formen anknüpft, daß Hitler hinter der Gewohnheit solcher Formen seine aufgeblasene Niedertracht verbirgt (vgl. das Gedicht *Tödliche Verwirrung*, das diese Parallele genau benennt; 9, 498–501). Wie den kirchlichen Formen längst keine auf Christus bezogene Realität mehr entspricht, sondern Gepränge ist, so soll auch Hitlers falsches Gepränge deutlich werden (bzw. müßte denjenigen, die den christlichen »Kreuzzügen« folgen, die falsche Anmaßung Hitlers deutlich werden – was ja kaum der Fall gewesen ist). Kurz: die *Choräle* sind geschrieben im Hinblick auf die Ästhetisierung der Politik durch den Nationalsozialismus, der seine »Reichsparteitage« in Nürnberg als regelrechtes, aufwendiges Massentheater (von Massen für Massen) inszenierte, das heißt, sich in seinen Veranstaltungen regelrecht »ausstellte« und »aufführte«. Dabei ist die satirische Brechung dieser Formen durch den – ironisch unterwürfigen – Inhalt kaum zu übersehen:

Befiehl du deine Wege
Oh Kalb, so oft verletzt
Der allertreusten Pflege
Des, der das Messer wetzt!
Der denen, die sich schinden
Ein neues Kreuz ersann
Der wird auch Wege finden
Wie ER dich schlachten kann.
(Erstausgabe, S. 45 f.; vgl. 9,446)

Diese Ästhetisierung der Politik soll auch durch die Verwendung des gar nicht verharmlosend gemeinten Begriffs »Anstreicher« für Hitler benannt sein (vgl. *Das Lied vom Anstreicher Hitler*; 9, 441 f.). Er enthält vielfältige Anspielungen, die ihn als glücklicher erscheinen lassen, als es auf den ersten Blick einzuschätzen sein mag. Zunächst bezeichnet er einen typischen kleinbürgerlichen Beruf in durchaus abschätziger Weise (statt: »Maler«), spielt dabei aber zugleich auf Hitlers Ambitionen als Kunstmaler an, und zwar wiederum mit eindeutiger Wertung. Damit hat der Begriff bereits eine ästhetische Nebenbedeutung, die sich präzisiert, indem Brecht den Begriff überträgt auf Hitlers Politik:

Der Anstreicher Hitler
Sagte: Diesen Neubau hat's im Nu!
Und die Löcher und die Risse und die Sprünge
Das strich er einfach alles zu.
Die ganze Scheiße strich er zu. (9,441)

Hitlers Regime bringt nichts Neues, weder den lauthals beschrienen Sozialismus noch die berühmt-berüchtigte nationale Erneuerung. Die wesentlichen Merkmale der alten Gesellschaft bleiben erhalten (Bild vom Haus, das allerhand Schäden aufweist), sie erhalten lediglich eine neue, »einheitliche« Fassade. Alle Widersprüche, alle Kämpfe (die in den anderen Gedichten geschilderten Klassenkämpfe), alle sozialen Differenzen, aber auch alle »Hohlheit« der Maßnahmen werden durch das Verfahren des »Anstreichens« verdeckt, aber nicht beseitigt (Brecht verstärkt die bloß abdeckende Wirkung des Anstrichs durch das dreimalig wiederholte »und« im dritten Vers, und er hebt damit die erhaltenen Mängel des »Altbaus« stark hervor). Es handelt sich also um – wie man sagt – bloße »Schönheitsreparaturen«, um Äußerlichkeiten, die keinerlei wirkliche Erneuerung, keine wirkliche Veränderung bringen (für Brecht ist das bezogen auf die Kontinuität des kapitalistischen Systems, das – wie es die anderen Gedichte des Zyklus belegen – bereits gewalttätig ist, seine Gewalt aber nicht offen zeigt). Es ist klar, daß mit dem Bild des »Anstreichers« bzw. »Anstreichens« vor allem auch die Propaganda gemeint ist, die Art und Weise, wie die Nationalsozialisten durch öffentliches Gepränge, Massenaufmärsche, Stimmungsmache und theaterhaftes Auftreten ihre Politik als das »Neue«, ganz »Andere« verkauft haben, und zwar indem sie – darauf verweisen die *Hitler-Choräle* – ihre »neuen« Symbole geklaut haben. Mit dem Hakenkreuz – so in Brechts Darstellung – übernehmen sie das traditionelle Kreuzessymbol, das in ähnlicher Weise eingesetzt wird, wie es in kirchlichen Veranstaltungen der Fall ist. Das »Rot« der Fahne dagegen haben sie der Arbeiterbewegung gestohlen, es ist das falsche Rot eines falschen Sozialismus. Solchermaßen besetzen die Nazis bekannte und gewohnte »Sentiments« und suggerieren die Einlösung dessen, was die alten Symbole versprochen haben.

Der Anstreicher Hitler
Hatte bis auf Farbe nichts studiert
Und als man ihn nun eben ranließ
Da hat er alles angeschmiert.
Ganz Deutschland hat er angeschmiert. (9, 442)

Diese abschließende vierte Strophe des Lieds erweitert das Bedeutungsfeld des »Anstreichens«, indem Brecht es hier scheinbar synonym durch »Anschmieren« ersetzt. Im »Anschmieren« ist jedoch auch der Bezug auf die »Rezeption« doppeldeutig enthalten. Hitler schmiert an, nämlich den »deutschen Bau«, er schmiert aber auch zugleich die an, die sich von seinen Schmierereien – auf Deutsch am besten so zu übersetzen: – verarschen lassen. Zugleich kommt in der abschließenden Strophe die aufgeblasene, mit Donnergetöse vorgetragene innere Hohlheit des Nationalsozialismus zum Ausdruck: er ist »Schmiere«, wie man von einem schlechten Theater sagt, seine (scheinbar schönen) Formen sind ohne Inhalt (bzw. genauer: ohne entsprechenden Inhalt; hinter ihnen verbirgt sich die alte Niedertracht). Von hier aus erhalten die von Brecht gewählten traditionellen Formen des Chorals, des Lieds noch einmal ihre Rechtfertigung: sie vollziehen ästhetisch nach, was sie darstellen. Die Formen suggerieren Vertrautes und damit Einverständnis, der Inhalt aber, der sich den Formen nicht mehr unterwirft, stellt das Einverständnis bloß, bricht die falschen Einheiten auf und zeigt auf die Risse, die Löcher, die Sprünge.

In den Gedichten, die vom Widerstand in Deutschland berichten, verfährt Brecht bezeichnender Weise formal anders. Hier wählt er »freie Rhythmen« und vermeidet den Reim. Extrem geschieht dies im – beinahe gar nicht als Gedicht zu bezeichnenden – *Bericht*:

Ein Bericht

Von einem Genossen, der in die Hände der
Hitlerischen
gefallen ist, berichten die Unseren:

Er wurde im Gefängnis gesehen.
Es sieht mutig und tapfer aus und *hat noch*
Ganz schwarzes Haar. (9, 455)

Gegenüber den vorangegangenen »schönen« Formen spricht nun der trockene, sachliche Ton der Realität. Die Dissonanz, zugleich die herausfordernde »Unschönheit« dieser Verse, ist gezielt gesetzt, weil es an dem berichteten Vorgang nichts zu beschönigen gibt. Überdies überliefert der Bericht mit dem (noch schwarzen) Haar ein »äußerliches« Kennzeichen des Genossen, das auf seine »innere«, widerständige Haltung hinweist. Nicht so extrem, aber in ähnlicher Weise verfahren die folgenden Gedichte, die sich an die Widerstandskämpfer in Deutschland und an Dimitroff wenden. Zwischen beiden Gedichten steht wiederum ein satirisches Gedicht – *Begräbnis des Hetzers im Zinksarg* (9, 457 f.) –, das aus nationalsozialistischer Perspektive formuliert ist, nun aber auf die Parodie der Form verzichtet, weil es sprachliche Haltungen der Nazis demonstrieren will:

Das da in dem Zink
Hat euch zu vielerlei verhetzt:
Zum Sattessen
Und zum Trockenwohnen
Und zum Diekinderfüttern
Und zum Aufdempfennigbestehen
Und zur Solidarität mit allen
Unterdrückten euresgleichen und
Zum Denken. (9, 457; zit. nach der Erstausgabe)

»Verhetzung« war eins der Schwarzworte nationalsozialistischer Propaganda. Hetze war alles, was nationalsozialistischen »Anstrichen« nicht genügte. Da der Faschismus die Form, das Gehabe so hochhielt, bekämpfte er bereits die nur andere Ansicht, die sich im Gedicht konkretisiert als ein Bestehen auf den lebensnotwendigen Selbstverständlichkeiten und zugleich als Aufruf zu wahrer Solidarität (gegen die postulierte »Volksgemeinschaft«). Die sprachliche Haltung des Gedichts, die den toten Mensch im Zinksarg (von dem Teile oder auch »nichts« im Sarg liegen, »denn er war / Ein Hetzer«), als »das da« verbalisiert, verweigert dem »Hetzer« Menschlichkeit und (personale) Identität. Sie hat stark »gestischen«, hinweisenden Charakter, zeigt aber weniger auf einen Menschen als auf (übriggebliebenes) »Menschenmaterial«: so gehen die Nazis mit Menschen um, und selbst dem Toten wird jegliche Menschlichkeit versagt.

Indem das Gedicht sich scheinbar einverständig in nationalsozialistischer Sprache übt, dreht es satirisch den auf den Hetzer gerichteten Zeigefinger um und stellt die bloß, die so über Menschen sprechen, so mit ihnen umgehen (*die* Sprache war Brecht ohnehin immer Ausdruck dessen, was die Leute vorhaben: wer unmenschlich spricht, wird auch – hindert man ihn nicht – unmenschlich handeln, denn die Sprache bringt das Denken zum Ausdruck). Im letzten *Kriegsfibel*-Vierzeiler hat Brecht die hier satirisch realisierte Umkehr – man liest gegen den Strich – auch verbal vollzogen. Die Abbildung zeigt Hitler in seiner anmaßenden Rednerpose vor seinen Schergen im Hintergrund:

> Das da hätt einmal fast die Welt regiert.
> Die Völker wurden seiner Herr. Jedoch
> Ich wollte, daß ihr nicht schon triumphiert:
> Der Schoß ist fruchtbar noch, aus dem das kroch.
> (10, 1048)

Die Sprache, mit der die Nazis einmal ihre Gegner denunzierten, sie paßt einzig auf sie selbst. Durch ihren Terrorismus und durch ihre Kriege haben sie sich selbst aus der menschlichen »Gemeinschaft« beseitigt, sie sind die Inkarnation des Unmenschen geworden, so daß auf sie mit dem unmenschlichen Zeigefinger gezeigt werden kann.

Das Gedicht vom Hetzer hat noch einen biographischen Aspekt. Es ist viel darüber spekuliert worden, warum Brecht ausgerechnet die Anweisung gab, im Zinksarg beigesetzt zu werden. Etwa um bei der »Auferstehung des Fleisches« ausgenommen zu sein? etc. Das Gedicht legt eine andere Deutung nahe. Brecht verstand sich als Hetzer, als jemand, der auf die Unmenschen gezeigt, der von ihren Untaten berichtet hat, und er hatte sich auf die Seite der Arbeiter geschlagen: auch der Hetzer war einer. Mit dem Zinksarg hat sich Brecht sein eigenes bedeutsames Grabmal gesetzt.

Für den dritten Abschnitt der *Lieder-Gedichte-Chöre* ist auf die entsprechenden Analysen des Dramenbandes des *Brecht-Handbuchs* zu verweisen (BH 1, 92–105, 119–128). Die Gedichte erhalten in der Gedicht-Sammlung den Charakter, den notwendigen Kampf, zugleich die Umsetzung der (kommunistischen) Theorie in die Praxis zu propagieren. »Die Verbindung von *Theorie* und *Praxis,* von Einsicht und Handeln schafft schließlich in naher Zukunft den vollendeten Sozialismus« (Bohnert, 68), so jedenfalls zeigt sich ihre hoffnungsvolle Tendenz.

Die Gedichte des *Anhangs* sind außer dem *Deutschland*-Gedicht ziemlich unbeachtet geblieben, obwohl in ihnen viel Brisanz steckt. Die *Ballade von der Billigung der Welt* (9, 469–475) nimmt formal und inhaltlich die *Legende vom toten Soldaten* (8, 256–259) auf: gereimte Vierzeiler (allerdings länger), zugleich ein »Durchgang« durch die deutsche Bevölkerung und ihre Haltung (es handelt sich dabei durchaus nicht nur um Intellektuelle, wie Bohnert behauptet; 68 f.). Zu beachten ist, daß sich das Gedicht als Rollengedicht eines ebenfalls affirmativen Dichters präsentiert, daß er ebenfalls in der Rolle des die schlechte Welt Billigenden auftritt und im vorliegenden Gedicht demonstrativ vorführt. Folgende Strophe ist denn nicht als geheime Solidarität mit den Unterdrückten zu lesen, sondern als Billigung der widerwärtigen Ausbeutung sogar des eigenen Körpers in der Prostitution:

> 18
> Dem Mann, halb von Furunkeln aufgegessen
> Kaufend ein Mädchen mit gestohlenem Geld
> Drück ich die Hand vorsichtig, aber herzlich
> Und danke ihm, daß er das Weib erhält. (9, 472)

Das Rollen-Ich ist bereit, diesen Menschenkauf (»Ware Liebe«) als notwendigen Lebensunterhalt zu akzeptieren. Daß sich in dem dargestellten Vorgang nichts spezifisch »Intellektuelles« verbirgt, belegt der Text klar. Daß jedoch vornehmlich intellektuelle Berufsgruppen (Zeitungsschreiber, Ärzte, Ingenieure, Professoren, Wissenschaftler etc.) erfaßt sind, ist richtig, sind sie es doch, die durch ihr Denken, ihren intellektuellen Vorsprung in der Lage sein müßten, die schlechte Realität zu durchschauen und ihr die »Billigung« zu versagen. Jedoch ist das Gegenteil der Fall, und auch der Dichter macht mit, in der Hoffnung, daß »ihr mir durch die Finger seht« (9, 471). Dem Rollen-Ich ist also bekannt, daß er lügt, bewußt lügt, aber er sichert sich damit ein Leben, das jeglichem (aufwendigen) Kampf aus dem Weg geht; ob er sich freilich wirklich heraushalten und erhalten kann, steht in Frage. Wichtig jedoch ist, daß Brecht seinen Landsleuten, vor allem den Intellektuellen vorwirft, den herrschenden Schmutz aktiv zu unterstützen, also selbst zum Schmutz zu gehören, wenn man sich auch unbeteiligt oder ganz und gar fern zu den Nazis glaubt. Wie weit Brecht da geht, belegt die Strophe 16:

> Der Dichter gibt uns seinen Zauberberg zu lesen.
> Was er (für Geld) da spricht, ist gut gesprochen!
> Was er (umsonst) verschweigt: die Wahrheit wär's gewesen.
> Ich sag: Der Mann ist blind und nicht bestochen.
> (9, 472)

Klaus Schuhmann hat sich entschieden gegen diese Einschätzung Thomas Manns gewehrt und unterstellt »persönliche Motive« (Schuhmann, 282). Andere sprechen von Brechts unerbittlichem »Haß« (Lehnert, 82), der sich vor allem dann auch in den Auseinandersetzungen um die deutsche Frage in den USA zwischen Brecht und Mann manifestiert habe. Insgesamt gibt es jedoch – es ließe sich darüber ein gesondertes Kapitel schreiben – in der Beziehung Brecht–Mann auf Brechts Seiten kaum Gründe, »Persönliches« zu unterstellen. Solche »Persönlichkeiten« lassen sich bei Brecht ohnehin schwer ausmachen (weil es sie fast nicht gibt), zugleich aber unterstellte man ihm damit eine Haltung, nämlich eine moralische, die das gesamte Werk nachhaltig negiert. Daß das Urteil ungerecht ist, ist nicht zu bezweifeln, aber es ist ja auch nicht vorauszusetzen, daß Brecht gerecht sein wollte. Thomas Mann war für ihn schon frühzeitig ein typischer Repräsentant des (deutschen) Bürgertums, seine Romane hielt er (auch ungerechterweise) für »weibisches« Geschwätz, für aufgeblasene Trivialliteratur (vgl. z.B. 18, 23 f., 27 f., 37 f., 40–43, 48 f.). Thomas Mann war schon für den jüngeren Brecht das Abbild des 19. Jahrhunderts, Repräsentant der »Droschkenzeit«, seine Literatur typisches Beispiel für bürgerliche Verfeinerung, Dekadenz, Wirklichkeitsflucht – aber auch »gut geschrieben«, das heißt im perfekten Deutsch des Bürgertums, das sich hütet, die Dinge beim Namen zu nennen, kurz: Literatur im Fauteuil. Brecht, das läßt sich an fast allen Stellungnahmen zu Mann ablesen, hat sich nicht um die subjektive Einstellung Manns gekümmert, ihn interessierte die objektive Rolle, die er spielte, die des deutschen Repräsentanten und eines Vertreters der alten bürgerlichen Literatur und des – vornehm und als »Geistesadel« herausgestrichenen – bürgerlichen Individualismus, dessen Affinitäten zum Faschismus er nicht übersehen wollte. An Thomas Mann erwies sich für Brecht am komplizierten Beispiel die Berechtigung der Frage nach dem Zusammenhang von bürgerlicher Kultur und ihrer »Entartung« im Faschismus. Dabei konnte die antifaschistische Einstellung Thomas Manns keine Rolle spielen, weil es in der Frage für Brecht um *objektive* Zusammenhänge ging, um die Korrumpierung der bürgerlichen Kultur durch den Faschismus, der sich ihrer bediente. Kurz: an Thomas Mann (als Repräsentanten) mußte sich die Frage nach dem kulturellen bürgerlichen Erbe radikalisieren, und Brecht beantwortete sie radikal. Es gehört zu den noch unausgetragenen Themen, die Brechts Werk hinterlassen hat (auch in der DDR-Forschung ausgespart). Brecht nahm nicht nur die Realitätserfahrungen ernst, insofern er den bürgerlichen Individualismus (auch in der Kunst) bekämpft, sich aber auch zum »Volk« gewendet hat, als nun *seine* Erfahrungen in die Literatur und Kunst einzubringen waren (was der Zyklus ja in hohem Maße leistet). Daher konnte das bürgerliche Erbe nur fruchtbar eingebracht werden, wenn es *kritisiert* wurde, keinesfalls aber durfte es Vorbild-Funktion haben, eine Rolle, die Thomas Mann dann u.a. bei Georg Lukács übernehmen sollte (auch da hat Brecht entschieden Stellung genommen).

Das *Lied der Lyriker*, das wohl im Zusammenhang mit der *Ballade von der Billigung der Welt* entstanden ist, rechnet noch radikaler mit der bürgerlichen Literatur ab (dagegen war die Verurteilung der Lyriker 1927 harmlos). Die Verse sind hier – bei Beibehaltung der Vierzeiligkeit – noch länger geworden, nämlich hexameterähnlich, und wiederum spricht das lyrische Ich als Dichter:

> Ach, vor eure in Dreck und blut versunkene Karren
> Haben wir noch immer unsere großen Wörter
> gespannt!
> Euren Viehhof der Schlachten haben wir »Feld
> der Ehre«
> Eure Kanonen »erzlippige Brüder« genannt. (9, 485)

Die verbrämende, die »anstreichende« Sprache geißelt Brecht; sie verschönt und verdeckt wie die Tünche, die der Anstreicher über alle Löcher, Risse, Sprünge gestrichen hat, unbekümmert um die Opfer, stets auf seiten der Sieger, der das Volk nie gewesen ist. Mit vollen Mägen haben die bürgerlichen Dichter alles besungen, was »schön« ist:

> Haben wir nicht, wenn wir genügend im Magen
> Hatten, euch alles besungen, was ihr auf
> Erden genossen?
> Daß ihr es nochmals genösset: das Fleisch eurer
> Weiber!
> Trauer des Herbstes! Den Bach, und wie er durch
> Mondlicht geflossen...
>
> 7
> Eurer Früchte Süße! Geräusch des fallenden Laubes!
> Wieder das Fleisch eurer Weiber! Das Unsichtbare
> Über euch! Selbst euer Gedenken des Staubes
> In den ihr euch einst verwandelt am End eurer Jahre!
> (9, 484 f.)

Das Gedicht reiht in diesen beiden Strophen die typischen Themen bürgerlicher Dichtung: die Liebe, die Natur und ihren Wechsel sowie das menschliche Leben, das – wie es heißt – Mysterium von Geburt und Tod, besungen alles in schönen Bildern, eingefangen als »zeitlose« Themen, Wandel nur zulassend im Rahmen des Ewigen, das – die metaphysische Komponente – über den Köpfen schwebt. Unschwer sind Anspielungen auf Rainer Maria Rilke, auf Gottfried Benn (Herbst-Thema), auf Stefan George zu erkennen – auch sie trifft ein »ungerechtes Urteil«, dennoch aber versucht Brecht ihrer objektiven Rolle gerecht zu werden. Das Gedicht geht dabei entlarvend vor, indem sie die »wie Drogen gemischten Wörter« (vgl. die Formulierung in der 12. Strophe; 9, 486) als Genußmittel beim Wort nimmt: da genießen satte Dichter ihre aus satten Mägen kommenden Dichtungen. Diese Dichtung wiederholt das gesicherte Essen am bürgerlichen Tisch noch einmal in der Dichtung, weshalb die Themen auch entsprechend sind – ohne konkrete Nöte, ohne konkrete Realität, aufs Allgemeinste zielend, Menschlichkeit vortäuschend. Aufgrund dieser subversiven Umkehrung, die das Gedicht vornimmt, kann Brecht auch diesen Dichtern unterstellen, daß sie genaugenommen eben doch für Geld dichten, obwohl sie doch ihre Lyrik ganz als subjektiv-individuellen Ausdruck verstehen. Ihre Verse sind doch gekauft, es muß nur erst der Zusammenhang zum Vorschein kommen: der gefüllte Bauch nämlich, der zu den schönen, allgemeinen Wortmischungen führt. Eine weitere subversive Umdrehung nimmt das Gedicht dadurch vor, daß es nun *diese* Lyriker – als »wir« – in der Rollenfunktion über den Verlust ihrer Einnahmen klagen läßt. Alle haben brav so gedichtet, wie es den Herrschenden genehm war, und dennoch ist die Zeit gekommen, daß diese Dichtung niemand mehr haben will, besser: daß niemand mehr für sie zahlen will. Das Gedicht spricht den Grund dafür nicht aus; der aufmerksame Leser des Zyklus aber weiß, warum die Lyriker nicht mehr benötigt werden. Die »Anstreicher« haben die Herrschaft übernommen: die Ästhetisierung der Politik herrscht, und dazu sind die lyrischen Töne der bürgerlichen Dichter nicht mehr vonnöten. *Sie* haben gut vorbereitet, was nun in der Politik als Ernte eingefahren wird. Die Intellektuellen haben wie die Tuis im *Tui*-Komplex mit dem Eintritt der neuen Herrschaft ausgedient, sie waren die intellektuellen Steigbügelhalter, die aber im herrschenden Faschismus keine Rolle übernehmen können, weil sie subjektiv keine faschistische Einstellung haben und überdies als verfeinerte Individuen unzuverlässig, zu anspruchsvoll wären. Es handelt sich beim *Lied der Lyriker* um eins der bösesten Brechtschen Gedichte, um eine viel tiefgreifendere Abrechnung mit der bürgerlichen Dichtung als die viel bekanntere Schelte der jungen Lyriker 1927. Daß dies bis heute nicht bemerkt und diskutiert worden ist, hängt mit dem Tabu zusammen, das DDR-Forschung wie westliche Forschung über die objektive Funktion bürgerlicher Kunst innerhalb der faschistischen Ästhetisierung der Politik gelegt haben.

In der *Ballade von der Billigung der Welt* ist aber auch ein positives Beispiel für die Kunst genannt, nämlich George Grosz (9, 474):

> Gewisse Sattelköpfe, die vor Zeiten
> Mein Freund George Grosz entwarf, sind, hör ich, auf dem Sprung
> Der Menschheit jetzt die Gurgel durchzuschneiden.
> Die Pläne finden meine Billigung. (Erstausgabe, 95)

Der Text der späteren Drucke tilgt die Kennzeichnung »Mein Freund«, weil in ihr ein gewisser Bruch der Rolle des lyrischen Ich liegt: es ist ja bereit, alles zu billigen, in der Rolle also Thomas Manns und nicht George Grosz' Kunst zu loben. So aber ist der Rollenbruch als Dokument einer Sympathie in der Erstausgabe stehengeblieben. Es fällt auf, daß Brecht keinen Dichter nennt, sondern den guten Freund, den Maler, einen der wenigen, denen Brecht in Briefen mitteilte, was er wirklich dachte (an Grosz richtet sich auch der Brief, der in sarkastischen Tönen über die »Rettung der Kultur« auf dem Schriftstellerkongreß 1935 in Paris berichtet; da bekommt sogar der geschätzte Heinrich Mann sein Fett weg, auch wieder »ungerecht«; Briefe, Nr. 263). Es wäre Brecht sicherlich zu *dieser* Zeit schwer gefallen, einen deutschen Poeten zu benennen, der seine radikale Ansicht über die Rolle der bürgerlichen Kunst geteilt hätte. So hat Grosz (auch Eisler hätte es sein können, aber der zeichnete als Mitverfasser) den positiven Part zu übernehmen, der Zeichner der »Sattelköpfe«, der hochnäsigen, aber brutalen Herrenreiter, die Grosz mit seiner Feder seit dem 1. Weltkrieg verfolgt und »gezeichnet« hat: als diejenigen, die über jede Leiche gehen würden. Grosz' Kunst brach ebenso radikal – und schon viel eher als Brecht – mit den bürgerlichen Traditionen, indem sie die Masken von den bürgerlichen Gesichtern nahm und in sie regelrecht die brutale Wirklichkeit hineinzeichnete. Die Gesichter gaben preis, was die Ideologie sich bemühte, möglichst für immer zu verstecken. Im Faschismus nun übernahmen diese Köpfe offen die Macht und zeigten sich so, wie Grosz sie schon lange gemalt hatte.

Das Abschlußgedicht – das mich nicht wie Hans Bender an ein Denkmal aus Stein oder Bronze erinnert, »zitierbar in Ost und West« zu wirkungslosen Feierstunden (Bender, 47) – wendet Grosz' »Einzeichnungskunst« lyrisch an. Es ist nicht die »trauernde ›Mutter‹-Figur« (Bender, 47), die Brecht »zeichnet«, sondern die zugerichtete, die besudelte, die den blutigen Rock zu verstekken sucht, also mitmacht und mitbeteiligt ist. Es ist merkwürdig, wie die – für den jungen Brecht vielbeschworene – Mutter-Figur sogleich mitleidige Trauertöne provoziert. Wie sähe das Denkmal aus, wenn man es *wirklich* nach diesem Gedicht erbaute, müßte die Mutter nicht einen Sattelkopf von Grosz erhalten, die vor *allen* und allen sichtbar den blutigen Zipfel des Rocks zu verbergen sucht, die Gespött oder Furcht geworden ist. Wenn schon jemand trauert, dann ist es das durch die Anrede indirekt vorhandene lyrische Ich, das distanziert (als vertriebenes) und beteiligt (als betroffenes) zugleich spricht. Die Mutter jedoch ist zur blutbesudelten Fratze geworden:

> Hörend die Reden, die aus deinem Hause dringen,
> lacht man.
> Aber wer dich sieht, der greift nach dem Messer
> Wie beim Anblick einer Räuberin.
>
> O Deutschland, bleiche Mutter!
> Wie haben deine Söhne dich zugerichtet
> Daß du unter den Völkern sitzest
> Ein Gespött oder eine Furcht! (9, 488)

Mit diesen Worten endet der Gedicht-Teil der *Lieder-Gedichte-Chöre*, kein Feierstunden-Gedicht (Bender, 47), jeder modischen »Trauerarbeit« hohnsprechend – eine gedichtete deutsche Sattelkopf-Fratze nach dem Muster von George Grosz.

Klaus *Schuhmann*: Der Lyriker Bertolt Brecht 1913–1933. Berlin 1964 (S. 268–295). – Ulla C. *Lerg-Kill* (s. o.; S. 54–86, 130). – Herbert *Lehnert*: Bert Brecht und Thomas Mann im Streit über Deutschland. In: Deutsche Exilliteratur seit 1933. Band 1: Kalifornien, Teil 1. Hg. v. John M. *Spalek* und Joseph *Strelka*. Bern und München 1976. S. 62–88. – Hans *Bender*: Deutschland. In: Ausgewählte Gedichte Brechts mit Interpretationen. Hg. v. Walter *Hinck*. Frankfurt a. M. 1978. S. 41–47. – Christiane *Bohnert* (s. o.).
Zur Ästhetisierung der Politik: Rainer *Stollmann*: Ästhetisierung der Politik. Literaturstudien zum subjektiven Faschismus. Stuttgart 1978.

Hanns Eislers Musik

Die Eisler-Forschung beschreibt den Zyklus *Lieder-Gedichte-Chöre* als »Gegen-Liederbuch«: »Als unmittelbaren Gebrauchswert dürften die Autoren das Singen und Rezitieren – durch einzelne oder Gruppen – in Versammlungen im Auge haben. Als Publikum kommen nicht nur die Emigranten, sondern auch die Widerstandskämpfer im Reich in Betracht, an die – via Saargebiet – Exemplare eingeschleust werden können« (Betz, 110). Den satirisch-parodistischen Liedern, die das hohle Pathos durch die unpassende Feierlichkeit der Musik durchsichtig machen sollten, stehen kompositorisch die *Wiegenlieder* der proletarischen Mutter gegenüber, die jegliche Süßlichkeit und verharmlosende Melodik vermeiden, vielmehr als ruhig fließender Sprechgesang musikalisch umzusetzen sind: Güte, aber auch die entschiedene Haltung der Mutter, die vom Sohn Klassenbewußtsein verlangt, sollen so angemessen betont sein. »Die ›Ballade vom SA-Mann‹, vom ausgehungerten Mitläufer, gewinnt erst durch Eislers Komposition jene finstere Ausweglosigkeit, jenes schwerfällig Drohende, das die Warnung unmittelbar spüren macht. In der ›Ballade vom Baum und den Ästen‹ polarisiert die Musik den Ausdruck vulgärer Brutalität der Braunhemden – als Besatzer im eigenen Land – und das Ende mit Schrecken, für das sie die Rechnung bekommen werden« (Betz, 111). – Hanns Eisler wird das »Gegen-Liederbuch« später für seine *Deutsche Symphonie* als Textgrundlage benutzen; das Werk gilt als wichtigste Arbeit Eislers im antifaschistischen Kampf.

Albrecht *Betz*: Hanns Eisler. Musik einer Zeit, die sich eben bildet. München 1976 (S. 110f.).

Die Lyrik des dänischen Exils 1933–1939

Überblick

Anfang und Ende des dänischen Exils sind von je einer Lyrik-Sammlung markiert: 1934 erschien der 2. Zyklus Brechtscher Lyrik, die *Lieder-Gedichte-Chöre*, 1939 der 3. Zyklus, die *Svendborger Gedichte*, diese als Separatdruck aus dem bereits gesetzten 3. Band der Malik-Ausgabe (Prag), der nicht mehr gedruckt werden konnte, weil das Hitler-Deutschland sich die Tschechoslowakei einverleibte. Die Zeit ist geprägt durch die zunehmende Konsolidierung der faschistischen Herrschaft in Deutschland, durch ihre zunehmenden Erfolge, die Brecht sehr deutlich den kommenden Krieg vor Augen stellen (die Lyrik handelt entsprechend davon). In dieser Zeit entstehen viele wichtige Gedichte Brechts, von denen die bekanntesten in die Svendborger Sammlung eingehen, deren Konzeption unter dem Titel *Gedichte im Exil* bereits 1937 weitgehend feststeht (so sollte sie auch in die Malik-Ausgabe eingehen). Ihre Gedichte sind – mit wenigen Ausnahmen – zwischen 1934 und 1937 entstanden und insofern mit zur Lyrik des dänischen Exils zu zählen. Die Analyse der *Svendborger Gedichte* geschieht aber separat.

Weitere geplante, aber unvollständig gebliebene oder nicht weiterverfolgte Gedicht-Zyklen in dieser Zeit sind die *Kinderlieder 1934*, die *Sonette*, die jetzt durch den Supplementband IV der *Werkausgabe* ergänzt und vervollständigt sind, weiterhin die *Kinderlieder 1937*, die *Lieder des Soldaten der Revolution* (1938) sowie die *Studien* und die *Chinesischen Gedichte*, die beide in den *Versuchen* (als 23., in Heft 10 und 11) abgedruckt worden sind. Die *Studien* hat Brecht zwar selbst auf 1940 datiert (Versuche, Neuausgabe, Heft 11, S. 80), sie sind nachweislich jedoch früher festzusetzen (1937/38; möglicherweise sind einige wenige, nicht genauer datierte *Studien* sowie der Plan, sie zu einem Zyklus zu ordnen, später entstanden, so daß sich Brechts Angabe erklärt). Auch diese Zyklen werden im vorliegenden Handbuch separat besprochen.

Die übrigen Gedichte dieser Zeit finden sich im 2. Band der *Werkausgabe* sowie im Supplementband IV. Ihre Themen und Merkmale behandelt der folgende Abschnitt zusammenfassend.

Themen, Merkmale

Die weitaus meisten Gedichte dieser Zeit – einschließlich auch der *Kinderlieder* – widmen sich ganz der politischen Lage der Zeit, und das heißt vor allem den Zuständen in Deutschland; sie sind also Zeitgedichte. Darüber hinaus schlagen sich auch die verschiedenen Reisen, die Brecht vom dänischen Exil aus unternahm, lyrisch nieder, mehrmalige Reisen nach London (z.B. 1934, Oktober – Dezember), nach Moskau (Frühjahr 1935) und nach New York (1935, Oktober – Dezember). Nicht zuletzt aber ist auch die persönliche Situation, das Leben im Exil, Thema der Gedichte: das Leben in der Fremde zwingt zur lyrischen Reflexion, und die Frage nach der Dauer des Exils drängt sich auf.

Die Gedichte, die zur politischen Lage Stellung beziehen oder sie kommentieren, sind häufig an bestimmte Ereignisse gebunden, z.B. an den »Anschluß« Österreichs (*Die Eroberung Österreichs*; Supplementbd. IV, 351) oder an die Ermordung Röhms, der Hitler als »Geist« in der Nacht erscheint (später als Szene in den *Arturo Ui* übernommen; *Ballade vom 30. Juni*; 9, 520–524), oder aber die Gedichte sprechen allgemeiner die »Gleichschaltung« in Deutschland an (*Was an dir Berg war*; 9, 493), die Fortdauer der Armut (und das heißt des kapitalistischen Systems; *Die Käuferin*; 9, 496f.) oder die Judenverfolgung (*Die Medea von Lodz*; 9, 519f.; *Über die Juden, Die große Schuld der Juden*; Supplementbd. IV, 301 f.).

Den Gedichten ist gemeinsam – wie den meisten Gedichten dieser Zeit –, daß sie »eigenrhythmisch« (frei-rhythmisch) gebaut sind und meist auch auf den Reim verzichten. Dieses lyrische Sprechen, das sich ja längst in der vorangehenden Lyrik herausgebildet hatte, wird nun selbst Thema der Gedichte. Das heißt: diese lyrische Sprache ist nicht das Ergebnis einer persönlichen Vorliebe Brechts, sondern objektiv durch die Zeit aufgezwungen worden:

> Ausschließlich wegen der zunehmenden Unordnung
> In unseren Städten des Klassenkampfs
> Haben etliche von uns in diesen Jahren beschlossen
> Nicht mehr zu reden von Hafenstädten, Schnee auf den Dächern, Frauen
> Geruch reifer Äpfel im Keller, Empfindungen des Fleisches
> All dem, was den Menschen rund macht und menschlich
> Sondern zu reden nur mehr von der Unordnung
> Also einseitig zu werden, dürr, verstrickt in die Geschäfte
> Der Politik und das trockene »unwürdige« Vokabular
> Der dialektischen Ökonomie
> Damit nicht dieses furchtbare gedrängte Zusammensein
> Von Schneefällen (sie sind nicht nur kalt, wir wissen's)
> Ausbeutung, verlocktem Fleisch und Klassenjustiz eine Billigung
> So vielseitiger Welt in uns erzeuge, Lust an
> Den Widersprüchen solch blutigen Lebens
> Ihr versteht. (9, 519)

Das 1934 eingeordnete Gedicht, das Brecht der *Steffinischen Sammlung* zuschlagen wollte (vgl. BBA 16/51 = Nr. 6983, Bd. 2, S. 224) nennt nicht den Nationalsozialismus als Verursacher des neuen Sprechens, sondern das Leben im (kapitalistischen) Industriestaat (dafür stehen die Städte), das den Dichter zu neuer anderer Sprache zwingt, das ihn von ursprünglicher Natur und von »allgemein Menschlichem« so weit entfernt hat, daß die Menschen in erster Linie von der »zunehmenden Unordnung« betroffen werden. Die Dichtung muß, wenn sie sich der Zeit stellen will, die Unordnung beschreiben; zu dieser Beschreibung aber taugt nicht mehr die alte lyrische Sprache, soll sie zum Ausdruck kommen, so muß der Dichter das Vokabular der Ökonomie wählen. Die ursprüngliche Natur wird dabei nicht vergessen oder als beseitigt angenommen, sie muß aber zunächst als Thema der Dichtung zurückstehen: so lange bis die Unordnung nicht mehr herrscht (positives Ziel bleibt dabei der Sozialismus). Ein späteres Gedicht, *Der Gedanke in den Werken der Klassiker* (um 1936; 9, 568 f.), begründet die neue »dürre« Sprache unter Berufung auf die Sprache von Marx, Engels und Lenin mit der Notwendigkeit, daß sich die Lyrik *nützlich* erweise. Der Gedanke der Klassiker spreche »Mit der Grobheit der Größe. Ohne Umschweife / Ohne Einleitung / Tritt er auf, gewohnt / Beachtung zu finden, seiner Nützlichkeit wegen« (9, 568). So versteht Brecht von jetzt ab auch seine Dichtung, deren Ziel dann erreicht ist, wenn sie das Bewußtsein schafft, das sich im antifaschistischen Kampf als nützlich, als zu Handlungen anleitend bewährt (Thematik der Selbstaufhebung der Dichtung; Negation des bürgerlichen Ewigkeitswerts von Dichtung; vgl. das Gedicht *Warum soll mein Name genannt werden?*; 9, 561 f.).

Zu dieser Zeit häufen sich auch die Gedichte, die deutlich Inschrift-Charakter haben: Kürze, Prägnanz und öffentliche Haltbarkeit sind ihre vornehmlichen Merkmale, wobei die Tatsache, daß die Bauten, denen sie eingeschrieben werden, ironischerweise den Gedichten wiederum eine gewisse Haltbarkeit verleihen, eine, die über ein Menschenleben hinausweist (*Vorschlag, die Architektur mit der Lyrik zu verbinden*; 9, 551 f.). In klassischer Weise hat Brecht solche Inschriften, die »nur die besten [Wörter] schreiben: / Sie [die Dichter] sehn, 's ist mühsam, sie in Stein zu treiben« (9, 552), in der *Deutschen Kriegsfibel*, im ersten Kapitel der *Svendborger Gedichte*, gestaltet.

Die Wendung zur Geschichte ist ein weiteres Merkmal der Gedichte in dieser Zeit; sie teilt Brecht mit vielen anderen Dichtern des Exils, die – von ihren Lesern verlassen und von der Gegenwart abgeschnitten – sich an die Vergangenheit verwiesen sehen:

> Mit ihren Vorfahren
> Haben sie mehr Verbindung als mit ihren
> Zeitgenossen
> Und am gierigsten blicken sie
> Die ohne Gegenwart scheinen
> Auf ihre Nachkommen. (9, 555)

Der Lehrer – so ein anderes Gedicht – hat seine Schüler verloren (9, 556 f.), er wird nicht mehr verbessert, wenn er Falsches sagt, er schreibt, ohne noch Resonanz, geschweige denn Ruhm zu ernten. Historische Beispiele fallen ein, die Schwere des Exils zu erleichtern, zugleich sich zu versichern, daß oft die Besten ins Exil gehen mußten (Homer, Lukrez, Heine, Euripides etc.; *Die Auswanderung der Dichter*; 9, 495). Mit diesen historischen Beispielen stellen sich natürlich auch die anderen, die der Diktatoren ein, Nero, Napoleon, ein isländischer Bischof (9, 525 f.). Und dann ist schließlich auch das Thema des Krieges nicht weit; abgesehen von der *Deutschen Kriegsfibel*, die Brecht 1936 konzipiert, die aber nichts mit der bebilderten *Kriegsfibel* von 1955 zu tun hat (so fälschlich Marsch, 267), sprechen mehrere Gedichte die mit Hitler gegebene Kriegsgefahr an: sie ergibt sich aus dem Studium der Vergangenheit, sie ist geschichtliche Erfahrung, die nicht genügend ernst genommen, die stets bagatellisiert worden ist (Brecht weiß genau, daß die Zunahme von Friedensbeteuerungen die Vorbereitung des Kriegs verbergen hilft). Ein Gedicht nennt sich denn auch selbstbewußt *Eine Voraussage* (9, 544 f.) und prophezeit: »Und Deutschland, das im letzten Krieg / Alle Schlachten gewonnen hat, außer der letzten / Wird in diesem Krieg außer der ersten / Alle verlieren«. Dieses Gedicht, das offenbar erst 1937 entstanden ist, rechnet noch mit dem geballten Widerstand der gesamten Welt (genannt sind Frankreich, England, Indien, Amerika, Sowjetunion), die ihre Bombengeschwader nach Deutschland senden, den Himmel verdunkelnd »Von Breslau bis Berlin, viermal übereinander« (9, 544). Ein anderes Gedicht, *Beginn des Krieges* (ebenfalls um 1937), dagegen schreibt: »Und mag er alle Schlachten gewinnen / Außer der letzten« (9, 603 f.)

Aber es gibt auch Hoffnungen. Da sind die Kinder, denen sich die *Kinderlieder* eigens widmen, da sind die Freunde, die mit Gedichten bedacht werden, denen lyrische Ratschläge gelten (an Tretjakow, an Carola Neher; 9, 606 f.), da ist die Sowjetunion, deren Sozialismus (trotz aller

Vorbehalte) für Brecht in den schwierigen Zeiten die wirkliche historische Hoffnung ist, was sich ja notwendig aus seiner Einsicht ergab, daß der Faschismus sich aus dem Kapitalismus entwickelt hat und kein plötzliches »Verhängnis« von Barbarei darstellt (vgl. das *Hammer- und Sichellied*; 9, 498).

Texte: Gedichte 1934–1941 (= Gedichte V). Frankfurt a. M. 1964. S. 5–142. – wa 9, 489–630.
Edgar *Marsch*: Brecht-Kommentar zum lyrischen Werk. München 1974 (S. 225–264). – Reinhold *Grimm*: Geständnisse eines Dichters. In: Ausgewählte Gedichte Brechts mit Interpretationen. Hg. v. Walter *Hinck*. Frankfurt a. M. 1978. S. 48–55.

Über die Bedeutung des zehnzeiligen Gedichtes in der 888. Nummer der Fackel (Oktober 1933)

Das Gedicht ist ein lyrischer Kommentar zu einem Gedicht, und zwar von Karl Kraus, das dieser nach zehnmonatigem Schweigen in der 888. Nummer seiner Zeitschrift *Die Fackel* im Oktober 1933 im 35. Jahr ihres Erscheinens publiziert hat. Das Heft umfaßt ungewöhnlicherweise nur vier Seiten, enthält einen kurzen Nachruf auf den Architekten Adolf Loos *(Rede am Grab)* sowie das angesprochene Gedicht, das ohne Überschrift auf der letzten Seite steht:

Man frage nicht, was all die Zeit ich machte.
Ich bleibe stumm;
und sage nicht, warum.
Und Stille gibt es, da die Erde krachte.
Kein Wort, das traf;
man spricht nur aus dem Schlaf.
Und träumt von einer Sonne, welche lachte.
Es geht vorbei;
nachher war's einerlei.
Das Wort entschlief, als jene Welt erwachte.

Nachdem im Dezember 1932 die letzte, wie immer wohlgefüllte und beredte *Fackel* Nr. 887 erschienen war, war dies das erste Zeichen, das Karl Kraus als Reaktion auf den »ausgebrochenen« Nationalsozialismus sandte. Das lyrisch verkündete Schweigen, das einzige angemessene Reaktion auf den Einfall der Barbarei mitten in Europa schien, hielt bis Juli 1934, als Kraus in der 889. Nummer »Nachrufe« auf sich publizierte, um ihnen dann ein ungewöhnlich dickes Heft von 319 Seiten Ende Juli nachzuschicken. Er hatte geschwiegen, um sehr viel zu schreiben.

Kraus' Gedicht begründet die Notwendigkeit des Schweigens damit, daß die Ungeheuerlichkeiten, die mit der Herrschaft der aufgeblasenen Niedertracht begannen, von der Sprache nicht mehr erreicht würden. Die Erschütterung ist so stark, daß keine angemessenen Worte mehr zu finden sind, eine Feststellung, die durch den ausgewiesenen Sprachkritiker besonders schwer wiegen. Die Nachfrage ist zwecklos, weil die Auskunft sich über das, was der bissige Satiriker »durchmachte« (wie das »machen« doppeldeutig zu lesen ist), weil die unmenschlichen Gemeinheiten der Nazis sich auch dem satirischen Zugriff entziehen. Der Alptraum (»man spricht nur aus dem Schlaf«) hat die Rolle bewußten Sprechens übernommen, und das Wort kann nur darauf warten, daß der Tag wiederkommt. Die menschliche Stimme ist regelrecht mundtot gemacht worden. Der letzte Vers schließt noch einmal an die Traummetaphorik an, wenn er das Wort »entschlafen« läßt, als Deutschland »erwachte« (Übernahme des nazistischen »Weckrufs«). Die Verhältnisse haben sich durch die politischen Verhältnisse total umgedreht. Deutschlands Erwachen ist der Einbruch tiefer Nacht, die nurmehr Alpträume gebiert, aber keinerlei vernünftiges Sprechen mehr zuläßt, nur Lallen, erschreckte Rufe, aber keine menschliche Stimme. Und vorbeigehen kann diese Nacht nur wie ein böser Traum, der sich dem Bewußtsein entzieht (»nachher war's einerlei«), weil er nicht menschliche Sprache geworden ist.

Brechts lyrischer Kommentar entstand unmittelbar nach dem Erscheinen der *Fackel*, publiziert wurde er erstmals 1934 in den *Stimmen über Karl Kraus zum 60. Geburtstag* (Kraus 1874–1936), erschienen in Wien. Es ist bereits als solches bemerkenswert, insofern ein Gedicht dazu verwendet wird, ein Gedicht zu interpretieren, die akribisch genaue Daten reihende Überschrift stellt sich quer zur Tradition lyrischer Benennungen. Die Ausführungen belegen dann, daß hier etwas Ungewöhnliches geschieht, indem ein Dichter das durchaus existentiell erfahrene Gedicht des Kollegen nicht unkommentiert »durchgehen« lassen mag. Das Beweisverfahren dafür, daß doch auch gesprochen werden kann über das, zu dem Kraus sich nicht mehr äußern will, vollzieht sich lyrisch. Wenn auch das Gedicht scheinbar Kraus zustimmt: die Tatsache, daß es das Schweigen lyrisch kommentiert, widerlegt das Schweigen unausgesprochen. Die historisch-kritische Edition des Gedichts durch Gerhard Seidel weist nach, daß Brecht zunächst einen *Appell an Kraus* in scharfem Ton mit äußerst kritischem Kommentar vorsah. Brecht hat jedoch, um nicht »Getroffene« zu treffen, den Ton gemildert. Das Gedicht lautet:

Als das Dritte Reich gegründet war
Kam von dem Beredten nur eine kleine Botschaft.
In einem zehnzeiligen Gedicht
Erhob sich seine Stimme, einzig um zu klagen
Daß sie nicht ausreiche.

Wenn die Greuel ein bestimmtes Maß erreicht haben
Gehen die Beispiele aus.
Die Untaten vermehren sich
Und die Weherufe verstummen.
Die Verbrechen gehen frech auf die Straße
Und spotten laut der Beschreibung.

Dem, der gewürgt wird
Bleibt das Wort im Halse stecken.
Stille breitet sich aus und von weitem
Erscheint sie als Bewilligung.
Der Sieg der Gewalt
Scheint vollständig.

Nur noch die verstümmelten Körper
Melden, daß da Verbrecher gehaust haben
Nur noch über den verwüsteten Wohnstätten die Stille
Zeigt die Untat an.

Ist der Kampf also beendet?
Kann die Untat vergessen werden?
Können die Ermordeten verscharrt und die Zeugen geknebelt werden?
Kann das Unrecht siegen, obwohl es das Unrecht ist?
Die Untat kann vergessen werden.
Die Ermordeten können verscharrt und die Zeugen können geknebelt werden.
Das Unrecht kann siegen, obwohl es das Unrecht ist.
Die Unterdrückung setzt sich zu Tisch und greift nach dem Mahl
Mit den blutigen Händen.

Aber die das Essen heranschleppen
Vergessen nicht das Gewicht der Brote; und ihr Hunger bohrt noch
Wenn das Wort Hunger verboten ist.

Wer Hunger gesagt hat, liegt erschlagen.
Wer Unterdrückung rief, liegt geknebelt.
Aber die Zinsenden vergessen den Wucher nicht.
Aber die Unterdrückten vergessen nicht den Fuß in ihrem Nacken.
Ehe die Gewalt ihr äußerstes Maß erreicht hat
Beginnt aufs neue der Widerstand.

Als der Beredte sich entschuldigte
Daß seine Stimme versage
Trat das Schweigen vor den Richtertisch
Nahm das Tuch vom Antlitz und
Gab sich zu erkennen als Zeuge. (9, 501–503)

Wie Kraus' Gedicht ist auch Brechts Gedicht ein Gedicht über die Rolle der Sprache. Kraus' Gedicht hat das Kapitulieren der Sprache vor den Realitäten der Zeit zum Inhalt, ein Thema, das durchaus immer wieder beschäftigt hat, weil die neuen Erfahrungen allgemein von den Antifaschisten als so ungeheuerlich empfunden wurden, daß es – wie man sagt – ihnen die Sprache zu verschlagen schien (vgl. z. B. Ernst Blochs wichtigen Aufsatz *Der Nazi und das Unsägliche*). Die neue Realität traf die »Beredten« durchaus existentiell, denn die bekannten Worte schienen das aufgedonnerte »Format der reüssierenden Niedertracht« (Bloch) nicht mehr zu erreichen. Schweigen stellte sich vorm Unaussprechlichen als einzige Konsequenz dar.

Brechts Gedicht erkennt am Ende das Schweigen an. Aber erst nachdem es das Schweigen konkretisiert, besser: materialisiert hat. Kraus schweigt aus sprachlicher Not, Brecht jedoch interessiert das Schweigen, das durch unmittelbare Gewalt aufgezwungen ist. Besonders deutlich erfaßt er den Sachverhalt mit den Versen: »Dem, der gewürgt wird / Bleibt das Wort im Halse stecken«. Der sprachlichen *Formel* stellt Brecht die Brutalität der Nazis unter: da werden die Leute brutal am Reden gehindert, das Schweigen kommt nicht aus der Not des Worts, sondern aus existentieller Not.

Auch für das, was in Deutschland vorgeht, findet Brecht – wiederum ein Sprachklischee aufnehmend – ein angemessenes Bild, das die Sprachmetaphorik Kraus' aufnimmt:

> Die Verbrechen gehen frech auf die Straße
> Und spotten laut der Beschreibung.

Daß etwas der Beschreibung spotte, wird gesagt, wenn etwas nicht zu sagen ist, weil es zu erbärmlich, zu mickrig, zu dreckig, auch zu obszön ist: in Deutschland ist dies öffentliches Ereignis geworden. Was der Beschreibung spottet, stellt sich mit aufgedonnertem Pathos offen aus und beansprucht die Öffentlichkeit für sich. Brecht findet, zurückgreifend auf die Umgangssprache, ein sprachliches »Abbild« dessen, was unter aller Kritik ist – weil es benannt sein muß. Brechts Verfahren ist, das Wort bei der Realität zu nehmen, es festzuhalten, wo es sich materialiter zeigt. Mundtot-Machen ist für ihn der dingfest zu machende Griff an die Gurgel des Gegners, in Deutschland ist es Ereignis geworden, und zwar so, daß die Beispiele »ausgehen«, aber indem der Dichter die Formel zwingt, sich der Realität zu stellen, hat er das »Unaussprechliche« zur Sprache gebracht: durch das, was real geschieht. Die Stille ist erzwungen, aber keine Stille, die wegen der Sprache entstanden ist, sondern eine Stille, die die Brutalität der Nazis bewirkt hat.

Aber die Metaphorik geht weiter. Selbst wenn nicht mehr gesprochen werden kann, kann es »Meldungen« geben, gehen die Nachrichten weiter. In der *Mutter Courage* wird später der

»Stein reden«, das stumme Mädchen Kattrin nämlich, das aller Beredtheit der Mutter ein Ende setzt: durch die Trommel, durch die Tat. Brecht besteht auf der Nachricht von den Untaten, man muß nur die Zeugnisse und Zeugen zum Reden bringen, und dies bedarf nicht immer der Sprache. Vieles kann geschehen, vieles kann für immer verborgen, undarstellbar sein, wo aber Herrschaft ist, sind auch Beherrschte, Opfer, die auch ohne Sprache von der Unmenschlichkeit zeugen.

Brecht unterstellt Kraus in der letzten Strophe, sein Schweigen als Zeugnis ausgestellt zu haben. Es entlarvt, es zeigt Gesicht, es hat nur geschwiegen, um Zeugnis ablegen zu können von den Untaten. Diese Gerechtigkeit ist nicht – wie die üblichen Bilder der Justitia – blind, sondern parteilich. Alle, die – wie es Brechts Gedicht umgedeutet hat – zum »Schweigen gebracht worden« sind (wieder eine Sprachformel), werden sich als Zeugen zu erkennen geben und bei der Abrechnung Partei sein. Auch Kraus gehört dazu, wie es Brechts Gedicht will.

Brechts lyrische Antwort auf Kraus ist durchaus ein Angriff auf dessen Verständnis von Sprache. Brecht stellt richtig, indem er »interpretiert«, scheinbar zustimmt, Kraus unterstellt, als Zeuge Rechenschaft dennoch abzulegen, nur anders, nicht mehr mit der Sprachkritik der *Fackel*, nicht mehr im Pochen auf das Wort, auf den Buchstaben. Was Kraus' Gedicht angesprochen hat, ist nach Brechts Meinung keine Angelegenheit der Sprache, sondern der Realität. Nicht die Sprache *versagt*, sondern die Realität versagt. Wenn vom Schweigen geredet wird, kann dies kein Sprachproblem sein, weil zu viele real zum Schweigen gebracht worden sind. Schweigen rechtfertigt sich nur, wenn es Zeugnis ablegt vom brutal erzwungenem Schweigen, das Versagen der Sprache kann nur akzeptiert sein, wenn es das Versagen der Realität zur Voraussetzung hat. Die Sprachauffassungen Kraus' und Brechts sind diametral entgegengesetzt. Kraus' Gedicht wiederholt den tiefen Sprachpessimismus, der am Ende des 19. Jahrhunderts begann mit der Klage, daß die Sprache der Realität nicht mehr gerecht werde, daß sie nicht zum Ausdruck brächte, was zu sagen wäre (Hugo von Hofmannsthal mit seinem berühmten *Brief* des Lord Chandos von 1902). Mit ihm begann ein Sprachrelativismus, der meinte, daß die Sprache grundsätzlich nicht die Realität zum Sprechen bringen könnte, folglich alles doch nur in Sprache bliebe, was sprachlich sich äußert. Kraus schließt da an – wie auch sein sprachkritisches Verfahren über die Sprache die »Dinge« regelt, nicht umgekehrt –, indem er zwar die neue Realität beschuldigt, zum Schweigen zu zwingen, zugleich aber auch seine Kapitulation eingesteht. *Dieser* Realität ist nicht beizukommen. Brecht erkennt das existentielle Problem des Sprachkünstlers nicht an, weil die Realität den Menschen an die Existenz geht. Folglich kann es das sprachliche Problem nicht geben, wo Opfer zu bezeugen sind, wo auf Realität verwiesen sein muß. Wenn die Worte nicht treffen, so sollen die Realitäten »für sich sprechen«, und die Sprache ist nur dazu da, auf sie hinzuzeigen: die Realität selbst trifft sehr wohl – aber eben Menschen. Der Vorgang also ist umzukehren. Nicht Worte sollen treffen, die Realitäten haben getroffen (auch die Sprache). Die Konsequenz ist, daß dieser Brutalität ohnehin nicht mehr mit Sprache beizukommen ist: sie spottet der Beschreibung. Wenn die Niedertracht offen auftritt, wenn das »Unaussprechliche« öffentliche Ordnung geworden ist, hat die Sprache schon versagt. Sie tritt in gewalttätiger Form auf, sie ist, von den Nazis gesprochen, schon Untat, weil sie Untaten ankündigt und rechtfertigt. Brecht nahm die Nazis beim Wort – richtigerweise, wie es sich leider brutal erwies. Und er änderte seine lyrische Sprache, nicht sie beschuldigend, daß sie nicht mehr sage, was er auszudrücken beliebe, sondern auf die Realitäten sehend, die bestimmte Sprache nicht mehr zuließen. Im veränderten Sprechen aber war eine Möglichkeit gefunden, die Realitäten zwar nicht zu »treffen«, aber wohl auf sie sprachlich zu verweisen. Denn nur ein Bewußtsein von der Realität – das sich in Sprache artikuliert – vermag auch wirksame Mittel bereitzustellen, auf sie real einwirken zu können. Kraus' Traummetaphern stehen dagegen als Zeugnisse des Versagens der Intellektuellen, die das Unheil zwar empfanden, sich gegen es wehrten, aber keine Erklärung dafür finden konnten. Ein anderes Wort dafür ist »Irrationalismus«, der historische Ereignisse wie den Hitlerstaat hilflos hinnehmen muß wie ein unerklärliches Verhängnis.

Text: wa 9, 501–503.

Ernst *Bloch*: Der Nazi und das Unsägliche. In: Das Wort, 1938, Heft 9, S. 110–114 (jetzt mit den anderen Texten in: Exil. Literarische und politische Texte aus dem deutschen Exil 1933–1945. Hg. v. Ernst *Loewy*. Stuttgart 1979, S. 693–699).

Klaus *Schuhmann*: Der Lyriker Bertolt Brecht 1913–1933. Berlin 1964 (S. 283–285). – Gerhard *Seidel*: Verdikt oder

Verteidigung? Ein Gedicht von Bertolt Brecht über ein Gedicht von Karl Kraus. In: Notate 4, Juli 1983, S. 12–14.

Sonette 1933/34

Bei den Sonetten handelt es sich um eine zweite und dritte Gruppe dieser aus dem Italienischen übernommenen Gedichtform nach den *Augsburger Sonetten.* Zu unterscheiden sind die bis zur Nr. 13 durchgezählten Sonette (es fehlt Nr. 12, und Nr. 7 liegt in zwei, gering abweichenden Fassungen vor) und die *Englischen Sonette,* die Brecht in London schrieb und wahrscheinlich innerhalb des geplanten Gesamtzyklus als gesonderte Gruppe zusammenstellen wollte (*Der Orangenkauf, Fragen*; 9, 540 f.; *Liebesgewohnheiten*; Supplementbd. IV, 284; die übrigen Sonette stehen 9, 536–540 und Supplementbd. IV, 280–283). Die meisten Gedichte dieses geplanten Zyklus von Liebesgedichten entstanden – abgesehen von den eindeutig zu datierenden *Englischen Sonetten* (1934) – wohl 1933, während der Zeit, die von vielen Reisen und manchen Trennungen (Leben im Hotel) geprägt war (möglicherweise wiederholte Brecht die Gewohnheit, die Trennung von der Geliebten mit Liebesgedichten zu kompensieren). Eventuell sind auch einige der numerierten Sonette später anzusetzen (1935, eventuell sogar 1937).

Da sieben der als »pornographisch« geltenden Sonette bis Ende 1982 unpubliziert geblieben sind, ist viel über sie gemunkelt worden. Ihre Publikation jedoch brachte außer einigen »Eindeutigkeiten«, die heute eher als harmlos gelten, keine besonderen Überraschungen (die »schärfsten Sonette« stammen erst von 1948; s. d.). Die ersten Reaktionen in den Feuilletons betonten vor allem die beherrschende Rolle des Mannes (mit der Brechts weitgehend identifiziert) gegenüber der als Sexualobjekt degradierten Frau sowie die mangelnde Bereitschaft der Herausgeber – Werner Hecht *(Gedichte über die Liebe)* und Herta Ramthun (Supplementbände) –, die Adressatinnen der Gedichte preiszugeben (»die Anordnung der Gedichte und die Anmerkungen dazu sind so gestaltet, daß Interessen in dieser Richtung nicht befriedigt werden«; Hecht, 239). Für auch nur oberflächliche Kenner von Brechts Biographie ist auf alle Fälle ohne weiteres erkennbar Margarete Steffin im *Zweiten Sonett,* Stichwort »Soldat«, im *Zehnten Sonett,* Stichwort »Muck«, im *Elften Sonett,* 1934 zu Steffins Reise in die Sowjetunion entstanden, möglicherweise beziehen sich alle Sonette auf sie außer den »Englischen«, die wohl an Helene Weigel denken. Tatsächlich aber kann die »Enthüllung« der angesprochenen Frauen wohl kaum weitergehende Erkenntnisse bringen, zumal die direkten Rückschlüsse von Dichtung auf Biographie gerade bei Brecht mit Vorsicht zu ziehen sind und die strenge Form der Gedichte durchaus auf Artifizielles verweist.

Aber auch die beherrschende Männerrolle ist zu relativieren, sieht man einmal davon ab, daß Brecht zu dieser Zeit noch anderen, strengeren gesellschaftlichen Rollenkonventionen unterworfen war, als sie heute gelten. Auffällig ist, daß Brecht in diesen doch als sehr persönlich geltenden Gedichten häufiger die gängigen Marktgesetze anspricht. Das fünfte Sonett bemängelt (insgesamt moderat), daß die Geliebte mit ihrem Verhalten (sie zeigt, »wie man sich um sie reißt«; 9, 537) ihren Marktpreis hochtreibt, also sich ganz an den Gesetzen der »Ware Liebe« orientiert (das Thema Prostitution ist da nicht weit, auch wenn es nicht um den direkten Verkauf des Geschlechtsgenusses geht); entsprechend warnt der besitzeshungrige Mann, daß die Frau, die sich dermaßen anbietet, womöglich sein Interesse verlieren könnte. Dieses Gedicht ist, was die Rollenverteilung angeht, eindeutig: die Frau ist »Ware«, und als solche ist sie »gewählt«. Der Mann bemängelt, daß sich die Frau seiner Wahl entsprechend unangemessen verhält. Dennoch aber schlägt die Wahl der Handels- und Marktmetaphorik auch auf den Mann zurück, was Brecht – das beweisen seine vorangehenden Stücke zur Genüge – sehr bewußt gewesen ist. Die Reklamation der Frau als Handelsobjekt beschränkt den Anspruch des Mannes – soweit er sich als finanzkräftig erweist – auf die »Nutzung der Geschlechtsorgane«, nicht aber auf ihre Zuneigung, auf die Gefühle der Frau. Den Rekurs auf Kants berühmte Ehedefinition (vgl. BH 1, 60, 296; *Metaphysik der Sitten,* Paragraph 25) vollzieht das *Siebente Sonett,* das den Rat des Mannes an die Frau erwägt, sich ihm ganz zu überlassen. Die Frau jedoch weist in einem vom lyrischen Ich fiktiv entworfenen Dialog das Ansinnen zurück, weil sie damit ihre vorhandene Attraktivität als stets neu zu gewinnendes »Lebensmittel« verlöre (der Vergleich fällt drastisch mit »Essen«, Verspeisen aus; vgl. die Nähe von Gemahl und Mahl). Denn »nach dem Gesetz der Märkte / Das vorschreibt, den Geschlechtsteil auszunützen / Bestünd hier ein Verdacht, den solch ein Rat verstärkte ...«; 9,539). Dieses Gedicht bringt also die Umkehr des männlichen Gedankengangs, der vor dem »Verbrauch« durch den Markt warnt. Wenn die Marktgesetze herrschen, muß auch die Frau sie nützen. Dem drohenden »Verbrauch« steht auf der anderen Seite die Nichtbeachtung durch totale Unterwerfung (metaphorisch besser: durch totales »Sich-Außer-Kurs-Setzen«) gegenüber. Die Frau verliert ihre Reize, die sie durch Anpassung an die geltenden Marktgesetze und ihre Ausnützung gewinnen kann. Sieht man die Gedichte in dem geplanten zyklischen Zusammenhang, so bleibt der widerständige und zugleich ebenfalls sich auf die Marktgesetze berufende Part der Frau (zumindest teilweise) gewahrt. Einer Isolierung der Gedichte aus dem Zusammenhang, der freilich nicht unbedingt der Reihenfolge der Numerierung entsprechen muß, ist insofern abzuraten.

Wie distanziert und rational die durchaus als natürliche Gewalt der Liebe beschriebene Beziehung zur Frau formuliert ist, vermag das *Sechste Sonett* zu zeigen. In ihm beklagt sich der Mann, daß er sich an die Frau »gehängt« habe, und zwar mit »viel Lust« (9,538). Auch hier scheint es sich vordergründig um die Klage des Mannes zu handeln, der sich der Frau gefühlsmäßig unterworfen sieht und gern seine männliche Rolle zurückerstattet haben möchte. In Wahrheit jedoch reflektiert der Mann den bevorstehenden Verlust der Frau, der ihn besonders hart treffen wird, weil er sich sozusagen mit »Haut und Haaren« an die Frau »gehängt« hat. Im Angesicht der bevorstehenden Trennung wäre es ihm lieber gewesen – so die Überlegung – nicht so tief beteiligt gewesen zu sein, weil dann auch der Gram geringer wäre:

> Natürlich ist das eine schäbige Lehre
> Der war nie reich, der niemals was verlor!
> Ich sag auch nicht, daß ich verdrießlich wäre...
>
> Ich meine nur: wenn einer an nichts hinge
> Dem stünd auch keine schlimme Zeit bevor.
> Indessen sind wir nicht die Herrn der Dinge.

Die distanzierte, rational abwägende lyrische Reflexion endet beim Geständnis, über die Gefühle keine Macht zu haben, folglich mit der »vielen Lust« sich auch den nachhaltigen Gram eingehandelt zu haben.

Diffiziler behandelt das *Neunte Sonett* (Supplementbd. IV, 282 f.) die Geschlechterbeziehung:

> Als du das Vögeln lerntest, lehrt ich dich
> So vögeln, daß du mich dabei vergaßest
> Und deine Lust von meinem Teller aßest
> Als liebtest du die Liebe und nicht mich.
>
> Ich sagte: Tut nichts, wenn du mich vergißt
> Als freutest du dich eines andern Manns!
> Ich geb nicht mich, ich geb dir einen *Schwanz*
> Er tut dir nicht nur gut, weil's meiner ist.
>
> Wenn ich so wollte, daß du untertauchst
> In deinem eignen Fleische, wollt ich nie
> Daß du mir eine wirst, die da gleich schwimmt
> Wenn einer aus Versehn hinkommt an sie.
> Ich wollte, daß du nicht viel Männer brauchst
> Um einzusehn, was dir vom Mann bestimmt.

Auch dieses Gedicht scheint für Brechts Männlichkeitswahn zu sprechen. Er tritt als Lehrer auf, und er bestimmt, was für die Frau gut ist, was nicht. Jedoch liegt der »Lehre« eine Vorstellung der Liebesbeziehung negativ zugrunde, die der bürgerlichen ideologischen Anschauung entspricht, die Partner gingen »ineinander« auf, sie »gäben sich selbst hin« (Brecht las u.a. Van de Veldes *Die vollkommene Ehe*; zuerst 1928; vgl. 12, 677 f.). Dieser verbrämten Selbstaufgabe »im anderen« setzt das Gedicht den Selbstgenuß entgegen, der den Partner gerade vergessen läßt, so daß es – so der durchaus nicht unlogische Schluß – auf ihn nicht so ankommt und deshalb auch nicht so viele Partner nötig sind. Die (mögliche) Drastik des »Schwanz-Gebens« entkleidet die Kantsche Ehedefinition ihrer ideologischen Überhöhung. Wenn Kant freilich vom »wechselseitigen Gebrauch der Geschlechtsorgane« spricht, so meint er doch mit der sehr marktgemäßen (damit den bürgerlichen Verhältnissen entsprechenden) Definition die »Erwerbung der ganzen Person« mit dem Erwerb des Organs formuliert zu haben. Ihm geht es also letztlich um den »ganzen Menschen«. Brecht isoliert jedoch das Organ; nur dieses wird erworben, und zwar zum Selbstgenuß, zum Genuß des eigenen Fleisches. Der Partner reduziert sich auf die »Bestimmung«, diesen Selbstgenuß zu ermöglichen. Insofern wendet sich das Gedicht polemisch gegen die bürgerliche Auffassung, mit dem Handelsvertrag der Ehe zugleich den ganzen Menschen beanspruchen zu dürfen, wie auch der Geschlechtsakt nicht der »Hingabe«, der »Versenkung« an/in den anderen gilt, sondern der Selbstbefriedigung, innerhalb derer der Partner eine neue, untergeordnete Rolle gewinnt. Inwieweit Brecht damit die – sehr reale – Tendenz der zunehmend verdinglichten Liebesbeziehungen beschreibt und ihre inzwischen zur Industrie verkommenen Vermarktung trifft, daß nämlich immer mehr Ersatzbefriedigung (durch Pornographie aller Sorten) an die Stelle des Geschlechtsgenusses tritt, mag dahingestellt bleiben. Die Verschiebung des Blicks jedoch ist nicht unbeträchtlich, zumal das Gedicht mit der Lehre an die Frau auch die Rolle des Mannes festlegt. Das Lieben gilt vornehmlich dem Selbstgenuß, der den Anspruch auf den anderen Menschen gerade zurückstellt. Wenn das Gedicht dennoch die Frau auffordert, »nicht viel Männer zu brauchen«, so läßt sich dies nicht mehr (ausschließlich) mit dem Anspruch des Mannes auf die Frau begründen. Die Sachverhalte sind subtiler, aber auch widersprüchlicher.

Das nach wie vor schönste Sonett bleibt zumindest innerhalb dieser Gruppe auch nach der Nachlaß-Publikation das *Dreizehnte Sonett.*

Das Wort, das du mir schon oft vorgehalten
Kommt aus dem Florentinischen, allwo
Die Scham des Weibes Fica heißt. Sie schalten
Den großen Dante schon deswegen roh
Weil er das Wort verwandte im Gedichte.
Er wurde beschimpft drum, wie ich heute las
Wie einst der Paris wegen Helenas
(Der aber hatte mehr von der Geschichte!)

Jedoch du siehst jetzt, selbst der düstre Dante
Verwickelte sich in den Streit, der tobt
Um dieses Ding, das man doch sonst nur lobt.
Wir wissen's nicht nur aus dem Machiavelle:
Schon oft, im Leben wie im Buch, entbrannte
Der Streit um die mit Recht berühmte Stelle. (9, 539 f.)

(*Anmerkung*: In Vers 9 habe ich die in wa 9 gedruckte Schreibung »düstere« zu »düstre« konjiziert; da das Gedicht metrisch streng geregelt ist, fünffüßige Jamben, wäre dies die einzige Stelle, die das Metrum verläßt; in den Handschriften sind die Schreibungen ohnehin kaum oder gar nicht zu unterscheiden).

Das Gedicht ist deshalb besonders auffällig, weil es das Lob der »berühmten Stelle« zugleich als sprachlich-literarischen Fall behandelt und in witziger Weise reale und literarische Fälle miteinander verbindet: den berühmt-berüchtigten Raub der Helena durch Paris, der zum Trojanischen Krieg geführt hat (Homer *Ilias*), wobei »Helena« nur »gebeugt« wegen der »Stelle« vorkommt, dann die unerfüllt gebliebene Liebe des Dante (1265–1321) zur Adelstochter Beatrice, deren »Stelle« dem Dichter entzogen blieb, auf daß er eine literarische Stelle aus ihr machte, und Niccolo Machiavelli (1469–1527), der sich neben seinen politisch-philosophischen Schriften einen Namen als Verfasser der Lust-Komödie *Mandragola* (1520) machte, in der die Annäherung an die Stelle von Erfolg gekrönt ist. Die sprachgeschichtliche Ableitung des gemeinten Worts »ficken«, das selbst nicht ausgesprochen wird, ist pseudoetymologisch. Das Verb kommt aus dem Mittelhochdeutschen, meint da noch neutral »hin und her bewegen«, »reiben« und nimmt erst im Laufe des 16. Jahrhunderts seine »obszöne« Bedeutung an. Brecht sucht aber eine andere Anknüpfung, nämlich an Dante und dessen Schrift *De vulgari eloquentia.* Er verteidigt in ihr die Verwendung der »vulgären«, will sagen der »Volkssprache« in der Dichtung. Statt des geheiligten Gelehrtenlateins schrieb Dante seine *Göttliche Komödie* im Italienisch des Volks, dessen Verwendung als »unschicklich«, eben ungelehrt galt. Wenn Dante der Vorwurf traf, vulgär gesprochen zu haben, und zwar gerade da, was jetzt als Weltliteratur, als Gipfelpunkt von Dichtung gilt, so vermag auch der moderne Dichter *diese* Sprache zu rechtfertigen. Was jetzt noch als »gemein« angesehen und denunziert wird, wird im Lauf der Geschichte, die sich gegen das unrealistische, »gelehrte«, in alte Vorurteile verstrickte (Pseudo-)Wissen mit der »Weisheit des Volkes« vollzieht, allgemein; das Gemeine wird das Allgemeine. Umgekehrt trifft das »vornehme« Sprechen der Vorwurf der »Scham«, des falschen Verschweigens von Sachverhalten und »Dingen«, die in der Geschichte (auch der Literatur) längst berühmt geworden sind. In heiterer Weise ersetzt das Gedicht das Suchen nach den (berühmten) Stellen in der Literatur durch das offene und rühmliche Aussprechen dessen, »allwo« es so häufig geht (»allwo« ist ein Kunstwort, das auch der neueste *Duden* nicht kennt, aber eigentlich durch Brecht kennen sollte). Aus dem realen locus amoenus, dem Ort der Liebe, ist zugleich ein literarisch angemessener Ort geworden: man darf sich ihm vulgär nähern, auch literarisch.

Texte: Gedichte 1934–1941 (= Gedichte V). Frankfurt a.M. 1964. S. 97–101 (1.,4.,11., 13., 19., 21. Sonett), S. 35 f. (*Der Orangenkauf*; *Fragen*). – wa 9, 536–541; 589,629 f. (19./21. Sonett, wahrscheinlich von 1937; ihre Zuordnung ist noch nicht geklärt). – Supplementband IV, 280–284.– Gedichte über die Liebe. Ausgewählt von Werner *Hecht.* Frankfurt a.M. 1982. S. 58, 153–155, 157, 162, 176, 194 f., 211–213.

Edgar *Marsch*: Brecht-Kommentar zum lyrischen Werk. München 1974 (S. 152 f.).

Kinderlieder 1934/ Kinderlieder 1937

Daß Brecht *Kinderlieder* schrieb und offenbar von ihnen zwei Sammlungen plante (die hier zusammen vorgestellt werden), scheint vor allem biographische Gründe zu haben: die gemeinsamen Kinder Brechts und Helene Weigels waren am 3.11.1924, Stefan (»Steff«), und am 18.10.1930, Barbara (genannt auch die »Barbarische«), geboren worden. Nachweislich sind z.B. die *Tierverse* (9, 508–511) für Stefan gedacht gewesen (anderer erwogener Titel *Kleine Lieder für Steff*). Es handelt sich zunächst also ganz vordergründig um Gedichte, die für den Gebrauch gedacht sind, für die Kindererziehung der »proletarischen Mutter«, in der Brecht die Weigel sah. Und es ist sicher, daß die Lieder auch so verwendet worden sind.

Jedoch ist der weitere Rahmen nicht zu vergessen. Brecht hat ja nicht nur lyrisch über die tiefen Einschnitte des Exils reflektiert, vor allem darüber, daß die Exilierten »ohne Gegenwart scheinen«, mehr Verbindung zu ihren Vorfahren als zu ihren Zeitgenossen haben (Wendung zur Geschichte; vgl. 9, 555 f.) und zugleich auf ihre Nachkommen »am gierigsten« blicken (9, 555). Der scharfe Ausdruck, der nach Neid, nach Anspruch ebenso klingt wie nach Lebensmöglichkeiten, Zukunft, verwirrt zunächst, scheint er doch unangemessen, dunkel. In ihm jedoch verbinden sich drei Aspekte. Die Kinder haben nicht wie ihre Eltern wenigstens die Vergangenheit, die Anknüpfung an die Vorfahren (sie muß erst lehrend hergestellt werden); aber sie haben Zukunft, streben weg von dem, was ist. In den *Wiegenliedern* der Sammlung *Lieder–Gedichte–Chöre* ist die Sorge der proletarischen Mutter, ob der Sohn auch ihre, dem Leib buchstäblich abgerungenen Mühen um das Leben auch erkennen und entsprechend durch sein späteres Verhalten – nämlich die schlechten Zustände nicht zu dulden – bestätigen wird, nachhaltig ausgesprochen. Wer ist sich seiner Kinder sicher; war Brecht nicht ein »Verräter« seiner Herkunft, könnte es nicht sein, daß die eigenen Kinder sich wiederum »anders herum« entscheiden und so alle Mühen, alle Sorge umsonst, zumindest fragwürdig werden lassen? Die Gier, mit der der gegenwartslose Exilierte auf seine Nachkommen sieht, mischt den Anteil an der Zukunft der Kinder mit der Sorge, ob auch sie noch die Eltern verlassen. Die *Kinderlieder* sind so gesehen auch Versuche, auf die Kinder einzugehen, sich aber ihrer auch zu vergewissern, indem man sie einweiht in das Wissen von der Realität, das die Eltern bewogen hat, in die Fremde zu fliehen.

Als weiteres Merkmal der *Kinderlieder* kommt hinzu, daß sie nicht etwa sogenannte »kindliche Themen« haben, sondern genau da fortfahren, wo auch das übrige Werk arbeitet. Symptomatisch ist etwa die *Ballade vom Pfund* (9, 507), die, 1933 geschrieben, das Thema des Schlußkapitels des *Dreigroschenromans* variiert, der umgekehrt zwei Strophen dieses Lieds als Motto voranstellt; 13, 1150 und ff.). Brecht prägt das übliche Genre der Kinderliteratur um – als Literatur, die herablassend und »kindisch« sich den Kindern gegenüber geriert – und läßt vor allem »kindliche Thematik« nicht gelten, Themen, die angeblich für Kinder sind und sie nicht überfordern. Alle *Kinderlieder* Brechts zeigen, daß die »Erwachsenen-Themen« auch für die Kinder sind; »kindlich« allein muß ihre Darbietung erfolgen, das heißt, die Themen müssen sprachlich so vorgestellt werden, daß die Kinder sie in ihrer Vorstellungswelt realisieren können. Die Kunst dabei ist, nicht primitiv, sondern einfach zu sprechen. Die Einfachheit ist das Resultat dessen, was schwierig und schwierig zu machen ist.

Ob die *Kinderlieder 1934* (so die Überschrift 9, 507) mal zu einem geplanten Zyklus gehört haben oder nach der Entstehungszeit (die freilich 1933 miteinschließt) zusammengefaßt sind, ist noch ungeklärt. Die da zusammengestellten drei Gedichte nehmen in zwei Fällen didaktische Vorbilder auf, nämlich die mittelalterlichen Bestiarien und die Alphabet-Merkverse der Schulfibel. Im Gegensatz zu den zeitlosen Themen, Charakteren und Verhaltensweisen, die die Vorbilder entwikkeln, sind Brechts Verse allerdings Kommentare zur zeitgenössischen Politik. Statt der in den Bestiarien in bestimmten Tieren allegorisierten Tugenden und Laster (mit Vorbild- bzw. Abschrekkungsfunktion) versinnbildlicht Brecht mit den Tieren politische Personen oder – wie ja in der politischen Symbolik üblich – Staaten. Zum Beispiel:

> Es war einmal ein Adler
> Der hatte viele Tadler
> Die machten ihn herunter
> Und haben ihn verdächtigt
> Er könne nicht schwimmen im Teich.
> Da versuchte er es sogleich
> Und ging natürlich unter.
> (Der Tadel war also berechtigt.) (9, 508)

Die Verse sind für sich verständlich – und regen zunächst ganz auf die Fabel bezogene Fragen an. Der Adler läßt sich – von Tadel verführt – darauf ein, sich wie eine Ente oder ein Schwan zu verhalten, vergessend, daß er über ganz andere Fähigkeiten verfügt. Prompt fällt er darauf herein. Aber erst das falsche Verhalten macht den vorangehenden Tadel zum »berechtigten«, an sich ist er ja unkorrekt. Der Widerspruch wird erst dadurch produziert, daß der Adler nicht widerspricht, die Vorwürfe als unsinnig zurückweist. Im übertragenen Sinn behandelt die Strophe den Untergang Deutschlands (Adler-Symbol) in der nationalsozialistischen Jauche. Der Adler, der hoch hinauf will, ist zugleich so dumm, sich durch falsche Versprechungen, falsche Charakterisierungen herabziehen zu lassen. Seine »Hoheit«, sein Stolz sind hohl; seine Fähigkeit, die falschen Aussichten zu durchschauen und zurückzuweisen, nicht ausgeprägt, und am Ende bestätigt er sogar noch die falschen Einflüsterer. Es entsteht so ein recht widersprüchliches und zugleich eingängiges Bild von der deutschen Entwicklung in den Nationalsozialismus »hinein«, der – noch ehe er da ist – als Untergang fixiert wird.

Das *Alfabet* (9, 511–514) greift zur volkstümlichen Form der meist paargereimten Vierzeiler (auch für die *Kriegsfibel* verwendet) und mischt politische wie alltägliche Themen. Manche Strophen ergeben sich aus dem unmittelbaren Erfahrungsbereich der Kinder, an Erlebnisse und Episoden. Brecht verbindet sie mit politischen Bezügen, Anspielungen, Charakterisierungen und schafft so eine der Zeit angemessene Unterweisung der Kinder, die ja häufiger – auf Grund der sprachlichen Hindernisse – ganz auf den Unterricht durch die Eltern – bei Brechts vor allem durch Helene Weigel – angewiesen waren.

Die *Kinderlieder 1937* sind ebenfalls erst für die *Werkausgabe*, wiederum ohne weitere Kommentierung, zusammengestellt worden, wobei frühere Datierungen (zuerst auch 1934; s. Gedichte VIII, 127) und Einordnungen korrigiert werden. Es scheint so, daß diese Lieder als *Kinderlieder für Helli* (Helene Weigel) zusammengestellt werden sollten. Sie sind formal unterschiedlich gebaut – bis hin zur Reihung von Erwachsenen-Sprüchen für die Kinder. Sie rechnen bereits mit Verständnis für Ironie, und ihr veränderter, verschärfter Ton mag nicht zuletzt darauf zurückzuführen sein, daß Stefan nun 12 Jahre alt war und sich überdies die Zeiten verändert, die Kriegsdrohungen verschärft hatten. Die Verse erfordern bereits die Einsicht in den Zusammenhang von sozialen Mißständen und politischem Verhalten. Die Reihung von (falschen) Verhaltensmaßregeln der Erwachsenen für die autoritäre Gängelung der Kinder (»Sonntagsspaziergang macht frisch«; 9, 585) liest sich als Beitrag zum alltäglichen Faschismus:

Kartoffeln sind gesund.
Ein Kind hält den Mund.

Texte: Gedichte 1934–1941 (= Gedichte V). Frankfurt a.M. 1964. S. 37–46 [Kinderlieder von 1934, da aber noch mit dem Gedicht *Hoppeldoppel Wopps Laus*, das wa 9 dann 1937 einordnet]. – Gedichte. Nachträge zu den Gedichten 1913–1956 (= Gedichte VIII). Frankfurt a.M. 1965. S. 127–130 [nach dem Inhaltsverzeichnis ebenfalls Kinderlieder von 1934; nach wa 9 aber von 1937]. – wa 9, 507–514 (von 1934) und 583–585 (von 1937).

Edgar *Marsch*: Brecht-Kommentar zum lyrischen Werk. München 1974 (S. 229–232).

Lieder des Soldaten der Revolution (1937)

Die Lieder, die Margarete Steffin gewidmet sind, auch von ihr handeln, sind um 1937 entstanden und stellen zunächst Aufmunterungsadressen an die geschäftige Schriftstellerin (21.3.1908–4.6.1941) dar, die schon seit einiger Zeit von der schweren Lungenerkrankung geplagt wurde, der sie dann viel zu früh zum Opfer fallen sollte. Margarete Steffin gilt gemeinhin als Brechts »Mitarbeiterin«, was ihrer Rolle kaum gerecht wird (wobei mal von der als Geliebte abgesehen werden soll). Wenig bekannt ist, daß die Steffin viele selbständige schriftstellerische Arbeiten (Stücke, Erzählungen, Gedichte) vorgelegt und neben der Mitarbeit bei Brecht unermüdlich geschrieben hat. Ihr Anteil an Brechts Produktion zwischen 1933 und 1940 kann kaum überschätzt werden, und zwar in doppelter Hinsicht. Sie schrieb nicht nur vieles von dem, was heute unter Brechts Namen allein publiziert wird, selbst, sie hielt Brecht ganz offenbar auch produktiv zu einer Zeit, in der ebenso Resignation – vor allem für einen Dramatiker – angebracht hätte sein können. Überdies war die Steffin wesentlich stärker dem sozialistischen Land, das Brecht ein wenig genauer erst 1935 kennenlernte, verbunden als sonst jemand der Freunde und Mitarbeiter, mit denen Brecht enger arbeitete. Wenn Brecht sie als »Genossin« und »Soldaten der Revolution« anspricht, so deuten diese Bezeichnungen ganz in diese Richtung. Sie verstand ihre Arbeit als Klassenkampf, und sie setzte vor allem auf die Kinder, die zukünftigen Generationen, denen sie ihre Einsichten und Erfahrungen mitteilen wollte (Brechts *Kinderlieder* sind sicherlich auch mit Steffins Hilfe entstanden). Sie wollte vornehmlich für Kinder arbeiten. Darüber hinaus war sie aufgrund ihrer Sprachbegabtheit, aber auch ihrer Energie, sich stets neue Sprachen anzueignen, unschätzbar für Brecht. Ohne ihre Sprachkenntnisse hätte er in Dänemark vieles nicht bearbeiten und durchsetzen können.

Margarete Steffins Leben und auch Sterben hat Brecht als revolutionäre Arbeit eingeschätzt, eine Arbeit, die weiterging und existentieller war (vor allem durch die lange Krankheit durchlitten) als Brechts Engagement für die Sache. Sie ist Lehrerin und fröhliche Kritikerin; ihre revolutionäre Arbeit aber schließt Brecht fast von der »Sache«, für die sie streitet, aus:

Daß sie prüfe
Alles, was ich sage; daß sie verbessere
Jede Zeile von nun an
Geschult in der Schule der Kämpfer
Gegen die Unterdrückung.

Seitdem unterstützt sie mich –
Schwacher Gesundheit, aber
Fröhlichen Geistes, unbestechlich
Auch von mir. Oftmals
Streiche ich lachend selber eine Zeile durch, schon ahnend
Was sie darüber sagen würde.

Andern gegenüber aber verteidigt sie mich.
Ich habe gehört, daß sie vom Krankenlager aufstand
Euch den Nutzen der Lehrstücke zu erklären
Weiß sie doch, daß ich mich bemühe
Eurer Sache zu dienen. (9, 595 f.)

Selbst in den »pornographischen« Liebessonetten artikuliert sich der Respekt, den Brecht vor Margarete Steffin hatte. Er nannte sie »Muck«, nicht in Erinnerung an den kleinen Muck des Hauffschen Märchens, sondern wegen ihres Aufmuckens: »Zornig und fremd sitzt du mir gegenüber / ›Was wagt der Mensch, er ist mir unbekannt!‹ «; Supplementbd. IV, 283): eine Frau, die forderte, herausforderte wegen ihres unerbittlichen Engagements, dem Brecht nichts Adäquates entgegenzusetzen hatte. Ihre Tuberkulose, die proletarische Krankheit, war denn auch sozusagen der ständige Beweis dafür, was sie alles einsetzte und opferte. Ob die *Lieder des Soldaten der Revolution* einmal als gesonderte Sammlung geplant gewesen ist, ist noch unklar.

Texte: Gedichte 1934–1941 (= Gedichte 5). Frankfurt a.M. 1964. S. 79–85. – wa 9, 594–598.

Edgar *Marsch*: Brecht-Kommentar zum lyrischen Werk. München 1974 (S. 247). – Exil in der Tschechoslowakei, in Großbritannien, Skandinavien und in Palästina. Frankfurt a.M. 1981 (S. 482–498).

Studien 1938

Im Januar 1939 kündigt Brecht dem Leiter der American Guild for German Cultural Freedom, Hubertus Prinz zu Löwenstein, für den Hilfsfond der Organisation das Typuskript der *Studien* an: »So schicke ich Ihnen eine kleine, unveröffentlichte, in sich abgeschlossene Sammlung von Sonetten« (Briefe, Nr. 379). Diese Sammlung umfaßte sieben Sonette, und zwar *Über die Gedichte des Dante auf die Beatrice, Über Shakespeares Stück »Hamlet«, Über Kants Definition der Ehe in der »Metaphysik der Sitten«, Über Schillers Gedicht »Die Glocke«, Über Schillers Gedicht »Die Bürgschaft«, Über Goethes Gedicht »Der Gott und die Bajadere«* sowie *Über Kleists Stück »Der Prinz von Homburg«.* Wie Brechts Brief belegt, müssen die Gedichte Ende 1938 fertiggestellt gewesen sein. Da noch weitere Sonette dieser Art bestehen und Brecht selbst in der *Versuche*-Publikation der *Studien*, die acht Sonette enthält (das Sonett über Lenz' *Hofmeister* ist noch dazu gekommen), die Jahreszahl 1940 als Entstehungsdatum angegeben hat (Versuche, Heft 11, S. 80), ist es bei der Einordnung dieser Gedichte häufiger zu Ungereimtheiten gekommen. Nach den jetzt vorliegenden Informationen ist anzunehmen, daß die nicht in der 1939 nach New York geschickten Sammlung enthaltenen Sonette, die teilweise auch Fragment geblieben sind, erst später entstanden sind. Genauere Zeitpunkte lassen sich vorerst nicht ermitteln (zwischen 1939 und 1940).

Von drei Gedichten der *Studien* ist darüber hinaus bekannt, daß sie 1938 für den geplanten 3. Band der *Malik-Ausgabe* als gesonderte Lektion der *Hauspostille* vorgesehen waren (über Goethe, über Schillers *Bürgschaft* und über Dante). Die *Literarischen Sonette* sollten zwischen den *Chroniken* und den *Mahagonnygesängen* stehen. Der Plan wurde jedoch bereits vor dem Satz des Bandes wieder verworfen. Immerhin läßt sich daraus ablesen, daß Brechts Auseinandersetzung mit der bürgerlichen Literatur ziemlich bissig und tiefgreifend gemeint war. Im Kontext der Sammlung wären sie zugleich vom satirisch-parodistischen Grundcharakter des Zyklus bestimmt worden. Überdies wird deutlich, daß sich die *Studien* zunächst auf eine Auseinandersetzung mit der Literatur beschränken sollten. Das Gedicht über Michelangelos *Weltschöpfung* (Malerei) ist sicher erst später konzipiert worden. Ein weiteres Gedicht, das erstmals in der Nachlaßpublikation erschienen ist, *Über den Tod des Dichters Thomas Otway* (englischer Dichter, 1625–1685, Verfasser des *Geretteten Venedig*), fällt insofern ebenfalls aus der Reihe, als es sich nicht mit einem Werk Otways auseinandersetzt, sondern seinen Tod und die damit verbundene Legendenbildung (durch die Kirche) kritisch durchleuchtet (Otway starb letztlich durch seine Armut). Gerade dieses Gedicht (Supplementband IV, 350) kann die Charakterisierung der *Studien* als »sozialkritisch« (so die Vorbemerkung in den *Versuchen*) verständlich machen. Wo die »Sozialkritik« der anderen Sonette liegt, bedarf erst interpretatorischer Bemühungen. Brecht selbst spricht in seinen Briefen, als er die Fortsetzung der *Versuche* nach dem Krieg vorschlägt, die mit den *Studien* beginnen sollten (Heft 9), noch von »literaturkritischen Sonetten« (Briefe, Nr. 569; vom Sept. 48 an Peter Suhrkamp).

Obwohl man annehmen sollte, daß die *Studien* Deutungen geradezu herausfordern, lassen sie doch als literarische Kommentare zu weltliterarischen Kunstwerken Vergleiche, Bezüge und Spiegelungen zu, sind die Äußerungen der Forschung recht sporadisch geblieben. Es erfolgen zwar immer wieder Verweise, kaum aber eingehendere Deutungen. Lediglich die auf Schiller bezogenen Sonette sind von Gudrun Schulz im Rahmen ihrer Untersuchung über die Schillerbearbeitungen Brechts eingehender berücksichtigt worden. Sie weist dabei auch die von Hans Mayer vertretene Ansicht zurück, wonach die *Studien* »einen Höhepunkt dieser überwiegend negativen, in vielem wohl auch pseudo-marxistischen Einschätzung der deutschen Klassik und ihrer geschichtlichen Rolle« markierten (Mayer, 52). Auf dem vielen Papier, das bisher zum Thema »Brecht und das Erbe« beschrieben worden ist, bleibt der Gesichtspunkt der »Erledigung von Vergangenheit« (Erledigung im doppelten Wortsinn) merkwürdig unterrepräsentiert. Brecht konnte und wollte nicht nachträglich die Geschichte »richtigstellen«; im Gegenteil macht er eben zu dieser Zeit, als er kommentierend die Expressionismus-Debatte im *Wort* beobachtet, seinen literaturkritischen Gegnern eben diesen Vorwurf. »Da war etwas, was lebte, falsch. Ich erinnere mich immer mit einer Mischung von Vergnügen und Grauen (die es nicht geben sollte, wie?) an den Witzblattwitz, in dem ein Aviatiker auf eine Taube deutet und sagt: Tauben zum Beispiel fliegen falsch« (19, 290).

Wie wenig Brecht z. B. gegen Dante hatte, der in den *Studien* außerordentlich kritisch bedacht ist, zeigt das wenig vorher entstandene, zu den Liebessonetten gezählte *Dreizehnte Sonett* (9, 539f.). Auch dieses Sonett ist genaugenommen ein literarisches Sonett, und es preist Dante als denjenigen, der mit der Verwendung der »Vulgärsprache« des Volks ein neues, realistisches Sprechen eingeführt hat. Wenn Brecht jetzt Dantes Gedichte über Beatrice als bloße literarische Ersatzbefriedigung kritisiert, so geht das nicht persönlich gegen Dante. Dante hat bekanntlich eine unglückliche Liebschaft mit der Adelstochter Beatrice Portinari erlebt, die von ihrem Vater gezwungen wurde, eine »standesgemäße« Ehe einzugehen (mit Simone de'Bardi) und früh starb. Dante widmete ihr die Prosa und Verse (Sonette) mischende Dichtung *La vita nuova* (1292/3; *Das neue Leben*), die die unerfüllte Liebe Dantes zu Beatrice idealisiert: die Geliebte steigt schließlich zum Himmel auf und nimmt ihren Platz unter den Seligen ein. Brechts Gedicht holt die Idealisierung wieder auf den Boden der Tatsachen zurück – übrigens recht deutlich –, kritisiert mit ihm aber vor allem das in Dantes Gedicht verdeutlichte Verhalten. Gemeint ist die bürgerliche Haltung der Kontemplation, der Theorie ohne Praxis, und zwar auch in der Kunst. Nicht der wirkliche Umgang – mit Menschen, mit Dingen – bringt sie »näher«, die Ansicht allein soll schon genügen. Dantes Dichtung ist ein Dokument dieses unpraktischen Verhaltens, zugleich aber auch einer unrealistischen Dichtung, die umschwärmt, erhöht, als Gipfel von Vollkommenheit ausgibt, was dem Dichter gar nicht bekannt geworden ist (das Gedicht schließt die Möglichkeit durchaus ein, daß Beatrice sich womöglich als frigide Dame herausgestellt hätte, die Dante bald sattgehabt hätte). Dadurch daß Dantes *La vita nuova* klassisch geworden ist, hat es Vorbildcharakter gewonnen, mit dem die Nachgeborenen sich auseinanderzusetzen haben. Denn das, was Dante beschreibt, ist Empfehlung für »richtiges«, angemessenes Verhalten für die Späteren geworden: *deshalb* muß Dantes Dichtung, nicht Dante selbst, kritisiert werden. Das Gedicht erfaßt den Vorgang des Weitergebens der kritisierten Erfahrung als Befehl:

> Denn er befahl uns, ihrer zu gedenken
> Indem er solche Verse auf sie schrieb
> Daß uns fürwahr nichts andres übrigblieb
> Als seinem schönen Lob Gehör zu schenken. (9, 608)

Der »Befehl« resultiert aus der klassischen Güte der Verse. Sie sind so gut, so nachhaltig, daß den Nachgeborenen nichts übrigbleibt, als sie zu lesen, sie zu hören. Daran ändert auch die kritische *Studie* nichts. Aber sie warnt, mit der Schönheit der Verse zugleich deren Inhalte gutzuheißen. Dieser Widerspruch zwischen klassischer Darstellung und idealisiertem Inhalt wird durch die *Studie* als produktiver Widerspruch weiterer Rezeption der Dichtung Dantes weitergegeben.

Die Sozialkritik, die Brecht für seine Sonette reklamiert, ist in der unausgesprochenen »Umfunktionierung« der klassischen Dichtung durch widersprechende Rezeption verborgen.

> Seit dieser schon beim bloßen Anblick sang
> Gilt, was hübsch aussieht, wenn's die Straße quert
> Und was nie naß wird, als begehrenswert. (9, 608)

Die Erfahrung des entzogenen (und wohl behüteten) Geschlechts der Frau gilt auch für die Dichtung, die sich nicht »in den Regen stellt«, das heißt im Fauteuil verbleibt, sich nicht an und in der Realität erprobt. Das Bild vom Regen, der den Leuten in den Kragen tropft, hat Brecht im *Me-ti* für die Konkretisierung von Kunst und ihrer sozialen Rolle verwendet: »Die Kunst rechnet nicht nur mit dem heutigen Tag, sagte ich versucherisch. Da es immer solche Regentropfen geben wird, könnte ein Gedicht dieser Art [reine Beschreibung des Geräusches fallender Regentropfen] lange dauern. Ja, sagte er [Me-ti] traurig, wenn es keine solchen Menschen mehr geben wird, denen sie zwischen Kragen und Hals fallen, kann es geschrieben werden« (12, 509). Sich-nicht-naßmachen sagt der sog. »Volksmund«, um eine Haltung zu beschreiben, die sich der Realität nicht aussetzt, aber auch Angst davor hat, sich ihr auszusetzen. Brechts Gedicht stellt nicht nur das Geschlecht (die Verkehrsmetaphern sind auch zu beachten) »in den Regen«, sondern fordert mit seinem »Naßwerden« zugleich eine Dichtung, die sich an der Praxis der Gesellschaft orientiert. Schon damit übernimmt sie eine soziale Funktion.

Deutlicher ausgesprochen ist die Sozialkritik in den Gedichten über Schillers Gedichte. So befragt ein Sonett Schillers *Glocke* nach ihrem zeitgeschichtlichen Kontext, konkret nach der Französischen Revolution. Schillers Bilder, die vom allgemeinen Frieden künden, erhalten durch die Verweise auf die entfesselten »Elemente« des Volkes ihre reale Widersprüchlichkeit zurück. Das bei Schiller gezähmte Element des Feuers, »diese Tochter der Natur«, provoziert bei Brecht das Bild der roten Jakobinermütze, das zügellos durch die Gassen wandelt und den alten Dienst (»Wohltat des Feuers«) aufkündigt (9, 610f.).

Auffällig ist, daß Brecht in beiden Schiller-Sonetten das »revolutionäre Element« als »Natur« beschreibt. Denn auch im Gedicht über die *Bürgschaft* bietet sich dem Schuldner die Natur als mögliche Ausflucht an, die dieser jedoch nicht annimmt, sondern stur zurückkehrt, um den Bürgen auszulösen. Wenn Brecht sich der Schillerschen idealistischen Lösung des berühmten Gedichts versagt – das Beispiel des Freundes, dessen Rückkehr der Tyrann nicht erwartet, überwältigt den Tyrannen zur Menschlichkeit –, dann nicht aus mangelndem Verständnis, nicht aus einseitiger Bosheit. Da Brecht das zweite Schiller-Sonett stets dem ersten (zur *Glocke*) nachgestellt hat, ist – es handelt sich um zyklische Anordnung – die »Natur« bereits definiert und der Leser entsprechend aufgefordert, alle Hindernisse, die sich Möros auf seinem Rückweg entgegenstemmen, als – für Schiller unbewußt gebliebene – Zeichen für Widerständigkeiten der Zeit zu nehmen, die *diese* idealistische Lösung verhindern wollten. Brechts boshafte Pointe: »Am End war der Tyrann gar kein Tyrann!« (9, 611) bringt den Idealismus Schillers auf den neuralgischen Punkt. Indem sich der Tyrann von der Treue und Freundschaft des Freundespaares überwältigen läßt, ist alles, was an realer Tyrannei vorher beschrieben ist (immerhin wollte Damon den Tyrannen ermorden), plötzlich nichtig geworden. Das Gedicht beseitigt in seinem Verlauf – gegen den die Natur sich stemmt – die von ihm selbst beschriebene und beklagte Realität. Dieser Widerspruch steckt prinzipiell bereits in Schillers Gedicht selbst, insofern es sich ausgiebig auf Realitätsdarstellung einläßt und ja am Beginn – mit Damons Mordplan – eine andere Lösung selbst erwägt. Dadurch daß Brecht mit der »Natur«, die »manche Ausflucht bietet«, die revolutionäre Lösung mitgestaltet, erfaßt er Schillers Dichtung in ihrem realen Widerspruch der Zeit, der zugleich Ausdruck der »Deutschen Misere« ist. Der Klassiker kennt und gestaltet die tyrannischen Zustände seiner Zeit, verweigert ihr aber die Lösung, die die Französische Revolution vollzogen hat, nämlich die Propagierung einer realen Umwälzung der Verhältnisse. In Deutschland vollzieht sich die Umwälzung in den Köpfen, und auch noch genau in die entgegengesetzte Richtung: man beseitigt die Widrigkeiten, indem man sie als nichtig erklärt oder sie einfach übersieht.

Es sei noch einmal festgehalten, daß der Vorwurf der Forschung (z. B. Schulz), Brecht werde den »studierten« klassischen Vorlagen nicht gerecht, an den Texten insofern vorbeigeht, als diese ja mit der klassischen Rezeption der »gedeuteten« Dichtungen rechnen. Es handelt sich durchweg um Dichtungen, die durch den traditionellen

Gymnasialunterricht vermittelt werden und damit auch unmittelbar »parat« sind (auch mit ihren üblichen Deutungen). Die Verweigerung der bekannten Auslegung der Texte ist für die andere Art der Rezeption, die die *Studien* provozieren, mitkonstitutiv. Ich erinnere nur daran, daß Brecht Goethes Gedicht *Der Gott und die Bajadere* bereits zur Schulzeit auswendig gekannt hat. Überliefert ist ein hinreißender Vortrag des Gedichts zur Klampfe in einer anrüchigen Schieberkneipe Augsburgs durch Brecht (Frisch/Obermeier, 155–157). Mit diesen Hinweisen löst sich auch der eigenwillige Titel für diese Gedichte ein. Sie wollen zu einem Neu-Studium, zu einer Neu-Rezeption der klassischen Literatur anhalten, nicht um sie richtigzustellen, sondern in ihr die für sie bereits bestehenden Widersprüche aufzudecken. Gerade im Zusammenhang mit der zur Zeit (1938) laufenden Expressionismus-Debatte, in der die klassische bürgerliche Literatur den gegenwärtigen Schriftstellern zum Vorbild erhoben wird (durch Lukács, durch die Doktrin des »sozialistischen Realismus«), besteht Brecht auf den ihr eigenen Widersprüchen, aber auch auf ihrem Mangel, zu praktischen, zu revolutionären Lösungen zu kommen, obwohl sie sich regelrecht aufgedrängt haben. Brecht rät zu einem kritischen Umgang mit der Vergangenheit, zu ihrer angemessenen Erledigung, nämlich zu ihrer Aufarbeitung, aber auch, sie abzulegen – als Vergangenheit.

Die klassische Sonett-Form der *Studien* ist ebenfalls als Kommentar zur laufenden Debatte über Realismus und Formalismus (Expressionismus-Debatte) zu werten. Anders als in den Liebessonetten, in denen die Form neben ihrem spielerischen Charakter vor allem die »obszönen« Inhalte »aufheben« soll (ganz abgesehen davon, daß dort auch die literarisch fortschrittliche Tradition des Danteschen Sonetts einbezogen ist), wirkt die klassische Form in diesen Sonetten provokativ (überdies ist der regelmäßige fünffüßige Jambus als Metrum zugrundegelegt). Mit der klassischen Form formuliert sich der Widerspruch zur Klassik. Wo die »Formalisten« die unkritische Übernahme der alten »realistischen« Formen propagieren, stellt Brecht ihnen die heile Form mit »brüchigen« Inhalten entgegen. Er argumentiert subversiv. Indem er die Inhalte der Form widersprechen läßt, führt er den ästhetischen Nachweis, daß die Form nur sekundär ist, ja sogar Intaktheit, Harmonie vorspiegeln kann, wo sie bei genauerer Nachprüfung gar nicht herrscht.

Texte: Versuche, Heft 11, Berlin 1951, S. 80–88 [acht Sonette mit der Vorbemerkung: »›Studien‹, um 1940 geschrieben, gehören wie die ›Chinesischen Gedichte‹ in Heft 10 zum 23. Versuch. Diese sozialkritischen Sonette sollen natürlich den Genuß an den klassischen Werken nicht vereiteln, sondern reiner machen«]. – Gedichte 1934–1941 (= Gedichte IV). Frankfurt a. M. 1961. S. 159–168. – wa 9, 608–617. – Supplementband IV, 350.

Hans *Mayer*: Bertolt Brecht und die Tradition. München 1965 (S. 50–61). – Gudrun *Schulz*: Die Schillerbearbeitungen Bertolt Brechts. Tübingen 1972 (S. 159–165; mit früheren Fassungen des Gedichts über die *Glocke*). – Edgar *Marsch*: Brecht-Kommentar zum lyrischen Werk. München 1974 (S. 252–255; dort verschiedene Einzelhinweise, aber nicht vollständig). – Christiane *Bohnert*: Brechts Lyrik im Kontext. Königstein/Ts. 1982 (S. 31).

Fehlanzeige in: Werner *Mittenzwei*: Brechts Verhältnis zur Tradition. Berlin 1973 (S. 154; kurze, aber falsche Hinweise zum Goethe-Sonett).

Werner *Frisch*/ K. W. *Obermeier*: Brecht in Augsburg. Berlin und Weimar 1975 (S. 155–157).

Chinesische Gedichte 1938

Dank der vielfältigen Bemühungen Antony Tatlows gehören inzwischen die *Chinesischen Gedichte* zu den bestkommentierten und -dokumentierten Dichtungen Brechts. Sowohl in eigenen Arbeiten als auch in Arbeiten seiner Schüler (Berg-Pan) haben die wenigen »Übersetzungen« beinahe repräsentativen Charakter gewonnen, und dies obwohl Brecht kein Chinesisch konnte und durchweg, wie Tatlow nachweist, recht mäßigen Übersetzungen (durch Arthur Waley) folgen mußte. Das Ergebnis ist freilich scheinbar paradox. Brechts Gedichte treffen Ton, Haltung und Duktus des chinesischen Originals besser als die Übersetzungen, auf die er angewiesen war. Tatlow hat – als Kenner des Chinesischen – nachgewiesen, daß Brecht, »der sich oft kaum von seiner Vorlage entfernt, dennoch ein eigenes Gedicht daraus macht und uns oft gleichzeitig zum chinesischen Original zurückführt, das er selbst nicht kennt« (Tatlow, 9). Entsprechend kann Tatlow Mayers Urteil, Brechts spätere Lyrik sei »ohne das chinesische Vorbild nicht zu denken« (Mayer, 99), zurückweisen, da der Vorgang genau umgekehrt ist. Die *Chinesischen Gedichte* kommen deshalb dem Original so nahe, weil Brecht sie den »eigenen, schon entwickelten Formen anpaßt«, und zwar dem (freien) eigenrhythmischen Vers mit gestischem Charakter. »Man sollte wohl eher sagen, daß Brecht sich deshalb von der chinesischen Lyrik oder vielmehr von diesen Gedichten angezogen fühlte, weil sie gewisse Eigenschaften seiner eigenen Lyrik teilen, nämlich erstens die Tradition der Sorge um die Gesellschaft, zweitens den vergleichsweise direkten, umgangssprachlichen Ton und drittens die elliptische Präzision der Verse, die im Original viel stärker in Erscheinung tritt als in Waleys diffuseren Versionen« (Tatlow, 24). Diese Feststellung trifft sich mit dem hier dargestellten Sachverhalt, daß der »neue«, karge und einfache Ton der Lyrik des (ersten) Exils aus den sozialen und politischen Umständen der Zeit und des antifaschistischen Kampfes entwickelt, also – wie Brechts Sprache und Dichtung zunehmend überhaupt – den realen Verhältnissen folgt und sich nicht irgendwelcher zufälliger Lektüre verdankt (was ein geistesgeschichtliches, idealistisches Argument wäre).

Die *Chinesischen Gedichte* im engeren Sinn umfassen sechs Nachdichtungen, die 1937/38 entstanden und erstmals unter diesem Namen 1938 in der Exilzeitschrift *Das Wort* erschienen sind. Es handelt sich um die Gedichte *Die Freunde* (nach einem unbekannten Dichter um 100 v. Chr.; 9, 618), *Die [große] Decke* (nach Po Chü-yi; 9, 618), *Der Politiker* (nach Po Chü-yi; 9,619 f.), *Der Drache des schwarzen Pfuhls* (nach Po Chü-yi; 9, 620 f.), *Ein Protest im sechsten Jahre des Chien Fu* (nach Ts'ao Sung, 870–920; 9, 621) und um *Bei der Geburt seines Sohnes* (nach Su Tung-p'o, 1036–1101; 9, 684 innerhalb der *Svendborger Gedichte*). Brecht versah die Gedichte mit einigen Hinweisen im Anhang (Heft 8, S. 157), in denen er darauf verweist, daß die Übertragung ohne Zuhilfenahme der Originale nach den Nachdichtungen von Arthur Waleys verfaßt worden seien (da übrigens noch mit dem Hinweis, daß diese Nachdichtung als hervorragend von den Sinologen eingeschätzt würde).

Die *Chinesischen Gedichte* erscheinen erneut 1950 in den *Versuchen*, da aber nicht mehr in der ursprünglichen Reihenfolge und außerdem erweitert um die Gedichte *Der Blumenmarkt* (nach Po Chü-yi; 9, 619 f., zwischen *Freunde* und *Großer Decke*), *Ansprache an einen toten Soldaten des Marschalls Chiang Kai-Shek* (nach Kuan Chao; 10, 1069 f.) und schließlich *Gedanken bei einem Flug über die Große Mauer* (nach MaoTse-tung; 10, 1070 f.), so daß der Zyklus nun neun Gedichte umfaßt. Außer dem *Blumenmarkt*, der im Zusammenhang des ersten Zyklus der *Chinesischen Gedichte* entstanden ist (warum er dort nicht erschien, ist ungeklärt), stammen die beiden abschließenden Gedichte aus dem Jahr 1949. Bei dem Gedicht nach Mao Tse-tung hält sich in der Literatur eine falsche Jahreszahl der Entstehungszeit; sie ist von Tatlow unter Berufung auf divergierende Quellen eingeführt worden, nämlich das Jahr 1936 (Februar) als Entstehungsjahr und 1945 als Jahr der Erstpublikation (Tatlow, 149). Das ist aber falsch. Die Auskünfte des Arbeitsjournals sind sowohl im Hinblick auf das Kennenlernen des Mao-Gedichts als auch im Hinblick auf die Entstehungszeit der Nachdichtung eindeutig (AJ 883; vom 29. 12. 1948, und AJ 893; vom 20. 1. 1949). Die Angaben werden überdies bestätigt durch Hanns Eisler (Hans Bunge: Fragen Sie mehr über Brecht. Hanns Eisler im Gespräch. München 1970. S. 50–57), der Brecht das Mao-Gedicht übermittelt hat. Möglicherweise ist ein Anlaß für die Fehldatierung, daß die *Schriften zur Literatur und Kunst* unter der Angabe »August 1938« die *Anmerkungen* von 1950 (Versuche, Heft 10, S. 143) abdrucken, also eine andere Textfassung als die der Erstausgabe von 1938, die vom Mao-Gedicht noch nichts weiß (vgl. 19, 424 f.; die dortige Zeitangabe wäre also zu korrigieren bzw. der alte Text, der kürzer ist, einzusetzen). Der Kommentar von Marsch ist den widersprüchlichen Angaben aufgesessen und verzeichnet nun alle Daten nebeneinander (Marsch, 264).

Weiterhin zählt Antony Tatlow zu den *Chinesischen Gedichten Resignation* (nach Po Chü-yi; 10, 1067) und *Der Hut, dem Dichter geschenkt von Li Chien* (nach Po Chü-yi; 10, 1068; beide November 1944 entstanden, s. AJ 707; vom 29. 11. 1944, und AJ 708; vom 30. 11. 1944; dort finden sich die vollständigen Gedicht-Texte, allerdings in der üblichen Kleinschreibung, die nicht in die Ausgaben übernommen worden ist; von *Resignation* gibt es eine zweite Übersetzung »in unregelmäßigen rhythmen ohne reim«, die erst in den Nachlaßbänden Eingang in die *Werkausgabe* gefunden hat; Supplementband IV, 378). Hinzu kommt ebenfalls nach Po Chü-yi das nicht genauer datierbare, aber wohl in gleicher Zeit entstandene Gedicht *Des Kanzlers Kiesweg* (10, 1068 f.). Die Werkausgabe ordnet diese Gedichte mit den 1949 entstandenen Gedichten in ihren Anhang *Übersetzungen – Bearbeitungen – Nachdichtungen* (10, 1049 ff.) ein, verfährt dabei allerdings außerordentlich inkonsequent, weil sie unter *Chinesischen Gedichten* auf diese Weise weder Brechts Zusammenstellung von 1938 noch die von 1950 wahrt, sondern beide miteinander mischt und dazu noch mit dem falschen Kommentar versieht.

Hinzu kommt, daß die Fassungen der Gedichte von 1938 doch erhebliche Unterschiede zu den bearbeiteten Fassungen von 1950 aufweisen. Die letzteren sind erst »klassisch«, haben erst den »eigentlich chinesischen Ton«, mit dem man eben nicht operieren kann, wenn man Brechts »Stil« von 1938 untersucht, wie es Peter Paul Schwarz tut (36–49). Die sechs Gedichte von 1938 sind durchaus – wie sie sich auch selbst verstehen – »Übertragungen« nach Waley, dessen Qualität Brecht, wie gesagt, damals noch als überragend eingeschätzt hat. Der Übertragungscharakter wird nicht nur äußerlich dadurch deutlich, daß Brecht im *Wort* nicht wie üblich die Zeilenanfänge groß schreiben läßt, sondern auch dadurch, daß sie sich eng an die Vorlage halten und tatsächlich zu übersetzen versuchen. Daß dennoch ein »Brechtscher Ton« entsteht, liegt daran, daß Brecht den Zeilenstil (Syntax- und Versgrenze fallen zusammen) Waleys aufgibt und »rhythmisch bricht« (Anwendung der unregelmäßigen Rhythmen ohne Reim). Eine historisch genau verfahrende Analyse muß auf die Erstfassungen zurückgreifen, was insofern einfach ist, weil ein Nachdruck der Exilzeitschrift *Das Wort* vorliegt und außerdem die Untersuchung von Tatlow die Erstfassungen enthält und ausgiebig kommentiert.

Po Chü-yi ist der für die *Chinesischen Gedichte* Brechts maßgebliche Dichter. Er lebte von 772 bis 846, stammte aus einer Beamtenfamilie, verarmte nach dem Tod seines Vaters, diente sich nach ausgiebigen Studien allmählich nach vielen Provinzstationen in der Beamtenhierarchie hoch, um schließlich immerhin im Rang eines Justizministers pensioniert zu werden. Freilich war die Karriere mit einigen Hindernissen versehen, zumal Pos Kenntnisse der Leiden des Volks aufgrund eigener Erfahrungen offenbar so tiefgreifend waren, daß er sie als Regierungsbeamter nicht vergessen mochte. So handelte er sich zweimal das Exil ein. Brecht schreibt darüber in den *Anmerkungen* (Texte sind in diesem Fall identisch): »Er wurde zweimal ins Exil geschickt. In zwei langen Denkschriften, betitelt ›Über das Abstoppen des Krieges‹, kritisiert er einen langen Feldzug gegen einen kleinen Tartarenstamm, und in einem Zyklus von Gedichten satirisierte er die Räubereien der Beamten und lenkte die Aufmerksamkeit auf die unerträglichen Leiden der Massen. Als der Kanzler von Revolutionären getötet wurde, kritisierte er ihn, weil er nichts getan hatte, die allgemeine Unzufriedenheit zu lindern, und wurde verbannt. Sein zweites Exil verdankte er seiner Kritik des Kaisers, dessen Mißregierung er für die Umstände verantwortlich machte« (19, 424). Die Anknüpfungspunkte für Brecht ergaben sich in zweierlei Hinsicht. Po Chü-yi war ein historisches Beispiel dafür, daß rechtschaffene und gerechte Kritik die Herrschenden so verunsicherte, daß sie dadurch sich zu Gegenmaßnahmen veranlaßt sahen. Wenn Worte und Dichtungen auch die Welt nicht (unmittelbar) veränderten, so saßen die Herrschenden doch mit dem kritischen Wort unsicherer, unbequemer. Der Widerstand lohnte also, und Po Chü-yis Ansehen in der Nachwelt ergab sich gerade aus dem Mut seiner Kritik, formuliert in der »einfachen« Sprache des Volkes, die, wie Brecht ironisch vermerkt, »sorgfältig« geschrieben sein muß. Zugleich, das ist der zweite Gesichtspunkt, spiegelte sich in der Exilierung Po Chü-yis Brechts gegenwärtige Situation, ließen sich also die geschichtlichen Erfahrungen für die Haltung zur gegenwärtigen Zeit fruchtbar machen. Eine kritische Einstellung gehört zu großer realistischer (und für die Massen verständlicher) Literatur dazu, deren größte Auszeichnung für Brecht die »Volksläufigkeit« war, nämlich wenn die Gedichte und Sprüche im Volk zitiert und an die Wände der Häuser, von Dorfschulen, Tempeln und Schiffen, geschrieben wurden. Brecht fand, um dies noch einmal zu betonen, weil immer noch trotz Tatlows Nachweisen das »stilistische Argument« verbreitet wird (Schwarz, passim), bei Po Chü-yi eine Dichtung vor, die seinen eigenen, bereits entwickelten Vorstellungen von Dichtung in schwierigen Zeiten entsprach. Sicher war da auch viel zu lernen, aber der »Stil« kommt bei Brecht nicht aus der Literatur, sondern aus der Realität der Zeit, und diese eben hatte zu einer neuen, verkürzten, »sachlichen Sprache« geführt, die Brecht damals mit der der *Deutschen Kriegsfibel* (innerhalb der *Svendborger Gedichte*) benannte.

Freilich war Brecht auch von den Themen der Vorlagen angezogen, die sich dann nicht mehr nur auf Po Chü-yi beschränkten. Nach allem, was Brecht von Waley über seine Vorlagen erfahren konnte, mußten die auf den ersten Blick womöglich sehr allgemein und unkritisch erscheinenden Gedichte der Chinesen als Sozialkritik aufgefaßt werden. Daß bei der Versicherung ewiger Freundschaft ausgerechnet die sozialen Differenzen als Prüfstein herhalten müssen, war Brecht Beleg genug, daß die alte chinesische Gesellschaft eben den Fehler aufgewiesen hatte, den Brecht an seiner

Gesellschaft bemängelte *(Die Freunde).* Daß die Menschen in den Vorstädten froren und diesem Zustand nur doppeldeutig durch eine riesige Dekke abzuhelfen war, überlieferte das 2. Gedicht (*Die Decke*; später *Die große Decke*); daß verdiente Politiker plötzlich ins Exil gejagt wurden, vermittelte den Nachgeborenen, daß auch die Mitläufer und Mittäter durchaus nicht sicher saßen *(Der Politiker*), oder daß man sich irgendwelche Götzen schuf, hier einen Drachen, um ihm allen Segen zuzuschieben, mit dem sich dann Beamte und Gewinnler aller Art vollstopften, dies war schon bei den Chinesen durchschaubar gewesen. Noch heute werden – Brecht sah die Parallelität der »Formen« – die Religionen, meist unter aktiver Mithilfe ihrer »Vertreter«, von den Herrschenden so ausgeschlachtet. Brecht gefiel, wie er allerdings erst später vermerkte (AJ 706; vom 28. 11. 1944), die Verbindung der hochbrisanten politischen Themen, deren Vortrag didaktisch angelegt war, mit Artistik und Amüsement in den chinesischen Vorlagen. Da gab es keine Wehleidigkeit, keinen Mitleid heischenden Ton, sondern den überlegenen Ton des Realitätserfahrenen, der wußte, daß er mit seinen Gedichten schon viel erreicht hatte, wenn ihr eingängiger Ton »ankam« und wenn der Inhalt ein wenig über die Realitäten der Zeit informierte. So endet z. B. das Gedicht vom exilierten Rat des Kaisers, der vor Tag noch in höchsten Ämtern war und beim Kaiser ein- und ausging:

> So ist es immer mit den Räten der Könige.
> Gunst und Ungnade zwischen zwölf Uhr und Mittag.
> Grün, grün, das Gras der östlichen Vorstadt, durch das
> die Straße zu den Hügeln führt! Zuletzt
> hat er den ›Coup‹ gemacht, der nicht fehlgehn kann.
> (Das Wort, Heft 8, S. 87 f.; Tatlow, 54)

Das zunächst recht konkret den Vorgang der Exilierung beschreibende Gedicht geht am Ende über in ein allgemeines, naturnahes Bild, das durchaus doppeldeutig ist. Das Gedicht wird »erzählt« von einem lyrischen Ich, das Zeuge wird auf dem alltäglichen Gang als Kräuterhändler zur Stadt, wie der ehemals hochangesehene Politiker gehetzt und gejagt aus dem Tor der östlichen Stadt reitet. Dieser Vorgang scheint zunächst mit allen Negativ-Zeichen besetzt zu sein, für Mitleid mit dem Gejagten zu plädieren, Anlaß zu sein, die politischen Zustände zu beklagen. Der Kräutersammler jedoch sieht den Weg ins Exil als einen Weg in sein »Reich«, in seine Natur und kommentiert, daß vielleicht doch der Exilierte dadurch, daß er den politischen Zuständen entfliehen kann, gerade seinen »Coup« gelandet hat: das Exil als Befreiung. Damit ist die Kritik an der Politik keineswegs dispensiert, als ja die »Freiheit« im »Grünen« (das Original bringt noch das Wolkenbild hinzu) polemisch gegen die unzuverlässigen und wankelmütigen politischen Zustände zeugt, mehr noch, eine Befreiung von den politischen Zuständen gutheißt, befürwortet. Gesprochen von einem, der nicht tagtäglich in der Stadt und ihrem Reglement lebt, der das »andere« kennt, also über andere, aber auch umfassendere Realität verfügt, artikuliert sich ein Wissen, eine Erfahrung, die im politischen Aufstieg, in der Jagd nach Gunst, nach Würden und Ämtern, nicht alles, nicht die eigentliche Lebenserfüllung sieht. Die Kritik bleibt freilich »allgemein«, weise, distanziert. Wie sehr aber Brecht diese Haltung im Hinblick auf die chinesische Weisheit behagte, beweist die Umarbeitung dieses Schlusses für die Ausgabe von 1950:

> Grün, grün das Gras der östlichen Vorstadt
> Durch das der Steinpfad in die Hügel führt, die
> friedlichen
> Unter den Wolkenzügen. (9, 620)

Das Bild ist noch allgemeiner, noch »unpolitischer« (im beschriebenen Sinn) geworden; jedoch – das wird ein Kennzeichen der späteren Lyrik Brechts werden – verweisen die Naturbilder nun auf Politisches, haben sie nun zwei Ebenen, die mit dem Naturbild zugleich ein politisches Bild erfassen.

Texte: Chinesische Gedichte. In: Das Wort, Heft 8, 1938 (Moskau), S. 87–89 (*An den Rand geschrieben* [d. i. die allgemeine Überschrift für alle Anmerkungen des Hefts], S. 157). – Versuche, Heft 10, S. 135–142 (*Anmerkungen*, S. 143). – Gedichte 1934–1941 (= Gedichte IV). S. 147–158 (nach der Versuche-Fassung einschließlich der *Anmerkungen*). – wa 9, 618–621, 684. – wa 10, 1068–1071. – Supplementband IV, 378.

Vorlagen: Arthur *Waley*: One Hundred and Seventy Chinese Poems. New York 1919. – Ders.: Translations From the Chinese. New York 1941. – Antony *Tatlow*: Brechts chinesische Gedichte. Frankfurt a. M. 1973 (mit Abdruck der chinesischen und englischen Gedichte sowie von Brechts Erstfassungen). – Edgar *Marsch*: Brecht-Kommentar zum lyrischen Werk. München 1974 (S. 255–264). – Peter Paul *Schwarz*: Lyrik und Zeitgeschichte. Brecht: Gedichte über das Exil und späte Lyrik. Heidelberg 1978 (S. 36–49). – Renata *Berg-Pan*: Brecht and China. Bonn 1979 (S. 179–290).

Hingewiesen sei noch auf Tatlows weitere Arbeit: The Mask of Evil. Bern u. a. 1977 (S. 81–152; der Zugriff ist hier umfassender, im Hinblick auf Brecht jedoch nicht über das Buch von 1973 hinausgehend).

Die große Decke (1938)

Das Gedicht steht mit dem chinesischen Original Po Chü-yis nur in sehr lockerem Zusammenhang, denn die chinesische Fassung hat vierzehn Verse, die die Not des Volkes mit vielen Einzelheiten ausbreiten, ehe dann am Ende die in Brechts Gedicht formulierte Pointe kommt (Text bei Tatlow, 41 f.). Brecht folgt der Übersetzung Arthur Waleys, die ebenfalls nur vierzeilig ist und auch nur die Schlußpointe (nach der Frage) fixiert:

> The Big Rug
>
> That so many of the poor should suffer from the cold
> what can we do to prevent;
> To bring warmth to a single body is not much use.
> I wish I had a big rug ten thousand feet long,
> Which at one time would cover up every inch of the city.
> (Text bei Tatlow, 40)

Die erste Fassung von Brechts Gedicht, 1938 im *Wort* publiziert, lautet:

> Die Decke
>
> Der Gouverneur, von mir befragt
> was, den Frierenden unserer Stadt zu helfen, nötig sei
> antwortete: eine zehntausend Fuß lange Decke
> welche die ganzen Vorstädte einfach zudeckt.

Eine weitere Fassung, die vermutlich 1940 entstanden ist, geht in die 2. Szene *(Der Tabakladen)* des *Guten Menschen von Sezuan* ein. Sie eliminiert das lyrische Ich, da die szenische Konstellation – Shui Ta spricht – eine allgemeinere Formulierung (anonym) erfordert:

> Der Gouvernör, befragt, was nötig wäre
> Den Frierenden der Stadt zu helfen, antwortete:
> Eine zehntausend Fuß lange Decke
> Welche die ganzen Vorstädte einfach zudeckt.
> (Versuche, Heft 12, S. 26)

Die spätere Druckfassung von 1950 läßt sich als Mischung der beiden frühen Varianten beschreiben. Sie stellt das lyrische Ich wieder her, übernimmt aber die die Inversion (komplizierte Satzstellung, Umkehrung der »Normalfolge«) tilgende Dramenfassung im ersten Satz. Ohne Zweifel haftete der ersten Formulierung eine gewisse Kühnheit an, sie erschien aber Brecht wohl zu manieriert, weil ja auch das Prädikat (»antwortete«) des Satzes erst im dritten Vers steht:

> Die große Decke
>
> Der Gouverneur, von mir befragt, was nötig wäre
> Den Frierenden in unsrer Stadt zu helfen
> Antwortete: Eine Decke, zehntausend Fuß lang
> Die die ganzen Vorstädte einfach zudeckt.
> (9, 618)

Das Gedicht ist epigrammatisch: kurz, auf die Pointe hin gespannt, aber auch doppeldeutig. Gegenüber Waleys Fassung, die mit einem überlangen Vers in Frageform beginnt, zeichnet sich Brechts Gedicht durch seinen dialogischen Charakter aus, den alle Fassungen aufweisen. Die Frage Waleys wird bei Brecht direkt gestellt und »personalisiert«. Es gibt also Parteien in Brechts Gedicht, und mit der Nennung des Gouverneurs ist der politisch Verantwortliche personal »dingfest« gemacht. Dazu gehört auch, daß Brecht nicht allgemein von der Stadt, die auf jedem Meter abgedeckt werden soll, spricht, sondern von den »Vorstädten«, also den Stadtteilen, in denen die Armen zu wohnen pflegen. Ohne daß dies weiter ausgeführt wäre, weist der veränderte Begriff auf die bestehenden sozialen Unterschiede hin, die übrigens auch im chinesischen Original so ausgedrückt werden (freilich ist da auch von der Stadt – Lo yang – allgemein die Rede). Die Doppeldeutigkeit entsteht dadurch, daß die Antwort des Gouverneurs – so jedenfalls lautet das Angebot Tatlows – sowohl meinen kann, daß niemand in der Lage ist, der Not zu begegnen, als auch, daß die Not am günstigsten dadurch zu beseitigen ist, indem man sie übersieht. Die erste Deutung legt der Kontext des *Guten Menschen* nahe. Shui Ta verteidigt dort seine harte Haltung gegenüber dem Schreiner, der bald von ihm hereingelegt werden wird: »Das Unglück besteht darin, daß die Not in dieser Stadt zu groß ist, als daß ein einzelner Mensch ihr steuern könnte. Darin hat sich betrüblicherweise nichts geändert in den elfhundert Jahren, seit jemand den Vierzeiler verfaßte:« (4, 1512). Da sich das Gedicht im Stück dem Zuschauer aber als falsche Apologie von unakzeptablen Zuständen mitteilt, enthält auch die Stück-Fassung bereits die zweite Deutung in sich. Um jedoch ihre ganze Dimension aufzunehmen, sollte betont sein, daß der Zynismus der Antwort sich daraus ergibt, daß der Gouverneur ein sehr konkretes, »poetisches« Bild wählt. Es impliziert ja »Hilfe« (die Frierenden erhalten eine Decke, die wärmt), demonstriert aber gerade in seiner Konkretion die Unmöglichkeit, mit ihr irgend etwas an den Zuständen zu ändern. In der Konkretion des Bildes formuliert sich der eigentliche Sinn der Pointe, daß die scheinbare Hilfe lediglich dazu da ist, die realen Zustände zu verschweigen, die große Decke der Nichtbeachtung auszubreiten. Was zugedeckt ist, existiert nicht. Die Bereitschaft, das Unglück der Armen wenigstens zur Kenntnis zu nehmen – was ja zunächst einmal die erste und billigste Voraussetzung dafür ist, etwas zu verändern –, ist bei den Herrschenden nicht gegeben, ja sie geben sogar noch ihre Nichtbeachtung und mangelnde Fürsorge als Tat für die Armen aus (die politische Propaganda ist ebenfalls in der bildlichen Konkretion des Gedichts angelegt, zu vergleichen wären die vielen »schönen« Bilder politischer Sprache, heute z. B. »Freisetzung« für Entlassung und Arbeitslosigkeit, »Talsohle« für wirtschaftlichen Rückgang etc.).

Das kurze Gedicht gibt den in ihm realisierten Dialog an den Leser weiter. Im Inschriftencharakter des Gedichts entfaltet sich die Prägnanz angemessener Fragestellung, aber auch der krude Einsatz poetischer Sprache in der Politik: sie ästhetisierend. Erfaßt ist damit zugleich auch die zeitgenössische Politik der Nazis, die auf die Ästhetisierung der Politik setzten und mit ästhetischen Formen die wahren Ziele und die wahren Handlungen verdeckten. Brecht antwortet – ohne großen ideologischen Aufwand – mit der Politisierung der Ästhetik. Die kurze, prägnante Formulierung des poetischen Bildes – im Zusammenhang der dialogischen realisierten Gegensätze zwischen Herrschaft und Knechtschaft – hält den Leser an, das Bild zu konkretisieren und in den damit verbundenen Konsequenzen auszudenken: so enthüllt es seine ganze Verlogenheit.

Texte: Die Decke. In: Das Wort, Heft 8, 1938 (Moskau), S. 87. – [Vierzeiler innerhalb des *Guten Menschen von Sezuan* in:] Versuche, Heft 12, Berlin 1953 [= Erstausgabe], S. 26. – Versuche, Heft 10, Berlin 1950, S. 135 [Chinesische Gedichte]. – wa 9, 618 [Versuche-Fassung, Heft 10].

Antony *Tatlow*: Brechts chinesische Gedichte. Frankfurt a. M. 1973 (S. 39–46).

Deutsche Kriegsfibel 2 (1939)

Die Zählung dieser – nur Konzept gebliebenen – *Deutschen Kriegsfibel* ergibt sich durch die *Svendborger Gedichte,* die als erstes Kapitel ebenfalls eine *Deutsche Kriegsfibel* aufweisen. Brecht wollte offenbar diesem Zyklus (innerhalb eines größeren Zyklus) noch einen zweiten anfügen. Marschs Behauptungen, die Zählung gehe nicht auf Brecht zurück, ist falsch, da die Archivmaterialien den Zyklus eindeutig und mehrfach ausweisen (vgl. z. B. BBA 98/59 = Nr. 7325, Bd. 2, S. 260 oder BBA 90/44 = Nr. 7385, Bd. 2, S. 266). Ein Teil der spruchartigen Gedichte entstand bereits 1937 und wurde zusammen mit Gedichten der Svendborger Sammlung als *Deutsche Kriegsfibel 1937* in der Exilzeitschrift *Das Wort* abgedruckt.

Für die Gedichte gilt, was in den späteren Ausführungen zur *Kriegsfibel* der *Svendborger Gedichte* gesagt ist. Inhaltlich freilich hat sich durch die 1939 entstandenen Gedichte die Tatsache des kommenden Krieges so verhärtet, daß die 1937 noch dominierenden Aspekte, durch Sabotage und Klassenkampf die Kriegsgefahr zu verringern, entfallen. In den späten Gedichten geht es bereits um die Länge des kommenden Kriegs (er war noch nicht ausgebrochen worden):

> *Der Führer wird euch erzählen:*
> *der Krieg*
> Dauert vier Wochen. Wenn der Herbst kommt
> Werdet ihr zurück sein. Aber
> Der Herbst wird kommen und gehen
> Und wieder kommen und gehen viele Male, und ihr
> Werdet nicht zurück sein.
> Der Anstreicher wird euch erzählen: die Maschinen
> Werden es für uns schaffen. Sehr wenige
> Werden sterben müssen. Aber
> Ihr werdet sterben zu Hunderttausenden, so viele
> Wie man nie wo sterben gesehen hat.
> Wenn ich hören werde, ihr seid am Nordkap
> Und in Indien und in Transvaal, werde ich nur wissen
> Wo eure Gräber einmal zu finden sind. (9, 737)

Texte: Deutsche Kriegsfibel 1937. In: Das Wort, Heft 4/5, 1937, Moskau, S. 59–63. – Gedichte 1934–1941 (= Gedichte V). Frankfurt a. M. 1964. S. 100–111. – wa 9, 731–737.

Edgar *Marsch*: Brecht-Kommentar zum lyrischen Werk – München 1974 (S. 291–293). – Nosratollah *Rastegar*: Die Symbolik in der späteren Lyrik Brechts. Frankfurt a. M. 1978 (S. 82–86).

Visionen (1938/1939)

Die *Visionen,* ursprünglich auch unter dem deutschen Titel *Gesichte* geplant (BBA 347/47 f. – Nr. 7404, Bd. 2, S. 268), entstanden 1938 und 1939, noch vor dem Krieg. Brecht hatte einen größeren Zyklus geplant, der offenbar durch den Krieg schnell überholt wurde. So entstanden lediglich sechs Prosagedichte, die in der Gedicht-Sammlung von 1948, *Gedichte im Exil,* der *Steffinischen Sammlung* (unter Auslassung des Gedichts *Disput*) zugeschlagen wurden, allerdings unter dem Hinweis auf den gesonderten Zyklus »Aus den Visionen« (vgl. Bohnert, 297). Drei Gedichte publizierte Brecht mit vier weiteren Exilgedichten 1949 in der Zeitschrift *Aufbau (Parade des alten Neuen, Die Niederkunft der großen Babel, Der Kriegsgott),* da allerdings ohne Hinweis auf den geplanten Zyklus.

Als Prosagedichte fallen die *Visionen* formal

aus dem Rahmen, zeigen aber auch, daß Brecht über die ganze Palette »lyrischen Sprechens« verfügt hat. Das Prosagedicht stammt als Form aus romantischer Tradition (in Deutschland z. B. Novalis, in Frankreich Fénelon, Marmontel), die die Vermischung und Überlagerung der literarischen Gattung im Zuge ihrer »Universalpoesie« zum Programm erhoben hatte. Wenn Brecht auch die übliche Gattungseinteilung ablehnte und in vieler Hinsicht durchbrach, so doch durchaus nicht in »romantischem Geist«. Ihm kam es nicht auf eine prinzipielle Poetisierung – auch der Prosa – an, vielmehr empfand er die Gattungsgrenzen als Hindernis für die Darstellung. Sie prägten vor bzw. engten ein; sollten die neuen Realitäten in die Dichtung hineingelangen, so mußten auch entsprechende neue Formen gefunden werden. Verwendet Brecht dann alte Formen, so hat das in der Regel Bedeutung, z. B. der spielerische, z. T. ironisch gebrochene Umgang mit dem Sonett, dem er zugleich noch die volkstümliche Tradition (Dante) zuwies. Die *Visionen* lassen sich formal mit der Überschrift des ersten Gedichts *Parade des alten Neuen* am besten bestimmen. Was in der Romantik subjektiver Weltentwurf war, was in poetischen Symbolen und Metaphern beschworen wurde, kehrt in Brechts Gedichten als überalterte, grobe Allegorik wieder, die nun freilich ohne jegliche Romantisierung auf damals gegenwärtige Realitäten bezogen war. Aus der alten Form rechtfertigt Brecht den visionären Blick des lyrischen Ich, das mit entgeisterten Augen an den faschistischen »Phänomenen« die wahren Eigenschaften regelrecht sichtbar macht. Die Parade dessen, was sich als Neues darstellt und ausstellt, erweist sich bei genauem Hinblick als die Parade des Alten, des Abgestorbenen, des Deformierten, des Verwesten, des Barbarischen.

Besonders drastisch beschreibt eine weitere Vision, *Die Niederkunft der großen Babel* (9, 730), die Geburt der falschen Hoffnungen und Versprechungen der neuen Herrschaft, während das Volk mit leerem Magen sich auf der Straße versammelt.

Das erste, was zu hören war, klang wie ein gewaltiger Furz im Dachgebälk, gefolgt von einem gewaltigen Schrei *»Frieden!«*, worauf sich der Gestank vergrößerte.
Unmittelbar darauf spritzte Blut auf in einer schmalen, wäßrigen Fontäne. Und nun kamen weitere Geräusche in unaufhörlicher Folge, eines schrecklicher als das andere.
Die große Babel kotzte und es klang wie *Freiheit!* und hustete und es klang wie *Gerechtigkeit!* und furzte von neuem und es klang wie *Wohlstand!* Und in einem blutigen Leintuch wurde ein quiekender Balg auf den Balkon getragen und dem Volk gezeigt unter Glockengeläute und es war der *Krieg*.
Und er hatte tausend Väter.

Die Geburt des Krieges aus der Hure des Faschismus (übernommen ist das biblische Babylon aus der Offenbarung des Johannes, 17,5: »Das große Babylon, die Mutter der Hurerei und aller Greuel auf Erden«) vollzieht sich im überholten Zeremoniell von Fürsten- und Königsgeburten, sekundiert von allen möglichen Geburtshelfern (Ärzte, Wahrsager, gewichtige Männer, heißt es im Gedicht), agiert auf Kosten des Volks, das zum Jubel seines eigenen Untergangs angetreten ist. Auffällig ist bei diesem Gedicht die syndetische Reihung (»und«-Sätze), die steigernde Wirkung hat (im Sinn von »und auch das noch«). Zugleich verweist die Reihung auf die Verflochtenheit von Tätern und Opfern. Der Bastard hat nicht nur viele Väter, er wird auch viele Opfer »fordern«.

Durchgängig ist den *Visionen* der Rückgriff auf biblische Bilder und Motive (vgl. z. B. auch den *Steinfischer*, eine Anspielung auf Petrus). Der säkularisierte Führerkult und die religiösen Zeremoniells, Formen und Ergebenheitshaltungen gehen sowohl mit der Form als auch inhaltlich in diese Lyrik ein, die einmal mehr mit den so sichtbar gewordenen blutigen Konsequenzen des Nationalsozialismus demonstriert, welche traditionell besetzten Gefühlsräume die faschistische Macht benutzt, um das Volk regelrecht vorzuführen. Derselbe Befund gilt natürlich auch für die Kunst. Indem Brecht die alten Formen für die Darstellung des Alten verwendet, legt er auch die Funktion der alten Kunstformen offen: den Menschen einen falschen Schein vorzuspiegeln.

Texte: Parade des alten Neuen [u. a.]. In: Aufbau, Heft 2, Jg. 5, 1949, S. 110–122. – Gedichte 1934–1941 (= Gedichte V). Frankfurt a. M. 1964. S. 112–119 [einzige vollständige Ausgabe der *Visionen*]. – wa 9, 729–733; wa 14, 1437 f. [= *Appell der Laster und Tugenden*, innerhalb der *Flüchtlingsgespräche*].

Christiane *Bohnert*: Brechts Lyrik im Kontext. Zyklen und Exil. Königstein/Ts. 1982 (S. 191–199).

Das Gedicht *Die Niederkunft der großen Babel* dürfte für Heiner Müllers Szene »Die heilige Familie« in seinem Stück *Germania Tod in Berlin* (Ausgabe Berlin 1977, S. 58–63) Pate gestanden haben. Dort gebiert der schwangere Goebbels unter gewaltigem Furzen den Contergan-Wolf, die Bundesrepublik Deutschland.

Schlechte Zeit für Lyrik (1939)

In finsteren Zeiten, da sei auch zu singen, jedoch von den finsteren Zeiten, besagt ein Motto der

Svendborger Gedichte (9, 641). In scheinbar paradoxer Weise verkündet das 1939 entstandene Gedicht, daß schlechte Zeit für Lyrik sei, auf lyrische Weise; denn eigentlich müßte derjenige, der ein solches Urteil fällt, lyrisch verstummen und prosaisch reden.

Schlechte Zeit für Lyrik

Ich weiß doch: nur der Glückliche
Ist beliebt. Seine Stimme
Hört man gern. Sein Gesicht ist schön.

Der verkrüppelte Baum im Hof
Zeigt auf den schlechten Boden, aber
Die Vorübergehenden schimpfen ihn einen Krüppel
Doch mit Recht.

Die grünen Boote und die lustigen Segel des Sundes
Sehe ich nicht. Von allem
Sehe ich nur der Fischer rissiges Garnnetz.
Warum rede ich nur davon
Daß die vierzigjährige Häuslerin gekrümmt geht?
Die Brüste der Mädchen
Sind warm wie ehedem.

In meinem Lied ein Reim
Käme mir fast vor wie Übermut.

In mir streiten sich
Die Begeisterung über den blühenden Apfelbaum
Und das Entsetzen über die Reden des Anstreichers.
Aber nur das zweite
Drängt mich zum Schreibtisch. (9, 743 f.)

Das Gedicht setzt ein mit der bestätigenden Erinnerung an ein allgemein-menschliches Wissen, wonach das »Miesmachen«, das Herzeigen von Fehlern, »Verkrüppelungen« verpönt sind, nur die Glücklichen sind beliebt, man hört sie gern und empfindet den Ausdruck von Glücklich-Sein als schön. Die erste Strophe entwirft eine Ästhetik der Verbindung von Glück und Schönheit und dadurch bedingter angenehmer (gern hören) Kommunikation. Indem aber das lyrische Ich mit einem betonten (adversativ getönten) »Doch« sich dieses Wissens versichert, wehrt es bereits ein Verständnis von Lyrik ab: die sich in folgenlose Schönheit einfach versenkt; etwas zu wissen, ist schon »lyrikfremd«, geht es doch bei der angesprochenen Lyrik um Empfindung, Gefühl, Ausdruck.

Die zweite Strophe bringt die Verkrüppelungen ins Bild. Der Baum, anthropomorphisiert (»Zeigt auf den schlechten Boden«), entschuldigt sein unschönes Aussehen mit der Tatsache, daß er auf schlechtem Boden steht, also nicht genügend Kraft aus ihm ziehen kann, um schön zu erscheinen. Jedoch kann diese Entschuldigung nicht darüber hinwegtäuschen, daß er ein Krüppel ist und also sich »unschön« darbietet. Das Bild des Baums steht auch für das Gedicht selbst, das – auf lyrische Weise – über Lyrik spricht. In unregelmäßigen Rhythmen ohne Reim stellt es sich kunstlos dar und spricht überdies nicht von »schönen« Dingen. Sie spricht die dritte Strophe an, die grünen Boote, die lustigen Segel des Sunds (vor Dänemark), die warmen Brüste der Mädchen. Gemeint sind die üblichen Inhalte von Lyrik, nämlich »Natur« und »Liebe«. Schönheit der Natur, glückliche Liebe sind zwar da, aber sie werden nicht mehr »gesehen«. Ihnen wird die Sichtbarkeit verweigert. Statt dessen sieht das lyrische Ich anderes. So definiert sich »Sehen« neu. Die Natur, die Liebe werden zwar als auch daseiend konstatiert, aber sie gewinnen keine Bedeutung mehr für das Ich, sie aktivieren es nicht mehr. Dieses Sehen ist ein Auswählen aufgrund anderen »Wissens« als dem, das die erste Strophe angesprochen hat. Gesehen wird das rissige Garnnetz, das Produktionsmittel der dänischen Fischer, gesehen wird der von Arbeit gekrümmte Rücken der Häuslerin. Diese »Verkrüppelungen« zeigen wie der Baum auf die gesellschaftlichen Ursachen, sie zwingen dazu, die grünen Segel zu übersehen, von glücklicher Liebe zu schweigen. Eine Vierzigjährige ist zu jung, um schon gekrümmt zu gehen, und wenn bereits das Netz rissig ist, ist der Lebensunterhalt der dänischen Fischer nicht mehr gesichert. Brecht erfaßt in der dritten Strophe andere »Phänomene«, die sich gleichsam ins jeweils (mögliche) schöne Bild regelrecht hineinschieben. Blickt das lyrische Ich auf den Sund, so sind da eben nicht nur die lustigen Segel, da sind auch die mit schlechtem Werkzeug ausgerüsteten Fischer an der Arbeit. Der Anblick der gekrümmten Häuslerin hebt das (mögliche) erotische Liebesbild auf, die Realität drängt sich jeweils in die schöne Ansicht, in die bloß schöne Erscheinung. Umgekehrt ergibt sich daraus aber auch die Einsicht, was es bedeutet, lediglich das schöne Bild sehen zu wollen: man übersähe nämlich dabei die ebenfalls vorhandenen »unschönen« Realitäten. Diese drängen die bloßen Schönheiten hinweg.

Die vierte, kurze Strophe überträgt die konstatierten Sachverhalte direkt auf das Gedicht. Der Reim verbindet durch den Gleichklang unverbundene Wörter miteinander, er harmonisiert und schließt zugleich das Gedicht nach »außen« hin ab. Die gereimte lyrische Sprache verweist auf sich zurück, stellt Bezüge in der Sprache her. Will das Gedicht jedoch auf Realität zeigen, kann es nicht zu sprachlichen Mitteln greifen, die dies (tendenziell zumindest) verhindern. Das lyrische Ich empfindet den Reim als Übermut, als ausgelassenes Gestimmtsein, das Zeit und Umwelt vergißt, zugleich aber auch als Anmaßung (im Sinn von Mutwillen), die sich ein Bild macht, das so gar nicht gegeben ist bzw. das Wichtiges einfach wegläßt.

Verfuhren die bisherigen Strophen vergleichsweise allgemein, in durchaus lyrischen Bildern, die lyrisch zurückgewiesen werden, so stellt die Abschlußstrophe den politischen Bezug eindeutig her. Die Reden des »Anstreichers« sind die Krieg drohenden Reden Hitlers und seiner Schergen. Die Entscheidung für das »politische Gedicht« am Ende fällt durchaus nicht kampflos. Das lyrische Ich fühlt sich zerrissen, es trägt in sich den Streit aus darüber, ob denn nicht auch der blühende Apfelbaum sein »lyrisches Recht« hat, zumal sich das lyrische Ich in keiner Weise gegenüber den Schönheiten der Natur als unempfindlich zeigt. Jedoch, im Frühjahr 1939 ist keine Zeit mehr für das Aufschreiben von Empfindungen gegenüber der erneut im Jahreslauf »ausbrechenden Natur«. Dieser »Ausbruch« ist gestört durch die Hetzreden der Nazis, die in den Abgrund des kommenden Kriegs hineinführen; weshalb man auch von »ausbrechenden« Kriegen spricht.

Es hieße das Gedicht gründlichst mißzuverstehen, wenn man meinte, daß hier Natur und Politik gegeneinander ausgespielt würden. Die (scheinbare) Paradoxie des Gedichts, nämlich als Lyrik gegen Lyrik zu sprechen und inhaltlich zugleich die üblichen poetischen Bilder von Naturschönheit bzw. Liebe zu beschwören *und* abzuweisen, belegt, daß der Natur ihre Schönheit nicht abgesprochen, daß Lyrik nicht grundsätzlich verworfen wird. Die Zeit jedoch ist nicht so, daß man Naturschönheit nicht ohne die gesellschaftlichen Defekte, die in ihr sind, darstellen könnte, die Zeit ist nicht so, daß man sich über das »Erwachen der Natur«, über den Frühling freuen könnte, wenn man weiß, daß die Kriegsvorbereitung in vollem Gang ist und der Krieg furchtbare Zerstörungen – nicht nur von Natur und Empfindungen – bringen wird. Die Zeit also zwingt dazu, sich den natürlichen Schönheiten nicht hinzugeben, vielmehr aktiv gegen den Faschismus zu schreiben, zu kämpfen.

Daß Brecht die Entscheidung für das »engagierte« Gedicht im Gedicht formuliert, markiert den dichterischen Entschluß, Lyrik nicht grundsätzlich abzulehnen, sondern sie so zu verändern, daß sie die (unschönen) Realitäten zur Sprache bringt, daß sie sich – im Bild des Gedichts gesprochen – »verkrüppelt«. Harmonie, in sich geschlossene schöne Bilder, formuliert in einer Sprache, die sich nur auf sich selbst verläßt, ihren eigenen, stimmigen und stimmungsvollen Kontext sucht, treten zurück zugunsten einer »unpoetischen« Sprache, die auf die unschönen Realitäten hinweist, die die »Prosa« der Wirklichkeit spricht. Daß damit auch (große) Verluste verbunden sind, wußte Brecht nur zu genau (vgl. die Besprechung der Selbsteinschätzung innerhalb der *Svendborger Gedichte*). Der Gewinn jedoch ist auch nicht unbeträchtlich. Eine »Gattung«, die sich festgelegt zu haben schien auf »Ausdruck«, Stimmung, Gefühl, Natur, Liebe (etc.), erwies sich als änderbar und damit auch haltbar. Sie konnte Realitäten aufnehmen, ohne deshalb wirkungslos zu werden, im Gegenteil. Freilich mußte der Schönheitsbegriff damit auch verändert werden. Nicht mehr (interesselose) Schönheit an sich, sondern die Frage nach dem Nutzen von Schönheit bestimmte nun ihren Wert. Nutzlose Schönheit hatte sich durch die Zeit (beinahe) als Unterstützung von Verbrechen erwiesen (vgl. *An die Nachgeborenen*: »Was sind das für Zeiten, wo / Ein Gespräch über Bäume fast [sic] ein Verbrechen ist«; 9, 723). Da aber die Untaten nicht verschwiegen sein dürfen, stellt sich die Lyrik in den »Dienst«, sie aufzudecken. Daß das Ergebnis wiederum schön sein kann, wie Brechts Gedicht beweist, ist da kein Widerspruch, sondern lyrisches Ereignis, das mit der Änderbarkeit von Kunst gerechnet hat.

Text: Gedichte 1934–1941 (= Gedichte V). Frankfurt a.M. 1964. S. 105. – wa 9, 743 f.

Klaus *Schuhmann*: Untersuchungen zur Lyrik Brechts. Themen, Formen, Weiterungen. Berlin und Weimar 1973 (S. 70–73). – Peter Paul *Schwarz*: Lyrik und Zeitgedichte. Brecht: Gedichte über das Exil und späte Lyrik. Heidelberg 1978 (S. 66–68).

Svendborger Gedichte

Entstehung, Texte

Der Zyklus der *Svendborger Gedichte* entsteht im Zusammenhang mit den *Gesammelten Werken* des Malik-Verlags in London; diese erste Werkausgabe Brechts war mit dem Verleger Wieland Herzfelde ursprünglich auf vier Bände konzipiert worden. Die ersten drei Bände sollten die Dramen, der vierte Band die Lyrik-Sammlungen enthalten, und zwar *Die Hauspostille, Die drei Soldaten, Aus dem »Lesebuch für Städtebewohner«, Lieder- Gedichte-Chöre 1933* und *Gedichte im Exil*. Tatsächlich erschienen nur die beiden ersten Bände (mit ausgewählten älteren und jüngeren Dramen bis *Gewehre der Frau Carrar)* 1938 in London. Aus dem zweiten Band (Anzeige, S. 399) geht auch die weitere Planung der *Gesammelten Werke* hervor, die mit geringen Abwandlungen auch noch in der Ausgabe von 1939 der *Svendborger Gedichte* (Anzeige nach Inhaltsverzeichnis, S. 88) annonciert wird. Jedoch ist sicher, daß der Plan zur vierbändigen Ausgabe entweder bereits früher ganz aufgegeben worden ist – zugunsten einer dreibändigen Ausgabe – oder aber die beiden letzten Bände umgestellt werden sollten. Jedenfalls ist im Zusammenhang mit den *Gedichten im Exil* bzw. mit den *Svendborger Gedichten* stets nur von einem dritten Band die Rede. Dieser Band war Anfang 1939 ausgedruckt und sollte in Prag gebunden werden, als die Hitlertruppen die Tschechoslowakei überfielen und das »Protektorat Böhmen und Mähren« (16.3.1939) errichteten. Was genau mit dem dritten Band geschah, ist der Brecht-Forschung unbekannt geblieben, sicher ist nur, daß außer einem Fahnenabzug, den das Bertolt-Brecht-Archiv aufbewahrt, nichts erhalten geblieben ist (BBA 1939/1-81, 123/1-80, 1381/1-50, 999/1-119 = Nr. 4930, 4931, 4934, 4941, Bd. 3, S. 1–3). Der Band trug die Jahreszahl 1938, wäre aber erst – wenn er erschienen wäre – 1939 publiziert worden. Zum Inhalt hat er die Gedichtsammlungen, die für den 4. Band der Werke angezeigt waren.

Die *Svendborger Gedichte* figurieren im 3. Band der Malik-Ausgabe unter *Gedichte im Exil 1937*. Die dort angegebene Auswahl der Gedichte und ihre Anordnung entsprechen bereits weitgehend der der späteren separaten Gedichtausgabe (Inhaltsverzeichnis bei Bohnert, 292–294). Unterschiede ergeben sich vor allem in der 6. Abteilung, die die Gedichte über das Exil zusammenstellt. Daß die Änderungen freilich damit zusammenhingen, daß Brecht 1937 noch mit einer baldigen Rückkehr nach Deutschland rechnet, 1939 sich aber auf ein langes Exil einstellt (so Bohnert, 77), darf wegen der *Deutschen Kriegsfibel*, die den kommenden Krieg thematisiert und die Sammlung eröffnet, bezweifelt werden. Der Rückverweis auf die 1937 fertiggestellte Ausgabe für die *Gesammelten Werke* stellt die häufige Fehldatierung der Gedichte bis einschließlich 1938 richtig: alle Gedichte, außer womöglich den Mottos, waren 1937 fertiggestellt. Änderungen an den Gedichten für die Einzelausgabe verzeichnet die Forschung nicht.

Nach den vorliegenden Quellen war die Ausgabe der *Svendborger Gedichte* von vornherein als Auszug der Gesamtausgabe geplant. Die »Sonderausgabe« verdankt sich also nicht dem insgesamt unaufgeklärt gebliebenen »Schicksal« des 3. Bandes der Malik-Ausgabe (vgl. Briefe, Nr. 372 und 380; von Ende 1938). Daß Brecht zwei verschiedene Titel plante, läßt sich möglicherweise damit erklären, daß die *Gesammelten Werke* die Unabgeschlossenheit und Vorläufigkeit der Exil-Gedichte betonen sollten, während der Sonderdruck sich mehr als separater Zyklus des Exils präsentieren sollte. Der Titel ist jedenfalls spätestens im September 1938 fixiert, als Brecht den Abschluß der Gedichte dem »American Guild for German Cultural Freedom« mitteilt: »Außerdem habe ich einen Band neuer Gedichte fertiggestellt, die unter dem Titel ›Svendborger Gedichte‹ ebenfalls im Malik-Verlag erscheinen sollen, es ist ein großer Band von ca. 140 Druckseiten, der auch die ›Deutschen Satiren‹ enthält, die ich für den ›Deutschen Freiheitssender‹ geschrieben habe. Gleichzeitig redigiere ich für die Maliksche Gesamtausgabe den IV. Band, der meine ›Gesammelten Gedichte‹ enthalten soll, eine sehr zeitraubende Arbeit« (Briefe, Nr. 369). Der relativ große Umfang, den Brecht annonciert, erklärt sich gegenüber den endgültigen 86 Druckseiten der *Svendborger Gedichte* mit dem zunächst vorgesehenen großzügigeren Druck: die relativ kleine Type des Drucks erweist sich als äußerst platzsparend.

Die weitaus meisten Gedichte des Zyklus sind zwischen 1936 und 1937 entstanden; einige gehen bis 1934 zurück (z.B. die *Kinderlieder)*. Zwei Gedichte segeln unter falscher Flagge: *Kohlen für Mike* (9, 669 f.) ist 1926, *Die Teppichweber von Kujan-Bulak ehren Lenin* (9, 666–668) ist 1929 entstanden, letzteres stand schon als *Geschichte aus der Revolution* in den *Versuchen* (Heft 7, Berlin 1933, S. 244 f.). Diese Gedichte stellen mit ihren Entstehungsdaten wichtige Bezüge zum »Weimarer« Brecht her: 1926 datiert die Marx-Lektüre, durch die Brecht zu einem neuen Verständnis seiner Werke gelangt, 1929 ist das Jahr (Blutmai 1929), mit dem Brechts offene Parteinahme für das Proletariat beginnt. Ob Brecht diese biographischen Bezüge sah und wollte, ist unbekannt; beide Gedichte aber verweisen auf Zusammenhänge.

Texte: Deutsche Kriegsfibel 1937 [= Vorabdruck vom I. Abschnitt]. In: Das Wort, Heft 4/5, 1937 (Moskau), S. 59–62. – Svendborger Gedichte. London (Malik-Verlag) 1939 [Vermerk: »Das Buch ist herausgegeben unter dem Patronat der DIDEROT-GESELLSCHAFT und der AMERICAN GUILD FOR GERMAN CULTURAL FREEDOM]. – Gedichte 1934–1941 (= Gedichte IV). S. 5–145 [nur unwesentliche Änderungen gegenüber der Erstausgabe]. – wa 9, 631–725 [nur unwesentliche Änderungen, so daß nach dieser Ausgabe zitiert werden kann].

Edgar *Marsch:* Brecht-Kommentar zum lyrischen Werk. München 1974 (S. 265–291). – Christiane *Bohnert:* Brechts Lyrik im Kontext. Zyklen und Exil. Königstein/Ts. 1982 (S. 75–82, 292–294 Inhaltsverzeichnis der Ausgabe von 1937 nach BBA 425).

Aufbau und Komposition

Brecht selbst hat, Vor- und Nachteile beider Zyklen vergleichend und abwägend, die *Svendborger Gedichte* der früheren *Hauspostille* (1927) gegenübergestellt. Rein äußerlich knüpft Brecht zweifellos an die frühere Sammlung an: er teilt wiederum in »Lektionen« ein (der Name taucht freilich nicht auf), er nimmt für die dritte Abteilung den Gattungsnamen der »Chroniken« wieder auf, und er stellt an das Ende ein biographisch orientiertes, zugleich aber einen typischen Lebenslauf skizzierendes Gedicht, dort *Vom armen B. B.*, hier *An die Nachgeborenen*. Beibehalten ist auch die inzwischen üblich gewordene Strophenzählung der Gedichte, die Brecht übrigens als Ordinalzahlen – im Sinn einer sachlichen Aneinanderreihung von »Gründen« – mitzusprechen pflegte.

Freilich sind auch die Unterschiede nicht übersehbar. Hatte die frühere Sammlung die einzelnen Gedichte als »Kapitel« streng in die »Lektionen« eingebunden – aufgrund gesonderter Zählung –, so verfährt die Svendborger Sammlung wesentlich lockerer: die Zählungen fehlen, jedes Gedicht erhält ein gewisses Eigengewicht. Anders als bei der *Hauspostille,* die sich am lutherischen Kirchenbuch parodistisch ausrichtete, haben die *Svendborger Gedichte* keine ähnlich geartete Vorlage. Ihr zyklischer Charakter muß sich aus Aufbau und Anordnung selbst rechtfertigen. Brecht notierte im *Arbeitsjournal:* »die *GEDICHTE AUS DEM* EXIL sind natürlich einseitig. aber es hat keinen sinn, da im kleinen zu mischen. die vielfalt kann nur im ganzen entstehen. durch zusammenbau in sich geschlossener werke. der gesamtplan für die produktion breitet sich allerdings immer mehr aus. und die einzelnen werke haben nur aussicht, wenn sie in einem solchen plan stehen« (AJ 23; vom 16.8.38).

Der Zyklus umfaßt sechs Abschnitte, die römisch durchgezählt sind. Davon haben die ungerade gezählten noch jeweils eine gesonderte Überschrift, und zwar *Deutsche Kriegsfibel* (*I.*), *Chroniken* (III.) und *Deutsche Satiren* (V.); überdies sind den Abschnitten II. und VI. lyrische Mottos vorangestellt, wie auch der Gesamtzyklus ein lyrisches Motto aufweist: »Geflüchtet unter das dänische Strohdach, Freunde. [...] « (9, 631). Dieses Motto, gezeichnet mit »Svendborg 1939«, rechtfertigt zunächst einmal den Namen der Gedichte. Der Exilort und mit ihm die Situation des Exils haben sich in die Gedichte eingeschrieben; sie reagieren auf einen aufgezwungenen Zustand, annoncieren zugleich aber auch seine Vorläufigkeit. Ziel ist: in die Heimat zurückzukehren und dort weiterzulernen (»Sehen wir uns wieder / Will ich gern wieder in die Lehre gehn«). Das Motto zeichnet die Sammlung als »Gelegenheits«-Lyrik aus, die unter lehrhaftem Zweck steht. Da der Lehrer von seinen Schülern abgeschnitten ist, kann er nicht mehr von ihnen lernen, er kann nur mehr seine Lehren weitergeben, ohne sie zu überprüfen, ohne korrigiert zu werden. Überdies spricht das Motto von »blutigen Gesichten«, die zu den Versen geführt haben, wie auch davon, daß der Verfasser nur »vergilbte Bücher, brüchige Berichte« als Unterlagen hatte. Zukünftige »Aussichten« und vergangene »Erfahrungen« sind damit als Thematik der Sammlung avisiert, konkret: zwischen kommendem Krieg, den die 1. Lektion als künftige Tatsache vorstellt, und den – unerledigten – Erfahrungen der Klassenkämpfe, die die *Chroniken* beschreiben, schlägt sich der Bogen dieser Gedichte, die zugleich zum gegenwärtigen Kampf gegen den Faschismus anhalten.

Aus dem Motto ergeben sich bereits erste Strukturierungen des Zyklus. Seine engagierte Parteinahme für die Sache der »Niedrigen«, die wieder einmal die Opfer des kommenden Krieges sein werden, akzentuiert die vorangestellte *Kriegsfibel.* Der Zyklus »entwickelt« also nicht den kommenden Krieg, er stellt ihn als – noch nicht »reales« – Resultat der zeitgenössischen Politik und der unausgetragenen Klassenkämpfe polemisch voran. Erst der 2. Abschnitt geht in die Vergangenheit zurück, indem er – in übrigens stark kontrastierenden Formen – Einzelerfahrungen einbringt und aus ihnen die Konsequenzen zieht. Wie schon die erste Lektion den Krieg doppeldeutig verwendete, als Krieg nach außen und innen (Klassenkampf), so führen auch die in liedhafter Form vorgetragenen »Schicksale« zur Konsequenz, die Kriegsmaschinerie statt auf den äußeren Feind auf den inneren Feind zu richten: wenn die inneren Kämpfe ein bestimmtes Stadium erreicht haben, pflegen sie von den Herrschenden in den »äußeren Krieg« kanalisiert zu werden. Die 3. Lektion, die *Chroniken* weiten die in der 2. Lektion angeführten Einzelerfahrungen in weltgeschichtliche Dimensionen aus. Alte und neue Geschichte, Ferner Osten, Mythen, Legenden zeigen die bisherige Geschichte als einen unheilvollen Ablauf von Kriegen und stetigen Niederlagen der betroffenen Völker. Die *Chroniken* versuchen, dem als notwendig so verlaufenden und damit Kriege rechtfertigenden (bürgerlichen) Geschichtsbild, das die *Fragen eines lesenden Arbeiters* bezweifeln, andere, historisch verbürgte Beispiele entgegenzustellen. Das Geschichtsbild ist aufzubrechen und mit positiven Erfahrungen neu zu besetzen, so z. B. mit der neuen Lesart der *Legende von der Entstehung des Buches Taoteking,* die beweist, welch tiefgreifenden Einfluß der Zöllner auf die Entstehung des Buches hatte, indem er Laotse gezielt und interessiert befragt und zugleich die soziale Konkretion der Lehre fordert. In den Händen des Zöllners wird das *Taoteking* allein wirksam sein. Wie die *Chroniken* weltgeschichtliche Beispiele aufgreifen, enden sie auch programmatisch mit einem weltgeschichtlichen Ereignis, nämlich mit der erfolgreichen proletarischen Revolution, die den in den vorangegangenen Lektionen als Konsequenz beschriebenen Klassenkampf auch realiter ausgefochten hat. Der historische Beleg für die Richtigkeit der »Wendung« des Kampfes – vom äußeren zum inneren – ist damit erbracht.

Die drei ersten Lektionen separieren sich insofern von den drei folgenden, da sie in drei verschiedenen Anläufen die Zielrichtung des antifaschistischen Kampfes offenlegen. Daß der Kampf aber in dieser Zeit nicht mehr offen, schon gar nicht revolutionär geführt werden kann, zeigt sich in den folgenden drei Lektionen. Sie sind auf dem Hintergrund der ersten drei Lektionen zu lesen, das heißt mit der Einsicht, daß jedes kapitalistische System irgendwann zum Krieg führt und daß der einzige Ausweg der Sozialismus ist. Die 4. Lektion wendet sich der faschistischen Gegenwart zu, indem sie den Widerstandskämpfern Mut macht, zugleich aber auch den Mitläufern zeigt, daß sie sich nicht »heraushalten« können, sondern auch schweigend, untätig mitschuldig werden. Vorherrschend ist in dieser Lektion die unmittelbare Ansprache, der Versuch, den Dialog aufzunehmen, Zeichen zu setzen (durch Lenins, durch Ossietzkys, durch Gorkis Beispiele) und Verhaltensweisen für den Alltag zu geben. Die 5. Lektion, die *Deutschen Satiren,* nehmen die faschistischen Herrscher und ihre Praktiken entlarvend aufs Korn. Sie legen die Diskrepanz zwischen Anspruch und Realität offen, versuchen, die aufgeblasene Mickrigkeit der Herren zu destruieren, gleichzeitig aber auch ihre wilde Entschlossenheit und den blutigen Ernst ihrer Reden zu betonen. Überdies stellen die Satiren der Ästhetisierung der Politik durch den Nationalsozialismus die Politisierung der Ästhetik programmatisch gegenüber. Den Abschluß bilden die klassischen Gedichte Brechts über das Exil. Ihr Ton ist persönlicher, biographischer als der der vorangegangenen Gedichte. Dennoch bleiben die Gedichte nicht beim Persönlichen stehen. Denn sie verdeutlichen sehr genau, daß das Exil weder ein Ausweg ist, noch den Exilierten von den Vorgängen im eigenen Land und der damit verbundenen Verantwortlichkeit befreit. Jeder Sieg über Deutschland wird auch ein Sieg über die Exilierten sein; die die Siege nicht teilen werden, werden die Niederlagen zu teilen haben. Auch das Exil bedeutet demnach die Fortsetzung des antifaschistischen Kampfes mit den zur Verfügung stehenden Mitteln. Daß dieser Kampf womöglich unbedeutend, voller Fehler erscheinen wird, erfordert von den Nachgeborenen – wie es das Abschlußgedicht ausspricht – »Nachsicht«: »Gedenkt unsrer / Mit Nachsicht« (9, 725).

Der Zyklus bleibt in der Hinsicht offen, daß er mit seinen drei abschließenden Lektionen den andauernden Kampf gegen den Faschismus unter verschiedenen Aspekten beschreibt, er ist zugleich aber auch geschlossen, insofern der weiterführende Zukunftsaspekt – also nicht mehr der des kommenden Krieges, sondern der der Zeit danach – an den Schluß der 3. Lektion anknüpft: »wenn es so weit sein wird / Daß der Mensch dem Menschen ein Helfer ist« (9, 725). Die (Brechtsche) Formel steht für den realisierten Kommunismus, der als Aufgabe den »Nachgeborenen« überwiesen wird.

Selbsteinschätzung 1938

Brecht hält am 10.9.1938 über die *Svendborger Gedichte* im Vergleich zur *Hauspostille* folgendes fest:

> in den literarischen abhandlungen der von marxisten herausgegebenen zeitschriften [gemeint sind vor allem *Das Wort* und *Die Internationale*] taucht in letzter zeit wieder häufiger der begriff *dekadenz* auf. ich erfahre, daß zur dekadenz auch ich gehöre. das interessiert mich natürlich sehr. der marxist braucht tatsächlich den begriff *abstieg*. er stellt einen abstieg der herrschenden bürgerlichen klasse auf politischem und ökonomischem gebiet fest. es wäre stupid von ihm, den abstieg auf künstlerischem gebiet nicht sehen zu wollen. die große fesselung der produktivkräfte durch die kapitalistische produktionsweise kann die literatur zb nicht auslassen. ich halte mich zunächst an meine eigene produktion. die HAUSPOSTILLE, meine erste lyrische publikation, trägt zweifellos den stempel der dekadenz der bürgerlichen klasse. die fülle der empfindungen enthält die verwirrung der empfindungen. die differenziertheit des ausdrucks enthält zerfallsmomente. der reichtum der motive enthält das moment der ziellosigkeit. die kraftvolle sprache ist salopp. usw usw. diesem werk gegenüber bedeuten die späteren SVENDBORGER GEDICHTE ebensogut einen abstieg wie einen aufstieg. vom bürgerlichen standpunkt aus ist eine erstaunliche verarmung eingetreten. ist nicht alles auch einseitiger, weniger ›organisch‹, kühler, ›bewußter‹ (in dem verpönten sinn)? meine mitkämpfer werden das, hoffe ich, nicht einfach gelten lassen. sie werden die HAUSPOSTILLE dekadenter nennen als die SVENDBORGER GEDICHTE. aber mir scheint es wichtig, daß sie erkennen, was der aufstieg, sofern er zu konstatieren ist, gekostet hat. der kapitalismus hat uns zum kampf gezwungen. er hat unsere umgebung verwüstet. [...] abstieg und aufstieg sind nicht durch daten im kalender getrennt. diese linien gehen durch personen und werke durch. (AJ 27)

Diese Passage ist von grundsätzlicher Bedeutung, insofern sie die neuen Schreibbedingungen, die bereits in der Lyrik der Berliner Zeit reflektiert worden sind, noch einmal paradigmatisch formuliert. Betont werden muß, daß es sich nicht um »Stilfragen«handelt. Die Schreibweisen richten sich vielmehr ganz nach den vorgefundenen Zuständen, die zur Sprache gebracht werden müssen. Daß Brecht dabei den Aufhänger des »Dekadenten« wählt, ergibt sich aus dem Zusammenhang der »Expressionismus-Debatte«, die 1938 in *Das Wort* geführt worden ist, aber auch aus der – von Brecht durchaus nicht geteilten – Doktrin des »Sozialistischen Realismus« (Allunionskongreß 1934 in Moskau), die den Begriff einseitig (als bloßen »Verfall«, so Lukács) verwendet haben und die realen Zusammenhänge nicht herstellen wollten. So kam es, daß pauschal auch die Schriftsteller abgelehnt wurden, die nicht nur ein sehr genaues Bild der bürgerlichen »Dekadence« zeichneten, sondern zugleich auch weiterführende, »aufsteigende« neue Formen verwendeten, wie z. B. allen voran James Joyce (»Ein von Würmern wimmelnder Misthaufen, mit einer Filmkamera durch ein Mikroskop aufgenommen – das ist Joyces Werk«, so Karl Radek 1934. (In: Sozialistische Realismuskonzeptionen. Dokumente zum 1. Allunionskongreß der Sowjetschriftsteller. Hg v. Hans-Jürgen Schmitt und Godehard Schramm. Frankfurt a. M. 1974. S. 205).

Brecht plädiert dafür, den Begriff des »Dekadenten« widersprüchlich zu fassen, weil ohne Zweifel mit dem »Aufstieg« seiner Lyrik im »realistischen Sinn« zugleich auch eine Verarmung, ein Abstieg, verbunden ist. Der Versuch, vor allem mit Lyrik der gegenwärtigen brutalen Realität sprachlich beizukommen, nimmt der Sprache die Kraft, die Wildheit, die Fülle der früheren Lyriksammlung, der Differenziertheit und Empfindungsreichtum konstatiert wird. Daß Brecht dennoch diese Lyrik als dekadenter einstuft als die spätere Lyrik der *Svendborger Gedichte,* ergibt sich vor allem daraus, daß die *Hauspostille* ganz wesentlich den allgemeinen bürgerlichen Abstieg teilt, daß sie – auch wenn die Unterschiede zu anderen bürgerlichen Lyrikern bedeutend sind – dem persönlichen Ausdruck mehr verpflichtet ist, als sie Wirklichkeit aufdeckt und zur Sprache bringt. Dadurch erweist sich die *Hauspostille* auch als irrationaler, den dargestellten Vorgängen gegenüber ohnmächtiger als die distanzierte, die Realität verarbeitende und aufdeckende Lyrik der *Svendborger Gedichte,* die ihre Ausdrucksmächtigkeit hinter das Darzustellende zurückstellen.

Freilich ergeben sich auch sprachlich »Aufstiege« bei den *Svendborger Gedichten.* Zeigen sich die frühen Gedichte häufig als vieldeutig, aber auch grundsätzlich änigmatisch (was die – bürgerliche – Interpretation wiederum produktiv herauszufordern pflegt), so suchen die späteren Gedichte den prägnanten, »einfachen« Ausdruck. Dieser wirkt oft auf den ersten Blick vordergründig, unkünstlerisch. In den besseren Beispielen freilich (nicht immer ist das Resultat gelungen) zeigt sich nicht nur eine geradezu klassische Haltbarkeit der Formulierung (es ist nicht besser zu sagen), sondern es wird auch deutlich, daß die »einfachen«

Formulierungen Resultat komplexer Überlegungen sind, die durch die Sprache – mit dem überraschenden, zugleich aber überzeugenden Einblick in die Sache – nicht beseitigt sind, vielmehr dadurch überhaupt erst sichtbar werden. Von da aus stellt sich dann der Reichtum der frühen Lyrik als »dekadenter« heraus: Vieldeutigkeit und Rätselhaftigkeit bringen auch – neben der Fülle der Ausdrucksmöglichkeiten – ein weitgehend unbewußtes und unbewältigtes Verhältnis zur Realität zum Ausdruck. Solche Lyrik kapituliert vor den geschichtlichen Prozessen; die spätere Lyrik versucht ihnen – sie aufdeckend – zu begegnen.

Die einzelnen »Lektionen«

I Deutsche Kriegsfibel

Die *Deutsche Kriegsfibel,* die – allerdings nicht vollständig – mit der Jahreszahl 1937 versehen im *Wort* vorabgedruckt worden ist (Heft 4/5, 1937, S. 58–63), ist nicht zu verwechseln mit der *Kriegsfibel,* die Brecht mit ihren »Fotoepigrammen« ebenfalls im Exil entworfen hat (vgl. z. B. AJ 663; vom 20.6.1944), die aber erst 1955 erschienen ist: ihre Gedichte sind durchweg knittelversartige, gereimte Vierzeiler und sprachlich weit entfernt von den wandspruchartigen Gebilden der *Svendborger Gedichte* (vgl. dagegen die undifferenzierte Darstellung bei Marsch, 267). Die *Deutsche Kriegsfibel* betont – mit ihrem »nationalen« Attribut – weniger den kommenden Weltkrieg, dessen Voraussage für einsichtige Antifaschisten keiner großen Prophetie bedurfte, als vielmehr die Entstehung des äußeren Krieges aus den – weitgehend verdeckten – inneren Kriegen. Der Faschismus in Deutschland ist kriegstreiberisch, er verdeckt aber seine wahren Absichten unter der verbalen Beschwörung eines (falschen) Sozialismus und in lautstarken Beteuerungen seines »Friedenswillens«. Brecht versucht, den »Niedrigen«, seine Einsichten einfach in den Mund legend, sie ihnen unterstellend, das ABC (Fibel) des deutschen Faschismus zu lehren, indem er auf epigrammatisch verkürzte, zugleich aber auch handhabbare Weise zum »Reden bringt«, was die faschistische Propaganda mit Rederei lautstark und lauthals verdeckt:

> *Die Oberen sagen: Friede und Krieg*
> Sind aus verschiedenem Stoff
> Aber ihr Friede und ihr Krieg
> Sind wie Wind und Sturm. (9,635)

Den verbalen Beteuerungen sozusagen auf die Finger sehen, lehrt die Kriegsfibel. Wenn die »Oberen« selbst von »verschiedenen Stoffen« sprechen, so läßt sich die Sachhaltigkeit überprüfen (wobei bereits die Tatsache, *daß* sie von Krieg und Frieden reden, bezeichnend genug ist). Die Versicherung, daß es sich dabei um bloße »Redereien« (verbale Kraftmeiereien) handele, zieht nicht:

> Der Krieg wächst aus ihrem Frieden
> Wie der Sohn aus der Mutter
> Er trägt
> Ihre schrecklichen Züge.
>
> Ihr Krieg tötet
> Was ihr Friede
> Übriggelassen hat. (9,635)

Die Kämpfe, die in Deutschland herrschen – und da gibt es keine Beruhigung –, werden sich sowohl erweitern als auch nach außen getragen. Alles, was auf den ersten Blick positiv erscheinen mag und dem Volk nützlich – wie z. B. das »Arbeitsbeschaffungsprogramm« (Autobahnbau), stellt sich als Kriegsvorbereitung heraus und trägt damit die kommende Vernichtung in sich:

> *Wenn der Anstreicher durch die Lautsprecher*
> *über den Frieden redet*
> Schauen die Straßenarbeiter auf die Autostraßen
> Und sehen
> Knietiefen Beton, bestimmt für
> Schwere Tanks. (9,635)

Die gewählte epigrammatische Form knüpft weniger an literarische Vorbilder an, sondern konkret dort, wo sich derart die Erfahrungen des Volkes formuliert finden: heute redet man von »Graffiti« (nach amerikanischem Vorbild). Alle Gedichte der *Deutschen Kriegsfibel* haben den Charakter von öffentlichen Wandinschriften; Brecht dürfte dabei sowohl auf das Vorbild der »öffentlichen Schmiereien« zurückgegriffen haben, wie er zugleich mit diesen Gedichten Vorbild sein wollte für die notwendigen Listen, die Wahrheit dennoch zu verbreiten. Viele der Sprüche geben sich als direkt übernehmbar:

> *Auf der Mauer stand mit Kreide:*
> Sie wollen den Krieg.
> Der es geschrieben hat
> Ist schon gefallen. (9,637)

Dieses Beispiel stellt sich als besonders subversiv dar. Es sagt nicht nur, wo solch »epigrammatische Lyrik« ihren Platz haben kann (an der Mauer), sondern kehrt zugleich eine der Naziparolen um. Daß »sie« den Krieg wollten, war laut Propaganda stets nur von den potentiellen äußeren Feinden gesagt worden mit dem Tenor: weil die anderen den Krieg wollen, müssen wir uns gegen ihn rüsten (Rechtfertigung der offenbaren Kriegsrüstung). Eben diese Propagandalüge an die Mauer geschrieben, kehrt die Adresse um: diejenigen, die sagen, daß die anderen Krieg wollen, wollen selbst den Krieg. Die falsche Parole läßt sich gegen deren Urheber wenden, indem sie von anderen und an einem anderen Ort als dem üblichen verwendet wird. Daß damit bereits – geht man so vor – der (innere) Krieg ausgefochten wird, besagt das genau gewählte Verb »gefallen«. Von »Gefallenen« spricht man meist euphorisch von den erschlagenen, erschossenen, ermordeten Soldaten, nicht aber bei Widerstandskämpfern, die in Gefängnissen, KZs verschwinden oder »auf der Flucht erschossen« werden. Wo sich dermaßen offen Widerstand zeigt, da herrscht, so sagen es die scheinbar einfachen Worte, bereits der Klassenkrieg.

Die Wandinschriften konkretisieren auch noch einmal aus anderer Warte (als etwa im Zyklus *Lieder- Gedichte- Chöre)* den für Hitler gewählten Ausdruck »Anstreicher«. Parolen auf die Mauer geschrieben, stellen eine Öffentlichkeit her, die sonst nicht möglich ist, weil die (Massen-)Medien von den Machthabern besetzt sind (entsprechend hartnäckig pflegen deshalb auch die »Schmierereien« verfolgt zu werden). Ihre Kürze und Prägnanz ermöglicht auch dem flüchtigen Betrachter die Rezeption, und umgekehrt schützt sich der Urheber der Parole durch die Anonymität, die Pendant zur Öffentlichkeit und zur einfachen, griffigen Formulierung ist. Als Wandinschrift erweist sich der »Spruch« als nur wirksam, wenn er – einmal gelesen – unmittelbar inhaltlich und sprachlich einleuchtet. Als gelungene Inschrift auf öffentlichen Bauwerken hat die Wandparole die Tendenz, die übertünchten, notdürftig geflickten, angestrichenen Risse der Gebäude wieder zu öffnen. Die Morschheit der Wände zeigt sich durch ihre Belebung mit Inschriften. Was verdeckt worden ist, stellt sich als aufgedeckt heraus. Die Widersprüche werden sichtbar und lassen sich auf anderes übertragen.

II

Der formale Gegensatz zwischen erster und zweiter Lektion ist besonders kraß. Statt des in unregelmäßigen Rhythmen geschriebenen, reimlosen Spruchs kommen nun – z. T. traditionelle – Liedformen (Noten fehlen freilich gegenüber den vorangegangenen Sammlungen). Das Motto spielt auf sie an:

> In den finsteren Zeiten
> Wird da auch gesungen werden?
> Da wird auch gesungen werden.
> Von den finsteren Zeiten. (9, 641)

Daß die »finsteren Zeiten« schlechte Zeit für Lyrik bedeuten, darüber war sich Brecht klar (vgl. das Gedicht *Schlechte Zeit für Lyrik;* 9, 743 f.). Seine Antwort jedoch war nicht die zunächst naheliegende, keine Lyrik mehr zu schreiben, weil Lyrik als literarische Gattung nicht zu ihr passe. Brechts Antwort fällt umgekehrt aus. Wenn die Zeiten finster sind, muß die Lyrik sich eben wandeln, auf sie einstellen. Statt keiner Lyrik wird andere Lyrik geschrieben. Die Lyrik verliert ihre traditionell gestimmten Merkmale – als da u.a. sind: »Stimmung«, »Gefühl«, »Natur« etc. Die Lyrik wird auch da, wo sie sich noch singbar zeigt, politisch: der Inhalt sträubt sich gegen die formalen Glättungen, gegen »Lyrisches«.

Die Formen der 2. Lektion reichen vom einfachen Lied *(Deutsches Lied),* vom Kinderlied *(Der Pflaumenbaum)* über die Ballade *(Ballade von der »Judenhure« Marie Sanders)* bis zum politischen Kampflied *(Einheitsfrontlied).* Auch hier herrscht Einfachheit (als Resultat komplexer Zusammenhänge) vor. Z. B. wählt Brecht für die Darstellung eines Falls, der aufgrund der berüchtigten »Nürnberger Gesetze« (15.9.1935) exekutiert worden ist, die Form der Ballade. Marie Sanders, die sich plötzlich aufgrund eines menschenverachtenden Gesetzes im falschen Bett findet, wird von der Nazijustiz als »Hure« eines Juden unter dem Beifall der Kleinbürger ermordet. Marie Sanders Geschichte ist aktuell, ist ein Stück unmittelbarer, brutaler Zeitgeschichte. Indem Brecht aber die Ballade wählt, tut er so, als handle sie von alten Zeiten, von überholten barbarischen Zuständen, von Menschen, die es nicht mehr geben dürfte – nicht aber, um den Fall der Marie Sanders zu verharmlosen und geschichtlich zu distanzieren, sondern mit der Form der Ballade die Wiederkehr bereits überholt geglaubter barbarischer Zustände polemisch zu markieren. Für die Beschreibung der Nazigreuel passen wieder die alten Formen; ihre Anwendung markiert die barbarische Regression.

Wie subtil und weitgehend ausgerechnet die *Kinderlieder* der *Svendborger Gedichte* ausgefallen sind, hat die Forschung schon frühzeitig an *Der Pflaumenbaum* und *Der Schneider von Ulm* erwiesen. Zum Pflaumenbaum-Gedicht notierte schon 1939 Walter Benjamin: »So sieht der Baum im Hof aus, den Herr Keuner liebte. Von der Landschaft und allem, was sie dem Lyriker sonst geboten hat, kommt auf diesen heute nicht mehr als ein Blatt [»Den Pflaumenbaum glaubt man ihm kaum / Weil er nie eine Pflaume hat / Doch er ist ein Pflaumenbaum / Man kennt es an dem Blatt«; 9, 647]. Auch muß einer vielleicht ein großer Lyriker sein, um heute nach mehr nicht zu greifen« (Kommentare zu Gedichten von Brecht. In: Walter Benjamin. Versuche über Brecht. Hg. v. Rolf Tiedemann. Frankfurt a. M. 6. Aufl. 1981. S. 91). – Im Gedicht vom Schneider, der vergeblich versucht hat zu fliegen, darf der Bischof, auf dessen Kirchplatz der Schneider zu Tode stürzte, im Gedicht das letzte Wort haben: »Es wird nie ein Mensch fliegen / Sagte der Bischof den Leuten« (9, 646). Die Geschichte jedoch ist weitergegangen; jedes Kind weiß inzwischen, daß der Bischof unrecht hatte, daß er also als ewige »Wahrheit« ausgeben wollte, was bloß für eine bestimmte Zeit gültig gewesen ist. Der kleine Schneider darf so mit seinem Flugversuch in die Reihe derjenigen treten, die die Menschheit durch Entdeckungen weitergebracht haben (der Untertitel läßt den Flugversuch gegen den historischen Fall des Albrecht Ludwig Berblinger, 1770–1829, 1592, also zum 100jährigen Jubiläum der Amerika-Entdeckung, stattfinden). Entscheidend ist hier, daß die durch die fortschreitende Geschichte hinzugedichtete »dritte Strophe« im Gedicht selbst ausgespart ist: der Leser, auch der kindliche, setzt sie automatisch hinzu und öffnet das unscheinbare Lied der Wirklichkeit. Zugleich demonstriert es damit seine Anwendbarkeit auf aktuelle Ereignisse: was sich heute für ewig hält, wird auch von der Geschichte überrollt werden.

Die die Lektion abschließenden vier politischen Lieder stammen aus dem – inzwischen schon historisch gewordenen – politischen Kampf gegen den Faschismus. Vertont von Hanns Eisler, gesungen von Ernst Busch, stellen sie eine neue Sorte von einfachen Volksliedern dar, freilich mit eindeutiger Tendenz. Das Volk ist im Gegensatz zum nationalsozialistischen Volkstums-Begriff keine undefinierte, nationale »Gemeinschaft«, sondern das Proletariat, über das erst auch die anderen zum Mensch-Sein gelangen können. Programmatisch drückt dies das *Einheitsfrontlied* aus (9, 652 f.), das Dezember 1934 entstanden ist und für die I. Internationale Arbeitermusik-Olympiade Pfingsten 1935 in Straßburg gedacht war. Menschsein definiert es zunächst als das allgemeine Recht, daß jeder satt zu werden habe. Da jedoch der Kapitalismus dieses selbstverständliche Recht aufgrund der Klassenunterschiede nicht gewährt, kann nur der Arbeiter die Befreiung bringen: »Und weil der Prolet ein Prolet ist / Drum wird ihn kein andrer befrein. / Es kann die Befreiung der Arbeiter nur / Das Werk der Arbeiter sein«. Das abschließende Lied, das der Resolution der Pariser Kommunarden von 1871 gedenkt (9, 653–655), liefert für diese Schlußfolgerung noch einmal das bekräftigende historische Exempel. Die französische Bourgeoisie verbündete sich damals mit dem »deutschen Erzfeind« gegen das eigene Volk und schlug es brutal nieder. Spaniens Niederwerfung durch deutsche Kriegsbomber hatte 1936/37 dieses historische »Gesetz« noch einmal brutal vor Augen geführt.

Cesare *Cases:* Der Pflaumenbaum. Brecht, Benjamin und die Natur. In: Studi Germanici 3, 1965, S. 211–237. – Hanns-Werner *Heister:* Das Einheitsfrontlied. In: Hanns Eisler. Berlin 1975 (= Argument-Sonderbände. AS 5). 172–182.

III Chroniken

Da durch die immer wieder zitierte, kaum aber benutzte Arbeit von Silvia Schlenstedt für die Gedichte der 3. Lektion der Großteil der Quellen bestimmt worden ist, stelle ich für die betreffenden Gedichte zunächst eine Quellenübersicht (nach Schlenstedt; erweitert um eigene Recherchen) voran:

Fragen eines lesenden Arbeiters (9, 656 f.): Bei diesem Gedicht ist zu beachten, daß es sich um einen *lesenden* Arbeiter handelt, der die Historiographie befragt, welche Rolle er und seine Klasse in ihr spielen (nach Befund: keine). Das Gedicht bezieht sich ausdrücklich auf »Bücher«. Es ist dabei in erster Linie an Schulbücher zu denken bzw. an schulmäßige Darstellungen, die die Ordnung der Geschichte nach Kriegen und »großen Männern« besonders stark ausprägen. Direkte Zeugnisse sind von der Forschung nicht ausgemacht worden. Da Arbeiter aber historiographische Darstellung vornehmlich in der und durch die (bürgerliche) Schule zu erhalten pflegen, sind die Bücher mit den üblichen Schulbüchern der Zeit zu identifizieren.

Der Schuh des Empedokles (9, 657–660): Eine direkte Quelle ist (noch) nicht nachgewiesen. Jedoch gehen alle Empedokles-Darstellungen letztlich zurück auf *Diogenes Laertius:* Leben und Meinungen berühmter Philosophen [Philosophengeschichte in 10 Büchern, Mischung aus Biographie, Schriftenwiedergabe, Bücherlisten, Exzerpten; 3. Jahrhundert n. Chr.]. Deutsche Ausgabe, die Brecht möglicherweise benutzt haben könnte: Übersetzt und erläutert von Otto Apelt. Leipzig 1921 (= Philosophische Bibliothek 54). Diogenes berichtet von des Empedokles Tod zwei Versionen, die erste nach Heraklid, der die verklärend idealistische Darstellung gibt, die zweite nach Hippobotos, der den verklärenden Mythos durch die aus dem Berg geschleuderte Sandale richtigstellt und zurückweist (Ausgabe 1921, S. 123). Als Anregung und möglicherweise Quelle kommt auch Friedrich Hölderlins Versdrama *Der Tod des Empedokles* in Frage; die 1797 bis 1799 entworfene Tragödie sollte weniger den Tod des Empedokles verklären, als vielmehr dem Volk, das sich von Empedokles abgewendet hatte, über die falschen Priester und die Wirksamkeit der empedokleischen Lehre aufklären. Hölderlin aber scheitert gerade an der adäquaten Darstellung des Todes.

Legende von der Entstehung des Buches Taoteking [...] (9, 660–663): Die Beschäftigung Brechts mit Laotse (Sammelname für den – legendären – Verfasser des *Taoteking;* 6. Jahrhundert v. Chr.; die neuere Forschung hält die persönliche Zuschreibung des Buchs für fiktiv) geht in die frühen zwanziger Jahre zurück; eine, von den Herausgebern als »Prosafassung des späteren Gedichts« bezeichnete Geschichte *Die höflichen Chinesen* schrieb Brecht 1925 für den Berliner-Börsen-Courier (Publikation am 9.5.1925; s. 11, 100 sowie 11, Anmerkungen 2). Die Legende von der Entstehung des *Taoteking* stammt vom chinesischen Historiker Sze ma Tsien (1. Jahrhundert v. Chr.). Brecht dürfte sie durch die Wiedergabe von Richard Wilhelm, dem bewährten Übersetzer chinesischer Philosophie kennengelernt haben. Wenn auch in Gegensatz zum *Dschuang Dsi* diese Quelle nicht direkt nachzuweisen ist, ist die Wahrscheinlichkeit groß, daß sich Brecht an die 1911 und zum zweitenmal 1921 erschienene Übersetzung Wilhelms gehalten haben dürfte (Laotse: Taoteking. Das Buch des Alten vom Sinn und Leben. Jena 1911 = Diederichs Gelbe Reihe. Die Legende findet sich dort S. V; in der Neuausgabe 1957, S. 11). Die Lehre vom weichen Wasser, das mit der Zeit das Harte besiegt, steht im Buch *Das Leben* unter der (fortlaufenden) Nummer 78: »Auf der ganzen Welt / gibt es nichts Weicheres und Schwächeres als das Wasser. / Und doch in der Art, wie es dem Harten zusetzt, / kommt ihm nichts gleich. / Es kann durch nichts verändert werden. / Daß Schwaches das Starke besiegt / und Weiches das Harte besiegt / weiß jedermann auf Erden, / aber niemand vermag danach handeln«. – Als weitere mögliche Quelle für die Legende kommt die Darstellung Klabunds in Frage: Dichtungen aus dem Osten. Band II: China. Wien (Phaidon) 1929 (S. 111 f.).

Besuch bei den verbannten Dichtern (9, 663 f.): Die Szenerie des Gedichts – bei Brecht allerdings ein Traum – pflegt gemeinhin auf Dantes *Göttliche Komödie* (zwischen 1307 und 1321 entstanden) zurückgeführt zu werden: es handelt sich da um eine Vision vom Jenseits. Die Seele, in Verkörperung Dantes, wird vom Seelenführer, in Verkörperung des Dichters Vergil, durch Hölle und Fegefeuer geführt – bis sie gereinigt ins Paradies aufsteigen darf. Freilich bleiben die näheren Angaben (Verweise auf den 15. Gesang von *Hölle* und 21. Gesang von *Fegefeuer*) vage und unbestimmt; allein die Gesprächsform läßt konkretere Anklänge an das Vorbild erkennen.

Gleichnis des Buddha vom brennenden Haus (9, 664–666): Brecht entnahm die »buddhistische« Version des Gleichnisses dem Roman *Der Pilger Kamanita* (zuerst 1906, dänisch) von Karl Gjellerup (Frankfurt a.M.: Rütten und Loening 1921. S. 140 f.). Gjellerup freilich sagt im Nachwort, daß ausgerechnet dieses Gleichnis von ihm erfunden sei; er habe es lediglich im Stil angepaßt (S. 320). Schlenstedt hat zwei weitere mögliche Vorbilder ausfindig gemacht, eins davon heißt auch *Gleichnis vom brennenden Haus*; beide aber weisen nur oberflächliche Gemeinsamkeiten mit der Darstellung bei Brecht auf (da es durchaus möglich ist, daß Brecht das Gjellerupsche Gleichnis für echt nahm, schließlich pflegte er durchaus eklektisch seine Quellen zu lesen, kann der Hinweis auf Gjellerup genügen: die Übereinstimmungen sind deutlich genug; vgl. Materialanhang bei Schlenstedt, 249–252).

Die Teppichweber von Kujan-Bulak ehren Lenin (9, 666–668): Durch Gerhard Seidels historisch-kritische Musteredition des Gedichts sind inzwischen nicht nur die verschiedenen Varianten und Fassungen des Gedichts gut zugänglich, auch die Zeitungsquelle kann im Faksimile eingesehen werden. Es handelt sich um den anonymen russischen Bericht *Ein Denkmal für Lenin* (Übersetzt von M. Schillskaja), der am 30.10.1929 in der *Frankfurter Zeitung* (Nr. 809, Jahrgang 74; S. 1 f.) erschien. Aus ihm entnahm Brecht Namen und Einzelheiten der ungewöhnlichen Leninehrung (Faksimile bei Seidel, zwischen 226 und 227; weitere Angaben 226).

Die unbesiegliche Inschrift (9, 668 f.): Das Gedicht behandelt eine Episode aus Giovanni Germanettos Autobiographie (italienischer Kommunist) *Genosse Kupferbart* (Aus den Erinnerungen eines italienischen Revolutionärs. Berlin, Wien, Zürich: Internationaler Arbeiterverlag 1930. S. 137–141). Es handelt sich also um eine wahre Begebenheit, die 1917 im Turiner Gefängnis San Carlo vorfiel. Natürlich endete sie dort nicht mit der Niederlegung der Mauer, die Brecht als ironisch–überlegene Konsequenz pointiert an den Schluß setzt, aber auch bei Germanetti triumphiert der Revolutionär mit der Frage: »Kann man diesen Namen auslöschen?« (S. 141) Die Episode endet dort so, daß die Parole nach der Entlassung des Alpenjägers, der sie einritzte, immer noch oben an der Wand prangt.

Kohlen für Mike (9, 669 f.): Diese – ebenfalls beglaubigte – Episode stammt aus dem Roman Sherwood Andersons (1876–1941; amerikanischer Erzähler) *Der arme Weiße* (The Poor White; 1920) (Übertragung von Karl Lerbs. Leipzig: Insel 1925. S. 252–257). Sie ist bis in die Einzelheiten und einen übersehenen Widerspruch übernommen (Brecht gibt zu Beginn den Beruf McCoys als Streckenwärter, am Ende als Bremser an). Freilich versucht Brecht sein Gedicht sozial genauer zu motivieren, weshalb für ihn der Beruf Bremser (ständig dem Kohlenstaub ausgesetzt) passender erscheint (daher der Widerspruch); zugleich macht er aus der bei Anderson vereinzelt bleibenden Solidaritätsaktion einen Akt klassenbewußten Handelns.

Abbau des Schiffes Oskawa durch die Mannschaft (9, 670–673): Durch die *Briefe*-Edition ist etwas Licht in die dunkle Entstehungsgeschichte dieses Gedichts gekommen. In einem Brief (Nr. 250; vom März 1935) fragt Brecht bei Helene Weigel nach dem Namen des »Verfassers des amerikanischen Buches über die Gewalt (Fall Ottawa)« nach. Es ist nicht unwahrscheinlich, daß Brecht in Moskau erstmals von dieser wahren Begebenheit erfuhr, womöglich im direkten Zusammenhang mit der »Inbesitznahme der Moskauer Metro«, so daß die pointierte und kontrastierende Gegenüberstellung beider Gedichte innerhalb der *Chroniken* auf real erfahrene Zusammenhänge zurückgehen kann. Der falsche Name »Ottawa« statt »Oskawa« beweist, daß Brecht die Geschichte lediglich von flüchtigem Hörensagen kennen konnte, das Gedicht jedoch mit der Quelle verfaßt worden ist, und zwar höchstwahrscheinlich gleich nach der Rückkehr aus Moskau (Mai/Juni 1935). Die Quelle ist: Louis Adamic

Dynamite. The Story of Class Violence in America (New York: Wiking Press 1931. S. 386–389). Eine deutsche Übersetzung lag damals noch nicht vor; Brecht benutzte wahrscheinlich die 2., erweiterte Auflage von 1934, die die Geschichte des Klassenkampfes fortschrieb (Jahre der Depression). Eine deutsche Ausgabe gibt es seit 1974 (München: Trikont). Die Geschichte steht dort – ebenfalls in der Ich-Form geschrieben – auf S. 323–325. Sie endet: »Einer meiner Freunde an Bord sagte zu mir: ›Sie hatten kaum ein besseres Stück Sabotage machen können, selbst wenn alle, vom Kapitän angefangen, Kommunisten oder Wobblies [amerikanische Seegewerkschaft] gewesen wären. Hallelujah!‹« (S. 325).

Inbesitznahme der großen Metro... (9, 673–675): Die offizielle Eröffnung der Moskauer Metro fand am 15. Mai 1935 statt; einen Tag später erschien Brechts Gedicht in der *Deutschen Zentral-Zeitung.* Brecht hielt sich seit dem Frühjahr 1935 in Moskau auf und erlebte sowohl die inoffizielle als auch die offizielle Einweihung der Metro mit. Das Datum, das Brecht im Gedicht angibt – 27. April 1935 – ist kein Irrtum: Brecht wurde nämlich Zeuge, wie die Moskauer das Bauwerk der Metro regelrecht »in Besitz nahmen«. Entsprechend lautet ein Entwurf des Gedichts am Beginn: »Bevor die Metro eröffnet wurde / Wurden wir aufgefordert, sie zu besuchen. / Es wurde uns bedeutet, daß es schwer sei / In den Bau gelassen zu werden. Als wir ihn betraten / Waren aber da Tausende, die herumgingen / Die riesigen Hallen besichtigend« (Text bei Lerg-Kill, 250, Anmerkungen 178). Daß Brecht das inoffizielle Datum wählt, hat durchaus Gewicht. Das häufig so beschönigend wirkende, die sowjetischen Zustände idealisierende Gedicht (so jedenfalls das häufige Urteil) geht auf beobachtete Tatsachen zurück. Die Moskauer Bevölkerung nahm ganz offenbar das Bauwerk als eigene Leistung an und begegnete ihm mit einem Ausdruck von Gefühlen, die Brecht so noch nicht beobachtet hatte. Insofern ist das Gedicht durchaus als realistische Wiedergabe aufzufassen und keine idyllisierende, vordergründig »parteiische« Darstellung. Dieser Tatbestand wird auch nicht dadurch in Frage gestellt, daß Brechts Gedicht die offizielle Eröffnung mitbeschreibt (der Wagenbetrieb für Fahrgäste wurde erst mit der offiziellen Eröffnung am 15.5.1935 aufgenommen). Wahrscheinlich hat Brecht auch einen Bericht von André Pierre (*Moskau baut eine Untergrundbahn*) verarbeitet, der in der Zeitschrift *Unsere Zeit* (Heft 7, Juli 1934, Paris, Basel, Prag, S. 68–70) erschienen war (vgl. die Texte bei Lerg-Kill, 251, Anmerkung 180).

Schnelligkeit des sozialistischen Aufbaus (9, 675): Das kurze, anekdotenhafte Gedicht steht nicht – wie meist angenommen – im unmittelbaren Zusammenhang mit einer Moskau-Reise Brechts; die Datierung auf 1937 ist eindeutig (vgl. BBA 353/5 und 345/46 f. = Nr. 9023 f., Bd. 2, S. 434); es befand sich in den für die *Gesammelten Werke* zusammengestellten *Gedichten im Exil* noch nicht, muß aber im Zuge der Korrekturarbeiten entstanden und hinzugefügt worden sein (Winter 1937). Schlenstedt hat auf eine mögliche Quelle hingewiesen (freilich in der Annahme, daß das Gedicht um 1932 entstanden sei): Julius Fucik, ein tschechischer Publizist hatte 1930 Eindrücke einer Sowjetunionreise in dem Buch *Eine Welt, in der das Morgen schon Geschichte ist* (Leipzig, München: Paul List o.J.) niedergeschrieben. Das Buch ist eine Hymne auf die »Schnelligkeit des sozialistischen Aufbaus« und kann den Eindruck zumindest relativieren, daß auch dieses Gedicht die sowjetische Realität beschönige (vgl. Schlenstedt, 106 f.).

Der große Oktober (9, 675–677): Wie der Untertitel besagt, handelt es sich um ein Gelegenheitsgedicht zum 20. Jahrestag der Oktoberrevolution 1937. Es erschien entsprechend im Themenheft der *Internationalen Literatur* (Heft 11, 1937, Moskau, S. 150 f.), und zwar als *Wort von Freunden.*

Aufgrund der stets als recht schwach empfundenen 4. Lektion der *Svendborger Gedichte* haben die *Chroniken* eine gewichtige Mittelpunktsstellung für die Sammlung gewonnen. Ohne Zweifel befinden sich ja in ihr auch einige der bedeutendsten Gedichte Brechts, die *Fragen eines lesenden Arbeiters, Die Legende von der Entstehung des Buches Taoteking auf dem Weg des Laotse in die Emigration* und *Die Teppichweber von Kujan-Bulak ehren Lenin.* Die entscheidende Herausforderung der *Chroniken* aber besteht in ihrer Kritik am bürgerlichen Geschichts- und Weltbild, das – vor dem faschistischen Krieg formuliert – durch den Weltkrieg sich selbst zu desavouieren schien (tatsächlich hat es sich in der westlichen Welt wieder etabliert, freilich nicht ungebrochen). Verse wie die folgenden wurden »geflügelte Worte«, wirkten produktiv, aber auch herausfordernd:

> Cäsar schlug die Gallier
> Hatte er nicht wenigstens einen Koch bei sich? (9, 656)

Aus einem – in der Tat »grotesken« – Mißverständnis gerade dieser Verse läßt sich die Bedeutung und Besonderheit der *Chroniken* entwickeln. Clemens Heselhaus hat das Gedicht unter die »Lyrischen Grotesken« eingereiht. Seine Argumentation: »So ernsthaft und berechtigt die einem Arbeiter suggerierte Frage nach den menschlichen Opfern der Siege und großen Leistungen der Weltgeschichte ist, so grotesk ist die Erinnerung an den Koch Cäsars, an die Köche der Siegesschmäuse, an die Spesen-Zahler« (Heselhaus, 336). Das Groteske freilich komme nicht offen zum Ausdruck, weil Brecht, der Intellektuelle, bloß in die »Maske« des Arbeiters geschlüpft sei. Ähnlich, wenn auch mit grundsätzlich anderem Impetus hat der »Arbeiterschriftsteller« Max von der Grün auf die »Fragen« reagiert. Ein Arbeiter lerne in der Volksschule von alledem, von dem das Gedicht spricht, nichts, wie er auch nicht – vor allem in dieser Weise nicht – fragen lerne: »ist die Frage nicht doch vielleicht die Frage eines Intellektuellen mit sozialem Engagement, nicht doch die Frage eines Moralisten und nicht die Frage eines lesenden Arbeiters« (von der Grün, 52). Es ist kennzeichnend, daß bei solcher Kritik die Vermittlungsschritte des Gedichts nicht beachtet werden. Es geht ja nicht um abstraktes Infragestellen, sondern um einen konkret in den historiographischen Büchern lesenden Arbeiter. Er muß nicht von sich aus vom »siebentorigen Theben«, vom »goldstrahlenden Lima« wissen, jedoch sollte er durch die Bücher – in der Regel Schullesebücher – damit konfrontiert sein, so legt ihm der Dichter diese und andere Fragen in den Mund. Daß die Fragen ohne weiteres übertragbar sind, geht aus ihrer Reihung hervor: es handelt sich um eine offene Reihe, freilich mit spezifischer Tendenz. Was Heselhaus als »grotesk« empfindet, schlägt auf den Interpreten direkt zurück. Gemeint sind natürlich nicht die Siegesmahle, gemeint ist vielmehr die vom Bürgertum als selbstverständlich empfundene, deshalb vergessene, deshalb als niedrig angesehene Sicherung der notwendigen Lebens-Mittel (im konkreten Sinn des Worts): »So ergibt sich, daß das, was dem ›Helden‹ als Leistung zugeschrieben wird, nur möglich ist, weil ihm die Masse als selbstverständliches Werkzeug zur Verfügung steht und ihn zugleich davon entbindet, seine Kräfte auf den elementaren Lebensvollzug zu konzentrieren (Caesar und sein Koch)« (Müller, 102). Das Eingangsgedicht der *Deutschen Kriegsfibel* hat diesen Sachverhalt bereits pointiert formuliert:

Bei den Hochgestellten
Gilt das Reden vom Essen als niedrig.
Das kommt: sie haben
Schon gegessen. (9, 633)

Damit ist ein Nerv des bürgerlichen Geschichts- und Weltbilds getroffen: die Ausblendung der materiellen Notwendigkeiten bzw. die Ausblendung des Ökonomischen aus der Geschichte. Geschichtliche Leistung erscheint jenseits der Sicherung der notwendigen Lebens- und »Geschichts«-Mittel, übersehen bleibt z.B., was Kriege angerichtet haben, indem sie – so die Entwicklung nach dem 1. Weltkrieg – z.B. die bürgerliche Familie grundlegend zerstört, die Beziehung der Menschen versachlicht und die Arbeitsbedingungen im Hinblick auf die »Funktionabilität« des Menschen verändert haben (Zuordnung zur Maschine, Fließband etc.). Über diese Erfahrung verfügt der Bürger in der Regel nicht, weil er sie nicht machen muß bzw. ideologisch beseitigt (bürgerliche Doppelmoral). Brauchte es noch eines Beweises, so lieferte die Deutung Heselhaus' ihn: »Der Philister versteht unter Materialismus Fressen, Saufen, Augenlust, Fleischeslust und hoffärtiges Wesen, kurz, alle die schmierigen Laster, denen er selbst im stillen frönt« (Friedrich Engels, Ausgewählte Schriften, Band II, S. 351).

Damit wird die Zielrichtung der weiteren Fragen, die der Intellektuelle für den Arbeiter stellt, ihm so eine kritische Anleitung zum Infragestellen gebend, offen. Es geht um Grundlegendes angesichts des kommenden Krieges und des sich brutalisierenden Faschismus. Was Geschichte genannt wird, pflegt sich zu manifestieren in Bauten, Eroberungen, Kriegen. Nicht aber ihre Materialität geht in die Historiographie ein, sondern ihre Idealität: die Schönheit der Bauten, der Triumph der Sieger, das Ansehen, die Größe von Persönlichkeiten, alles Phänomene der Geschichte, die als ihre »Eigentlichkeit« ausgegeben werden. Zu beachten ist, daß das Gedicht, indem die jeweilige Frage gestellt wird, quasi Zitate der bürgerlichen Historiographie notiert: entweder indirekt in der Frage (»Wer baute das siebentorige Theben«) oder als direktes Zitat (»Philipp von Spanien weinte, als seine Flotte / Untergegangen war«). Diese Historiographie suggeriert die Phänomene als Geschichte selbst. Dagegen wendet sich das Gedicht, und zwar im Angesicht einer zeitgenössischen Politik, die sich in ihrer Selbstdarstellung auf diese Art von Geschichtsauffassung beruft (Führerprinzip, Beschwörung von »Volksgemeinschaft«). Es geht also nicht darum, Geschichte »richtigzustellen«, Lima bleibt »goldstrahlend« und Theben wird kein Tor genommen, es geht vielmehr darum, die materiellen Kräfte der Geschichte, konkret die real Arbeitenden, zum Vorschein kommen zu lassen (durch den Schein der »Phänomene« hindurch), und zugleich geschichtlich zu erweisen, daß diese nie an den Siegen der Sieger teilgenommen haben, also den historischen Beleg zu führen, daß auch im kommenden Krieg das »Volk« wiederum die Opfer stellen wird, und zwar durch seine Arbeit (Bau der Paläste, Bau der Kriegsmaschinerie, Ernährung der Kriegstreiber) und durch sein Leben (als buchstäblich verheiztes »Menschenmaterial«).

Die *Chroniken* sind bestimmt von der Fragestellung Lenins »Wer-Wen« (vgl. Schlenstedt, 127). Sie meint einmal die Entscheidung im Klassenkampf zwischen Bourgeoisie und Proletariat, aber auch ganz konkret: wer arbeitet für wen? (bzw. wer leidet für wen?). Die *Fragen* postulieren durch das wiederholte Fragepronomen »Wer?« das in der bürgerlichen Historiographie ausgesparte Subjekt der Geschichte: den Arbeiter. Das Empedokles-Gedicht kehrt die mythische Überhöhung des Todes von Empedokles – »er starb für uns« – um. Des Empedokles Tod war ganz irdisch, seine heldenhafte Idealisierung bloßer Schein. Die *Legende* um Laotse stellt die Leninsche Frage wieder direkt: »Doch wer wen besiegt, das intressiert auch mich« (9, 662). Der *Besuch bei den verbannten Dichtern* hebt die übliche Isolierung der Dichtung und des Dichters angesichts der Frage auf, ob der Ankömmling denn auch Leser, Hörer habe, die seine Verse auswendig wissen. Hat er auch für jemand geschrieben oder nur für sich? (Die unausgesprochene Ironie dieses Gedichts ist, daß der nur für sich schreibende bürgerliche Dichter durch Exilierung und Verbrennung seiner Werke auch im Werk nicht überleben wird). Im *Gleichnis des Buddha vom brennenden Haus* zielt die Frage »Wer-Wen« auf die Notwendigkeit des politischen Handelns, wenn die Zeit dies erfordert (kritisch gegen diejenigen gewendet, die die »Kultur« retten wollen in einem Augenblick, wo die gesamten Lebensgrundlagen bedroht sind). Im Teppichweber-Gedicht, in dem Lenin selbst Gegenstand ist, konkretisiert sich die Antwort der Frage »Wer-Wen« auf »Für sich selbst«. Abstrakte, bloß äußerliche Ehrung ist angesichts der schlechten Lebensumstände sinnlos und schädlich: nach der Revolution können und sollen die Teppichweber etwas »für sich« tun. *Die unbesiegliche Inschrift* kehrt wieder zum Klassenkampf zurück. Die Widerständigkeit der Inschrift, die steht für das nicht auslöschbare Bewußtsein von Lenins konkretem revolutionären Vorbild, wird zum Garanten für die Befreiung der jetzt noch – im weitesten Sinn – Inhaftierten. *Kohlen für Mike* beantwortet die Frage bereits in der Überschrift. Der solidarische Akt, hier als »Sabotage«, verweist auf Widerstand und mögliche Befreiung »für sich selbst«, ebenso wie das folgende Gedicht über die Zerstörung des Schiffes Oskawa, das allerdings ohne den positiven Ausblick bleibt, sondern lediglich die Weigerung, für schlechten Lohn für den Eigentümer zu arbeiten, realisiert. Die Antwort auf die Frage lautet hier: nicht für sie. Die drei abschließenden Gedichte stellen wieder den positiven Aspekt der Frage dar: die Arbeiter arbeiten für sich selbst, da – so die übliche These – der Hauptwiderspruch zwischen Bourgeoisie und Proletariat aufgehoben ist.

Die *Chroniken* realisieren folglich drei Aspekte: 1. Sie kritisieren die einseitige, bloß phänomenale bürgerliche Geschichtsschreibung. 2. Sie verdoppeln die Perspektive, indem sie die »Phänomene« materialisieren und nach den »Arbeitern der Geschichte« fragen. 3. Sie propagieren die Übernahme der Geschichte durch die Arbeiter und verweisen auf das Vorbild der sowjetischen Entwicklung.

Die Forschung hat die *Chroniken* der *Svendborger Geschichte* als neues eigenständiges Genre beschrieben: »eine episch-lyrische Mischform, die der Ballade verwandt ist, starke didaktische Züge trägt, wobei dieses didaktische Element genrebestimmend ist« (Schlenstedt, 219). Die Abgrenzung und Bestimmung dieser neuen Form geschieht naheliegend mit den *Chroniken* der *Hauspostille* (dort ebenfalls die dritte Lektion). In der frühen Sammlung handelt es sich durchweg um Abenteuer-Balladen, die freilich auf wahre Begebenheiten zurückgreifen. Die *Chroniken* haben da noch nicht die historische Dimension, sie bleiben subjektiv beschränkt, auf einzelne – wie es heißt »kühne« – Menschen bezogen und weisen insgesamt relativ wenig formale wie inhaltliche Unterschiede zu den anderen Gedichten der Sammlung auf. Schließlich ist noch zu beachten, daß die *Chroniken* der *Hauspostille* durchweg sangbar sind und meist regelmäßige Rhythmen, stets aber den Reim aufweisen.

Die Svendborger *Chroniken* dagegen haben stets die »große« historische Perspektive, freilich unter dem Gesichtspunkt, daß das Proletariat bzw. das Volk als wesentliche politisch-geschichtliche Kraft erscheint. »Große Historie« heißt hier nicht, daß es sich stets um weltpolitische Ereignisse handelt, oft im Gegenteil, »große Historie« heißt vielmehr, daß das jeweils geschilderte Ereignis nicht isoliert, subjektiv beschränkt bleibt, sondern die Dimension der Auseinandersetzung zwischen Bourgeoisie und Proletariat den stets vorhandenen Bezugsrahmen erstellt (was u.a. auch durch das programmatische Eingangsgedicht erreicht wird). Konkret gezeigt: das ansonsten »kleine« Ereignis, daß ein Gefängnisinsasse die Parole »Hoch Lenin!« in die Mauer schreibt, deutet auf den latenten Klassenkampf, der nicht nur im Gefängnis, sondern allgemein herrscht. Überdies läßt die Pointierung des Schlusses »Jetzt entfernt die Mauer« (9, 669) die Übertragung des Vorgangs auf die (kapitalistische) Gesellschaft zu. Nicht anders stellt es sich mit dem solidarischen Handeln der Eisenbahner (*Kohlen für Mike*) oder den sich selbst helfenden Teppichwebern von Kujan-Bulak dar. – Aber auch »große Historie«, »große Männer« im traditionellen Sinn kommen vor; jedoch stets durch mithandelnde Leute aus dem Volk (Proletarier) relativiert und durch die »plebejische Perspektive« gebrochen. Programmatisch bestimmt das Lenin-Gedicht »Größe« neu. Nicht die Personenverehrung, die »Sockelerhebung«, die abstrakte Wiedergabe von Lehren sollen weiterhin Zeichen für Größe sein, sondern allein vorbildhaftes, produktives Handeln, das auch wirklich anwendbar ist. Die Selbsthilfe der Teppichweber setzt das revolutionäre, weltverändernde Tun Lenins, und zwar des »Genossen« (nicht er allein), konkret fort. Sie haben, indem sie auf nutzlose Ehrungen, Personenkult, verzichten, verstanden, daß Lenins »Lehren« in erster Linie konkrete Handlungsanweisungen – »wer wen?« – sind und unter dem Aspekt des Nutzens (für wen?) stehen sollen. Die Selbsthilfe der Teppichweber bedeutet so einen nützlichen Eingriff in eine – zunächst als ohnmächtig hinzunehmende Gewalt empfundene – Umwelt, die die Lebens- und Produktionsbedingungen der Weber erheblich belastet. Die Selbsthilfe kann zur Lenin-Ehrung werden, weil sie im Sinn seines revolutionären Vorbilds geschieht und damit erfüllt bzw. weiterführt, was er und seine Genossen begonnen haben (Lenin betonte stets, daß mit dem revolutionären Umsturz die Revolution selbst noch nicht abgeschlossen ist, daß also der Kampf noch lange weitergehen wird und viele alte Vorstellungen, Handlungsweisen, Haltungen und Verhältnisse jahre- und jahrzehntelang in der sozialistischen Gesellschaft fortbestehen). Daß die Teppichweber am Ende eine Tafel setzen, die von ihrem Entschluß und ihrem Handeln kündet, ist kein Rückfall in die übliche Ehrung, sondern Zeichen für eine neue Art von Geschichtsschreibung, die das Gedicht programmatisch gegen die alte Historiographie setzt. Geschichte wird geschrieben von denen, die sie auch gemacht haben. Inhaltlich ist sie bestimmt von den kollektiven Entscheidungen und kollektiven Handlungen. Ihr Charakter ist öffentlich (gegen eine traditionelle Kabinettspolitik), und zwar sowohl im Hinblick auf ihr Zustandekommen wie auch im Hinblick auf ihre Verbreitung: die Tafel an einem öffentlichen Gebäude.

Aber auch weit zurückliegende geschichtliche Vorgänge lassen sich mit der Einbeziehung der »plebejischen Perspektive« neu beschreiben. Das Gedicht über die Entstehung des Taoteking, das formal aus der Reihe fällt, beschreibt den entscheidenden Anteil, den der Zöllner, der »kleine Mann«, an der Entstehung eines weltliterarischen Buchs hat. Der Zöllner ist zwar nicht in der Lage, ein Buch zu schreiben, wohl aber, dem Gelehrten das Wissen abzuverlangen und schließlich auch zu konkretisieren, indem er es – es ist abstrakt formuliert – auf seine Situation anwendet (»Doch wer wen besiegt, das intressiert auch mich«; 9, 662). Damit würdigt das Gedicht nicht nur einen historischen Vorgang, der sich stets auf die »große Person« hin konzentriert hat, aus der anderen, »unteren« Perspektive, es verweist zugleich auch auf die Rolle der Intellektuellen im aktuellen Kampf gegen den Faschismus: sie sollen ihr Wissen dem unterdrückten Volk zur Verfügung stellen, damit es die Einsichten umsetzen und im Klassenkampf anwenden kann. Die für die Chroniken sonst ungewöhnliche Form des Gedichts (Reim, feste Strophen, regelmäßige Rhythmen) rechtfertigt sich durch das Legendäre des Vorgangs, das nicht wie im Empedokles-Gedicht »entmythologisiert« wird, sondern erhalten bleibt. Die »Drehung« der Legende geschieht durch die Perspektiven-Verdopplung von innen heraus; als Form aber kann sie gewahrt bleiben.

Ein weiteres Merkmal der *Chroniken* ist, daß sie »vermittelt« erzählt werden. Häufiger taucht die Wendung auf: »Wir haben gehört« (9, 668) oder »Ich habe gehört« (9, 669) oder »Wir hörten« (9, 673). Das, was die *Chroniken* berichten, zeichnet sich schon selbst als Berichtetes, Übermitteltes aus; die Wiedergabe ist nicht direkt, sondern indirekt, »vermittelt«. Das heißt: der Kommunikationsprozeß, den die Gedichte anstreben, beruht bereits auf vorangegangenen Kommunikationsprozessen. Was geschildert wird, hat sich bereits als schilderungswert erwiesen; es geht buchstäblich »um«. Insofern versteht sich der Dichter in erster Linie als Vermittler, als der »Gelehrte« (Intellektuelle), der im Volk gängiges Wissen, Erfahrung aufzeichnet. Er leiht den überlieferten Erfahrungen buchstäblich seine »Feder« (genauer: Schreibmaschine). So gesehen ist es nicht unwichtig zu wissen, daß alle *Chroniken* auf reale Ereignisse zurückgehen und sich auch nicht scheuen, vorgefertigte Formulierungen zu übernehmen (was sich durch Seidels Musteredition des Teppichweber-Gedichts z. B. besonders schön verfolgen läßt; hier kann nur darauf verwiesen sein). Alle Ereignisse haben bereits die Würde des Historischen; es wird ihnen nicht durch den Dichter erst etikettiert. Von daher liegt auch die offene Form der Gedichte nahe. Die meisten sind sehr nahe an der Prosa, weisen unregelmäßige Rhythmen auf, verweigern den Reim und folgen sprachlich den Vorgängen, die sie zu schildern haben (einschließlich des gesamten »unpoetischen« Vokabulars, das die Sache erfordert). Anders als die frühen Chronik-Balladen strebt die Darstellung nach Klarheit und Deutlichkeit: was überliefert wird, soll buchstäblich in den »Griff« gebracht werden, soll »inbesitzgenommenes« Wissen und »inbesitzgenommene« Erfahrung sein (nach dem Vorbild der »Inbesitznahme« der Metro). Die »Didaxe«, die Silvia Schlenstedt für das neue Genre so betont (219 ff.), ist dabei nur ein Nebeneffekt, denn es geht nicht um die abstrakte Weitergabe von Wissen, sondern um die aktive Aneignung von Geschichte, die auch »theoretisch« vorbereitet sein muß, indem man die praktischen Erfahrungen der Vorfahren und der Zeitgenossen zur Kenntnis nimmt und die Art ihres Handelns studiert.

Silvia *Schlenstedt*: Die Chroniken in den »Svendborger Gedichten«. Eine Untersuchung zur Lyrik Brechts. Diss. [Masch.] Berlin: Humboldt-Universität 1959 [enthält Einzelinterpretationen zu jeder *Chronik* ab S. 66, eine ausgiebige Erörterung des Genres ab S. 166 sowie einen Materialanhang, z. T. mit Paralleldrucken von Gedicht und Vorlage, ab S. 236; die Arbeit ist leider als ungedrucktes Typoskript schwer zugänglich und ist deshalb hier – soweit es der Rahmen des Handbuchs zuläßt – weitgehend ausgewertet; die Einzelinterpretation jedoch muß natürlich auf die Texte der Vorlagen zurückgreifen und Schlenstedts Analysen einbeziehen]. – Clemens *Heselhaus*: Deutsche Lyrik der Moderne von Nietzsche bis Yvan Goll. Die Rückkehr zur Bildlichkeit der Sprache. Düsseldorf 1961 (S. 321–338: »Die Masken des Bertolt Brecht«). – Klaus-Detlef *Müller*: Die Funktion der Geschichte im Werk Bertolt Brechts. Studien zum Verhältnis von Marxismus und Ästhetik. Tübingen 1967 (S. 101–105 zu *Fragen eines lesenden Arbeiters*). – Ulla C. *Lerg-Kill*: Dichterwort und Parteiparole. Propagandistische Gedichte und Lieder Bertolt Brechts. Bad Homburg u. a. 1968 (S. 92–97). – Max von der *Grün*: Fragen eines lesenden Arbeiters. In: Gruppe 61. Arbeiterliteratur – Literatur der Arbeitswelt? Hg. v. Heinz Ludwig *Arnold*. München 1971. S. 51–56. – Gerhard *Seidel*: Bertolt Brecht – Arbeitsweise und Edition. Das literarische Werk als Prozeß. Stuttgart (2. Aufl.) 1977 (S. 192–226, 330–351). – Franz Norbert *Mennemeier*: Bertolt Brechts Lyrik. Aspekte, Tendenzen. Düsseldorf 1982 (S. 163–173: »Gegenentwurf zum aristokratischen Geschichtsbild. Zu den »Chroniken« der Svendborger Gedichte«).

IV

Die vierte Abteilung der *Svendborger Gedichte* kehrt wieder in die Gegenwart des herrschenden Faschismus zurück. Der größte Teil der Gedichte hat Appellcharakter. Die »Schwankenden«, die »Gleichgeschalteten«, die bildenden Künstler, kranke Kommunisten, ihre Ärzte und Pfleger werden direkt angesprochen und erhalten lyrischen Rat. Jedesmal geht es dabei um angemessenes und »richtiges« Verhalten gegenüber der faschistischen Herrschaft. Eine weitere Gruppe von Gedichten, die wie die erste Gruppe über die gesamte Lektion verteilt ist, widmet sich vorbildlichen Kämpfern für Frieden und Sozialismus: Lenin, Ossietzky, Gorki. Zwei Gedichte bilden eine gesonderte Gruppe und fallen durchaus aus dem Rahmen, ein »ägyptisches« und ein »chinesisches« Gedicht. Beide geben sich auf den ersten Blick »zeitlos«, das erste Gedicht, indem es den pflügenden Ochsen anspricht, das zweite, indem es dem gerade geborenen Sohn empfiehlt, möglichst unwissend und denkfaul zu sein: nur so werde man ein ruhiges Leben haben und könne Minister im Kabinett werden. Beide Gedichte kommentieren aber die zeitgenössische Politik. Vom ägyptischen Gedicht weiß man durch Walter Benjamins Zeugnis, daß es auf Stalin gemünzt ist. Gemeint ist natürlich nicht vordergründig, wie Marsch behauptet (Marsch, 283), Stalins Agrarpolitik: im Ochsen selbst figuriert Stalin. Er wird vom Bauern, vom Volk also, gemästet, gut gehalten, damit er sich beim Aussäen dann nützlich macht, also die Furchen zieht, sich »anspannen« läßt. Die gute Behandlung des Ochsen ist nur gerechtfertigt, wenn er dann auch seine Arbeit tut. Das heißt: Brecht rechtfertigt Stalins diktatorische Herrschaft nur unter der Voraussetzung, daß Stalin dann alles tut, den Sozialismus voranzubringen und gegen den Faschismus zu verteidigen. – Das chinesische Gedicht richtet sich gegen die faschistischen Herrscher in Deutschland, deren Erfolg u. a. paradoxerweise auf ihrer Unwissenheit und Denkfaulheit beruht, zugleich aber auch ihre Intellektuellenfeindlichkeit kritisch beleuchtet: je mehr man sich dieser Un-Bildung anvertraut, desto mehr Chancen hat man, im faschistischen System aufzusteigen. Beide Gedichte präsentieren sich als Satiren, die ihre Schärfe jedoch erst erhalten, wenn man sie entsprechend aktualisiert.

Die Appell-Gedichte setzen sich mit richtigem und falschem Verhalten im Faschismus auseinander. Das erste Gedicht *An den Schwankenden* warnt davor, die gegenwärtige Stärke des Faschismus (geschrieben 1935) zu überschätzen und den antifaschistischen Kampf als sinnlos oder aussichtslos anzusehen. Wichtiger noch als dieses Gedicht ist das zweite Gedicht dieses Kapitels, 1935 von Brecht oder Helene Weigel über den Moskauer »Deutschen Freiheitssender« gesprochen. Es führt mit unerbittlicher Steigerung vor, was es heißt, das gegenwärtige faschistische System zu tolerieren. Wer sich darauf einläßt, die Verbrechen zu übersehen oder auch nur beiseite zu stehen, der wird immer mehr in die faschistischen Verbrechen eingewoben, immer mehr dazu gezwungen, sich auch aktiv zu beteiligen. Der Ausgangspunkt, nämlich Stellung und Lebensunterhalt nicht zu verlieren, erscheint ehrenwert, harmlos. Jedoch bereits das Schweigen, das Wegsehen wird als aktive Unterstützung gewertet und führt in die Verstrikkung des Mitmachens: »Schnell / Gerät er in den unerbittlichen Wettkampf aller derer / Die ihr Brot nicht verlieren wollen: es genügt nicht mehr der Wille zu lügen. / Das Können ist nötig und die Leidenschaft wird verlangt« (9, 680). Deutlich wird, daß der Faschismus nur durch das passive wie aktive Mitmachen der vielen bestehen kann, aber auch, daß er das kapitalistische Konkurrenzsystem aufrecht erhält, nun direkt – und nicht mehr nur über die »Sache« – gegen die Menschen vorgehend und sie austilgend. Die Pointe am Ende steigert noch einmal die Unerbittlichkeit der Argumentation, die ja nur die Tatsachen nachvollzieht: der ehrliche, harmlose Ausgangspunkt nämlich – sich »anständig« zu halten – wird derjenige sein, der ihn endgültig zu Fall bringt. Wo eine Gesellschaft wetteifert, sich gegenseitig in Brutalitäten zu überbieten, sind Ehrlichkeit und Anstand Kennzeichen mangelnder Tauglichkeit:

> Dazu kommt, daß er den Unterdrückern
> Mehr Lob herbeischleppen muß als jeder andere, denn er
> Steht unter dem Verdacht, früher einmal
> Die Unterdrückung beleidigt zu haben. So
> Werden die Kenner der Wahrheit die wildesten Lügner.
> Und das alles geht nur
> Bis einer daherkommt und sie doch überführt
> Früherer Ehrlichkeit, einstigen Anstands und dann
> Verlieren sie ihr Brot. (9, 681)

Die Möglichkeit, sich im und mit dem Faschismus einzurichten, besteht nicht. Das soll nun nicht heißen, daß damit alle diejenigen, die in Deutschland geblieben sind, grundsätzlich auch faschistische Mitmacher gewesen wären. Die Stoßrichtung des Gedichts ist zunächst einmal die Aufklärung darüber, wie stark die Verstrickung ist auch dann, wenn man sich so gut es geht »draußenhält«. Der Faschismus fordert irgendwann jeden zur Aktion, weil das übernommene Konkurrenzsystem, das Brecht überaus realistisch zeichnet, das Brot nur denjenigen sichert, die sich auch aktiv durchzusetzen verstehen (wobei natürlich nicht nur der geschäftliche Konkurrenzkampf gemeint ist, sondern auch der um Posten oder auch nur der, eine bestimmte Stellung nicht zu verlieren – dieses Konkurrenzsystem hatte der Faschismus mit perfider Meisterschaft aufgebaut, so daß keiner dem anderen mehr trauen konnte). Zum anderen liegt in der unerbittlichen Beweisführung des Gedichts auch die Konsequenz beschlossen, daß nur der aktive faschistische Mitmacher in der Lage ist, sich Posten und Lebensunterhalt zu sichern, daß es folglich sinnlos ist zu meinen, daß man ehrlich, anständig bleiben kann, wenn man mitmacht. Und umgekehrt ist der Schluß dann so zu ziehen, daß man sich frühzeitig verweigert oder – was nicht nur in der Svendborger Sammlung häufiger angeraten wird – auf listige, unauffällige Weise – z. B. durch Sabotage – Widerstand leistet. Das Risiko, dadurch Stellung, Arbeit zu verlieren, ist kaum größer als durch Anpassung. – Diesem Gedicht ordnen sich die später stehenden Appell-Gedichte (*Rede eines Arbeiters an einen Arzt, Appell;* 9, 684–688) zu. Die gesellschaftlichen Ursachen müssen erkannt werden, wenn man den Krankheiten realisitisch zu Leibe rücken will, und der revolutionäre Kämpfer gegen den Faschismus ist in jedem Fall zu unterstützen: wo »Alles erlaubt ist, was zum Sieg führt, welcher Sieg / Der Sieg der Menschheit über den Abschaum ist« (9, 686).

Wie notwendig der antifaschistische Kampf geworden ist und wie sehr er auch die Rolle der Kultur bestimmt, reflektiert das außergewöhnliche Gedicht *Rat an die bildenden Künstler, das Schicksal ihrer Kunstwerke in den kommenden Kriegen betreffend* (9, 682 f.). Es steht ziemlich in der Mitte des 4. Kapitels, strotzt von bitterbösem Hohn und beschreibt zugleich indirekt, welche Rolle Brecht der Kultur und den »Kulturschaffenden« zuweist bzw. wie er auch seine Kunst einschätzt. Die Entstehungszeit ist nicht ganz sicher (wohl 1937). Das Gedicht setzt jedoch die Kritik fort, die Brecht – freilich nicht öffentlich – an den »Kulturrettungsversuchen« nach dem mißlungenen Pariser Kongreß für die Verteidigung der Kultur (21.–25. 6. 1935) häufiger äußert, besonders kraß in einem Brief an George Grosz: »Ich kann Dir jedoch eine wichtige Mitteilung machen: Wir haben soeben die Kultur gerettet. Es hat 4 (vier) Tage in Anspruch genommen, und wir haben beschlossen, lieber alles zu opfern als die Kultur untergehen zu lassen. Nötigen Falles wollen wir 10–20 Millionen Menschen dafür opfern. Gott sei Dank haben sich genügend gefunden, die bereit waren, die Verantwortung dafür zu übernehmen« (Briefe, Nr. 263; vom Juli 1935). Der Briefauszug kann als direkter Kommentar zum Gedicht gelesen werden, das in scheinbar wohlwollender Weise den bildenden Künstlern alle möglichen Vorschläge macht, ihre Kunst möglichst »sicher« anzubringen und aufzubewahren, und wenn es die unterirdischen Hangars (Flugzeughallen) der Militärs sind:

> Gemälde, geradezu an die Wände gemalt
> Nehmen ja keinen Platz weg.
> Und ein paar Stilleben und Landschaften
> Werden die Bombenfliegermannschaften nicht stören.
> (9, 683)

Beschäftigt damit, wie sie am besten die Kultur »retten« können, kann die notwendig kommende Barbarei übersehen werden, die Hauptsache, die Kultur ist gerettet und gehe darüber die Welt unter:

> Damit die kommenden Geschlechter, eure ungeborenen Tröster
> Erst erfahren, daß es zu unserer Zeit Kunst gegeben hat
> Und Nachforschungen anstellen, Schutt weggrabend, mit Schaufeln
> Während der Wächter im Bärenfell
> Hoch über dem Wolkenkratzerdach, über den Knien die Büchse
> (Oder den Bogen) Ausschau hält nach dem Feind oder der Krähe
> Die er ersehnt, seinen hungrigen Magen zu füllen. (9, 683)

Solche Zukunftsvisionen sind bei Brecht selten. Erstellt ist eine gespenstige Szenerie: der kommende Weltkrieg hat den Schutt wolkenkratzerhoch aufgetürmt, die Menschheit ist auf die Stufe der Jäger, bekleidet mit Bärenfell, Vögel jagend zurückgesunken, die »gerettete« Kultur liegt tief begraben im Schutt – wie weit entfernte Altertümer, unverständlich denen, die überlebt haben. Brechts Zukunftsbild ist doppeldeutig. Es zeigt auf die bereits herrschende Barbarei, in der es nicht mehr um die Rettung der Kultur, sondern allein mehr um die Rettung der Lebensgrundlagen gehen kann. Ohne sie gibt es überhaupt keine Kultur mehr.

Wie die *Chroniken* als Gesamtkapitel innerhalb der *Svendborger Gedichte* einen gesonderten Zyklus bilden, so ordnen sich die *Appell*-Gedichte und die *Kantate zu Lenins Todestag* (9, 686–688, 689–693) zu gesonderten Zyklen innerhalb eines Kapitels. Die *Kantate*, die Hanns Eisler zum 20. Jahrestag der Oktoberrevolution vertont hat, stellt noch einmal einen unmittelbaren Bezug zur ersten Lyrik-Sammlung des Exils her, indem sie unter Nr. 8 das *Lob des Revolutionärs* (9, 691 vgl. 9, 466f.) wiederholt. Zu vermeiden war wie im Teppichweber-Gedicht ein verehrender Ton, der womöglich kirchliche Assoziationen weckte. Deshalb greift die *Kantate* auf Darstellungen des Kämpfers und Revolutionärs Lenin zurück: seine Unrast, seine ständige Produktivität, aber auch seine Wirkung werden beschrieben. Brecht löst dies, indem er einen Rotarmisten mit dem toten Lenin konfrontiert und im folgenden nicht zurück-, sondern nach vorn blickt, auf den notwendig weiterzuführenden Kampf. Erst unter diesen Voraussetzungen, daß nämlich Lenins Wirken einer besseren Zukunft galt, kann dann auch das »pathetische« Bild vom »eingeschreinten« Lenin am Ende stehen: »Er war unser Lehrer. / Er hat mit uns gekämpft. / Er ist eingeschreint / In dem großen Herzen der Arbeiterklasse« (9, 693). Dieses »Einschreinen« – Brecht wiederholt es – ist aber gerade nicht die übliche Einsargung und Totenlegung, sondern die – im doppelten Sinn – Aufhebung des Toten in der Arbeiterklasse. »Genaues Gegenteil eines Kults, der sich zu verselbständigen droht, hilft Eisler/Brechts weltliches Requiem, Lenins Größe funktional zu machen: brauchbar im weiteren Kampf« (Betz, 134). Eislers Musik verwendet verschiedenste – geschichtliche – musikalische Formen. »Die Absicht ist eindeutig: der Hörer soll sich nicht einfach den musikalischen (und textlichen) Vorgängern anvertrauen, sondern sich von ihnen befragt fühlen und ihnen Rede stehen. Der Reiz des Ungewohnten der neuen Musik, die durchaus Anstrengung erheischt, erschöpft sich nicht in der Faszination; der Schatten, der sie begleitet, ist die Mahnung an den Hörer, die Ansprüche an sich selbst nicht vorschnell zurückzuschrauben. In Verbindung mit dem Text gewinnt diese Mahnung politische Dimension: die Anstrengungen, um die Welt von Ausbeutung zu befreien, haben erst begonnen« (Betz, 134).

Edgar *Marsch*: Brecht-Kommentar zum lyrischen Werk. München 1974 (S. 281–284). – Albrecht *Betz*: Hanns Eisler. Musik einer Zeit, die sich eben bildet. München 1976 (S. 133f.).

V Deutsche Satiren

Die traditionelle Einschätzung der *Deutschen Satiren* als »mittelmäßige Tagesschriftstellerei« und »politisch naiv« (Esslin, 98f.) hat sich inzwischen ins Gegenteil verkehrt. Die allmähliche Entdeckung der besonderen und wirksamen Kunstform der Satire ist eine wesentliche Leistung der jüngeren Brecht-Forschung und durch Peter Christian

Giese erstmals gültig für das Drama Brechts beschrieben worden (als Gesellschaftlich-Komisches). Die *Deutschen Satiren* stehen der Dramenkunst in nichts nach; *Der Dienstzug* oder *Notwendigkeit der Propaganda* zählen inzwischen zu den »Klassikern«. – Brecht schrieb die Gedichte für das Medium, das die Nazis benutzten, um das Volk zu verdummen. Was Chaplins späterer Film *Der große Diktator* (The Great Dictator; 1940) in gelungene Bilder bringen sollte, indem er z. B. die Mikrofone vor Hynkels (alias Hitlers) Gebrülle sich verbiegen, indem er Hynkel nur unsinniges Gewäsch reden (auf die Form kommt es an) oder indem er Bild und Ton auseinanderklaffen läßt, realisieren die Gedichte mit dem bloßen, aber genau eingesetzten Wort. Brechts Berücksichtigung des Mediums mußte in vieler Hinsicht sich sprachlich auswirken. Ging es Hitler darum, mit den pathetisch herausgebrüllten Reden die Massen regelrecht besoffen zu machen, also mehr dunkle Gefühle anzusprechen, Eitelkeiten, Vorbehalte, Instinkte wachzurufen und einzusetzen, mußte Brecht, um seinerseits wirksam zu sein, die kommunikative Funktion des (relativ) neuen Mediums wiederherstellen. Die Parolen waren aufzunehmen, aber entweder in ihrer irrwitzigen Konsequenz »zu Ende zu denken« oder mit der Realität zu konfrontieren:

> Die Minister verkünden unaufhörlich dem Volk
> Wie schwer das Regieren sei. Ohne die Minister
> Würde das Korn in den Boden wachsen anstatt nach oben.
> Kein Stück Kohle käme aus dem Schacht
> Wenn der Kanzler nicht so weise wäre. Ohne den Propagandaminister
> Ließe sich kein Weib mehr schwängern. Ohne den Kriegsminister
> Käme niemals ein Krieg. [...] (9, 697)

Das Gedicht spricht zunächst das Medium selbst an: die Verkündigung – im quasireligiösen Sinn – der Unentbehrlichkeit der Machthaber und ihrer außerordentlichen Verdienste um das »Volk«. Die Konkretion ihrer Anstrengungen durch den Hinweis auf die wichtigsten Grundlagen der Volksversorgung (Brot und Energie) reicht schon aus, die lächerliche Anmaßung der »Schwierigkeiten des Regierens« zu entlarfen. Satirisch tiefer jedoch sitzen die folgenden »Schlußfolgerungen«. Goebbels Propaganda für die deutsche Frau und die große deutsche Familie erscheint als Quasi-Beteiligung am Geschlechtsakt und der »Empfängnis«. Aber es ist noch Steigerung möglich: »Ohne den Kriegsminister / Käme niemals ein Krieg«, bringt auf einfache, aber schlagende Weise die politische Funktion dieser Regierung und ihrer »Anstrengungen« ans Licht: die Kriegsvorbereitung. Dabei ist der Begriff, der Name, nur beim Wort genommen und satirisch zu Ende gedacht; als Schluß bleibt nur, diese Regierenden so schnell wie möglich zu beseitigen.

Das Beispiel läßt zugleich Brechts »formales« Verfahren deutlich werden. Brecht wußte, daß die »illegalen« Sender fortwährend gestört wurden und daß auch die Hörer ständig auf der Hut zu sein hatten, um nicht als Hörer von »Feindsendern« geschnappt zu werden. Die »Form« der Gedichte mußte darauf Rücksicht nehmen, sollten sie ihre Funktion erfüllen. »Es handelte sich darum, einzelne Sätze in ferne, künstlich zerstreute Hörerschaft zu werfen. Sie mußten auf die knappste Form gebracht sein, und Unterbrechungen (durch den Störsender) durften nicht allzuviel ausmachen. Der Reim schien mir nicht angebracht, da er dem Gedicht leicht etwas In-sich-Geschlossenes, am Ohr Vorübergehendes verleiht. Regelmäßige Rhythmen mit ihrem gleichmäßigen Fall haken sich ebenfalls nicht genügend ein und verlangen Umschreibungen, viele aktuelle Ausdrücke gehen nicht hinein: der Tonfall der direkten, momentanen Rede war nötig. Reimlose Lyrik mit unregelmäßigen Rhythmen schien mir geeignet« (19, 403). Offene, direkte, aber auch deiktische Sätze bestimmen die Satiren durchgängig, wobei die pointierte Zeilenbrechung, die durch entsprechende Pause und akzentuierten Tonfall zu realisieren war, besondere Funktion hat: »Ohne den Kriegsminister [Pause, Überlegung] / Käme [scharf gesprochen, wie ein neuer Beginn] niemals ein Krieg«. Die Aufbrechung und Pointierung der Syntax sorgen dafür, daß die Sprache sich nicht in sich abschließt, nur sprachlichen Kontext erstellt, sondern sich zur Realität hin öffnet, auf sie hinweist. Da sich der Zusammenhang über die (bekannte) Realität, nicht über den sprachlichen Kontext herstellt, fallen Unterbrechungen wenig ins Gewicht, weil ja die Realität, die unterbricht, eben die ist, auf die das Gedicht verweist. Sie läßt den (aktuellen) Zusammenhang des Gedichts stets anwesend sein. Überdies arbeitet Brecht mit Wiederholungen, so daß es nichts ausmacht, wenn ein »Beispiel« durch Störung wegfällt: ist das Prinzip erkannt, kann es im Hörer produktiv weiterwirken (er kann andere Beispiele satirischer Bloßlegung dazufinden, ohne dem Gedicht zu schaden – im Gegenteil).

Brecht räumte der aufklärerischen Gegenpropaganda ein großes Gewicht bei, weil er einerseits die Wirkung der Propaganda nicht unterschätzte, andererseits aber auch hoffte, daß eine Konfrontation von bloß verbaler Behauptung und gesellschaftlicher Realität, die er mit seinen Gedichten ansprach, die Propaganda zum »Sprechen« brächte, ihre Wirkungen unterminieren könnte (eine Hoffnung, die sich nicht einlösen sollte – aus den verschiedensten Gründen). Brecht benutzte für seine Satiren die *Deutschland-Informationen* der KPD. Sie erhielten ihre Nachrichten von ihrem im Untergrund arbeitenden Apparat sowie durch die Auswertung offizieller Materialien, die man gegen den Strich lesen mußte,um ihnen Verwertbares zu entnehmen (ein Verfahren, das Brecht immer wieder empfahl). Aus diesen Informationen ging u.a. hervor, daß der Mythos, die Nazis hätten »dem deutschen Volk« Arbeit und Brot gebracht, eine Propagandalüge war, die übrigens auch noch nach dem Krieg in der Bundesrepublik gläubig nachgebetet wurde. Einmal ganz davon abgesehen, daß das »Arbeitsbeschaffungsprogramm« fast ausschließlich dem künftigen Krieg galt, dessen Folgen eine Rechtfertigung dieser Arbeitsbeschaffung unmöglich machen sollten, war die Ernährungslage der Bevölkerung pro Kopf gerechnet 1938 sogar noch ungünstiger als im Krisenjahr 1932. Darauf nimmt z.B. die folgende Strophe Bezug:

> Wenn man herumfragt, so hört man: es gibt viele Verbesserungen.
> Viele, die lange keine Arbeit hatten
> Haben jetzt Arbeit. Freilich
> Sie hungern noch immer. Dabei
> Sind die Löhne nicht gesunken, allerdings
> Die Lebensmittel sind teurer geworden. Aber einzelne Fleischer
> Hat man aus ihren Läden geholt und eingesperrt
> Als sie zu schnell aufschlugen. Das weiße Mehl
> Das sich übrigens nicht mehr rühren läßt
> Kostet nicht viel mehr als früher, nur
> Muß man zu jedem Pfund Weißmehl auch ein Pfund Schwarzmehl nehmen
> Das sich zu nichts verwenden läßt. Andrerseits [...] (9,701)

In ähnlicher Weise handelt Brecht viele »Ereignisse« im »Dritten Reich« ab, die Ausschaltung der SA (»Röhm-Putsch«), die Explosion der »Hindenburg« (Luftschiff), den Aufbau der Wehrmacht etc. Ihre Zielrichtung ist immer, die falschen Versprechungen mit der Realität zu konfrontieren, diese »für sich sprechen« zu lassen, damit die Lügen durchschaubar werden. Zugleich aber sollen auch die Herrschenden getroffen werden. Wie Brecht im *Aufhaltsamen Aufstieg des Arturo Ui* durch die Komik den Respekt vor den »großen Tötern« nehmen wollte, so sollen auch in den Satiren die Nazi-Größen lächerlich gemacht werden: »Die großen politischen Verbrecher müssen durchaus preisgegeben werden, und vorzüglich der Lächerlichkeit. Denn sie sind vor allem keine großen politischen Verbrecher, sondern die Verüber großer politischer Verbrechen, was etwas ganz anderes ist« (17, 1177). Es geht also nicht darum zu verniedlichen, zu verkleinern oder gar das Grauen zu eskamotieren. Vielmehr soll der größenwahnsinnige Anspruch, der zugleich impliziert, daß diejenigen, die auf ihm bestehen, jenseits von »Gut und Böse« sind, also mit menschlichem Maß nicht mehr gemessen sein wollen, prinzipiell entlarvt werden. Die großen Verbrechen werden von miesen, mickrigen Menschen mit durchaus niedrigsten Beweggründen verübt, die Verbrechen werden dadurch nicht kleiner, nicht weniger grausam, ihre Ursachen aber lassen sich womöglich so durchschaubar und damit auch bekämpfbar machen.

> Und wie meisterhaft ist die Propaganda
> Für den Abfall und für das Buch des Führers!
> Jedermann wird dazu gebracht, das Buch des Führers aufzulesen
> Wo immer es herumliegt.
> Um das Lumpensammeln zu propagieren, hat der gewaltige Göring
> Sich als den größten Lumpensammler aller Zeiten erklärt und
> Um die Lumpen unterzubringen, mitten in der Reichshauptstadt
> Einen Palast erbaut
> Der selber so groß wie eine Stadt ist. (9,699f.)

Die auf Göring bezogene Passage legt auf komisch-satirische Weise die Überzogenheit nationalsozialistischer Aufrufe und Aktionen offen. Die Propaganda für das Sammeln von Lumpen vollzieht sich so wie alle üblichen Propagierungen vor dem Volk. Die Machthaber erklären sich selbst erst einmal für die Größten und Vorbildlichsten (in Chaplins Film *Der große Diktator* folgt der Göring-Darsteller Hynkels Aufruf zum »Gürtel-enger-schnallen« als erster, freilich mit dem Erfolg, daß sein dicker Wanst den Gürtel sprengt). Daß sich Göring zum größten Lumpensammler aller Zeiten erklärt hätte, lag durchaus im Bereich des Möglichen, solche Fauxpas lagen bei den geschwollenen Reden stets nahe. Brecht nutzt dabei natürlich auch noch den Doppelsinn von »Lumpen«: die Naziherrschaft ist die größte Ansammlung von Polit-Lumpen und -Gangstern, die sich aufgedonnerte Paläste erstellen, um sich so die höhere Weihe zu verleihen. Die Satire versucht, sie ihnen wieder streitig zu machen.

Die Wahl der Satire ergibt sich aus der Erkenntnis, daß eine direkte Darstellung der Greuel schon deshalb versagen muß, weil sie nicht nachahmbar sind, es sei denn, man wollte sie wiederholen (der Faschismus hat endgültig an der Judenverfolgung u.a. bewiesen, daß eine naturalistische Wiedergabe nicht möglich ist: ein Darsteller, der nur versuchte, sich so abzumagern, wie es in den KZs üblich war, brächte sich in unmittelbare Lebensgefahr; jede nachgeahmte KZ-Darstellung muß gegenüber der Wirklichkeit eine Idylle bleiben). Der naheliegende Einwand, daß Komik verharmlose, trifft gerade alle Versuche, den Greueln auf naturalistische Weise beizukommen. Außerdem würde dabei nur eine weitgehend mitleidserheischende, nicht aber durchschauende Haltung beim Rezipienten geweckt. Greuel werden nicht dadurch beseitigt, daß man sie »nahebringt«; wie wenig das nützt, hat die tagtägliche mediale Erfahrung bewiesen. Überdies hat gerade der Einsatz der Medien durch die Nazis gezeigt, daß das Medium auf diese Weise propagandistisch einsetzbar war. Man baute Feindbilder auf und brachte sie »nahe«, und man legte sich zugleich das theatralische Gehabe der traditionell auf Furcht und Mitleid zielenden moralischen Anstalt zu. Die Satire dagegen erfindet neue Bilder, neue Situationen, die Realität nicht wiederholen und ersetzen, sondern sie durchschauen lehren sollen. Ein wesentlicher Effekt der Satire liegt darin, bis zu einem gewissen Punkt, die reale Anmaßung »ernst« zu nehmen, sie scheinbar nachzuvollziehen, um sie dann umschlagen zu lassen, gegen diejenigen zu richten, die sie (regelrecht) vorführen. Der Theatralisierung der Politik durch die Nazis setzt Brecht die Politisierung der Ästhetik entgegen. Versuchen die Nazis mit ihren gigantischen Auftritten, die gesteigert das alte Theater wiederholen und seine Effekte anwenden, die niederen Beweggründe ihrer Politik zu überdecken, so versuchen die Satiren, die Politika in jeder Handlung, ihre Zurschaustellung sichtbar zu machen und zugleich die Dichtung so zu wenden und zu verändern, daß sie zur Aufdeckung der Mißstände tauglich wird.

Damit kommt noch ein weiterer Aspekt der Satire hinzu. Giese hat es für das Drama als »Gesellschaftlich-Komisches« bestimmt. Diese Komik resultiert aus der objektiven gesellschaftlichen Entwicklung, wonach etwas, das »an der Zeit« ist, sich eigentlich längst überholt hat. Beim Nationalsozialismus war der Sachverhalt besonders deutlich, weil er nicht nur »ungleichzeitig« war, also Formen, Handlungen, Verhältnisse ausprägte, die einem früheren historischen Zeitraum angehörten, sondern zusätzlich auch noch in mythische Dimensionen regredierte, die sich z.T. nur mit »außer jeglicher Zeit« bestimmen lassen. Die Komik des Gesellschaftlich-Komischen stellt nun das, was noch herrscht, aber historisch überholt ist, in dieser Überholtheit dar und bloß. Sie nimmt den Anspruch, »an der Zeit« zu sein, nicht »ernst« und kann deshalb die hohle, bloß »gespielte« Anmaßung regelrecht demaskieren. Das Verfahren unterschlägt nicht, daß das Überholte noch herrscht und »Realität macht«, aber es führt regelrecht vor, daß es überholt und damit auch überholbar ist; und aufs letztere kam es vor allem an.

Martin *Esslin*: Brecht. Das Paradox des politischen Dichters. München 1966 (S. 98–100). – Herbert *Claas*: Die politische Ästhetik Bertolt Brechts vom Baal zum Caesar. Frankfurt a.M. 1977 (S. 92–107).

Peter Christian *Giese*: Das »Gesellschaftlich-Komische«. Zu Komik und Komödie am Beispiel der Stücke und Bearbeitungen Brechts. Stuttgart 1974.

VI

Das abschließende Kapitel der *Svendborger Gedichte* sammelt die erste Gruppe von Brechts klassischen Gedichten über das Exil. Die Verbindung zum Gesamtzyklus ergibt sich aus dem Motto:

> Du, der du, sitzend im Buge des Bootes
> Siehest am untern Ende das Leck
> Wende lieber den Blick nicht weg
> Denn du bist nicht aus dem Auge des Todes. (9,718)

Ins Exil gehen heißt nicht »auswandern«. Das erste Gedicht *Über die Bezeichnung Emigranten*

(9, 718) weist den Begriff deshalb auch als unangemessen zurück. Brecht sieht sich als »exiliert«, das heißt als »vertrieben«, »verbannt« an. Deshalb bleibt die Verbindung zum Heimatland bestehen, jeder Ort, an dem sich der Exilierte aufhält, ist vorläufig, vorübergehend, und zwar in doppelter Hinsicht, im Hinblick auf die mögliche Rückkehr, aber auch im Hinblick auf weitere Vertreibung (je länger der Nationalsozialismus an der Macht war, desto mehr sah Brecht sein dänisches Exil als gefährdet an). Das Motto nimmt das alte Bild, das gern von Politikern in ganz anderem Sinn strapaziert wird, »in einem Boot zu sitzen«, auf und wendet es als Mahnung an die Exilierten um. Auch wenn sie »draußen« sind, sitzen sie immer noch im Boot, ist ihr »Schicksal« von dem Deutschlands nicht getrennt. Wenn also der Nationalsozialismus siegte, wären auch die Exilierten besiegt. Die Hinwendung des Blicks zum Leck, das die Nazis ins Boot geschlagen haben, ist weiterhin notwendig, der Kampf gegen den Faschismus die Hauptaufgabe auch der Exilierten. Gemeint ist mit der Verbundenheit zum Heimatland keine wie immer irrationale »volkhafte« Abhängigkeit. Das Heimatland ist vielmehr die Gesellschaft, durch die der einzelne geprägt worden ist, deren Sprache er spricht, deren Verhältnisse ihn bestimmt haben, die Gesellschaft, in der er gearbeitet, gelebt und die seine persönlichen und überpersönlichen Bindungen hergestellt hat. Er ging nicht freiwillig, sondern wurde vertrieben. Der Grund seiner Vertreibung war die Teilnahme am Kampf gegen diejenigen, die jetzt *über* die herrschen, an deren Seite der Exilierte stand (vgl. *Verjagt mit gutem Grund;* 9, 721 f.). Sich jetzt abzuwenden, hieße nicht nur, die ehemaligen Mitkämpfer einfach im Stich zu lassen, sondern auch – wie die Mitmacher innen – die faschistische Herrschaft zu zementieren. Brecht war es von daher unmöglich, etwa Thomas Manns Rückführung des Nationalsozialismus auf den deutschen Volkscharakter – oder wie immer man das benannt hat – gutzuheißen. Zwar hat auch er diesen Zusammenhang nie geleugnet, ihn zugleich aber auch nie als einziges Argument anerkannt. Gegenüber Walter Benjamin hat sich Brecht 1938 so geäußert: »Die Deutschen sind ein Scheißvolk. Das ist nicht wahr, daß man von Hitler keine Schlüsse auf die Deutschen ziehen darf. Auch an mir ist alles schlecht, was deutsch ist. Das Unerträgliche an den Deutschen ist ihre bornierte Selbständigkeit« (Walter Benjamin: Versuche über Brecht. Hg. von Rolf Tiedemann. Frankfurt a. M. 1981. 6. Aufl. S. 169). Als entscheidendes und alles erklärendes Argument konnte Brecht das »Deutsche« schon deshalb nicht gelten lassen, weil er die Deutschen nie als Einheit, als Gemeinschaft (nationalsozialistische »Volksgemeinschaft«) gesehen und die Machtabstützung der Nazis durch das Großkapital stets betont hat. Daß die Klassenkämpfe – die ja nicht immer offenliegen – weitergingen, bewies der Widerstand in Deutschland sowie die Tatsache, daß man ganze Heere benötigte, um die Deutschen in Schach zu halten (SS). Als Thomas Mann 1943 seine Unterschrift zu einem Manifest, das das Nationalkomitee »Freies Deutschland« unterstützen sollte, zurückzog, notierte Brecht: »die entschlossene jämmerlichkeit dieser ›kulturträger‹ lähmte selbst mich wieder für einen augenblick, der modergeruch des frankfurter parlaments betäubt einen heute noch. mit goebbels behauptung, hitler und deutschland sei eins, stimmen sie überein, wenn hearst [die amerikanische »Springer«-Presse] sie übernimmt« (AJ 599; vom 2. 8. 43). Von daher gab es folglich auch mit dem Exil kein »Außenstehen« für Brecht. Etwa dauerhaft in den USA zu bleiben, wozu nicht wenige der Exilierten sich entschlossen (z. B. auch Brechts Freund Lion Feuchtwanger), hat Brecht nie erwogen. Im Gegenteil empfand er das Exil als einen Ausschluß von der Gegenwart, als Verlust seiner Arbeitsgrundlagen und nicht zuletzt auch der Ansprechpartner, des Publikums.

Von all dem handeln die Gedichte über das Exil, vom Verlust der Heimat und allem, was damit zusammenhängt, vom widerwilligen Einrichten in der Fremde, von der täglichen Jagd nach Nachrichten, notdürftigen Verbindungen in die Heimat, von der Reflexion auf die Gründe für die Verbannung, aber auch von den Folgen, die sie für die Verbannten hat:

> Auch der Haß gegen die Niedrigkeit
> Verzerrt die Züge.
> Auch der Zorn über das Unrecht
> Macht die Stimme heiser. Ach, wir
> Die wir den Boden bereiten wollten
> für Freundlichkeit
> Konnten selber nicht freundlich sein. (9, 725)

Im berühmten Gedicht *An die Nachgeborenen,* das den Zyklus abschließt, finden sich auch die inzwischen vielfältig zitierten, oft aber mißverstandenen Zeilen:

> Was sind das für Zeiten, wo
> Ein Gespräch über Bäume fast ein Verbrechen ist
> Weil es ein Schweigen über so viele Untaten
> einschließt! (9, 723)

Sie pflegen – vor allem seit man den »Tod« Brechts entdeckt hat – kolportiert zu werden, als ob Brecht sich grundsätzlich gegen »das Gespräch über Bäume« gewendet hätte – oft mit der triumphierenden Bemerkung sekundiert, daß heute angesichts des Baumsterbens das Gespräch über Bäume um so notwendiger geworden sei (und Brecht folglich keine Ahnung gehabt hätte). Das Gespräch über Bäume deutet auf traditionelles lyrisches Sprechen, auf Naturlyrik etwa. Dieses lyrische Sprechen aber wird dem Dichter, der sich dennoch lyrisch äußert, durch die finsteren Zeiten verwehrt, und zwar nicht, weil er prinzipiell etwas dagegen hätte, sondern weil es leider notwendig ist, von den finsteren Zeiten zu handeln. Alles andere bedeutete passive Unterstützung des Faschismus: »Wirklich, ich lebe in finsteren Zeiten!« (9, 723)

Literatur zum Gesamtzyklus: Christiane *Bohnert:* Brechts Lyrik im Kontext. Zyklen und Exil. Königstein/Ts. 1982 (S. 82–140).

Der Dienstzug (um 1937)

Das Gedicht gehört zum 5. Kapitel der *Svendborger Gedichte*, zu den *Deutschen Satiren* also (9, 696f.). Es ist hier als Beispiel ausgewählt, weil es mit der inhaltlichen Darstellung des angemaßten Luxus durch die Nazi-Größen zugleich eine bestimmte Kunstauffassung thematisiert. Es handelt sich bei aller zunächst so anmutenden Einfachheit um ein komplexes Kunstgebilde, das exemplarisch für Brechts hohe Kunst der Satire vorgeführt sein soll. Die genaue Entstehungszeit des Gedichts ist nicht bekannt. Daß Brecht jedoch mit der Thematik schon länger umgegangen ist, belegt ein Gedicht-Fragment aus dem *Dreigroschenroman,* das jetzt aus dem Nachlaß publiziert worden ist (BBA 352/91):

> *Ist der Führer billig?*
>
> Da die Salonjacht »Die Grille«
> Welche auf Reichskosten für den Führer gebaut wurde
> Außerordentlich prunkvoll ausfiel, bestimmte der Führer
> Der das Schlichte liebt, daß wenigstens
> Der Name der Jacht schlicht sei, und nannte sie
> Anstatt Salonjacht einfach Stationsschiff.
>
> (Supplementband IV, 340)

Dieses Fragment muß aus dem Jahr 1933 stammen und war offenbar als eines der lyrischen Mottos für den Roman gedacht (in der Mappe finden sich Entwürfe vom *Lied vom Pfund* u. a.). Der Ausgangspunkt des Fragments ist eben der des späteren Gedichts. Jedoch erweist sich offenbar der »schlichte« Name »Stationsschiff« als wenig ergiebig. Anders ist es mit dem »Dienstzug«, der seit 1935 durch Deutschland fuhr:

> *Der Dienstzug*
>
> 1
> Auf ausdrücklichen Befehl des Führers
> Erhielt der Salonzug, der für den Nürnberger Parteitag gebaut wurde
> Den schlichten Namen DIENSTZUG. Das bedeutet, daß
> Die in ihm fahren, indem sie fahren, dem deutschen Volk
> Einen Dienst erweisen.
>
> 2
> Der Dienstzug
> Ist ein Meisterstück der Wagenbaukunst. Die Zuggäste
> Haben eigene Appartements. Durch breite Fenster
> Sehen sie die deutschen Bauern auf den Feldern schuften.
> Sollten sie in Schweiß geraten bei diesem Anblick
> Können sie in gekachelten Kabinetten
> Expreßbäder nehmen.
> Vermittels eines raffinierten Beleuchtungssystems können sie
> Sitzend, stehend und liegend nachts die Zeitungen lesen
> Mit den großen Berichten über die Segnungen
> Des Regimes. Die einzelnen Appartements
> Sind durch Telefonleitungen miteinander verbunden
> Wie die Tische in gewissen Tanzpalästen, wo die Herren
> Telefonisch die Damen an den Nachbartischen nach dem Preis fragen können.
> Ohne sich von den Betten zu erheben, können die Gäste
> Das Radio anstellen mit den großen Berichten
> Über die Nachteile anderer Regimes. Sie bekommen ihre Dinners

Auf Wunsch im Appartement serviert und verrichten ihre Notdurft
In eigenen Klosetts, die mit Marmor ausgelegt sind.
Sie scheißen
Auf Deutschland.

(9, 696 f.)

Anders als im Fragment über das Salonschiff beginnt das Gedicht pointiert, ohne große weitere Erklärungen. Der Befehl gilt der Verschleierung. Die Sprache soll eine Realität suggerieren, die – wie die dann folgende Beschreibung verdeutlicht – nicht den Gegebenheiten entspricht. Hitlers Vorliebe für das »Schlichte« wird nicht mehr explizit ausgesprochen, sondern in der falschen Namensgebung selbst festgemacht: als Volksverbundenheit hinterhältig auszugeben, was in Wirklichkeit weit vom Volk entfernt ist. Zugleich besteht der Beginn auf der Sprach- bzw. Kunstthematik. Indem Brecht den Namen im Sinn der Nazis ausdeutet und also der Schlichtheit scheinbar zustimmt, hebt er die sprachliche Anmaßung um so mehr hervor, ging es Brecht doch darum offenzulegen, daß die Nazis nicht bloß »redeten«, nicht bloß martialische Töne von sich gaben, sondern daß sich hinter jedem Wort die Bereitschaft und die Drohung verbarg, damit auch ernstzumachen (was hinterher niemand hatte glauben wollen). Wo die Sprache versagt, hat bereits eine Wirklichkeit versagt. Es gab keine Beruhigungen. Und folglich war der Name eben beim Wort zu nehmen: die Nazi Führer erweisen sich auf Kosten der anderen einen Dienst.

Die 2. Strophe beschreibt den Dienstzug ausgiebig, scheinbar ihn in jeder Hinsicht lobend – und zwar als Produkt einer bestimmten Auffassung von Kunst. Die Beschreibung gibt sich objektiv, setzt jedoch die Worte so ein, daß sie die Lüge entlarven. Statt etwa von »Dienern« spricht die Beschreibung von »Gästen«, womit sich die Vorstellung eines Hotelzugs einstellt, was durch viele weitere Einzelheiten ja auch bestätigt wird. Die Haltungen, die der Zug fördert, sind kontemplativ und bevorzugt; jegliche Mühe, die sich vielleicht mit Dienst einstellen könnte, ist genommen. Die Individualität der Gäste ist betont, da jeder eine Einrichtung für sich hat. Abgeschottet sind sie nach außen wie zueinander. Die Verbindungen aber werden geknüpft wie bei der Prostitution, womit Brecht den auch anderswo hergestellten Zusammenhang von Nationalsozialismus und (politischem) Zuhältertum einmal mehr markiert (vgl. z. B. die *Horst-Wessel-Legende*; 20, 209–219). Zugleich aber reißt dieses Bild auch die ganze Abgründigkeit einer Politik auf, die so verhandelt wird, wie sie der Dienstzug durch sein Einrichtung unfreiwillig offenbart. Es ist miese Kabinettspolitik – bezeichnenderweise redet Brecht nicht von »Bädern« –, die das Volk verkauft, die geheim verhandelt wird, sich prinzipiell nicht um die wirklichen Bedürfnisse kümmert und ausschließlich dem Eigen-Dienst verpflichtet ist. Der Dienst am Volk erweist sich als Dienst am eigenen »Ich«, als politisches Zuhältertum übelster Sorte. Wenn auch grob, so doch wirkungsvoll, pointiert dies noch einmal der Schluß. Die Tatsache, daß bei Zügen die Exkremente auf die Gleise verteilt werden, benutzt Brecht als drastisches, zugleich aber ganz reales Bild, daß die Nazi-Herrscher auf Deutschland buchstäblich »scheißen«. Daß man auf etwas scheiße, wird gesagt, um das gänzliche Desinteresse und die Verachtung zu unterstreichen. Brecht kann diese Wendung nicht nur sehr real als Bild einführen, durch die Zeilenbrechung »Sie scheißen / Auf Deutschland« vermag er auch noch die Nazi-Parole vom »Erwache Deutschland« gegen die Nazis wenden. »Auf Deutschland« bedeutet in der Konsequenz des Gedichts auch: daß Deutschland angesichts dieses Verhaltens seiner Herrscher »aufstehen« müßte.

Das Gedicht ist zugleich ein Gedicht über Kunst, die mit der »Wagenbaukunst« angesprochen ist. Diese Kunst dient der Illusionierung, der Separierung; sie feiert das Individuum, fördert kontemplative Haltungen, ihre Schönheit ist nutzlos (Marmor auf dem Scheißhaus) – und sie biedert sich an. Sie ist buchstäblich Prostitution. Wie der »Führer« versucht, die (vorgespiegelte) Realität des »Dienstzugs« durch bloße (Um-)Benennungen erstehen zu lassen, so hat traditionelle bürgerliche »Sprachkunst« ihre Gegenstände aus der Sprache entstehen lassen. Der Faschismus spätestens zeigt ihre Korrumpierung, denn solche Kunst dient der Lüge und schädigt das Volk.

Christiane *Bohnert*: Brechts Lyrik im Kontext. Zyklen und Exil. Königstein/Ts. 1982 (S. 121 f.).

Die Lyrik des schwedischen und finnischen Exils

Die »Inzwischenzeit«

Brecht, der die politische Entwicklung sehr genau beobachtet, fürchtet spätestens ab dem Frühjahr 1939 mit dem täglichen »Ausbruch« des Krieges. Dementis aus Berlin über Truppenzusammenziehungen an der dänischen Grenze pflegte er – sinnvollerweise, wie sich herausstellen sollte – als ungewolltes Eingeständnis des Tatbestands aufzunehmen. Im April bemüht sich Brecht bei Henry Peter Matthis (schwedischer Schriftsteller und Publizist) um ein Visum für Schweden. Er schreibt am 11.4.1939 an Matthis: »Bitte entschuldigen Sie meinen Anruf am Samstag, ich bin sicher, Sie haben eine Vorstellung von der Peinlichkeit, auf einem dieser Inselchen zu sitzen im Augenblick, wo die Schlächterei anzufangen scheint. Schließlich ist in diesem Jahr jede Woche ohne Weltkrieg für die Menschheit ein bloßer unbegreiflicher Glückstreffer« (Briefe, Nr. 387). Brecht erhält die Visa für sich, seine Familie und Mitarbeiter bereits im selben Monat und geht Anfang Mai, nachdem das »dänische Strohdach« verkauft und die Habe verpackt ist, auf die Reise (zunächst für einen Vortrag). Sie finden Aufnahme im Haus der Bildhauerin Ninan Santesson auf der Insel Lidingö, die unmittelbar vor Stockholm liegt. Der Aufenthalt dort dauert ziemlich genau ein Jahr. Dann überfallen die Hitlertruppen Dänemark und Norwegen, für Brecht das Zeichen, daß auch Schwedens Besetzung unmittelbar bevorstünde (die Furcht war berechtigt, da die Schweden jedoch ihr Erz »freiwillig» nach Deutschland lieferten und wohlwollende Neutralität wahrten, blieben sie verschont). Brechts Flucht aus Schweden am 17.4.1940 ist durch Peter Weiss literarisch geworden: »Matthis, der [...] Brecht und dessen Gefolge zum Kai begleitet hatte, beschrieb mir den Augenblick. Brecht sei, links, auf dem Blasieholm, vom Gebäude der deutschen Botschaft, und rechts, am Stadsgardhafen, von den deutschen Frachtern, wehten die Hakenkreuzfahnen, beim Weg über die Laufbrücke zusammengebrochen, mußte gestützt, fast getragen werden an Bord« (Die Ästhetik des Widerstands. II. Frankfurt a. M. 1978, S. 326).

Brecht flieht nach Finnland, wohnt zunächst in Helsinki, folgt dann mit Familie und Mitarbeitern einer Einladung der finnischen Schriftstellerin Hella Wuolijoki auf ihr Gut Marlebäck in Kausala. Als die Wuolijoki jedoch ihr Gut wegen wirtschaftlicher Schwierigkeiten verkaufen muß, geht es im Oktober 1940 nach Helsinki, von wo aus Brecht besorgt die Expansion des Weltkriegs beobachtet. Er bemüht sich um Pässe für die USA, die im Mai 1941 eintreffen. Da die deutschen Truppen bereits bedrohlich nahe sind, entschließt sich Brecht zum Umweg über die Sowjetunion. Die Reise beginnt am 15. Mai; im Juli 1941 ist Brecht in den USA.

Die Arbeit, natürlich auch die an der Lyrik, ist wesentlich geprägt von den äußeren Ereignissen. Auch die Skrupel angesichts des brutalen Krieges, sich mit Literatur zu befassen, nehmen zu. Auf Gut Marlebäck notiert Brecht:

im augenblick kann ich nur diese kleinen epigramme schreiben, achtzeiler und jetzt nur noch vierzeiler. den CAESAR nehme ich nicht auf, weil der GUTE MENSCH nicht beendet ist. wenn ich zur abwechslung den MESSINGKAUF aufschlage, ist es mir, als werde mir eine staubwolke ins gesicht geblasen. wie kann man sich vorstellen, daß dergleichen je wieder sinn bekommt? das ist keine rhetorische frage. ich müßte es mir vorstellen können. und es handelt sich nicht um hitlers augenblickliche siege, sondern ausschließlich um meine isolierung, was die produktion betrifft. wenn ich morgens die radionachrichten höre, dabei boswells LEBEN JOHNSONS lesend und in die birkenlandschaft mit nebel vom fluß hinausschielend, beginnt der unnatürliche tag nicht mit einem mißklang, sondern mit gar keinem klang. das ist die *inzwischenzeit*. (AJ 151; vom 19. 8. 40)

Das Kunstwort kann beim Wort genommen werden. Es handelt sich um eine Zeit »zwischen« zwei historischen Phasen, die sozusagen aus der Zeit fällt. Der Dichter ist isoliert, steht außerhalb der bestimmenden geschichtlichen Ereignisse, kann nicht mehr auf sie einwirken, da er weder mehr über die notwendigen Nachrichten verfügt noch Publikum hat, das ihm zuhören könnte. Die »Inzwischenzeit« beginnt nicht mit dem schwedischen und finnischen Exil, sondern ist auch noch für einen Teil des dänischen Exils anzusetzen. Dieses hatte sich durch seine relative Nähe an Deutschland sowie durch weiterbestehende Verbindungen ausgezeichnet. Die *Deutschen Satiren* z. B. wären ohne einen guten Informationsfluß nicht möglich geworden, wie überhaupt ein großer Teil der dänischen Lyrik durch ihre konkreten politisch-zeitgenössischen Bezüge auffällt. Die Tendenz aber ist abnehmend, je mehr die Informationsquellen verschwinden, eine der wichtigsten, die Sender. Brecht erinnert sich 1940, »wie nach und nach immer mehr verschwand. erst gab es noch die zeitungen, deutsche in österreich, tschechoslowakei, schweiz, saarland. eine nach der anderen ging ein, kam nicht mehr. das radio blieb, aber eines tages schwieg wien, eines andern tages prag«(AJ 125; vom 1.7.40). Die Tendenz ist eskalierend. Insofern ist die »Inzwischenzeit« als allmähliches Eintreten eines Zustands (ab ca. 1938 ausgeprägt) zu erfassen, der zu fast völliger Isolierung führt. Gab es in Dänemark zunächst noch begrenzte Möglichkeiten, sich an Publikum zu wenden (sei es durch Aufführungen, sei es durch eine funktionierende Exilpresse, sei es durch das Radio), so schwand es mit dem schwedischen und finnischen Exil fast ganz. Die Informationsmöglichkeiten waren mit der (noch »friedlichen«) Ausbreitung des Nationalsozialismus über Europa bis 1939 ganz entschieden zurückgegangen, mit dem Krieg dann sanken sie beinahe auf den Nullpunkt (Warschau und Paris fielen aus; nur London blieb). Dazu hemmte die zunehmende Entfernung den Informationsfluß ebenfalls, so daß die Isolierung mit dem finnischen Exil beinahe vollkommen geworden war. Und so verwundert es nicht, wenn das finnische Exil diesen Zustand bewußt macht und auf den »Nenner« bringt.

Merkmale der Lyrik der »Inzwischenzeit«

Durch die neuere Forschung (Rastegar, Bohnert) sind die Veränderungen von Brechts Lyrik in dieser Zeit inzwischen präzise erfaßt und beschrieben worden, so daß hier im wesentlichen darauf zurückgegriffen werden kann.

Eines der hervorstechenden Merkmale der Lyrik ist, daß sie vorwiegend »Ich« sagt, also ein konkretes lyrisches Ich aufweist. Bohnert hat mit Recht (gegen Rastegar) darauf insistiert, daß dieses Ich nicht einfach mit dem Brechts zu identifizieren ist. Daß das Ich zum Subjekt der Gedichte in zunehmender, dann fast ausschließlicher Weise wird, hat selbstverständlich Brechts isolierte Situation zur Voraussetzung; aber sie liefert nur den Ausgangspunkt für die Darstellung eines repräsentativen Subjekts. Das heißt, daß die »Subjektivierung« nicht die Rückkehr zur verpönten bürgerlichen Ausdruckslyrik darstellt, daß vielmehr ein Ich, von seinen Erfahrungen, Beobachtungen ganz konkret ausgehend, eine repräsentative Erfassung seines Zustands innerhalb einer brutalisierten Welt versucht. »Verändert ist der Modus des Ausdrucks, nicht der Ausdruck selbst. Ebenso werden nicht ›gesellschaft-relevante Gesten‹ [so Rastegar, 145] in subjektive *verwandelt,* sondern diese bleiben auch subjektiviert noch gesellschaftlich relevant« (Bohnert, 143, Anmerkung 256).

Die Isolation der »Inzwischenzeit« erscheint in den Gedichten des schwedischen, vor allem des finnischen Exils nicht als leidender Rückzug aufs Subjekt. Vielmehr zielen die Gedichte darauf hin, die Isolation als aufgezwungenen Zustand zu verdeutlichen und bewußt zu machen. Insofern ziehen sich die Gedichte auch nicht von der Politik zurück, im Gegenteil: durch die in der Isolation erfahrene Natur- und Gegenstandswelt scheint der kriegerische Weltzustand, die allgemeine Bedrohung durch den Faschismus stets hindurch. Franz Norbert Mennemeiers Behauptung: »Es kommt zu einer partiellen Wiederherstellung traditioneller poetischer Muster« (Mennemeier, 175) verkürzt die Lyrik der »Inzwischenzeit« um eben die von der Forschung längst erstellte und erwiesene Dimension des Politischen. Es gibt keine »Zurücknahme«, sondern die notwendige Einstellung auf eine neue (und nicht freiwillig aufgesuchte) objektive Situation. Das sei an einem Beispiel, das Mennemeier auch interpretiert, kurz erläutert:

> *Der Balken*
>
> Sieh den Balken dort am Hang
> Aus dem Boden ragend, krumm und, ach
> Zu dick, zu dünn, zu kurz, zu lang.
> Einstmals freilich war er dick genug
> Dünn genug, lang genug, kurz genug
> Und trug mit drei anderen ein Dach. (9, 810)

»Das Kleine und Kleinliche wurde für zahlreiche Exilierte übermächtig. Von einem lächerlichen Stempel im Paß z.B. konnte das Leben abhängen«, so urteilt Mennemeier (178). Er erwägt freilich nicht, daß das Bild des Kleinen und Kleinlichen auf »anderes«, »Größeres« verweist, eben darum ist es geschrieben, nicht als bloße Beobachtung von Alltäglichem. Klarzumachen, daß der »lächerliche Stempel im Paß« auf die Organisation und Einstellung eines ganzen Staatswesens zu deuten vermag, ist eine der Anstrengungen von Brechts Exillyrik. So steht es auch mit dem Balken, der einsam am Hang steht, jeglicher konkreten Bestimmung beraubt und folglich völlig nutzlos geworden ist. Alle Bestimmungen, seien sie noch so widersprüchlich – und Brecht wählt zwei extreme Widerspruchspaare –, gelten, aber sie gelten auch nicht. Ohne Zusammenhang, ohne Bezug auf »etwas«, kann sich der Balken für nichts mehr empfehlen. Auf dem Hintergrund von Hegels Satz, den Brecht an die Wand seines Svendborger Hauses geschrieben hatte, »Die Wahrheit ist konkret«, erhält der »kleinliche« Balken eine hintergründige Dimension (9, 820). »Konkret« hieß für Hegel gerade nicht das isolierte einzelne, das »das da«, sondern »konkret« war für Hegel – und dies ist ein »Grundsatz« der Dialektik – das, was in einem Zusammenhang, »Ganzen« eingebunden ist, konkret im wörtlichen Sinn als das »Zusammengewachsene«. Der isolierte Balken ist nicht konkret, er ist auch in seiner Isoliertheit nicht mehr konkret bestimmbar. Ihm fehlt der Zusammenhang, der ihn definierte. Ist er gegeben, davon handelt der zweite Teil des Gedichts, so wird auch der Balken bestimmbar, und zwar wiederum auch als widersprüchlich: »lang genug, kurz genug«. Was vorher – in der Unbestimmtheit reine Willkür war, weil praktisch alles und jedes gepaßt hätte und auch nicht, hat jetzt auch im Widerspruch Sinn. Der Balken ist genauso lang, wie er sein muß, seine Funktion zu erfüllen, aber auch ebenso kurz, um nicht ohne Nutzen zu lang zu sein, das heißt: er paßt genau. Seine Bestimmtheit erhält er im Ensemble des durch das Dach synekdochisch (Teil fürs Ganze) bezeichnete Haus: dieses stiftet den Zusammenhang, der dem Balken Bestimmtheit gibt.

So gesehen ist das Gedicht ein kleiner Grundkurs in Dialektik. Da Brecht aber zugleich noch einige Zeichen setzt, läßt sich das Gegenständliche des Gedichts auch noch übertragen. Der isolierte Balken verweist auf Zerstörung, er bleibt übrig von einem Gebäude. Da das Gedicht 1941 entstanden ist, ist der Bezug zum Krieg unschwer herzustellen. Er ist verantwortlich für die Situation des Exilierten. Er hat ihm die Heimat, den Zusammenhang, die Kontakte genommen und ihn – wie den Balken – völlig isoliert. Getrennt vom Publikum, getrennt von jeglicher Nachricht ist die Bestimmung des Isolierten nicht nur total beliebig, sondern auch überflüssig, nutzlos geworden. Der mögliche »Absturz« – Brecht wußte, wieviel (ganz irrationales) Glück vonnöten sein mußte, um zu überleben – ist schon »vorprogrammiert«: der Balken steht am Hang, also abschüssig. Wenn er auch noch »diesen« Boden verliert, ist er ganz verloren, weil dann noch nicht einmal ein Bezug zu seiner Vergangenheit sich herstellen läßt (vgl. Rastegar, 153–155).

Mit der Analyse des Gedichts ist zugleich ein weiteres Merkmal dieser Lyrik erfaßt: ihre »Gegenstandsbilder« (Rastegar, 145). Gegenstände des alltäglichen Gebrauchs, Gegenstände, denen das lyrische Ich begegnet, mit denen es umgeht, erhalten dichterische Würde. Aber die »unpoetischen, kleinen Dinge« stehen nicht für sich (insofern ist das Balken-Gedicht allgemeiner übertragbar), sondern sie verweisen auf Zusammenhänge, in die der Leser sie zu vermitteln hat. Die Zusammenhänge ergeben sich aus der Zeit, aus der Weltlage sowie der Lage, die dem einzelnen, der als Antifaschist anzusehen ist, objektiv aufgezwungen ist. Für den zeitgenössischen Leser war dieser Zusammenhang unmittelbar gegeben, insofern stellt er sich für ihn von selbst ein, auch wenn er ihn »durch den Gegenstand hindurch« sichtbar machen mußte. Die heutige Analyse muß den historischen Zusammenhang wieder rekonstruieren, um ihn am Gedicht habhaft zu machen. Aber erst mit ihm erhalten die (scheinbar) einfachen Gedichte ihre gesellschaftliche Komplexität. »Das Kleinliche« bleibt nicht kleinlich.

Nicht anders stellt es sich mit dem nächsten Merkmal der Gedichte der »Inzwischenzeit« dar, mit den Naturbildern. Die »Antithese«, die Rastegar zwischen der Darstellung von Natur in der dänischen Zeit und der in der schwedisch-finnischen Zeit aufstellt, besteht so nicht. Dort sei die Natur als »Krüppel« ins Bild gekommen, jetzt werde sie auch wieder »in ihrer Schönheit thematisiert (die ›schönen‹ Bäume ›blühen‹ und haben ›grüne Blätter‹) und einer deformierten gesellschaftlichen Wirklichkeit entgegengesetzt« (Rastegar, 146). Die Differenz liegt nicht in der Entgegensetzung. In der dänischen Lyrik drängten sich die gesellschaftlichen Deformationen ins »Naturbild« und verdrängten es; jetzt – und da liegt der Unterschied – zeigt sich – im ganz konkreten Sinn – die gesellschaftliche Deformation im »Naturbild«. Die Natur steht nicht für sich, vielmehr wird in ihrer durchaus unmittelbaren Erfahrung die gesellschaftliche Bedrohung durch den Faschismus sichtbar. Es handelt sich also bei den Gedichten mit »Naturbildern« nicht um »Naturgedichte«. Besonders schlagend läßt sich dies an einem der Epigramme der *Steffinischen Sammlung* beweisen (9, 817):

> Das Frühjahr kommt. Die linden Winde
> Befreien die Schären vom Wintereis.
> Die Völker des Nordens erwarten zitternd
> Die Schlachtflotten des Anstreichers.

Das Gedicht, 1940 entstanden, reagiert unmittelbar auf den Überfall auf Dänemark und Norwegen (9.4.1940). Das »Naturbild« macht die gesellschaftliche Perversion sichtbar. Der Vorgang, daß die Frühjahrswinde die Inseln vor Schweden,

Finnland vom Eis befreien, steht nicht als Naturvorgang isoliert: für die Menschen pflegt das Frühjahr (im hohen Norden) in der Tat eine Befreiung von aufgezwungener Winterruhe, von aufgezwungener Erstarrung zu sein. Das Frühjahr bringt buchstäblich Befreiung, Aufatmen. Der Naturvorgang ist also als anthropologischer Vorgang aufzunehmen, der mit den beiden folgenden Versen seine Perversion erhält. Anstatt aufzuatmen, die »Befreiung« zu erleben, kehrt sich für die Völker des Nordens der »natürliche Zyklus« um. Sie erwarten »zitternd« (frierend) den Frühling; es gibt keine Freude, kein dem Naturvorgang entsprechendes menschliches Verhalten. In Erwartung der Brutalitäten des Kriegs ist die Natur auf den Kopf gestellt, ihr »Vorgang« erneut außer kraft gesetzt. Was Befreiung bringen sollte, bringt nur Knechtschaft, diesmal aber keine »natürliche«, sondern »unnatürliche«. Anders gesagt: die Natur im Gedicht macht erst die Unnatur der zeitgenössischen »Politik« sichtbar und durchschaubar. Dafür steht sie ein und hebt sich auf.

Ein letztes wichtiges inhaltliches Merkmal der Lyrik in dieser Zeit ist ihre Tendenz zum »Monolog«. Da es keine Ansprechpartner mehr gibt, tritt das lyrische Ich isoliert und einsam den Gegenständen bzw. der Natur gegenüber. Freilich wird der »Monolog« dadurch nicht – wie gesagt – zum »Ausdruck des Subjektiven«. Brechts Lyrik will vielmehr die benannten Gegenstände bzw. die Natur zum Sprechen bringen, und zwar nicht für sich, sondern für die gesellschaftlichen Zusammenhänge, in denen sie und das lyrische Ich stehen. Die Arbeit des »Subjektiven« besteht vor allem darin, den Dingen ihre gesellschaftlich-politische Dimension zu geben.

In der Form tendieren die Gedichte des schwedischen und finnischen Exils zur epigrammatischen Kürze. Es gibt dabei durchaus Unterschiede zu beachten. Die schwedischen Exilgedichte sind sowohl inhaltlich noch sehr viel näher an der dänischen Exillyrik als sie auch eine relative Formenvielfalt aufweisen. Die Tendenz zum kurzen Gedicht jedoch teilen sie mit der Lyrik des finnischen Exils, die den epigrammatischen Ausdruck – vor allem in der *Steffinischen Sammlung* – auf ein Minimum reduziert. Daneben steht die Form des gereimten Vierzeilers, der vor allem als Vers der *Kriegsfibel* (publiziert erst 1955) klassisch geworden ist. Es entsteht in dieser Zeit (1940) die erste Serie der von Brecht sog. »fotoepigramme«, Vierzeiler, die ein Foto oder einen Zeitungsbericht kommentieren. Diese »fotoepigramme« sind nicht mit der *Deutschen Kriegsfibel* der *Svendborger Gedichte* sowie mit der fragmentarischen *Deutschen Kriegsfibel II* zu verwechseln (vgl. 9, 633–640, 734–737; AJ 663; vom 20. 6. 1944). Während diese unregelmäßige und ungereimte – zum Wandspruch tendierende – Gedichte sind, stellen die Vierzeiler der *Kriegsfibel* sich als grundsätzlich gereimte, knittelversartige Gebilde dar. Ihre Besonderheit ist die Verbindung mit der Fotografie, die allerdings in den gängigen Ausgaben nicht mitabgedruckt ist (immerhin beschreiben jetzt die Anmerkungen des Supplementbandes IV die dazugehörigen Fotos; Anmerkungen 26–28; Texte, 379–382). Diese Vierzeiler bzw. als Strophenpaare zusammengestellten Achtzeiler, über die Brecht im *Arbeitsjournal* sagt, daß er im Augenblick nur noch »an ihnen« schreiben könnte, treten auch als selbständige Gedichte (ohne Foto) auf (vgl. AJ 151; vom 19. 8. 1940), z. B.:

Finnische Gutsspeisekammer 1940

O schattige Speise! Einer dunklen Tanne
Geruch geht nächtlich brausend in dich ein
Und mischt sich mit dem süßer Milch aus großer
Kanne
Und dem des Räucherspecks vom kalten Stein.

Bier, Ziegenkäse, frisches Brot und Beere
Gepflückt im grauen Strauch, wenn Frühtau fällt!
Oh, könnt ich laden euch, die überm Meere
Der Krieg der leeren Mägen hält! (9, 820)

Kein Gedicht, und sei es zunächst noch so weit weg von Zeit und Gesellschaft, bleibt ohne zeitgenössisch-politische Pointierung. Es sind poetische Fingerübungen, die die Unnatur der Zeit in memorierbarer Weise – im Sinn von Gedenktafeln (eine Überschrift, die häufiger vorkommt; vgl. 9, 821 f.) – festhält und bewahrt in der Hoffnung auf eine kommende Zeit, die wieder üppigere sprachliche Gebilde zulassen wird. – Freilich gilt dies weitgehend nur für die Lyrik. Die gleichzeitige dramatische und auch die Prosaproduktion beschränken sich nicht auf die »einfache Form«.

Texte: Gedichte 1934–1941 (= Gedichte V). Frankfurt a. M. 1964. S. 120–161. – wa 9, 747–759, 760–822. – Supplementband IV, 355–362.

Anmerkung: Die Gedichte aus dem *Messingkauf,* die wa 9, 760–798 en bloc abdruckt (Einordnung Gedichte 1938–1941) entstammen den verschiedensten Zeiten (bis 1950/51); eine gesonderte Besprechung ist hier nicht vonnöten, weil die Gedichte zur *Theatertheorie* gehören und folglich bei der Besprechung des *Messingkaufs* an der entsprechenden Stelle im BH 1, 448–458, berücksichtigt sind.

Nosratollah *Rastegar*: Die Symbolik in der späteren Lyrik

Brechts. Frankfurt a. M. [u. a.] 1978 (S. 121–186). – Christiane *Bohnert*: Brechts Lyrik im Kontext. Zyklen und Exil. Königstein/Ts. 1982 (S. 141–146). – Franz Norbert *Mennemeier*: Bertolt Brechts Lyrik. Aspekte, Tendenzen. Düsseldorf 1982 (S. 175–186).

Steffinische Sammlung 1940

Entstehung, Texte

Die *Steffinische Sammlung* ist als Zyklus zu Brechts Lebzeiten nicht erschienen. Die früheste Markierung des Titels ist wohl 1940 entstanden: das erste Manuskript einer Gedichtauswahl aus den Jahren 1937–1940 trägt ihn als handschriftlichen Vermerk (BBA 2148). Über die Entstehungszeit war sich Brecht selbst nicht ganz im klaren, da er sie mit einem »etwa« einschränkt: »Gedichte, gesammelt von meiner Mitarbeiterin Margarete Steffin, etwa von 1937 an in Dänemark, Schweden und Finnland« (wa 10, Anmerkungen, 19). Nach den bisher möglichen Datierungen gehen die Texte nur bis Frühjahr 1938 zurück (die ersten Gedichte des Zyklus). Die meisten Texte sind 1940 entstanden, also vorwiegend im finnischen Exil (vgl. AJ 135; vom 16. 7. 42; AJ 151; vom 19. 8. 42).

Die Ausgaben bringen von den in der Mappe (2148) zusammengestellten Gedichten jeweils nur den ersten Teil, lassen jedoch die Gedichte, die aus anderen Sammlungen stammen, weg und ordnen sie dort zu. So fallen aus den *Chroniken Das Pferd des Ruuskanen* (welche *Chroniken* Brecht da meinte, ist ungeklärt) und aus den *Visionen* alle vorgesehenen Gedichte weg (außer *Der Disput (Anno Domini 1938)*, der noch einmal zurückgegriffen hätte, was für den Zyklus unpassend gewesen wäre). Alle Gedichte dieses Zyklus waren in der *Steffinischen Sammlung* enthalten (wa 9, 729–733; 4, 1437 f.).

Texte: Gedichte 1934–1941 (= Gedichte IV). Frankfurt a. M. 1961 (S. 215–228). – wa 9, 815–822.

Christiane *Bohnert*: Brechts Lyrik im Kontext. Zyklen und Exil. Königstein/Ts. 1982 (S. 141–146, 296 f.: Zusammenstellung für die *Gedichte im Exil*, 1948, nicht ausgedruckt. Dort ist im wesentlichen die ursprüngliche Sammlung erhalten, die Gedichte *Finnische Landschaft* und *Auf den kleinen Radioapparat* sind entfallen).

Aufbau

Die Gedichte der *Steffinischen Sammlung* vereinigen die Gedichttypen, die für die »Inzwischenzeit« typisch sind, greifen überdies aber auch noch auf Gedichte des dänischen Exils zurück. Der Titel ist so zu verstehen, daß Margarete Steffin, die sich um 1940 bereits in einem schwierigen Stadium ihrer Krankheit befand, die Gedichte gesammelt und angeordnet hat. Brecht hat dies abschließend autorisiert. Es ist – bei der damaligen Enge des Verhältnisses beider – nicht unwahrscheinlich, daß die Steffin wesentlich bei der Entstehung der Gedichte beteiligt gewesen ist, auf alle Fälle auf ihren »sinnvollen« Aufbau bedacht hat. Die Gedichte durchlaufen drei wichtige Stadien des Exils: 1. Dänemark (1938), 2. Schweden (1940) und 3. Finnland (1940); der zweite Teil, der gewöhnlich nicht in den Ausgaben abgedruckt ist, greift historisch zurück und »visionär« voran. Wie Finnland nicht als endgültiger Abschluß des Exils dargestellt ist, so zeigen die *Visionen* auf die zunehmende Barbarei voraus. Das »Schicksal« des Exilierten ist ungewiß, er wird viel Glück haben müssen. Die *Chronik* behandelt ein Beispiel gescheiterten Klassenkampfes: der Versuch des Volks – ausgelöst vom Pferd des Ruuskanen (9, 805–808) –, sich der willkürlichen und gewalttätigen Herrschaft zu erwehren, endet mit seiner brutalen Niederschlagung durch den Einsatz überlegener Waffentechnik. Mit diesem Gedicht, das formal wie inhaltlich deutlich aus der Reihe fällt (ausuferndes, langes Erzählgedicht), stellt Brecht die Verbindung zum Klassenkampf der Vor-Exil-Zeit her. Weil die revolutionären Versuche fehlgeschlagen sind, kann sich jetzt die Barbarei ausbreiten.

Der erste Teil der Sammlung besteht nach einem Vierzeiler als Motto aus drei in sich (weitgehend) abgeschlossenen Klein-Zyklen. Vier Gedichte versammeln sich unter der Überschrift *Frühling 1938*, die ersten drei davon römisch durchgezählt, das letzte mit separater Überschrift versehen. Für das lyrische Ich ist das Exil längst (zunächst hoffnungslose) Tatsache geworden. Die Aussicht auf Änderung ist praktisch beim Nullpunkt, denn der Krieg wird täglich erwartet. Obwohl die objektive Situation so schlecht ist, machen die Gedichte Mut. Aufgeben hat keinen Sinn, jede Handlung, die auf Zukünftiges positiv vorausweist, ist ein kleiner Akt des Widerstands und damit der Hoffnung. – Die acht Gedichte, die unter der Überschrift *1940* bei fortlaufender römischer Zählung versammelt sind, haben den Zustand des Kriegs und der sich ausbreitenden faschistischen Herrschaft bereits zur Voraussetzung. Die Tendenz der Gedichte ist jedoch eine ähnliche geblieben, auch wenn die Hoffnungen wesentlich geringer geworden sind und die Auswege spärlich.

Beinahe programmatisch endet dieser Teil mit dem Satz: »Hoch oben in Lappland / Nach dem Nördlichen Eismeer zu / Sehe ich noch eine kleine Tür« (9, 819). – Als dritter Teil folgen die von Brecht häufig sogenannten *Finnischen Epigramme*, gereimte Acht- oder Vierzeiler, die antithetisch zum Exil des Intellektuellen nun der Opfer des faschistischen Kriegs gedenkt. Während die Exilierten wenigstens Aussicht haben, ihre physische Existenz zu retten – bei allen Entbehrungen –, müssen die anderen, allen voran die Proletarier, buchstäblich ihren Kopf hinhalten: sie sind stets die Opfer. »Die Konstruktion der Antithese belegt, daß Brecht trotz seiner Isolation nach wie vor die gesellschaftlichen Zusammenhänge sieht und zu beschreiben sucht. Denn die ihr immanente Dialektik konfrontiert den momentan außerhalb jeder Wirkungsmöglichkeit operierenden Intellektuellen mit seinem Gegner, dem entmenschten – für seine Vertreibung mitverantwortlichen – Kleinbürger, dem Träger der faschistischen Diktatur (AJ 266f.; vom 28.2.42). Der Proletarier verkörpert die geschichtliche Lösung von Exil und faschistischer Diktatur. Die hier vertretenen Arbeiter sprechen als Opfer des Krieges zu ihren Klassengenossen. Die Ich-Form der Rede läßt keinen Rückhalt in einem organisierten Proletariat vermuten. Die Wirkungsmöglichkeit des Proletariats für die Gegenwart ist wie die des Intellektuellen begrenzt, aber auf den Lebenden der Klasse ruht die Hoffnung für die Zukunft« (Bohnert, 145). Das diesen dritten Klein-Zyklus der Sammlung abschließende Sonett (*Finnische Landschaft*; 9, 822) hat Christiane Bohnert als »Synthese« beschrieben. Dabei bilden *Frühling 1938* und *1940* zusammengefaßt die These (Schicksal des exilierten Intellektuellen), die *Finnischen Epigramme* (zu denen Brecht nur die aus Vierzeilern gebildeten Gedichte zählte; vgl. dagegen Bohnert, 143f.) die Antithese (Opfer des Faschismus, aber auch die Notwendigkeit des proletarischen Siegs). Während die *Finnische Landschaft* im Bild der finnischen Natur, die geradezu hymnisch gepriesen wird, die Notwendigkeit der Rückkehr zu friedlichen Zuständen aufscheinen läßt, weil sonst auch der exilierte Intellektuelle ohne Hoffnung wäre. Daß die *Steffinische Sammlung* 1940 noch keinen realen Ausweg sieht, im Gegenteil in der Tendenz ohne konkrete Anzeichen auf Veränderung bleiben muß (aber dennoch Hoffnung empfiehlt), beweisen die düsteren Gedichte des (in den Ausgaben nicht enthaltenen) zweiten größeren Teils dieses Zyklus, der zweigeteilt ohne Synthese bleibt. Von ihm aus lassen sich auch die Schlüsse von *1940* (Gedicht Nr. VIII) und *Finnische Landschaft* durchaus als Aporie (aussichtslosen Zustand) erfassen. Eine »kleine Tür«, die zum Nördlichen Eismeer führt, gern gedeutet als der dann schließlich eingeschlagene Fluchtweg über die Sowjetunion (z.B. bei Völker, 297), kann genaugenommen nicht mehr in menschenmögliche Auswege führen, sondern nur in den Tod. Nicht viel anders endet die *Finnische Landschaft* mit dem Bild des Holzbeins, das aus den »Schönbaumigen Wäldern« geschnitten wird, und zwar von einem Volk, das in zwei Sprachen schweigt (9, 822). Das den Zyklus wirklich abschließende Gedicht *Appell der Laster und Tugenden* (wa 14, 1437f.; innerhalb der *Flüchtlingsgespräche*) führt in einer Soiree der Unterdrückung die kleinbürgerlichen Laster und Tugenden in ihrer Miesheit und Mickrigkeit unterschiedslos als »Jünger«, die zwölf Jünger, des neuen »Messias« regelrecht vor. Diese »Diener der Unterdrükkung« sind die eigentlichen Ursachen für die gegenwärtige Weltlage. Ihre Bekämpfung kann nur durch den Kampf gegen die Unterdrücker geführt werden, so daß sich am Ende noch einmal die Perspektive des notwendigen Klassenkampfes (auch gegen die »Tugenden«) auftut, freilich ohne Zuversicht, wenn auch mit Hoffnung. Die *Steffinische Sammlung* ist die wohl bitterste Gedichtsammlung Brechts.

Klaus *Völker:* Bertolt Brecht. Eine Biographie. München 1974 (S. 296–302). – Christiane *Bohnert* (s.o.).

Kunst der Kürze

Als im Sommer 1942 Hanns Eisler die *Finnischen Gedichte*, wie Brecht sie da (z.T. unzutreffend) nennt, zu komponieren beginnt, notiert Brecht: »er erzählt, wie die gedichte bei längerer beschäftigung mit ihnen gewonnen hätten. für mich ist seine vertonung, was für stücke eine aufführung ist: der test. er liest mit enormer genauigkeit. in dem letzterwähnten gedicht [*Frühling 1938 I*; 9, 815] polemisiert er gegen das wort ›werk‹ und ist erst zufrieden, als ich es mit ›gedicht‹ oder ›vers‹ ersetze. in dem gedicht IN DEN WEIDEN AM SUND [= *Frühling 1938 III*; 9, 816] streicht er ›über die herrschenden‹, da ihm das gedicht so reiner erscheint. ich selber bin da nicht sicher, ob nicht eine reinheit entstünde, die anfechtbar wäre. unter umständen verlöre das gedicht die historische autarkie. das gedicht III im zyklus ›1940‹, das den titel

NEBEL IN FLANDERN hat [= Nr. IV ohne Titel; 9, 817], greift er wegen seiner unverständlichkeit an, bis ich ihm den titel FLANDRISCHE LANDSCHAFT 1940 gebe« (AJ 497; vom 26.7.42). Der Auszug vermittelt einen Eindruck von der Intensität, mit der die Texte beraten worden sind, eine Intensität, die Rückschlüsse auf ihre Produktion insgesamt zuläßt. Es handelt sich einmal mehr um einfache Gedichte, die das Resultat erheblicher Anstrengungen darstellen und gerade erst in seiner Kürze auch die – verschärfte – Prägnanz erhalten. Brecht hat Eislers Anregungen z.T. angenommen, z.T. wieder verworfen. Die Tatsache, daß Brecht in Nr. III von *Frühling 1938* »Über die Herrschenden« nicht tilgt, ist ein Beleg dafür, wo Brecht die Grenze unzulässiger Lakonik setzt. Es ist ihm ein wichtiger Unterschied »die Wahrheit« gesagt zu haben oder die »Wahrheit über die Herrschenden« gesagt zu haben. »Abstrakte« Wahrheit läßt sich immer sagen, zumal das Bürgertum sie ja gerade fordert, um seine stetige Bereitschaft zur (sachlich begründeten) Lüge moralisch abzusichern. Daß Brecht nicht allgemeine, sondern speziell (konkret) die Wahrheit über die Herrschenden gesagt hat, ist ein Grund dafür, daß er ins Exil gehen mußte. Dazu genügt die »einfache« Wahrheit nicht.

Eines der »einfachsten Gedichte« des Zyklus arbeitet mit dem Prinzip der Reihung:

IV
Nebel verhüllt
Die Straße
Die Pappeln
Die Gehöfte und
Die Artillerie. (9,817)

Brecht hatte das Gedicht ursprünglich mit *Nebel in Flandern* überschrieben, Eislers Vorschlag *Flandrische Landschaft 1940* aber wieder verworfen und schließlich nur die Numerierung beibehalten. Hier also besteht Brecht auf der lakonischeren Lösung. Sie ist allgemeiner, denn der direkte Bezug auf den Überfall von Belgien und den Niederlanden (Mai 1940) ist ohne Überschrift getilgt. Dennoch erscheint die Lösung ohne »konkretisierende« Überschrift plausibler: was in Belgien, was in Holland geschehen ist, ist Prinzip Hitlerscher Kriegsführung geworden, nämlich einfach – wie ein Räuber – die Länder zu überfallen. 1940 aber war nicht nur mehr Flandern in dieser Situation. Sie galt für das gesamte Europa (außer fürs verbündete Italien, Spanien), in Flandern war sie lediglich geschichtlich notorisch geworden. Das Gedicht selbst präsentiert eine in Ruhe befindliche, in Nebel liegende Landschaft. Obwohl das Gedicht auf den ersten Blick wie ein Naturgedicht anmutet, kommt wenig Natur in ihm vor. Die Straße steht an erster Stelle, erst dann kommen die Bäume, die als Pappeln aber »Straßenbäume« sind und für den Geschichtskundigen an alte Heerstraßen gemahnen (Napoleons Anlagen), zuletzt stehen die Gehöfte, als Behausung bäuerlicher Arbeit und Hinweis auf die Versorgung mit Lebensmitteln, ehe die Reihe – mit einem verstärkten »und« fortgeführt – in ihr Gegenteil umschlägt. Eine friedliche bäuerliche Landschaft und ihre Bedrohung durch die (faschistische) Artillerie bilden den äußersten Gegensatz, der syntaktisch jedoch als »Einheit«, als fortlaufende Reihe formuliert ist. In dieser Formulierung aber – gerade weil erst der Gegensatz erkannt werden muß – zeigt sich die ganze Perfidie des kriegerischen Überfalls. Er kommt nicht nur »verhüllt«, also hinterlistig, sondern er platzt auch in eine friedfertige Umgebung hinein, deren Erwartung etwas ganz anderem gilt als den Geschützen der Feinde, die durch die Straßen rollen. Die Kürze des Gedichts, dessen eigentlicher Sinn sich aus der Formulierung, nicht aber aus dem Formulierten ergibt, schärft die Beobachtung. Das auf den ersten Blick »Normale«, »Übliche« entpuppt sich bei genauerem Hinsehen als seine hinterhältige Umkehrung. Um das zu verdeutlichen, sind nur wenige Worte nötig. Aus drei Elementen (Straße, Pappeln, Gehöft) bildet sich die normale Reihe (um Reihe zu sein, müssen mindestens drei Glieder bestehen); ein Element reicht, die Reihe zu unterbrechen. Erst in der »Konkreten Poesie« der 60er Jahre wird diese Art von Lakonik, da freilich auf das bloße Prinzip reduziert und inhaltsleer präsentiert, ihre (mit viel Theorie beschworene) poetische Würde erhalten. Brechts kleines Gedicht zeichnet sich dadurch aus, das Prinzip, das später übrigbleibt, erkannt zu haben, dennoch aber auch Inhalte zu vermitteln, einen Inhalt, der durch die Überschrift des Klein-Zyklus *(1940)* weltgeschichtliche Dimensionen erhält, weil die Art des »verhüllten« Überfalls auf andere Völker »übertragen« wird. Der Zeitgenosse hat dies als tägliche »Siegesmeldung« des faschistischen Angreifers vor Augen.

Von ähnlicher Prägnanz sind etwa folgende Verse der Sammlung:

Aus den Bücherhallen
Treten die Schlächter.

Die Kinder an sich drückend
Stehen die Mütter und durchforschen entgeistert
Den Himmel nach den Erfindungen der Gelehrten.
(9,817)

Der erste Spruch bringt die Wandlung des Volkes der »Dichter und Denker« ins Volk der »Richter und Henker« in einem Satz, der durch die Zeilenbrechung die ganze Perversion »deutscher Kultur« in der äußersten Diskrepanz anzeigt. Der zweite Spruch, ebenfalls nur ein Satz und scheinbar auch nur beschreibend, erläutert die Verwandlung konkreter am, 1940 längst üblichen (Englandbombardierung), Bombenkrieg. In den Bücherhallen, in denen eigentlich der »Geist« zum Fortschritt und zum Lebensunterhalt der Menschen eingesetzt werden sollte, heckt man die Pläne für perfideste Massenvernichtungsmittel aus, die gar nicht mehr in erster Linie militärischen Zwecken dienen, sondern der »Einschüchterung« der Zivilbevölkerung. Sie wird immer mehr das Massenopfer der modernen Kriege. Der »Geist« der Gelehrten führt zur »Entgeisterung« der Mütter; die »Forschung«, die nützliche Erfindungen hervorbringen sollte, kehrt sich pervers um zur »Durchforschung« des Himmels, aus dem nichts Gutes mehr kommt. Den Schrecken, den Brecht präzise mit »Entgeisterung« benennt, stellt die eigentliche »Entartung« dar, die die Nazis ihren Gegnern angehängt haben. Indem die Gelehrten sich dermaßen einspannen lassen, teilen sie diese »Entartung« der Nazis, anstatt sich des Geistes zu bedienen und die Gefolgschaft zu verweigern.

Auch die (relativ) längeren Gedichte der *Steffinischen Sammlung* weisen die lakonische Präzision auf, die sich erst mit einigem Aufhalten beim Gedicht in ihrer anspielungsreichen Komplexität zeigt:

Heute, Ostersonntag früh
Ging ein plötzlicher Schneesturm über die Insel.
Zwischen den grünenden Hecken lag Schnee. Mein junger Sohn
Holte mich zu einem Aprikosenbäumchen an der Hausmauer
Von einem Vers weg, in dem ich auf diejenigen mit dem Finger deutete
Die einen Krieg vorbereiteten, der
Den Kontinent, diese Insel, mein Volk, meine Familie und mich
Vertilgen mag. Schweigend
Legten wir einen Sack
Über den frierenden Baum.
(9,815)

Beschrieben ist zunächst ein recht einfacher Vorgang, dargestellt in »zerhackter« Prosa. Mitten in den Frühling, der sich u. a. in den grünenden Hekken, im (sprießenden) Aprikosenbäumchen manifestiert, fährt regelrecht ein Schneesturm hinein. Der – auf der Insel – isolierte Dichter läßt sich von seinem jungen Sohn von der Arbeit holen, um das Bäumchen zu schützen. Das scheint alles ganz unmittelbar zu sein, rein biographisch, bezogen also auf Brecht, der – 1938 – noch auf der Insel Fünen (Dänemark) sitzt, auf seinen Sohn Stefan, im Frühjahr 1938 13jährig, und das Frühjahr 1938. Das Gedicht gibt sich – in seiner zeitlichen Unmittelbarkeit (»Heute«) – als unmittelbare Reaktion des Dichters auf sein Handeln, etwa in der Form eines Tagebuch-Eintrags, der den Vorgang festhält. Beachtet man jedoch nur diesen Vorgang, so bleibt die dichterische Arbeit des lyrischen Ichs außer Betracht: sie gilt des Habhaftmachens derjenigen, die in Deutschland den Krieg vorbereiten. Der einfache Vorgang am Ostermorgen erhält damit einen Zusammenhang, der ihm besondere Bedeutung gibt. Denn angesichts des bevorstehenden Kriegs, der ganz Europa vernichten kann, erscheint er in ganz anderem Licht. Ohne daß dies ausgesprochen würde, weder von den Personen des Gedichts (»Schweigend / Legten wir«) noch vom Dichter selbst, erhält der Vorgang, genauer jetzt: der Entschluß zum Handeln, historische Bedeutung. Wenn der Krieg ohnehin kommt und die Menschen »vertilgen mag«, scheint die Rettung eines Aprikosenbäumchens vor dem Schnee ein unsinniges Handeln zu sein. Wieso noch etwas großziehen, was ohnehin zum Untergang bestimmt ist, und dann noch kleine Pflanzen, die Jahre brauchen, um auch Früchte zu bringen. Daß beide dennoch handeln, wird vor diesem Hintergrund eine widerständige Tat, zugleich ein Ausdruck von Hoffnung: es hat Sinn, auch die unscheinbarsten Dinge zu retten, es wird Überdauerndes geben, wenn man entsprechend handelt, wenn man entsprechend widerständig sich verhält. So verwandelt sich die einfache Handlung, schweigend, fast trotzig vollzogen, in eine politische Tat, ohne daß darüber Worte gemacht würden.

Von hier aus weitet sich dann aber auch die ganze Szenerie beträchtlich aus. Ist der politische Sinn der Tat erst einmal erkannt, dann werden auch die übrigen politischen Bezüge durchsichtig. Die Zeit des Gedichts ist Frühling 1938, im Jahreslauf die Zeit des Neubeginnens, des Naturerwachens«. Der Schneesturm dreht noch einmal die Zeit zurück, indem er die aufblühende Natur mit Schnee und Kälte bedroht. Im Frühjahr 1938 vollzog sich aber auch der sogenannte »Anschluß Österreichs« durch Nazideutschland. Im Naturbild scheint – wie schon vorher beobachtet – erneut das politische Bild der Zeit hindurch: wie der Schneesturm die Zeit zurückdreht so auch dieses politische Ereignis, das zugleich ein Indiz für den kommenden Krieg ist. Ist dieser Bezug aber einmal gesehen, stellt sich die gesamte Situation auf der Insel als Bild der politischen Lage in Europa dar, eingefangen im kleinen Rahmen, erfaßt in der persönlichsten Bindung der Familie. Die Insel steht nicht isoliert, nicht außerhalb – wie auch der Exilierten Zukunft von der Zukunft aller abhängig ist. Mit Vater und Sohn sind die betroffenen Generationen markiert, mit dem Vorgang, die Notwendigkeit der aktiven Zukunftssicherung unterstrichen. Würde der Vater dem Aprikosenbäumchen die Hilfe verweigern, würde auch der Sohn sich verraten sehen: der Vater nämlich nähme ihm die Zukunft, gäbe ihm keine Chance, dem kommenden Krieg zu entrinnen. Die Entscheidung zur rettenden Tat vertreibt zugleich den drohenden Defaitismus, der sich im kommenden Unheil einrichtet. So klar die Analyse der politischen Ereignisse ist, daß nämlich der Krieg kommen wird, so klar ist auch die Entscheidung, dennoch für die Zukunft zu sorgen.

Schließlich ist noch das – ausdrücklich – angegebene Osterdatum zu befragen (Ostern lag 1938 im April, der Einmarsch in Österreich dagegen schon im März, so daß es keine absolute Zeitdekkung gibt). Daß Frühjahr und das Auferstehungsfest zusammenfallen, ist in der Lyrik – in der Dichtung überhaupt (z. B. Goethes *Faust*) – weidlich genutzt worden. Der Erneuerung der Natur entspricht die Auferstehung des Herrn, das christliche Fest schreibt sich symbolisch in den Naturvorgang ein. Diese übliche Identifikation könnte auch für Brechts Gedicht zutreffen, erscheint aber beim marxistischen Dichter recht merkwürdig, wiewohl auch nicht ausgeschlossen. Zu erwägen ist freilich auch die Umkehrung der Bedeutung. Im christlichen Mythos fährt der für die Menschheit, aber auch »stellvertretend« für seinen Vater gestorbene Sohn zum Himmel auf. Das Brechtsche Gedicht aber läßt die Opferung des Sohns durch den Vater nicht zu, kehrt insofern die christliche Bedeutung des Auferstehungsfestes diametral um. Der Sohn ist am Leben zu erhalten, ihm muß Zukunft gegeben werden, und zwar ohne die (faschistische) Todesbedrohung. Wenn für die Menschheit gesorgt ist, bedarf es keiner Auferstehungen.

Die Epigramme sind grundsätzlich im Vierzeiler der *Kriegsfibel* (1955) verfaßt, wobei es einige Übereinstimmungen mit ihr gibt. So entspricht die *Gedenktafel für 4000, die im Krieg des Hitler gegen Norwegen versenkt wurden* der Nr. 7 der *Kriegsfibel* (mit freilich geringfügig geändertem Text und der Verdoppelung der Zahl der Toten; steht nicht in wa 10 am entsprechenden Ort) und die *Gedenktafel für im Krieg des Hitler gegen Frankreich Gefallene* den Nummern 5 (da auf den Poleneinmarsch bezogen) und 10 (ebenfalls nicht in wa 10, 1036). Als Gedichte ohne Bild bringen die *Gedenktafeln* in der *Steffinischen Sammlung* den Stein zum Reden (Ich-bzw.-Wir-Form). Es sprechen die Opfer, die vom Krieg – aber auch von einem eventuellen Sieg – nichts haben und haben werden, an die aber stets erinnert werden muß, weil das Schlachten sonst nicht aufhört.

In den Vierzeilern der *Gedenktafeln* wird noch einmal bildlich, was für die lakonischen Gedichte der Sammlung insgesamt gilt und was Brecht in einer *Arbeitsjournal*-Notiz so beschrieben hat: »werken eine lange dauer verleihen zu wollen, zunächst nur eine ›natürliche‹ bestrebung, wird ernsthafter, wenn ein schreiber grund zu der pessimistischen annahme zu haben glaubt, seine ideen (dh die von ihm vertretenen ideen) könnten eine sehr lange zeit brauchen, um sich durchzusetzen. die maßnahmen, die man übrigens in dieser richtung hin trifft, müssen die aktuelle wirkung eines werkes keineswegs beeinträchtigen« (AJ 275; vom 24. 4. 41). Die – wie in Stein gemeißelte – Kürze des Epigramms soll sich – in seiner Wirkung – in die Köpfe einmeißeln und dort aktivierend wirken. Das prägnant Gesagte fordert den Leser heraus: »über die abbreviatur des klassischen stils: wenn ich auf einer seite genügend viel auslasse, erhalte ich für das einzige wort *nacht*, etwa in dem satz ›als die nacht kam‹, den vollen gegenwert an vorstellung beim leser. die inflation ist der tod jeder ökonomie. am besten, die wörter entlassen ihre gefolge und treten sich gegenüber mit so viel würde, als sie aus sich herstellen können. und ganz falsch, zu sagen, daß die klassiker die sinne des lesers vergessen, im gegenteil, sie rechnen damit. unsere sensualisten gleichen rückenmärklern; um irgendein gefühl in die sohlen zu bekommen, müssen sie aufstampfen wie die napoleons« (AJ 144; vom 9.8.1940). Brechts Lektüre war damals der *Kranz des Meleagros,* eine Übertragung griechischer Epigramme durch August Oehler (eigentlich August Mayer; Ausgabe Berlin 1920), der solche klassischen Vierzeiler enthielt. Brecht konnte seine Arbeit durch sie bestätigt sehen; ihre Haltbarkeit war erwiesen.

Silvia *Schlenstedt*: Lyrik im Gesamtplan der Produktion. Ein Arbeitsprinzip Brechts und Probleme der Gedichte im Exil. In: Weimarer Beiträge 24, 1978, Heft 2, S. 5–29. – Peter Paul *Schwarz*: Lyrik und Zeitgeschichte. Brecht: Gedichte über das Exil und späte Lyrik. Heidelberg 1978 (S. 50–77). – Nosratollah *Rastegar*: Die Symbolik in der späteren Lyrik Brechts. Frankfurt a. M. [u. a.] 1978 (S. 121–186). – Christiane *Bohnert* (s. o.; S. 146–160).

Die Lyrik des amerikanischen Exils 1941–1947

Überblick

Die Ausweitung des Kriegs machte einen längeren Aufenthalt in Finnland zunehmend gefährlich. Brecht benötigt jedoch über ein Jahr – die ersten Bemühungen, in die USA zu gelangen, gehen auf Anfang 1940 zurück –, ehe die Einreise bewilligt und die Reise selbst vorbereitet ist (Mai 1941). Das Schiff ist ab Wladiwostok gebucht, so daß die Ausreise aus Finnland über Land, und das heißt über die Sowjetunion, führt. Dabei sind, neben Brecht, die beiden Kinder Barbara und Stefan, ihre Mutter Helene Weigel, sowie Ruth Berlau und Margarete Steffin. Die Frage, wieso Brecht nicht in der Sowjetunion im Exil geblieben ist – wie viele andere antifaschistische Schriftsteller – verschärft sich angesichts der Tatsache, daß Margarete Steffin, ohne Zweifel die wichtigste und produktivste Mitarbeiterin Brechts wegen ihrer Tuberkulose zusammenbricht, die Flucht nicht mehr fortsetzen kann und auch bald in Moskau stirbt (4.6.1941). Ihr widmet Brecht, der die Reise wie geplant fortsetzte, einen Gedicht-Zyklus, *Nach dem Tod meiner Mitarbeiterin M. S.* (10, 826–828), den zweiten nach *Lieder des Soldaten der Revolution* (9, 594–598). Brecht erwog, als klar war, daß Margarete Steffin nicht weiterfahren konnte, lediglich, sich um eine spätere Schiffspassage nach den USA zu bemühen; als dies fehlschlug, setzte er mit den Übrigen die Fahrt im Transsibirienexpreß fort.

Daß Brecht nicht in der Sowjetunion blieb, gab häufiger Anlaß zu Spekulationen; Vermutungen wie, daß er eigentlich eben doch gar nicht »kommunistisch« eingestellt gewesen wäre (also sich verstellt habe) oder daß der Pakt zwischen Hitler und Stalin ihn gehindert hätte, sind alle Spekulation geblieben. Daß der Pakt für Stalin lediglich ein Mittel war, den drohenden Krieg mit Hitlerdeutschland aufzuschieben, darüber war sich Brecht von vornherein klar, wie er überdies nicht befürchtete, daß der Einfall der deutschen Truppen bereits 1941 vorgesehen sei (vgl. AJ 285; vom 13.7.1941: »die allgemeine ansicht ist, daß die USSR noch geraume zeit frieden haben wird«). Die insgesamt positiven Äußerungen über die Sowjetunion (mit Vorbehalten gegenüber Stalin und seinen Willkürmaßnahmen) sind inzwischen so zahlreich belegt, daß über Brechts geheimen »Antikommunismus« kein Wort mehr zu verlieren ist. Brecht stand klar auf der Seite der Sowjetunion und ihrer Politik, verteidigte sie nach außen (übte Kritik nur intern) und hoffte auf ihren Sieg im Hitlerkrieg. Dennoch wollte er dort nicht arbeiten.

Die Hauptgründe sind in der offiziellen Kunstdoktrin der Sowjetunion zu suchen, die Brechts Auffassung sowohl von der Einschätzung der Rolle der bürgerlichen Literatur als auch seiner eigenen Kunstproduktion in entscheidenden Punkten diametral entgegenstand. Die »Expressionismusdebatte« im *Wort* (1938) hatte die Gegensätze scharf markiert; Brecht war so schlau, sie nicht im Hinblick auf seine Einschätzungen öffentlich auszutragen. In einer Umgebung, die sicherlich Brecht kaum die Möglichkeiten gegeben hätte, seine Stücke aufzuführen, die der Produktion hinderlich geworden und womöglich sogar noch eine »andere« Kunst von ihm gefordert hätte, waren objektiv kaum adäquate Bedingungen gegeben. Hinzu kam, daß Brecht vom skandinavischen Exil aus verfolgen mußte, wie Freunde von ihm entweder verschwanden, ermordet oder gar hingerichtet wurden (Tretjakow z. B.). 1938 hatte Brecht Walter Benjamin gegenüber geäußert: »Eigentlich habe ich dort keine Freunde. Und die Moskauer selber haben auch keine – wie die Toten« (Walter Benjamin: Versuche über Brecht. Hg. v. Rolf Tiedemann. Frankfurt a. M. 1966. S. 133; vom 29.7.38).

Demgegenüber empfand Brecht die Arbeitsmöglichkeiten in den USA als »freier« (nicht als »frei«). Am 27.5.1940 schreibt er noch aus Finnland an Erwin Piscator, den er um Hilfe bittet: »Ich glaube, die USA gehören jetzt zu den wenigen Ländern, in denen man noch frei literarisch arbeiten und Stücke wie ›Furcht und Elend‹ vorzeigen kann« (Briefe, Nr. 409). Da dem alten Freund gegenüber, zumal dieser sich keineswegs mit seinem Exilland identifizierte, keine Taktik angebracht gewesen sein dürfte, läßt sich diese Äußerung als ernsthafte Einschätzung Brechts werten; und dies, obwohl er ansonsten an den USA kaum ein gutes Haar ließ. Es gibt nur ein Gedicht, das sich positiv zum Exilland äußert:

Die Landschaft des Exils

Aber auch ich auf dem letzten Boot
Sah noch den Frohsinn des Frührots im Takelzeug
Und der Delphine graulichte Leiber, tauchend
Aus der Japanischen See.
Und die Pferdewäglein mit dem Goldbeschlag
Und die rosa Armschleier der Matronen
In den Gassen des gezeichneten Manila
Sah auch der Flüchtling mit Freude.
Die Öltürme und dürstenden Gärten von Los Angeles
Und die abendlichen Schluchten Kaliforniens und die Obstmärkte
Ließen auch den Boten des Unglücks
Nicht kalt. (10, 830 f.)

Daß Brecht (wiederum) ein bürgerlich-kapitalistisches Land für seine Flucht wählte, hat auch »objektive« (historische) Gründe. Brecht war sich klar, daß er zwar für die Proletarier schrieb, aber dennoch weiterhin bürgerliche Literatur produzierte, wie er auch der bürgerlichen Klasse objektiv weiterhin angehörte – als ihr Renegat. Die Hoffnung auf neue proletarische Lebensformen und eine proletarische Literatur hatten sich (noch) nicht erfüllt; der Faschismus vertagte sie, weil sich alles auf die Kriegsrüstung einstellen mußte, noch weiter. Als bürgerlicher Schriftsteller, dem die Nicht-Zugehörigkeit zum Proletariat die Wahl offenließ (ein altes Thema bei Brecht; z. B. in der *Heiligen Johanna der Schlachthöfe*), war die Wahl der bürgerlichen Freiheit, also die Wahl der individuellen Freiheit, eine objektive Vorgabe, die der (so verstandenen) Arbeit die größten Möglichkeiten ließ. Man kann es auch boshafter mit Sergej Tretjakow formulieren: »Das ist der einsame und verächtliche Zynismus eines Intellektuellen, der die Idiotie sieht, aber nicht die Kraft hat, mit der Faust drein zu schlagen, und daher die Feder zückt« (zitiert nach Thiele, 5).

Amerika brach die Isolation des skandinavischen Exils auf und bildete sie zugleich neu. Brecht, der zunächst nicht wußte, ob er im Westen bleiben sollte, entschied sich relativ schnell für Santa Monica, und das heißt für Los Angeles und Hollywood (Santa Monica ist ein Stadtteil davon), als er die vielen Kontaktmöglichkeiten mit weiteren Exilierten sah. Jedoch empfand er schnell, wie radikal anders insgesamt seine sozialistische Einstellung gegenüber den bürgerlichen Mitexilierten war, so daß er schreiben konnte: »Die geistige Isolierung hier ist ungeheuer, im Vergleich zu H[ollywood] war Svendborg ein Weltzentrum« (Briefe, Nr. 448; vom Okt. 42).

Das ist der Grund dafür, daß sich Brechts lyrische Produktion auch im amerikanischen Exil eigenwillig und weiterhin in verknappter, verkürzter Sprache formuliert. Die Stoßrichtung ändert sich freilich nicht unwesentlich. Da er ja mit den Amerikanern und den deutschen Exilierten umgeht, da er sich auf den amerikanischen Markt und auf die Lebensweise einstellen muß, gilt seine offene wie versteckte Kritik in der Lyrik nun vor allem der neuen Umgebung. Diese Kritik hat zweierlei Stoßrichtung. Sie ist einmal gegen die von Brecht als total empfundene Waren- und Verkaufsgesellschaft der USA gerichtet, die alles gleich nach seinem »Verbrauch« hin stutzt, also nach der Konsumierbarkeit, nicht nach seinem Nutzwert: »hier kommt man sich vor wie franz von assisi im aquarium, lenin im prater (oder oktoberfest), eine chrysantheme im bergwerk oder eine wurst im treibhaus. das land ist eben riesig genug, um alle andern länder selbst in der erinnerung zu verdrängen. man könnte dramen schreiben, wenn es selber keine hätte und keine brauchte, aber es hat das alles, im nichtigsten zustand. der merkantilismus erzeugt alles, nur eben in warenform, und hier schämt sich der gebrauchswert, nicht der tauschwert in der kunst« (AJ 392; vom 23. 3. 42). Das heißt, wenn etwas irgendwie nur an den Konsumenten zu bringen ist, ist alles möglich, auch Leninbüsten z. B. auf dem Jahrmarkt oder die Wurst im Treibhaus. Die Kunst hat keine eigene Schönheit mehr, auch keinen Nutzen, sie paßt sich vielmehr konturlos den Bedürfnissen an, die der Markt setzt: »In fünf Jahren sah ich einmal etwas Kunstähnliches: Entlang an der Küste von Santa Monica, vor den tausend Badenden, schwebte an dünnen Drahtseilen drachenhaft, gezogen von einem Motorboot, ein dünnes, köstliches Gebilde in zarten Farben, die Reklamezeichnung einer Hautölfirma« (20, 298).

Die andere Stoßrichtung ist die der exilierten »Tuis«, der bürgerlichen Intellektuellen, die sich den amerikanischen Verhältnissen weitgehend angepaßt haben, vor allem aber auch nicht zur einer konsequenten antifaschistischen Haltung bereit sind. Markant formuliert sich Brechts lyrische Kritik z. B. gegenüber Thomas Mann (10, 871–873).

Beides führt zu einer Neueinschätzung der lyrischen Produktion und des Selbstverständnisses als Dichter: »hier lyrik zu schreiben, selbst aktuelle, bedeutet: sich in den elfenbeinturm zurückziehen. es ist, als betreibe man goldschmiedekunst. das hat etwas schrulliges, kauzhaftes, borniertes. solche lyrik ist flaschenpost, die schlacht um smolensk geht auch um die lyrik« (AJ 406; vom 5. 4. 42). Es geht Brecht dabei, wenn er die Lyrik als adressatenlose Flaschenpost definiert, nicht nur um die »Kürze« bzw. abgebrochene Kommunikation (vgl. Bohnert, 163; Rastegar, 192), sondern vor allem darum, daß die Lyrik, die Brecht schreibt, sich der Warenform verweigert und deshalb etwas Abseitiges, Exklusives, »Außerweltliches« erhält. Sie spricht anders, als die Besteller sich Lyrik denken, sie entzieht sich der Vermarktung und gibt sich deshalb in (scheinbar) traditionellem bürgerlichen Gewand der Weltabgeschiedenheit und Interesselosigkeit. Brechts Festhalten freilich an seinen Vorstellungen von Lyrik bestimmt diese lyrische Produktion in den USA gleichsam als Hilfeschrei des Menschlichen, das unter der Maske und Maskierung der totalen Konsumption nicht mehr zum Vorschein kommen soll. Die Lyrik erhält damit eine weitere neue Funktion. Ging es in der skandinavischen Lyrik darum, an Gegenständen, an Natur die ihnen zugehörige gesellschaftliche Dimension der Zeit offenzulegen, so suchen die Gedichte der amerikanischen Lyrik nach den Menschen, die sich hinter der Maskierung der Warenform bis zur Unkenntlichkeit entstellt haben. Bei der Suche kommt selten ein menschliches Antlitz zum Vorschein, und das lyrische Ich sieht betroffen, daß es aufgefordert ist – will es erfolgreich sein –, sich ebenfalls zu entstellen (vgl. z. B. *Angesichts der Zustände in dieser Stadt;* 10, 832):

> In diesem Land, höre ich, gibt es frohe Menschen
> Wie in andern Ländern. Jedoch
> Sind sie nicht ausfindig zu machen, weil das Lächeln
> Jenes Zeichen der Fröhlichkeit in meiner Heimatstadt
> Hier ganz einfach vorgeschrieben ist. So lächelt
> Der Betrogene und der Betrüger, der Erfrischte
> Und auch der tödlich Getroffene. Der Satte lächelt
> Und der vom Hunger Gepeinigte wagt nicht
> Nicht zu lächeln. Selbst die Gestorbenen
> Werden auf Kosten der Hinterbliebenen durch
> Kunstgriffe
> Mit einem sonnigen Lächeln versehen.
> (Supplementband IV, 375)

Die »geistige Isolation« ist jedoch nicht total. Im Gegensatz zu Schweden und Finnland bedeuten die USA für Brecht wieder, die notwendigen Nachrichten aus Deutschland, aus Europa und über den Kriegsverlauf zu erhalten. Die gesellschaftlich-politischen Themen lassen sich wieder direkt verarbeiten, die lyrischen Kommentare haben wieder ihre zeitgenössisch realen Inhalte. Am Beginn des amerikanischen Exils sind sie zunächst bestimmt von den »Verlusten« (vgl. *Verlustliste;* 10, 829), vornehmlich von dem Margarete Steffins, dann aber auch von dem Walter Benjamins und anderer Verschollener oder Toter. Nach der »Etablierung« in Hollywood beginnt Brecht recht systematisch den Kriegsverlauf zu verfolgen und lyrisch zu kommentieren. Im Zentrum steht dabei die erst 1955 publizierte *Kriegsfibel* (10, 1035–1048), für die neunzig Vierzeiler (zu Bildausschnitten) während des amerikanischen Exils entstehen (neben den 69 publizierten sind aus dem Nachlaß noch 21 weitere Gedichte bekanntgeworden; Supplementband IV, 379–382). Aber auch sonst behandelt die Lyrik die verschiedenen Kriegsstadien, vor allem die sowjetischen Befreiungskämpfe.

Spätestens ab 1943 schiebt sich die Frage nach »Deutschland nach dem Krieg« in den Vordergrund. Die ehemals antifaschistische Stoßrichtung der Lyrik dreht sich jetzt in die Richtung derjenigen, die Hitler mit Deutschland identifizieren wollen und sich einer »nationalen Befreiung« Deutschlands widersetzen (vor allem Thomas Mann). Brecht versucht – natürlich nicht nur in der Lyrik –, die Bestrebungen des »Nationalkomitees ›Freies Deutschland‹« (gegründet in Moskau am 12. 7. 43) von den USA aus publizistisch zu unterstützen. Es geht darum, den Widerstandsbewegungen in Deutschland moralisch, wenn möglich auch materiell zu helfen, um so nicht nur den Krieg abzukürzen, sondern Deutschland auch von »innen« heraus zu befreien. Oder anders gesagt (was Brecht natürlich so nicht öffentlich sagte): das Nachkriegsdeutschland sollte – wenn irgend möglich – aus einer, den Krieg beendenden bewaffneten Revolution (oder zumindest eines Aufstands gegen Hitler) hervorgehen und auf diese Weise »sozialistisch« werden. Wie illusionär die Bemühungen auch immer gewesen sein mögen, wenn sie am Ende nicht so kläglich gescheitert wären, so hätte es immerhin im Bereich des Möglichen gelegen, das Kriegsende eher herbeizuführen oder auch »nur« die Bombardierung einiger deutscher Städte zu verhindern.

Wenn Brecht auch schon frühzeitig mit der Niederlage Hitlers rechnete (vgl. z. B. *Antwort des*

Dialektikers von 1942; 10, 844), machte er sich über die Schwere der vielen Niederlagen vor dem Sieg über den Faschismus keinerlei Illusionen (vgl. bes. *Kinderkreuzzug*; 10, 833–838). Und das bedeutete auch, daß er einer »inneren Befreiung« ohne massive äußere Hilfe nur wenig Chancen einräumte. Die Aussichten nahmen jedoch stetig ab statt zu. Brecht beobachtet verzweifelt den Mut der deutschen Soldaten (in den Kämpfen mit der Sowjetunion; 10, 853) und noch mehr die Bombardierung Deutschlands durch den Alliierten. Im Bild des »neuen Tages« erfaßt er den »Verrat« lyrisch:

Tagesanbruch

Nicht umsonst
Wird der Anbruch jeden neuen Tages
Eingeleitet durch das Krähen des Hahns
Anzeigend seit alters
Einen Verrat. (10, 868)

Unschwer läßt sich im Zusammenhang mit den anderen Gedichten des Zeitraums (1943/44) erkennen, daß der »Verrat« sich auf die zunehmende Verlagerung der amerikanischen Politik von der Bekämpfung des Faschismus zu der des Kommunismus bezieht. Da Brecht schon seit Beginn seines Amerika-Aufenthalts als mutmaßlicher kommunistischer Agent durch das FBI überwacht wurde, hatte er ohnehin auch ganz persönlich ein waches Sensorium für den amerikanischen Antikommunismus. Der »Verrat« sollte deshalb zwei Strategien der amerikanischen Politik markieren, die Bombardierung der Zivilbevölkerung (ohne großen »militärischen Zweck«) und gleichzeitig das militärische Abwarten der Alliierten über den Ausgang der deutsch-sowjetischen Schlachten, das – als die Sowjets zu siegen begannen – umschlug in einen verschärften Vormarsch, der die Russen so weit wie möglich im Osten halten sollte.

Angesichts dieser Entwicklung ist der »neue Tag«, als er im Mai 1945 endlich kommt, ziemlich grau. Das eventuell erste Gedicht, das auf den 8. Mai reagiert, versichert sich zwar am Ende: »Die Revolution hat ihre erste Schlacht gewonnen: / Das ist geschehen« (10, 931), aber die Beschreibung dessen, was da geschieht, ist wenig revolutionär:

Der Fabrikbesitzer läßt sein Flugzeug überholen.
Der Pfaffe denkt nach, was er vor acht Wochen über den Zinsgroschen gepredigt hat.
Die Generäle ziehen Zivilkleider an und sehen aus wie Bankleute.

Die Beamten auf den Ämtern werden freundlich.
Der Schutzmann zeigt dem Mann mit der Mütze die Wegrichtung.
Der Hausbesitzer sieht nach, ob die Wasserleitung in Ordnung ist.
Die Zeitungsschreiber schreiben das Wort Volk mit großen Buchstaben.
Die Sänger singen umsonst in der Oper. (10, 931)

Die alte Ordnung, die alten Repräsentanten sind wieder da, ihr Verhalten hat sich lediglich der Niederlage angepaßt. Der Kampf aber geht weiter, und zwar in der Konfrontation Sozialismus – Kapitalismus. Wenn Edgar Marsch schreibt: »Die zweite Schlacht ist der *Aufbau*« (Marsch, 332), vergißt er, daß lediglich der Faschismus (als Nationalsozialismus) militärisch besiegt ist, ansonsten aber ist alles beim alten geblieben (»Die Beamten... *werden* freundlich«): dieselben Leute, die im strammen Dienst der Nazis »Verantwortung« trugen, sitzen noch immer in den Ämtern (vorübergehend »freundlich«). Daß die Revolution dennoch die erste Schlacht gewonnen hat, rechtfertigt sich im Sieg der sozialistischen Sowjetunion über den deutschen Faschismus: *diese* Schlacht ist gemeint. Als erste Schlacht aber impliziert sie bereits das weitere Schlachten. Wie Brecht den Sieg der Alliierten einschätzt, geht aus Versen hervor, wie »Schlächter bat Schlächter, daß er's Urteil fälle« (*Epistel an die Augsburger*; 10, 933) oder:

Der Nürnberger Prozeß

Die amerikanischen Korrespondenten beschweren sich
Über die Gleichgültigkeit der deutschen Bevölkerung gegenüber
Den Enthüllungen der Kriegsverbrechen. Wie, wenn diese Leute
Über ihre Obrigkeit schon Bescheid wüßten und nur
Auch jetzt noch nicht sähen, wie
Die Verbrecher loswerden? (10, 939)

Als die Amerikaner dann auch noch die Atombomben über Hiroshima und Nagasaki abwerfen, verdüstern sich für Brecht die Aussichten noch entschiedener. Er rechnet jetzt – und dies gleich nach Kriegsende – sogar mit dem atomaren Holocaust:

Abgesang

Soll die letzte Tafel dann so lauten
Die zerbrochene, die ohne Leser:

Der Planet wird zerbersten
Die er erzeugt hat, werden ihn vernichten.

Zusammen zu leben, erdachten wir nur den
Kapitalismus.
Erdenkend die Physik, erdachten wir mehr.
Da war es, zusammen zu sterben. (10,935)

Texte: Gedichte 1941–1947 (= Gedichte VI). Frankfurt a. M. 1964 (S. 5–160). – wa 10, 823–949. – Supplementband IV, 363–398.

Edgar *Marsch*: Brecht-Kommentar zum lyrischen Werk. München 1974 (S. 311–338). – James K. *Lyon*, John B. *Fuegi*: Bertolt Brecht. In: Deutsche Exilliteratur seit 1933. Band I. Kalifornien, Teil 1. Hg. v. John M. *Spalek* und Joseph *Strelka*. Bern und München 1976. S. 268–298. – Nosratollah *Rastegar*: Die Symbolik in der späteren Lyrik Brechts. Frankfurt a. M. 1978 (S. 187–203). – Exil in den USA, mit einem Bericht »Schanghai – Eine Emigration am Rande« (= Kunst und Literatur im antifaschistischen Exil 1933–1945. Band 3). Leipzig 1979 (S. 11–81). – Christiane *Bohnert*: Brechts Lyrik im Kontext. Zyklen und Exil. Königstein/Ts. 1982 (S. 161–168).

Merkmale und Themen

›basic german‹

Als Brecht 1944 eine Sammlung *Gedichte im Exil* zusammenstellt, hält er strenge Auswahl. Im Dezember notiert er zur getroffenen Auswahl: »im grund sind die gedichte in einer art ›basic german‹ geschrieben. das entspricht durchaus nicht einer theorie, ich empfinde den mangel an ausdruck und rhythmus, wenn ich solch eine sammlung durchlese, aber beim schreiben (und korrigieren) widerstrebt mir jedes ungewöhnliche wort. gedichte wie DIE LANDSCHAFT DES EXILS nehme ich nicht auf, das ist schon zu reich« (AJ 714). Der Terminus »basic german« meint die Reduzierung der Sprache auf ihre (bloße) Funktion als Verständigungsmittel (zu der auch die Selbstverständigung gehört). »Dürstende Gärten«, solche Ausdrücke, wie sie *Die Landschaft des Exils* (10, 830 f.) verwendet, erscheinen da schon zu viel: das Attribut, erinnernd an antike (hexametrische) Metaphern, bringt zu viel Pathos, zu viel Selbstausdruck mit sich. Daß bei der Vermeidung solcher Attribute auch viel vom rhythmischen Wechsel, der Vielfalt der rhythmischen Möglichkeiten verlorengeht, versteht sich von selbst. Die Frage ist, warum Brecht weitgehend bei der radikal verkürzten Sprache bleibt (freilich nicht ausschließlich, wie es die Lukrez-Nachdichtung und die Versifizierung des *Kommunistischen Manifests* ausgiebigst beweisen)?

Die Forschung (Rastegar, Bohnert) sieht eine weitgehende Kontinuität der Exillyrik. Die »sprachwaschung«, wie sie Brecht 1940 für die Lyrik paradigmatisch formuliert (AJ 155; vom 22. 8.), gilt als durchgängiges Prinzip. Er grenzt sie ab gegen die Entwicklung der Lyrik nach Goethe, dem er eine »schöne widersprüchliche Einheit« in der Lyrik konstatiert. Diese falle auseinander in eine profane und eine pontifikale Linie (Heine/Hölderlin). Die erste lasse die Sprache dadurch verlottern, daß sie ihre »Natürlichkeit« durch Formverstöße provoziere, wodurch immer mehr die »spannung zwischen den wörtern verschwindet« und die Wortwahl unaufmerksam werde; die zweite Linie dagegen putzte sich wortreich, aufdonnernd auf (bes. George, aber auch Karl Kraus) und wirkte bloß kulinarisch (und reaktionär) (alles AJ 155). Brecht dagegen lehnt den »abstieg« der »sprachwaschung« ab, das heißt, daß die Spannung »zwischen den Wörtern« erhalten bleibt, daß billige (bloß formale) Pointierungen vermieden werden und aufgesetzte Schönheiten in jeder Hinsicht verpönt sind. Die »finnischen Gedichte« vor allem hatten gezeigt, mit wieviel Gewinn der »abstieg« verbunden sein kann.

Wenn auch die »Sprachwaschung« insgesamt weiterhin für die Exillyrik der USA kennzeichnend ist, so nuanciert der Ausdruck »basic german« dennoch die verkürzte Ausdrucksweise in neuer Hinsicht. Ging es der finnischen Lyrik darum, die Gegenstände, die Natur zum »Sprechen zu bringen«, so steht im Vordergrund der USA-Lyrik der Versuch, die Kommunikation wiederherzustellen. In Schweden, in Finnland gab es wenig Nachrichten, noch weniger Kontakte, in den USA gibt es beides wieder in reichem Maße, jedoch gibt es auch außerordentliche Schwierigkeiten, die »menschliche Stimme«, und das heißt auch die »menschliche Würde« hörbar zu machen. Daß es in den USA auch wiederum »Gegenstandslyrik« gibt (z. B. *Maske des Bösen*; 10, 850), ist kein grundsätzlicher Einwand. Eindeutig im Vordergrund stehen die Gedichte, die die abgerissene Kommunikation (oder ihre Störung) zum Thema haben (die Stadt, die die Leute erdrückt: *Städtische Landschaft;* 10, 877–879, die geforderten und verkauften Lügen: *Hollywood-Elegien;* 10, 848 f., *Liefere die Ware;* 10, 851 etc.; die häufige Verwendung des »wir«: *Gezeichnete Geschlechter*; 10, 855; u. a. m.). Dazu gehört auch die positive »Verständigung«, die ein demokratischer Richter (10, 860 f.) dadurch herstellt, daß er einem, des Englischen nicht mächtigen Italiener die Frage vorlegt, die zu dessen Antwort paßt, so daß dieser Bürger der USA werden kann. Die »Verständigung« geschieht hierbei gerade nicht über die gemeinsame Sprache, sondern in der Anerkennung der menschlichen Würde. Es ist sicherlich kein Zufall, daß Brecht mit der Schlacht um Smolensk sowohl die Entscheidung über die Zukunft der Lyrik als auch die über die menschliche Würde in gleichlautenden Formulierungen innerhalb kürzerer Zeit verbindet: »die schlacht um smolensk geht auch um die lyrik« (AJ 406; vom 5.4.42), »und tag und nacht tobt auf den schneefeldern von smolensk der kampf um die würde des menschen« (AJ 410; vom 12.4.42).

Die Vermutung, Brecht habe im amerikanischen Exil »verschlüsselte« Lyrik (Gegenstände, Natur) geschrieben (wie in Finnland), um seine wahre Meinung vor den Schnüffeleien des FBI zu verbergen (so Rastegar, 219), klingt zwar zunächst plausibel, ist jedoch außerordentlich unwahrscheinlich. Es gibt viel zu viel Lyrik, der (us-)gesellschaftskritischer Zug so klar zutage liegt, daß zu fragen wäre, warum er da nicht zu »Schlüsseln« griff; und überdies darf bezweifelt werden, daß Brecht seine Lyrik als »Botschaften« über Telefon verbreitet hat. Daß er – wenn es um Aktionen ging (z.B. für das Nationalkomitee »Freies Deutschland«) – Verschlüsselungen verwendet hat, ist seit James K. Lyons Einblicke in die Akte bekannt – aber er tat's nicht lyrisch. Ohnehin ist der mit der »Verschlüsselung« verbundene »Symbol«-Begriff für die spätere Brecht-Lyrik fragwürdig (Jürgen Link, Nosratollah Rastegar); die Besprechung des »Symbolischen« bei Brecht erfolgt hier jedoch im Zusammenhang mit den *Buckower Elegien* (1953).

Jürgen *Link*: Die Struktur des literarischen Symbols. München 1975 [Link entwirft die »Symbol«-Theorie systematisch und erläutert sie dann an den *Buckower Elegien;* Rastegar folgt dieser Theorie weitgehend, wenn auch kritisch]. – Nosratollah *Rastegar* (s.o.; S. 196–220). – James K. *Lyon*: Brecht in America. Princeton University Press 1980. – Christiane *Bohnert* (s.o.).

Landschaft und Stadt

Brecht stand keineswegs mit der Ansicht allein, daß die Landschaft von Südkalifornien eine Zumutung, Los Angeles die Hölle und Hollywood eine kunstgewerbliche Anlage ohnegleichen sei. Carl Zuckmayer z.B. schrieb: »Auch behagte mir dieses von vielen Leuten als Paradies gepriesene Südkalifornien gar nicht, der ewige Frühling, durch Hitzewellen und Regenzeiten unterbrochen, schien mir schal und fade, die wüste, fast kahle Umgebung unerträglich, der falsche Stil der Prachtvillen, spanische Neu-Renaissance oder orientalische Gotik, mit ihren künstlich bewässerten Paradiesgärtlein noch unerträglicher, und die allgemeine Verfassung der Leute, mit denen ich durchweg zu tun hatte, der Filmleute nämlich, am unerträglichsten« (nach Seliger, 221). Und über Los Angeles äußert sich Zuckmayer: »Nie habe ich so sehr die Nebel der Depression kennengelernt wie in diesem Reich des ewigen Frühlings, in dessen künstlichen Gärten mit ihren gechlorten Swimming-pools und neohispanischen Schlössern, an den Hängen der höher gelegenen Canyons, das kurzlebige Glück zu Hause ist, während in der Tiefe eine trostlose, mörderische Häuserwüste gähnt: die Stadt Los Angeles, eine der brutalsten und häßlichsten Großstädte der Welt« (Als wär's ein Stück von mir. Wien 1966. S. 486f.). In ganz ähnlicher Weise nennt ein Gedicht Los Angeles »die Hölle« (*Nachdenkend über die Hölle*; 10, 830), beschreibt die zunehmenden Einmauerungen (durch Hochhäuser) in den Städten der USA (*Bericht des Sohnes*; 10, 876) oder schildert das öde Leben in den »Sardinenbüchsen« (*Städtische Landschaft*; 10, 877–879). Zwei Gedichte gelten den berühmten Paradiesgärten Hollywoods (*Vom Sprengen des Gartens*; 10, 861; *Garden in progress;* 10, 883–886), jenen Gärten, die nur durch unablässiges Bewässern vor ihrer buchstäblichen »Verwüstung« zu bewahren sind: »die pflanzen kommen mir vor wie die zweige, die wir als kinder in den sand steckten; zehn minuten später hingen die blätter welk herab. immerfort wartet man, auch hier könne die bewässerung plötzlich abgestellt werden, und was dann?« (AJ 362; vom 21.1.42). Obwohl die Garten-Gedichte auf den ersten Blick die künstliche Gartenlandschaft »positiv« darzustellen scheinen, formulieren sie die Erwartung ihres Untergangs stets mit. *Garden in progress*, ein Gedicht, das Brecht ja zu üppig für seine geplante Gedichtsammlung (*Gedichte im Exil*, 1944) erschien, ist eine Hymne auf den Garten von Charles Laughton, beinahe im klassisch-antiken Stil verfaßt (Hexameter-Anklänge). Doch die Zerfallsmomente des Gartens, dessen Metaphern auf die amerikanische Kunst übertragen werden können (vgl. Rastegar, 172f.), sind deutlich akzentuiert. Der »progress« des Gartens – »Doch / Wie der Garten mit dem Plan / Wächst der Plan mit dem Garten« (10, 884) – ist dermaßen übersteigert, daß er im amerikanischen Sinn »grenzenlos« wird, zugleich aber auch seine Grenzen gezogen bekommt:

> Leider ist der schöne Garten, hoch über der Küste
> gelegen
> Auf brüchiges Gestein gebaut. Erdrutsche
> Nehmen ohne Warnung Teile plötzlich in die Tiefe.
> Anscheinend
> Bleibt nicht viel mehr Zeit, ihn zu vollenden. (10, 886)

Die künstliche »Natur« ist auf brüchigen Boden gebaut; ihr Untergang ist deshalb schon vorbestimmt, weil diese Gärten nicht – wie etwa der spätere *Blumengarten* der *Buckower Elegien* (10, 1009) *mit* der Natur, sondern *gegen* die Natur angelegt sind. In Amerika realisiert sich noch das aristotelische Prinzip der »Naturbeherrschung«, daß die Natur zu überlisten sei, das gegen ihre »Natürlichkeit« anzugehen sei, wenn man sie beherrschen wolle. In Amerika – das ist der nachhaltige Eindruck Brechts – stellt sich alle Natur, aber auch alle Realität als künstlich hergestellt dar, abgetrotzt sowohl gegen die Natur des Menschen als auch gegen die umfassende Natur. Das »big business« der Amerikaner, ihre stete Betriebsamkeit besteht darin, diese der Natur regelrecht abgetrotzten Künstlichkeiten am ständigen Laufen zu halten, weil auch nur eine Unterbrechung das gesamte Gebilde einstürzen läßt.

Daß Brecht darin zugleich ein sehr merkwürdiges Anschauungsmodell für die alte aristotelische Kunst erhielt, ist die Ironie des amerikanischen Exils. Auch ihre Gebilde wurden (und werden) hartnäckig gegen die menschliche Natur realisiert. Als »schön« gilt etwas erst, wenn jegliche Spur von menschlicher Natur von den Gesichtern der Menschen gelöscht ist. Das ausdruckslose, geschminkte Aussehen, zugleich die angestrengte Maske der Freundlichkeit ohne Sinn verdecken jeden Bezug zur Realität, die dennoch darunter steckt, die angesichts der Künstlichkeit jedoch immer mehr vergessen wird. Brechts Kunstprinzipien mußten sich dadurch herausgefordert fühlen, gingen sie doch im Gegensatz zu aristotelischen Anschauungen davon aus, daß der »Natur zu gehorchen sei, wenn man sie beherrschen wolle« (vgl. Knopf, 172), daß die Kunst der Realität nicht künstlich ihre Formen überstülpen, aufzwingen, diese vielmehr aus der Realität beziehen sollte. In den USA erfuhr Brecht fortwährend das Gegenteil, und zwar in durchaus funktionierender, wenn auch deprimierender Weise.

Auch das Gedicht *Vom Sprengen des Gartens* (10, 861) hat kritische Implikate, die freilich erst offenzulegen sind:

> O Sprengen des Gartens, das Grün zu ermutigen!
> Wässern der durstigen Bäume! Gib mehr als genug.
> Und
> Vergiß nicht das Strauchwerk, auch
> Das beerenlose nicht,das ermattete
> Geizige! Und übersieh mir nicht
> Zwischen den Blumen das Unkraut, das auch
> Durst hat. Noch gieße nur
> Den frischen Rasen oder den versengten nur:
> Auch den nackten Boden erfrische du.

Man braucht nicht erst die dem Gedicht entsprechende Eintragung aus dem *Arbeitsjournal* (AJ 533; vom 20.10.42: »was ich gern mache, ist das wässern des gartens. merkwürdig, wie das politische bewußtsein all diese alltäglichen verrichtungen beeinflußt), um zu bemerken, daß mit diesem Wässern etwas nicht stimmt. Kein Gärtner wird das Unkraut wässern, um es noch stärker zu machen, kein Gärtner wird den nackten Boden »erfrischen«, weil aus ihm nichts zu holen ist. Damit erhalten die »Unsinnigkeiten« Verweiskraft, und die Überschrift wird doppeldeutig. Denn »Sprengen« muß ja nicht nur heißen: mit Wasser versehen, sondern kann auch heißen: auseinandersprengen. Dieser Doppelsinn verbirgt sich in den Empfehlungen, den beerenlosen Strauch, das Unkraut und den nackten Boden nicht auszulassen. Die Formel »die auf nacktem Boden sitzen« stellt die politisch sozialen Bezüge her. Im Gegensatz zur umfassenden Natur ist der Garten »gepflegte«, nach menschlichen Prinzipien gebaute Natur, und er läßt sich als solcher als Bild der menschlichen Gesellschaft identifizieren, genauer als Bild der bürgerlichen Gesellschaft. Sie pflegt nur die »nützlichen« Gewächse, diejenigen, die sich verwerten lassen und ihrer Schönheitsvorstellung entsprechen. Unkraut dagegen wird vertilgt, der beerenlose Strauch übersehen, der nackte Boden mißachtet. Brechts »gesprengter« Garten stellt die ungepflegte Natur wieder her, indem er dem Übersehenen seinen Raum gibt und es anerkennt. Als Gesellschaftsbild plädiert das Gedicht zugleich für die »Sprengung« der bürgerlichen Gesellschaft und ihrer (künstlichen) Unnatur, die sich als natürlich ausstellt.

Ist die Unnatur der Natur entdeckt, liegt auch die Unnatur der Gesellschaft offen, die sich vor allem in den Bildern der Städte manifestiert. Brecht interessiert freilich dabei in erster Linie das menschliche Zusammenleben, das sich in den Städten abspielt. Auch da haben die Gedichte des USA-Exils wenig Erfreuliches mitzuteilen:

Ihr Ausgegabelten aus den Sardinenbüchsen
Einzelne wieder, Pläne eurer Mütter
Zwischen Teller und Lippe, noch einmal
Mit seltsamem Aug, vielleicht einer eigenen Brau!
Triefend vom Öl des Zuspruchs und des Trostes
Der euch frisch hält, etwas flachgedrückt
Mit Bügelfalten, ihr Buchhalter, euch
Suche ich auf, der Städte
Gepriesenen Inhalt! (10,877)

Die Stadt-Gedichte der USA knüpfen an die Städte-Lyrik der späten zwanziger Jahre an (z. B. *Lesebuch für Städtebewohner*). Der Ton jedoch ist kritischer, aggressiver und vor allem sarkastischer geworden. Ging es in der früheren Städtelyrik mehr darum, die Symptome der großstädtischen Entfremdung zu erfassen und als der Entwicklung immanente Notwendigkeit (kritisch) zu akzeptieren, bekommt die Stadtlandschaft der späteren Gedichte die Züge einer Horrorvision. Zwar sprechen die Gedichte ihre Kritik kaum offen an, so muß doch die Wirkung der mit äußerster und verbissener Distanz formulierten Verse kritisch wirken: in solchen Städten ist eigentlich nicht zu leben, der (kapitalistische) Fortschritt, die Unnatur der gesellschaftlichen Verhältnisse, hat die Städte unbewohnbar werden lassen. Daß sie trotzdem noch bewohnt werden, läßt sich nur durch die völlige Unbewußtheit der »Insassen« erklären.

6
In den trüben Menschenströmen
Die an die Häuserwände klatschen
Schwimmen Zeitungsblätter.
Die Monumente umspülen und
In die Kontorgebäude hochsteigen.

7
Die neun Völker der Stadt, schlafen
Erschöpft
Von ihren Lastern und den Lastern der anderen.
Die Werkzeuge
Liegen bereit für die morgige Arbeit. Durch die leeren Straßen
Hallen die Schritte der Wächter. (10,878)

Die amerikanische Stadt – konkretes Vorbild ist Los Angeles – erscheint als die schon auf Erden realisierte »Hölle«, die das menschliche Antlitz, seine mögliche »Natur«, völlig auslöscht; das berühmte »keep smiling« deutet Brecht als »Ausdruck der Leere« (10, 832) um. Die schon in der frühen Stadtlyrik konstatierte »Aufhebung« des einzelnen ist nun die totale Vereinzelung geworden. Der einzelne geht nicht mehr sinnvoll in die »Masse« ein, als isoliertes Teilchen wird er vielmehr vom »Massenstrom« hinweggerissen, mitgespült (wie es die Metaphern sagen). Über den »Strömen« regieren unbarmherzig die »Gesetze der Ökonomie«, die in unbewußter Ergebenheit, aber auch unter Bewachung (Wächterstaat) exekutiert werden. Da der gesamte Bau dieser Gesellschaft nicht mehr dem möglichen Glück der Menschen dient, gewinnt er für Brecht den Anschein eines totalen Leerlaufs, in Gang gehalten nur noch, sich selbst zu dienen. Daß er – wie die künstliche Natur – ohne Dauerbetrieb sofort zusammenbräche, ist das Resultat eines irrwitzigen circulus vitiosus:

Auch in der Hölle
Gibt es, ich zweifle nicht, diese üppigen Gärten
Mit den Blumen, so groß wie Bäume, freilich verwelkend
Ohne Aufschub, wenn nicht gewässert mit sehr teurem Wasser. Und Obstmärkte
Mit ganzen Haufen von Früchten, die allerdings
Weder riechen noch schmecken. Und endlose Züge von Autos
Leichter als ihr eigener Schatten, schneller als
Törichte Gedanken, schimmernde Fahrzeuge, in denen
Rosige Leute, von nirgendher kommend, nirgendhin fahren.
Und Häuser, für Glückliche gebaut, daher leerstehend
Auch wenn bewohnt. (10,830)

Nosratollah *Rastegar* (s. o.; S. 121–186).

Jan *Knopf*: Bertolt Brecht und die Naturwissenschaften. In: Brechts »Leben des Galilei«. Hg. von Werner *Hecht*. Frankfurt a. M. 1981. S. 163–188.

Rückkehr der alten Götter

Die Diskrepanzen, die die amerikanische »Natur«-Lyrik Brechts bestimmen, beherrschen auch das Thema »Religion«. Obwohl es an Selbstaussagen über diese Thematik mangelt, ist anzunehmen, daß die Rolle, die Religion und (naiver) Gottesglauben in den USA spielen, die Gedichte provoziert haben. Innerhalb einer hochtechnisierten, mit allen fortschrittlichsten »Errungenschaften« operierenden Gesellschaft machen sich die alten Anschauungen, alter Glaube, alte Riten breit. Das Gedicht *Widersprüche* nennt eine ganze Reihe von diesen merkwürdigen Ungleichzeitigkeiten:

Und ich sah ein Geschlecht, befähigt sich Türme zu bauen
Hoch in das Licht der Sonne wie keins, und es hauste in Höhlen.
Wußte den Boden zu nähren, so daß er gedoppelte Frucht gab
Aß aber Rinde von Bäumen und hatte der Rinde genug nicht.

> [...]
> Und da vieles geschah, entrückt der gemeinen Berechnung
> Tauchten in Formeln, die Berge versetzten und Flüsse verlegten
> Wieder die Götter auf, die alten, aus dunkler Vorzeit. (10, 863 f.)

Auch diese Beobachtungen mußten auf Brecht niederschmetternd wirken, die er nicht ohne Grund in antikisierender Sprache formuliert (Zusammenhang mit dem *Lehrgedicht* nach Lukrez ist zu vermuten). Die neue technische Zeit hatte nicht dazu geführt, ein ihr gemäßes Verhalten, Bewußtsein und Denken auszubilden. Der Fortschritt produzierte sich sozusagen im Selbstlauf und zog die Menschen einfach mit. Die »Wolkenkratzer« wurden so hoch gezogen, wie es technisch irgend möglich war, dazu abgeschottet gegen jeglichen »äußeren Einfluß« (gleichbleibendes »Wetter« durch Klimaanlagen etc.), aber die Wohnungen, die Zimmer blieben die kleinen Löcher wie bisher, vollgestellt womöglich noch mit alten – nachgebauten – »Stilmöbeln«. Oder das andere Beispiel, das das Gedicht nennt: die Getreideernten in den USA waren stets durch den Einsatz modernster Großmaschinen gesteigert worden, so daß es immer wieder zu Überproduktionen kam (»Überproduktionskrise«). Um aber die Preise einigermaßen halten zu können, wurde es in Großaktionen wieder vernichtet. Es billiger zu verkaufen oder gar an die Armen zu verschenken – Brecht muß in den USA viel Armut beobachtet haben –, verstößt gegen die »Gesetze« der Gesellschaft, die auf wunderbare, das heißt göttliche Weise dennoch funktioniert (*Über den bürgerlichen Gottesglauben*):

> Was ist eine Banknote, die doch ein Papier ist
> Ohne Gewicht, und doch
> Das ist Gesundheit und Wärme, Liebe und Sicherheit.
> Hat sie nicht ein geistiges Wesen?
> Das ist etwas Göttliches.
>
> Warum steigen die Ausgehungerten in die Kohlenschächte?
> In ihren großen Händen haben sie Hacken und Hämmer
> Und die Begüterten gehen doch unter ihnen am Samstag mittag
> Ohne Furcht herum
> Gott beschützt sie. (10, 865)

Das »Göttliche« der bürgerlichen Ordnung materialisiert in diesen Gedichten (selbst unausgesprochen) die (latente) Brutalität des gesellschaftlichen Alltags. Wenn dermaßen der »technische Stand« der Gesellschaft und ihr soziales Gefüge auseinanderklaffen, verschärfen sich die verborgenen Feindseligkeiten, die in stetem Rückfall in alte barbarische Zeiten zu neuen Kriegen führen.

Faschismus in den USA

Die kritische Beobachtung der gesellschaftlichen Widersprüche läßt Brecht manches von dem wiederfinden, was in Deutschland zur Faschisierung einer sich »frei« und »demokratisch« dünkenden Republik geführt hatte. Bereits vor der Übersiedlung in die USA hatte Brecht mit dem Stück *Der aufhaltsame Aufstieg des Arturo Ui* die Parallelen zwischen amerikanischer Gangstergeschichte und dem politischen Aufstieg Hitlers zum dramatischen Modell gewählt, um den Amerikanern – gleichsam als erstes »Gastgeschenk« – ihren selbstproduzierten Fachismus vor Augen zu stellen – allerdings ohne Erfolg (vgl. BH 1, 227–237). In der Lyrik finden sich dazu Entsprechungen, hier freilich weitgehend auf die Themen Religion und Stadtlandschaft bezogen, wobei der besprochene Widerspruch von technischer Entwicklung und Bewußtseinsstand der Menschen eine der Ursachen für den Rückfall in barbarische Zustände erscheint (*Die neuen Zeitalter*; 10, 856).

> Die selbstfahrenden Fahrzeuge waren es nicht
> Noch die Tanks
> Die Flugzeuge über unsern Dächern waren es nicht
> Noch die Bomber.
>
> Von den neuen Antennen kamen die alten
> Dummheiten.
> Die Weisheit wurde von Mund zu Mund
> weitergegeben.

Es gibt allerdings nur ein Gedicht, das die Adäquatheit von Faschismus und den Zuständen in den USA ganz offen ausstellt. Das Gedicht *Hakenkreuz und Double Cross,* entstanden 1944, ist sehr wahrscheinlich durch Charles Chaplins Film *Der große Diktator* (The Great Dictator; 1940) angeregt worden. Chaplin hatte da für die Darstellung der »Hynkel«-Bewegung und Herrschaft bereits das »Doppelkreuz« verwendet; es war ihm als Zeichen der Vagabunden, Tramps, die er in seinen vorangegangenen Filmen verkörpert hatte, vertraut. Das Zeichen des »Doppelkreuzes« zu machen, hieß, daß jemand als Betrüger entlarvt war.

Hakenkreuz und Double Cross
Traten an zum Kampfe.
Hakenkreuz stand umhüllt vom Rauch
Double Cross vom Dampfe.

Hakenkreuz trat das Volk in den Arsch
Und sprach ein paar passende Worte.
Double Cross murmelte: Seid so frei!
Und gab dem Volk ein Stück Torte.

[...]

Double Cross wütete schlimm genug
Hakenkreuz wütete schlimmer.
Hakenkreuz wollte zehntausend Jahr
Dauern. Double Cross immer. (10, 882 f.)

Exkurs: Thomas Mann und Brecht

In den USA gab es zwischen Brecht und Thomas Mann eine heftige Auseinandersetzung, die das ohnehin gespannte Verhältnis zwischen beiden noch weiter verschlechterte. Über Brechts Äußerungen im *Arbeitsjournal* sowie über sein Gedicht *Als der Nobelpreisträger Thomas Mann den Amerikanern und Engländern das Recht zusprach, das deutsche Volk für die Verbrechen des Hitlerregimes zehn Jahre lang zu züchtigen* (10, 871–873) ist in den bundesdeutschen Zeitungen eine scharfe Auseinandersetzung geführt worden (u.a. von Golo Mann, einem Sohn von Thomas Mann), die immer wieder zu »moralischen« Verurteilungen von Brechts Haltung gegenüber dem großen Antipoden führte. Über die publizistischen Beiträge wäre hier zu schweigen gewesen – zumal sie sich ohnehin z.T. selbst diskreditierten –, wenn nicht der wissenschaftliche Beitrag, den es zu diesem unerfreulichen Thema gibt, immer wieder bei Brecht eine Position des übermächtigen »Hasses« auf Mann postulierte (Herbert Lehnert, 69, 82 u.ö.). Das ist hier richtigzustellen.

Daß Brecht gegenüber Thomas Mann, der schon früh zur Zielscheibe seines Spotts wurde, nämlich 1920, in vieler Hinsicht »ungerecht« war, soll und kann nicht bestritten werden – nur ist es unsinnig, von Brecht eine gerechte – literaturwissenschaftlich haltbare – Einschätzung zu erwarten; Brecht war schließlich kein Literaturwissenschaftler. Gleichzeitig aber zeigen seine »Ungerechtigkeiten« gegenüber Thomas Mann, daß er diesen keineswegs unterschätzt hat, im Gegenteil. Gerade dadurch, daß er immer wieder gegen Mann »schießt«, beweist er – und zwar gar nicht ungewollt – dessen »Größe«. Nur: Brecht hatte von dieser Größe seine eigene Meinung. Thomas Mann war für ihn *der* Repräsentant der bürgerlichen deutschen Literatur, und zwar ab 1920, und das bedeutet also einer Literatur, *gegen die* Brecht *seine Literatur* ansetzte. Da Thomas Mann nicht nur in Brechts Augen die Repräsentantenrolle spielte, lag es außerordentlich nahe, daß Brecht spezifisch bürgerliche Positionen in der Person Thomas Manns attackierte, zumal ein weiterer »Gegner« in Sachen (realistischer) Ästhetik, Georg Lukács, immer wieder Thomas Mann zu zitieren pflegte, wenn er seine Vorstellungen von Realismus belegen wollte. Das aber heißt für Brechts Beurteilung: er wendet sich nicht (primär) gegen die *Person*, sondern gegen ihre repräsentative Stellung, die in den USA – wo es dann zur verschärften Auseinandersetzung kommt – sich in einem ganz erheblichen Maß gesteigert hatte. Thomas Mann war für Amerika *der* Vertreter des Anti-Nazi-Deutschland geworden, er wurde in vieler Hinsicht als Vertreter der »guten deutschen Kultur« geehrt und besaß vor allem auch – als deutscher Repräsentant – mächtigen Einfluß auf die öffentliche Meinung. Brecht bemühte sich außerordentlich, Thomas Mann – 1943 – dafür zu gewinnen, daß er seinen Einfluß geltend machte, um den deutschen Widerstand zu unterstützen, damit eine »innere Befreiung« von Nazi-Deutschland größere Aussichten gewönne und ein neues, demokratisches (und sozialistisches) Deutschland aus dem Krieg hervorginge. Thomas Mann war zu dieser Unterstützung zunächst bereit und formulierte am 1.8.1943 einen – schon auf ihn abgestimmten – Aufruf mit, der die Tätigkeit des »Nationalkomitees ›Freies Deutschland‹« unterstützen sollte (abgedruckt u.a. bei Lehnert, 67 f.; AJ 597; 1.8.42). Am nächsten Tag jedoch ruft Thomas Mann bei Lion Feuchtwanger an und zieht seine Unterschrift zurück. Dabei sollen auch die bösen Worte gefallen sein, die Brecht in der Überschrift seines Gedichts zitiert. Da Brecht in der entsprechenden Notiz des *Arbeitsjournals* ebenfalls die Passage (»er könne es nicht unbillig finden, wenn ›die alliierten deutschland zehn oder zwanzig jahre lang züchtigen‹«; AJ 599) in Anführungszeichen setzt und sie vom selben Tag stammt (2.8.), kann davon ausgegangen werden, daß Thomas Mann auch eben diese Worte (mit geringen Nuancen) gebraucht hat, auch wenn es keine weitergehende Bestätigung dafür gibt (vgl. dagegen Lehnert, 68).

Die »ausfälligen« Worte, die Brecht in der Notiz anschließend an die Wiedergabe von Manns

Ablehnung wählt und in einer späteren Notiz gesteigert wiederholt (AJ 602; vom 9.8.43), sind nicht Ausdruck eines »Hasses«, in den Brecht sich »hineinsteigerte«(Lehnert, 69), sondern die auf den Repräsentanten und seine Haltungen bezogene Verurteilung einer politisch-kulturellen Einstellung, die die nun wirklich diametralen Unterschiede zur eigenen bloßlegte. Daß sich das in diesem Fall in scharfer persönlicher Form äußerte, lag an Manns »Umfall«, der Brechts Einschätzung der objektiven Rolle des deutschen Repräsentanten in gesteigerter Form noch einmal bestätigte. Daß Thomas Mann Ähnlichkeiten oder Übereinstimmungen von bürgerlich-kapitalistischer Gesellschaft und Faschismus nicht sah, war bei Brecht ohnehin vorausgesetzt, und im Zuge einer äußeren Geschlossenheit war Brecht auch zu beinahe jedem Zugeständnis bereit. Die tiefgreifenden und die Zukunft aller betreffenden Differenzen aber lagen vor allem in zwei Punkten: 1. Brecht hat die anglo-amerikanische Bombardierung der deutschen Städte und Zivilbevölkerung verurteilt, weil sie im Grunde Methoden anwendete, die den Faschisten zurecht vorgeworfen wurden. Die unermeßlichen Greuel, die damit verbunden waren und die Brecht eindeutig als »Verbrechen« einstufte, wiesen auf eine allgemeine Barbarisierung der Kriegsführung voraus, gegen die Brecht *grundsätzlich* angehen wollte (vgl. *Der Krieg ist geschändet worden*; 10, 939 f.). Bezogen auf Thomas Mann wird in seiner Person der bürgerliche Widerspruch deutlich, daß auf der einen Seite die barbarischsten »Mittel« gerechtfertigt, auf der anderen Seite aber die »humanste« Kultur vertreten werden. 2. Brecht sah in Manns Haltung eine zynische Verachtung eines »Unbeteiligten« gegenüber den deutschen Widerstandskämpfern (und Antifaschisten), die ihm ebenfalls als typisch bürgerliche Haltung – hoch über den Tatsachen – erscheinen mußte: da nahm jemand Realitäten und Menschen nicht zur Kenntnis, weil sie für ihn nie eine Rolle gespielt haben – was sich auch in den Themen von Thomas Manns Schriften niederschlug. Gerade aber von diesen Kräften erhoffte sich Brecht – da freilich weitgehend mit falschen und überzogenen Erwartungen – die »deutsche Erneuerung«. Sie konnte und durfte, um faschistische »Erneuerungen« auszuschließen, nicht vom alten *National*-Begriff ausgehen, sondern mußte gerade die »Weisheit des Volkes« zum tragenden Fundament der Kultur einsetzen.

Diese objektiven Gründe und Differenzen – die bisher in der Argumentation weitgehend übersehen worden sind – haben Brechts scharfe persönliche Stellungnahme zu Thomas Mann herausgefordert. Sie auf bloße »Haßgefühle« reduzieren zu wollen, also auf persönliche Vorbehalte, verringert nicht nur unangemessen die Sachlage, sondern verkleinerte auch – wenn es möglich wäre – die »Größe« der beiden Kontrahenten.

Herbert *Lehnert*: Bert Brecht und Thomas Mann im Streit über Deutschland. In: Deutsche Exilliteratur seit 1933. Band I. Kalifornien, Teil 1. Hg. v. John M. *Spalek* und Joseph *Strelka*. Bern und München 1976. S. 62–88. – Exil in den USA, mit einem Bericht »Schanghai – Eine Emigration am Rande«. (= Kunst und Literatur im antifaschistischen Exil 1933–1945. Band 3). Leipzig 1979 (S. 169–194).

Hollywood-Elegien 1942

Entstehung, Texte

Umfang und Entstehung des Zyklus, über dessen Anlage es nur einen originalen Beleg gibt (BBA 16/57 = Nr. 8309, Bd. 2, S. 361 überschreibt die Gedichte I, II, V und VI nach 10, 849 f. mit *»Hollywoodelegien«*), sind dunkel, da Hanns Eisler, für den Brecht diese Elegien schrieb, sowohl einen anderen Text überliefert als auch widersprüchliche Angaben über die Entstehung macht, und zwar aus der Erinnerung (1958): »In diesem trübsinnigen ewigen Frühling in Hollywood sagte ich Brecht, kurze Zeit nachdem wir uns wieder zusammenfanden in Amerika: ›Das ist der klassische Ort, wo man Elegien schreiben muß.‹ – Es gibt doch die ›Römischen Elegien‹ von Goethe, die eines meiner Lieblingswerke sind und die auch Brecht sehr bewundert hat. – Ich sagte: ›Wir müssen auch da irgend etwas schaffen. Man ist nicht ungestraft in Hollywood. Man muß das einfach mit beschreiben.‹ – Und Brecht versprach das auch zu machen und brachte mir dann – ich glaube – acht Hollywood-Elegien, die Sie übrigens im zweiten Band meiner Gesammelten Werke gedruckt finden. – Und das hat wirklich eine Distanz ganz außerordentlicher Art. – Brecht beschreibt übrigens das großartig, daß die Häuser Anbauten an Garagen sind und daß man disponiert, aber weniger drin wohnt« (Bunge, 19 f.). Die beiden inhaltlichen Hinweise, die Eisler gibt, lassen sich mit den *Elegien* nicht realisieren. »Daß man disponiert, aber weniger drin wohnt« kann man möglicherweise mit dem 1941 entworfenen Gedicht *Nachdenkend über die Hölle* (10, 830) verifizieren. Da Brecht in diesem Gedicht erstmals Los Angeles als »Hölle« beschreibt, ist es möglich, daß Eisler damals dieses Gedicht mit den *Hollywood-Elegien* zusammen erhalten hat. »Daß die Häuser Anbauten an Garagen sind«, hat Brecht nicht im Gedicht, sondern im *Arbeitsjournal* notiert, wie überhaupt Eislers inhaltliche Hinweise sehr nach dem Arbeitsjournal klingen. Und zwar schreibt Brecht – eben im Zusammenhang mit den *Elegien* – am 20.9.1942:

> winge, der wöchentlich wenigstens einmal von downtown, wo er in einer wäschefabrik arbeitet, zu besuch kommt, liest einige *HOLLYWOODER ELEGIEN*, die ich für eisler geschrieben habe, und sagt: ›sie sind wie vom mars aus geschrieben.‹ wir kommen darauf, daß diese ›distanz‹ nichts dem schreiber eigentümliches ist, sondern von dieser stadt geliefert wird: ihre bewohner haben sie fast alle. diese häuser werden nicht eigentum durch bewohnen, nur durch schecks, der eigentümer bewohnt sie nicht so sehr, als er über sie disponiert. die häuser sind anbauten von garagen. (AJ 523)

Eislers Worte klingen so, als habe er kurz vorher genau diese Stelle im *Arbeitsjournal* gelesen (was möglich sein könnte). – Aber wie dem auch sei, Brechts Einschätzung von Los Angeles und Hollywood lag längst vor, ehe Hanns Eisler, der ab Frühjahr 1942 in Hollywood ansässig ist, Brecht in dieser Hinsicht etwas hätte »einreden« können. Die berühmte Passage über die »verkaufte Landschaft« Amerikas steht schon am 21.1.1942 im *Arbeitsjournal:* »sanfte hügellinien, zitronengebüsch, eine kalifornische eiche und auch die eine oder andre tankstation ist eigentlich lustig; aber all das steht wie hinter einer glasscheibe, und ich suche unwillkürlich an jeder hügelkette oder an jedem zitronenbaum ein kleines preisschildchen. diese preisschildchen sucht man auch an menschen« (AJ 362). Diese, in Prosa vorformulierte An- und Einsicht aber entspricht ganz dem, was die *Elegien* besagen.

Dieter Thiele setzt die Entstehungszeit der *Elegien* für August/September 1942 an. Klar ist, daß die Gedichte am 20.9. fertig sind, weil Brecht sie an diesem Tag Hans Winge zum Lesen übergibt. Da der Umzug am 12.8. von der 25. in die 26. Straße von Santa Monica neue, bessere Arbeitsvoraussetzungen schafft, liegt es nahe, den Zeitraum zwischen diesen Daten als Entstehungszeit anzusetzen. Brecht notiert, daß er sich einigermaßen wohl fühle, viel Platz (vier Tische) zum Arbeiten habe und daß der Garten alte Baumbestände enthalte, die den Lukrez wieder lesbar machten (AJ 509–513).

Die Ausgabe der *Gedichte* (Band VI) und die *werkausgabe* drucken sechs, römisch durchnumerierte Gedichte als *Hollywood-Elegien* ab. Eisler legt Hans Bunge in seinen Gesprächen eine Mappe mit sieben, römisch durchnumerierten Gedichten vor, von denen nur drei mit den sechs der Ausgabe einigermaßen identisch sind (I mit IV der wa, II mit III und V mit VI). Die Zuordnung der übrigen Gedichte ist inzwischen annähernd zu klären. Das englische Gedicht (Eisler Nr. VI, wa 10, Anmerkungen, 20) ist eine Übersetzung des erst 1946 oder 1947 entstandenen Gedichts *Der Sumpf* (Supplementband IV, 397); es galt als verloren, wurde inzwischen aber von James K. Lyon bei seinen Recherchen für *Brecht in America* (1980) aufgefunden. Die oft Brecht zugeschriebene englische »Fassung« stammt von Naomi Replansky. Dieses Gedicht gehört folglich nicht zu den *Hollywood-Elegien*. Das bei Eisler unter Nr. IV gezählte vierzeilige Gedicht ist von den Brecht-Herausgebern bis heute nicht als Brecht-Gedicht anerkannt worden (Text auch 10, Anmerkungen, 20); auch dieses Gedicht ist, solange es keine stichhaltigen Beweise für seine Echtheit gibt, aus dem Zyklus auszuschließen. Schließlich ist wohl auch das Gedicht *Hollywood* (bei Eisler unter Nr. VII) aus dem Zyklus auszugrenzen. Zwar ist sich das *Bestandsverzeichnis* sicher, daß das Gedicht aus dem Jahr 1942 stammt (BBA 16/72 = Nr. 8302, Bd. 2, S. 360), Brechts Zusammenstellung der *Gedichte im Exil* 1944 aber belegt das Gedicht mit der Bemerkung »(neu)«; da auch die übrigen Gedichte, die diese Bemerkung haben, aus dem Jahr 1944 (allenfalls 1943) stammen, kann es durchaus möglich sein, daß das Gedicht nur wegen seiner inhaltlichen Nähe zu den *Elegien* schon für 1942 eingeordnet worden ist (10, 848). Da der Tonfall (lyrisches Ich) ohnehin nicht zu den *Elegien* paßt, plädiere ich – mit den Herausgebern der Ausgaben – dafür, das Gedicht nicht in den Zyklus einzufügen. Das heißt: der Umfang der »echten« Elegien entspricht dem, den die Ausgaben auch tatsächlich wiedergeben. Ergänzungen – es handelt sich um eine Vorstufe zum Gedicht I (10, 849) – bringt der Nachlaß (Supplementband IV, 365).

Hanns Eislers Vertonungen und die möglicherweise neue Zusammenstellung und auch Neufassung von Gedichten (Nr. IV der Eisler-Zählung könnte von Eisler selbst stammen) standen im Zusammenhang seines großangelegten *Hollywooder Liederbuchs*, das zwischen Mai 1942 und Dezember 1943 entstand. Da es zu Eislers Lebzeiten nie veröffentlicht ist, ist der Umfang des *Liederbuchs* unbekannt geblieben (Schätzungen gingen bis zu 200 Stücken, es waren aber wohl wesentlich weniger). In seinem Mittelpunkt sollten Brechts finnische und Hollywooder Gedichte stehen (*Steffinische Sammlung* und die *Elegien*, dazu sollten aber noch manche andere Vertonungen von Goethe, Pascal, Rimbaud, Hölderlin u. v. a. kommen. Da Eisler bei den Vertonungen an den Gedichten Veränderungen vornahm, sind abweichende Fassungen üblich.

Texte: Gedichte 1941–1947 (= Gedichte VI). Frankfurt a. M. 1964. S. 58f. – wa 10, 849f. – Supplementband IV, 365. – Hans *Bunge*: Fragen Sie mehr über Brecht. Hanns Eisler im Gespräch. München 1970 (S. 20f.: Eislers Texte und Anordnung).

Dieter *Thiele*: Bertolt Brecht. Selbstverständnis, Tui-Kritik und politische Ästhetik. Frankfurt a. M., Bern 1981 (S. 47–52; Anmerkungen S. 385–387).

Analyse

Die *Hollywood-Elegien* kennen kein lyrisches Ich. Damit erfüllen sie bereits eines der wesentlichsten Kennzeichen elegischer Dichtung nicht: den wehmutsvollen, klagenden und zugleich »entsagenden« Rückblick auf Vergangenes durch ein lyrisches Ich oder eine – aus personaler Perspektive dargestellte – Figur. Ebenfalls mangelt es ihnen am üblichen Gefühl (Gefühlslyrik) sowie an der schmerzlich-sentimentalen Stimmungshaftigkeit. Wenn auch Goethes *Römische Elegien*, die Eisler als Vorbild nennt, in durchaus heiterer Weise Abschied nehmen, unterscheiden sie sich doch im lyrisch gestimmten Ton, in der Mittelpunktstellung des lyrischen Ichs und in der Tatsache, daß da auch wirklich auf Vergangenes elegisch zurückgeblickt wird, entschieden von den *Hollywood-Elegien*. Eislers Bezug auf Goethe bleibt also außerordentlich vage (vgl. Thiele, 50). Weiterhin spricht gegen die übliche Gattung der Elegie, daß diese »Elegien« nicht auf Vergangenes zurückblikken, sondern sehr Gegenwärtiges direkt – sage ich ruhig – beschreiben, nämlich »Dorf« Hollywood und die – Hollywood einschließende – Stadt Los Angeles.

Daß Brecht diese Gedichte trotz des fehlenden Traditionsbezugs *Elegien* nannte, läßt sich durch die bereits zitierte Passage aus dem *Arbeitsjournal* erläutern. Brecht stimmt da Hans Winges Urteil zu, daß die Gedichte »wie vom Mars aus geschrieben« sind. Diese Distanz komme aber nicht vom Schreiber, sie werde vielmehr von der Stadt »geliefert« (AJ 528; vom 26. 9. 42). »Elegie« meint dann also nicht den distanzierten Blick auf etwas Vergangenes, sondern auf Gegenwärtiges, der für den Betrachter den Eindruck des »Ausgeschlossenen«, »Gar-Nicht-Dabei-Seins« provoziert und das Betrachtete so weit weg rückt, als wäre es »schon aus der Welt«, ob nun bereits wirklich vergangen oder nicht. Die »Ausschaltung« des lyrischen Ich gehört entsprechend zum »Elegischen« dieser Gedichte hinzu; es erlebt sich nicht mehr und erlebt auch nicht die Stadt. Als Ausgeschlossenes kann das lyrische Ich nur noch verwundert von einer Einrichtung sprechen, die es eigentlich gar nicht geben dürfte, aber als Gegebenes Beschreibung fordert. Die »Klage« ergibt sich aus dem objektiven Befund, so daß ein lyrisches Ich sich nicht noch gefühlig, stimmungsvoll einzubringen braucht.

Daß das lyrische Ich und seine (wie immer traurigen) Gefühle außerhalb der *Elegien* bleiben, rechtfertigt der Zustand der Stadt ohne weiteres: jedes Gefühl, jede Anteilnahme ist da ja gerade ausgeschlossen. Es geht Brecht darum, die unglaubliche »Entfremdung«, die als total empfundene Beziehungslosigkeit, unter der Maske des »keep smiling«, der »Rosigkeiten« hervorzuzerren. Jegliches »Gefühl« gehörte schon zur Hollywood-Produktion dazu: die Filme lieferten sie – wie gewünscht – in Massenware. Daß unter dieser vorgefertigten Gefühligkeit sich Gefühllosigkeit verbirgt, wollen die Gedichte u. a. verdeutlichen:

> V
> Die Engel von Los Angeles
> Sind müde vom Lächeln. Am Abend
> Kaufen sie hinter den Obstmärkten
> Verzweifelt kleine Fläschchen
> Mit Geschlechtsgeruch. (10, 850)

Brecht nimmt »Los Angeles« beim Wort. Die amerikanischen Beschönigungen, zugleich der Übersteigerungswahn (Gigantomachia) gehen unmittelbar in die Bilder der *Elegien* ein. Das »Dorf« Hollywood sei nach den »Vorstellungen« entworfen, die »man hierorts vom Himmel hat«. Ein kleines Nest mausert sich zum irdischen Paradies, aber was herauskommt, ist nichts anderes als ein ins Maßlose übersteigerter Puff: »Hierorts / Hat man ausgerechnet, daß Gott / Himmel und Hölle benötigend, nicht zwei / Etablissements zu entwerfen brauchte«. Der Himmel nämlich dient für die »Unbemittelten, Erfolglosen«als Hölle. In dieser Welt hat nur der Erfolgreiche seinen Platz, bleibt er ihm versagt, so wird eben das, was für die anderen

»himmlisch« ist zur Hölle. Der Talmi der falschen Träume bleibt für diejenigen, die in Hollywood leben und »erfolgreich« arbeiten, die Realität, von der her sie sich als Menschen definieren. Für den Erfolglosen wird eben dieser Talmi zu einer entleerten Hülle, die jegliche Funktion verloren hat und dennoch – auch wenn er sie noch so sehr »entlarven« will – als Existenzgrundlage der gesamten Stadt in voller Funktion erhalten bleibt. Die Falschheit ist hier Lebensgrundlage, daran irgend etwas rütteln zu wollen, kann keinen Erfolg haben, weil diese Falschheit der ganze irrsinnige »Witz« des Unternehmens Hollywood, Los Angeles ist:

II
Am Meer stehen die Öltürme. In den Schluchten
Bleichen die Gebeine der Goldwäscher. Ihre Söhne
Haben die Traumfabriken von Hollywood gebaut.
Die vier Städte
Sind erfüllt von dem Ölgeruch
Der Filme. (10, 849)

Zuerst war es der »Goldrausch«, der die Stadt in die Höhe brachte. Schon mit dem Gold verbanden sich die Träume vom großen Reichtum und unbeschwerten Leben, freilich aber nur der Erfolgreichen (über Nacht reich werden, war die übliche Vorstellung). Als das Gold weg war oder sich auch nicht so einfand, wie man sich das dachte, kam das neue Gold des Öls. Mit ihm setzte eine neue Produktion von Träumen ein durch den Film, nun aber dem neuen Industriezeitalter angemessen, in Fabriken, als Massenware, aus dem Stoff gemacht, der zugleich die materiellen Grundlagen lieferte. Er produziert massenhaft die (falschen) Träume vom unabhängigen, reichen, unbeschwerten Leben, das sich zwischen stets gefühlvollen, im Prinzip netten und vor allem schönen Menschen abspielt. Da die Wirklichkeit den Träumen aber nicht nachstehen darf, hat sie sich auf die Produktion der Traumfabriken eingestellt und sich dem Film angepaßt. Die Produktion von Hollywood gilt einem neuen »Lebensmittel«, dem zu realisierenden Traum vom schönen Leben. Dahinter hat alles andere »Materielle« zurückzustehen, und folglich riecht man in Hollywood nicht mehr das Öl der Raffinerien, sondern das der Filme. Das »Ölige« hat die gesamte Stadtlandschaft ausgefüllt.

Die »schönen Menschen« der Traumfabriken benennt Brecht als Engel, ganz dem Namen ihrer Stadt entsprechend. Als Produkte der »Ölindustrie« leben sie von der Prostitution, die doppeldeutig zum eigentlichen Lebensunterhalt in der Filmmetropole geworden ist:

III
Die Stadt ist nach den Engeln genannt
Und man begegnet allenthalben Engeln.
Sie riechen nach Öl und tragen goldene Pessare
Und mit blauen Ringen um die Augen
Füttern sie allmorgendlich die Schreiber in ihren
Schwimmpfühlen. (10, 849)

Das Füttern der »Schreiber«, gemeint sind die Drehbuchverfasser, kann sich sowohl auf »Lebensmittel« als auch auf Sex beziehen, wobei »ihre Schwimmpfühle« auf die Schreiber (»swimming pools«) und auf die Engel (»vagina« – »sich naß machen« ist eine »Leit«-Metapher für weibliche Sexualität bei Brecht, vgl. Supplementband IV, 401) Bezug haben kann. Die Kunst lebt von der Prostitution und ist Prostitution; sie ist buchstäblich auf dem Strich gelandet (4. Gedicht der Elegien; 10, 850) und produziert statt »Streichquartetten« »Strichquartette«. Die guten Namen – Brecht nennt Bach und Dante – sind vermarktet und mit Goldglace überzogen wie alles in Hollywood.

Die latente Aggressivität, die in dieser »Traumwelt« steckt, erfaßt schließlich das abschließende Gedicht im Bild der »Jagdflieger«, die über den vier Städten Los Angeles' kreisen. Daß Brecht Hollywood des Faschismus verdächtigte, ist spätestens mit dem – nicht aufgenommenen – *Kriegsfibel*-Vierzeiler belegbar, der zu einer Fotografie der Schauspielerin Jane Wyman geschrieben ist:

Die Brust entblößt in militärischem Schnitt
Mit alten Kriegsmedalljen vor der Fotze
Macht Hollywood im Hitlerkriege mit.
Blut wird zu Samen. Angstschweiß wird zum Rotze.
(Supplementband IV, 380)

Die »Jagdflieger« sind die kreisenden Geier, die die »Haltbarkeit« und Funktionabilität dieses Kunstprodukts überwachen, sich zugleich aber hüten, sich den – dennoch vorhandenen – Realitäten zu nähern. Ihre Distanz zu allem, was nicht dem schönen Traum entspricht, dient der Abwehr von allem, das die Blase der Kunstwelt Hollywood zum Platzen bringen könnte.

Dieter *Thiele* (s. o.; S. 47–68).

Deutsche Satiren II 1945

1945, kurz nach Kriegsende, stellte Brecht innerhalb eines größeren Zyklus, der mit Gedichten aus *Lieder – Gedichte – Chöre* beginnen und enden sollte, eine Gruppe von sechs neuen Gedichten zu dem Klein-Zyklus *Deutsche Satiren II* zusammen (vgl. BBA 106/12–17, Bd. 4, S. 317). Er sollte enthalten die Gedichte (in der Reihenfolge): *Legalität* (Supplementband IV, 396), *Der Nürnberger Prozeß* (10, 939), *Der Krieg ist geschändet worden* (10, 939 f.), *Stolz* (10, 940), *Der alte Mann von Downing Street* (10, 886 f.) und *Die neuen Zeitalter* (10, 856).

Diese Sammlung ist deshalb außerordentlich interessant, weil sie Brechts Einschätzung des Kriegsendes deutlich erkennen läßt. Der Titel nimmt ja Bezug auf das fünfte Kapitel der *Svendborger Gedichte* (9, 694–717), die alle die Naziherrschaft und Naziherrscher satirisch aufs Korn nahmen. Die neuen Satiren gelten den – unverwandelten – Verhältnissen in Deutschland (Westzonen) sowie den »Siegermächten« USA und Großbritannien, die dafür sorgen, daß in den besiegten Ländern Deutschland und Italien die alten, z. T. feudalen, z. T. kapitalistischen Verhältnisse wiederhergestellt werden. Auf diese Weise konstatieren die *Deutschen Satiren II* die ungebrochene Kontinuität der Herrschaft und Herrschaftsformen, die überhaupt erst zum Faschismus geführt haben. Von einer »Stunde Null« kann nicht die Rede sein, und das Hitler geltende Eingangsgedicht *(Legalität)* setzt erneut die kritischen Zeichen: selbst der Untergang, der Selbstmord geschieht als legalisierter Akt, der die bürgerliche Ordnung (um jeden Preis) wahrt. Während die Russen in Berlin einmarschieren, läßt sich Hitler noch ganz »legal« durch einen selbsternannten Standesbeamten trauen: »So / Demonstrierte der Massenmörder seine tiefe Ehrfurcht / Vor den bürgerlichen Gebräuchen und dem Gesetz« (Supplementband IV, 396). Ihre Restauration ist die erste Aktion nach der Einstellung der Kampfhandlungen, und der Krieg wird nicht als Völkermord grundsätzlich verurteilt und für die Zukunft ausgeschlossen, sondern lediglich als »geschändet« eingestuft:

> Wie ich höre, wird in den besseren Kreisen davon gesprochen
> Daß der zweite Weltkrieg in moralischer Hinsicht
> Nicht auf der Höhe des ersten gestanden habe. Die Wehrmacht
> Soll die Methoden bedauern, mit denen die Ausmerzung
> Gewisser Völker von der SS vollzogen wurde. Die Ruhrkapitäne
> Heißt es, beklagen die blutigen Treibjagden
> Die ihre Gruben und Fabriken füllten mit Sklavenarbeitern, die Intelligenzler
> Hör ich, verdammen die Forderung nach Sklavenarbeitern von seiten der
> Industriellen, sowie die gemeine Behandlung. Selbst die Bischöfe
> Rücken ab von dieser Weise, Kriege zu führen, kurz, es herrscht
> Allenthalben jetzt das Gefühl, daß die Nazis dem Vaterland
> Leider einen Bärendienst erwiesen und daß der Krieg
> An und für sich natürlich und notwendig, durch diese
> Über alle Stränge schlagende und geradezu unmenschliche
> Art, wie er diesmal geführt wurde, auf geraume Zeit hinaus
> Diskreditiert wurde. (10, 939 f.)

Diese böse Satire impliziert den im Kriegsende verborgenen Beginn des neuen Kriegs, den Brecht – etwa in der *Kriegsfibel* (Nr. 53; 10, 1045) – schon in den letzten Kriegshandlungen »ausgebrochen« sah, daß nämlich die »Befreiung« Deutschlands bereits als Krieg gegen die Sowjetunion von seiten der Anglo-Amerikaner geführt worden ist. Die *Satiren* schließen deshalb auch mit dem Gedicht, das einmal (1942) amerikanische Ungleichzeitigkeiten (Stand der Technik, Stand des Bewußtseins) anprangern sollte, sie nun aber – demonstrativ – auf die neuen, alten deutschen Verhältnisse überträgt: »Von den neuen Antennen kamen die alten Dummheiten. / Die Weisheit wurde von Mund zu Mund weitergegeben« (10, 856).

Texte: Gedichte 1941–1947 (= Gedichte VI). Frankfurt a. M. 1964. S. 111 f. – wa 10, 856, 886 f., 939–940. – Supplementband IV, 396.

Lehrgedicht »Über die Unnatur der bürgerlichen Verhältnisse«, Das Manifest 1945

Entstehung, Texte

Das *Lehrgedicht,* in den Ausgaben meist geführt unter dem Titel *Lehrgedicht von der Natur der Menschen,* und *Das Manifest,* eine Versifizierung des *Kommunistischen Manifests* (1848) von Karl Marx und Friedrich Engels, gehören in unmittelbaren Zusammenhang, sind womöglich als ein (freilich nur konzipiertes) Werk aufzufassen, wobei *Das Manifest* lediglich einen Teil des umfassenderen *Lehrgedichts* ausmachen sollte. In diesem Sinn schreibt Brecht an Karl Korsch (wohl März 1945): »ich versuche mich an einem lehrgedicht in der respektablen versart des Lukrezschen DE RERUM NATURA über so etwas wie die unnatur der bürgerlichen Verhältnisse. das kernstück bildet das MANIFEST, das ich in den zwei mittleren gesängen darstelle. ein erster gesang soll über die schwierigkeit handeln, die es bereitet, sich in der natur der gesellschaft zurechtzufinden, ein letzter die ungeheuerlich gesteigerte barbarisierung vorführen. ich schicke Ihnen den zweiten gesang, den ich zuerst schrieb, enthaltend das erste kapitel des manifests. das dritte kapitel des manifests, die kritik der zeitgenössischen sozialistischen literatur werde ich, kursorisch, in meinem zweiten gesang ausziehen. für den dritten gesang (zweites kapitel des manifests) suche ich eben den engelsschen entwurf in katechismusform aufzutreiben« (Briefe, Nr. 494; zitiert nach dem Original bei Rösner, 2). Da es jedoch noch eine weitere, frühere Aussage, diesmal im *Arbeitsjournal,* gibt, die lediglich vom *Manifest* spricht, das Brecht nach der »art des lukrezischen lehrgedichts« versifizieren will (AJ 726; vom 11. 2. 45), erwägt die Forschung auch eine zunächst vom *Lehrgedicht* unabhängige Konzeption des *Manifests,* das erst später (im Laufe der Arbeit der ersten beiden Monate, Februar, März 1945) in das Projekt des umfassenden *Lehrgedichts* integriert wurde; das erklärte auch, warum Brecht mit der Versifizierung des *Manifests* und nicht mit dem *Lehrgedicht* begonnen hat (vgl. Bunge, 303 f.). Da eine eindeutige Trennung beider Projekte nicht erkennbar ist und Brecht später nur noch vom *Lehrgedicht* spricht (dabei das *Manifest* einschließt), können beide Gedicht-Fragmente als Einheit behandelt werden, die sie von der Form her ja ebenfalls aufweisen (Hexameter, nach antikem Vorbild).

Der Beginn des *Lehrgedichts* geht wahrscheinlich bis ins Jahr 1939 zurück. Da entstand die Erzählung *Die Trophäen des Lukullus* (11, 304–314), in der Brecht ein Gespräch zwischen Lukullus und Lukrez veranstaltet. Dabei läßt Brecht den Dichter Verse, »berühmte Verse«, über die Todesfurcht zitieren, die freilich nicht nur von Lukrez, sondern auch von Brecht stammen (11, 311–313). So haben die Herausgeber der *Werkausgaben* die Passagen 11, 312 f. in das *Lehrgedicht,* zum ersten Gesang gehörig, aufgenommen, nicht dagegen die vorausgehende Passage, die eine freie Übersetzung der Verse 830, 870–878, 881–883, 885–887 (nach Knebel) darstellt (11, 311 f.; vgl. Müller, 335); ob auch sie bereits zum *Lehrgedicht* gehört, muß eine historisch-kritische Ausgabe entscheiden. Ebenfalls aus dem Jahr 1939 stammen zwei Fragmente, die Hans Bunge im Material zur Oper *Die Reisen des Glücksgotts* gefunden hat, die inzwischen ebenfalls dem Lehrgedicht zugeschlagen werden (vgl. Bunge, 300–302; Text (A) = 10, 905 f., Text (B) = 10, 896 f.). Aus dem *Arbeitsjournal* ist bekannt, daß Brecht von Lukrez eine »alte ausgabe« besaß, nämlich die zweisprachige Edition von Wakefield-Knebel, in zwei Bänden (Leipzig 1821). Ob die Fragmente bereits zu einem konkreten Plan gehörten »im Gedicht die Natur der Menschen [zu] betrachten / Wie der Lukrez die Natur der Dinge im Gedicht« (10, 895), ist nach Lage der Zeugnisse offenbar nicht zu beantworten. Jedoch gehen die Entwürfe bereits so weit und weisen eine so ausgeprägte Tendenz zur Selbständigkeit auf, daß die Annahme nicht unbegründet ist, Brecht habe die Verse deshalb in die Geschichte *Trophäen des Lukullus* aufgenommen, weil sie bereits vorhanden waren und sich als einschiebbar erwiesen. Die Brecht-Editoren zählen die frühen Fragmente jedoch (noch) nicht zu einer ersten Fassung des *Lehrgedichts;* sie gehen in der Zählung vielmehr von 1945 aus und lassen die Fragmente als »Vorstufen« gelten.

Für das *Lehrgedicht* – und da in erster Linie für das *Manifest,* dessen Ausarbeitung am weitesten gediehen ist – werden fünf Fassungen unterschieden.

1. Fassung: Die Arbeit an ihr setzt (wohl) Anfang Januar 1945 ein. Hans Bunge nimmt an, daß Brecht am 24. 1., als Sohn Stefan auf Besuch (drei Tage) ist, bereits ein Konvolut von mindestens 50 Typoskriptseiten vorliegen hatte, das bereits mehrfach korrigiert, geklebt und »montiert« war. Das Typoskript wurde für Stefan fotografiert, damit dieser kritische Anmerkungen machen konnte. Vermutlich fiel in Gesprächen mit Stefan – Ruth Berlau zeichnete von Beginn an ebenfalls als Mitarbeiterin – der Entschluß, das *Manifest* in den größeren Rahmen eines umfassenderen *Lehrgedichts* zu binden. In der »Hauptfassung« (ohne Varianten etc.) umfaßt die 1. Fassung 141 Verse (Bunge, 312 f., 298).

2. Fassung: Nach kurzer Unterbrechung für den Opernplan *Reisen des Glücksgotts* erarbeitet Brecht im Februar (ca. ab 11. 2.) eine Neufassung der 1. Fassung sowie größere Teile einer weiterführenden 3. Fassung. Die 2. Fassung wurde mit Lion Feuchtwanger beraten und korrigiert. Ebenfalls schickte Brecht den Text der 2. Fassung (ohne die Korrekturen) an Karl Korsch, der sie mit Anmerkungen versehen, im April zurückschickte. Sie umfaßt 394 Verse (Bunge, 298)

3. Fassung: Sie besteht zunächst aus der Weiterführung der 1. Fassung. Sie entstand – nach einer längeren Arbeitssitzung mit Feuchtwanger am 3. März und umfaßte zunächst 122 oder 161 Verse. Nach Feuchtwangers Ausscheiden am 12. März – er sah den Versuch als endgültig hoffnungslos an – arbeitete Brecht an ihr allein weiter und versuchte sie – auch die 2. Fassung – durch den österreichischen Arbeiter Brainer testen zu lassen, was zu weiteren Korrekturen führte. Dann wendete sich Brecht zunächst anderen Arbeiten zu, um nach dem Eintreffen von Karl Korschs ausführlichen Vorschlägen an allen Fassungen noch einmal korrigierend zu arbeiten. Sie umfaßt 232 Verse.

4. Fassung: Sie entstand entweder im Zusammenhang mit den Korrekturen der ersten drei Fassungen oder im Anschluß an eine »Probelesung« in New York, die überraschend positive Aufnahme fand, im Juli 1945. Die Arbeit am *Manifest* ist bis September 1945 nachweisbar, und die vierte Fassung, die offenbar als Druckvorlage angelegt ist, berücksichtigte die ausgiebigen Korrekturen der vorangegangenen Fassung. Sie bleibt jedoch unvollendet (376 Verse); diese Fassung liegt denn – als späteste und ausführlichste – den Drucken zugrunde.

5. Fassung: Nach der Rückkehr nach Europa gab es verschiedene Ansätze, das *Manifest* (wenigstens) doch noch zu vollenden, zumal Brecht nach einer Möglichkeit suchte, den klassischen und notwendigen Text in geeigneter Weise zu verbreiten. Es kommt aber zu wirklicher Arbeit erst wieder im März 1950, als vielleicht auch noch die zehn neuen Verse entstanden, die die 5. Fassung allein ausmachen; nach ihrer Niederschrift bricht das Typoskript ab. – Jedoch hat Brecht den Plan zur Vollendung wohl nie richtig aufgegeben, nachweisbar sind jedenfalls Versuche, sich noch weitere Kenntnisse in Sachen antiker Metrik anzueignen, die im Zusammenhang mit dem Projekt stehen müssen, und zwar bis April 1955.

Der ursprüngliche Gesamtplan, aus dem sich dann allein der unvollendete Text des *Manifests* herauskristallisierte, läßt sich folgendermaßen darstellen (es liegt ein Material von insgesamt 350 Blättern vor, die Texte zum *Lehrgedicht* sind alle fragmentarisch und unzusammenhängend; Angaben nach Hans Bunge, 299):

Lehrgedicht »Über die Unnatur der bürgerlichen Verhältnisse« [Arbeitstitel] in vier Gesängen:

1. Gesang: »Über die Schwierigkeiten, die es bereitet, sich in der Natur der Gesellschaft zurechtzufinden« [Arbeitstitel]. Darin: Auszug aus dem 3. Kapitel des *Manifests der kommunistischen Partei* [= *Sozialistische und kommunistische Literatur*], bei Brecht benannt »Kritik der zeitgenössischen sozialistischen Literatur«.

2. Gesang: Einleitung und 1. Kapitel des *Manifests der kommunistischen Partei* [= *Bourgeois und Proletarier*].

3. Gesang: 2. Kapitel des *Manifests der kommunistischen Partei* [= *Proletarier und Kommunisten*] unter Berücksichtigung der *Grundsätze des Kommunismus* von Friedrich Engels, bei Brecht benannt »Engelsscher Entwurf in Katechismusform«.

4. Gesang: »Über die ungeheuerlich gesteigerte Barbarisierung« der Gesellschaft [Stichworte: »Fortschritt« des Kapitalismus, Faschismus, Krieg].

Diese Konzeption entstand im März 1945 und ist im wesentlichen entwickelt in Brechts Brief an Karl Korsch (Briefe, Nr. 494).

Das umfangreiche Material zum *Manifest* (2. und 3. Gesang des *Lehrgedichts*) sowie die Tatsache der stets neuen Überarbeitung der Texte und der dokumentierten produktiven Mitarbeit der kritischen Leser (Ruth Berlau, Stefan Brecht, Karl Korsch, Jacob Walcher, Hermann Duncker u. a.) haben das Material zum Musterfall für die historisch-kritische Edition von Brechts Lyrik werden lassen. Vorschläge, Entwürfe, kritische Teileditionen liegen vor von Friedrich Beißner (dem Hölderlinherausgeber), Hans Bunge und Gerhard Seidel.

Texte: Das Manifest [= 2. Fassung]. In: Sinn und Form 9, 1957, Heft 5, S. 793–805. – Das Manifest. In: Gedichte 1941–1947 (= Gedichte VI). Frankfurt a.M. 1964. S. 133–154 [ebenfalls 2. Fassung]. – Lehrgedicht von der Natur der Menschen (Fragmente). In: Gedichte. Nachträge zu den Gedichten 1913–1956 (= Gedichte IX). Frankfurt a. M. 1965. S. 197–225 [ohne Text des *Manifests*]. – Lehrgedicht von der Natur der Menschen (Fragment): wa 10, 895–910; Das Manifest: wa 10, 911–930 [= 2. Fassung, korrigiert, leicht erweitert gegenüber den vorangegangenen Ausgaben]. – Supplementband IV, 396 [zum *Lehrgedicht;* vgl. Anmerkungen, 29].

Hans *Bunge*: »Das Manifest« von Bertolt Brecht. Notizen zur Entstehungsgeschichte. In: Sinn und Form 15, 1963, S. 184–203; hier zitiert nach: Wer war Brecht. Wandlung und Entwicklung der Ansichten über Brecht. Sinn und Form. Hg. v. Werner *Mittenzwei*. Berlin 1977. S. 297–316. – Wolfgang *Rösler*: Vom Scheitern eines literarischen Experiments. Brechts »Manifest« und das Lehrgedicht des Lukrez. In: Gymnasium 82, 1975, Heft 1, S. 1–25. – Gerhard *Seidel*. Bertolt Brecht. Arbeitsweise und Edition. Stuttgart 1977 (S. 123, 125–127, 129f., 137f., 231–246 [= Synopsis der Fassungen, Apparatenentwurf von Friedrich *Beißner* u. a.], 297, 352–357 [»Aus dem Modellband für eine Historisch-kritische Ausgabe der Schriften Bertolt Brechts« (1962) von Hans *Bunge*]). – Klaus-Detlef *Müller*: Brecht-Kommentar zur erzählenden Prosa. München 1980 (S. 331–335; zu *Die Trophäen des Lukullus,* Müller führt da erstmals den Nachweis, daß *nicht alle* Verse von Brecht stammen, sondern im ersten Teil tatsächlich eine Übersetzung vorliegt; vgl. dazu Rösler, 17, Anmerkung 22).

Brecht und Lukrez

Von wann ab Brechts intensivere Auseinandersetzung mit dem römischen Dichter Titus Lucretius Carus (um 99/96 bis 10.10.55) datiert, ist der Forschung bisher nicht bekannt. Wahrscheinlich ist, daß die »alte ausgabe« des Lukrez, von der das *Arbeitsjournal* stolz als Besitz kündet (AJ 73; vom 8.12.39), bereits sich im Berliner Flüchtlingsgepäck befunden hat. Die frühesten Zeugnisse der Lukrez-Beschäftigung und -Umsetzung gehen ins Jahr 1934 zurück, als Brecht für die List, die »Wahrheit unter vielen zu verbreiten«, das Vorbild des Lukrez anführt: »Und der große *Lukrez* betont ausdrücklich, daß er sich für die Verbreitung des epikureischen Atheismus viel von der Schönheit seiner Verse verspreche« (18, 233). In einem ebenfalls auf 1934 datierten Gedicht, *Die Auswanderung der Dichter,* gerät Lukrez in die Reihe der verbannten Dichter, obwohl es dazu keinerlei biographische Belege gibt. Über Lukrez' Leben ist so gut wie nichts bekannt. Von seinem Tod wird überliefert, er habe sich in geistiger Umnachtung selbst getötet (nach Hieronymus; vgl. Büchner, 575). Für Brecht galt weniger die »offene« Biographie, die auf der anderen Seite ja auch (mutmaßliche) »Füllungen« zuläßt, sondern offenbar die Tatsache, daß da ein wichtiges Vorbild war, das in die »Ahnenreihe« gehörte, ein Dichter, der schon früh eine materialistische Position vertrat, gegen den Aberglauben (Religion) vorging und zugleich eine Sprache schrieb, in der Brecht seine gestische, auf die Realität hin zeigende Sprache vorgebildet fand. Daß ein solcher Dichter das von Krisen geschüttelte Rom »unbeschadet« überstanden haben sollte, ist dann nicht mehr besonders naheliegend. So kann Lukrez in die Reihe von Homer, Dante, über Heine, Villon und schließlich zu Brecht (u. a.) treten (vgl. 9, 495).

Direkten Niederschlag findet die Lukrez-Lektüre dann 1939, als Brecht seinen – für die Lyrik epochemachenden – Aufsatz *Über reimlose Lyrik mit unregelmäßigen Rhythmen* (19, 395–403) und die bereits erwähnte Geschichte *Die Trophäen des Lukullus* (11, 304–314) schreibt. Im Aufsatz stellt Brecht die Verse 148 bis 155 (1. Buch) aus *De rerum natura* (*Von der Natur der Dinge;* Erstpublikation ungewiß) des Lukrez in der Übersetzung von K. L. von Knebel (zuerst 1831) wenigen Versen von Schillers *Der philosophische Egoist* gegenüber. Er lobt an Lukrez den Reichtum an »gestischen Elementen«, die unregelmäßigen Rhythmen, die Wahrnehmung gesellschaftlicher Dissonanzen (19, 398 f.). Während Schillers Gedicht die Sprache so handhabt, daß sie sich kontextual abschließt, große Bögen schlägt, die das Dargestellte in der Darstellung einschließen und zum bloßen »Sprachwerk« machen, handhabt Lukrez (d. h. hier vor allem auch die als adäquat empfundene Übersetzung) die Sprache so, daß sie im Ton aufgeraut ist, daß sie sich zum Dargegestellten hin öffnet, daß sie auf es hinzeigt und die (realen) Widersprüche in rhythmischen Unregelmäßigkeiten sprachlich pointiert. Durch diese Sprachhaltung kann der antike Dichter, der sich gegen die Ideologien seiner Zeit gewendet hat, zum Vorbild für den modernen Dichter werden.

Im amerikanischen Exil erhält der römische Dichter endgültig die »Würde des materialistischen Klassikers«. Als Brecht (endlich) ein annehmbares (älteres) Haus in Santa Monica erstanden hat, notiert er erleichtert: »das haus ist sehr schön. in diesem Garten ist der lukrez wieder lesbar« (AJ 513; vom 17. 8. 1942), und in den *Briefen an einen erwachsenen Amerikaner* (ca. 1946) beschwert sich Brecht – noch einmal – zusammenfassend über die künstliche Welt der Amerikaner: »Ein Mann, in der Frühe im Garten einen Band Lukrez lesend, wäre ein abgeschmackter Anblick, eine Frau, ihr Kind nährend, etwas Fades« (20, 297). Die Passage erinnert stark an die Notiz des *Arbeitsjournals,* wonach er sich in der Kunstlandschaft der USA wie »lenin im prater«etc. vorgekommen sei (AJ 392; vom 23. 3. 42).

Abgesehen von der bis 1955 nachweisbaren Beschäftigung mit dem *Manifest* bleibt Lukrez auch weiterhin für Brecht aktuell. In der DDR hat Brecht häufiger Vorschläge und Bemerkungen zu den Lektüreplänen in der Schule gemacht, streng darauf achtend, daß die wichtigen Schriften der Vergangenheit auch wirklich studiert werden. In einem Brief an die Deutsche Akademie der Künste moniert er, daß Homer, Vergil und Lukrez völlig fehlten und macht den Vorschlag (»f. Oberschule«): »Virgil – Ackerbau / Lukrez – Natur / der Dinge«(Briefe, Nr. 681). In diesem Zusammenhang ist wahrscheinlich auch die erst postum erschienene Selbstvergewisserung (*Wo ich gelernt habe;* 19, 502–507) entstanden, die folgende Passage enthält: »Aus mindestens zwei Gründen, die miteinander verbunden sind, lohnt es sich, die zwei großen Lehrgedichte der Römer zu studieren, die ›Georgica‹ des Vergil und ›Von der Natur der Dinge‹ des Lukrez. Einmal sind es Vorbilder dafür, wie man die Bearbeitung der Natur und eine Weltauffassung in Versen beschreiben kann, und des andern haben wir in den schönen Übersetzungen von Voß und Knebel Arbeiten vor uns, die wunderbare Aufschlüsse über unsere Sprache geben. Der Hexameter ist ein Versmaß, das die deutsche Sprache zu den fruchtbarsten Anstrengungen zwingt. Sie erscheint deutlich ›gehandhabt‹, was das Lernen sehr erleichtert. Wie Vergil hat auch der Übersetzer den Versbau zusammen mit dem Landbau zu lehren und der ›geschmackvolle und kunstreiche Gebrauch, den der alte Dichter von dem ganzen poetischen Apparat zu machen weiß‹, kurz, der große Kunstverstand der Alten entwikkelt sich an großen Inhalten« (19, 506 f.).

Zu Lukrez selbst noch einige abschließende Hinweise. Über sein Leben ist so gut wie nichts bekannt; auch die Behauptung des Selbstmords in geistiger Umnachtung, kann bezweifelt werden, da – was sich indirekt erschließen läßt – Lukrez sicherlich ein gesellschaftlicher Außenseiter war, dem schnell irgendwelche »Wahne« anzudichten waren. Er soll eine ganze Menge Bücher geschrieben haben, erhalten blieb jedoch nur *De rerum natura,* ein Werk, das ganz mit dem Namen des Lukrez identifiziert worden ist. Wann es erschien, ist ungewiß, überliefert jedoch ist Ciceros Meinung darüber (wahrscheinlich war Cicero auch der erste Herausgeber des Lukrezschen Lehrgedichts): »Das Gedicht des Lukrez ist so, wie du schreibst [Bruder Quintus]: mit vielen Blitzen des Genies, aber auch ein Werk von hoher Technik; aber darüber, wenn du kommst« (nach Büchner, 576). Die heutige Philologie urteilt: »Dieses Werk ist der größte epikureische Text und die ausführlichste Darstellung der antiken Atomlehre, die von Demokrit und Leukipp herrührend sich letztlich nicht gegen die unmaterialistischen Systeme eines Plato und Aristoteles behaupten konnte. Schon als solches ist es ein Dokument von höchstem Range. Zugleich ist es das Werk eines der größten Dichter der Römer. In ihm, dem ›gottlosen, aber göttlichen‹ Dichter, wie Gottfried Hermann sagte [bedeutender Altphilologe, 1772–1848], ist bohrende Wissenschaft, Aufklärung, Entmythisierung einen Bund eingegangen mit jener Andacht und Liebe zur Natur und ihrem Gesetz, die den höchsten Bildungswert der Naturbetrachtung für den Menschen darstellt« (Büchner, 573).

Die heutige Philologie übersetzt *De rerum natura* nicht mehr mit *Von der Natur der Dinge,* sondern mit *Welt aus Atomen,* weil der Ausdruck »natura« die Verfaßtheit der Welt und der Dinge aus Atomen und damit ihre stetige Bewegung (Veränderung) meint, eine Meinung, die auf Epikur (griechischer Philosoph, 342/41–271/70) zurückgeht, jenen Denker, dessen materialistische Einstellung sich zugleich mit der Anschauung von den Freuden des Daseins und ihrem Genuß verbunden hat. Lukrez hat seine Darstellung in sechs Bücher aufgebaut. Die beiden ersten Bücher behandeln die Atomlehre von Demokrit, der als ihr Begründer gilt (griechischer Philosoph, 460–371), und von Epikur, an den sich Lukrez vor allem hält. Das 3. Buch, das eigentlich »atheistische« Buch, weist aus dem Atomismus nach, daß die Seele – wie der Körper auch – sterblich sind und daß deshalb auch keine Todesfurcht vonnöten sei (es gibt nichts, was »nachlebte«). Das 4. Buch enthält die Psychologie, materialistisch genauer: die Sinneswahrnehmungen und ihre Auswirkungen auf den Menschen (Gefühl, Verstand), vor allem auf die Leidenschaften, deren Erfüllung in einem merkwürdigen Gegensatz zu ihrer Stärke stehen. Je mehr man ihnen nachgibt, desto stärker und heftiger werden sie. Eine Kosmologie, die Entstehung der Welt und der Kultur, entwirft das 5. Buch, wobei Lukrez die – bilderreich vorgeführten – Anschauungen in der Einsicht gipfeln läßt, daß alles nach dem Vorbild der Natur geschehe und zu geschehen habe, eine Meinung, die diametral der des Aristoteles entgegensteht. Im abschließenden 6. Buch behandelt Lukrez allmögliche geologische, meteorologische oder auch medizinische Erscheinungen (Ätnaausbruch, Ungewitter, Seuchen u. a.), um die Vielfalt und Erstaunlichkeiten der Natur – Störungen geschehen danach aus atomaren »Verirrungen« – konkret vorzuführen.

Brechts Interessen galten vor allem dem 1. und dem 3. Buch – und dem antiken Vers, dem Hexameter. Es ist der klassische antike »erzählende Vers«, in dem die großen Epen – *Ilias, Odyssee* (dem Homer zugeschrieben), *Äneis* (Vergil) u. a. geschrieben sind. Die große Erneuerung des Verses in der Neuzeit geschah durch die deutsche Klassik, die – poetologisch noch gegen das neue bürgerliche »Epos«, den Roman gerichtet – antike Muster erneuern wollte (z. B. Goethes *Hermann und Dorothea* von 1797). Wenn Brecht meinte, das *Lehrgedicht,* vor allem das *Manifest der kommunistischen Partei* in diesem Versmaß erneuern zu sollen, knüpft er an diese beiden – zusammenhängenden – Traditionsstränge an; freilich sollten zugleich die Unterschiede gesehen werden. Wie die deutsche Klassik sich vor allem der Erneuerung des heroischen Epos der Antike widmete (Goethe plante als Erneuerung der *Ilias* eine *Achilleis*), so galt Brechts Interesse den antiken Epen, die sich ihre Gegenstände aus Natur und Landbau (Vergil *Georgica*) nahmen und zugleich »philosophisch« ausgerichtet waren (dem entspricht auch der *Wettstreit des Homer und Hesiod,* in dem – trotz schwächerer Verse – der friedliebende Hesiod den Sieg zugesprochen erhält; 7, 3022–3027). Durch die verschiedenen Gegenstände sieht Brecht auch verschiedene Sprachhaltungen ausgeprägt: während die heroischen Epen das Pathos pflegen und in rhetorischer Verselbständigung zum reinen Sprachkunstwerk tendieren (vor allem in der Erneuerung durch die deutsche Klassik), erläutern, erklären die »Natur«-Epen Realität und lehren ihre Handhabbarkeit. So gesehen läßt sich Brechts Versuch, mit Lukrez das *Manifest* zu erneuern, nicht mit Goethes Hexameter-Epen identifizieren und ev. ihr Scheitern (bei Goethe die *Achilleis*) parallelisieren, weil Brecht, indem er den klassischen Traditionsstrang aufgreift, sich zugleich gegen ihn wendet: mit seinem materialistischen, ganz unheroischen Vorbild des Lukrez.

Titus Lucretius Carus: De rerum natura. Welt aus Atomen. Lateinisch und deutsch. Übersetzt und mit einem Nachwort hg. von Karl *Büchner*. Stuttgart 1973.

Hans *Mayer*: Bertolt Brecht und die Tradition. München 1965 (zuerst 1961) (S. 87–93). – Klaus-Detlef *Müller* (s. o.). – Wolfgang *Rösler* (s. o.).

Analysehinweise

Brecht war sich durchaus bewußt, was es bedeutete, bereits bewährte, zu klassischen »Mustern« gewordene Kunstwerke – Brecht zählte das *Manifest der kommunistischen Partei* selbstverständlich dazu: »als pamphlet selbst ein kunstwerk«; AJ 726; vom 11.2.45) – noch einmal in »klassischer Form« erneuern zu wollen. Die »Erneuerung« kann deshalb auch nicht einfach eine Wiederholung sein. Die Spannung entsteht vielmehr dadurch, daß die neuen Inhalte, die Brecht auch bei der Versifizierung des *Manifests* einbringen wollte, sich in einer alten und zugleich vorgegebenen Form präsentieren sollen. Der Vorwurf des Formalismus, der mangelnden Übereinstimmung von Form und Inhalt lag da von vornherein nahe. Wie sollte es möglich sein, zumal sich Brecht in seinem Lyrik-Aufsatz *(Über reimlose Lyrik mit unregelmäßigen Rhythmen)* selbst dagegen ausgesprochen hatte, in vorgegebene, metrische, rhythmisch einheitlich geordnete Verse diesen (als gewaltig empfundenen) Inhalt unterzubringen? Wurden da nicht von vornherein Abstriche beim Dargestellten eingeplant, falls es sich nicht den Versen anpassen, »beugen« würde?

Für mögliche Antworten ist zwischen den Fragmenten zum *Lehrgedicht* und dem *Manifest* zu unterscheiden. Das *Lehrgedicht* ist keine Nachdichtung des Lukrez, insofern Brecht keine Inhalte von diesem übernimmt. Die Inhalte des *Lehrgedichts* sind durchweg »modern« (19. und 20. Jahrhundert, in der Entwicklung von Kapitalismus und Proletariat) und kehren das Interesse der antiken Dichtung um: hat sich diese um die »Natur der Dinge« bekümmert, so will die moderne Dichtung der »Natur der Menschen« auf den Grund kommen (vgl. 10, 895). Das *Manifest* dagegen ist durchaus Nachdichtung, auch wenn es keineswegs bloß aus »montierten« Zitaten des klassischen Texts besteht. Aber die (großen) Inhalte sind hier (weitgehend) vorgegeben.

Brecht hat dem *Lehrgedicht* keinen Titel gegeben. Der in den Ausgaben übliche Titel, *Lehrgedicht von der Natur der Menschen,* ist dem ersten Fragment (zum ersten Gesang) entnommen. Der hier gewählte Titel, den ich für angemessener halte, beruft sich auf Brechts Brief an Karl Korsch, wo von der »Unnatur der bürgerlichen Verhältnisse« als Inhalt des *Lehrgedichts* die Rede ist (Briefe, Nr. 494). Der erste Titel könnte den Eindruck suggerieren, als wolle Brecht *der* Natur *des* Menschen auf die Schliche kommen, also irgendein grundsätzlich anthropologisches Werk annoncieren (tatsächlich zitiert denn auch Marsch, bei dem ansonsten Fehlanzeige zu vermelden ist, den Titel in dieser Richtung falsch; Marsch, 226). Die Natur *der* Menschen (im Plural!) ist geprägt – und darin hätte einer, der den Zusammenhang erzeugenden Gedanken bestanden – von der »Natur« der jeweiligen Gesellschaft, in der sie leben. Nicht *die* menschliche Natur – als gleichbleibendes Anthropologikum – sollte bestimmt sein, sondern die Natur der Menschen, die die Gesellschaft erzeugt hat. Da aber die »Natur« der Gesellschaften – die gegenwärtig herrschen und vor allem auch Krieg führen – in ihrer Unnatur besteht, zeigen sich auch die Menschen von dieser Unnatur beherrscht und treten entsprechend kriegerisch auf. Aus den Fragmenten ist erkennbar, daß der gegenwärtige Weltkrieg, der seinem Ende entgegenging, auf die Unnatur der bürgerlichen Gesellschaft zurückgeführt werden sollte, in der der im Krieg »äußere« Kampf im Inneren stets geführt wird und zu »Ausbrüchen« tendiert. Entgegen dem (bürgerlichen) Postulat der *Gleichheit* aller Menschen sollte das Lehrgedicht die Ungleichheit der Menschen hervorziehen, also die Natur der Menschen nicht über eine »anthropologische« Untersuchung des Menschen, sondern ihrer gesellschaftlichen Verhältnisse sichtbar machen. – Dabei – und dies scheint paradox – entdeckt Brecht doch etwas (unabhängig) Natürliches, die *Arbeit:*

Dieses Natürliche, die Arbeit, das, was
Erst den Menschen zur Naturkraft macht, die Arbeit
Dieses wie schwimmen im Wasser, dieses wie essen
das Fleisch
Dieses wie begatten, dieses wie singen
Es geriet in Verruf durch lange Jahrhunderte und
Zu unserer Zeit. (10,895)

Das Paradox ist jedoch nur scheinbar: menschliche Geschichte ist die Dokumentation menschlicher Arbeit, alle, gegen die ursprüngliche (und umfassende) Natur entwickelten, menschlichen Errungenschaften verdanken sich der »Naturkraft«. Auch die Unnatur entsteht durch die Arbeit, ist menschliche »Leistung«, zeigt sich gerade darin auch als Gegensatz zur »Natur«, kurz, das »Verhältnis« ist »dialektisch vermittelt«. Nur durch die menschliche Arbeit lassen sich menschliche Verhältnisse aufbauen, mit denen sich die Menschen von der (ursprünglichen) Natur entfernen, zugleich aber erweisen sie sich dadurch als (ursprüngliche) Naturkraft, deren »Wesen« jedoch nur *geschichtlich,* nur anhand der geschaffenen (gesellschaftlichen, ökonomischen, kulturellen) Verhältnisse beschrieben und erkannt werden kann. Diese »Naturkraft« ist nicht vorgegeben, sondern eine sich entwickelnde.

Brecht knüpft mit der »Wesensbestimmung« des Menschen durch die Arbeit an die Tradition von Hegel und Marx bereits im *Lehrgedicht* deutlich an. Hegels großes Verdienst ist es gewesen, die Kategorie der »Arbeit« (der »Entäußerung«, wie es bei ihm auch heißt) zu entdecken, Marx hat sie dann auf die reale menschliche Geschichte übertragen. Für Brechts Gedicht bedeutet der Sachverhalt, daß es nicht ideologisch die Sache der Arbeiter vertreten, sondern sie und ihre Berechtigung historisch aus der Geschichte der »Arbeit« (und ihrer Entfremdung) ableiten wollte. Das *Manifest* hätte – als Kernstück – dabei die Bewußtwerdung der Arbeiter über den Wert ihrer Arbeit formuliert und zugleich die notwendige Handlungsanleitung vermittelt.

Der Verbindung von (richtiger) Einsicht und daraus folgender Handlung gelten einige Fragmente, die zum ersten Gesang gehören. Brecht betont, daß die Erkenntnis der wahren Sachverhalte – auch wenn dies als Leistung zu verbuchen ist – nichts nützt, wenn man nicht fragt, für wen sie Wahrheit ist und wie sie angemessen in Praxis umgesetzt werden kann. Die Erfahrungen des Faschismus, der es geschafft hatte, mit halben Wahrheiten unabänderlich scheinende Verhängnisse (wie den Krieg u.v.a.) »ausbrechen« zu lassen, gehen hier ein:

Denn nicht nur, was einer sagt, sondern auch, warum und zu welchem
Ende er's sagt, sei geprüft, denn die Wahrheit, Genossen genügt nicht!
Immer mengt der Betrüger mit Wahrheit die schmutzige Rede.
Freilich, der sicher am Ofen sitzt und sich von fernen Geschehen
Gerne erzählen läßt, der ist mit allem Erfahrnem zufrieden
Denn was ändert schon ihm der Bericht die Folge der Speisen? (10,897)

Nur gerade ahnbar wird die Absicht, dem ersten Gesang eine »Kritik der zeitgenössischen sozialistischen Literatur« einzufügen (vgl. Bunge, 299). In einem Fragment ist Brechts Tui-Kritik erkennbar, indem er die Ansicht zurückweist, die Gegensätze, die Zwistigkeiten bestünden vornehmlich bloß in der Verschiedenheit der Gedanken, nicht aber in der der materiellen Verhältnisse. Eine solche Annahme hindere daran, daß die wirklichen Interessen erkannt, formuliert und in die Praxis getragen werden: man bekämpft bloß den anderen Gedanken. Es ist nicht deutlich, ob Brecht hiermit an die verschiedenen Kultur-Kämpfe (vgl. seine Kritik am Schriftstellerkongreß 1935) erinnern wollte, deren Erneuerung er nach dem Krieg – nicht zu Unrecht – befürchten mußte. Dabei ging die Kritik nicht gegen bürgerliche Literatur- und Kunstauffassung, sondern gegen die – von Brecht des Formalismus verdächtigte – »Doktrin« des sozialistischen Realismus.

Der 4. Gesang wäre vornehmlich dem – gerade »tobenden« – Krieg gewidmet gewesen, seiner Barbarei; daß er kein Schicksal sein kann, daß er nicht »ausbricht«, sondern ausgebrochen wird, daß nun endlich die Gründe für die Kriege, die so »gesetzmäßig« abzufolgen scheinen, eingesehen werden sollten, wollte das abschließende Kapitel offenbar – nach den vorliegenden – Fragmenten vermitteln. Ob als Abschluß oder als Markierung eines kommenden Endes sah Brecht vor, die »Apokalyptischen Reiter« (10, 904) über die Kriegsführenden »hereinbrechen« zu lassen. Unschwer sind in ihnen die sowjetischen Armeen zu erkennen. Ihre »Verklärung« und Umdeutung im biblisch »kanonisierten« Bild gehört mit zur »klassischen« Anlage dieses fragmentarischen Epos.

Beim *Manifest* selbst stellt sich der Sachverhalt anders dar. Da der »große Inhalt« vorgegeben ist, handelt es sich in erster Linie – von den Produktionsschwierigkeiten abgesehen – um dessen Vermittlung und Übermittlung. Wolfgang Rösler hat herausgearbeitet, daß es Brecht primär darum ging, über die »Schönheit der Verse« den – möglicherweise immer noch als »anstößig« empfundenen – Inhalt zu »verschönen«, das heißt, ihm das Aussehen zu verleihen, das die sonst klassischen Werke aufweisen, und zwar nicht, um etwas »Unklassisches« klassisch zu »machen«, sondern Klassisches als Klassisches vorzuzeigen. Brecht nannte das: Erneuerung »durch ein aufheben des pamphletischen charakters« (AJ 726; vom 11. 2. 45). Das Pamphlet von 1848 hatte fast hundert Jahre später seine eigentliche Spitze verloren, zumal viel von dem realisiert war, was es gefordert hatte (sozialistischer Staat), zugleich konnte es nicht mehr – wie in der damaligen Aktualität – in der direkten (und verfolgten) Weise wirken. Um aber seinen Inhalt wachzuhalten, ins Bewußtsein zu bringen, weiterhin zu vermitteln, bot es sich an, dem Inhalt nun die Form zu geben, die andere klassische Kunstwerke bereits hatten. Daß Brecht dabei den – auf der Hand liegenden – Fehler vermeiden wollte, zu einer bloßen Fassaden-Beschönigung zu kommen und damit dem Formalismus zu huldigen, den er seinen (sozialistischen) Kontrahenten vorwarf, beweist nicht nur die Anknüpfung an eine Klassizität, die sich erst gegen die des schönen Scheins (Idealismus Platos, Aristoteles) durchzusetzen hatte, sondern die bereits von sich aus eine künstlerische und sprachliche Haltung aufwies, die bei aller Klassizität den ursprünglichen Realismus nicht beseitigte. Brecht benutzt sicherlich nicht unbedacht den Begriff des »Aufhebens« des pamphletistischen Charakters: im Doppelsinn von »beseitigen« und »bewahren« nach Hegelschem Vorbild, soll das ehemalige Pamphlet nicht eliminiert, sondern lediglich »akzeptabler« erscheinen. Insofern erhoffte sich Brecht durch seine Versifizierung eine Steigerung der ehemals propagandistischen Wirkung, nun aber mit anderen Mitteln.

Hinzu kommt, daß Brecht durchaus über die Vorlage hinausgeht und nicht nur Marx' und Engels Worte in hexametrische Verse bringt (so die alte Forschungsmeinung; Witzmann, 33 f.). Brecht setzt einige Zeichen. Da ist zunächst die Aktualisierung, die er gleich an den Beginn setzt:

Kriege zertrümmern die Welt und im Trümmerfeld geht ein Gespenst um.
Nicht geboren im Krieg, auch im Frieden gesichtet, seit lange.
Schrecklich den Herrschenden, aber den Kindern der Vorstädte freundlich.
Lugend in ärmlicher Küche kopfschüttelnd in halbleere Speisen.
Abpassend dann die Erschöpften am Gatter der Gruben und Werften.
Freunde besuchend im Kerker, passierend dort ohne Passierschein.
Selbst in Kontoren gesehn, selbst gehört in den Hörsälen, zeitweis
Riesige Tanks besteigend und fliegend in tödlichen Bombern.
Redend in vierlei Sprachen, in allen. Und schweigend in vielen.
Ehrengast in den Elendsquartieren und Furcht der Paläste
Ewig zu bleiben gekommen: sein Name ist Kommunismus. (10, 911)

Brecht hat aus dem ersten Satz des *Manifests der kommunistischen Partei* – »Ein Gespenst geht um in Europa – das Gespenst des Kommunismus« (Marx, 525) – einen ganzen Prolog werden lassen. Er geht vom gegenwärtigen (Welt-)Krieg aus und markiert einige Veränderungen, die in den 100 Jahren eingetreten sind. Für Marx war der »Schauplatz« noch Europa, nun ist es bereits die gesamte Welt. Ebenso hat der Kommunismus bereits Hörsäle erobert, ist er in Kontore (also typische bürgerliche Einrichtungen) eingedrungen, und schon nimmt er als offen Beteiligter an den Kriegen teil (Anspielung auf die Sowjetunion). Kurz, das *Manifest* Brechts ist aktualisiert und berücksichtigt die bereits gewonnenen historischen Positionen des Kommunismus. Er ist kein bloßes Postulat mehr, sondern welthistorische Realität. Aber er hat auch die Kriege nicht verhindern können, so daß nach der Beendigung des bisher mörderichsten und barbarischsten Krieg seine Rolle neu bestimmt sein muß. So ist Brechts Ausgangspunkt.

Die Aktualisierung geht aber noch weiter. Die Forschung (Rösler) hat beobachtet, daß Brecht das bei Marx und Engels vorgegebene Bildpotential – es ist nicht wenig – aufnimmt und aktualisiert bzw. erheblich erweitert. Um nur ein kurzes Beispiel zu geben:

Die bisherige feudale oder zünftige Betriebsweise der Industrie reichte nicht mehr aus für den mit neuen Märkten anwachsenden Bedarf. Die Manufaktur trat an ihre Stelle. Die Zunftmeister wurden verdrängt durch den industriellen Mittelstand; die Teilung der Arbeit zwischen den verschiedenen Korporationen verschwand vor der Teilung der Arbeit in der einzelnen Werkstatt selbst. (Marx, 526 f.)

Manufaktur überflügelt das Handwerk. Lange noch hängen
Goldener Schlüssel und Spindel am Haus, doch den Meistern der Zünfte
Bleibt nicht viel zu meistern. Viele sitzen sie nunmehr
Eng aneinander gereiht in der einen, größeren Werkstatt. (10,913)

Brechts Text komprimiert die Vorlage entschieden, weitet sie jedoch durch den Einsatz der Bilder zugleich aus. Scheinbare »Äußerlichkeiten«, die jedoch sogleich verifizierbar sind, weil man sie kennt, ersetzen die Sachdarstellung der Vorlage. Ihre Wirkung jedoch ist produktiv: der Sinn von goldenem Schlüssel und Spindel ist – obwohl sie immer noch dazuhängen pflegen – längst vergessen, von ihrer Funktionslosigkeit ganz zu schweigen. Das von Brecht gesetzte Bild jedoch aktiviert die ehemalige Funktion und den ehemaligen Sinn der handwerklichen Zunftzeichen für den Rezipienten. Eine Idylle tut sich auf, die durch das anschließende Bild der eng aneinander gereihten Manufakturarbeiter sogleich desillusioniert wird: so ging der Fortschritt. An dieser Wirkung hat die »Personalisierung« des Vorgangs Anteil. Indem Brecht unterstellt, daß die ehemaligen Meister aufgrund des Fortschritts der kapitalistischen Produktion ihren Handwerksbetrieb verlieren, sinken sie buchstäblich (bildlich) zu (halben) Proleten herab. Es gibt nichts mehr zu meistern, weil sie von den Manufakturen »gemeistert« werden.

Durch Aktualisierung und (den Leser aktivierende) Verbildlichung meinte Brecht, den »großen Inhalt« auf klassische Weise vermitteln zu können. Indem er der »Größe« des Inhalts folgte, die ihm so bildlich und direkt wie möglich geboten wurde, sollte der Leser – so das Ziel (soweit es sich aus dem Material entschlüsseln läßt) – mit dem Dargestellten sich auch die Darstellungsweise aneignen und über ihre Klassizität verfügen lernen. Wohl aus diesem Grund, nämlich mit dem »Lehr«-Gedicht zugleich eine klassische Form zu lehren, hatte Brecht bei diesen Hexametern große Skrupel. Sie sollten nämlich »richtige« sein, und daher rührt sein Bemühen (wie gesagt, selbst Rudolf Alexander Schröder sollte konsultiert werden) um exakte Ausführung. Im Prinzip sind die vor allem von Eisler überlieferten Skrupel, die Brecht mit seinen Versen hatte, relativ unverständlich. Schon oft hatte Brecht klassische Verse verwendet (z. B. im *Eduard II.*, im *Ui*, in der *Heiligen Johanna*), ohne sich dort um diese Exaktheit zu bemühen. Dort war die Hauptsache, daß die Klassizität der Verse erkennbar blieb, keineswegs aber handelt es sich um regelmäßige und regelmäßig »ausgefüllte« Verse (Blankverse). Im *Manifest* dagegen sollte die Form gewahrt bleiben.

Peter *Witzmann*: Antike Tradition im Werk Bertolt Brechts. Berlin 1964 (S. 29–35). – Edgar *Marsch*: Brecht-Kommentar zum lyrischen Werk. München 1974 [ansonsten Fehlanzeige]. – Wolfgang *Rösler* (s. o.).

Karl *Marx*: Die Frühschriften. Hg. v. Siegfried *Landshut*. Stuttgart 1964 (S. 525–560: *Kommunistisches Manifest*).

Vom Scheitern des Experiments

Obwohl Lion Feuchtwanger im März 1945 an der Ausarbeitung des *Manifests* mitgearbeitet hat, war er schon früh davon überzeugt, daß das Unternehmen aussichtslos sei; konsequent bricht er dann auch die Zusammenarbeit ab, als sich herausstellt, daß »von den zwei- bis dreihundert Hexametern nur zwei bis drei stimmen« (nach Bunge, 305). Brecht hat der Kritik (vielleicht zähneknirschend) beigepflichtet, sich jedoch zunächst keineswegs von seinem Vorhaben abbringen lassen (vgl. AJ 729; vom 3.3.45). Frühzeitig schon ist also das Argument der Fragwürdigkeit der Form da: »Die Hauptschwierigkeit war, die technischen Worte des Manifests in Hexameter zu zwängen, zum Beispiel die Worte Bourgeois, Bourgeoisie und Proletariat. Als sich ergab, daß diese und ähnliche Worte sich einer Versifizierung nun einmal nicht fügen, schien mir unser Versuch hoffnungslos«, erinnert sich Feuchtwanger (nach Bunge, 304).

Tatsächlich soll schon Feuchtwangers Kritik Brechts Skrupel zur Beendigung des Experiments gesteigert haben (so Jacob Walcher nach Bunge, 306f.). Dagegen sprechen aber die fortgesetzten Bemühungen. Sogar Brechts weitere Kritiker, die keineswegs nur ermunternd gewirkt haben können, Sohn Stefan nämlich und Albert Schreiner, haben Brecht stets ihre Einwände, daß das Material ungeordnet und nicht organisiert sei (Stefan Brecht) und daß die neue Form die Vermittlung des großen Inhalts zerstöre statt fördere (Walcher), mit produktiven Vorschlägen übergeben; und Brecht hat sie auch – was die Typoskripte beweisen – gern aufgenommen und ausprobiert.

Hanns Eisler führt das Scheitern ebenfalls auf die – nicht bewältigte – Form zurück. Alle Überlegungen, die Brecht im Hinblick auf den Nutzen der Form machte, erkannte er nicht an. Im Gegenteil meinte er, würde die Verständlichkeit des *Kommunistischen Manifests* durch den Vers nur noch mehr erschwert, so daß es sich am Ende gar nicht mehr mitteilte: »weder praktischen noch politischen Nutzen« sah er in einer Zeit, in der es darauf ankam, die Arbeiter – die womöglich noch nie einen Hexameter gehört hatten – mit den Inhalten vertraut zu machen, die sie jetzt etwas angingen. Der Umweg über die Form erschien da nicht nur sinnlos, sondern geradezu abwegig. Wenn auch Eisler rückblickend bedauert, daß er mit zu denen gehört hat, die Brecht das Unternehmen madig machten, so sehr, daß er die Lust daran verlor, so bringt er noch ein Argument, das in Feuchtwangers »Arbeitsniederlegung« bereits impliziert ist: »Zweitens sah ich sofort – das ist eine billige Sicht, die jeder Schuljunge hat, der das lernen mußte, weil sein Vater ihn gezwungen hat –, daß Brecht eigentlich keine Hexameter schreiben konnte« (Eisler im Gespräch, 87). Zu den objektiven Gründen käme damit also der subjektive hinzu: Brechts Fertigkeiten standen – angeblich – hinter den Aufgaben so weit zurück, daß die komplizierte Angelegenheit gar nicht glücken konnte. – Dennoch bleiben Widersprüche, Unstimmigkeiten in der Beurteilung (so Brechts nicht schlechte Lateinkenntnisse, die z. T. durchaus gelungenen Verse, das merkwürdige Bestehen auf »richtigen« Hexametern, die tradierten guten Wirkungen auf Arbeiter – bei lautem Vorlesen etc.). Eine genauere, die Verse metrisch und inhaltlich analysierende Untersuchung hätte hier noch viel zu leisten.

Hans *Bunge* [Zur Entstehungsgeschichte] (s. o.). – Hans *Bunge*: Fragen Sie mehr über Brecht. Hanns Eisler im Gespräch. München 1970 (S. 81–94). – Wolfgang *Rösler* (s. o.).

Koloman-Wallisch-Kantate

Diese *Kantate* war bisher (weitgehend) unbekannt. Publiziert war lediglich ein kleiner Textausschnitt (9, 503), der dort dem Jahr 1934 zugeordnet ist. Bei der Nachlaßedition der Supplementbände III und IV ergaben sich Indizien, die dafür sprechen, die Entstehungszeit dieser *Kantate* in die Zeit des USA-Exils zu verlegen. Vermutlich hatten Brecht und Eisler den Plan dazu gemeinsam besprochen, jedenfalls schickte Brecht die *Kantate* an Eisler mit einem Brief, den der Herausgeber Günter Glaeser auf November/Dezember 1949 datiert. Dort heißt es: »hier die ›Koloman-Wallisch-Kantate‹. Selbstverständlich wirst Du streichen, umstellen, wie es Dir richtig erscheint; solltest Du Neues dazwischen brauchen, formulier es selber und laß es mich dann überarbeiten, wenn möglich. Gespannt bin ich, was Du mit der langen Ballade machen wirst; ich kann mir vorstellen, daß Du mehrere Melodien verwendest und die Begleitung nicht zu simpel hältst. But, it's up to you« (Briefe, Nr. 620). Freilich ergeben sich Widersprüche zu den Angaben, die Herta Ramthun in den Anmerkungen im entsprechenden Supplementband gibt (IV, Anmerkungen, 28 f.), wonach Eisler den Erhalt der *Kantate* schon am 1. 7. 1948 brieflich bestätigt haben soll. Die Herausgeberin vermutet ein Entstehungsdatum der *Kantate* um 1945 herum, also noch während der Zeit des gemeinsamen USA-Exils, an das ja die amerikanische Wendung in Brechts Brief anknüpft. Für die Vermutung, Brecht habe die *Kantate* unmittelbar vor ihrer Absendung geschrieben, gibt es – da sind die Zeugnisse reicher – offenbar kaum Anhaltspunkte. Ihre Einordnung an diesem Ort muß vorläufig und fraglich bleiben.

Die in der *Werkausgabe* vorgenommene Einordnung des Fragments aus der *Koloman-Wallisch-Kantate* erklärt sich daraus, daß Brecht hier ein Ereignis aus dem Jahr 1934 in Verse brachte. In Österreich hatte sich die Regierung Engelbert Dollfuß durch einen Staatsstreich an die Macht gebracht, zwar gegen den österreichischen Nationalsozialismus gewendet, keineswegs aber deshalb demokratischer. Gestützt auf die katholische Soziallehre, die päpstlichen Enzykliken sowie auf die Vorstellungen eines (verblasenen) vaterländischen Standesdenkens (Vaterländische Front) hatte Dollfuß die Demokratie beseitigt und ein autoritäres Regime errichtet (»Austrofaschismus«). 1934 kam es gegen das Regime zu einem Arbeiteraufstand in Wien und anderen Städten Österreichs, der nach blutigen Straßenkämpfen brutal niedergeschlagen wurde (11.–16. 2. 1934). Koloman Wallisch war einer der Führer des »republikanischen Schutzbundes«. Das Gedicht schildert den Kampf der Arbeiter, ihre mangelnde Einigkeit und Stärke (schlechte Bewaffnung), ihre Niederlage und schließlich Wallischs Flucht in die schneebedeckten Berge, wo er verraten und schließlich ohne Urteil brutal durch Hängen hingerichtet wird.

Der Text ist von vornherein auf seine Vertonung hin geschrieben, so daß eine Verabredung zwischen Eisler und Brecht bestanden haben muß. Die Vertonung jedoch ist leider nicht zustande gekommen (oder sie ist verlorengegangen). Brecht knüpft an die einfachen Formen der Gedichtsammlung *Lieder – Gedichte – Chöre* (1933) an, bindet sie aber – die verschiedensten Formen mischend (Kinderlied, Vierzeiler – Ähnlichkeiten zu den Kriegsfibel-Gedichten, Balladesken) – in eine umfassendere »Erzählung« ein, die ebenfalls sprachlich einfach und schmucklos erscheint sowie durchweg gereimt ist.

Die *Kantate* steht in großem Gegensatz zum Projekt des *Lehrgedichts*, und sie weist auf die späteren »lockeren«, unbeschwerten, für Musik geschriebenen Versifizierungen von historischen oder zeitgenössischen Vorgängen voraus *(Herrnburger Bericht)*. Brecht verfuhr nicht einseitig, sondern probte die verschiedensten Formen, die notwendigen Kenntnisse aus der Geschichte zu vermitteln. Koloman Wallisch konnte, indem man sich nach dem verlorenen Krieg an diejenigen Personen erinnert, die ihn verhindern wollten, die historische Erfahrung vermitteln, die für den Aufbau eines neuen Staats notwendig war. – Das bereits vorauspublizierte Fragment: *Wer zu Hause bleibt, wenn der Kampf beginnt* (10, 503; Supplementband IV, 392) ist übrigens als gesondertes Gedicht (fälschlich) aufgefaßt und als solches behandelt worden. Aus dem Zusammenhang gerissen, könnte es mißverstanden werden. Es warnt vorm Fern- und Heraushalten, weil der, der den Kampf nicht unterstützt und die Sache des Feindes vertritt, die Niederlage ohnehin teilen wird: »Nicht einmal den Kampf vermeidet / Wer den Kampf vermeiden will; denn / Es wird kämpfen für die Sache des Feinds / Wer für seine eigene Sache nicht gekämpft hat« (IV, 392).

Anna Seghers, darauf sei noch hingewiesen, hat den Koloman-Wallisch-Stoff in einer Erzählung bereits 1934 verarbeitet: *Der letzte Weg des Koloman Wallisch* (erschienen zuerst in: Neue Deutsche Blätter, Prag 1934, Heft 10, S. 585ff.; jetzt in: Anna Seghers: Erzählungen 1, Darmstadt/Neuwied 1977 = Werkausgabe, Bd. 9, S. 109–118). Die Erzählung ging dann in den umfassenderen Roman *Der Weg durch den Februar* ein (Moskau/Leningrad 1935). Ob Brecht Erzählung und Roman kannte, ist noch ungeklärt, jedoch durchaus nicht unwahrscheinlich. Eventuelle Anregungen wären zu klären.

Leider ist es nicht überflüssig – nachdem Brecht zum Sprüchelieferant in dubiosen Zusammenhängen geworden ist –, mit Entschiedenheit die *Koloman-Wallisch-Kantate* vor falscher Verwertung zu retten. Der bis zur Supplement-Ausgabe lediglich bekannte Text (9, 503) ist mit einem Spruch versehen worden, der *nicht* von Brecht stammt:

> Stell dir vor, es kommt Krieg und keiner geht hin
> – Dann kommt der Krieg zu euch!
> Wer zu Hause bleibt, wenn der Kampf beginnt
> [etc., Text nach 9, 503].

Der erste Satz ist ein »Volksmund«-Spruch der 70er Jahre, aufgekommen mit der neuen Kriegspropaganda in der Bundesrepublik, die sich »Friedenssicherung« nennt. Durch die Vorschaltung vor Brechts Gedicht wird dies für kriegstreiberische Zwecke in Anspruch genommen; denn es ist in Brechts Gedicht nicht vom äußeren, sondern vom »inneren« Krieg die Rede, vom Klassenkampf. Der für Brecht gültige Sinn kehrt sich diametral um. Brecht ist so nicht zu vereinnahmen.

Gedichte im Exil 1944; 1945/46

Brecht plante im USA-Exil noch zwei weitere Gedichtbände, die den ursprünglich für die Svendborger Sammlung vorgesehenen Titel tragen sollten. Der Plan zur ersten Sammlung ist gut dokumentiert durch eine detaillierte Aufstellung des Inhalts im *Arbeitsjournal* (AJ 714; vom Dezember 44). Im Zentrum steht die *Steffinische Sammlung*, die aber keineswegs vollständig übernommen und zugleich chronologisch verteilt wird. Hinzu kommen Gedichte aus den *Svendborger Gedichten* sowie neuere Gedichte aus dem USA-Exil: »Der Zyklus vermittelt, indem er auch älteres Material einbezieht, ein Bild der Geschichtsentwicklung der Jahre 1935 bis 1942 [muß heißen 1944] im Spiegel der wachsenden Gefährdung und Entfremdung des Exilierten. Die Antithese des Zyklus stellt diesem Bild den möglichen Gesellschaftszustand gegenüber, der ein unentfremdetes Menschsein ermöglicht« (Bohnert, 169). Der Zyklus endet mit dem Gedicht *Rückkehr* (10, 858), die nun schon einplanbar ist. Die Aussichten der Rückkehr sind jedoch nicht positiv, denn dem Rückkehrenden gehen die Bomber voran:

> Die Vaterstadt, wie empfängt sie mich wohl?
> Vor mir kommen die Bomber. Tödliche Schwärme
> Melden euch meine Rückkehr. Feuersbrünste
> Gehen dem Sohn voraus.

Die Exilierten kehren nicht als Sieger heim; sie, die das Glück hatten, sich retten zu können, werden nach ihrer Schuld gefragt werden. Der Krieg hat zu viel Leiden und Zerstörung gebracht, als daß man fortfahren könnte, wo man aufgehört hat. Überdies kommt der Sieg über den Faschismus nicht von innen, sondern von außen. Der eigentliche Kampf, den Brecht doch stets propagiert hatte, ist zwar nicht ausgeblieben, jedoch ohne Wirkung; »ruinen«, heißt es kurz später, »und kein lebenszeichen von den arbeitern« (AJ 732; vom 10.3.45). Diese (doppelte) Niederlage teilt der Intellektuelle, der die Sache der Arbeiter zur seinen gemacht hat. Seine Arbeit ist ohne die Wirkung geblieben, die er doch stets seinem Werk inhärent meinte. Der geplante Zyklus sucht nicht die Entschuldigung, sondern die Mitverantwortung: er stellt sich dem Versagen und zeigt seine geschichtlichen Zusammenhänge (im Zentrum etwa steht das Gedicht *Fragen eines lesenden Arbeiters*).

Eine zweite gleichnamige Sammlung plante Brecht in den Jahren 1945/46 (eine genauere Datierung ist nicht möglich; der Plan ist dokumentiert BBA 08/16–29, Bd. 4, S. 305; detailliert vorgestellt bei Bohnert, 173). Die Sammlung weist in ihrem ersten Teil große Übereinstimmungen mit der vorangegangenen auf, kehrt dann jedoch den »offenen« Schluß *(Rückkehr)* total um. Das Abschlußgedicht gerät nun etwa in die Mitte der Sammlung, unmittelbar gefolgt vom *Kälbermarsch* (5, 1976), dem bitterbösen Gedicht aus dem *Schweyk*-Drama, das Brecht nach der Melodie und dem Rhythmus des *Horst-Wessel-Lieds* der Nazis dichtete und das mit dem Bild des Kalbs, das sich bereitwillig seinem Schlächter ausliefert, das politische Mitläufertum in Deutschland geißelt. *Nach dem Krieg* ist das Gedicht nicht mehr nur auf den besiegten Nationalsozialismus gemünzt, was spätestens klar wird durch das vor den beiden abschließenden Gedichten stehende Gedicht *Das eine Kreuz und das andere Kreuz,* hinter dem sich *Hakenkreuz und Double Cross* (10, 882 f.) verbirgt. Im *Kälbermarsch* heißt die abschließende Strophe:

> Sie tragen ein Kreuz voran
> Auf blutroten Flaggen
> Das hat für den armen Mann
> Einen großen Haken. (5, 1976)

Die Umbenennung des Gedichts, das auf die Ähnlichkeiten von USA-Imperialismus und Faschismus aufmerksam machen sollte, radikalisiert und aktualisiert seine Parallelisierung. Statt Befreiung vom Faschismus wird er nun, so die »pessimistische« Tendenz dieser Lyrik-Sammlung, nach Deutschland exportiert. Warum dies möglich wird, deuten die zwischen *Kälbermarsch* und *Kreuz*-Gedicht plazierten Gedichte an. Es gab zwar Widerstand und seine Leistungen sind nicht zu vergessen (*Im Zeichen der Schildkröte;* 10, 855 f.), aber sie wurden nicht von der breiten Bevölkerung getragen, so daß der Widerstand nicht zu einer wirklichen politischen Kraft werden konnte (z. B. *Die Konstruktöre hocken;* 9, 817 = *1940,* Nr. III). Zu viele haben mitgemacht, zu viele sind mitgelaufen, und nun laufen sie wieder mit – mit einem neuen Antisozialismus. Am Ende steht denn (vor *Gedanken über die Dauer des Exils;* 9, 719 f.) der *Kinderkreuzzug 1939,* der historische Reminiszenz und – durch die Anordnung im Zyklus – Voraussage zugleich ist. Die Kinder, die – vergeblich den Frieden suchend – in den Tod ziehen, dabei zugleich zu einem Zug der Völker im (1939 gerade erst begonnenen) Weltkrieg werdend, ist mit dem Kriegsende nicht abgeschlossen, sondern geht weiter. Aus dem Mitläufertum der Kälber bildet sich der Zug der Völker, die in ihren (endgültigen) Untergang ziehen, weil der gerade beendete Krieg nicht wirkliche Erneuerung bringt, sondern die alte Konstellation – in freilich neuer »Verteilung« – erhält. Der dritte Weltkrieg liegt im Ende des zweiten beschlossen. Die Frage nach der Dauer des Exils im abschließenden Gedicht wird dabei auch ein Gedicht über die Dauer der (immer noch aktuellen) Fragestellung.

Christiane *Bohnert*: Brechts Lyrik im Kontext. Zyklen und Exil. Königstein/Ts. 1982 (S. 168–181).

Deutsches Miserere 1944

Das Oratorium ist nicht identisch mit dem gleichnamigen Gedicht aus dem *Schweyk*-Drama (dort 5, 1989). Es handelt sich vielmehr um ein umfassenderes Chorwerk, das Paul Dessau 1943, kurz nach dem Beginn ihrer Zusammenarbeit, bei Brecht bestellt hatte. Wie bei den *Gedichten im Exil* sollten nicht neue Gedichte geschaffen, vorhandene vielmehr sollten in neuer Zusammenstellung (mit Tendenz) zusammengestellt und vertont werden. So hat Brecht auch nur vier Verse unmittelbar für das *Deutsche Miserere* neu geschrieben, nämlich die unter dem Titel *Mit Beschämung* überschriebenen Zeilen (10, 943), ansonsten griff er auf die *Svendborger Gedichte* und die Sammlung mit Fotoepigrammen zurück, die 1955 in der *Kriegsfibel* publiziert worden sind. Das *Deutsche Miserere* wurde von Brecht 1944 zusammengestellt und Paul Dessau vor oder im Juli übergeben (vgl. die Notiz: »DESSAU macht gute fortschritte mit dem DEUTSCHEN MISERERE«; AJ 668; vom

30.7.44). Zumindestens in der ersten Zeit (bis Januar 1945; vgl. AJ 721) vertont Dessau die Gedichte in engstem Kontakt mit Brecht. Der Abschluß der Arbeiten erfolgt aber erst 1947 (15.4.).

Das *Deutsche Miserere* umfaßt drei Teile, eine Art »Einleitung«, die Deutschlands Entwicklung zum Krieg (durch den Faschismus) vorführt, dann den umfangreichen Mittel- und Hauptteil, nämlich 28 Vierzeiler aus der *Kriegsfibel*, deren Bilder in der Aufführung zu zeigen sind, und einen kurzen Schluß, das *Wiegenlied der Arbeitermutter* (Nr. II) aus *Lieder – Gedichte – Chöre* (1933) (Text 430f.). Das ausführliche Inhaltsverzeichnis findet sich bei Bohnert, 304f., oder bei Hennenberg, 469f.). Die Texte sind meist nicht identisch mit den in den Ausgaben abgedruckten Fassungen. Sie wurden ihrem – chorischen – Verwendungszweck neu angepaßt (oder aber auch später noch einmal überarbeitet). Varianten finden sich z.T. bei Hennenberg abgedruckt (138; Anmerkungen 372–378, 516f.). Hennenberg liefert auch eine eingehende Analyse der Musik (139–162).

Der Titel zielt mit seinem Anklang auf die »Deutsche Misere« auf die unheilvolle »Sonderentwicklung« Deutschlands hin, das – so die Diagnose der materialistischen Geschichtswissenschaft – aufgrund der ausgebliebenen bzw. nur »geistig« vollzogenen Revolutionen gegenüber der übrigen europäischen Entwicklung stets zurückgeblieben war und auch in ihren fortgeschritteneren Staatsformen bis hin zur Weimarer Republik vergangene Relikte am Leben und vor allem auch an Einfluß hielt (so etwa die preußischen Junker). War im 19. Jahrhundert durch die ausgebliebene bürgerliche Revolution die Entwicklung zum deutschen Nationalstaat erheblich verzögert und dann auch nur »kleindeutsch« vollzogen worden, so daß das »Nationalgefühl« keine wirkliche geschichtliche Grundlage hatte, so war im 20. Jahrhundert durch die mißratene (bzw. verratene) proletarische Revolution (1918/19) die Republik bloß formal errichtet worden. Weder wurde der Besitz an Produktionsmitteln angetastet noch wurde der alte monarchistische Beamtenapparat als auch das Militär entmachtet. Diese historischen Überständigkeiten konnten die Nazis u.a. für sich nutzen und gegen das eigene Volk wenden. Es kann kaum Zweifel geben,daß Brechts und Dessaus *Miserere* vor allem der Fehlentwicklung Deutschlands im 20. Jahrhundert gilt, da es pointiert mit einem *Wiegenlied* der proletarischen Mutter endet, die ihr Kind mahnt, sich nicht erneut der deutschen Misere zu beugen und unaufhaltsam seine Interessen durchzusetzen. Nur so kann ein erneuter Rückfall in die (überholt geglaubte) Barbarei vermieden werden. Der Faschismus hatte gezeigt, wohin die ungelösten Probleme der Vergangenheit und die Erhaltung alter staatlicher wie ökonomischer »Formen« geführt hatten.

Der Titel enthält auch eine biblische Anspielung, nämlich auf den 51. Psalm (der Luther-Zählung), dessen 3. Vers lautet: »Miserere mei, Deus, secundum magnam misericordiam tuam«(»Gott, sei mir gnädig nach deiner Güte«). Das Oratorium ist Appell und Anklage zugleich (vgl. Hennenberg, 139). »Miserere« ist der Aufruf – nun freilich nicht mehr an Gott –, sich Deutschlands zu »erbarmen«, es endlich aus der (schlechten) Vergangenheit zu befreien. Paradigmatisch steht zu Beginn des Oratoriums das *Deutschland*-Gedicht, das einmal *Lieder – Gedichte – Chöre* (9, 487f.) abgeschlossen hatte. Schlimmer noch als damals, grausam von innen und von außen besiegt, sitzt Deutschland als blutbesudelte alte Vettel unter den Völkern. Anklagend wird mit Fingern auf sie gezeigt, zugleich nach wirklicher Erneuerung gerufen. Aber ihr Schoß – so stellt sich die metaphorische Brücke zum letzten Gedicht des 2. Teils her – ist noch fruchtbar. *Dieses* Deutschland, diese *Mutter* muß, wie sich das Schlußgedicht nun in die metaphorische Reihe fügt (Anthropomorphisierung) durch die proletarische Mutter ersetzt werden:

> Du, den ich in meinem Leibe trage
> Du wirst unaufhaltsam sein. (nach Hennenberg, 139)

Der Schlußvers, der gegenüber seiner früheren Fassung (»Du mußt unaufhaltsam sein«; 9, 431) geändert ist, gibt sich optimistisch, formuliert als Gewißheit, was doch nur Forderung sein konnte und war, und Brecht – das zeigen die übrigen Gedichtsammlungen und Gedichte – wußte das.

Texte: 5 + 28 [+ 1 »Plazierung vorbehalten«] + 1 Nummern; siehe Detail-Aufstellung bei Hennenberg, 469f., Bohnert, 304f.

Fritz *Hennenberg*: Dessau, Brecht. Musikalische Arbeiten. Berlin 1963 (S. 135–162). – Christiane *Bohnert*: Brechts Lyrik im Kontext. Zyklus und Exil. Königstein/Ts. 1982 (S. 304f.).

Freiheit und Democracy. 1947

Das Gedicht wurde 1948 unter dieser Überschrift erstmals publiziert. Später erhielt es den Doppeltitel *Der anachronistische Zug oder Freiheit und Democracy* (so auch 10, 943–949). Der erste Teil des Titels geht zurück auf die von Brecht als Vorbild verwertete Ballade *The mask of anarchy (Der Maskenzug der Anarchie)* von Percy Bysshe Shelley (englischer Dichter, 1792–1822), und Brecht verwendet ihn nach der Fertigstellung als alleinigen Titel: »stelle DER ANACHRONISTISCHE ZUG fertig. eine art paraphrase von shelleys ›the masque of anarchy‹« (AJ 774; vom 20.3.47). Brecht hatte bereits 1938 – in der Auseinandersetzung mit Georg Lukács – Shelley als realisitischen Dichter gelobt und ausführlich aus der umfangreichen Ballade Shelleys zitiert. Diese bezieht sich auf die blutig unterdrückten Unruhen in Manchester von 1819. Shelley läßt in einem grausig-schrecklichen Zug auf visionäre Weise die alten und reaktionären Mächte von Manchester nach London paradieren, »die unter der Maske göttlicher Gesetzgebung das Volk einschüchtern und betrügen, es niederhalten und vielfach versklaven« (Hartinger, 90). Shelley verwendet dabei auch Allegorien, die sich als bekannte zeitgenössische Politiker maskiert haben (»I met Murder on the way / He had a mask like Castlereagh«, oder: »Next came Fraud, and he had on, / Like Eldon, and ermined gown«; nach Brecht, 19, 341). Brecht führt das Gedicht als Muster für einen Realismus an, der nicht vordergründig »realistisch« (das heißt naturalistisch) ist, sondern Bilder erfindet, die, indem sie satirisch die zeitgenössischen Politiker und ihre brutale Politik maskiert, deren reale Herrschaft demaskiert. »Realistisches Schreiben kann von nicht realistischem nur dadurch unterschieden werden, daß man es mit der Realität selber konfrontiert, die es behandelt. Es gibt keine speziellen Formalitäten, die zu beachten wären. Es wird vielleicht gut sein, dem Leser hier einen Schriftsteller der Vergangenheit vorzustellen, der anders schrieb als die bürgerlichen Romanciers und doch ein großer Realist genannt werden muß«, eben Shelley (19, 340). Man wisse »bei jeder Zeile, daß hier die Wirklichkeit zu Wort kam. Hier wurde nicht nur der Mord bei seinem richtigen Namen genannt, sondern, was sich Ruhe und Ordnung nannte, wurde als Anarchie und Verbrechen entlarvt«(19, 346). Da es Shelley gelingt, so Brecht weiter, konkrete (im Hegelschen Sinn) Bilder und »Symbole« zu entwerfen, gehöre er auf einen »sichtbareren Platz in der großen Schule der Realisten« (19, 348) als beispielsweise Balzac, der für Lukács *der* Realist des 19. Jahrhunderts gewesen ist. Shelleys Schreibweise ermögliche nämlich – im Gegensatz zu der von Balzac – die Abstraktion, das heißt die Übertragung der geschilderten Übelstände auf andere gesellschaftliche Zusammenhänge. Überdies – so als Ergänzung noch das »parteiische« Argument – sei Shelley ein Freund und nicht wie Balzac ein Feind der unteren Klassen gewesen. Realistische Schreibweise, so zeige es das Gedicht, müsse keineswegs auf Phantasie verzichten, im Gegenteil. Cervantes und Swift hätten das schon bewiesen, als sie Ritter gegen Windmühlen kämpfen oder Pferde Staaten gründen ließen. Nicht die Begrenzung auf das Abbild zeichne Realismus aus, vielmehr sei die Weite seiner Möglichkeiten für ihn kennzeichnend. Entscheidend ist allein, ob die Dichtung die Realität, die sie – mit Standpunkt – poetisch »bebildern«, zum Wort bringen will, auch wirklich »trifft«, nicht aber als ihr Abbild, sondern als Aufdeckung ihrer wahren Zusammenhänge. Deshalb müsse die Literatur sich auch ihre »Formen« von der Realität, die sie zur Sprache bringen will, geben lassen. Alle Empfehlung »Schreibt wie Shelley!« ist dann unsinnig, weil die Realität, die Shelley »symbolisierte«, nicht mehr die Brechts oder anderer ist.

Die Frage ist dann allerdings, warum schreibt Brecht 1947 wie Shelley – was seine Selbstaussage im *Arbeitsjournal* (AJ 744) bestätigt (er spricht von Paraphrase). Die Rechtfertigung liegt im Dargestellten: es ist die Parade des »alten Neuen«. Was da aufmarschierte, nach dem blutigsten Gemetzel, das die Welt erlebt hatte, war noch einmal das Alte (das Gedicht kann nur auszugsweise vorgestellt werden, da seine 41 Strophen die Dimensionen sprengten):

> Frühling wurd's in deutschem Land.
> Über Asch und Trümmerwand
> Flog ein erstes Birkengrün
> Probweis, delikat und kühn
>
> Als von Süden, aus den Tälern
> Herbewegte sich von Wählern
> Pompfhaft ein zerlumpter Zug
> Der zwei alte Tafeln trug. (10, 943)

Die Forschung hat daran erinnert, daß die Verse von 1947 Entsprechungen zu früheren Gedichten Brechts haben. Die *Legende vom toten Soldaten* (8, 256–259) hatte bereits den Aufmarsch der reaktionären Kräfte satirisch bloßgestellt – als aktive Unterstützung des mörderischen Kriegs. Und in den *Visionen* hatte Brecht bereits das »alte Neue« paradieren und die allegorisierten Laster und Tugenden (Rachsucht, Rohheit, Bildungshaß, Unterwürfigkeit, Schadenfreude, Ehrgeiz, Gerechtigkeit, Wissensdurst, Opfersinn, Ordnung, Sparsamkeit, Fleiß, Kälte, Hunger und Unterdrückung) »appellieren« lassen (9, 729; 14, 1437f.). Die *Visionen* von 1939 waren nach Brechts Meinung durch die sich abzeichnende Restauration in den Westzonen Deutschlands 1947 Realität geworden, herauskriechend aus den Trümmern, den ersten Keim eines »anderen«, neuen Deutschlands beseitigend (vgl. das Naturbild am Beginn und gleichzeitig die nach dem Krieg »florierende« Naturlyrik im Westen, z.B. von Gottfried Benn oder Elisabeth Langgässer, *Frühling 1947,* die sich ganz aus der Zeit entfernte und alte Idyllen beschwor).

Die Restauration in den Westzonen erscheint im Gedicht als Import aus den USA. Konkret ist die neu eingeführte »Democracy«, die Brecht »amerikanisch« schreibt und ausspricht, bezogen auf die – auf sog. »freien Wahlen« basierende – Errichtung von Länderparlamenten in den Besatzungszonen, die nach den Vorstellungen amerikanischer »Democracy« vollzogen wurden (Ende 1946 fanden die ersten Wahlen in den Westzonen statt). Brecht war klar, daß nach den für ihn ohnehin bitteren Erfahrungen, daß sich der Widerstand nicht durchsetzen und die Hitlerschergen buchstäblich bis zum Letzten schalten konnten, »freie Wahlen« nur bedeuteten, daß die Mehrheit der (mitgelaufenen, zumindest tolerierenden) deutschen Bevölkerung wiederum das »alte Neue« wählen würde. Überdies ließ die Einführung der parlamentarischen Demokratie, die verbunden war mit der Übernahme der alten (kapitalistischen) Wirtschaftsform das schnelle »Bewältigen« der faschistischen Vergangenheit befürchten. Brecht jedenfalls nimmt die ersten, sich abzeichnenden Symptome, daß unter amerikanischer Aufsicht der alte Staat restauriert werden sollte, zum Ausgangspunkt, diejenigen Personen und Gewalten aufmarschieren zu lassen, die bereits dem Faschismus gedient hatten.

Der Aufmarsch beginnt mit Personen, den Kriegsversehrten, den Kirchenleuten verschiedenster Coleur, den Industriellen, den »Pangermanen«, aber auch den Intellektuellen (bis zu den Dichtern), geht dann über in den Aufmarsch von Allegorien (Unterdrückung, Aussatz, Betrug, Dummheit, Mord, Raub – die eingesessenen »sechs Großen«) und endet mit dem Rattenzug, der aus den zerstörten Häusern schlüpft. Das Ende wirkt (beinahe) »apokalyptisch«, insofern das »unbekannte Geschlecht«, das heißt die Nachgeborenen, auf die Brecht so viel gesetzt hatte, im »Riesentotenwagen« im Zuge mitgeführt wird und nur noch die Ratten übrigbleiben. Es ist ein Zug zur »Grabsteinlegung« (9, 947), zur Wiederholung des Marsches, der einmal von München (durch Hitler) ausgegangen war und nun endlich dorthin zurückkehrt. Es gibt, so das Fazit, keine Zukunft mehr, wenn sich das »alte Neue« noch einmal etabliert.

Die Forschung hat das Gedicht als Satire beschrieben, wobei freilich groteske Einschläge hinzukämen, die überhaupt erst den Abscheu, den Ekel, das Entsetzen provozierten (Hartinger, 131). Es gehe nicht nur darum, die Lächerlichkeit der angeprangerten Vertreter des kapitalistischen Systems zu verspotten, »sondern zugleich vor ihrer Gefährlichkeit zu warnen und Widerstand und Schutz zu organisieren« (Hartinger, 132): »Zeit und Raum der Zukunft des Menschengeschlechts werden in grotesker Vision gesichtet, die Perspektive des Menschen dann, wenn sich die im Aufmarsch versammelten Kräfte und die von ihnen verfochtene ›freiheitliche und demokratische‹ Ordnung durchzusetzen vermögen. Diese Schlußvision der Ballade demonstriert im bildlichen Argument, daß die dergestalt intendierte Perspektive gleichsam eine Antizukunft des Menschen sein wird« (Hartinger, 136).

Das Gedicht hat – ohnehin eine böse Satire am Beginn eines Staatswesens, das sich selbst ganz anders sah – inzwischen Furore gemacht, weil es »aufgeführt« worden ist. Die Nummern- und Bilderfolge des Gedichts legt eine Umsetzung in einen gespielten, aufgeführten Zug nahe. Die Idee zur szenischen Aufführung des Gedichts hatte die Münchner Theatergruppe »Der Rote Wecker« im Jahr 1979. Als Aufführungsanlaß schien das bevorstehende 30jährige Jubiläum des Grundgesetzes der Bundesrepublik Deutschland, das verbunden wurde mit der Wahl eines neuen Bundespräsidenten, besonders geeignet. In einer Presseerklärung vom 23.4.1979 erklärten der Veranstalter (unterzeichnet von Günter Wallraff, Hermann Gremliza, Angela Kammrad, Willi Thomczyk und Ute Schilde): »Wir, die Unterzeichner, haben für den 23. Mai 1979 in Bonn einen Zug mit Abschlußversammlung unter freiem Himmel angemeldet, der Bertolt Brechts Gedicht ›Der anachronistische Zug oder Freiheit und Democracy‹ leibhaftig darstellt. Nachdem die Mehrheit der Bundesversammlung offensichtlich entschlossen ist, ein ehemaliges NSDAP-Mitglied und Hakenkreuzträger gerade in Anbetracht dieser seiner Vergangenheit am Jahrestag der Verkündung des Grundgesetzes zum höchsten Repräsentanten der BRD zu küren, erweist sich dieses Gedicht von Bertolt Brecht aus dem Jahre 1947 als weitsichtiger Beitrag zur bundesdeutschen Gegenwartsbewältigung« (nach Kammrad, 13). Die Realisierung des Zugs ging davon aus, daß das, was Brechts Gedicht in Bildern der Poesie vorweggenommen hatte, weitgehend Realität geworden war, die nun nur noch entsprechend vorgezeigt werden mußte. So stellte man Masken führender Politiker her oder konfrontierte die von den Nazis verwendeten Gasbehälter für Zyklon B, mit dem die Gaskammern der KZs »beliefert« worden waren, mit den heutigen Firmenzeichen der damaligen Hersteller, oder man verwendete in satirischer Weise die alten Nazi-Uniformen bzw. deren Embleme (bis hin zum überklebten Hakenkreuz, aus dem das christliche Kreuz geworden war). So wurde Strophe für Strophe mit »lebenden Bildern« umgesetzt, die sich zu einem langen Zug formierten, an dessen Ende ehemalige KZ-Insassen in der alten Anstaltskleidung mitliefen und ein Auto mit dem letzten Bild der *Kriegsfibel* (»Der Schoß ist fruchtbar noch / Aus dem das kroch«) firmierte.

Obwohl von den Veranstaltern als szenische Aufführung eines Kunstwerks deklariert, kam es vor der Genehmigung als »Demonstration« zu einer Inspektion des Zugs durch den Bonner Polizeipräsidenten, der nicht nur die Marschroute des Zugs entschieden verändern ließ, sondern auch strenge Auflagen machte. Namen mußten beseitigt werden, die Masken durften nicht als »Maskierung« getragen werden (die Darsteller hielten sie dann in der Hand), Uniformen mußten ausgezogen, bestimmte Bezüge zwischen nazistischer Vergangenheit und bundesdeutscher Realität getilgt werden. Hanne Hiob, eine Tochter Bertolt Brechts, die das Gedicht am Abschluß des Zuges noch einmal rezitierte, wertete die Eingriffe der Polizei als Zensur und äußerte: »Der Polizeipräsident maßt sich an, das Werk meines Vaters von 1947 besser interpretieren zu können als ich«; ein politischer Kommentar sekundierte: »Der Polizeipräsident unterdrückte den Versuch, mit künstlerischen Mitteln Aussagen zum politischen Geschehen zu machen« (nach Kammrad, 172).

Der Zug ging in der Form, die der Polizeipräsident von ihm verlangt hatte, über die Bonner Bühne, am 23. Mai 1979, freilich fernab von dem Geschehen, gegen das er u. a. anging. Die Beurteilung in der Presse war so, wie der jeweilige Standpunkt des Organs. Von »würdeloser Veranstaltung«, von »geschmacklosester Demonstration in der Geschichte der Bundesrepublik« bis hin zur notwendigen Offenlegung der »geschichtlichen Wahrheit« lauteten die Urteile. Insgesamt jedoch war die Berichterstattung der bürgerlichen Presse äußerst zurückhaltend, um so dem Zug die gewünschte Publizität zu entziehen.

Ganz gleichgültig, wie man die Eingriffe einschätzt, der Zug, der das Gedicht als »Theater« realisierte, bewies gerade durch die Eingriffe die außerordentliche Wirksamkeit des Brechtschen Verfahrens, durch satirische Maskierung zu demaskieren. Es gehört zur Ironie dieser Aufführung, daß die *Kostüme* und die *Masken,* also die eigentlichen Theaterrequisiten, als »wirklich« qualifiziert wurden und deshalb aus dem Zug entfernt werden mußten. Als Höhepuntk des – dem Gedicht würdigen – grotesken Mißverständnisses kann die Verhaftung von Zugmitgliedern (Schauspielern) wegen Tragens von SA-Uniformen gewertet werden. Diejenigen, die gegen die Erneuerung des Faschismus demonstrieren, werden mit ihm identifiziert. Insofern schrieb sich das Gedicht durch seine Aufführung fort.

Eine zweite Aufführung realisierte das ursprüngliche Team des Bonner Zugs zur Bundestagswahl 1980, und zwar diesmal mit einem Zug durch die gesamte Bundesrepublik, beginnend am 15. September, in Bonn zusammentreffend am Wahltag. Die Berichterstattung war diesmal noch geringer, die Hindernisse, die den Zug immer wieder stoppten, um so größer. Das Motto war diesmal »Brecht statt Strauß«. Obwohl der Zug am Ende seine 3300 Kilometer, die nur mit riesiger Organisation und entsprechendem Einsatz zu leisten waren, zurücklegte, fand er sein eigentliches Ende vor Gericht. Ein Jahr später verurteilte ein bayrisches Gericht drei der Teilnehmer zu Geldstrafen wegen »Beleidigung der Ehre des CSU-Vorsitzenden«. Theater wurde so einmal mehr Wirklichkeit.

Text: Gedichte 1941–1947 (= Gedichte VI). Frankfurt a. M. 1964. S. 155–161. – wa 10, 943–949.

Ulla C. *Lerg-Kill*: Dichterwort und Parteiparole. Propagandistische Gedichte und Lieder Bertolt Brechts. Bad Homburg v. d. H. [u. a] 1968 (S. 138–140, 158 f.). – Klaus *Schuhmann*: Untersuchungen zur Lyrik Brechts. Themen, Formen, Weiterungen. Berlin und Weimar 1973 (S. 78–85). – Bertolt Brecht. Der anachronistische Zug oder Freiheit und Democracy. Mit Bertolt Brecht am 23. Mai in Bonn gegen Carstens. Bilddokumentation. Hg. v. [u. a.] Angela *Kammrad*. München 1979. – Christel *Hartinger*: Bertolt Brecht – das Gedicht nach Krieg und Wiederkehr. Studien zum lyrischen Werk 1945–1956. Berlin 1982 (S. 81–143; ausführlichste Analyse des Gedichts, die vorliegt).

Die Lyrik der DDR

Zeit der Wiederkehr 1947–1949

Brecht kehrt über die Schweiz nach Deutschland zurück, sich zugleich um einen österreichischen Paß bemühend, den er schließlich auch erhält: »Ich kann mich ja nicht in irgendeinen Teil Deutschlands setzen und damit für den andern Teil tot sein« (Briefe, Nr. 597; vom April 49). Brechts Bemühen, zumal er den amerikanischen Antikommunismus handgreiflich erfahren hatte, galt der Erhaltung eines »ganzen« Deutschland (sicherlich nicht in den Grenzen von 1937), das heißt, er wendete sich sowohl in seinen Aufzeichnungen als auch »lyrisch« gegen die sich abzeichnende Aufgliederung in West- und Ostzonen, entsprechend der besetzenden Siegermächte. Die Gründe dafür lagen bei Brecht nicht im »Nationalen« oder gar »Nationalistischen«, das er als prinzipiell korrumpiert ansah, zumal die »Deutsche Misere« ohnehin verhindert hatte, daß dem »Nationalen« je ein gesellschaftlich materiell faßbarer Zustand entsprochen hätte. »alle diese redensarten einer pfiffigen salemanship von ›deutscher wissenschaft‹, ›deutschem gemüt‹, ›deutscher kultur‹ führen unhinderbar zu diesen ›deutschen schandtaten‹. gerade wir sind die rasse, die den anfang damit machen sollte, unser land das land nummer 11 zu nennen und basta. deutschland muß sich nicht als nation emanzipieren, sondern als volk, genauer als arbeiterschaft« (AJ 642; vom 11.11.43). In diesem Sinn verfocht Brecht die »gesamtdeutsche« Lösung, die eine – von ihm stets befürchtete – Amerikanisierung Deutschlands bzw. eines Teils von ihm verhindern sollte:

> *Steh auf, Michel!*
> Mach ihre Plän' zunicht!
> Steh auf und sei kein Tropf mehr
> Und gib nicht deinen Kopf her
> Für ein Dollarlinsengericht. (Supplementbd. IV, 407)

Die Erhaltung eines ganzen Deutschland konnte aber nur dann einigermaßen aussichtsreich sein, wenn nun endlich das »Volk« (also primär die Arbeiterschaft), wie es das 1948 verfaßte *Aufbaulied* formuliert, »wir uns um uns selber kümmern« und die »eigene Sache« gegen das »Schieberpack«, die »Wanzen« (Kleinbürger), »Junker, Unternehmer, Potentat« (10, 955f.) betreiben. Dieses Gedicht, geschrieben für die »Freie Deutsche Jugend« (FDJ), die sozialistische Jugendorganisation der Ostzone, wird die erste Nagelprobe für Brechts Einstellung. Die letzte Strophe nämlich stößt auf entschiedene Kritik des Berliner Gruppenleiters der FDJ, eine Kritik, die Brecht freilich schon vorausgesehen hatte (vgl. AJ 881; vom 21.12.48):

> 5
> Besser als gerührt sein, ist: sich rühren
> Denn kein Führer führt aus *dem* Salat!
> Selber werden wir uns endlich führen:
> Weg der alte, her der neue Staat!
> Fort mit den Trümmern
> Und was Neues hingebaut!
> Um uns selber müssen wir uns selber kümmern
> Und heraus gegen uns, wer sich traut! (10, 956)

Die Kritik, die die Hitlerreminiszenz als »olle kamellen« abtat, dafür aber die Führerrolle der Partei nicht berücksichtigt sah, wollte nicht erkennen, daß das gesamte – von Eisler schmissig vertonte – Lied zur »Sich-selbst-Führung« aufrief (was im übrigen mit der Rolle der Partei gar nicht prinzipiell im Widerspruch sein muß, vorausgesetzt, die Partei hat sich gegenüber den »Massen« nicht bereits verselbständigt). Es handelt sich dabei um ein durchgängiges Thema der sog. »Alterslyrik« Brechts (er war keine 50, als er zurückkam), das sich mit dem Stichwort der »Weisheit des Volkes« am besten benennen läßt. Brecht setzte nach wie vor auf die unmittelbare Erfahrung von Realität, der der Arbeiter, vor allem auch der Arme ausgesetzt war, die seine Existenz – oft im harten Kampf – direkt betraf, wohingegen der bürgerliche Standpunkt sich dadurch auszeichnete, daß die Frage nach den unmittelbaren »Lebensmitteln« hintan gesetzt war, weil sie gesichert waren (»die Speisenfolge änderte sich nicht«). Diese Erfahrungen, die zugleich nach der Nützlichkeit aller Vorschläge zu fragen pflegten, wollte Brecht primär genutzt sehen, und zwar möglichst in neuer Eigenverantwortung und Eigenaktivität.

Andererseits war die Kritik nicht unberechtigt. Brecht hatte bereits die Erfahrung machen müssen, daß die deutsche Arbeiterschaft keine Kraft gefunden hatte, Hitler von sich aus zu vertreiben. Nach seiner Rückkehr konstatiert er zusätzlich die »psychischen verwüstungen«, die nicht weniger nachhaltig seien als die physischen (AJ 850; vom 25.10.48). Brecht indiziert also den Mangel an möglicher Selbstführung indirekt durchaus, so daß die Propagierung der »Volksweisheit« doch mehr Wunsch, Appell, aber weniger Wirklichkeit ist. Entsprechend höhnisch verfährt das *Aufbaulied* mit dem abstrakten (allgemeinen) Freiheits-Begriff (»das Schieberpack..., / Das nach Freiheit jammert früh und spat«; 10, 955): gegen die Freiheit, wieder – auf Kosten der anderen – Geschäfte zu machen, sprach sich Brecht durchaus aus wie auch gegen »freie Wahlen«, mit denen er die Gefahr verbunden sah, daß das psychisch deformierte Volk mehrheitlich wiederum Politiker wählte, die die Interessen des Volks nicht wahrnehmen würden. Hier tut sich ein objektiver Widerspruch auf, von dem aus die wesentlichen Gegensätze zwischen Brecht und seinem (späteren) Staat sowie seiner führenden Partei (SED) begreifbar werden. Brecht wollte Erneuerung von unten. Das *Aufbaulied* spricht zwar vom »neuen Staat«, Brecht war jedoch nachweislich unzufrieden mit dieser »Abstraktion«, weil der Begriff zu sehr das Institutionelle und »Fertige« betont und nicht die erst allmählich zu schaffende Neuordnung des Zusammenlebens (so wenig »Staat« wie möglich, nach Lenins Maxime) (»bin unzufrieden, daß der ›neue staat‹ hereinkommt, ist aber nötig, damit der materielle Aufbau verknüpft werden kann mit dem politischen«; AJ 881; vom 21.12.48). Mit der Erneuerung von unten verband sich auch die Hoffnung auf die »gesamtdeutsche« Lösung, die Brecht schon deshalb nachhaltig vertrat, weil er in einer Teilung die (künftigen) Konfrontationen beschlossen sah (»3. Weltkrieg«). Es war klar, daß gerade kein »neuer staat«, sondern nur eine große Volksbewegung diese Lösung noch zuließ. Auf der anderen Seite beobachtete Brecht auch, daß die amerikanische Restauration in den Westzonen Einzug hielt, daß das Versprechen von »Demokratie« die Massen beruhigte und zugleich die Absens von politischer Willensbildung auf breiter Front unübersehbar war. Die westliche SPD lehnte nach wie vor das Bündnis mit den Kommunisten ab, und mit den ersten Wahlen Ende 1946 etablierten sich die bürgerlichen Parteien in den Westzonen erneut. Von kommunistischer Seite aus gesehen war denn der Aufbau eines »neuen Staats« von oben, begrenzt auf die Ostzone, die Forderung der Stunde, und der »Executor« konnte nur die Partei sein, die der Neueinrichtung der bürgerlichen Gesellschaft im Westen einen befohlenen Sozialismus im Osten entgegensetzte. Der befohlene Sozialismus, den Brecht bejahte (AJ 864; vom 9.12.48), mußte zu Kollisionen mit der »Volksweisheit« führen, weil nicht nur ihr Spielraum entschieden eingeschränkt war, sondern auch ihrer politisch progressiven Kraft zunehmend mißtraut wurde. Überdies waren die materiellen Grundlagen dürftig genug. Zur Kriegszerstörung kamen die Reparationen, die die Sowjets forderten, um ihre Wirtschaft wieder anzukurbeln, das heißt, daß die Produktionsmittel den Arbeitern (von oben) in einem Zeitpunkt übergeben wurden, in dem sie zugleich ihre Produkte dem Sieger abliefern mußten. Das neue Volkseigentum begann sozusagen mit seiner rigorosen Entfremdung; ein Aufbau »für sich selbst« war so nur geringfügig gewährleistet, Identifikationen mußten ausbleiben, zumal gleichzeitig noch die alten bürgerlichen Freiheiten verweigert waren.

Es verwundert daher nicht, daß Brechts Lyrik in der DDR zunehmend auf Distanz geht. Das soll nun nicht heißen – diese Spekulationen stehen der heutigen Brecht-Forschung nicht mehr an –, daß Brecht der DDR und ihrer Entwicklung negativ gegenübergestanden hätte und daß er womöglich jetzt (wie Wolf Biermann) – lebte er noch – im Westen zu finden wäre. Die Nachkriegslyrik (und nicht nur sie) ist da eindeutig. Das kapitalistische System und seine Form der Demokratie sind durch den Faschismus, der keinen Gegensatz zu ihnen bildet, sondern aus ihnen hervorgegangen ist, für Brecht grundsätzlich korrumpiert; eine Erneuerung unter amerikanischem Schutz (s. *Freiheit und Democracy*) erneuert auch die alte, unheilvolle Konstellation in Europa, die bereits zu zwei Weltkriegen geführt hat. Zukunft konnte für Brecht nur der Sozialismus bringen, und er hätte sich gern seine Realisierung in ganz Deutschland gewünscht, um *den* Krisenherd der Moderne endlich zu beseitigen. Mit der Teilung konnte es entsprechend für Brecht gar keine andere Wahl geben, als in die von den Sowjets besetzte Zone zu gehen, von der aus er sowohl Kritik an der – abgelehnten – westlichen Entwicklung üben als auch seine Vorstellungen von Sozialismus im Osten propagieren konnte. Die Distanz stellt sich dadurch her, daß Brecht seine Adressaten – auf deren Weisheit er baute – nur in sehr geringem Maß fand, daß sein politisches und künstlerisches Konzept nicht den – für erforderlich erachteten – Notwendigkeiten, diesen sozialistischen Staat zu behaupten und einem ev. neuen Kriegsausbruch entgegenzusteuern, entsprach und daß die durch Krieg und Reparationen herausgeforderten Überlebensmaßnahmen die von Brecht gewünschten Gesichtspunkte objektiv kaum oder gar nicht berücksichtigen konnten. Brecht war damit – trotz der guten Arbeitsbedingungen – zunehmend in eine Beobachterrolle gedrängt, die ihn, statt unmittelbarer Mitarbeit, die es natürlich auch gab, distanzierte und isolierte.

Die Beobachterrolle freilich forderte bei Brecht eine »Weisheit« heraus, die dazu führte, daß die Forschung, was ihr weitgehend nicht bewußt ist, schon recht früh von Brechts »Alterslyrik« spricht, als ob es ausgemacht gewesen wäre, daß Brecht früh stirbt und deshalb seine letzten zehn Jahre bereits als »Alter« einzustufen wären.

Ein großes Thema der »Rückkehrlyrik« ist das der Erhaltung des so mühsam und grausam errungenen Friedens. Im offenen Brief an die deutschen Künstler und Schriftsteller am 26. September 1951 schrieb Brecht, gegen die kommende Aufrüstung Stellung beziehend, die berühmt gewordenen Schlußzeilen: »Das große Carthago führte drei Kriege. Es war noch mächtig nach dem ersten, noch bewohnbar nach dem zweiten. Es war nicht mehr auffindbar nach dem dritten« (Faksimile bei Werner Hecht: Bertolt Brecht. Sein Leben in Bildern und Texten. Frankfurt a. M. 1978. S. 269). Diese Warnung ist in der Lyrik der Jahre 1947/48 mehrfach vorgeprägt, da konkret formuliert angesichts der verwüsteten Städte, deren (kapitalistischer) Wiederaufbau schon die kommende Zerstörung in sich trägt:

Über die zerrissene Straße
Ziehen neun Trümmerweiber einen Karren
Eine Polizistin an der Straßenkreuzung
Ruft:
Noch sind Trümmer da. Bald wird wieder
Eine Stadt stehen, aber die Punier
Führten *drei* Kriege. (Supplementbd. IV, 405 f.)

Brecht hatte der Schlag der Atombomben auf Hiroshima und Nagasaki schwer getroffen, und er sah in diesem Waffensystem, den *Galilei* mehrmals umschreibend und aktualisierend, die Endgültigkeiten der kommenden Kriege:

Als es den Erbärmlichen nicht gelungen war
Einen einzigen Fehler in ihren Formeln zu machen
Erhob sich, heißt es, eine Wolke
(Supplementbd. IV, 406)

Diese Gedichte, die erst ab 1982 allgemein zugänglich sind, knüpfen recht deutlich an die Gedichte der *Steffinischen Sammlung* an. Dort treten aus den Bücherhallen die Schlächter, und die Gelehrten beugen sich über die Bücher, ein Fehler in ihrer Rechnung würde die Städte unzerstört lassen. Diese Thematik war nach dem Krieg für Brecht unvermindert aktuell, ja sogar noch entschiedener, als nicht nur die Zerstörung durch die »konventionellen« Waffen vor Augen lag, sondern die Atombombe endgültigere Vernichtungen ankündigte. Der Forderung nach Verweigerung (z. B. auf Schweyksche Weise) entspricht in gewisser Weise die Forderung, die Weisheit des Volkes stärker zu berücksichtigen. Das Volk hatte *alle* Kriege verloren (egal auf welcher Seite) und seine Leiden hätten nach 1945 zu einer völligen Neubewertung des Krieg-Führens führen können, zu einer Kontrolle der entsprechenden Apparate, zu ihrer Ausschaltung bei kriegerischem Mißbrauch (Galilei-Thema).

Außerdem kennzeichnet sich die »Rückkehrlyrik« dadurch, daß sie wieder mit Adressaten rechnet, sie anspricht, Kontakte herstellt, Appelle formuliert, Solidarisierungen empfiehlt. Die Isolation, die das Exil so einschneidend mit sich gebracht hatte, ist aufgehoben, konkrete Arbeiten mit Publikum sind wieder möglich (kein Wunder, daß im Mittelpunkt die Dramatik steht und die Lyrik merklich zurücktritt). Brecht widmet Gedichte seinen wiedergefundenen oder wiederzufindenden Freunden (Caspar Neher), appelliert an die Landleute (10, 965), sich mit sich selbst zu erbarmen, oder ruft die Jugend zum neuen Lernen auf. Der Ton dieser Lyrik ist nie emphatisch, nie besetzt von Zukunftsvisionen nach der Stunde »Null«, die es für Brecht nicht gab. Wichtig ist ihm vielmehr, die notwendige Erledigung der schlechten Vergangenheit zu empfehlen und den Neuaufbau konkret durchzuführen, das heißt, indem auch das Alte, das der Krieg übriggelassen hatte, beseitigt würde. Das Pathos eines Johannes R. Becher, der die »Auferstehung aus den Ruinen« feierte und 1949 große Worte zu Goethes Geburtstag fand, bleibt Brechts Lyrik fremd. Selbst, wo er sich wie beim *Zukunftslied* zur »wunderbaren« roten Fahne bekennt (10, 956 f.), bleibt idealisierende Übersteigerung aus. Seine letzte Strophe endet »Und schon wollen neue Herren uns in neue Kriege zerrn« und benennt somit die konkret anstehenden Zukunftsaussichten, die zu »bewältigen« sind.

Aus der Reihe fallen zwei Gedichte, die erst mit der Supplementausgabe der Gedichte bekannt geworden sind, zwei »pornographische« Sonette, die an die erotischen Sonette der dreißiger Jahre anschließen, für die späte Lyrik jedoch Ausnahmen bleiben. Die öffentliche Reaktion auf diese Gedichte, die im (meist unausgesprochenen) Mittelpunkt der Diskussion um Werner Hechts Band *Gedichte über die Liebe* standen, war 1982/83 beinahe durchweg negativ. Der kleinbürgerliche Sexualprotz kehre sich da heraus, die Frauen seien bloßes Sexualobjekt, das Ganze peinlich und überflüssig. Diese Vorwürfe könnten zutreffen, wenn die Kritik nicht übersähe, was für die gesamte Lyrik Brechts (mit Ausnahmen) gilt. Sie ist distanzierte Rollenlyrik, kein Selbstausdruck, nicht einfach als »Meinung«, Überzeugung, gar Ausdruck des Unbewußten mißzuverstehen. Gerade die Sonette sind formal gebändigt, in der Erfüllung einer vorgegebenen Form spielerisch, zugleich dem schnöden Sexuellen poetische Weihe gebend, Kunstprodukte, deren Kritik in der Beobachtung des Brechtschen Realismus auf die Kritiker zurückfällt. Das ist besonders augenfällig bei den beiden Zürcher Sonetten, für die es richtig gewesen wäre, wenn die Herausgeber (Herta Ramthun in den Supplementbänden, Werner Hecht im Band der Liebesgedichte) den unterzeichneten Namen in den Text aufgenommen hätten, Thomas Mann nämlich. Es ist bisher nicht bekannt, was Brecht veranlaßt haben könnte, den alten (großen) Kontrahenten zum »Verfasser« seiner pornographischen Lyrik zu stilisieren. Brecht konnte nach der Rückkehr unschwer beobachten, wie Thomas Mann die USA-Rolle nun auch für das Nachkriegsdeutschland übernahm, wobei auch gerade die sozialistische Seite sich viel intensiver um Mann als um Brecht kümmerte. Manns Realismus war – der damaligen, von Lukács beherrschten Realismusauffassung – näher als Brechts. Manns *Doktor Faustus* rückte repräsentativ, 1947 veröffentlicht, in die Reihe *der* Deutschlanddichtungen (überhaupt). Die Zeitschriften waren 1948/49 voll von Besprechungen dieses Romans sowie von *Lotte in Weimar,* der, 1939 erstpubliziert, 1948 in Deutschland erschien und die »gute deutsche Tradition« wachrief. In diesen übergreifenden Zusammenhängen ist vorläufig – bis genauere »Anlässe« bekannt sind – die Zuschreibung an Thomas Mann zu sehen (*Über die Verführung von Engeln, Sauna und Beischlaf;* Supplementband IV, 401 f.). Das »Engel«-Gedicht, das statt auf bürgerlich-hohe Literaturtradition auf das sog. »Volksvermögen« (Peter Rühmkorf) zurückgreift, gehört zu den besten erotischen Gedichten der deutschen Lyrik:

Engel verführt man gar nicht oder schnell.
Verzieh ihn einfach in den Hauseingang
Steck ihm die Zunge in den Mund und lang
Ihm untern Rock, bis er sich naß macht, stell
Ihn das Gesicht zur Wand, heb ihm den Rock
Und fick ihn. Stöhnt er irgendwie beklommen
Dann halt ihn fest und laß ihn zweimal kommen
Sonst hat er dir am Ende einen Schock.

Ermahn ihn, daß er gut den Hintern schwenkt
Heiß ihn dir ruhig an die Hoden fassen
Sag ihm, er darf sich furchtlos fallen lassen
Dieweil er zwischen Erd und Himmel hängt –

Doch schau ihm nicht beim Ficken ins Gesicht
Und seine Flügel, Mensch, zerdrück sie nicht.

Der Typus der unbefriedigten, ihre Sexualität nicht genießenden bürgerlichen Frau durchzieht Brechts lyrisches Werk. In der früheren Lyrik, wenn die keusche Dame sich von einem Berserker im Vorbeigehen »hinhauen« läßt (*Keuschheitsballade in Dur;* 7, 2729 f.) oder die Ehefrau ihren Schoß versteckt, um sich dann »stehend an der Mauer« nehmen zu lassen, ist der Ton satirisch-aggressiv. Die Verlogenheit der bürgerlichen Moral, die die Sexualität als »Sauerei« denunziert, zugleich aber Prostitution als Pendant hervorbringt, fördert ein Sexualverhalten, das den Geschlechtsgenuß verroht, ja offenbar in der Verrohung erst Befriedigung findet. Das späte Gedicht hat alle Bissigkeit abgeworfen. Der Ton ist frei, überlegen und wohl nur von kleinbürgerlichem Blick mißzuverstehen. Die Frau erscheint nun in der Gestalt des Engels, die Brecht womöglich so in Hollywood kennengelernt hatte, schöne Geschöpfe, die zwischen Himmel und Erde schweben, der Realität ebenso enthoben sind, wie sie umgekehrt nicht ganz »aus der Welt« leben. Es gibt noch Bindung an die unwürdigen, schmutzigen Realitäten, aber die Entfernung ist bereits so groß, daß sie nicht mehr als Realitäten erfahren werden können bzw. sollen (sonst »fällt« der Engel).

Das Gedicht gibt sich als Verhaltensanweisung an einen Menschen, der zunächst (scheinbar) über den »Engel« verfügt. Solche Anweisungen von sich überlegen dünkenden Männern (Jünglingen), die ihre »Erfahrungen« weitergeben, sind aus dem »Volksvermögen« bekannt, Anweisungen, die mehr dem Wunschdenken als der Realität entspringen, doch aber auch sehr reale Erfahrungen mit einem bestimmten Rollenverhalten sowohl der Frau als auch des Mannes (ungewollt und gewollt) verraten. Spätestens Brechts Schlußpointe jedoch hebt dieses scheinbare Verfügen über Menschen wieder auf. Denn es geht weniger ums »Ficken« wie bei den Handlungsanweisungen im »Volksvermögen«, sondern um die Einstellung auf ein vorgegebenes Verhalten. Im Falle des Engels ein Verhalten, das nicht mit der Realität in wirkliche Berührung kommen darf, dennoch aber nicht von ihr zu lösen ist, in diesem Fall von der realiter vorhandenen Sexualität. Die grundsätzliche Alternative formuliert das Gedicht im ersten Vers: wer sich nicht angemessen auf den Engel einstellt, sollte es ganz bleiben lassen. Nähert man sich aber auf die richtige Weise, »schnell«, das heißt ohne Bewußtwerdung, was geschieht, dann entwickelt der Engel nicht nur sexuelle Kraft, sondern er kann auch zu seiner Befriedigung gelangen. Daß Brecht nun gerade den Koitus ganz in der Engel-Metaphorik erfaßt (»furchtlos fallen lassen«, »zwischen Erd und Himmel hängt«), macht u.a. den spielerischen Kunstcharakter aus, wie auch die Betonung der Verantwortung, die »der Mensch« für das Wohlgefallen des Engels hat (»hat er *dir* am Ende einen Schock«). Jegliche sexuelle Verkniffenheit vermeidet das Gedicht schon dadurch, daß es konsequent beim Engel, grammatisch beim Maskulinum, bleibt, dadurch Identifikationen mit »Weib«, »Mädchen«, »Frau« vermeidet. Dazu gibt sich das Sexuelle stets doppeldeutig: das »naß machen« hat neben der sexuellen Bedeutung auch noch die umgangssprachliche Nebenbedeutung »Angst haben vor«. Diese Formel erfaßt im doppeldeutigen Bild das Nebeneinander von sich steigender Sexualität und der Angst vor ihr, weil sie »unschön«, »unrein« ist, ein Nebeneinander, das das gesamte Gedicht durchzieht. Das Gedicht – so wird es in seinem Verlauf klar – will nun nicht mehr – wie die bürgerliche Sexualmoral – Menschen denunzieren, sondern diese Moral, die das »Engel«-Verhalten und die »Engel«-Einstellung (zur Realität) mit hervorruft.

Das Schlußduett läßt den Sachverhalt vollends deutlich werden. Die Anweisung, dem Engel nicht ins Gesicht zu sehen, ist notwendig, weil der Engel seine Sexualität nur anonym erfahren und genießen kann. Würde er identifizierbar, so könnte man mit Fingern auf ihn zeigen, zeigen, daß er ein »gefallener« Engel ist. Die lyrische Anweisung nimmt darauf Rücksicht und macht den Engel (als bürgerlichen Menschen) nicht habhaft. Der Schlußvers geht noch weiter. Er nimmt auf einmal die Engelmetapher beim Wort und läßt dem Engel buchstäblich Flügel wachsen, das heißt, daß die heitere Kunst die (Schein-)Realität des Engels poetisch anerkennen, ja »realisieren« darf. Die gesamte Szenerie, die als Koitus im Stehen ausgebreitet ist, bekommt mit dem Schlußvers eine enthobene Heiterkeit, die das Paar auf poetischen Flügeln regelrecht davonträgt. Der behutsame Umgang, der alle vorangehende Deutlichkeit mit einem Mal aufhebt, gibt der Verhaltensanweisung – die wohlgemerkt nicht als »ausgeführte« poetisch realisiert ist – die möglicherweise zunächst vermißte Humanität zurück.

Aus diesen Hinweisen geht hervor, daß das Gedicht zugleich ein Gedicht über den Unterschied zwischen bürgerlichem Realismus und dem Brechts ist. Die Einstellung des sich als überlegen darstellenden, aber auch Rücksicht nehmenden (kritischen) Realisten hat sich gewandelt. Brecht gießt nicht mehr seine Kübel voll Hohn aus, er nimmt Rücksicht, aber besteht zugleich auf der von ihm erkannten (hier der sexuellen) Realität. Die Flucht des bürgerlichen Realismus in »engelhaftes« Dasein, zwischen Himmel und Erde, kann vom kritischen Realisten anerkannt sein, wenn sie nicht zur gänzlichen Preisgabe von Realität führt. Die Probe darauf ist die »Verführung«. Daß der Engel verführbar ist, beweist, daß er noch »in« der Realität ist. Im Gegensatz aber zum »Dichter« bleibt sein Genuß bloß gefühlt, ohne Bewußtsein, abhängig vom »Verführer«; dieser dagegen erfährt sich und den »Engel« und bleibt zugleich genießend bei Bewußtsein. – Auch so läßt sich das Programm des Brechtschen Realismus gestalten.

Texte: Gedichte 1948–1956 (= Gedichte VII). Frankfurt a.M. 1964. S. 25–45. – Gedichte. Nachträge zu den Gedichten (= Gedichte VIII). Frankfurt a.M. 1965. S. 203 f. – wa 10, 953–969. – Supplementband IV, 401–408. – Gedichte über die Liebe. Ausgewählt von Werner *Hecht*. Frankfurt a.M. 1982.

Klaus *Schuhmann*: Untersuchungen zur Lyrik Brechts. Themen, Formen, Weiterungen. Berlin und Weimar 1973 (S. 84–91). – Nosratollah *Rastegar*: Die Syombolik in der späteren Lyrik Brechts. Frankfurt a.M. [u.a.] 1978 (S. 187–237). – Christel *Hartinger*: Bertolt Brecht – das Gedicht nach Krieg und Wiederkehr. Studien zum lyrischen Werk 1945–1956. Berlin 1982 (S. 145–181).

Neue Kinderlieder 1950

Brechts *Kinderlieder* von 1950 nehmen eine Tradition auf, wenden sich aber zugleich auch gegen sie. Die frühen *Kinderlieder*, die *Wiegenlieder* von *Lieder – Gedichte – Chöre* (1934) oder der *Svendborger Gedichte* (1939), sind noch ganz vom herrschenden Faschismus bestimmt. Die Ratschläge, die an die Kinder ergehen, sind getragen von der List, die Wahrheit in schwierigen Zeiten dennoch zu sagen und die Hoffnung auf eine bessere Zeit aufrechtzuerhalten. Diese Zeiten haben sich 1950 geändert, wenn auch die Erinnerung an die faschistische Vergangenheit wachbleibt. Der Ton der Gedichte ist leicht, ihre Bilder sind direkt geworden; daß die neue Realität von denen, die in ihr wirken und leben, beherrscht ist – sie nicht mehr von ihr beherrscht werden –, setzen die Gedichte voraus. Sie sind spielerisch und so formuliert, daß sie, was Brechts Thema der späteren Lyrik ist, die Sprache und die Weisheit des Volkes zum Ausdruck bringen. Klaus Schuhmann hat festgestellt: »Es ist offensichtlich, daß Brecht in diesen Gedichten den ersten Versuch wagt, die neue Wirklichkeit (in Gestalt neuer Verhaltensweisen und neuer Gefühle und Gedanken) poetisch sinnfällig zu machen« (Schuhmann 1968, 42). Ergänzt jedoch werden muß, daß die neuen Lieder – und das ist wiederum ganz paradigmatisch zu sehen – sich im Anklang an alte, volksgängige Formen realisieren:

Flieg, Drache, flieg!
Am Himmel ist kein Krieg.
Und reißt die Schnur, dann fliegt das Ding
Hoch über Moskau bis Peking.
Flieg, Drache, flieg! (10, 976)

Das Vorbild lautet:

Flieg, Käfer, flieg,
dein Vater ist im Krieg,
deine Mutter ist im Pommerland,
Pommerland ist abgebrannt,
flieg, Käfer, flieg. (nach Hartinger, 204)

Gattungsmäßig ist Brechts Neufassung des traurigen, defaitistischen Kinderlieds als »Parodie« zu beschreiben, obwohl der Name nicht so recht passen will. Die Form ist erhalten geblieben, der Inhalt hat sich im positiven Sinn erneuert. Wo das alte Kinderlied den Krieg als unabänderliches Schicksal beschreibt, entwirft Brechts Lied eine befriedete Welt, durch die der kindliche Drache auch dann ungefährdet fliegen kann, wenn er der kindlichen Hand entgleitet (zu bemerken ist, daß der Himmel – nur – über dem Osten der Welt befriedet ist).

Auch andere Gedichte der Sammlung sind reines »Volksvermögen«:

Onkel Ede hat einen Schnurrbart
Der Schnurrbart hat fünf Haar.
Und daß ihm keins verloren geht
Hat jedes einen Namen, klar.

Sie heißen Fritz und Otto
Und Max und Karl und Paul.
Max ist etwas kränklich
Und Fritz ein wenig faul. (10, 976)

Wie die (positive) Parodie durch ihre Bezüge vielschichtig wird, hat auch dieses Gedicht, zunächst als kindlicher Abzählreim zu qualifizieren, doppelten Boden. Peter Rühmkorf würde das Gedicht unter das 4. Kapitel der »Respektspersonen« eingeordnet haben. Hier ist es Onkel Ede, der einen Bart hat, der kein Bart ist. Um ihn als solchen zu deklarieren, wird er auf unsinnige Weise (»klar«) personifiziert, und zwar mit typisch deutschen Vornamen und zwei negativen Klassifizierungen, die endgültig dem »Bart« den Garaus machen werden. Auf unverkniffene Weise entsteht eine Karikatur des traditionellen deutschen Kleinbürgertums, das auf seinen – noch so windigen – Besitz stolz ist und ihn liebevoll hegt und pflegt. Da sind in Onkel Edes Gestalt noch die alten Zeiten, die Kinder aber haben sich längst von ihr emanzipiert. Ihr entlarvender fröhlicher Spott gibt den Edeschen Besitztümern keine Zukunftschance mehr. Onkel Ede wirds leiden müssen, weil die Kinder schon einsichtiger und weiter sind als er. Dieser Abschied der Vergangenheit ist heiter.

Auf diese Weise enthüllen alle Kindergedichte Doppelbödigkeiten, die jedoch Einzelanalysen vorbehalten bleiben müssen. Um noch ein Beispiel zu nennen: das *Drachenlied* verbildlicht auf einfache Weise die dialektische Maxime von Francis Bacon, wonach die Natur nur der besiegen kann, der ihr gehorcht, die Brecht zur Beschreibung seines Theaters herangezogen hat (vgl. BH 1, 381):

Wenn wir an der Schnur dich halten
Wirst du in den Lüften bleiben
Knecht der sieben Windsgewalten
Zwingst du sie, dich hochzutreiben. (10, 970)

Die »Dialektik« ist doppelt. Der Drache steigt nur, wenn er gehalten wird, also die notwendigen Spannungen und Kräfte da sind, die gegeneinander wirken und dennoch gemeinsam für Auftrieb sorgen. Der Drache ist den Winden ausgeliefert, dennoch aber zwingt er sie, ihre Kraft an ihn weiterzugeben, so nutzt der Mensch, hier das Kind, die Naturgewalten aus, indem er (es) sich ihnen anpaßt. Die Herrschaft über die Dinge verdankt sich der genauen Kenntnis ihrer Funktionen, ihrer Anwendung durch »Unterwerfung«. Durch solche – täglich angewendete, im Spiel realisierte – Produktivität kann aus Knechtschaft Herrschaft werden, eine Einsicht, die das Kind spielerisch gewinnen kann.

Zu verweisen ist abschließend auf die *Kinderhymne,* die u.a. einen Gegenentwurf zum *Deutschlandlied* des August Heinrich Hoffmann von Fallersleben darstellt, deren 3. Strophe (nur) die Hymne der Bundesrepublik Deutschland geworden ist, die damit das alte verpönte Lied übernahm, zugleich aber ihre hyperbolischen Töne stutzte (sie waren im 19. Jahrhundert verständlicher Wunsch nach einem deutschen Nationalstaat, zugleich aber auch Ausdruck der »deutschen Misere«, die etwas im Geiste produzierte, was der Wirklichkeit nicht abzuringen war). Brecht entwirft ein »andres gutes Land«, das sich *gleichberechtigt* und friedfertig unter den Völkern bewegt und seine »Liebe« nicht mehr aus nationalen Gefühlen, sondern aus der tätigen Verbesserung seiner Bewohner bezieht:

> Und nicht über und nicht unter
> Andern Völkern wolln wir sein
> Von der See bis zu den Alpen
> Von der Oder bis zum Rhein. (10, 978)

Bei Hoffmann von Fallersleben hatte Deutschland »über alles« zu sein und seine Grenzen erstreckten sich »Von der Maas bis an die Memel, / Von der Etsch bis an den Belt«, Ausmaße, die unbewußt den deutschen Imperialismus, wie er später dann zweimal hausen sollte, poetisch vorwegnahmen, im Geiste schaffend, was real nicht zu haben war. Brecht benennt deutlich die Grenzen der (neuen) Besatzungszonen, unter Anerkennung der russischen Annektionen, die den feudalen Überresten des preußischen Junkertums galten, ein Deutschland, auf sein Maß reduziert, stark genug mit den Völkern zu leben, schwach genug, nicht wieder über sie herzufallen.

Nach Aussagen von Hanns Eisler hat Brecht die *Kinderlieder* »für ihn«, das heißt zur Vertonung geschrieben. Während Eisler mit den *Neuen deutschen Volksliedern* von Johannes R. Becher gut zurecht kam, machten ihm die Brechtschen Lieder Mühe, obwohl er beide Liedsammlungen als Einheit ansah, und zwar zur Schaffung eines neuen (unsentimentalen), von schlechter deutscher Vergangenheit befreiten Volkslieds: »Neue Volkstümlichkeit ist ein Umschlagen des Neuen in das Einfache. Sie wird, ohne gemein zu werden, Gemeinschaft finden mit einer Sprache, die auch der Unerfahrene versteht. Sie ist das Gegenteil zum Epigonentum, aber sie wird Tradition in sich haben und alle Künste des Handwerks« (Hanns Eisler: Materialien zu einer Dialektik der Musik. Leipzig 1973. S. 208).

Texte: Gedichte 1948–1956 (= Gedichte VII). Frankfurt a. M. 1964. S. 48–58. – wa 10, 970–978.

Klaus *Schuhmann*: Themen und Formenwandel in der späten Lyrik Brechts. In: Weimarer Beiträge. Brecht-Sonderheft 1968. S. 39–60. – Klaus *Schuhmann*: Untersuchungen zur Lyrik Brechts. Themen, Formen, Weiterungen. Berlin und Weimar 1973 (S. 91–99). – Peter Paul *Schwarz*: Lyrik und Zeitgeschichte. Brecht: Gedichte über das Exil und späte Lyrik. Heidelberg 1978 (S. 108–115). – Christel *Hartinger*: Bertolt Brecht – das Gedicht nach Krieg und Wiederkehr. Studien zum lyrischen Werk 1945–1956. Berlin 1982 (S. 181–223). – Peter *Rühmkorf*: Über das Volksvermögen. Exkurse in den literarischen Untergrund. Reinbek 1967.

Die Erziehung der Hirse 1950

1935 hatte Brecht geklagt: »Die Kunst, Epen zu musizieren, ist zum Beispiel ganz und gar verlorengegangen. Wir wissen nicht, wie die ›Odyssee‹ und das ›Nibelungenlied‹ musiziert wurden. Den Vortrag erzählender Dichtungen von einiger Länge können unsere Musiker nicht mehr ermöglichen« (15, 481). In bescheidenem Rahmen versucht Brecht (in der DDR-Zeit ohnehin gern), auf »klassische Vorbilder« – freilich nicht in Thomas Manns Manier – zurückzugreifen, weil nun die Möglichkeit gegeben war, *auch* »positive« Dichtungen zu verfassen (daß sie nicht im Zentrum stehen, sei wenigstens angemerkt). *Die Erziehung der Hirse* wurde denn auch von Paul Dessau, als er 1952 das Versepos zu vertonen begann, als »Musikepos« angelegt (vgl. Hennenberg, 165). Daß dies ganz in Brechts Sinn war, kann auch bei fehlenden Zeugnissen vorausgesetzt werden. Brecht notiert am 15. 11. 1952: »dessau arbeitet an einer musik zur ERZIEHUNG DER HIRSE. ich habe ihm zugesetzt, die ihm vorgestellten beispiele meyerscher oratorienmusik [= Ernst Hermann Meyer] mit ihrem schmalzersatz und kunsthonig zu mißachten und lediglich daran zu denken, wie er kindern – eventuell nach einiger Belehrung – spaß bereiten kann« (AJ 991). Der Anspruch ist also nicht, ein oder gar *das* sozialistische Musikepos (bzw. Versepos) zu verfassen. Es handelt sich um ein locker gefügtes, im von den *Kindergedichten* übernommenen heiteren Ton verfaßtes kleines Lehrgedicht über sozialistische Arbeit.

Brecht hat – wie es auch die Vornotiz sagt – einen Tatsachenbericht von Gennadi Fisch (einem russischen Publizisten) in Verse gebracht, sich dabei eng an die Vorlage anlehnend, von der er auch das »Motto« nach I. Mitschurin (sowjetischer Biologe, 1855–1935) übernimmt (nicht in der *Werkausgabe*): »Im Kolchisbauern findet die Geschichte des Ackerbaus aller Zeiten und Völker eine ganz neue Art von Ackerbauern vor: einen Mann, der, ausgerüstet mit wunderbaren technischen Hilfsmitteln, in den Kampf gegen die Elementargewalten getreten ist und die Natur beeinflußt, beseelt von der Idee ihrer Umgestaltung«(Ausgabe 1952, unpaginiert). Brechts Epos, das 1949 und Anfang 1950 enstand, hat nicht dieses Pathos aufzuweisen, und zwar trotz seiner antikisierenden »Einschläge«, die den alltäglichen Verrichtungen der Hirsebauern den Wert historischer Taten verleiht.

Erzählt wird die Geschichte des Nomaden Tschaganak Bersijew, der sich, als die Sowjets die Macht übernommen haben, einem Kolchos, der landwirtschaftlichen Betriebsorganisationen der UdSSR, anschließt und dort seine Erfahrungen mit dem Hirseanbau einbringt. Der Handlungsort sind die »Wüsteneien« von Kasakstan, der unentwickelte Südosten der Sowjetunion. Bersijew ist schon 50 Jahre alt, als die neuen sozialistischen Organisationsformen sein Land bestimmen, er muß sozusagen mehrere historische Sprünge bewältigen, vom unterentwickelten Nomadentum über die (ausbleibenden) Zwischenstufen (Seßhaftigkeit, Feudalismus, Bürgertum) zum Sozialismus, und zwar innerhalb seines »Alters« (ab 50 waren die Nomaden-Bauern in der Regel Greise). Brecht markiert die ungeheuren Dimensionen, die zwischen Bersijews Wanderleben und seiner erfolgreichen Mitarbeit in der Kolchose liegen, in der »Natureigenschaft« der Hirse selbst:

> 2
> Hirse doch war die Nomadenähre
> Denn sie liebt die Felder jungfräulich und klein
> Scheut nicht Hitze und braucht wenig Saatgut –
> Warum sollt es so nicht Hirse sein? (10,979)

Überdies braucht die Hirse viel Pflege und ständig Bewässerung, die gerade in den Wüsteneien Kasakstans aufwendig und mühsam ist. Alle Voraussetzungen der Hirse, ein Produkt der neuen Kolchos-Wirtschaft zu sein, fehlen ihr also. Die Kolchosen wollen große Felder bewirtschaften, nicht kleine; sie ziehen nicht umher, müssen also Felder benutzen, die »nicht jungfräulich« sind. Wasser ist teuer und wertvoll, die Arbeit schwer. Die Hirse eignet sich folglich denkbar schlecht. Dennoch hält Bersijew an der Hirse fest, nun aber sich darauf einstellend, daß er nicht mehr umherzieht, sondern auf vorgegebenen Feldern, unter neuen Bedingungen Hirse pflanzt. Dabei läßt er sich allein von den Notwendigkeiten leiten, die der Ertragssteigerung der Hirse dienen. Durch eine ölmotorgetriebene Wasserpumpe, durch raffiniertes Ausnützen des wenigen Wassers gelingt es ihm, nicht nur größere Felder zu betreiben, sondern auch die Erträge erheblich zu steigern, wobei er auch regelrechte Experimente betreibt, die er abends, nach der Feldarbeit, auswertet und den anderen Kolchosmitgliedern mitteilt. Das Epos schildert nun in ständig neuen Etappen diese Steigerungen und zugleich Bersijews sozialistische Haltung, die durch ihn gewonnenen Erkenntnisse den anderen zu lehren und zugleich dafür zu sorgen, das von ihm gezüchtete verbesserte Saatgut so weit wie möglich zu vertreiben und anzubauen. Die »Erziehung« der Hirse besteht darin, daß das »Nomadenkraut« zur sozialistischen »Ernährerin« avanciert. Indem ihre Möglichkeiten richtig genutzt werden, wandelt sich die scheinbar nur »unterentwickelten« Stadien der Menschheitsgeschichte angehörende Pflanze in eine »zeitgemäße« Getreidepflanze, die zweimal ihre historische Probe zu bestehen hat, 1939, als eine große Dürre die südöstlichen Republiken »heimsucht«, und ab 1941, als die Hitler-Armeen die Sowjetunion »heimsuchen«. Bersijews neue Hirsesorten erweisen sich weise angebaut, als robust und sind vor allem während der Jahre 1941 bis 1943 so in ihren Erträgen gesteigert, daß die Sowjetarmeen und die Bevölkerung durch sie ernährt werden können. So trägt die Hirse ihren Teil am Sieg über den Faschismus.

Bersijews Part ist im Versepos nicht so in den Mittelpunkt gestellt, wie es die kurze Inhaltsübersicht suggerieren mag. Brecht kommt es darauf an, die kollektive Zusammenarbeit zu demonstrieren, aber auch den Lehrprozeß nicht nur einseitig zu sehen. Auch Bersijew muß lernen. Diktiert durch die Notwendigkeiten, die der Hitlerkrieg aufzwingt, reichen auch Bersijews Methoden nicht mehr aus: er düngt nicht, weil er aus seiner Nomaden-Erfahrung keinen Dünger kennt (man konnte ihn nicht mit herumschleppen). So läßt er sich von einem Agronomen belehren, daß die Düngung mit Schafsmist notwendig ist. Zwar tut er es »mürrisch« – als alter Dickkopf –, aber auch produktiv. Brecht verhindert damit, ein bloß aktionistisches Vorbild aufzustellen – mal ganz abgesehen davon, daß er den Tatsachen (weitgehend) folgt. Wie Bersijew nach Moskau gerufen wird, vor der Akademie seine Erfahrungen mitzuteilen – und dies als Analphabet –, so kann ihm auch die Wissenschaft Erkenntnisse vermitteln, die wiederum seiner Erfahrung dienen. Theorie und Praxis stellen sich so als glücklich »vermittelt« dar, auch wenn Brecht mit wenigen Hinweisen ahnen läßt, daß durchaus nicht alles so reibungslos vonstatten ging, wie es die oberflächliche Lesung des Epos nahelegen mag. Entscheidend aber ist, daß diese Schwierigkeiten angesichts der äußeren Notwendigkeiten kein großes Gewicht haben durften. Zank und Streit, die die Produktion behindert hätten, wären tödlich gewesen. Das Gedicht verweigert ihnen daher auch ihr (mögliches) Gewicht; denn das Resultat war positiv, weil das Richtige getan worden war.

Die Erziehung der Hirse ist nicht einseitig und kann nicht einseitig sein. Die Parallele hat sich schon nahegelegt, wenn man sich die Wandlung, die Erziehung der Hirse von der Nomadenpflanze zur »sozialistischen Ernährerin der Massen« klargemacht hat. Wie die Pflanze lernt, lernt auch der Mensch, der sie »erzieht«. Es handelt sich um einen notwendig wechselseitigen Prozeß der Aneignung der Naturkräfte (hier zum Lebensunterhalt). Über die »Erziehung« der Pflanze erzieht sich auch der »neue« Mensch – und zwar in und durch die Produktion, nicht durch Lehrsätze, Sprüche, Maximen. Wenn von der Pflanze die Rede ist im Gedicht, ist immer auch der (sozialistische) Mensch doppeldeutig mitgemeint. Dabei bringt Brecht auf hintergründige Weise sein »Leit«-Thema der »Alterslyrik« mit ein. Es ist sicher kein Zufall, daß er gerade diesen Stoff gewählt hat: ein »ungebildeter«, »unterentwickelter« Nomade wird zum Erzieher seines Volks, weil er – ohne es zu wissen – sich wissenschaftlich richtig verhält. Er handelt aus der Erfahrung und ist bereit, sich von Erfahrung leiten zu lassen. Insofern arbeitet er auf »primitive« Weise mit modernsten wissenschaftlichen Methoden, und dies obwohl er – das deutet sich zu Beginn an – insgesamt »konservativ« eingestellt ist. Er will nämlich partout an seiner alten »Ernährerin« festhalten und nicht z. B. zum Getreideanbau übergehen. Indem er der »Erziehbarkeit« der Hirse traut, kann er an ihr festhalten, und das tut er stur. Diese »Weisheit des Volkes« kommt aus der harten Alltagserfahrung, daß zunächst der unmittelbare Lebensunterhalt zu sichern ist, ehe man sich »anderes« (Kultur z. B.) leisten kann:

16
Schön sind die Gespräche unter Satten!
Und die Kleinen, kriechend durch die Jurte, stören nicht!
Und man trinkt den heißen Thee auf filzernen Matten
Und man raucht, und jeder hört, und jeder spricht!
(10, 982 f.)

Brechts Gedicht spricht von dem, was bei den »Höhergestellten« als niedrig gilt, wie es die *Kriegsfibel* der *Svendborger Gedichte* formuliert hat: »Das kommt: sie haben / Schon gegessen« (9, 633). Auch nach dem Krieg bleibt Brecht dabei, daß die Sicherung des Lebensunterhalts die Voraussetzung für alles andere ist, auch wenn es weiterhin verpönt ist, davon zu sprechen.

Künstlerisch schließt das »Lehrgedicht« (so Hennenberg, 163) an das Vorbild von Sergej Tretjakow an. Dieser hatte versucht, neue Formen der sozialistischen Kunst zu entwickeln, in der der Dichter eine neue Rolle übernimmt. Tretjakow wollte sich nicht – wie die bürgerlichen Dichter – »selbst ausdrücken«, sondern den »Sprachlosen«, den Arbeitern der Fabriken und Felder (ein Roman der neuen Form nannte sich *Feld-Herren;* abgedruckt in Sergej M. Tretjakow: Lyrik, Dramatik, Prosa. Leipzig 1972. S. 101–187), Sprache geben. Der Dichter lebte und arbeitete mit ihnen, befragte sie (Form des *Bio-Interviews*), schrieb seine und ihre Erfahrungen auf und gab sie – reflektiert – als epischen Bericht weiter. So entstand statt des bürgerlichen Individualromans, in dem sich jemand »ausdrückt« (identifizierend) der sozialistische Kollektivroman, der nicht mehr die Biographie eines einzelnen einfühlend nachzeichnet, sondern zeigt, wie einzelne zusammenwirken (auch gegeneinander und widerspruchsvoll). Brechts Versepos behandelt das Individuum des Tschaganak Bersijew in eben der Weise. Obwohl dessen Lebensgeschichte erzählt wird, liest sich das Gedicht kaum als Biographie Bersijews, worauf bezeichnenderweise auch noch niemand gekommen ist. Alles, was er tut, geschieht mit anderen zusammen, wie er auch nicht – wie tendenziell im bürgerlichen Roman immer – mit sich selbst die »Welt« bildet, sondern sich den äußeren Zwängen unterwirft. Er setzt sich nicht als einzelner durch, vielmehr geht es gerade darum, zur Kollektivität zu erziehen, sowohl sich als auch die Hirse. Und die schließlich den Faschismus besiegenden Erfolge basieren auf der Gemeinsamkeit, mit der sie erkämpft werden, wobei der kriegerische Kampf und der ökonomische Kampf als Parallelen beschrieben werden. So entsteht – im kleinen Rahmen – eine neue Art von »Versepos«, in der der einzelne nicht zum Repräsentant der Gesellschaft stilisiert wird – wie im alten Epos, das die Individualgeschichte als repräsentative Gesellschaftsgeschichte erzählt, in der vielmehr in neuer Weise das Zusammenarbeiten und Zusammenleben exemplarisch erfaßt ist.

Während in der DDR das Lehrgedicht als produktiver Beitrag zur Aufbau-Arbeit bewertet wurde – was sich auch darin zeigte, daß Brecht aufwendige Einzelausgaben (bei großer Papierknappheit etc.) zugestanden erhielt, bezeichnete es die westliche Kritik als »grotesken Zinnober« und als gescheitertes Experiment (so Hans Egon Holthusen und Hans Magnus Enzensberger; vgl. Baumgart 141). Die bekannten Vorurteile, daß »solche Stoffe« von vornherein nur abschätziges Grinsen verursachen können und – falls sie gewählt werden – nur als Dienst an den Machthabern (hier also Stalins, der ja auch einmal vorkommt; 10, 984) zu werten sind, schlugen unmittelbar zu. Und sie haben bis heute nicht ihre Wirksamkeit verloren (weshalb den »Hochgestellten«, die das Reden vom Essen niedrig finden, wenn es nicht um den Grad des Nicht-Durchbratens von Lammfleisch geht oder um die Auswahl älterer Jahrgangsweine, von der Lektüre abzuraten ist: die Vorurteile werden, so kann ich versichern, *bestätigt*). – Reinhard Baumgart hat auf die Problematik des positiven Stoffs hingewiesen (Pathos, Schnulze etc. sind da sofort nahe), aber auch gezeigt, wie Brecht alles »Große« vermeidet, wie er den epigonalen Lesebuchton bricht, alle Glättungen vermeidet, bis zur parodischen Darstellung gelangt und keine »stalinistischer Männerchor- und Wunschkonzertseligkeit« wie bei Becher (Baumgart, 143) zelebriert: »Das didaktische Gedicht kommt nun mit Vorliebe in Lumpen, in heiteren Lumpen. Ein hellwacher artistischer Verstand nimmt da Naivität, setzt den gröbsten Hebel an: ›Menschenskind! / Daß nicht alle satt sind!‹ In solchen Zeilen scheint der öde agitatorische Ernst des früheren Brecht [der Lehrstücke] sich lässig auf den Arm zu nehmen. Nur wer pochen möchte auf einen tragischen B. B. als Untertanen Ulbrichts, muß solchen und ähnlichen Sing-Sang als ›grotesken Zinnober‹ vom Tisch wischen, um dann aus dem Rest ideologische Befriedigung zu destillieren« (Baumgart, 145 f.). Baumgart betont denn auch – was in der DDR-Forschung kaum vorkommt – das Artifizielle des Gedichts, das den ideologischen Inhalt künstlerisch hebt und ihm seine (mögliche) Schwere nimmt. Indem der Kunstcharakter der Darstellung ständig präsent ist, wird dem Dargestellten der Bierernst genommen, den die unterstellen, die darin eine stalinistische Auftragsdichtung sehen (gab's bei Brecht nachweislich nicht).

Baumgarts Hinweise geben dem Lehrgedicht noch eine weitere Dimension: die der Kunst. Wie es nicht nur um die Erziehung der Hirse, sondern auch um die ihrer Anbauer geht, so vermittelt das Gedicht mit der Betonung seines Kunstcharakters, daß es sich als eine – realistischere – Form des »sozialistischen Realismus« präsentieren möchte, einer Kunst, die bei der Wahl der Sprache so vorgeht wie der Hirsebauer bei der Wahl seines Saatguts. Die Parallele liefert das Gedicht *Die Requisiten der Weigel:*

> Wie der Hirsepflanzer für sein Versuchsfeld
> Die schwersten Körner auswählt und fürs Gedicht
> Der Dichter die treffenden Wörter, so
> Sucht sie die Dinge aus, die ihre Gestalten
> Über die Bühne begleiten. [...] (9, 796)

Paul Dessau hat *Die Erziehung der Hirse* zwischen 1952 und 1954 vertont. Die Uraufführung fand am 29. Oktober 1954 in Halle (Saale) im Klubhaus der Gewerkschaft statt. Eine ausführliche Beschreibung der Musik stammt von Fritz Hennenberg (165–180).

Texte: Tschaganak Bersijew oder die Erziehung der Hirse. In: Sinn und Form, Heft 5, 1950, S. 124–143. – Hundert Gedichte. 1918–1950. Berlin 1951 (S. 153–171). – Gedichte 1948–1956 (= Gedichte VII). Frankfurt a. M. 1964. S. 64–80. – wa 10, 978–992. – Außerdem Einzelausgaben in Buchform: Berlin 1951, 1952.

Fritz *Hennenberg*: Dessau, Brecht. Musikalische Arbeiten. Berlin 1963 (S. 163–180, 473 f.). – Reinhard *Baumgart*: Schwacher Brecht. In: R'B': Literatur für Zeitgenossen. Essays. Frankfurt a. M. 1966. S. 141–150.

Sergej *Tretjakow*: Die Arbeit des Schriftstellers. Aufsätze, Reportagen, Porträts. Hg. v. Heiner *Boehncke*. Reinbek bei Hamburg 1972.

Herrnburger Bericht (1951)

Pfingsten 1950 veranstaltete die Freie Deutsche Jugend (FDJ), die Jugendorganisation der DDR (Kennfarbe blau) ein Deutschlandtreffen der Jugend. Es sollte für Frieden und nationale Unabhängigkeit demonstriert werden, zugleich auch für deutsche Einheit, obwohl inzwischen die beiden deutschen Staaten etabliert waren. Die restaurative Adenauer-Regierung, die rigoros auf »West-Kurs« gegangen war, unterdrückte – trotz verbaler Einheitsbekenntnisse – auf schärfste Weise alle Bestrebungen, die »gesamtdeutsche« Demonstration. Da damals die FDJ im Westen noch nicht verboten war, ging die Regierung vornehmlich gegen die westlichen Verbände der FDJ vor (Kopfprämien für Plakatkleber etc.). Dennoch ließen sich 30 000 Jugendliche nicht von der Teilnahme abhalten. Das Treffen wurde ganz offensichtlich zu einer nachhaltigen Demonstration mitten im kalten Krieg, und zwar durchgeführt von Jugendlichen, die sich nicht den Vorurteilen ihrer Eltern beugen wollten und (damals noch) überzeugt waren, daß die gefährliche Auseinanderentwicklung der beiden deutschen Staaten zu neuen Konfrontationen führen könnte: der Friede und seine Erhaltung als vorgängige Aufgabe. Brecht hat seine Eindrücke festgehalten: »das pfingsttreffen der FDJ verändert die stadt ganz und gar. wie eine enthaltsame alte krämerin, die sich betrinkt, wird sie lustig und versteht sich nicht. abends, auf den plätzen, bricht eine art neapel aus. man hört überall ihre kleinen kapellen. sie hocken auf dem rasen und sehen im freien filme. in die riesigen ruinenlöcher hat man losungen für sie gestellt« (AJ 926; vom 26.5.50). Die Jugendlichen vertraten eine Meinung, die der Brechts nahe kam, nämlich gegen die westliche Restauration den einheitlichen Staat doch noch durchzusetzen (was damals wohl bereits in West und Ost als illusionär eingeschätzt wurde, auch wenn der DDR-Regierung die antiwestliche Richtung entgegenkam und sie das Pfingsttreffen entsprechend unterstützte). Das Manifest, das man verabschiedete, besagte u.a.: »Weil wir den Frieden wollen, kämpfen wir gegen die Diktatur der anglo-amerikanischen Kolonialherren in Westdeutschland und Westberlin und für ein einheitliches, unabhängiges, demokratisches, friedliebendes Deutschland« (nach Preusser, 7). Zum Eklat kam es bei der Rückreise der westdeutschen Teilnehmer. Als in Herrnburg bei Lübeck ca. 10000 Jugendliche wieder in die Bundesrepublik zurückkehren wollten, hielt die Polizei sie auf und forderte die Registrierung der Namen. Dabei kam es zu einer ungeahnten Solidarisierungsaktion, die – da man zwei Tage hartnäckig ausharrte und nicht nachgab – schließlich dazu zwang, die Jugendlichen unbehelligt in ihre Heimatstädte zurückzulassen. Der Auflage, den Rückmarsch unauffällig und ohne Vorzeigen von Fahnen und Emblemen durchzuführen, kamen die Jugendlichen ebenfalls nicht nach. Ein knappes Jahr später wurde die FDJ verboten.

Brecht, der die Ereignisse durch mündliche Berichte von Teilnehmern und durch Zeitungsinformationen (des Ostens; im Westen schwieg man sich weitgehend aus) kannte, ließ sich von den Weltjugendfestspielen, die vom 5.–19.8.1951 in Berlin (DDR) stattfanden, zu einer szenischen Realisierung der Herrnburger Ereignisse anregen. Es handelte sich nicht um eine »kommunistische Auftragsarbeit«, sondern um einen produktiven Beitrag zur Jugendbewegung, die Brecht, die Hoffnung auf sie setzend, mit größtem Interesse und Wohlwollen verfolgte. Brecht und der Komponist Dessau, der die Musik schrieb, wollten die wesentlichen Situationen und Begebenheiten von Herrnburg in exemplarischer Weise dokumentieren – als Nachweis, wozu solidarisches Verhalten führen kann und wie wichtig es ist, sich weiterhin aktiv für die Ziele zur Erhaltung des Friedens einzusetzen. Die geplante Uraufführung bei den 3. Weltfestspielen durch Egon Monk war deshalb auch mit Filmdokumenten ausgestattet; hinter die tatsächlichen Ereignisse sollte die Darstellung zurücktreten.

Der *Herrnburger Bericht* ist eine »semiszenische Chorkantate«, kein Drama. Die dramatischen Momente dienen lediglich der Illustration, haben aber keinerlei Selbständigkeit (Hennenberg, 128). Der Sprecher erläutert die verschiedenen Situationen und Begebenheiten – als Glieder einer dokumentarischen Nummernfolge. Ihm sekundiert ein Chor, bestehend aus Jungen und Mädchen in der FDJ-Kleidung (blaues Hemd, eine Farbe, die Brecht quasi »symbolisch« als Farbe der Friedfertigkeit und der Hoffnung einsetzt). Die Lieder des Chores enthalten die eigentliche Berichterstattung, die teilweise als Spiel, teilweise mit Dokumenten szenisch realisiert wird (bei der Uraufführung standen zwei Garderobenständer auf der Bühne, an dem rechten lehnten Fahnen, am linken hingen die Uniformen der westlichen Polizei sowie die obligaten Gummiknüppel).

Wie bei der *Erziehung der Hirse* handelt es sich um kein großangelegtes Werk. Der Bericht gibt sich ausdrücklich als Selbstdarstellung der – beteiligten – Jugendlichen. Sie – als Darsteller – vollziehen exemplarisch nach, was historisch vorgefallen ist. Die Formen der lockeren Volks- und Kinderlieder lehnen sich an die Lieder an, die die Jugendlichen auf dem Pfingsttreffen und bei der Herrnburger »Belagerung« tatsächlich gesungen haben. Sie sollten überdies ja singbar sein für Laiengruppen, die mit der Kantate Verhaltensmuster einüben konnten. Ein wesentliches Motiv ist dabei das Herauskehren der Jugendlichkeit: man pflegt lockere Formen, baut nicht auf Feindbilder (die Polizisten werden als Freunde angesprochen), lacht über die verbiesterten Greise, die ein »neues Deutschland« zu bauen versprechen, und setzt auf die Vorgabe des jugendlichen Alters und seiner Hoffnungen. »Der ›Herrnburger Bericht‹ steckt so betrachtet voller Witz, satirischer Schärfe und hat die Leichtigkeit von Kinderreimen. Es handelt sich nicht um ein Chorwerk für deutsche Männergesangsvereine, es ist weder bierselig noch kriegsbegeistert, sondern stellt eine Mischung aus politischem Referat und Ballade mit Liedeinlagen dar. Die Jugendlichen, von denen hier berichtet wird, ignorieren einfach die Grenzen, entwerfen das Bild von einem friedlichen, anderen Deutschland ohne Unterdrückung und Polizei. ›Schlagbaum und Schanzen / Hat denn das Zweck? / Seht doch, wir tanzen / drüber hinweg.‹ – ›Der Mond, er trat aus den Wolken / Und sah ein lachendes Heer – Und wie er die Polizisten sah / Da lachte auch er.‹ Brecht dozierte nicht mit pathetischem Schaum vorm Mund, quälte sich nicht mit Auftragsversen ab, sondern argumentierte spielerisch, er machte nicht mehr daraus, als eben Auftrag und Genre hergaben« (Völker, 377; der »Auftrag« bestand nicht).

Wie weit Brecht ging, davon zeugt das *Spottlied* gegen Ende des Berichts. Brecht identifiziert den Vorgang nicht nur mit der »Kanzlerdemokratie« Konrad Adenauers, sondern bezieht ausdrücklich die Opposition mit ein, indem er auch auf Schumacher, gemeint ist Kurt Schumacher, der damalige Parteivorsitzende der SPD, den Reim machen läßt. Obwohl es tiefe Meinungsverschiedenheiten zwischen Adenauer und Schumacher über die Westintegration und die zunehmende »Abkabelung« von der immer noch sogenannten »Ostzone« durch die CDU-Politik gab, erkennt Brecht eine prinzipielle Differenz nicht an. Durch ihre reformistische Politik setzte die SPD den Kurs fort, der in der Weimarer Republik begonnen war:

> Hoch zu Bonn am Rheine träumen zwei kleine
> Böse alte Männer einen Traum von Blut und Stahl.
> Zwei böse Greise, listig und leise
> Kochten gern ihr Süpplein am Weltbrand noch einmal.
> Schumacher, Schumacher, dein Schuh ist zu klein
> In den kommt ja Deutschland gar nicht hinein.
> Adenauer, Adenauer, zeig deine Hand
> Um dreißig Silberlinge verkaufst du unser Land.
> (Supplementbd. IV, 423)

Es war klar, daß Brecht es sich mit solchen Versen auch bei den oppositionellen Kräften der Bundesrepublik verscherzt hatte. Hohn und Spott ergossen sich über das »ostzonale Machwerk«. Als Ausdruck von »Haß« wertete man den Inhalt, als völligen Niedergang des *Dichters* Brecht die poetische Leistung. Merkwürdig nur, daß der Versuch einer westdeutschen Aufführung der »Haßtirade« und des »peinlichen Machwerks« (Presseäußerungen von 1982) immer wieder von den Behörden – in diesem Fall Essens – verhindert worden ist. Offenbar traut man dem Werk mehr zu, wenn es partout unterdrückt werden soll. Hanne Hiob, Brechts Tochter, hat mehrere Anläufe unternommen, das Werk in Essen aufzuführen (diesmal als Erinnerung an einen Teilnehmer einer Friedensdemonstration von 1952, der von der Polizei erschossen wurde).

Aber auch die geplante Aufführung in der DDR zu den Weltjugendfestspielen 1951 ging nicht über die Bühne. Obwohl die Aufnahme des »Chorwerks« zunächst sehr positiv war, als »gekonnte künstlerische Verdichtung der Wirklichkeit«, als »bemerkenswerter Fortschritt im Schaffen von Brecht und Dessau« gefeiert wurde (nach Lerg-Kill, 263), obwohl das *Neue Deutschland* im Juli den gesamten Text mit Notenproben publizierte, sagte die Parteileitung die fest eingeplante Uraufführung wieder ab (die Kantate sollte mehrmals während der Festspiele über die Bühne gehen). Es gab nur eine interne Vorführung, Wilhelm Pieck und Otto Grotewohl waren dabei, aber eine Rücknahme des Boykott-Beschlusses durch die Funktionäre war nicht mehr durchzusetzen. Grotewohl soll vom »Kathedermäßigen« gesprochen, andere die »Kälte« und die bewußte Künstlichkeit des Texts getadelt haben. Egon Monk konnte jedenfalls seine Inszenierung wieder einpacken. Brecht schrieb resignativ ins *Arbeitsjournal:* »interessant, wie man sich ein kunstwerk anhört, das irgendwie verurteilt worden ist. [...] alles originelle erscheint als eigenwillig, frisches als frech, leichtes als oberflächlich, ernstes als vorlaut; überhaupt wirkt nichts mehr auf den, der die wirkung abschätzt« (AJ 964; vom 17.8.51), und: »die literatur muß wiederum ohne nationalen widerhall auskommen, und sie bekommt den der arbeiterklasse nur mit abscheulichen nebengeräuschen« (AJ 966; vom 22.8.51). Neben den »künstlerischen« Einwänden scheint hauptsächlich wiederum die spontane Solidarität, die das Werk in den Mittelpunkt stellte, Stein des Anstoßes gewesen zu sein. Da war zu viel kämpferischer »Selbstausdruck« der Jugendlichen darin, zu viel spontane Selbstorganisation und auch zu viel »Weisheit des Volkes«. So blieb denn der *Herrnburger Bericht* ungespielt – bis zum 11. Mai 1983, als in Essen – in der Bert-Brecht-Straße, Nähe Thyssen-Hochhaus – die Freilichtaufführung genehmigt wurde. Sie soll ein großer Erfolg gewesen sein. Eine Schallplattenaufnahme liegt inzwischen auch vor.

Texte: Neues Deutschland, Berlin, 22. 7. 1981 (Kulturseite). – In: Gerhard *Möbius*: Kommunistische Jugendarbeit. Darmstadt 1961. S. 100–105 [als »abschreckendes Beispiel« kommunistischer Jugendverführung]. – Supplementband IV, 415–423.

Fritz *Hennenberg*: Dessau, Brecht. Musikalische Arbeiten. Berlin 1963 (S. 128–131, 466–468). – Ulla C. *Lerg-Kill*: Dichterwort und Parteiparole. Propagandistische Gedichte und Lieder Bertolt Brechts. Bad Homburg v. d. H. [u. a] 1968 (S. 121–123; 263 f.). – Klaus *Völker*: Bertolt Brecht. Eine Biographie. München 1976 (S. 377 f.). – Gerhard *Preusser*: Der Brecht, den niemand haben will. In: Kämpfende Kunst 2, Nr. 7./8., 1976, S. 6–11 [mit Text].

Themen und Formen der sog. späten Lyrik 1950–1956

Mit der endgültigen Rückkehr nach Berlin (Ost) und dem Beginn einer kontinuierlichen Theaterarbeit im Berliner Ensemble tritt in der Lyrik das unmittelbare Engagement in den »großen« politischen Fragen (Beginn eines neuen Kriegs, Auswirkungen der Atombombe, »Kalter Krieg«) zurück, auch wenn es keineswegs fehlt und in der Publizistik Brechts weiterhin eine entscheidende Rolle spielt. Jedoch bringt die – nur als relativ zu bezeichnende – äußere Beruhigung die Möglichkeit, zu lyrischen Formen und Themen »zurückzukehren«, die Brecht während des Faschismus mit Recht verpönt hatte, und zwar als unzulässige Harmonisierung und als ungewollte Unterstützung der Raubsysteme.

Bevor die neuen Themen und Formen beschrieben werden, scheint es notwendig, wenigstens noch auf die geringe Anzahl von Gedichten zu verweisen, die sich den »großen Fragen« widmen. Wichtig ist das *Friedenslied,* das Brecht nach Pablo Nerudas berühmtem Gedicht *Der Große Gesang* von 1950 (Übersetzung von Erich Arendt) schreibt. Im Gegensatz zu Nerudas (1940–1973) getragenem, hymnischem tragischen Ton wählt Brecht einen »schlichteren«, »volkstümlicheren« Ton:

> Friede auf unserer Erde!
> Friede auf unserem Feld!
> Daß es auch immer gehöre
> Dem, der es gut bestellt! (10, 996)

Brecht legt weniger Wert auf eine Art sprachlicher Beschwörung der Notwendigkeit, Frieden zu haben, sondern stellt ihn – bzw. seine Notwendigkeit – als Tatsache hin, die auf die Dauer unumgänglich zu sein hat. Insofern erhält das Gedicht den Charakter eines fröhlichen Kinderlieds, als das der Komponist Hanns Eisler das Gedicht auch aufgefaßt und innerhalb seiner Kompositionen eingeordnet hat. Gesungen im Mund von Kindern wird das »Aber« der Erwachsenen, die ihre (scheinbaren) Notwendigkeiten einbringen (Geschäfte, angebliche Bedrohungen etc.) zum Schweigen gebracht: es gibt keine Alternative. Die Komposition Eislers stammt von 1951, Brechts Gedicht wahrscheinlich auch.

Daß das *Friedenslied* und seine »Tatsachen«-Feststellung nicht für Brechts Einstellung zu verabsolutieren ist, belegen jetzt publizierte Nachlaß-Gedichte, die vor der Unbewohnbarkeit der Erde aufgrund atomarer Verseuchung warnen, ein Thema, das erst in den letzten Jahren wieder aktuell geworden ist:

> *Was für ein Geschlecht* sind wir
> Das Meer fanden wir vor unberührt
> Erst zu unserer Zeit
> Mußten wir fürchten, Fische zu essen.
> (Supplementbd. IV, 433)

Schon die einfachen und gereimten *Kinderlieder* von 1950 hatten gezeigt, daß Brecht den »lyrischen« Tönen wieder traute, daß die Zeit vorbei war, in der ein Reim »fast wie Übermut« klänge und das Gespräch über Bäume »fast ein Verbrechen ist / Weil es ein Schweigen über so viele Untaten einschließt« (9, 744 und 723). Die Pappel vom Karlsplatz, die die kalten Winter im Gegensatz zu vielen andern Bäumen glücklich überstanden hat, ist ebenso wieder Thema der Gedichte wie die Liebe und ihre »glückliche Natur« (auch als Produktion verstanden), wie auch der Reim nicht mehr verpönt ist (vgl. 10, 975, 993 f.). Trotzdem wäre es undifferenziert, von einer Rückkehr zum alten lyrischen Ton zu sprechen. Im Gegensatz zur bürgerlichen Literatur, die mit (meist moralischem) Entsetzen konstatieren mußte, daß die Ereignisse von Auschwitz (was für vieles andere der faschistischen Untaten steht) nicht zu ihrer Literatur paßten und folglich »Verstummen« anempfahl (Theodor W. Adornos Ausspruch, daß nach Auschwitz kein Gedicht mehr möglich sei), hatte Brecht seine Literatur den Realitäten »angepaßt«, hatte er sie so verändert, daß sie in der Lage war, mit dem Finger auf die zu deuten, die Auschwitz ermöglicht hatten: »Die Vorgänge in Auschwitz, im Warschauer Getto, in Buchenwald vertrügen zweifellos keine Beschreibung in literarischer Form. Die Literatur war nicht vorbereitet auf und hat keine Mittel entwickelt für solche Vorgänge« (20, 313). Wenn man bei Brecht von der »poetischen Reintegration von Stoffen und Themen«

spricht, die »für lange Zeit fast eliminiert« waren (Schuhmann, 103), so ist zu ergänzen, daß die Neuaufnahme dieser Stoffe und Themen durch die Erkenntnis »hindurchgegangen« ist, daß der Faschismus die bürgerliche Literatur der Einfühlung und Nachahmung prinzipiell korrumpiert hatte und daß die (alten) neuen Themen im Bewußtsein dieser Erkenntnis verarbeitet sind. Auch in den »heitersten« und einfachsten Gebilden bleibt die faschistische Erfahrung gegenwärtig und der Widerspruch »immanent«. Programmatisch im Gedicht *Auf einen chinesischen Theewurzellöwen* (10, 997):

> Die Schlechten fürchten deine Klaue.
> Die Guten freuen sich deiner Grazie.
> Derlei
> Hörte ich gern
> Von meinem Vers.

Dieses epigrammatische Gedicht – geschrieben in der »alten« Form der reimlosen Lyrik mit unregelmäßigen Rhythmen –, verbindet in der Doppeldeutigkeit des »Hörte« Vergangenheit und Zukunft auf raffinierte Weise. »Hörte« läßt sich als Präteritum lesen, insofern das lyrische Ich, ein Dichter, früher eine solche Aufnahme – bei den Guten mit Wohlgefallen, bei den Schlechten mit Furcht – seiner Verse gefunden hat. Zugleich aber läßt es sich als Konjunktiv lesen, der besagt, daß der Dichter des Gedichts eine solche Reaktion auf seine Verse in der Zukunft wünschen würde (wünschte). Beide Aspekte sind gleichermaßen in diesem »Dinggedicht« (der Löwe hat existiert) »aufgehoben«. Zugleich wird deutlich, daß die »Schönheit« der Verse (Grazie) mit ihrer »Häßlichkeit« (Furcht einflößend) identisch sein kann (und soll). Was die »Guten« als schön empfinden, halten die »Schlechten« für bedrohlich, eine Erfahrung, die Brecht mit seiner und anderer Literatur und Kunst im Faschismus gemacht hat und die er auch jetzt noch als Wirkung wünscht. Anders gesagt: die Schönheit der Verse ist und kann keine Frage formaler Äußerlichkeiten sein, keine abziehbare Form, die für sich »schön« wäre. Wenn Kunst, Literatur gedoppelte Wirkung gehabt hat und haben soll, dann kann dies nur erreicht werden durch den »Inhalt«, der seine *bestimmte* Form findet, eine Form, die nicht von ihm ablösbar, als Schönheit für sich isolierbar ist. Darin formuliert sich ein literarisches Programm (das im übrigen durchaus nicht immer verwirklicht sein muß). Die neuen Themen ebnen die erfahrenen Widersprüche nicht ein und bestehen darauf, auch weiterhin Widersprüche aufzudecken. Bürgerliche Lyrik-Idyllen, die sich in Westdeutschland nach dem Krieg ausbreiteten, gerade weil man meinte, nach Auschwitz sei Lyrik nicht mehr möglich (eben deshalb produzierte man möglichst weltfremde Immanenzgesänge), sind bei Brecht nicht zu finden. Man muß die Klauen nur entdecken.

In den *Liebesgedichten* (10, 1023, 993 f.) zeigen sich die Klauen in dem betonten Widerspruch von Einheit und Trennung: »die Einheit, die das Getrennte beglückend überspannt, die Trennung, welche der in seiner Besonderheit Vereinzelte erträgt, weil er sich dennoch mit anderem eins weiß, die Entfernung, in der er Einheit erfährt, und die Einheit, in der ihm Trennung bewußt wird« (Pietzcker, 47):

> *Gleichklang*
>
> Bidi in Peking
> Im Allgäu Bie
> Guten, sagt er
> Morgen, sagt sie. (10, 1023)

Ein harmloses, spielerisches Gedicht, das Erinnerung und Zukünftigkeit merkwürdig vereint. Angesprochen ist die Jugendgeliebte und Mutter seines ersten Kinds Paula Bannholzer, genannt Bie; in »Bidi« versteckt sich Brecht selbst, ebenfalls ein Kosename der Jugendzeit. Brecht hatte seit 1926 keinen Kontakt mehr mit »Bie«, die längst bürgerlich verheiratet war. Dennoch schreibt Brecht um 1954 ein Gedicht, das eine Situation suggeriert, als habe man gerade eine Liebesnacht hinter sich und wünsche sich »gleichklingend« Guten Morgen. Die Entfernungen, die Brecht mit »Peking« und »Allgäu« benennt, haben demnach auch zeitliche Qualitäten. Brecht war nie in Peking, die Bie aber konnte wie damals im (katholischen) Allgäu vermutet werden, jedenfalls gibt es für den sich erinnernden »Bidi« keine andere Möglichkeit, als die Jugendgeliebte da anzusiedeln, wo er damals mit ihr umging. Zugleich aber wird die Rückerinnerung durch den Wunsch des »Guten Morgens« als ein möglicher Neubeginn angezeigt – jedoch ohne daß eine reale Erfüllung in Aussicht stünde (zeitliche und räumliche Entfernung sind ebenso weit wie die ideologischen Differenzen groß – das kommunistische China gegen das zurückgebliebene, restaurative katholische Allgäu). Alles bleibt in der Schwebe, ohne daß ein weinerlicher, illusionärer »elegischer« Ton den unvermutet wiederhergestellten, aber dennoch nicht zu verwirklichenden Gleichklang störte. Diese widersprüchliche »Einheit der Trennung« (so Pietzckers Vorschlag) zieht sich durch Brechts »Spätlyrik« hindurch (vgl. z. B. *Ach, nur der flüchtige Blick, Schwierige Zeiten;* 10, 1021, 1029).

»Entfremdung« bleibt also thematisch, aber sie wird nicht mehr wie in der Zeit der Weimarer Republik (Städtelyrik) als prinzipiell negativ, vereinzelnd, inhuman erfahren. Sie verbindet sich widersprüchlich mit glücklicher Produktion, glücklichem Zusammenleben, glücklichem Zusammenarbeiten (vgl. z. B. *Glückliche Begegnung;* 10, 1000; ein Gedicht, das die Trennung von Hand- und Kopfarbeit beschreibt, zugleich aber in der Homonymie von »Sätze lesen« und »Beeren lesen« glücklich vereint). Insofern gilt für die späte Lyrik, wie es das Gedicht *Wahrnehmung* besagt (10, 960), daß die Mühen der Gebirge »hinter uns« liegen, aber »vor uns liegen die Mühen der Ebenen«.

Neben der schon besprochenen durchgängigen Thematik der »Weisheit des Volkes« beginnen die späteren Gedichte den Tod zu thematisieren, erstaunlich für einen Mann im Alter von 57/58 Jahren, das sich kaum als »Greisenalter« beschreiben läßt, obwohl die Forschung dazu neigt, Brecht schon im Alter von 40 Jahren vergreisen zu lassen (vgl. Herbert Lehnert: »Die Strophe aus Brechts Exil-Gedicht ›An die Nachgeborenen‹ 1938 [!] steht auch Manns Altersstimmung nahe [folgt Zitat]; Bert Brecht und Thomas Mann. In: Deutsche Exilliteratur seit 1933. Band 1. Kalifornien Teil 1. Hg. v. John M. Spalek und Joseph Strelka. Bern und München 1976. S. 85). Von solchen irrwitzigen »Einordnungen« kommt auch die Mär von Brechts »reifer« Phase her, die den jungen Mann von seinem frühen Todesdatum her in verkehrter Richtung altern läßt, als habe er Martin Heideggers »Sein zum Tode« nachleben wollen. Daß der Tod Thema der späteren Lyrik wird, läßt sich auf zwei mögliche Ursachen zurückführen. Die Zeit des Faschismus, des Exils hatte die Todeserfahrung zu einer nachhaltigen Erfahrung gemacht und den »Verschleiß« der Menschen entschieden gefördert (es handelt sich aber wohlgemerkt um »körperlichen«!). Überdies haben die zunehmenden Krankheitssymptome und -attacken mit entsprechendem Zwang, eine (unproduktive) Ruhe aufzusuchen, sich vereinzeln zu müssen, das Nachdenken über den Tod sicherlich gefördert. »Politische Ursachen«, die Schwierigkeiten mit den Behörden, die Tatsache, daß die Wirkungen (vor allem des Theaters) ausblieben, daß der stalinistische Kurs nicht paßte, diese politisch-gesellschaftlichen Ursachen anzuführen für die Todes-Thematik, bleibt bloße Spekulation (Schlenker, 135; gegen Bock, 225). Die stereotyp beschworene »Resignation« bestand deshalb nicht – auch dies ist ein »dialektischer Widerspruch« –, daß Brecht sie thematisiert, also »bewältigt« hat. Wer wirklich resigniert, gibt auf. Brecht hat aber nicht nur nicht aufgegeben, nicht nur Widriges aktiv gestaltet, sondern auch eine Unmasse neuer Pläne entwickelt, die z. T. nicht oder zu wenig bekannt sind (vgl. Bocks Hinweise auf Brechts Agitproppläne; Bock, 225–236). Auch die Todesthematik der letzten Gedichte hat Brecht überhaupt nicht resignativ behandelt:

> Als ich in weißem Krankenzimmer der Charité
> Aufwachte gegen Morgen zu
> Und die Amsel hörte, wußte ich
> Es besser. Schon seit geraumer Zeit
> Hatte ich keine Todesfurcht mehr. Da ja nichts
> Mir je fehlen konnte, vorausgesetzt
> Ich selber fehle. Jetzt
> Gelang es mir, mich zu freuen
> Alles Amselgesanges nach mir auch. (10, 1031)

Die Achse des Gedichts liegt in der (scheinbar) paradoxen Formulierung, daß »*mir* ja nichts je fehlen konnte, *vorausgesetzt* ich *selber* fehle«; das scheint auf den ersten Blick der größte Unsinn zu sein, da ja der Tote nicht sich selbst fehlen kann: ihm fehlt nichts, wenn er selbst fehlt. Das Paradox löst sich auf, wenn man die unausgesprochene Vermittlung mit den anderen (Mitarbeitern etc.) erkennt. Indem sich das Ich klarmacht, daß es fehlen wird, wenn es nicht mehr da ist, kann es sich beruhigen darüber, daß es fehlt. Ihm kann dann nichts mehr fehlen, wenn es weiß, daß die anderen sein »Fehlen«produktiv ausfüllen. Das »Ich« hat sich in den anderen – denen es fehlt – aufgehoben und wirkt weiter. Eine metaphysische Beruhigung gibt es nicht; das gemeinsame Werk, das sich im Amselgesang, der »bleibt«, objektiviert, findet Fortsetzer, die die Freuden weitergeben.

Das »trockene ›unwürdige‹ Vokabular / Der dialektischen Ökonomie« (9, 519), verstrickt in die Geschäfte der Politik, fehlt auch in der Spätlyrik Brechts nicht ganz, dann nämlich, wenn er lyrisch Stellung nimmt zu aktuellen Fragen der Zeit. Im Vordergrund steht dabei freilich nicht mehr die Ökonomie, deren Grundlagen prinzipiell gewandelt waren und deren Wandlung Brecht, wie schon häufiger betont, ganz mitgetragen hat (Sozialisierung). Der »dürre« Exil-Ton taucht wieder auf, wenn Brecht sich gegen die Kunstfunktionäre wendet, die die neue Art seines Schreibens, Denkens nicht verstehen wollen. Anknüpfend an satirische Schreibweisen seiner antifaschistischen Lyrik des Exils geißelt Brecht etwa die *Nicht feststellbaren Fehler der Kunstkommission* (10, 1007). Die Kunstkommission – mit der Brecht häufiger aneinandergeriet – beschuldigt sich zwar pflichtgemäß (Selbstkritik) der geforderten Fehler, aber es ist partout nicht herauszubekommen, *welche* Fehler sie denn nun wirklich gemacht hat. Die Kritik Brechts will offenlegen, daß diese unkonkrete, nicht faßbare Selbstkritik der Kommission sie selbst unkritisierbar werden läßt: ständig gibt sie zu, irgendwelche Fehler gemacht zu haben, blockt damit aber jeden konkreten Einwurf ab. Nicht weniger boshaft beschuldigt Brecht das *Amt für Literatur* (10, 1007f.), sich bei der Vergabe von Papier für Bücher (was damals wegen der Papierknappheit oft über das Erscheinen eines Buchs allein entschied) vordergründig an opportunistischen Gesichtspunkten zu orientieren, nämlich daran, ob die Bücher Ideen aus den Zeitungen »verarzten«. Diese Kritik ist Brecht wichtig wie auch die noch kurz zu besprechende Kritik an Stalin und am Stalinismus, wie er auch noch bittere Töne gefunden hat:

> Daß die Literatur keine Mimose ist
> Hat sich herumgesprochen. Wie oft schon
> Ward die Göttin geladen und
> Als Vettel behandelt. Ihre Herren
> Fickten sie nachts und spannten sie tags vor den
> Holzpflug.
> (Supplementbd. IV, 426)

Trotzdem kann die Kritik nicht verabsolutiert werden in dem Sinn, daß Brecht damit die gesamte SED-Politik in Frage stellte. Dieses Mißverständnis thematisiert ebenfalls in der »alten« satirischen Form das Gedicht *Nicht so gemeint*. Brechts Kritik an den Zensurmaßnahmen der Ämter, die nicht nur von ihm vertreten worden ist, führte zur Auflösung der angeprangerten Kunstkommission und zur Neueinrichtung eines Ministeriums für Kultur, dessen erster Leiter Johannes R. Becher war (Juli 1953). Als sich daraufhin im Westen Stimmen erhoben, die diese Kritik als grundsätzliche Kritik am Regime, an der mangelnden Freiheit und am Sozialismus mißverstanden, konterte Brecht:

> Als die Akademie der Künste von engstirnigen Behörden
> Die Freiheit des künstlerischen Ausdrucks forderte
> Gab es ein Au! und Gekreisch in ihrer näheren Umgebung
> Aber alles überschallend
> Kam ein betäubendes Beifallsgeklatsche
> Von jenseits der Sektorengrenze.
>
> Freiheit! erscholl es. Freiheit den Künstlern!
> Freiheit rings herum! Freiheit für alle!
> Freiheit den Ausbeutern! Freiheit den Kriegstreibern!
> Freiheit den Ruhrkartellen! Freiheit den Hitlergenerälen!
> Sachte, meine Lieben!
>
> Dem Judaskuß für die Arbeiter
> Folgt der Judaskuß für die Künstler.
> Der Brandstifter, der die Benzinflasche schleppt
> Nähert sich feixend
> Der Akademie der Künste.
> (10, 1008)

Das Gedicht ist deutlich genug, als daß es noch ausführlicheren Kommentars bedürfte. Brecht pflegte stets gegen den liberalistischen Freiheitsbegriff Stellung zu beziehen, der Freiheit für »alle« forderte, stets aber dazu geführt hatte, daß die Freiheit der Nicht-Besitzenden etc. auf »legale Weise« eingeschränkt worden war. In dieser Hinsicht verwahrte sich Brecht vor falschem Beifall für eine Kritik, auf deren Äußerung er bestand.

Das gilt auch modifiziert für Brechts Stalin-Kritik, die die Forschung bisher nur recht vage an den *Buckower Elegien* benennen konnte. Mit den Nachlaß-Gedichten liegen jetzt eindeutigere Zeugnisse vor; z. B. mit folgendem Gedicht:

> *Der Zar* hat mit ihnen gesprochen
> Mit Gewehr und Peitsche
> Am Blutigen Sonntag. Dann
> Sprach zu ihnen mit Gewehr und Peitsche
> Alle Tage der Woche, alle Werktage
> Der verdiente Mörder des Volkes.
> (Supplementbd. IV, 437)

Die Anti-Stalin-Gedichte sind Reaktionen Brechts auf die Enthüllungen des 20. Parteitags der KPdSU (14.–26. 2. 1956); dieser hatte Stalins Verbrechenssystem offengelegt und die Entstalinisierung eingeleitet. Die Beurteilung Brechts läßt an Härte nichts zu wünschen übrig, und trotzdem blieb für ihn eine historische Einschätzung von Stalins Wirken vorrangig:

> *Als der Helfer* erschien, war er
> Aussätzig. Aber der Aussätzige
> Half doch. (Supplementbd. 4, 436)

In einem Briefentwurf hielt Brecht fest: »Der Ausbruch aus der Barbarei des Kapitalismus kann selber noch barbarische Züge aufweisen. Die erste Zeit der proletarischen Herrschaft mag dadurch unmenschliche Züge aufweisen, daß das Proletariat, wie Marx es beschreibt, durch die Bourgeoisie in der Entmenschtheit gehalten wird. Die Revolution entfesselt wunderbare Tugenden und anachronistische Laster zugleich« (Supplementbd. IV, Anmerkungen, 32). Kritik ja, Antisozialismus nein, auf diese Formel läßt sich Brechts lyrische Satire in der DDR bringen. Alle – lange gehegten – »Wünsche«, im Nachlaß Brechts doch noch den großen Anti-Kommunisten zu entdecken, denjenigen, der unter der »Maske« steckt, haben sich nicht bewahrheitet: »Mit jedem der zahlreichen Werke Brechts, die [...] aus dem Nachlaß publiziert worden sind, wurde [...] die Hoffnung jener Adepten kleiner, daß die zu Brechts Lebzeiten unveröffentlichten Texte für eine antisozialistische Politik verwendbar sind« (Seidel, 1088).

Texte: Gedichte 1948–1956 (= Gedichte VII). Frankfurt a. M. 1964. S. 25–129. – Gedichte. Nachträge zu den Gedichten 1913–1956 (= Gedichte VIII). Frankfurt a. M. 1965. S. 205–213. – wa 10, 993–1008, 1017–1032. – Supplementband IV, 424–439.

Klaus *Schuhmann*: Untersuchungen zur Lyrik Brechts. Themen, Formen, Weiterungen. Berlin und Weimar 1973 (S. 103–148). – Wolfram *Schlenker*: Das »Kulturelle Erbe« in der DDR. Gesellschaftliche Entwicklung und Kulturpolitik 1945–1965. Stuttgart 1977 (S. 104–136). – Gerhard *Seidel*: Vom Kaderwelsch und vom Schmalz der Söhne McCarthys. In: Sinn und Form 32, 1980, Heft 5, S. 1087–1091. – Stephan *Bock*: Literatur, Gesellschaft, Nation. Materielle und ideelle Rahmenbedingungen der frühen DDR-Literatur (1949–1956). Stuttgart 1980 (S. 214–256). – Theo *Buck*: Wider den »Sandsturm der Realitäten« [Zu *Auf einen chinesischen Theewurzellöwen*]. In: German Quarterly 54, 1981, Heft 2, S. 1–7. – Carl *Pietzcker*: Gleichklang. Psychoanalytische Überlegungen zu Brechts später Lyrik. In: Der Deutschunterricht, Heft 5, 1982, S. 46–72.

Vergnügungen (1954)

Das Gedicht, das um 1954 (in Berlin) entstanden ist, gehört zu den formal ausgefallensten Gedichten Brechts, vergleichbar nur mit so herausfordernden Gedichten wie *Gedenktafel für 12 Weltmeister*, dessen letzte Strophe nur noch in der Aufzählung der zwölf Namen und einem Resümee besteht (8, 307–310). Das frühere Gedicht jedoch stellte sich polemisch der neusachlichen Herausforderung, versuchte, jegliches Gefühl, jeden »Schmalz« aus der Lyrik zu vertreiben und sie den der Zeit angemessenen Themen zu öffnen. Das späte Gedicht hat diesen polemischen Zug nicht mehr, es wirkt heiter, distanziert und bleibt dennoch mit der bloßen Reihung von vorwiegend Ein- bzw. Zwei-Wort-Versen eine Herausforderung:

> *Vergnügungen*
>
> Der erste Blick aus dem Fenster am Morgen
> Das wiedergefundene alte Buch
> Begeisterte Gesichter
> Schnee, der Wechsel der Jahreszeiten
> Die Zeitung
> Der Hund
> Die Dialektik
> Duschen, Schwimmen
> Alte Musik
> Bequeme Schuhe
> Begreifen
> Neue Musik
> Schreiben, Pflanzen
> Reisen
> Singen
> Freundlich sein. (10, 1022)

Das Gedicht besteht aus einer bloß hinweisenden Reihung ohne jegliche Satzverknüpfung. Es gibt kein Verb, es sei denn isolierte Substantivierungen von Verben. Alles steht – durch die Versgrenze – für sich, wirkt aber im Zusammenhang dennoch ausgesprochen lyrisch (die Rezeption hat dies stets betont), verführt auch nicht zu »symbolischen« Ausdeutungen, wie es bei moderner Lakonie in der Lyrik (z. B. bei Paul Celan) der Fall zu sein pflegt. Das Gedicht wirkt ohne weiteres verständlich, es »verbirgt« nichts, und dennoch fordert es Erläuterung, weil sozusagen auf skandalöse Weise Dinge zueinander gestellt sind, die so keinen Zusammenhang zu ergeben scheinen (am deutlichsten: »Der Hund / Die Dialektik«). Versuche, eine Art Handlung in das Gedicht hineinzudeuten, im Stil, daß der Hund gerade die Zeitung (am Morgen) gebracht hat und aus ihr »Dialektik« entgegenkommt, beweisen ihre Unergiebigkeit bereits im Ansatz. Diese »reduzierte« Poesie (Karl Krolow) versteht sich nicht als »Verdichtung« eines nur noch »so sagbaren« (eigentlich Unsagbaren) Umfassenderen, es stellt vielmehr aufgrund ganz konkreter Eindrücke Zusammenhänge her. Insofern sollten die Verse erst einmal bei ihrem Wort genommen werden.

Der erste Vers thematisiert Anschauung: der Blick aus dem Fenster. Nicht wichtig ist, was gesehen wird, sondern daß gesehen wird, genauer, daß wieder Kontakt zur Außenwelt hergestellt wird. Noch herrscht Ruhe, noch gibt es keine Tätigkeit, aber die Vereinzelung ist bereits aufgehoben. Dazu ist es Morgen, das heißt, daß der Tag vor »einem« – es gibt kein konkretes Subjekt –, liegt. Mit der Tageszeit ist folglich der kommende Tag, etwas Zukünftiges angesprochen. Mit dem zweiten Vers schlägt der Blick um, in die Vergangenheit, das alte Buch stellt die Verbindung her, sein zweites Attribut benennt sie genauer: als wiedergefundenes Buch erweist es sich zugleich als zeitweilig verlorengegangenes Buch, als wieder eingebrachter Fund. Darin markiert Brecht eine glücklich wiederhergestellte Anknüpfung an die Vergangenheit, ein positiv empfundenes Nebeneinander von Zukünftigem und Überliefertem, das als gegenwärtiges Glück genossen werden kann. Von daher erhalten die »Begeisterten Gesichter« ihren Zusammenhang im Gedicht. »Begeistert« ist doppeldeutig: es meint nicht nur »freudig erregt«, sondern auch »von Geist erfüllt« zu sein, in diesem Zusammenhang läßt sich der Vers folglich nicht als »gläubig Begeisterte« (Conrady, 143) lesen, sondern durch Wissen, durch »Geist« (altes Buch) »erregte Gesichter«. Auch »Gesichter« trägt eine gewisse Doppeldeutigkeit in sich. Freilich meine ich nicht »Gesichte« im Sinn von Vision; denn dann müßte der Vers »Begeisterte Gesichte« lauten. Im Gesicht spiegelt sich vielmehr der Blick vom ersten Vers: dem Blick, der aus dem Fenster in die begeisterten Gesichter sieht, »antworten« die Blicke aus den begeisterten Gesichtern. Es entsteht ein Zusammenhang zwischenmenschlicher Art. Der vierte Vers weitet die beschränkte »Szenerie« des Morgens entschieden aus, weshalb sich u. a. auch kein Handlungszusammenhang herstellen läßt; denn es handelt sich nicht um ganz bestimmte (vorübergehende) Vergnügungen, sondern um grundsätzlichere. Der vierte Vers jedenfalls bringt die Jahreszeiten ins Spiel, und zwar zunächst durch das Stichwort »Schnee«. Dieses eine Merkmal reicht aus, um die anderen (Blüte, Morgenrot etc. etc.) mitzubenennen. Denn der (erste) Schnee macht die Veränderung der Jahreszeiten am augenfälligsten. Im Schnee konkretisiert sich der Wechsel der Jahreszeiten in entschiedenster Weise, der gesamte Vers – anknüpfend an den ersten, der in der vorübergehenden Tageszeit auch schon den Wechsel implizierte –, formuliert das Prinzip »Veränderung«. »Die Zeitung« des folgenden Verses lenkt den Blick aufs Alltägliche zurück. Zeitung heißt Neuigkeiten, Berichte, Nachrichten von draußen, Verbindung zu anderen und anderem. Sie kommt täglich neu und trägt so auch das Prinzip »Veränderung« in sich. Der Hund bringt einen weiteren Bezug, einen weiteren Zusammenhang ein; er ist als Hausgenosse domestizierte Natur, Beleg für eine glückliche Verbindung von Menschlichem und Nicht-Menschlichem (aber »Vermenschlichtem«). Die dem Hund nachfolgende »Dialektik« steht nicht in der »Mittelachse« des Gedichts. Es hat 16 Verse, der »Dialektik-Vers« zählt als Nummer sieben. Einen Mittelvers gibt es nicht, aber auch zu den beiden mittleren Versen gehört diese Zeile nicht. Folglich läßt sich nicht darüber spekulieren, daß »Die Dialektik« alles zu sich, auf sich hin »ordne«. Sie steht buchstäblich unter anderen, und ist, wenn man will, »auf den Hund gekommen«. Dies freilich nicht im verpönten Sinn (als »depraviert«), sondern wenn schon heiter-ironisch. Die Dialektik gehört dazu, aber es ist kein Aufhebens mit ihr (im Sinn: »das muß man alles dialektisch sehen«, mit welchem Ausspruch dann alle Probleme als erklärt gelten). Die Dialektik formuliert die Veränderlichkeit und Veränderbarkeit, hat den Wandel zum Prinzip, und zwar als Prinzip der Natur (Tages-, Jahreszeitenwechsel) als auch des Menschen (in seinem Denken: alte Bücher, in seinem Zusammenleben: Blick – Gesichter, in seinen Tätigkeiten: Domestizieren von Natur). Im Gegensatz zur traditionellen Logik, die sich als »Metasystem« über den Dingen versteht, bleibt Dialektik bei den Dingen, ist sie – nach Hegels Bestimmung – die »Bewegung der Sachen selbst«, kann deshalb auch unter sie gereiht werden. Gerade die Verstörung, die die merkwürdige Reihung von »Hund« – »Dialektik« – »Duschen, Schwimmen« provoziert, ist ihre »dialektische« Antwort. Dialektik bleibt bei den Dingen selbst, Dialektik ist kein aufgeblasenes, abgehobenes Übersystem. Der nächste Vers sorgt schnell dafür, daß das »Geistige« nicht etwa vom Körperlichen getrennt bleibt: dieser »Geist« (der Dialektik) ist ein körperlicher Geist – wie die Dialektik »Bewegung der Sachen selbst«; ein Denken des materiell Wirklichen. Dieser körperliche Aspekt ist sehr wichtig, insofern das mit Dialektik benannte Denken auch einen Denker erfordert, der sich körperlich wohlfühlt. Solches Denken ist nicht verkniffen, nicht angestrengt »überirdisch«, es ist ein Denken des Wirklichen durch Menschen, die sich ihrer Körperlichkeit bewußt sind und dafür sorgen, daß sie sich wohlfühlen. Hier darf auf den 10.

Vers vorausgegriffen werden, der das noch einmal in einem anderen Aspekt verdeutlicht: die bequemen Schuhe stehen für bequeme Kleidung überhaupt, für eine Kleidung, die sich nicht Moden etc. unterwirft, sondern sich dem Körper so anpaßt, daß sich Bequemlichkeit einstellt (verwiesen sei nur nebenbei darauf, daß dazu dann auch die Wohnungseinrichtung gehört, bequemes Sitzen etc., was Brecht ja auch für sein Theater forderte). Der übersprungene 9. Vers steht zunächst absolut, könnte als ein Plädoyer für alte Musik mißverstanden werden, wenn er nicht mit dem 12. Vers korrespondierte. Es gibt kein Plädoyer zum (guten) Alten, das Neue gehört ebenso zu den Vergnügungen, so daß hier noch einmal, diesmal auf dem Gebiet des Künstlerischen, die Verbindung zwischen Vergangenem und Zukünftigem hergestellt ist. Neues baut auf Altem auf; eins ist und kann nicht sein ohne das andere. Die Zusammenstellung von »Bequeme Schuhe« und »Begreifen« pointiert noch einmal die notwendige Verbindung von Körperlichem und Geistigem. Überdies trägt das offenbar mit Bedacht gewählte Wort »Begreifen« die körperlich-geistige Verbindung in sich: man kann etwas begreifen, wenn man es anfaßt, in den »Griff« nimmt, man kann aber auch etwas geistig aufnehmen und Begriffe daraus bilden. An dieser Stelle spätestens erklärt sich auch, warum Brecht substantivierte Verben verwendet. In ihnen ist die Tätigkeit auf den adäquaten Begriff gebracht. Als Substantiv ist die Tätigkeit angeeigneter – sozusagen »begriffener« – Begriff; als substantiviertem Verb ist aber im Begriff die – voran gegangene – Tätigkeit noch enthalten. Sie kann vom Begriff aus auch wieder entfaltet werden. Der 13. Vers kommt zu den eigentlich produktiven Tätigkeiten, wobei die Zusammenstellung von Schreiben und Pflanzen die beiden wichtigsten menschlichen Tätigkeiten exemplarisch bezeichnet: das »Pflanzen« steht für alle kultivierende menschliche Tätigkeit, für die Arbeit, besser »das Arbeiten« überhaupt. »Pflanzen« besagt noch konkret, was Arbeit bedeutet, nämlich mit der Natur die Natur für menschliche Zwecke unterwerfen, für menschlichen Unterhalt, aber auch für Erleichterung des Lebens zu sorgen. Das »Schreiben« meint dann nicht zuerst die dichterische Tätigkeit, was biographisch naheliegen mag, sondern das Überliefern (altes Buch) der menschlichen Arbeit, des menschlichen Wissens, kurz: der menschlichen Errungenschaften, die jede Generation sich erarbeiten muß, um ihrerseits zu Neuem zu kommen. Wie dieses Arbeiten vor sich gehen soll, soll es vergnüglich sein, hat das Gedicht im vorangehenden entwickelt. Es soll mit körperlichem Wohlbehagen, mit Bequemlichkeit sich vollziehen (insofern steckt in diesem Gedicht auch eine Art »soziales Programm«). Arbeit soll »nicht entfremdet« sein, in jeder Hinsicht. Arbeit soll Vergnügung sein. Auf das vergnügliche Arbeiten folgt das Reisen, die Ortsveränderung, das Kennenlernen von Fremdem, anderem, aber auch das Sich-Hinaus-Begeben, Sich-Infrage-stellen durch das Fremde, andere. Das anschließende Singen steht wiederum pointiert zusammenhanglos und bringt sich deshalb in Zusammenhänge ein, mit dem Arbeiten, das vergnüglich von Gesang begleitet sein kann, mit dem Reisen, das die Kenntnis anderer Lieder, anderer Musik bringen kann, und schließlich gibt es auch das chorische Singen, das Singen mit anderen, das traditionell als »Ausdruck von Freude« und »Freundlichkeit« bewertet wird. Davon ist im Schlußvers die Rede. Er verweist noch einmal nachdrücklich darauf, daß diese Vergnügungen mit Freundlich-Sein verknüpft sein müssen, wenn sie Vergnügungen bleiben sollen. Freundlich sein enthält den Aspekt des Entspannten, Bequemlichen in sich; böse sein verzerrt die Züge, ist anstrengend und angestrengt. Zugleich deutet es auf den zwischenmenschlichen Aspekt. Freundlich ist man zu den anderen, freundlich meint auch Freund sein den anderen, meint friedliches, helfendes Zusammenleben.

Die Isolierung, so könnte man pathetisch formulieren, stiftet Zusammenhänge. Gerade dadurch, daß Brecht scheinbar einander Fremdes, Unzusammengehöriges, Widersprüchliches aneinanderreiht, provoziert er, ihre Zusammenhänge aufzuspüren und zu realisieren. Dabei braucht die Analyse nichts zu forcieren, nichts »Hinzuzudenken«. Sie braucht lediglich beim Wort-Zu-Nehmen und die Konkretion zu leisten, Konkretion im Hegelschen Sinn, wonach das Konkrete erst dann als solches bestimmt ist, wenn es in seinen übergreifenden Zusammenhang gestellt ist – als das wortwörtlich »Zusammengewachsene«. Dazu ist es nicht nötig, Symbole etc. zu bemühen, in denen irgend etwas »verborgen«, »verschlüsselt« ist. Als bestimmte Konkreta verweisen die (scheinbar unzusammenhängenden) Aneinanderreihungen auf ihren Zusammenhang, den der Leser dann realisiert hat, wenn er das (scheinbar) Abstrakte konkretisiert. Brecht hat damit einen völlig neuen Typus von Gedichten geschaffen, dessen Wirkung die Forschung stets bestätigt hat, nie aber beschreiben konnte, weil ihr das Hegelsche dialektische Denken fehlte. Ich habe es hier versucht nachzuvollziehen, ohne die Analyse mit Hegel-Zitaten zu belasten und zu erschweren.

Es scheint nicht überflüssig, den Leser zu verständigen, daß Brecht mit diesem Gedicht keine »Wirklichkeitsabbildung« (DDR-Wirklichkeit) angestrebt hat. Mutmaßungen darüber, daß die »begeisterten Gesichter« die »gläubig Begeisterten und begeistert Gläubigen« bei Mai-Aufmärschen (etc.) meinten, daß das»Reisen« – als Vergnügung angeführt – für DDR-Bürger ein Ärgernis wäre etc. (Conrady, 143, 146), sind nutzlos und sinnlos. Als hätte Brecht nicht gewußt, daß es in der DDR seiner Zeit entfremdete Arbeit, angestrengte Gesichter etc. gegeben hätte. Sollte deshalb nicht von Vergnügungen die Rede sein? In der DDR gestattete sich Brecht solch lyrisches Sprechen, offenbar in der Hoffnung, daß das Leben vergnüglicher werden würde.

Text: [Ohne Titel] in: Sinn und Form. 2. Sonderheft Bertolt Brecht. Berlin 1957. S. 343 [Entstehungsdatum dort 1956; ist inzwischen auf »um 1954« korrigiert]. – Gedichte 1948–1956 (= Gedichte VII). Frankfurt a. M. 1964. S. 118. – wa 10, 1022.

Klaus *Schuhmann*: Untersuchungen zur Lyrik Brechts. Themen, Formen, Weiterungen. Berlin und Weimar 1973 (S. 126 f.). – Antony *Tatlow*: The Mask of Evil. Brecht's Response to the Poetry, Theatre and Thought of China and Japan. Bern [u. a.] 1977 (S. 70 f.). – Karl Otto *Conrady*: Vergnügungen. In: Ausgewählte Gedichte Brechts mit Interpretationen. Hg. v. Walter *Hinck*. Frankfurt a. M. 1978. S. 139–146. – Franz Norbert *Mennemeier*: Bertolt Brechts Lyrik. Aspekte, Tendenzen. Düsseldorf 1982 (S. 159–171).

Exkurs: Hundert Gedichte 1918–1950 (1951)

1951 erschien im Aufbau-Verlag Berlin Brechts einziger ausgesprochener Lyrikband (also abgesehen von der *Kriegsfibel*) der Nachkriegszeit. Er stellt einerseits eine Bilanz des gesamten lyrischen Werks dar, antwortet aber zugleich auch auf die vergangene und zukünftige Geschichte, auf sie zurückblickend, hoffnungsvoll auf eine neue Zeit voranblickend. Kennzeichen dafür sind die Schwergewichte, die Brecht setzt: die Chroniken bzw. Berichte bzw. »Marginalien« (ab S. 177) als lyrische Geschichtsschreibung, und die Kinderlieder als mahnende Hoffnung auf eine (endlich) bessere Zukunft. Die Gedichte sind nicht chronologisch geordnet, sondern thematisch. Beginn und Ende der Sammlung sind markiert durch die *Ballade vom Wasserrad,* die Brecht umgeschrieben hat im Hinblick auf die Wassermetaphorik (das Wasser betreibt seine eigene Sache, das Rad-»Symbol« wird aufgehoben), und *An die Nachgeborenen,* ein Gedicht, das die Kinder der *Kinderlieder* ermahnt, die Erfahrungen der Eltern aufzunehmen und ihre – oft schmerzhafte – Arbeit für eine bessere Zukunft nicht zu vergessen, auch nicht ihre vielfältigen Unzulänglichkeiten. Im Kapitel *Pamphlete und Loblieder* (ab S. 191) stellt Brecht Gedichte zusammen, die den – jetzt vergangenen – Kampf gegen den Hitlerfaschismus und für den Sozialismus noch einmal in Erinnerung rufen. Daß dieser Kampf nicht schon ganz vorbei ist, soll die folgende Rubrik zeigen: in den *Zeitgedichten und Marschliedern* kommen Gedichte aus der Weimarer Zeit, der Zeit des Faschismus und der Nachkriegszeit nebeneinander zu stehen. Noch sind die Ziele nicht verwirklicht, noch muß mit Rückfällen gerechnet werden. Daß Brecht die Sammlung mit den *Gedichten im Exil* abschließt (ab S. 285), schließt an die Versuche an, eine gleichnamige Anthologie in den vierziger Jahren herauszugeben. Mit einigen Abweichungen besteht das Schlußkapitel vor allem aus Gedichten, die in der Sammlung von 1944 enthalten sein sollten. Das *Rückkehr*-Gedicht bekommt dadurch – im Gegensatz zur Sammlung von 1945/46 – seine Endstellung wieder zurück, allerdings noch gefolgt von *An die Nachgeborenen*. Die Endstellung der Exil-Gedichte ist programmatisch: die Vergangenheit ist unbedingt zu erledigen, wenn ein wirklicher Neuaufbau geschaffen werden soll. Im Gegensatz zu den meist idealistischen Aufrufen etwa eines Johannes R. Becher, zur verbalen Beschwörung von »Auferstehung« (aus Ruinen; so der Beginn der DDR-Nationalhymne), von Aufbau, von Fortschritt, beharrte Brecht auf einer realistischen »Bewältigung« barbarischer Zeiten: »weitermachen ist die parole. es wird verschoben und es wird verdrängt. alles fürchtet das einreißen, ohne das das aufbauen unmöglich ist« (AJ 814; vom 6. 1. 1948).

Text: Bertolt Brecht: Hundert Gedichte 1918–1950. Berlin 1951.

Christiane *Bohnert*: Brechts Lyrik im Kontext. Zyklen und Exil. Königstein/Ts. 1982 (S. 209–234; Inhaltsverzeichnis S. 297–299).

Buckower Elegien 1953

Entstehung, Texte

Buckow liegt etwa eine Autostunde östlich von Berlin, am Scharmützelsee in der Märkischen Schweiz. Helene Weigel und Brecht erstanden dort im Sommer 1952 eine kleine Villa mit einem Gärtnerhaus, das sich Brecht als Arbeitsraum ausbauen und einrichten ließ. Von dort aus hatte er einen günstigen Blick auf den See und die ihn umgebenden Hügel. Möglich, daß Brecht gerade diesen Ort wählte, weil er ihn an die frühere Ammerseelandschaft und das Landhaus in Utting oder auch an die Svendborger Zufluchtsstätte erinnerte. Über die Suche nach einem »Land- und Arbeitssitz« schrieb Brecht: »mit helli in buckow in der märkischen schweiz landhäuser angesehen. finden auf schönem grundstück am wasser des scharmützelsees unter alten großen bäumen ein altes, nicht unedel gebautes häuschen mit einem andern, geräumigeren aber ebenfalls einfachem haus daneben, etwa 50 schritte entfernt. etwas der art wäre erschwinglich, auch im unterhalt. in das größere haus könnte man leute einladen« (AJ 973; vom 14.2.1952). Buckow ist kein »Rückzug«, wie die Forschung zunächst allgemein angenommen hat, keine Suche nach Privatheit (vgl. dazu Vollmar, 11; mit Belegen). In erster Linie geht es Brecht darum, sich eine Sphäre für seine Arbeit zu sichern; in heiter ironischer Weise kommt dies im Zettel zum Ausdruck, den Brecht an sein Arbeitszimmer in Buckow gehängt hatte. In Form einer Resolution der Pariser Kommunarden von 1871 (»In Erwägung, daß...«) verbittet sich Brecht allzu häufige Störungen in seiner »Sphäre der Isolierung«, freilich nicht ohne anzufügen: »Ich bitte, diese Regelung nicht als allzu bindend aufzufassen. Prinzipien halten sich am Leben durch ihre Verletzung« (Faksimile bei Werner Hecht: Bertolt Brecht. Sein Leben in Bildern und Texten. Frankfurt a.M. 1978. S. 276). Die vielen Besucher, die Brecht in Buckow empfing (z.B. Georg Lukács), die Gemeinschaftsarbeiten, die in Buckow entworfen oder auch durchgeführt wurden (z.B. mit Jacob Walcher zu einem Rosa-Luxemburg-Stück), sprechen gegen den Rückzug in die Idylle. Freilich bleibt es bemerkenswert, daß Brecht »Natur« aufsucht und offenbar die schöne natürliche Umgebung mit See, Bergen, Bäumen sehr und als arbeitsförderlich schätzt: »haus und umgebung in buckow ist ordentlich genug, daß ich wieder etwas *Horaz* lesen kann« (AJ 982; vom 15.7.1952), eine Einschätzung, die zurückdenken läßt an Brechts Beurteilung des zweiten Hauses in Santa Monica, das ihn etwas aus der Künstlichkeit der Hollywood-Natur herausgeführt hatte (vgl. AJ 513; vom 17.8.42). In Hollywood war auf diese Weise der Lukrez wieder lesbar geworden. Brecht läßt sich von der angenehmen Umgebung jedoch nicht zur Selbstzufriedenheit verführen (was auch in Hollywood nicht der Fall gewesen war). Im Gegenteil scheint die vorübergehende Distanzierung (meist in den Sommermonaten) eher den kritischen Blick zu schärfen und jegliche Alltagsroutine auszuschließen. Auch die Horaz-Lektüre gilt nicht der Versenkung in die Vergangenheit: »aber die zufriedenheit des horaz mißfällt mir mehr und mehr«, notiert er kritisch (AJ 986; vom 30.8.52).

Die *Buckower Elegien* tragen den Namen ihres Entstehungsorts. Ihre Entstehungszeit fällt weitgehend mit der letzten Arbeitsphase am Stück *Turandot oder Der Kongreß der Weißwäscher* zusammen, das heißt Sommer 1953, vor allem die Monate August und September. In einem Brief an Peter Suhrkamp, Brechts Verleger, schickt Brecht zur »Privatlektüre« »ein paar ›Buckowliche Elegien‹« mit (Briefe, Nr. 747; vom November 1953). Dieser Suhrkamp mitgeteilte Titel ist wortspielerisch, insofern er nicht nur den Ortsnamen meint, sondern auch an »Bukolik« anklingt, an die Hirten- oder Schäferdichtung, die es bereits in der Antike gab und die sich scharf abgrenzt gegen die brutale Wirklichkeit, sich statt dessen eine beschauliche, friedfertige Naturwelt mit Schäfern und Hirten entwirft. Inwieweit dieses Attribut als Selbstdeutung der Elegien einzuschätzen ist, wäre zu diskutieren. In diesem Zusammenhang ist jedoch auf eine unmittelbar nachweisliche Verbindung des *Turandot*-Stücks mit den *Buckower Elegien* einzugehen. Die Grundidee zu dem berühmt-berüchtigten Gedicht *Die Lösung* stammt aus dem *Turandot*-Stoff, und zwar bereits aus den dreißiger Jahren. Es ist sehr wahrscheinlich, daß Brecht, als er die Pläne zu seiner Satire wieder aufnahm, die alten Aufzeichnungen verwendet hat. In den 30er Jahren entwirft Brecht folgende Rede des Gogher Gogh in einem noch so benannten *Tuistück:*

Gogher Gogh: das volk ist gemeingefährlich. es verübt anschläge auf den staat.
Gogher Gogh: was heißt das: das volk kann sich sein regime wählen? kann sich etwa das regime sein volk wählen? es kann nicht. es muß mit dem volk, das es zufällig besitzt, auskom-

men, ob dieses volk auch noch so miserabel ist. nehmen Sie unser volk, eure mayestät[!]! es ist miserabel. es denkt ausschließlich an sein eigenes wohlergehen und lebt skandalös über unser einkommen.
(Text bei Thiele, 76; BBA 499/01 = Nr. 2840, Bd. 1, S. 247)

Die Pointe der *Buckower Elegie*, daß es einfacher wäre, das »Volk aufzulösen« und ein neues zu wählen (10, 1010), ist da bereits vorgeprägt. Es liegt sehr nahe, daß zumindest diese Elegie in engstem Zusammenhang mit dem *Turandot*-Stück entstanden ist, daß also gewisse satirische Spitzen dieser Gedichte im Bezug auf das gleichzeitige Stück zu analysieren sind (vgl. Thiele, 76f.).

Nach einigen frühen Fehleinschätzungen der *Buckower Elegien* (vgl. die Zeugnisse bei Link, 117f.) ist sich die inzwischen sehr zahlreich gewordene Forschung einig, daß sie ihre Entstehung den Ereignissen des 17. Juni 1953 verdanken und sich auch weitgehend in »verschlüsselter« Weise auf sie beziehen. Deshalb ist es wichtig, Brechts Einschätzung der Ereignisse in die Entstehungsgeschichte mit einzubeziehen. Seitdem das *Arbeitsjournal* publiziert worden ist, gilt die Eintragung vom 20. 8. 53 als Hauptbeleg: »buckow. TURANDOT. daneben die BUCKOWER ELEGIEN. der 17. juni hat die ganze existenz verfremdet« (AJ 1009). Brecht würdigt die Rolle der Arbeiter dabei, die gehandelt hätten, sieht aber auch das Vorgehen der Partei als richtig an, wobei er einrechnet, daß die gesamte Arbeiterklasse für ihr Vorgehen noch kein Verständnis haben könnte. Die Rechtfertigung für den Einsatz der sowjetischen Panzer liefert die »andere Seite« des Aufstands, nämlich der »wieder erstarkende kapitalismus der faschistischen ära« im Westen, der sich die Unzufriedenheit der DDR-Arbeiter zunutze machen wollte. – Diese Passage, die Brechts Einschätzung in nuce enthält, ist häufig zu einseitig auf Brechts »Subjektivität« bezogen worden, auf die »verfremdete Existenz«, so daß die berechtigte Kritik an der DDR-Politik ins Zentrum der Elegien-Deutung gerät (das betrifft praktisch die gesamte neuere Forschung zu den Elegien: Link, Rastegar, Vollmar, Schwarz; Ausnahme: Thiele).

Auf das »Zwischenspiel« der inzwischen von selbst erledigten früheren Brecht-Forschung kann hier nur noch am Rande eingegangen werden, nämlich auf die – auf unbekannte Zeugnisse gegründete – Vermutung, Brecht habe »im Grunde« prinzipielle Kritik geübt, habe einen (zunehmend oder schon lange vorbereiteten) antikommunistischen Standpunkt vertreten und sei von den Machthabern in vergewaltigender Weise zu ihrem Lobredner stilisiert worden. All das hat sich als ebenso unhaltbar erwiesen, wie Günter Grass' Brecht-Darstellung in seinem mißratenen aristotelischen Drama *Die Plebejer proben den Aufstand*, in dem Brecht als gekrümmter Stalin-Diener die alte Heldenrolle übernehmen darf (die Zeugnisse dazu sowie Nachweise über Grass' Verarbeitung der *Buckower Elegien* finden sich in BH 1, 313–315, innerhalb des *Coriolan*-Stücks).

Deutlicher als im *Arbeitsjournal* hat Brecht in einer von Peter Suhrkamp geforderten »Stellungnahme« seine Ansichten ausgebreitet. In seinem Brief vom 1. 7. 1953, also wesentlich eher als die *Arbeitsjournal*-Eintragung, führt Brecht u. a. aus: Er habe drei Jahrzehnte lang »die Sache der Arbeiter« vertreten und am 17. Juni »die erschütternden Demonstrationen der Arbeiter übergehen sehen in etwas sehr anderes als den Versuch, für sich die Freiheit zu erlangen«. Die Erbitterungen seien zu Recht gewesen, viele Fehler seien gemacht worden, aber es habe auch objektive – durch die Vergangenheit bedingte – Hindernisse für eine bessere Entwicklung gegeben. Insofern würdigt Brecht den »Volks«-Aufstand als *Arbeiteraufstand* (ihm fiel nämlich auf, daß die Kleinbürger fehlten!). Aber es kam mehr hinzu, was in der BRD stets als abgekartete Propaganda der DDR abqualifiziert wird (was aber keine »östliche« Erfindung ist):

Die Straße freilich mischte die Züge der Arbeiter und Arbeiterinnen schon in den frühen Morgenstunden des 17. Juni auf groteske Art mit allerlei deklassierten Jugendlichen, die durch das Brandenburger Tor, über den Potsdamer Platz, auf der Warschauer Brücke kolonnenweise eingeschleust wurden, aber auch mit den scharfen, brutalen Gestalten der Nazizeit, den hiesigen, die man seit Jahren nicht mehr in Haufen hatte auftreten sehen *und die doch immer dagewesen waren*. Die Parolen verwandelten sich rapide. Aus »Weg mit der Regierung!« wurde »Hängt sie!«, und der Bürgersteig übernahm die Regie. Gegen Mittag, als auch in der DDR, in Leipzig, Halle, Dresden, sich Demonstrationen in Unruhen verwandelt hatten, begann *das Feuer* seine alte Rolle wieder aufzunehmen. [...] Und den ganzen Tag kamen über den RIAS, der sein Programm kassiert hatte, anfeuernde Reden, das Wort Freiheit von eleganten Stimmen gesprochen. Überall waren die »Kräfte« am Werk, die Tag und Nacht an das Wohlergehen der Arbeiter und der »kleinen Leute« denken und jenen hohen Lebensstandard versprechen, der am Ende dann immer zu einem hohen Todesstandard führt. Da schien es große Leute zu geben, die bereit waren, die Arbeiter von der Straße direkt in die Freiheit der Munitionsfabriken zu führen. Mehrere Stunden lang, bis zum Eingreifen der Besatzungsmacht, stand Berlin am Rand eines dritten Weltkriegs.
(Briefe, Nr. 728)

Brecht betont dann noch, daß der 17. Juni die alten Nazis, die in der DDR lebten, wieder nach oben gespült hätte, daß also auch in der DDR noch sehr starke und gefährliche faschistische Kräfte am Werk seien. Noch einmal unterstreicht er seine Verbundenheit mit der SED, deren Fehler er nicht dabei übersehen haben will, aber am 17. Juni wurde sie nicht wegen ihrer Fehler, sondern ihrer »Vorzüge« wegen – nach dem Umschwenken des Arbeiteraufstands in einen faschistischen Putschversuch angegriffen, und zwar von »faschistischem und kriegstreiberischem Gesindel«. Der Schlußsatz lautet: »Im Kampf gegen Krieg und Faschismus stand und stehe ich an ihrer [der SED] Seite« (Briefe, Nr. 728).

Mit diesem Brief an Peter Suhrkamp, dem keine »Bestellung« etc. mehr unterstellt werden kann, lassen sich Brechts Erschütterung und Reaktionen erstmals genau erfassen. In den Bereich des Märchens gehören damit endgültig alle Auffassungen, daß Brecht schließlich doch erhebliche Vorbehalte gegen SED und das Eingreifen der Besatzungsmacht gehegt habe. Das genaue Gegenteil ist der Fall (und Brecht soll einer der wenigen gewesen sein, der den russischen Panzern zugewinkt hat). Brechts Erschütterung gilt vor allem der Tatsache, daß der sozialistische (Teil-)Staat, der er damals noch war, offenbar nicht nur noch außerordentlich schwach, sondern *auch von innen* bedroht war: die alten Feuerleger, die Brandstifter traten auf einmal wieder in Rudeln hervor und vermischten sich mit den »Kräften« von außen. Brecht muß – und das läßt sich auf dem Hintergrund seiner Exil-Erfahrungen viel intensiver vorstellen –, geradezu existentielle Angst vor einem erfolgreichen Putschversuch, der das sozialistische Experiment beendet und wahrscheinlich zu einem neuen Krieg geführt hätte, gehabt haben. Darauf jedenfalls läßt der sonst bei Brecht wenig verwendete Begriff der »existenz«, die »verfremdet« sei, schließen. Brecht fürchtete darüber hinaus, daß die aktuelle innere und äußere neofaschistische Gefahr die notwendige »Aussprache« zwischen Partei und Arbeitern behindern oder falsch kanalisieren könnte, indem die Partei den Putschversuch zum Anlaß nähme, die berechtigten Interessen der Arbeiter zu minimieren, zu übersehen oder gar mit den neofaschistischen Kräften zu identifizieren. Von daher erklärt sich auch die Schärfe, mit der Brechts Elegien gegen solche Versuche (denen Kubas z. B.) vorgehen. Brecht, das zeigen seine Briefe und Pläne, hat nicht »resigniert«. Im Gegenteil setzt er seinen Einfluß und seine »Autorität« ein, die notwendige Aussprache voranzubringen, den »Neuen Kurs« zu unterstützen und die »Steifheit« der Funktionäre zu brechen (Briefe, Nr. 730; an Otto Grotewohl; vom 12. 7. 53 u. v. a.). Auf diesem zeitpolitischen Hintergrund sind die Gedichte der *Buckower Elegien* zu analysieren.

Texte: Versuche, Heft 13 (= 23. Versuch). Berlin 1954. S. 109–113 [= *Der Blumengarten, Gewohnheiten, noch immer, Rudern, Gespräche, Der Rauch, Heißer Tag, Bei der Lektüre eines sowjetischen Buches*]. – Gedichte: In: Sinn und Form 5, 1953, Heft 6, S. 119–121 [wie in *Versuche* 13, von hier übernommen]. – Erste Einzelausgabe: Frankfurt a. M. 1964 (= Insel-Bücherei). – Gedichte 1948–1956 (= Gedichte VII). Frankfurt a. M. 1964. S. 5–23. – wa 10, 1009–1016. – Supplementband IV, 428.

Klaus *Schuhmann*: Untersuchungen zur Lyrik Brechts. Themen, Formen, Weiterungen. Berlin und Weimar 1973 (S. 110–131). – Jürgen *Link*: Die Struktur des literarischen Symbols. Theoretische Beiträge am Beispiel der späten Lyrik Brechts. München 1975 (S. 45–115). – Klaus-Bernd *Vollmar*: Ästhetische Strukturen und politische Aufklärung. Ein Versuch, die materialistische Literaturtheorie auf den Boden des Textes zu stellen. Bern 1976 (passim). – Nosratollah *Rastegar*: Die Symbolik in der späteren Lyrik Brechts. Frankfurt a. M. 1978 (S. 290–294, 257–260). – Peter Paul *Schwarz*: Lyrik und Zeitgeschichte. Brecht: Gedichte über das Exil. Heidelberg 1978 (S. 116–122). – Dieter *Thiele*: Bertolt Brecht. Selbstverständnis, Tui-Kritik und politische Ästhetik. Frankfurt a. M. 1981 (S. 68–77). – Christel *Hartinger*: Bertolt Brecht – das Gedicht nach Krieg und Wiederkehr. Studien zum lyrischen Werk 1945–1956. Berlin 1982 (S. 242–244).

Die »Symbolik«-Theorie

»Brechts Alterslyrik, als deren Kern die *Buckower Elegien* von 1953 gelten können, ist ohne eine Analyse ihres spezifischen Symbol-Stils nicht adäquat zu diskutieren«, so lautet die apodiktische Behauptung Jürgen Links, dessen Buch *Die Struktur des literarischen Symbols* 1975 geradezu eine Modewelle der Symbolforschung zu Brechts lyrischem Spätwerk ausgelöst hat. Link hat seine Theorie modellartig am Gedicht *Der Rauch* demonstriert, und zwar unter Rückgriff auf die Emblemforschung: das Emblem stelle »den am leichtesten analysierbaren Typ (Typ nach der Textgestalt) des literarischen Symbols dar, die wichtigsten Merkmale seiner Struktur mußten daher am ehesten ins Auge fallen« (Link, 9). Beim Emblem unterscheidet man drei »Strukturebenen«, das Bild (Pictura), die Inscriptio (Motto, formelhafter Spruch) und die Subscriptio (Epigramm, beschreibende Erläuterung des Bildes). Das literarische Emblem zeichnet sich dadurch aus, daß die Pictura (das Bild) in rein sprachlicher Gestalt erscheint und daß sowohl die Inscriptio als auch die Subscriptio sozusagen »ausgespart« sind. Sie sind durch die Symbol-Analyse zu erschlüsseln: »Eine Diskussion der Symbolstruktur setzt also die Rekonstruktion der Subscriptiones voraus« (Link, 45). Auf die kompliziert erscheinenden, im Grunde jedoch einfachen Versigelungen braucht hier nicht gesondert eingegangen zu werden, weil es sich nur um die Vorstellung der Theorie in ihren Grundzügen handeln kann. Überdies, so wird sich herausstellen, sind die ganzen Anstrengungen überflüssig. Sie müssen aber in diesem Zusammenhang angesprochen werden, weil die (westliche) Forschung ihre letzten Ergebnisse allein dieser Theorie verdankt, wobei es vielleicht nicht ganz zufällig ist, daß sie ausgerechnet an den *Buckower Elegien* exekutiert wird.

Bereits Jürgen Links Berufung auf die Emblemforschung Albrecht Schönes ist nicht haltbar. Er sitzt dabei genau dem Fehler auf, den Reinhold Grimm bei der Deutung der *Kriegsfibel* gemacht hat, nämlich zu übersehen, daß die Embleme keine beliebigen »Verschlüsselungen« darstellen, sondern in ihrer Bedeutung verbindlich festgelegt sind. Die »Subscriptio«, die Links Methode aufsucht, ist in der Emblematik fester Bestandteil der »Pictura«, ist vorgegebener Sinn, abrufbar für den Eingeweihten, »richtigen« Leser: »res significans [das Bezeichnende, pictura] und significatio [das Bezeichnete, in- und subscriptio] [sind] in jener festen Beziehung zueinander zu denken, die zwischen Leib und Seele herrscht, alle Deutung durch inscriptio und subscriptio entsprechend als Erfassung eines vorgegebenen und unauswechselbaren Sinngehalts zu verstehen« (Schöne, 22). Deshalb pflegte man auch die Embleme in – meist üppigen – Emblembüchern zu sammeln, die die picturae in einem Stich/Schnitt (Kupfer, Holz) veranschaulichten und durch inscriptio und subscriptio verbindlich deuteten. Die »Entschlüsselung« eines literarischen Emblems ging dann so vor, daß man mit Hilfe des Registers das entsprechende Bild (pictura) aufsuchte und seine Bedeutung durch die Texte zur Kenntnis nahm. – Es ist aus diesen Erklärungen bereits klar, daß die Emblematik einen »Sinnkosmos« voraussetzt, der seinerseits als verbindlich akzeptiert werden kann, was etwa fürs Mittelalter dadurch gegeben war, daß die gesamte Welt als Sinnträger der göttlichen Ordnung aufgefaßt worden ist. Ihre Restauration im Zeitalter des Barock ließ die Emblematik im 17. Jahrhundert noch einmal zur großen – freilich nicht ungebrochenen – Mode werden. Mit Beginn des bürgerlichen Zeitalters spätestens ist die Zeit eines verbindlichen (geoffenbarten) Sinnkosmos vorbei. Seit dem 18. Jahrhundert ist daher auch nicht mehr mit der Emblematik zu rechnen (es sei denn für Werke, die sie anachronistisch noch ausdrücklich anwendeten). Ihre Übertragung auf die Literatur späterer Jahrhunderte ist ein eklatantes Mißverständnis, das zu vermeiden (gewesen) wäre, wenn man die berufene Literatur ganz zur Kenntnis genommen hätte. Albrecht Schönes Buch *Emblematik und Drama im Zeitalter des Barock*, das zur Absicherung der Symbol- alias Emblem-Theorie herhalten muß, läßt in dieser Hinsicht an Klarheit und Abgrenzungen nichts offen.

Links Versuch, die traditionelle »Verbindlichkeit« durch »automatisierte Kollektivsymbole« wieder hineinzubringen (freilich ohne die oben notierten Abhängigkeiten zu diskutieren) und einen Zusammenhang zwischen »sinnlicher Erkenntnis« des elegischen Ich und »rationaler Erkenntnis« des (vorgegebenen) Kollektiven zu konstruieren, läßt sich durch eine kurze Überprüfung der »Theorie« an dem Gedicht leisten, das Link als Muster zugrundegelegt hat:

Der Rauch

Das kleine Haus unter Bäumen am See.
Vom Dach steigt Rauch.
Fehlte er
Wie trostlos dann wären
Haus, Bäume und See. (10, 1012)

Danach zeigte sich dem (mit Brecht identifizierten) lyrischen Ich (das hier freilich gar nicht vorkommt), ein bestimmtes Bild, das durch den Rauch, der aufsteigt, bestimmte Bedeutung gewinnt (»sinnliche Erkenntnis«), nämlich in gewisser Weise ein »tröstliches«, annehmbares Bild zu empfangen. Die eigentliche Deutung vollzieht sich in der Beziehung des konkreten, sinnlichen Bilds – das durch Hinweise auf Buckow, das Haus, den Scharmützelsee, die alten Bäume etc. noch empirisch zu belegen wäre – auf seine kollektive Bedeutsamkeit (»rationale Erkenntnis«). Link »konnotiert« (wie das heute heißt) mit »kleines Haus« (über einige Marxsche Umwege) das Produktionssystem, die Gesellschaft insgesamt, mit Dach, dem er gleich noch einen Schornstein beigibt, das häusliche Heizungssystem, das auf das gesellschaftliche Energiesystem verweist, mit Rauch das Funktionieren eben dieses Systems, das schließlich noch den Arbeiter ins Gedicht bringt, da er es ist, der für das Funktionieren sorgt, mit Bäumen und See schließlich, die sehr kurz »konnotiert« werden, (einfach) Natur. Das Fazit lautet: »ohne Arbeit gäbe es kein Funktionieren der Gesellschaft und ohne Funktionieren der Gesellschaft wäre die ›Welt‹ (dialektische Einheit von Natur und Gesellschaft) trostlos«.

Abgesehen von dem faden Fazit, das der lange Vorgang der Entschlüsselung schließlich hervorbringt, ist an diesem Vorgehen bemerkenswert, wie wenig es sich darum kümmert, was wirklich im Gedicht steht, und daß es bloß mit neuem Namen benennt, was in der Lyrikinterpretation uralt ist: das assoziative Verfahren (jetzt »Konnotation« genannt), das beliebig am Einzelwort spekulierend hinzudenkt. War das alte Verfahren der Assoziation weitgehend auf Sprachliches, Text-Immanentes fixiert (Etymologie), so beziehen sich die Konnotationen jetzt auf Gesellschaftliches, geben sich dadurch den Anschein, auf der Höhe der Zeit, ihrer Theorien zu sein. Die inhaltliche Verschiebung läßt zwar durchaus mehr »Objektivierbares« in die Interpretation herein, ihre Beliebigkeit jedoch ist eklatant, z. B. in der von Link selbst gelieferten Konnotationskette: »›Rauch‹, ›Heizung‹, ›Heizer‹, ›Kohlen‹, ›Transport‹, ›Transportarbeiter‹, ›Bergbau‹, ›Bergmann‹« (Link, 48; die Siglen sind stillschweigend ausgelassen). In dieser Weise läßt sich alles konnotieren (z. B. Versorgung des Bergmanns, Lebensmitteltransport, Transportarbeiter für Lebensmittel, Sicherung der Lebensmittel etc. etc.).

Das Gedicht, das in der Überschrift bereits nennt, worum es geht, beginnt mit einem (verblosen) »Eindruck«: die bloße Nennung eines »Exterieurs«, das übrigens nicht aus Natur besteht: im Zentrum befindet sich das Haus, das »unter« Bäumen, »am« See liegt. Der zweite Vers bringt Bewegung ins – zunächst starr – fixierte Anfangsbild, für das es keinen personalen Betrachter gibt. Wichtig ist hier, daß der aufsteigende Rauch – durch das vorausgehende Bild – in seinem »Rahmen« fixiert wird. Der Rauch steigt nicht »auf«, er steigt »vom« Dach, geht folglich nicht – wie in einem früheren Gedicht Brechts – »in kältere Himmel« (*Der Gesang aus der Opiumhöhle;* 8, 90f.). Der Rauch steigt zwar, aber er hat kein – wie immer geartetes – Ziel; in diesem Zusammenhang definiert er sich durch das Haus bzw. sein Dach. Dies zu betonen ist wichtig, weil Brecht das Rauch-»Symbol« kennt und häufiger in seiner traditionellen Bedeutung eingesetzt hat, nämlich als »Nihilismus-Symbol« bzw. Symbol der Vergänglichkeit (im *Gesang aus der Opiumhöhle,* der abgeändert auch im *Guten Menschen von Sezuan* steht; vgl. 4, 1507f; verwendet Brecht ein modifiziertes Nietzsche-Zitat, dessen Gedicht *Vereinsamt;* vgl. dazu: Brechts »Guter Mensch von Sezuan«. Hg. von Jan Knopf. Frankfurt a. M. 1982. S. 121). Wollte man Brechts Gedicht nämlich traditionell »symbolisch« deuten, so ließe sich unschwer eine »metaphysische Wendung« Brechts konstatieren. Der Rauch steigt zum Himmel, dadurch erhält der Anblick des Exterieurs »Tröstliches«, also steigt der Rauch nicht mehr in einen kalten Himmel des Nihilismus, sondern in einen mit dem Tröster besetzten Himmel und stiftet Trost. – Brechts »Rauch« bleibt sozusagen auf der Erde; das genau fixierte Bild am Beginn macht seine Loslösung nicht möglich. Der dritte Vers markiert die Mittelachse; ein Bedingungssatz, der hypothetisch das Fehlen des Rauchs konstatiert und die dadurch eintretenden Folgen in den beiden letzten Versen benennt. Durch diese hypothetische Überlegung erhält das vorher objektiv wiedergegebene Bild erst seine wirkliche Dimension: es wird bewußt gesehen, reflektiert. Hier wird nicht geglotzt, sondern genau gesehen. Der Rauch ist da, das bloße Konstatieren seiner »Existenz« sagt noch nichts; indem erwogen wird, daß er fehlte, wird erst deutlich, was er leistet. Das Gedicht formuliert diese »Leistung« negativ: »trostlos« waren Haus, Bäume und See. Positiv gewendet, gibt der Rauch »Trost«, also Hoffnung in (angenommener) Verzweiflung, Zufriedenheit, Optimismus, um einige vorsichtige »Übersetzungen« von »Trost« zu wagen. – Das Anfangsbild kehrt im Schlußsatz in bloß reihender Benennung noch einmal modifiziert wieder. Wird in einem so kurzen Gedicht wiederholt, so muß das (es sei denn, es wäre unsinnig) Verweischarakter haben. In diesem Fall handelt es sich um die Wiederholung der Bildelemente des ersten statischen Bildes, das als unmittelbarer Eindruck am Beginn steht und am Ende ganz offenbar – durch die hypothetische Zwischenüberlegung – Veränderung erfahren hat: der unmittelbare Eindruck des Beginns ist am Ende *vermittelt* worden. Das Bild hat Zusammenhang und Bedeutung erhalten, die Bildelemente sind miteinander verknüpft.

Das Gedicht vollzieht zwei Vorgänge ineinander: einen ästhetischen, nämlich mit der »gesteuerten« Veränderung des Blicks (wie gesagt ohne Subjekt – es geht um eine besondere Art der Anschauung), und einen »erkenntnistheoretischen«, nämlich mit der Reflexion des bloß Gesehenen. Das Resultat beider Vorgänge ist einmal ein bewußtes Sehen und zum anderen die Herstellung eines Zusammenhangs, der erst mit seiner Bewußtwerdung durch die Reflexion sich einstellt.

Jeder Versuch, die Bildelemente zu vereinzeln und dann symbolisch zu konnotieren, zerschlägt gerade den Doppelvorgang des Gedichts, der das Gedicht *ist* (bloß fade »Aussagen« abzuziehen, verfehlt Lyrik ohnehin). Während das Gedicht die Elemente in Zusammenhänge stellt und sie so bewußt macht, reißt die symbolische Deutung diese Zusammenhänge auseinander und kommt so zu beliebigen Ergebnissen.

Es sei noch angemerkt, daß Nosratollah Rastegars kritische Übernahme der Linkschen Theorie zwar zu behutsameren und realistischeren Interpretationen kommt, aber in der bloßen Umbenennung von Symbol zu Modell sich nicht von Links prinzipiellen Fehlern wirklich zu lösen vermag. Rastegar sieht bei Brecht eine Verschlüsselungstaktik am Werk, so als habe der Dichter irgendwelche Gedanken in lyrische Bilder ge-, besser verkleidet. Solches Verfahren stellt auf den Kopf, was schon auf den Füßen war. Brechts Lyrik, auch die späte, geht ganz offenbar von Gesehenem, Erfahrenem aus, nicht es abbildend, aber darauf verweisend. In ihm – so auch das naturwissenschaftliche Modellverfahren – lassen sich Bezüge, Zusammenhänge *entdecken,* die dann durch die Artistik der dichterischen Arbeit in adäquate Sprache gebracht werden. Dieses Vorgehen ist materialistisch: es legt nichts in die Dinge hinein, es versucht, den Dingen auf die Spur zu kommen, ihnen ihre Bedeutungen und Zusammenhänge abzulesen. Kurz: die dichterischen Worte haben ihre Bedeutung nicht von sich aus, sie erhalten sie vielmehr erst durch die Realität, auf die sie verweisen, auf die sie sich beziehen. Jede Isolierung von »Zeichen«, Symbolen nimmt den Gedichten den Zusammenhang, der ihre Bedeutung überhaupt erst schafft.

Es ist typisch für Rastegars Buch, daß es, indem es die Gedichte *ihren* Symbolen unterordnet, das einzelne Gedicht vielfach regelrecht zerschlägt: es bekommt Bedeutung nur noch für dieses eine Symbol. Dafür entstehen notgedrungen Zusammenhänge zwischen den »symbolverwandten« Gedichten, die einen *innerliterarischen* Zusammenhang erfinden und die konkrete, materialistische Fundierung der Bilder mißachten. Typisch ist, daß z. B. bei *Vom Sprengen des Gartens* (10, 861) die Doppeldeutigkeit des Gedichts gar nicht mehr erwogen wird. Dabei hätte die einschlägige Lektüre Brechtscher »Gartenbeurteilungen« in Hollywood den Autor darüber belehren können, wie skeptisch Brecht den künstlichen Anlagen gegenüberstand (vgl. Rastegar, 266–281). Umgekehrt steht der *Blumengarten* in einem völlig anderen gesellschaftlichen Kontext (diesmal der DDR; 10, 1009), als daß er in einer Reihe mit dem Hollywood-Gedicht stehen könnte: diesmal ist nicht der Garten doppeldeutig zu sprengen, diesmal läßt er vielmehr sinnvolle Arbeit und Produktion, verbunden mit einer nützlichen Ästhetik, erkennen. Der Garten selbst ist dabei bloß der Ausgangspunkt für Überlegungen, mit ihm, an ihm gesellschaftlich Verborgenes aufzudecken und zu zeigen.

Zur Emblematik: Albrecht *Schöne*: Emblematik und Drama im Zeitalter des Barock. München 1964 (vor allem: S. 17–59). – Reinhold *Grimm*: Marxistische Emblematik. Zu Bertolt Brechts »Kriegsfibel«. In: Wissenschaft als Dialog. Hg. v. Renate von *Heydebrand* [u. a.]. Stuttgart 1969. S. 351–379.

Jürgen *Link* (s. o.). – Nosratollah *Rastegar* (s. o.).

Analyse

Galt für die Forschung noch bis in die siebziger Jahre hinein die stetig wiederholte Feststellung, daß die *Buckower Elegien* unterschätzt und deshalb kaum beachtet wären (ein prominentes Fehlurteil stammt z. B. von Hannah Arendt: »nicht viel Staat zu machen«, »kaum ein wirklich ganz gelungenes, geschweige denn ein großes Gedicht«. Arendt: Benjamin, Brecht. Zwei Essays. München 1971. S. 68), so gilt für den jetzigen Forschungsstand, daß keine Lyrik-Sammlung Brechts mehr beachtet ist, daß beinahe jedes Gedicht der Sammlung den Rang eines großen Meisterwerks erhalten hat. Ganze Bücher sind inzwischen gefüllt, die sich nur oder beinahe ausschließlich mit den Gedichten dieser späten Sammlung befassen und dabei am Ende doch nur einige Gedichte daraus genauer untersuchen. Andererseits aber sind gerade diese Bücher belastet entweder mit neuen Literaturtheorien (»das alte Neue«) oder mit ausgiebigen Polit-Exkursen. Die westliche Forschung hat sich darauf geeinigt (außer Thiele), daß die Gedichte insgesamt die DDR-Politik und vor allem die stalinistische Linie der SED (damit den Stalinismus) überhaupt attackieren, die DDR-Forschung dagegen versucht, die westlichen Deutungen zu widerlegen und Brechts kritischen Sozialismus herauszuarbeiten. Dennoch oder gerade deshalb ist die Analyse der Gedichte auf beinahe skandalöse

Weise zu kurz gekommen – und dies bei einer Literaturliste von mindestens dreißig Titeln, davon drei ganze, mehrere »halbe« Bücher mit den *Buckower Elegien* im Mittelpunkt. Einzig Dieter Thieles Darstellung von 1981 hat diesem gravierenden Mangel einigermaßen abgeholfen, vor allem aber auch erst mal die schon länger bereitliegenden Erkenntnisse eingearbeitet, z. B. die, daß der spätgriechische Dichter des letzten Gedichts (10, 1017) kein antiker Dichter ist, sondern ein neugriechischer, genauer Konstantinos Kavafis (1863–1933), und daß sich Brechts Gedicht auf dessen Gedicht *Troer* bezieht (eine Entdeckung, die der Forschung seit 1973 nutzlos angeboten worden ist; vgl. Theodore Fiedlers Aufsatz).

Im folgenden sollen zunächst die wichtigsten Fakten, soweit sie zu jedem einzelnen Gedicht vorliegen, kritisch aufgelistet werden. Anschließend wird die Sammlung auf ihre wichtigsten Merkmale hin anhand einiger Gedichte untersucht. Eine Einzel-Gedicht-Interpretation schließt die Analyse ab.

Motto: Der Vierzeiler nimmt eine alte Metapher auf (erschöpft sich natürlich nicht in ihr), nämlich die Schiffartsmetapher vom Segel »stellen« bzw. »setzen« für Bücher schreiben bzw. die Feder zu zücken, um Bücher zu schreiben. Da Brecht nachweislich Horaz las in Buckow (AJ 982; vom 15. 7. 52), kann auch ein direkter Quellenverweis erfolgen; Horaz' 15. Ode des 4. Buchs beginnt so (zitiert nach Curtius, 138):

Phoebus, dieweil ich Schlachten verkünden wollt
Und Städtebrand, schlug warnend die Leier an,
Daß ich nicht Segel setz auf offnem
Meer, die geringen, . . .

Die Übersetzung stammt von Rudolf Alexander Schröder, den Brecht noch für die Versifizierung seines *Manifests* heranzuziehen erwog (vgl. die entsprechenden Angaben im *Manifest*-Kapitel).

Der Radwechsel: Die meisten gedruckten Texte haben die falsche Lesart »Straßen*rand*« statt »Straßen*hang*«; die Manuskripte der frühen Fassungen sowie die ersten Drucke schreiben »Straßenhang«. Woher die spätere Lesart kommt, ob sie überhaupt auf Brecht zurückführbar ist, ist noch ungeklärt. – Zu beachten ist überdies, daß über das Gefährt im Gedicht nichts Spezifisches gesagt ist (es kann ein Auto, ein Omnibus sein, sogar ein Fahrrad, wenn der Betrachter am »Hang« sitzt. Er muß nicht unbedingt Insasse des Gefährts sein, ihm können diese Gedanken ebensogut aus »Anlaß« entstehen).

Der Blumengarten: Der Garten gehörte zum Buckower Besitztum Brechts, freilich kaum mehr im beschriebenen Sinn gepflegt. Die Verbindung von »Schreiben, Pflanzen« stellt auch das spätere Gedicht *Vergnügungen* her (vgl. 10, 1022).

Die Lösung: Die Idee bzw. Pointe des Gedichts stammt aus den 30er Jahren; dort dem Gogher Gogh (eine »Hitlerfigur«) des Turandotstücks in den Mund gelegt (s. die Darstellung oben). – Das Gedicht hat eine ganz konkret faßbare Veranlassung. Kurt Bartel, genannt Kuba, damals Mitglied des Zentralkomitees der SED, der Akademie der Künste, Volkskammerabgeordneter und Sekretär des Schriftstellerverbands der DDR hat am 20. Juni 1953 im *Neuen Deutschland* geschrieben: »Es gibt keine Ausrede! Und es gab keine Ursache dafür, daß ihr an jenem für euch – euch am allermeisten – schändlichen Mittwoch nicht Häuser bautet. – Da werdet ihr sehr viel und sehr gut mauern und künftig sehr klug handeln müssen, ehe euch diese Schmach vergessen wird«. Kubas Meinung entsprach durchaus nicht der der Regierung, wie er auch am 28. 6. an gleicher Stelle von Wilhelm Girnus heftig angegriffen wurde und später auch seinen Posten im Schriftstellerverband verlor. – Zu beachten ist, daß Brecht die Publikationsform ändert (nicht Zeitung, sondern Flugblatt), daß der Sekretär »verteilen *läßt*«, also zu seinem »Kopflangertum« »Handlangertum« benötigt (Thema des – alten und neuen – Tuismus, u. a. im *Turandot*-Stück) und daß dies schließlich in der Stalinallee geschieht. Brecht hat durch diese bloße Straßennamen-Benennung auch gleich diesen Namen mit im Gedicht – entgegen den veranlassenden Vorkommnissen; der Name hat also Bedeutung. – Das Gedicht als grundsätzliche Kritik (und heimliche Stellungnahme für den 17. Juni) aufzufassen, entbehrt der faktischen Grundlagen.

Große Zeit, vertan: Brecht hat sich häufiger gegen die stupiden, geometrisch einsträngigen und ohne ästhetischen Sinn gebauten Neubausiedlungen gewendet. 1948 notierte Brecht, als er durch Max Frisch dessen Baustelle am Letzigraben in Zürich kennenlernte, die Neubauwohnungen seien »gefängniszellen, räumchen zur wiederherstellung der ware arbeitskraft, verbesserte slums« (AJ 833; vom 11. 6. 48). Eine grundsätzlichere Kritik am sozialistischen Wohnungsbau entwirft Brecht im Jahr 1955: »anfechtbar das lineare grundkonzept unseres bauens. die harmonie hängt nicht von der regularität ab. wo bleiben die höfe, die krummen straßen, die überschneidungen der gebäude, wo bleibt der kontrast, die überraschung der plötzlich sich öffnenden sicht, das spezifische eines blocks, das ihn dem gedächtnis einprägt und durch die jahre hin anziehend macht? wir lassen unsere kinder in der geometrie aufwachsen, in einheitsstallungen« (AJ 1019; vom Mai 1955). – Statistik und Geschichte sind im Gedicht polemisch umgewertet: normalerweise kommt das »Volk« nur in der Statistik vor, während die »Städtebauer« in die Geschichte eingehen. Brecht will das Volk in der Geschichte haben; die Weisheit des Volkes steht in diesem Gedicht für die späte Lyrik programmatisch (vergleichbar den *Fragen eines lesenden Arbeiters;* 9, 656 f.).

Böser Morgen: Das Gedicht gehört zu den »offensten« der Elegien-Sammlung, vielgedeutet, vieldeutig. Der Zusammenhang mit dem 17. Juni, der plötzlich alles ganz anders sehen läßt, ist sicher gegeben, nicht aber in dem Sinn, daß Brecht sich an ihm »schuldig« sähe (vgl. Thiele, 96 f.), wogegen alle seine sonstigen Äußerungen sprechen. Sicher ist, daß die »zerarbeiteten« und gebrochenen Finger Arbeitern gehören, daß diese aber nicht von sowjetischen Panzern »gebrochen« sind, sondern durch die mit dem 17. Juni zusammenhängenden Ereignisse: einerseits die mangelnde Berücksichtigung ihrer Interessen durch die SED-Regierung (Stichwort: Stalinismus), andererseits durch den Umschlag des Arbeiteraufstandes in einen neofaschistischen Putsch. Brecht fühlt sich im Traum mit den – traditionellen – Tuis identifiziert (er hat Privilegien, lebt als Intellektueller recht gut, wohnt gut etc.). Es gibt objektive Tatbestände, die für eine Falscheinschätzung von Brechts privilegierter Existenz sprechen (daher die Schuld, sie ist objektiv konstatierbar), zugleich aber *so* nicht richtig verstanden sind (Unwissenheit über Brechts Engagement für die Arbeiter, von denen er in vielfältiger Weise jedoch getrennt ist). – Außerdem ist zu verweisen auf das etwa gleichzeitige Gedicht *Gestern Nacht sah ich die große Vettel,* das ebenfalls als »Vision« gestaltet ist und die »Vettel« enthält (Supplementband IV, 403 f.).

Gewohnheiten, noch immer: Mit dem preußischen Adler ist das alte Wappentier – ursprünglich das Wappentier der preußischen Könige –, angesprochen, verweist also auf schlechte, militaristische deutsche Kontinuität. Unter der Voraussetzung, daß die *Buckower Elegien* in erster Linie sich mit der DDR nach dem 17. Juni auseinandersetzen, spielt das Gedicht auf den »Westen« in der DDR an (»Wir haben unsern eigenen Westen bei uns!«; Briefe, Nr. 733; Mitte August 1953), damit indirekt aber auch auf den wieder erstarkten Neofaschismus in der frühen Bundesrepublik.

Heißer Tag: Auch dieses Gedicht ist wieder beziehbar auf Brechts Arbeitsplatz in Buckow. Das poetische Verfahren dieses Gedichts ist filmisch: zuerst kommt etwas in Sicht, und zwar innerhalb eines vorgegebenen Bildausschnitts, wird dann angehalten (keine Verben) und kommt dann wieder in Bewegung (analog zur Bewegung des Ruderns): der (historischen) Statik des Bildinhalts entspricht seine Darstellungsweise. Die Zeit ist angehalten, das filmische Verfahren macht dies künstlerisch sinnfällig.

Die Wahrheit einigt: Das Gedicht-Zitat im Gedicht stammt von Alexander Tvardovskij (1910–1971), das Brecht aus dem Roman *Ein Strom wird zum Meer* von W. Galaktionow und A. Agranowski (1950) entnahm.

Der Rauch: Besprechung s. o. Zum Vergleich ist noch heranziehbar das Gedicht *Heimkehr des Odysseus* mit der Zeile: »Denn aus dem Haus steigt Rauch: es ist bewohnt«; 9, 563).

Eisen: Auch hier ist zunächst – ehe die »symbolischen« Ausdeutungen angebracht sind –, der empirische Ausgangspunkt des Gedichts zu nehmen: die Erfahrung, daß sich zwei Materialien verschieden verhalten. Das »stärkere«, dauerhaftere Eisen reißt bei großem Sturm, erweist sich also unter bestimmten Bedingungen als sehr brüchig, schadhaft. Das schwächere, leichter verderbliche Material Holz kann sich diesen bestimmten Bedingungen anpassen und so den Sturm überdauern. Von daher dann lassen sich weitere Schlüsse absichern: gewisse Anpassung unter schwierigen Bedingungen, die aber dafür sorgen, daß die »falschen« ganz zerbrechen. Da das Gedicht *Die Musen* vom »Eisernen« direkt spricht und zweifellos Stalin (zu deutsch etwa »der Eiserne«), besser den Stalinismus meint, ergeben sich von daher Bezüge.

Tannen: Ähnlich wie in *Der Rauch* konkretisiert (im Hegelschen Sinn) Brecht in diesem Gedicht einen zunächst unmittelbar (»objektiviert« hingestellten) visuellen Eindruck, um ihn dann in historische Bezüge zu stellen: das Alter läßt die Dinge neu sehen, nicht des Alters, sondern der Erfahrung wegen (zwei Weltkriege).

Der Einarmige im Gehölz: Das Gedicht hat bisher alle Interpreten ratlos gemacht bzw. sie haben es schnell abgefertigt: der Nazi müsse sich nun plagen für seinen Lebensunterhalt etc. In Wirklichkeit bezieht sich das Gedicht auf den »eigenen Westen bei uns«. Der 17. Juni hatte die alten Nazis auch in der DDR wieder »in Haufen« auftreten sehen. Der Kommentar zu diesem Gedicht ist Brechts Brief an Peter Suhrkamp, 1. 7. 1953, zu entnehmen. Gemeint sind die alten Feuerleger, die sich im Gehölz verbergen und den nächsten Brand vorbereiten; zwar ist der Nazismus verstümmelt, dennoch aber immer noch Gefahr (wie der 17. Juni dokumentiert hat). Die Tatsache, daß der SS-Mann im Sommer (schweißtriefend, Stechmücken etc.) Holz sammelt, deutet auf verborgene »Vorbereitung«, nicht etwa »Vorsorge« (für den Winter), wie alle Interpreten es darstellen; im übrigen pflegen Kinder im Gehölz verstecken zu spielen (vgl. das Gedicht *Schlechte Zeit für die Jugend;* 9, 744). Der Brief an Suhrkamp enthält die Feuer-Metapher ausführlich; große Teile von ihm sind im Abschnitt über die Entstehung zitiert (Briefe, Nr. 728).

Vor acht Jahren: 1953 weniger acht Jahre markiert das Jahr 1945, also das unmittelbare Ende der Nazizeit. Der »zu aufrechte Gang« ist konkret auf die Nazizeit zu übertragen: dort ging der Postbote »zu gebückt« (Umkehrschluß), war er also einer der großen Anpasser, Mitläufer, Steigbügelhalter, einer, der den Nazismus aktiv – zumindest in seiner Haltung – unterstützt hat. Seit dem 17. Juni ist man sich nicht mehr sicher, wieder von Neonazis (bzw. Altnazis) umgeben zu sein, die irgendwann wieder »zu gebückt« gehen werden.

Rudern, Gespräche: Das Gedicht enthält wiederum den Entstehungsort; in anderer Weise als in *Heißer Tag* ergibt sich bei dieser »Aufnahmetechnik« (wiederum Film) eine fortlaufende, nicht angehaltene Bildfolge »dialektischer Einheit«, Einheit des Widerspruchs (Theorie und Praxis; Zusammenarbeit, Dialog).

Beim Lesen des Horaz: Brechts Horaz-Lektüre als Auslöser für dieses Gedicht kann vorausgesetzt werden; das heißt jedoch nicht, daß bei diesem die »Sintflut« vorkommen muß. Der Bezug kann sich bereits durch ein Gedicht realisieren, das auch von einer Überschwemmung handelt und dann das »Selbst« ausgelöst hat: selbst die größte überlieferte Überschwemmung ging vorüber. Die Ode *An Oktavian* enthält Verse, die als Auslöser absolut genügen:

> Als der Fisch sich fing in der Ulme Wipfel
> Wo zuvor der Taube gewohnter Sitz war,
> Und auf hochhinwogender Flut die Gemse
> Zitternd dahinschwamm.

Das Gedicht vergleicht Oktavians Taten mit den Taten früherer Helden, mythischer Helden, die die Fluten, die die erbosten Götter den Menschen schickten (hier ist es eine Tiber-Überschwemmung), wieder eindämmten (Carmina, Buch 1, Nr. 2, Verse 9–12). Andere direkte Bezüge auf Horaz sind und bleiben reine Spekulation. Hans Mayer schlug die 30. Ode des 3. Buchs der Lieder vor, das die Dichtung als ein »Mal dauernder noch als Erz« besingt, was Mayer auf Brechts Gedicht angewendet sehen möchte: »über die Dauer von Dichtung« (Mayer, 93). Peter Witzmann hat vorgeschlagen: das Bild der Meeresflut im 1. Buch, Gedicht Nr. 12, Verse 29–32, und meint, es handele sich um eine »Polemik gegen Horaz, der angesichts drohender Kriegsgefahr Rettung von den Göttern erwartet« (Witzmann, 38). Jürgen Link meint gar, daß Brecht eben nur mal Horaz genannt, aber Ovid gemeint habe, denn nicht Horaz, sondern Ovid habe in den

Metamorphosen die Sintflut geschildert, »wie jeder Lateinschüler weiß«: »Diese Nonchalance signalisiert zusätzlich Brechts ironische und kritische Haltung« (was natürlich alles Unsinn ist, um es beim rechten Namen zu nennen, und für Links Theorie spricht) (Link, 127, Anmerkung 72). – Hans Mayers Verweis jedoch auf das Hexameter-Zitat im Gedicht hilft einen konkreten Schritt weiter (Links Wiedergabe von Mayers Ergebnis ist falsch und von metrischen Kenntnissen unbelastet; auch die Schlüsse sind folglich falsch; Link, 63). Mayer sieht in der dritten Verszeile einen »daktylischen Aufschwung« einsetzen, der zum »klassischen Hexameter hinstrebt, aber vom Lyriker gedrosselt wird« (Mayer, 93). Daß der Hexameter nicht zustandekommt, ist richtig, denn Brecht zitiert rhythmisch-metrisch nur den Hexameter-Schluß, den sogenannten Adoneus, den die Griechen als besonders wohltönend empfunden haben: – vv – v. Adoneisch sind die Verse 3 und 6 (Einmal verrannen – Dauerten länger); Vers 4 setzt die daktylisch-trochäische Rhythmik fort, ist aber nicht rein adoneisch, weil noch eine weitere Silbe hinzukommt (Die schwarzen Gewässer); »schwarzen Gewässer« jedoch ist wiederum metrisch ein Adoneus. Das kann bei einem in Latein versierten Dichter wie Brecht kein Zufall sein. Er gewinnt Methode, wenn man weiß, daß die von Horaz verwendete Form der sapphischen Ode den Adoneus als Metrum des Schlußverses (also jeweils Vers 4 der Odenstrophen) aufweist. Damit dürfte auch der Beweis für das von mir als Auslöser vorgeschlagene 2. Gedicht des ersten Buchs erbracht sein: die Ode an *Oktavian* ist in eben dieser Odenform geschrieben (es handelt sich lediglich um eine Odenform unter vielen bei Horaz). Brecht zitiert metrisch seine »Quelle«: »Die Versform als Zitat. Antike in der Gegenwart« (Mayer, 93). – Der Ausdruck »wenige« ist auf Menschen zu beziehen. Alle Versuche, »andere Fluten« etc. damit zu identifizieren, führt in herbe Beweisnöte am Text. Das Prinzip der Veränderung und des Veränderlichen allein reicht nicht, weil der Faschismus spätestens den Beweis geführt hat, daß es zu viele Opfer gibt. Daß er vorübergeht, kann also keine Beruhigung sein. Er muß aktiv bekämpft werden, damit die Zahl der Opfer möglichst klein bleibt. In der neuen historischen Situation ist das Gedicht Mahnung: wehrt entschieden den neuen Anfängen. – Daß Vorsicht angebracht ist, »Sintflut« von vornherein bei Brecht mit den braunen Fluten des Faschismus symbolisch zu identifizieren, dazu mahnt das Gedicht *Antwort des Dialektikers, als ihm vorgeworfen wurde, seine Voraussage der Niederlage der Hitlerheere im Osten sei nicht eingetroffen* (9, 844). Hier kommt im Bild die Sintflut in »Form« der Roten Armee!

Laute: Auf den Einwand eines Besuchers in Buckow, es seien doch überall Vögel zu hören, soll Brecht zunächst geschwiegen und gegen Abend dann geantwortet haben: »Ich bin doch kein Ornitologe« (Beleg ist leider abhanden gekommen). Auch von Hanns Eisler ist überliefert, daß er deshalb das Gedicht merkwürdig fand und es einer Laune Brechts zuschrieb (Hans Bunge: Fragen Sie mehr über Brecht. Hanns Eisler im Gespräch. München 1970. S. 128f.). Die Vogellosigkeit erweist das Gedicht als reines (Kunst-)Konstrukt (als herausfordernder Anti-Naturalismus).

Bei der Lektüre eines sowjetischen Buches: Es handelt sich um *Ein Strom wird zum Meer* von W. Galaktionow und A. Agranowski (1950). Es ist zu beachten, daß mit diesem Gedicht eine »positive« Elegie vorliegt, die den sozialistischen Aufbau zum Thema hat und ihn in klassisch-antiker Weise – als in »großer« Dichtung – beschreibt: Hexameter-Anklänge, Odysseus-Vergleich (der »listenreiche«).

Der Himmel dieses Sommers: Die Überschrift fixiert den Zeitpunkt in bestimmter Weise: die »verfremdete Existenz«, die Brecht bei sich feststellte, läßt die Bomber am Himmel als (mögliche) Vorboten des 3. Weltkriegs neu sehen (vgl. Brief an Peter Suhrkamp: »Mehrere Stunden lang, bis zum Eingreifen der Besatzungsmacht, stand Berlin am Rand eines dritten Weltkriegs«; Briefe, Nr. 728; vom 1.7.53). Das poetische Bild (der jungen Stare, Schnäbel aufreißend) deutet u. a. auf die Menschen als »Kanonenfutter«. Zu beachten ist, daß alle drei Generationen betroffen reagieren.

Die Kelle: Der Ausgangspunkt dieses Gedichts sind die Arbeitsplätze in der Stalinallee: von ihnen ging am 16. Juni der Arbeiteraufstand aus, formulierten sich die berechtigten Interessen und der Unmut gegen die Fehler der Partei. – Das lyrische Ich figuriert hier (im Traum wie in *Böser Morgen*) als Arbeiter, dem das Produktionsmittel (halb) zerstört wird. Der Schuß, der eindeutig einen Gewaltakt (mit Folgen) meint, läßt sich dann kaum anders als auf die gewalttätige Umwandlung des Arbeiteraufstands in einen Putsch verstehen: er schädigt die Arbeiter massiv.

Die Musen: »Der Eiserne« wird üblicherweise mit Stalin identifiziert, weil es sich dabei um eine wörtliche Übersetzung des Namens ins Deutsche handele (Link, 68). Jedoch sollte bei der »Übersetzung« des Namens im Gedicht weniger personalisiert, sondern die mit Stalins Namen verbundene Fehlentwicklung verstanden werden, also Stalinismus. Konkreter Bezugspunkt sind Brechts Schwierigkeiten mit der Kunstkommission, die auch Inhalt weiterer Gedichte der Zeit sind (vgl. 10, 1007f.). Andeutungen über diese Schwierigkeiten enthalten u. a. Eintragungen im *Arbeitsjournal* (AJ 1008; vom 4.3.53) und diverse Briefe (Nr. 724, 730, 732, 740). In ähnlicher Weise handelt das Gedicht *Die sieben Leben der Literatur* von der Rolle der Literatur (als Göttin geladen, als Vettel behandelt); in der *Buckower Elegie* allerdings steht die erniedrigende Anpassung der Kunst an die stalinistische Kunstauffassung (»positiver« Held, Monumentalismus, Formalismus und oberflächlicher Naturalismus) im Vordergrund. Der Geschmack des Publikums wird verdorben, Brechts Theater von Kleinbürgern heimgesucht.

Bei der Lektüre eines spätgriechischen Dichters: Alle Spekulationen, ob es sich bei dem »Spätgriechen« um einen antiken Dichter – wie durchgängig vermutet – handle, haben sich mit Theodore Fiedlers Nachweis erledigt. Brecht bezieht sich auf das Gedicht *Troer* von Konstantinos Kavafis (Gedichte. Frankfurt a. M. 1953. Übersetzung von Helmut von den Steinen):

> Unsre Bemühungen, die von Schicksalsduldern,
> Unsre Bemühungen sind wie jene der Troer.
> Stückchen richten wir grade, Stückchen
> Nehmen wir über uns und beginnen,
> Mut zu haben und gute Hoffnung.
>
> Immer doch steigt etwas auf und heißt uns stillstehen.
> Aufsteigt in dem Graben uns gegenüber
> Er, Achill, und schreckt uns mit großen Schreien. –
>
> Unsre Bemühungen sind wie jene der Troer.
> Kühn gedenken wir, mit Entschluß und Wagmut
> Fallenden Schlag des Geschickes zu ändern,
> Und wir stellen uns draußen auf zum Kampfe.
>
> Aber sobald die große Entscheidung nahkommt,
> Geht uns der Wagmut und der Entschluß verloren,
> Unsere Seele erbebt, fühlt Lähmung,

Und in vollem Kreis um Mauern laufen wir,
Durch die Flucht zu entrinnen bestrebt.

Dennoch ist unser Fall gewiß. Dort oben
Auf den Mauern begann schon die Totenklage.
Unsrer Tage Erinnerungen weinen, Gefühle weinen.
Priamos bitter um uns und Hekabe weinen.

Brechts mißverständliches Attribut »spätgriechisch« gewinnt, wenn man weiß, daß es sich um einen »modernen« Dichter handelt, Bedeutung: und zwar im Sinne von »spätbürgerlich«. Die Troer, die von den Griechen nach zehnjährigem Kampf (trojanisches Pferd) geschlagen werden, sind bis zuletzt überzeugt, doch noch davonzukommen und bessern immer wieder ihre Verschanzungen aus. Die mehrfache Wiederholung von »Stückchen« deutet auf Flickwerk. Das historisch-mythische Beispiel (übrigens nicht Gegenstand von Homers *Ilias*, die vom Zorn des Achill handelt) überträgt die Schlußzeile in die Gegenwart: das historisch Überlebte will sich nicht geschlagen geben.

Die neue Mundart: Die erst 1980 publizierte Elegie (bei Seidel, 1091) ist spiegelbildlich zur Elegie *Lebensmittel zum Zweck* zu sehen (ebd.). Der Neologismus »Kaderwelsch« (sonst »Kauderwelsch« = unverständliche, verworrene, radebrechende Sprache) richtet sich gegen die Sprache der Kader, der Funktionärseinheiten der Partei (Führungsapparate) in der DDR. Der Funktionärsjargon, der ständig irgendwelche »Errungenschaften« beschwor, auch wo keine zu finden waren, war eine der auffälligsten Erscheinungen in der DDR der 50er Jahre.

Lebensmittel zum Zweck: Mit dem Namen Josef McCarthy verbindet sich die Zeit der »kommunistischen Hexenjagd« in den USA vor allem der Jahre 1944–1948 (»Ausschuß zur Untersuchung unamerikanischer Tätigkeit«, kurz »McCarthy-Ausschuß«, vor dem u. v. a. sich auch Brecht und Hanns Eisler zu verantworten hatten). McCarthy (1909–1957) verlor seinen Einfluß auf die amerikanische Innenpolitik erst 1954, als seine undemokratischen Umtriebe der Öffentlichkeit bekannt wurden. Die Söhne McCarthys sind also seine militant antikommunistischen Nachfolger der Zeit. – Die Bundesrepublik erscheint in diesem Gedicht unausgesprochen als amerikanischer »Satellitenstaat«, denn die »Völkerwanderung« kann sich kaum auf etwas anderes beziehen als auf die »Republikflucht«, die hier als Anwerbung in amerikanischen Diensten dargestellt ist. Das Bild des »Kalb« hat Brecht bereits für die verführten Massen im Faschismus verwendet: das Kalb wählt sich seinen Schlächter selbst (vgl. den *Kälbermarsch* auf die Melodie des Horst-Wessel-Lieds, der »Nazi-Hymne« im *Schweyk*-Drama; 5, 1975f.). Dieses Gedicht macht es endgültig unmöglich, die *Buckower Elegien* als poetischen Ausdruck der Verzweiflung über die politische Lage in der DDR und über den Marxismus sowie als Selbstverzweiflung des »ehemalig gläubigen« Marxisten zu deuten.

Wichtigste gemeinsame Merkmale

Bei den *Buckower Elegien* handelt es sich durchweg um freirhythmische (nach Brechts Terminologie »eigenrhythmische«) Kurzlyrik epigrammatischen Charakters. Sie ist im Sinn des späten Brechts »naiv«, das heißt, das »einfache« Ergebnis eines komplexen künstlerischen Prozesses. Auf den ersten Blick nämlich muten die Gedichte als wenig sagend, gar primitiv, miniaturhaft an. Bei näherer Betrachtung jedoch erweisen sie sich als sehr umfassende Gebilde, deren Einfachheit schwer zu machen (gewesen) ist. »Stilistisch« gibt es wohl nur den Vergleich zu Goethes »Alterslyrik« des *West-östlichen Divans* (1819), der auf ebensolche Weise, häufig epigrammatische Gedichte sammelt (wie berechtigt der Vergleich ist, wäre freilich noch genauer zu untersuchen). Die Forschung hat die Vielschichtigkeit der lyrischen Gebilde dadurch bestätigt, daß sie inzwischen eine breite Palette von verschiedensten Deutungen vorgelegt hat. Daß die Gedichte den Rückzug des Dichters zum Inhalt hätten, läßt sich ebenso an ihnen plausibel machen, wie der Ausdruck von Resignation, daß es sich um Naturgedichte handele ebenso wie ihre prinzipielle Subjektivität. Daß sie privat seien, ist ebenso behauptet worden wie, daß sie politische Gedichte seien; und die, die sie für politische Gedichte halten, finden ebenso Gründe dafür, daß sich in den Gedichten heftigste Kritik an der DDR, am Marxismus formulierte, wie umgekehrt andere Gründe dafür finden, daß die Kritik lediglich bestimmten Auswüchsen gelte und die Gedichte ansonsten ganz auf dem Boden des sich entwickelnden DDR-Sozialismus bewegten.

Die Gründe für diese »interpretatorische Ergiebigkeit« (Walter Müller-Seidel) finden sich in den konkreten Bildern, die Brecht für komplexe gesellschaftliche Zusammenhänge geschaffen hat. Sie sind zunächst für sich »sprechend«, das heißt, kleine – bewegte oder angehaltene – Momentbilder, die erst einmal als Darstellung bestimmter Situationen, Ereignisse, Konstellationen oder bloßer Naturanschauung beim Wort genommen werden können und auf dieser Ebene in unreflektierter Rezeption für sich genießbar sind. Aber darin erschöpfen sie sich keineswegs, auch wenn erste flüchtige Urteile über die Elegien sich sicherlich von diesem (ersten) Charakteristikum haben leiten lassen. Die für sich sprechenden Bilder sprechen aber auch anderes an, und damit öffnen sie breite Zugänge zur gesellschaftlichen Wirklichkeit der Zeit. Diese Zugänge sind aber nicht »verschlüsselt«, vielmehr werden sie im konkreten (einfach scheinenden) Bild entdeckbar (danach erfolgt auch ihre »Wahl« und Gestaltung durch den Dichter). Dabei handelt es sich nicht um Symbole. Der Verweischarakter der Bilder ergibt sich aus der marxistischen Überzeugung, daß Poesie, wie Philosophie, wie »Ideen« etc. nicht von der gesellschaftlichen Realität der Zeit gelöst bzw. lösbar sind, sondern auf – freilich nicht billige »Widerspiegelungsweise« – sie bezogen und beziehbar sind: sie sind in bestimmter (im Hegelschen Sinn konkreter) Weise ihr »Ausdruck«. Brecht gestaltete seine poetischen Bilder so, daß sie nicht nur für sich schön wirkten, sondern zugleich auch die verborgenen Zusammenhänge gesellschaftlicher Art ästhetisch offenlegten (so ist z. B. das Gedicht *Der Einarmige im Gehölz* ein regelrechter Kurs im Sehen-Lernen: der SS-Mann wird buchstäblich – im kriminologischen Sinn – »kenntlich« gemacht durch genaueste Beobachtung, die in sich dennoch ein poetisches Bild bleibt und z. T. sogar »mitleidserregend« auf die Rezipienten gewirkt hat; vgl. Vollmar, 90; Schuhmann, 117). Die gesellschaftliche Komplexität, die auf diese Weise im Gedicht mit zum Ausdruck kommt – und wie gesagt beim Gedichte-Lesen regelrecht zu entdecken ist –, führt dazu, daß auch die Deutungen so vielfältig ausfallen. Freilich ergibt sich ihre realistische Konkretheit (im Hegelschen Sinn) nur, wenn man *das poetische Bild* ernst nimmt und zum Aufspüren der weiteren Bezüge stets von ihm und seinen »immanenten« Zusammenhängen ausgeht (vgl. die obige Analyse von *Der Rauch;* die Offenlegung des Gesellschaftlichen ist freilich dort nur vorbereitet).

Die These, daß die Gedichte der *Buckower Elegien nicht* »politisch« seien, also nur subjektive Rückzugsgedichte oder Naturgedichte, ist inzwischen widerlegt. Je größer die Kenntnis des politischen Umfeldes bei den Interpreten, je entschiedener die Bereitschaft geworden ist, Brechts »Marxismus« ernst zu nehmen, desto mehr gesellschaftspolitische Dimensionen enthüllten die Texte (auch Mao wurde noch darin entdeckt; vgl. Link, 95–110). Nachdem die Legendenbildung um Brechts Einstellung zum 17. Juni endgültig erledigt ist, läßt sich allmählich die wirkliche Position herausarbeiten. Danach zeigt die lyrische Entwicklung der Nachkriegszeit eindeutig, daß Brecht die »Amerikanisierung« Westdeutschlands als Erneuerung finsterster Reaktion – mit neofaschistischen Zügen – eingeschätzt hat, daß also für ihn der »Westen« kein positives Thema oder gar «Leitbild« sein konnte. Zugleich aber beweist die Nachkriegslyrik auch Brechts Skepsis gegenüber der »kleindeutschen« sozialistischen Lösung, und zwar wegen der damit verbundenen Kriegsgefahr und wegen der drohenden Unselbständigkeit eines sozialistisch-demokratischen (Teil-)Staats. Bis 1953 hielt Brecht an der Priorität einer »gesamtdeutschen Lösung« (freilich als sozialistischer Staat) fest, wenn er auch zunehmend ihre Irrealität erkennen mußte (spätestens mit dem 17. Juni war das so weit). Brecht war auch nicht einverstanden damit, daß die Arbeiter in der DDR zu wenig an der Gestaltung »ihres Staates« beteiligt wurden, daß die Funktionäre wirklichkeitsfremd, ohne Kontakt mit den Arbeitern handelten, daß die Kulturpolitik weiterhin (stalinistisch) von den schon in der Weimarer Zeit und in den Vorkriegsjahren bekämpften »sozialistischen Realisten« bestimmt, daß die bürgerliche Kultur, ihre Rolle im Faschismus nicht kritisiert, daß überhaupt zu wenig »eingerissen« wurde, ehe der Aufbau begann. Dazu kam die sicher notwendige, aber in jeder Hinsicht deklassierend durchgeführte Privilegierung der Intellektuellen, die als Experten vor der Republikflucht »gehalten« werden sollten, die Brecht – für sich – als »schuldbewußte« Belastung empfand, wenn er auch ihre Vorzüge sehr genossen und für die Theaterarbeit vor allem genutzt hat (vgl. das Gedicht *Böser Morgen,* in dem sich Brecht in der Rolle des parasitären »Tuis« schildert). All das ändert aber nichts daran, daß Brecht *jeden* Sozialismus, auch den befohlenen, für besser hielt als jegliche westlich-kapitalistische »Alternative«; sie führt, wie er im Brief an Peter Suhrkamp schrieb, »am Ende dann immer zu einem hohen Todesstandard« (Briefe, Nr. 728; vom 1.7.53). Der 17. Juni wird dann für Brecht das einschneidende Ereignis, daß nicht nur der – von Brecht so diagnostizierte – Neofaschismus des Westens, innere Unruhen ausnutzend, in die DDR einzugreifen und den Sozialismus dort rückgängig zu machen versucht, sondern daß sich zusätzlich die überständige faschistische Gefahr im eigenen Staat machtvoll zeigt. Diese Vieldeutigkeit des Ereignisses »17. Juni« beleuchten die *Buckower Elegien* von den verschiedensten Seiten. Das heißt: sie widmen sich sowohl dem *Arbeiteraufstand,* den durch ihn offenbar gewordenen Mißständen und vernachlässigten Interessen, als auch den eigenen und fremden (westlichen) neofaschistischen Kräften, die den Aufstand für sich zu nützen versuchen und einen neuen Krieg vorbereiten. Der Westen ist folglich durchaus auch Angriffsziel dieser Elegien, soweit sie nämlich auf »westliche Erscheinungen« im Osten und ihre Zusammenhänge eingehen. Als Gegenbilder aber entwirft Brecht auch Bilder sinnvollen, nützlichen und schönen Arbeitens und Produzierens, so, wie es sein sollte (z. B. *Der Blumen-*

garten oder das Gedicht über den Stalingrader Staudamm).

Mit dem Thema der Arbeit und des Arbeiteraufstands verbindet Brecht zugleich die schriftstellerische bzw. allgemeiner die künstlerische Arbeit. Dabei kennt Brecht die Differenzen, die zwischen der »materiellen« und seiner »ideellen« Arbeit bestehen, durchaus und gestaltet sie auch *(Böser Morgen),* jedoch stellt er *seine Arbeit* in mehreren Gedichten als der materiellen Arbeit adäquate Tätigkeit dar, die den Interessen der Arbeiter dienen soll, es oft aber nicht tut: dieser »persönliche«, subjektive Zwiespalt ist in den *Buckower Elegien* in die gesellschaftlichen Bezüge der Gedichte mit einbeschrieben. Brecht war überzeugt davon, daß seine individuellen Möglichkeiten wesentlich von den gesellschaftlichen Realitäten abhängig waren, so daß Gesellschaftliches und »Subjektives« nicht alternativ, sondern sich gegenseitig bedingend zu deuten sind (womit sich auch manche Streitpunkte der Forschung »erledigen« ließen). Brecht definiert seine Möglichkeit im Rahmen der gesellschaftlichen Verhältnisse, zugleich aber möchte er – Exempel setzend – auf sie ein- und hinwirken. Auch hier formulieren die Gedichte erhebliche Spannungen. Die faschistische Bedrohung stellt die Existenz an sich in Frage. Die Arbeiter sehen in Brechts Arbeit keine Arbeit, die ihnen dient; die Funktionäre behindern Brechts Arbeit, indem sie nach bornierten Gesichtspunkten oder opportunistisch entscheiden. Das Zusammenleben in der jungen sozialistischen Gesellschaft vollzieht sich immer noch zu sehr nach bürgerlichen Gewohnheiten.

Von hier aus läßt sich auch die »Gattung« bestimmen, ohne daß auf die gattungstheoretischen Erörterungen der Forschung zurückgegriffen werden muß. Die bloß subjektiv bestimmte, wehmutsvolle, den Verlust von Vergangenem bejammernde Klage, der Ausdruck sehnsüchtiger Trauer greift als Definition für Brechts Elegien zu kurz. Es gibt objektive und subjektive Aspekte. Objektiv ist die Klage bestimmt durch das wiedergekehrte »alte Neue«. Die Vergangenheit ist nicht erledigt, sie steht vielmehr bedrohlich und bedrohend in die Gegenwart hinein. Die Klage gilt folglich der Vergangenheit in der Gegenwart und dem damit verbundenen mangelnden Fortschritt, dessen Stetigkeit (s. *Radwechsel*) das wichtigste an ihm ist (Fortschreiten vom Alten weg zu stets Neuem hin ohne »Ziel«, das heißt: Erstarrung). Diese objektive Seite umfaßt dann alle oben bereits genannten Aspekte – innerer und »äußerer« Art. – Die subjektive Seite ist markiert durch die dem Dichter aufgezwungene Distanz, durch die er abgehalten wird, wirkliche Aufbauarbeit für den Sozialismus zu leisten und sich statt dessen sowohl um die »inneren« Störungen (zu den Arbeitern, den Funktionären, zu den Fehlern der Partei) als auch um die äußeren Bedrohungen kümmern muß. Diese Arbeit kann daher kaum produktiv, sondern bloß »reflexiv« sein, das heißt, sie dient der eigenen Bewußtwerdung und der Bewußtmachung der (potentiellen) Leser. Die Gedichte werden so zu einer »klagenden« (aber nicht tränenselig jammernden) Bestandsaufnahme eines »Zustands«, den der Dichter so schnell wie möglich als vergangen wissen möchte, damit es weitergeht.

Ästhetisch realisiert sich das »Elegische« in der fast durchweg anzutreffenden »Kontemplation« der Gedichte. Vorwiegend wird da beobachtet, etwas gesehen, ein visueller Eindruck fixiert. Die Betrachtung herrscht vor, Aktivität ist weitgehend paralysiert oder nur als Gewalt präsent. Kunst und Leben, Theorie und Praxis erscheinen in den Elegien – obwohl das Gegenteil angestrebt ist – wieder getrennt; Zusammenwirken und Zusammenarbeit bleiben weitgehend unrealisiert. So muß sich der Dichter wieder auf eine Art der Dichtung zurückziehen, die er eigentlich als überwunden ansah (vgl. z. B. *Die Erziehung der Hirse* und ihren »tätigen« Inhalt). Elegisch sind die *Buckower Elegien* also auch dadurch, daß sie eine Poesie der Bilder anstatt eine Poesie der Arbeit, des Zusammenlebens entwerfen. Hiermit erhält auch der Ort eine gewisse Bedeutung – wie seine Doppeldeutigkeit (»bukolisch«): er steht für die Distanz zwischen gesellschaftlichem Leben und dem Schaffen des Dichters, der zwar nicht »aus der Welt« ist, durchaus aber nicht mitten »im vollen Menschenleben« steht.

Das Motto

Eine gesicherte Zusammenstellung der nun endgültig auf 23 angewachsenen *Buckower Elegien* durch Brecht gibt es nicht; daß die Ausgaben unterschiedliche Anordnungen aufweisen, geht auf die verschiedenen Fassungen zurück, die das Archiv überliefert (wichtigste Mappen sind dabei BBA 97, 357, 1760; je nachdem, nach welcher herausgegeben wird, ändern sich Anzahl und Anordnung). Sicher ist, daß Brecht eine zyklisch »sprechende« Anordnung vorgesehen hatte. Das

Motto hätte dabei aller Voraussicht nach den kommenden Inhalt zusammengefaßt angedeutet:

> Ginge da ein Wind
> Könnte ich ein Segel stellen.
> Wäre da kein Segel
> Machte ich eines aus Stecken und Plane. (10, 1009)

Das Gedicht formuliert eine reine Hypothese, wirkt dennoch aber, als ob es ein Bild entwürfe: ein Bild eines Schiffs, das mit vollen Segeln davonfährt. Es handelt sich um zwei konjunktivische Bedingungssätze einfacher Art, dazu noch parallel gebaut und jeweils mit einem gestischen »da« versehen. Das »Da« ist unbestimmt und bestimmt zugleich; es scheint einen Ort anzuzeigen, macht ihn jedoch nicht in bestimmter Weise habhaft. Zugleich kann es sich um ein verkürztes »Dann« handeln, so daß auch noch ein unbestimmt-bestimmter Zeitaspekt hinzukommt. Der Dichter will, so ist zu folgern, sein Gedicht auf Bestimmtes bezogen wissen und hält den Leser mit dem gestischen »da« dazu an.

Zunächst ist daran zu erinnern, daß das Motto eine alte Redensart impliziert: die Fahne, das Segel in den Wind zu hängen, also mit ihm sich treiben zu lassen, sich opportunistisch anzupassen. Freilich ist der Bezug negativ: das Gedicht spricht von *einem* Wind, nicht von *dem* Wind, der schon herrscht und also »allgemein bestimmend« ist. Es ist ein bestimmter Wind gemeint. Außerdem formuliert die Redensart den Vorgang des »In-den-Wind-Hängens« passiv, während das Gedicht unmißverständlich Aktion meint. Das Segel soll gestellt werden, ist keines da, dann wird mit einfachen Mitteln eins erstellt. Überdies versteckt sich in der Hypothese der Wunsch nach »Weiterkommen« und nicht das sprichwörtliche »Mit-Treiben-Lassen«.

Die Aktivität des »Ich« – auch das steckt in der konjunktivischen Formulierung – sieht sich in Abhängigkeit von äußeren Bedingungen. Wenn ein Wind gehen würde (so sagen wir heute den Konjunktiv prosaisch), dann würde das Ich tätig werden. Umgekehrt gilt, wenn kein Wind geht, hat auch die subjektive Aktion keinen Sinn: das Ich kommt nicht voran. Wären die äußeren Bedingungen jedoch erfüllt, so stürzte sich das Ich sofort in die Aktion, würde es mit allen Mitteln versuchen, das Notwendige auch mit primitiven, mit den naheliegendsten Mitteln zu tun.

Das ist zunächst das einfache, für sich sprechende Bild, das übrigens nicht von einem Boot spricht, also nicht »Vollständigkeit« sucht, naturalistisch abbildet, sondern gerade in der Beschränkung sagt: es geht hier um die Fortbewegung mit Hilfe des Winds und die notwendigen Voraussetzungen dazu.

In diesem Bild sind nun die gesellschaftlichen Bezüge zu entdecken, die jetzt nur noch anzudeuten sind. Die gesellschaftliche Entwicklung ist erstarrt, es herrscht »Windstille«, und das heißt, daß vor allem die Arbeiterbewegung und die »Weisheit des Volkes« ungenügend wirksam sind – daß es zunächst um das »Einfachste« geht, zeigen die primitiven Mittel, die zum hypothetischen Bau des Segels zu verwenden sind. Welche Gründe alle dafür sprechen, ist oben ausführlicher dargestellt worden. Deutlich wird: der Primat der »äußeren« Bewegung für die Tätigkeit des Ich und der Wunsch nach aktiver, nicht kontemplativer Teilnahme an der »Fortbewegung«.

Zugleich handelt das Gedicht vom Gedichte-Schreiben. Segel setzen, so lautete schon bei Horaz die Metapher für Dichten. Brechts Motto jedoch meint eine bestimmte Art des Dichtens; denn die *Buckower Elegien* sind ja Dichtungen. Wie Brecht schon früher mit Lyrik über die Unmöglichkeit, Lyrik zu schreiben, handelt, verändert er mit seinem Gedicht zugleich den Begriff von Lyrik: sie ist nicht mehr im alten Sinn »lyrisch«, sondern »Sprache des Wirklichen«. Auch dieses Motto verändert den Lyrik-Begriff: es entwirft eine aktive, kämpferische Lyrik (in der Hypothese) und besagt zugleich, daß sie (noch) nicht so möglich ist. Demnach enthält das Motto indirekt auch die oben dargelegte Elegien-Definition: die hypothetisch entworfene »Produktions«-Lyrik ist angestrebt, abgeliefert jedoch wird gleichsam »alte Lyrik«, Lyrik der Kontemplation, der Betrachtung. Da kein Wind geht, kann die Lyrik nur am Ort bleiben, beobachten (vgl. den Straßenhang in *Radwechsel*), *muß* sie »lyrisch« sein.

So zeigt sich Brechts inzwischen berühmtester (und womöglich »größter«) Lyrikband von einem eigenartigen Widerspruch beherrscht: er fordert unausgesprochen »andere«, neue und produktive Lyrik, muß diese neue Lyrik jedoch im »alten Stil« entwerfen. Es entsteht widerstrebend eine kontemplative Lyrik, die diese Lyrik gerade überwinden und aufheben möchte. Der Widerspruch aber ist auch die Hoffnung dieser Lyrik gewesen.

Wichtige Einzeldeutungen: Hans *Mayer*: Bertolt Brecht und die Tradition. Pfullingen 1961, München 1965 (S. 92 f.) [*Beim Lesen des Horaz*]. – Peter *Witzmann*: Antike Tradition im

Werk Bertolt Brechts. Berlin 1964 (S. 36–39) [*Beim Lesen des Horaz*]. – Yaak *Karsunke*: Matti wechselt das Rad [Gedicht]. In Y' K': Reden & Ausreden. Gedichte. Berlin 1969 [*Der Radwechsel*]. – Theodore *Fiedler*: Brecht und Cavafy. In: Comparative literature 25, 1973, Heft 3, S. 240–246 [*Bei der Lektüre eines spätgriechischen Dichters*]. – Harald *Weinrich*: Eisen. In: Ausgewählte Gedichte Brechts mit Interpretationen. Hg. von Walter *Hinck*. Frankfurt a. M. 1978. S. 134–138. – Gerhard *Seidel*: Vom Kaderwelsch und vom Schmalz der Söhne McCarthys. In: Sinn und Form 32, 1980, Heft 5, S. 1087–1091 [*Die neue Mundart, Lebensmittel zum Zweck;* mit Erstpublikation der Gedichte].

Gesamtdarstellungen: Klaus *Schuhmann* (s. o.) [kurze Übersicht; betont Überständigkeit des Vergangenen auf dem Hintergrund des 17. Juni]. – Hugo *Dittberner*: Die Philosophie der Landschaft in Brechts »Buckower Elegien«. In: Bertolt Brecht II. Sonderband aus der Reihe Text + Kritik. München 1973. S. 54–65 [betont die Verbindung von Arbeit und Natur, die als bearbeitete geschichtlich und »menschlich« wird]. – Jürgen *Link* (s. o.) [hebt die Kritik an der DDR-Regierung stark hervor; erwägt Brechts »Maoismus«]. – Klaus-Bernd *Vollmar* (s. o.) [pointiert scharf Brechts »anarchische« Kritik am Stalinismus und der DDR; sprachlich nachlässig]. – Nosratollah *Rastegar* (s. o.) [verteilt die *Buckower Elegien* auf seine »Leitsymbole« hin; keine systematische Gesamtdarstellung]. – Peter Paul *Schwarz* (s. o.) [bleibt überwunden geglaubten politischen Positionen verpflichtet; berücksichtigt nur wenige Beispiele und konstruiert geistesgeschichtliche Abhängigkeiten zu den chinesischen Gedichten]. – Dieter *Thiele* (s. o.) [die bisher eingehendste, fundierteste Darstellung; ausführliche und kritische Auseinandersetzung mit der vorangegangenen Forschung, als Forschungsbericht zu den Elegien zu empfehlen]. – Franz Norbert *Mennemeier*: Bertolt Brechts Lyrik. Aspekte, Tendenzen. Düsseldorf 1982 (S. 201–215) [sieht Verzicht, Trauer, Zorn über die verfehlte politische Entwicklung ausgeprägt; dennoch bleibe das Bild einer vollkommenen Gesellschaft stets vor Augen]. – Christel *Hartinger* (s. o.; S. 242–322) [setzt sich kritisch mit der westlichen Forschung auseinander; gibt eine differenzierte Darstellung der politischen Hintergründe].

Kriegsfibel (1955)

Entstehung, Texte

Das Erscheinungsdatum der *Kriegsfibel* ordnet sie innerhalb des – in diesem Fall nur bedingt – lyrischen Werks an falscher Stelle ein. Die Entstehung der Idee, Bild und erläuterndes Gedicht miteinander zu verbinden, sowie die Entstehung der – wie Brecht sie nannte – »fotoepigramme« (AJ 663; vom 20. 6. 1944) selbst liegt durchweg während des 2. Weltkriegs und kurz nach seiner Beendigung. Die ersten Vorarbeiten datieren offenbar aus noch früherer Zeit, zumal Brecht mit der *Deutschen Kriegsfibel* innerhalb der *Svendborger Gedichte* den Titel bereits verwendet hatte (9, 633–640; Entstehung zwischen 1936 und 1937; Erstpublikation 1939). Die Gedichte der *Deutschen Kriegsfibel* sind aber sowohl nach Form als auch nach Inhalt streng von denen der *Kriegsfibel* zu unterscheiden. Während jene durchweg freirhythmisch, mit Brecht besser gesagt: eigenrhythmisch, sind (in der Regel ohne Reim), keine Fotografien erläutern und außerdem sich weitgehend als Wandsprüche (Wandparolen) verstehen, handelt es sich bei diesen um eine relativ feste Form, den gereimten Vierzeiler (mit Knittelversen), die stets in Verbindung mit Zeitungsausschnitten (mit einer Ausnahme Fotos, diese wiederum oft mit Text) auftreten. Überdies kennen die Gesamtausgaben Brechts noch die sog. *Deutsche Kriegsfibel II*, deren Gedichte formal wie inhaltlich an die *Deutsche Kriegsfibel* (1936–1938) anschließen und auch zur selben Zeit entstanden sind (9, 734–737); da einige Gedichte in der ersten Ausgabe der *Deutschen Kriegsfibel* (in *Das Wort*, Heft 4/5, Moskau 1937 unter dem Titel *Zur »Deutschen Kriegsfibel« gehörig*) gestanden haben, handelt es sich bei der *Deutschen Kriegsfibel II* offenbar um Gedichte, die zunächst zum geplanten Zyklus gehört haben, bei der Publikation in den *Svendborger Gedichten* aber nicht aufgenommen worden sind. Die unter dem Titel zusammengestellten Gedichte beanspruchen daher in dieser Form nur bedingt, einen eigenen Zyklus zu bilden (die Numerierung stammt von den Herausgebern). Für die eigentliche *Kriegsfibel*, die übrigens nicht ohne Grund auf das Attribut »deutsch« verzichtet (vgl. dagegen fälschlich Marsch, 294), ist zur Kennzeichnung am besten der schon genannte Begriff des »Fotoepigramms« zu verwenden. Der ebenfalls auf Brecht zurückgeführte Begriff des »Photogramms« (bzw. »Fotogramms«) ist zwar allgemein gebräuchlich, jedoch nur durch eine Anmerkung der Herausgeberin Elisabeth Hauptmann bestätigt (erstmals in Gedichte 6, 210; wiederholt mit anderer Schreibung 10, 25 Anm.). Da es sich dabei möglicherweise um eine falsche Erinnerung Hauptmanns handeln könnte – an den von Brecht nachgewiesenen verwendeten Begriff des »Fotoepigramms« –, sollte der Begriff Brechts auch in der Forschung benutzt werden, zumal die deutsche Übersetzung als »Foto-Aufschrift« (bzw. »Foto-Inschrift«) doch mehr Sinn ergibt als »Foto-Schrift«.

Wesentlichen Einfluß auf die Entstehung der Fotoepigramme der *Kriegsfibel* dürfte die Lektüre der *Arbeiter-Illustrierten Zeitung* gehabt haben (sie bestand von 1921–1938). In einer Glückwunschadresse an die Zeitung führte Brecht 1931 aus:

Die ungeheure Entwicklung der Bildreportage ist für die *Wahrheit* über die Zustände, die auf der Welt herrschen, kaum ein Gewinn gewesen: die Photographie ist in den Händen der Bourgeoisie zu einer furchtbaren Waffe *gegen* die Wahrheit geworden. Das riesige Bildmaterial, das tagtäglich von den Druckerpressen ausgespien wird und das doch den Charakter der Wahrheit zu haben scheint, dient in Wirklichkeit nur der Verdunkelung der Tatbestände. Der Photographenapparat kann ebenso lügen wie die Schreibmaschine. Die Aufgabe der A-I-Z, hier der Wahrheit zu dienen und die wirklichen Tatbestände wiederherzustellen, ist von unübersehbarer Wichtigkeit und wird von ihr, wie mir scheint, glänzend gelöst. (20, 42 f.)

Die Adresse ist in vieler Hinsicht wesentlich für die späteren Fotoepigramme. Zunächst gibt sie einen Hinweis, wo Brechts zeitgenössische Vorbilder liegen, nämlich im Medium der Zeitschrift, des illustrierten Journals (der Waschzettel der Ausgabe von 1955 spricht denn auch von »eine Art Journal«). Das bedeutet, daß Brecht die »Form« eines noch heute wirksamen Massenmediums aufnimmt, das in bürgerlichen Händen zur »Illustrierten« geworden ist. Dann ist der Aspekt des Realismus wichtig. Brecht weist mit Nachdruck die – in der Zeit noch weit verbreitete – Ansicht zurück, daß Fotografien »Wirklichkeit wiedergäben«, also nicht lügen könnten (Begriff des »Fotorealismus«). Der Gebrauch der Fotografien zeigt das Gegenteil – was durch den »an die Macht gekommenen« Nationalsozialismus endgültig in aller Brutalität bestätigt werden sollte. Die Bilder lügen, weil sie so aufgenommen und so ausgesucht sind, daß sie nur (schönen) Schein vorspiegeln, die gesellschaftliche und soziale Realität jedoch verdekken (vgl. auch Dudows und Brechts Film *Kuhle Wampe*, der ebenfalls – hier im Medium Film – gegen die verschönten Lügenfilme bürgerlicher Produktion in der Weimarer Republik anging). Überdies ist darauf zu verweisen, daß die Bilder in der »Illustrierten« von vornherein lediglich auf ihren illustrierenden Charakter hin ausgesucht werden. Sie zeigen nichts vor oder auf, sie stellen lediglich etwas – im buchstäblichen Sinn von »illustrieren« – ins Licht (Sensationen, Politiker, schöne Frauen etc.). Solchermaßen gezeigte Bilder sind Bildschmuck, nicht aber Realitätsdarstellung (vgl. das noch heute gültige Bildverbot für z. B. schwangere »hohe« Damen, die Zur-Schau-Stellung der Politiker für die Fotografen etc.). Die *Arbeiter-Illustrierte Zeitung* verwendet nach Brechts Meinung – die er freilich mit dem Nebensatz »wie mir scheint« geringfügig einschränkt – dagegen die Bilder so, daß sie wirklich etwas »sagen«, die Wahrheit also über die gesellschaftlichen Verhältnisse. Die Metapher, daß Bilder »reden«, also nicht nur illustrieren, sondern über die wirklichen Zusammenhänge »sprechend« werden, hat Brecht der *Arbeiter-Illustrierten Zeitung* entnehmen können. Dort findet sich in der Nummer 28 (1930) ein Bild von in einer Straße (bürgerlich) aufgetürmtem Haufen von Pflastersteinen mit der Unterschrift »Steine reden«, die zugleich Überschrift eines Gedichts von Erich Weinert ist. Das Gedicht erinnert u. a. an die Fron der Arbeiter, die Steine zu brechen, dann an die Verwendung der Steine als Straßenmaterial, *über* das alles mögliche hinwegrollte, und schließlich an ihre Verwendung als Barrikade im Kampf der Arbeiter gegen ihre Ausbeuter (die Barrikade als Denkmal des Sieges). Interessant ist an Weinerts Gedicht, daß es die Steine – die auch für die Arbeiter sprechen, die sie »bearbeitet« haben – selbst sind, die in der »wir«-Form den Leser unmittelbar ansprechen, und wie dadurch das Bild, das vordergründig nur einen Steinhaufen zu zeigen scheint, nun Zusammenhänge erkennen läßt (Steine der Häuser, die bürgerliche Fassadenkultur, die Unordnung in der Ordnung etc.; Gedicht und Foto finden sich im Nachdruck der A-I-Z, S. 192, Abb. 177). Ebenso verfuhr die *Arbeiter-Illustrierte Zeitung* mit Fotografien »hochgestellter« Persönlichkeiten. In der Nummer 28 von 1929 befand sich z. B. ein Bild von Alfred Hugenberg, der 1929 mit Hitler u. a. gegen den Youngplan Stimmung machte, neben seiner ohnehin ständig vorgezeigten Abneigung gegen die »Saurepublik«. Im Smoking mit weißer Fliege, Haar und Bart geschniegelt, mit zusammengekniffenen Augen leicht hämisch, vor allem unberührt grinsend, wird Hugenbergs Bild durch Verse von Günter Dallmann zum Sprechen gebracht: als Propagandist gegen die Weimarer Republik, die ihm *noch* gewisse Einschränkungen beim großen Verdienen auferlegt. Der unmittelbare Vorbildcharakter der *Arbeiter-Illustrierten Zeitung* für die Fotoepigramme läßt sich also unschwer erweisen und zugleich zu anderen Verfahrensweisen abgrenzen, und zwar gegen die Fotomontage John Heartfields, die Reinhold Grimm als Vorbild reklamiert (Grimm, 524, Anm. 137), aber auch gegen alle gemalten oder gezeichneten Darstellungen von Gesichtern (vor allem o. Ä.), also gegen George Grosz' entlarvende Zeichnungen (Gesichter der deutschen Bourgeoisie) oder auch gegen die Zeichnungen der *Judenfibel* von Dietrich Eckart (1922), die Wagenknecht für eine Parallele zu Brecht für nötig befindet. Für Brechts *Kriegsfibel* gilt, daß sie nur authentisches – und das heißt Fotomaterial (einschließlich Zeitungsausschnitten) – verwendet, also bereits publizierte, weder »künstlich« hergestellte, noch (für Brechts Zwekke) gestellte Bilder zum Sprechen bringt. Was bei Heartfield die Montage zum Bild hinzufügt oder was bei Grosz die »Karrikatur« sichtbar macht, fügt Brechts »Epigramm« dem vorliegenden Bild, das selbst unangetastet bleibt, hinzu. Damit ist ein völlig anderes Verfahren gegeben als bei den genannten sog. Vorbildern (auch zur Moritat übrigens), die Brecht u. a. auch durch die *Arbeiter-Illustrierte Zeitung* kannte. An seiner Glückwunschadresse wird jedoch deutlich, daß er an ihr vor allem ihre Verwendung der Fotografie geschätzt hat, was einen anderen Anknüpfungspunkt bedeutet, als an der Kunst Heartfields oder Grosz', die er auch für gut und nachahmenswert befunden hat (vgl. z. B. die *Schwejk*-Inszenierung Piscators von 1928; s. BH 1, 242 f., oder die berühmte Mata-Hari-Montage in *Kuhle Wampe*).

Die systematische Sammlung von Fotos, die Brecht oder seine Mitarbeiter aus Zeitungen ausschnitten, begann erst im Exil. Ob sie bereits einer geplanten *Kriegsfibel* galt oder nicht vielmehr dem *Arbeitsjournal,* ist noch offen, es darf jedoch – nach den gänzlich anderen Formen der *Deutschen Kriegsfibel* der *Svendborger Gedichte* – angenommen werden, daß sie in erster Linie für das *Arbeitsjournal* gedacht war bzw. aus ihr überhaupt erst die Konzeption dieses Journals entstand. Überschneidungen gibt es ohnehin. Der Name Journal verweist auf sie, aber auch die Tatsache, daß sich ein Fotoepigramm im *Arbeitsjournal* in beinahe endgültiger Form findet (AJ 664; vom 25. 6. 1944) oder in ähnlicher Weise wie in der *Kriegsfibel* Bilder zum Sprechen gebracht werden (vgl. z. B. Fotoepigramm Nr. 21 mit AJ 174; vom 21. 9. 1940, die beide Bombardements englischer Städte durch die deutschen Flieger zeigen. Ähnliche Bilder finden sich in Nr. 16, 17 und AJ 420; vom 21. 4. 1942, AJ 619; vom Sept. 1943 sowie AJ 186, 187).

Nach dem Alter der Fotos begann die systematischere Sammlung um 1936, die ab 1939 auch ins *Arbeitsjournal* eingehen. Am 8. 12. 1939 vermerkt Brecht unter seinen wenigen Besitztümern eine »mappe mit fotos« (AJ 73). 1940 scheint das Jahr zu sein, in dem Brecht mit der Serie der Fotoepigramme beginnt. Im Archiv ist eine Mappe, die vom 14. 3. bis 24. 12. 1940 Vierzeiler sammelt, die später in die *Kriegsfibel* (oft noch erheblich verändert) eingehen (vgl. Bohnert, 238). Da die Verse für sich allein keinen Sinn (oder nur sehr bedingten Sinn) geben, müssen sie bereits auf Fotografien bezogen gewesen sein.

Eine zweite Arbeitsphase ist durch Brecht überliefert. Am 20. 6. 1944 notiert er: »arbeite an neuer serie der fotoepigramme. ein überblick über die alten, teilweise aus der ersten zeit des kriegs stammend, ergibt, daß ich beinahe nichts zu eliminieren habe (politisch überhaupt nichts), bei dem ständig wechselnden aspekt des krieges ein guter beweis für den wert der betrachtungsweise. es sind jetzt über 60 vierzeiler [...]« (AJ 663). Ob sich Brechts Angabe, daß die ersten Fotoepigramme auf die »erste Zeit« des Kriegs beziehen, so deuten läßt, daß der Beginn der Arbeiten bereits 1939 liegt, muß offen bleiben (der Beginn im März 1940 könnte ebenso dafür sprechen). Deutlich wird jedoch, daß auch die ersten Epigramme zu Fotos erstellt und zugleich für eine *Kriegs*-Fibel gedichtet worden sind. Wenn politisch nichts zu revidieren ist, so kann sich das nur darauf beziehen, daß Brechts Einschätzung der »Vorläufer« (z. B. Noske) und der Zusammenhänge (z. B. England nicht wesentlich von Deutschland unterschieden; vgl. Nr. 16) durch den Kriegsverlauf bestätigt worden ist. Die Zahl der »Epigramme«, 60 nämlich, entspricht ca. vier Fünfteln aller Gedichte zur *Kriegsfibel.* Wie Briefe zeigen (vgl. Briefe Nr. 493, 498 und Bohnert, 238), arbeitet Brecht an den Vierzeilern sporadisch bis zum Kriegsende 1945 weiter. Dann liegt eine Sammlung von 71 Fotoepigrammen vor, die als erste Fassung angesehen werden kann (BBA 1157/01–10 = Nr. 10192, Bd. 2, S. 554; Aufstellung der Reihenfolge bei Bohnert, 300 f.).

Diese erste Fassung, die zum Druck fertiggestellt worden war, enthält sechs Fotoepigramme, die für die spätere Fassung (1955) getilgt werden. Ein Foto tauscht die Position, und zwar von Nr. 6 zu Nr. 57, und erhält einen neuen Text (bei Bohnert, 280). Drei Fotoepigramme von den getilgten Beiträgen der *Kriegsfibel* beziehen sich auf amerikanische Themen bzw. Personen, auf den amerikanischen Kongreß, auf die Negerunruhen und ihre Opfer sowie auf Hollywoods Beitrag zum Kriegsgeschäft. Ein Fotoepigramm widmete sich Ernest Bevin, einem führenden britischen Gewerkschafter und dem späteren Außenminister. Ein weiteres Fotoepigramm galt russischen Frauen, die einen deutschen Offizier bitten, sie von den Konfiskationen zu verschonen, und das letzte, das wegfiel, zeigte Friedrich Ebert als den Steigbügelhalter des

»Junkernpacks« (Verweis auf die verratene deutsche Revolution). Für dieses Fotoepigramm kam dann das von Noske zu stehen, und zwar wiederum genau vor dem Górings (Nr. 24 und 25; erste Fassung Nr. 25 und 26 – Nr. 6 rückte an Nr. 57). Die Texte der entfallenen Fotoepigramme finden sich jetzt gedruckt bei Bohnert (240 f.; 280).

Die Versuche, diese erste Fassung zum Druck zu befördern, waren vielfältig. Im Herbst 1948 bot Ruth Berlau, die auch maßgeblich an der Entstehung beteiligt gewesen ist, Kurt Desch (München), dem Verleger des *Dreigroschenromans* (nach dem Krieg), das Werk an. Desch lehnt jedoch ziemlich kategorisch ab, freilich ohne genaue Gründe zu nennen (sie dürften politischer Natur gewesen sein). Dann beabsichtigt Brecht, die *Kriegsfibel* in Ost-Berlin zu publizieren. Dazu muß Brecht bereits eine neue, wohl nur leicht veränderte Fassung hergestellt haben; denn das Ebert-Bild ist bereits gegen das von Noske (Nr. 25) ausgetauscht; diese Fassung ist nicht erhalten.

Der kulturelle Beirat der SED beauftragt Stefan Heymann, der zur Zeit wahrscheinlich Abteilungsleiter für Kulturarbeit war, mit einem Gutachten, in dem dieser neben recht allgemeinem Lob, das sich lediglich auf Brechts Namen bezieht, einige gravierende Einwände erhebt, die offensichtlich einen Druck verhindert haben (Abdruck des Gutachtens bei Bohnert, 305–307). Heymann verkennt das Werk völlig, indem er ihm unterstellt, vor allem vor dem neuen Faschismus (in Westdeutschland, wie er sagt) zu warnen und bei der Darstellung des vergangenen Faschismus die Person Hitlers zu sehr herauszustellen. Das erste Gedicht stelle das »ganze Kriegsgeschehen [als] eine persönliche Angelegenheit Hitlers« dar (Bohnert, 306). Auch die weiteren Ausführungen zu einzelnen Bildern beweisen, daß Heymann jegliches Verständnis mangelte: daß Noske »Volkes Sohn« sei (Nr. 24; erste Fass. Nr. 25) wollte er geleugnet wissen, ohne zu merken, daß dadurch gerade sein Verrat besonders schändlich wird (Noskes Tat steht für die der gesamten Sozialdemokratie, wie überhaupt die Personen nie für sich stehen). In Nr. 42 (erste Fass. Nr. 53) versteht Heymann die Doppeldeutigkeit sowie die Eindeutigkeit von Text und Bild nicht (er meint, Brecht wolle sagen, daß die Völker »von fern zugesehen« hätten); daß er das Fotogramm über Hollywood (»Die Brust entblößt in militärischem Schnitt / Mit alten Kriegsmedaillen vor der Fotze...«) nicht durchgehen lassen würde (sei »abstoßend«!), wundert da nicht mehr. Schließlich belegt noch seine Kritik am Bild 55 (erste Fass. 59), das einen deutschen und einen sowjetischen Soldaten in ähnlicher Aufmachung gegenübergestellt zeigt, das Unverständnis des Beirats und Heymanns gegenüber Brechts Darstellungsweise: will das Bild die Ähnlichkeit der Söhne des Volks gerade zeigen, nennt auch der erste Vers sie »Brüderpaar«, so sind sie doch – wie »gezähmte Soldaten« – aufeinandergehetzt. Wer der »Hetzer« ist und wer der Verteidiger, das zeigt die *Kriegsfibel* deutlich genug, zumal es auch galt, dem *deutschen* Soldaten zu zeigen, daß er nicht seine, sondern die Interessen seines »Herren« vertritt (überdies war der Aufruf zur Verbrüderung gerade von der Roten Armee immer wieder an die deutschen Truppen ergangen).

Brecht antwortete kurz, betonte den Journal-Charakter seines Werks und die Tatsache, daß es als historisch fortlaufender Kommentar und damit wiederum als historisches Dokument – während der Hitlerjahre verfaßt, 1945 abgeschlossen –, genommen werden müßte. Die Einwände versuchte Brecht kurz und sachlich zu widerlegen. Das Hollywood-Fotoepigramm erwähnt er dabei nicht, bei Nr. 55 erklärt er sich einverstanden, das Gedicht auszuwechseln (jedoch nicht das Bild, das Heymann auch moniert hatte). Überdies dichtete Brecht einen Vierzeiler, der Hitlers Hintermänner (hier IG-Farben beim Namen genannt) offenlegen sollte (es ist wahrscheinlich, daß das Fotoepigramm die Nr. 2 erhalten hätte, nicht aber gegen Nr. 1 ausgetauscht worden wäre). Hinzu kommt, daß Brecht sich jetzt genötigt sieht, dem Buch eine Reihe von Bemerkungen beizugeben, die dann als *Nachbemerkungen* auch tatsächlich realisiert werden; erste Notizen dazu legte Brecht noch 1950 an.

Zum Druck kam es jedoch nicht, so daß die *Kriegsfibel* bis 1954 liegen blieb. Genau 15 Jahre nach Kriegsbeginn schließt Brecht dann am 1. Sept. 1954 mit dem Ost-Berliner Eulenspiegelverlag einen Vertrag über den Druck ab. Ruth Berlau soll ihn besorgen und als Herausgeberin zeichnen. Die Auflage soll 10000 Exemplare betragen. Ruth Berlau stellt eine neue Fassung zusammen, zu der gegenüber der von 1945 vier Fotoepigramme hinzukommen (Nr. 24: Noske, Nr. 64: »O hättet ihr...«, Nr. 65: »Das sind die Städte...« und Nr. 66: »Heimkehrer ihr aus der Unmenschlichkeit«). Aber auch dabei bleibt es nicht. Es kommt zu erneuten Diskussionen, die das »Amt für Literatur« vor der Druckgenehmigung führt (u. a. Kurt Barthel, genannt Kuba, Heinz

Lüdecke, Eduard Claudius, Michael Tschesno). Aber auch Brecht und Berlau nehmen noch Änderungen vor, indem sie das Hollywood-Fotoepigramm und das neu geschriebene über Hitlers Hintermänner wieder tilgen und noch fünf weitere (vier davon waren bereits 1945 berücksichtigt) hinzufügen. Auf die Runde des Amts für Literatur soll die endgültige Vierteiligkeit der Fotoepigramme zurückgehen, insofern sie angeregt habe, nicht nur die von Brecht 1950 konzipierten *Nachbemerkungen* für den Band zu realisieren, sondern bei den Fotos stets auch die Texte mit zu reproduzieren. Wieweit das zutrifft, ist noch nicht geklärt, aber dennoch nicht unwichtig in bezug auf die Deutungen der *Kriegsfibel* als »dreiteiliges« Gebilde (vgl. Grimm, passim). Im November 1955 konnte der Band endlich erscheinen.

Die Entstehungsgeschichte hat noch eine »Nachgeschichte«. Es ist dokumentiert, daß Brecht Druck und Ausstattung des Bandes fortlaufend überwacht hat (vgl. Bohnert, 309), so daß das endgültige Produkt – unter Einschränkung der Veränderungen seit 1945 – seinen Vorstellungen entsprochen hat. Trotz des großen Aufwands wird das Buch von der DDR-Jury 1956 nicht für die schönsten Bücher ausgezeichnet, sondern lediglich »lobend erwähnt«. Die Jury behauptet, der Verleger habe »der Gestaltungsidee nicht die gültige Form zu verschaffen« gewußt: die Wahl der Type sei falsch gewesen, die Bilder schwankten ständig zwischen Symmetrie und Asymmetrie, der Druck sei schlecht. Bei Brechts bekannter Penibilität, mit der er sogar über die Schutzumschläge wachte und lange Briefwechsel führte (vgl. Friedrich Voit: Der Verleger Peter Suhrkamp und seine Autoren. Kronberg/Ts. 1975. S. 301–304), sind die angeführten »Mängel« alle auf Brecht zurückzuführen. Während man bei der Wahl der Type und der »Schärfe« (viele Bilder sind mit Notwendigkeit unscharf, aber dabei vielsagend) geteilter Meinung sein könnte, stellt der monierte Wechsel zwischen »Symmetrie und Asymmetrie« wiederum eine – nur grotesk zu nennende – Verkennung der künstlerischen Absichten dar. So jedenfalls kam es, daß eine heute zu den größten Raritäten des Brechtschen Werks zählende Sammlung sich kaum verkaufen ließ und daß auf ihr Verständnis mehr als zwei Jahrzehnte zu warten war.

Texte: Bertolt Brecht. Kriegsfibel. [Hg. von Ruth *Berlau*]. Berlin: Eulenspiegel Verlag 1955 [der Band ist in schwarzes Leinen gebunden mit weißer Aufschrift, wobei nur »brecht« als Faksimile der Handschrift als Verfassername steht, was sich auf dem Rücken wiederholt; dieser Leineneinband gehört ebenso zur künstlerischen Komposition des Bandes wie der Schutzumschlag, der die Schriftzüge wiederholt, aber vorn die als Nr. 61 abgebildeten geschlagenen deutschen Soldaten zeigt, hinten dagegen aus der *Friedensfibel* aufmerksam zuhörende Studierende einer Arbeiter- und Bauernfakultät mit eingeschriebenem Gedicht wiedergibt]. – Frühere Texte bei: Christiane *Bohnert*: Brechts Lyrik im Kontext. Zyklen und Exil. Königstein/Ts. 1982 (S. 240 f., 245, 280, Übersichten 300–305, Dokumente zur Entstehungsgeschichte 305–309). – Gedichte, Band VI, S. 115–132. – wa 10, 1035–1048 (alle ohne die Bilder). – Supplementband IV, 379–382.

Anreger: Arbeiter-Illustrierte Zeitung, Nachdrucke bei: Heinz *Willmann*: Geschichte der Arbeiter-Illustrierten Zeitung 1921–1938. Berlin 1975.

Reinhold *Grimm*: Marxistische Emblematik. Zu Bertolt Brechts »Kriegsfibel«. In: Wissenschaft als Dialog. Hg. von Renate von *Heydebrand* [u. a.]. Stuttgart 1969. S. 351–379. – Edgar *Marsch*: Brecht-Kommentar zum lyrischen Werk. München 1974 (S. 293 f.). – Christian *Wagenknecht*: Marxistische Epigrammatik. Zu Bertolt Brechts »Kriegsfibel«. In: Emblem und Emblemrezeption. Hg. von Sibylle *Penkert*. Darmstadt 1978. S. 542–559. – Christiane *Bohnert* (s. o.; S. 235–255).

Analyse

Die Zusammenhänge

Die *Kriegsfibel* läßt sich nicht einfach als Lyrik interpretieren; der Anspruch der Analyse geht auf die Gesamtgestaltung, freilich nicht nur von Bild und »Erläuterung«, sondern auch von Aufmachung und Zusammenstellung. Es kann daher nicht vom einzelnen Fotoepigramm ausgegangen werden, wie es bisher allein geschehen ist, sondern von den Gemeinsamkeiten, die alle Fotoepigramme miteinander verbinden. Erst in diesem Zusammenhang wird das einzelne Fotoepigramm »sprechend« (die frühen Beurteilungen zeigten bereits, wie schnell sich da falsche Einschätzungen ergeben, wenn man vom einzelnen Epigramm ausgeht). Das Titelblatt setzt spätestens ein klares Zeichen, daß die Farben schwarz und weiß – es sind ja die einzigen des Buchs – »bedeutend« eingesetzt sind. Eine Rißlinie trennt höchst unharmonisch weiße von schwarzer Farbe (vgl. dagegen etwa die Harmonie des chinesischen Tao-Symbols) und schreibt den Titel mit umgekehrter Farbgebung in die Gegensatzfarbe ein, so daß »Kriegs« in Schwarz auf Weiß, »fibel« (mit Rißlinie im »f«) in Weiß auf Schwarz zu stehen kommt. Diese Titelgrafik ist sicherlich nicht auf die Teilung Deutschlands zu beziehen, sondern sie steht »symbolisch« ein für die Zerrissenheit, die der Krieg bringt.

Zugleich ist das »Schwarz« als die Farbe des Krieges festgelegt. Es ist nämlich bezeichnend, daß alle Bilder – es gibt eine bezeichnende Ausnahme – mit eben der auf der Titelgrafik »symbolisch« gesetzten schwarzen Farbe unterlegt sind. Das bedeutet: *alle* Bilder des Bandes deuten auf Krieg, sind »Ausdruck« des Kriegs, also auch da, wo (scheinbar) friedliche Szenen abgebildet sind (z. B. Nr. 7, wo nur Felsen und Meer zu sehen sind, oder Nr. 37, das eine barbusige Schwarze zeigt, die ein Gefäß auf dem Kopf trägt). Auch das erste Bild erhält durch den schwarzen – glücklicherweise »unsymmetrischen« – Rahmen erst seine wirkliche Bedeutung. Es zeigt den Redner Hitler in einer Rede lange vor dem Krieg. Es spielt – im Epigramm – auf die in In- und Ausland gepriesene »schlafwandlerische Sicherheit Hitlers in der Führung« an (vgl. Bohnert, 307). Brecht personifiziert überhaupt nicht – im Gegenteil versucht er, die ungeheuerliche Anmaßung Hitlers in diesem offiziellen Bild sichtbar zu machen (die heutigen Personifikationen der Hitler-»Führer«-Figur *fallen noch immer auf die alte nazistische Propaganda herein*). Hitler steht in künstlicher, von der eigenen Person ergriffener Haltung da, die Hand geöffnet (hohle Geste), der Blick gen »Himmel« gerichtet, die Augen blicken starr und besitzergreifend – aber nach Brechts Anordnung in einen schwarzen »Himmel«, an dem – wie ein falscher Stern nicht leuchtend, sondern dunkelnd – ein Hakenkreuz noch gerade erkennbar ist. Die Mikrofone biegen sich zu Hitler dienerhaft hin (Chaplin hat diese Metapher in seinem Film genutzt!), durch sie hören ihn – der in die schwarze Vorsehung glotzt – seine »Untertanen«, die »Geführten«. Daß alles nur scheinhafte, pompös aufgemotzte Anmaßung ist, die, wenn sie nicht durchschaut und bekämpft wird, in den Krieg führt, *das* will das Fotoepigramm zum Ausdruck bringen.

Die Bedeutung der schwarzen Farbe jedoch läßt sich auch an anderen Fotoepigrammen zeigen. Es ist ganz augenfällig, daß der Anteil des Schwarz variiert. Es ist merkwürdig, daß bisher niemandem aufgefallen ist, wie stark die Nähe zur Filmblende ist, die – wenn man auf sie aufmerksam geworden ist – die Bilder außerordentlich in Bewegung bringt. Es wird dadurch zum Beispiel schnell deutlich, daß die Wiedergabe des Bilds Nr. 3 (die spanische Frau, die beim Baden auf Öl statt auf Wasser gestoßen ist) eine Art Fernrohrblende darstellt. Das Bild ist bewußt so klein gewählt, der Betrachter sieht wie durch ein Fernrohr (viel Schwarz darum) auf die Frau. Will er sie näher betrachten, muß er sie »heranholen« (Bewegungseffekt). Mit dieser grafischen Lösung gewinnt das Bild noch mehr Zeige-Charakter. Spanien schien weit weg, was da passierte, uninteressant. Aber die schwarze Farbe, die die Frau an den Händen hat, deutet 1936 schon auf den kommenden Krieg.

Noch deutlicher ist die Komposition im Bild Nr. 5, das die ganze linke Hälfte schwarz zeigt. Hier handelt es sich um eine Abdeckungsblende, die wiederum in Bewegung gerät, wenn man sie sich filmisch realisiert vorstellt. Der Krieg hat begonnen, und es wird – wie die Metapher lautet – »Nacht«. Das Hinüberschwenken des Schwarz – im Prinzip auf die ganze Seite – bewirkt die bewußt gesetzte Farbgebung dieser Seite – wobei jetzt allmählich auch die Metapher vom 1. Fotoepigramm redend wird: er führe »im Schlafe« in die Nacht des Kriegs. Das einzige Bild, das keinerlei »zusätzliches« Schwarz aufweist, zeigt (in der Totale) die Zerstörung des Kriegs, die Zerstörung der Welt (was natürlich nicht im »absoluten« Sinn gemeint ist). Daß die ganze Welt am Zerstörungswerk des Faschismus beteiligt war (wie Opfer wurde), zeigen die Fotoepigramme zuvor. Besondere Bedeutung erhält durch den schwarzen Balken – oben und unten – das Bild Nr. 53, dessen Unschärfe durch die Bedeutung des Schwarz »sprechend« wird. Das Bild ist »näher heranzuholen«, also wiederum durch den Rezipienten in Bewegung zu bringen. Er sieht dann nicht nur klarer, das neue Unheil kommt auch direkt auf ihn zu. Zu dieser Art von Komposition kommt hinzu, daß nicht alle Vierzeiler im Schwarz des unteren Randes stehen, sondern auch in die Bilder eingeschrieben sind (Nr. 6, 10, 65). In diesen Fällen sprechen die Bilder unmittelbar. Im ersten Fall die norwegischen Menschen, die im Bild gar nicht erscheinen, jedoch durch den 1. Mai (rechts oben) sozusagen ins Bild geraten (am 1. Mai 1940, dem Tag der Arbeit, erfolgte der Überfall auf Norwegen), die Perfidie der behaupteten »Schutzfunktion« wird dadurch noch mehr unterstrichen. Im zweiten Fall spricht die Stimme des unbekannten Soldaten auch bildlich »aus dem Grab« (hier versucht Brecht dem weihevollen Inschriften-Kult der »unbekannten Soldaten«, die *nicht* für sich sprechen, zu entgehen). Der letzte Fall zeigt die Sprechenden inmitten der Zerstörung, sie sprechen aus ihr heraus und bezeugen ihre schauerliche »Totalität«, die das Bild bestimmt.

Über diese Zusammenhänge hinaus gibt es weitere, die inhaltlich zu bestimmen sind. Zunächst ist da der (relativ) chronologische Zusammenhang der Bilder. Ihre »Ereignisse« reichen von Hitlers »Machtübernahme«, über die Rüstungspolitik, Vorbereitung des Krieges (in Spanien), über seinen »Ausbruch«, seine allmähliche Ausweitung über die gesamte Welt, bis hin zur Darstellung der Gegenkräfte, der Niederlage und abschließenden Mahnung, die unerledigte Vergangenheit zu bedenken und neuem Faschismus zu wehren. Dieser chronologische Zusammenhang erfaßt die 12 Jahre der Hitlerzeit – die »Tausend Jahre« hatte dauern sollen – als Zeit des Kriegs, und zwar auch in den sog. friedlichen Jahren, und er verdeutlicht, welche Zerstörung, welche Opfer und Leiden die Hitlerzeit auf der ganzen Welt gebracht hat – ausgeführt von Menschen, die der Band bewußt *nicht* als deutsche »Bestien« vorführt, sondern als Opfer ihrer eigenen »Führung«. Diese wird mit Gesicht (vgl. die Bilder 25–28) gebrandmarkt. Allerdings vermeidet es Brecht auch hier, die »Führer« als Bestien darzustellen, also in der Weise zu vergröbern, wie diese z.B. den angeblich typischen Juden (etc.) »abgebildet« haben. Es handelt sich durchweg um offizielle Fotos, die durch das Epigramm redend gemacht werden. Göring (Nr. 25) zeigt sich als massiger Fleischkoloß. Seine für ihn typische Arm- und Handhaltung deutet das Epigramm als Geste eines Ringers, der seinen Gegner zermalmt, die ganze Gestalt als »Schlächterclown«, ein Begriff, der nicht als Verharmlosung zu verstehen ist, sondern Görings offizielle Rolle – er verkleidete sich gern in prunkende Uniformen und liebte große Auftritte – markieren, zugleich aber in der Gesamterscheinung Görings den Schlächter erkennbar machen soll. Goebbels erscheint – sicher bewußt – nicht mit aufgerissenem Großmaul, sondern mit zusammengekniffenen Lippen, die von einem weitgehend verwüsteten Gesicht, trüben, mißtrauischen und zugleich drohenden Augen, kurzer Stirn und einem markant abstehenden Ohr »umrahmt« sind: der hinterhältige, sich in Weltdimensionen aufblasende miese Kleinbürger, aus dessen Mund nur Unrat fallen kann, versucht das Epigramm im Bild sichtbar werden zu lassen. Die beiden folgenden Bilder (Nr. 27, 28) machen darauf aufmerksam, daß der private Zwist und private Interessen – gepaart mit Imponiergehabe –, hier Geschichte machen und das Volk verplanen, und daß sich ihr Auftreten (Hitler, Göring und Goebbels in Bayreuth) einer bestimmten Kunsttradition verdankt: so wie die drei Wagner »ergriffen« lauschen, so führen sie ihr Volk vor, *so lauscht es ihren Reden.* Daß Gustav Noske (Nr. 24) in die wahrhaft nicht illustre Reihe gerät, verweist auf den historische Zusammenhang, in dem der Faschismus steht. Er ist nicht als Verhängnis »hereingebrochen«, kein Schicksal, sondern das »Ergebnis« einer historischen Entwicklung, deren Beginn eine von den »eigenen Leuten« zusammengeschossene, eben nicht erfolgreiche Revolution gesetzt hat. Noske, der ausdrücklich als »Volkes Sohn« benannt ist, weil er Sozialdemokrat war und als solcher die Interessen des Volkes hätte vertreten müssen, hat sich auf die Seite der alten Herrschaft geschlagen und damit ihr Fortbestehen mit garantiert (es ist klar, daß Noske hier nicht nur persönlich »habhaft« gemacht wird, sondern auf die Haltung der SPD insgesamt hinweist). Dadurch, daß die Nazis im Fall von Noske bereit waren, ihn nicht zu den »Novemberverbrechern« zu zählen, haben sie selbst – auch dies ist für Brecht ein allgemeiner Hinweis – den Beweis der Kontinuität geliefert. Die Propaganda der Nazis gegen die »Weimarer«, vor allem gegen die SPD, ist reine Zwecklüge, in Wahrheit wissen sie, wen sie beerben. Die mangelnde Vertretung der Volksinteressen durch die, die sie hätten vertreten müssen, hat wesentlich mit zur Herrschaft der neuen »Führer« beigetragen.

Ein weiterer inhaltlicher Zusammenhang zwischen allen Bildern ergibt sich aus der stets neu betonten Differenz zwischen den Interessen des Volkes, seinen Leiden, Opfern und erlittenen Greueln, und den Interessen der Herrschenden, ihrem Gehabe, ihrem Prunk, ihrer Anmaßung. Während die Gesichter der Führer die schäbigen und verbrecherischen Ziele bloßlegen, zeigen die Gesichter der Soldaten, der Leidenden, der Opfer – mit einigen Ausnahmen – Menschlichkeit, fern von jeglicher Brutalität, fern von freudiger Opferbereitschaft oder gar Hingabe an ihre »Führer«. Hinter diesen Bildern steht der für Brecht stets vorhandene innere Krieg zwischen den Klassen, der als äußerer Krieg ausgetragen wird, dennoch stets latent da ist. Die in Holland, Belgien und Frankreich einmarschierenden Soldaten blicken alles andere als freudestrahlend. Im Gegenteil schaut der Soldat im Bild Nr. 8 ängstlich zur Seite, nicht zum »Feind«, sondern zu seinem Offizier – der den eigentlichen Feind vertritt –, der ihn in den Kugelhagel schicken wird. Die Bilder geschlagener, toter, schlafender (wie tot liegender) Soldaten,

Bilder von ängstlich blickenden Frauen, Kindern, sie alle machen nicht nur das Leid sichtbar, sondern auch die Tatsache, daß der Krieg nicht für sie geführt wird.

Die Ausnahmen, nämlich jene Bilder, auf denen Soldaten triumphierend über ihren Gegnern stehen (Nr. 40, 47), belegen einen weiteren Zusammenhang der Bilder. Dem verheimlichten Klassenkampf entsprechen gemeinsame Interessen der »äußeren« Gegner, genauer zwischen den Nazis und den Westmächten (die Sowjetunion spielt eine Sonderrolle). Den imperialistischen Kriegszielen der Nazis stehen ebensolche Ziele auf seiten der Alliierten gegenüber. Ihr Kampf, so ist die Folgerung, beruht lediglich auf der Tatsache, daß man sich gegenseitig die Gebiete streitig macht. Das Bild, das das zerstörte London zeigt (Nr. 16), spricht in seinem Epigramm davon, daß der Hehler nun zur Beute geworden sei. Angespielt ist damit auf das Münchner Abkommen von 1938, wo sich u. a. England und »Deutschland« über die Verteilung Europas »friedlich« geeinigt haben (Annektion von »Böhmen und Mähren«). Als die »friedlichen« Expansionen Hitlerdeutschland dann nicht mehr reichen und Polen überfallen wird, sind die englischen Interessen verletzt. Erst hier enden die Gemeinsamkeiten, nicht aber aus des Volkes Interessen. Zeichen setzen für diesen Zusammenhang die Bilder Nr. 38, Churchill, der englische Premierminister, mit Maschinenpistole im Gangster-»Look«, die Bilder der amerikanischen Soldaten, die den Krieg in Wild-West-Manier »absolvieren«, von Menschen also, die durch eine andere Art der Propaganda als die der Nazis verunstaltet worden sind (Nr. 40, 47), oder auch das Bild Theodore Roosevelts, der Italien nicht als Befreier, sondern als Eroberer betritt (seine lässige Haltung, mit der er den Bauern betrachtet, sowie der Stock, der den Boden »aufpickt«, machen dies sichtbar; Nr. 49). Nur am Rande sei darauf verwiesen, daß die Wild-West-Amerikaner nicht für »den« Amerikaner stehen. Brecht besteht auch da auf dem (verborgenen) Klassenkampf, etwa, wenn er einen amerikanischen Soldaten abbildet, der ein japanisches Kind rettet (Nr. 46), oder wenn er die italienische Bevölkerung zeigt, die sich mit dem notwendigen Brot auch den König wieder einhandeln muß. Es gibt Freundlichkeiten zwischen den sich bekämpfenden Völkern, aber auch (verschwiegene) Differenzen im eigenen Volk.

Eine entschiedene andere Rolle spielt die Sowjetunion. Im Gesamtzusammenhang der Bilder ist ihr Platz deshalb entscheidend, weil sich der imperialistische Hitlerkrieg allmählich – und zwar mit seiner weltweiten Ausdehnung – in einen Krieg gegen die Sowjetunion wandelt. Diese Wandlung wird spätestens mit dem Bild Nr. 53 bestimmend, sie ist aber länger vorbereitet. Ab Bild Nr. 37, das die Afrikanerin zeigt, deutet sich an, daß nicht nur Hitlerdeutschland in Afrika »seine Interessen« vertritt. Die älteren imperialistischen »Rechte« hat dort u. a. England, und so ist es genau kalkuliert, daß auf das Bild der Schwarzen sogleich Churchill im Maschinengewehr folgt. Die Sowjetunion dagegen hat danach keinerlei imperialistische Ziele. Ihr Kampf gilt allein der Verteidigung. Der Kampf der Sowjets – und damit kommt noch ein weiterer Aspekt des Krieges zum Vorschein – wird von Brecht als Volkskrieg dargestellt. Während Deutschland und die Alliierten von inneren Kämpfen bestimmt sind, die sie in die äußeren Kriege »kanalisieren« und damit unterdrücken, kämpft auf russischer Seite das Volk gegen den Imperialismus. Ein erstes wichtiges Zeichen setzt da das Bild Nr. 54, das Frau und Mann im gemeinsamen Kampf zeigt. Die folgenden Bilder stellen dann die unterlegenen deutschen Soldaten in ihrem Leid dem von ihnen zugefügten Leid kontrapunktisch gegenüber. Die Fotoepigramme besagen, daß in der Niederlage endlich die imperialistischen Ziele der »Herren« erkannt werden, daß ihre Domestizierung (Bild des gezähmten Elefanten, das Brecht von Rudyard Kipling entlehnt hat) nur zum Zweck der Brutalität gegen die eigenen Brüder (als Volk im klassenkämpferischen Sinn verstanden) veranstaltet war. In der Niederlage wenigstens sind die wahren Brüder auszumachen (versteckter Aufruf zu internationaler Solidarität gegen Ausbeutung und Unterdrückung). Deshalb stellt Brecht auch mit Bedacht den russischen und den deutschen Soldaten einander gegenüber (Nr. 55); der deutsche Soldat ist übrigens im Fotoepigramm Nr. 68 (seitenverkehrt) noch einmal abgebildet (das einzige Doppelfoto des Bandes). Die Rolle der Sowjetunion als Befreierin ist im Fotoepigramm Nr. 62 erkennbar; das Bild des sowjetischen Soldaten, der freudig und vertrauensvoll von der Bevölkerung empfangen wird, steht in diametralem Gegensatz zum Fotoepigramm des Theodore Roosevelt bei seiner Landung in Sizilien (Nr. 49).

Aufbau des einzelnen Fotoepigramms

Das einzelne Fotoepigramm besteht zumindest aus drei Teilen: 1. dem vorgegebenen, alle Bilder verbindenden »schwarzen Rahmen«, der Blende, 2. der eigentlichen Fotografie (die in einem Fall durch einen Zeitungsausschnitt ersetzt ist; Nr. 31) und 3. aus dem Vierzeiler Brechts. Als weitere Teile kommen – freilich nicht bei allen Fotoepigrammen – Originaltexte zum Foto, Originalüberschriften oder auch von der Herausgeberin auf der linken Seite hinzugefügte Überschriften, die die Fotos einordnen helfen sowie die *Nachbemerkungen* hinzu, die aber nicht als Bestandteil des Fotoepigramms selbst anzusehen sind, weil sie in einem Anhang gesondert stehen und dadurch deutlich vom Fotoepigramm abgetrennt sind (da die *Nachbemerkungen* erst aufgrund der mangelhaften Rezeption durch das Amt für Literatur zustande gekommen sind, muß eine historisch angemessene Analyse von einer Integration der *Nachbemerkungen* ins Fotoepigramm absehen; vgl. dagegen Bohnert, 249). Bei den Abbildungen handelt es sich ausschließlich um Zeitungsausschnitte. Die Vorbemerkung von Ruth Berlau informiert, aus welchem Grund die Zusammenstellung erfolgt: »Dieses Buch will die Kunst lehren, Bilder zu lesen. Denn es ist dem Nichtgeschulten ebenso schwer, ein Bild zu lesen wie irgendwelche Hieroglyphen. Die große Unwissenheit über gesellschaftliche Zusammenhänge, die der Kapitalismus sorgsam und brutal aufrechterhält, macht die Tausende von Fotos in den Illustrierten zu wahren Hieroglyphentafeln, unentzifferbar dem nichtsahnenden Leser« (Erstausgabe, vor Fotoepigramm Nr. 1). Die Verbindung von Fotografie und Text geht also – das ist ja deutlich genug – auf die modernen Massenmedien, auf die Illustrierten zurück. Hier – und nicht irgendwo in »emblematischer« Vergangenheit (s. Grimm) – ist der »literarische« Bezug gegeben. Es handelt sich um die Anwendung eines üblichen medialen Verfahrens, das aber in seinem Zweck umgedreht wird. Werden die Bilder der Illustrierten konsumiert, also in ihrer Verlogenheit ebenso wenig durchschaut wie der scheinbar »kommentierende« Text, so soll die *Kriegsfibel* Anleitung geben, eben die in den Illustrierten publizierten Bilder entziffern zu lernen. Es gilt also, den Bildbetrachter zu alphabetisieren (Fibel), und zwar am Thema Krieg. Fotografie und Vierzeiler stellen folglich eine feste Einheit dar. Diese Einheit ist gegen den bloß illustrativen Charakter der Fotografie im Journal wie auch gegen die Sprache gerichtet, die sie sprechen: die der Lüge, allenfalls die der Beschönigung. Insofern ist es mehr als nur eine Metapher, wenn man die Fotoepigramme als zur Sprache gebrachte Fotografien bezeichnet. Nicht wenige Bilder sprechen tatsächlich sozusagen »selbst«, indem sie den Leser direkt anreden. Wenn andere auch objektiver kommentieren und erläutern, so verweist doch das Prinzip darauf, daß die Verse als Bestandteile des Fotos zu gelten haben, als die Sprache, die sie an ihren ursprünglichen Orten nicht gesprochen haben. Es sei nur nebenbei gesagt, daß die Verse ohne Bild oft recht »oberflächlich«, zusammengereimt und schülerhaft wirken, mit Bild dagegen plötzlich Dimension gewinnen.

Die Originaltexte der Fotos sind in nicht wenigen Fällen den Fotoepigrammen beigegeben worden. Ob ihre Beigabe erst aufgrund der Vorschläge des »Diskussionskreises« im Amt für Literatur erfolgte, wie Christiane Bohnert ausführt (246), müßte im einzelnen noch geklärt werden (auf vielen Bildern sind die Unterschriften offenbar angeklebt worden). Sicher ist jedoch, daß Brecht die Fotos mit Unterschriften gesammelt hat, sicher ist auch, daß einige Bilder »einbeschriebene« Texte ausweisen, die auf alle Fälle mitreproduziert werden müssen (in Nr. 6 werden Zusammenhänge erst durch den eingedruckten 1. Mai offengelegt, in Bild 42 wird das Foto erst durch den Namen des Journals, aus dem es stammt, sprechend etc.). Insgesamt ist es jedoch unwahrscheinlich, daß die Texte, die jetzt hinzugefügt erscheinen, nicht ursprünglich mit zur Publikation geplant waren. Denn es pflegt übersehen zu werden, daß jedes Fotoepigramm *zwei* Seiten hat, eine weiße und eine schwarze, sich gegenüberliegend (vgl. auch hier das Titelblatt). Die weiße Seite trägt – von ganz wenigen, für sich selbst sprechenden Fotografien abgesehen – entweder eine Überschrift (von der Herausgeberin) oder sie wiederholt (z. T. gekürzt) den beigegebenen Text des Bildes (meist in fremden Sprachen – also übersetzt).

Die Forschung – abgesehen von Bohnert (vgl. oben) – hat die Fotoepigramme stets als dreiteilig beschrieben: Überschrift, Bild, erläuternde Verse (die *Nachbemerkungen*, die Bohnert als vierten Bestandteil des Bildes auffaßt, ist allgemein nicht als Fotoepigramm-Bestandteil angesehen worden; Bohnert dagegen 249 f.). Wie aber die Ausführungen gezeigt haben, ist die Farbgebung der Fotoepigramme für ihren Aufbau mitbestimmend, so daß

fünf Bestandteile zu berücksichtigen sind:
1. Weiße linke Seite,
2. Schwarze Blende auf der rechten Seite,
3. Überschrift bzw. Bildtext auf linker weißer Seite,
4. Fotografie (teilweise mit Bildtext),
5. »Epigramm«; gereimter Vierzeiler.

Das bedeutet: jedem Fotoepigramm liegt eine prinzipielle Zweiteiligkeit zugrunde (Weiß-Schwarz »symbolisch« für Frieden–Krieg; das Prinzip ist auf dem Titelblatt vorgegeben), zu der eine Dreiteiligkeit (Überschrift, Foto, Epigramm) hinzutritt, und zwar jeweils in die beiden Farben einbeschrieben.

Abgesehen vom Vorbild des Massenmediums läßt schon dieser Aufbau der Fotoepigramme keinerlei Verwechslung mit dem barocken Emblem zu, wie Reinhold Grimm behauptet hat, wenn er meint, daß »die Bild-Wort-Struktur von Brechts ›Photogrammen‹[...] in engster Beziehung zur Struktur der Embleme steht« (Grimm, 357). Danach entsprächen die Überschriften den Mottos, die Fotos den »picturae« und die Vierzeiler den »subscriptiones« des Emblems, das sich durch seine Dreiteiligkeit auszeichnet. Es mag sein, daß Brecht sich von solch traditionellen Wort-Bild-Verbindungen hat anregen lassen (Nachweise freilich gibt es nicht), in ihnen aber das strukturale (was immer das heißt) Vorbild zu sehen, verdunkelt die offenliegenden Bezüge zu den zeitgenössischen Medien und ihre gesellschaftliche Rolle.

Die Vierzeiler

Grimm widersprechend hat Wagenknecht eine andere – wiederum literarische – Tradition für Brechts Fotoepigramme haftbar gemacht: statt zur »Marxistischen Emblematik« gehöre der Band zur »Marxistischen Epigrammatik« (so die jeweiligen Überschriften der Aufsätze). Wagenknecht verweist auf Brechts Lektüre der Übertragungen griechischer Epigramme durch August Oehler (d.i. August Mayer: Der Kranz des Meleagros von Gadara. Berlin 1920), die ihn dazu veranlaßte, Nachdichtungen vorzunehmen (vgl. AJ 134; vom 25.7.1940, AJ 160–162; vom 28.8./29.8.1940). In eben diese Zeit fallen auch die ersten Fotoepigramme, so daß sich unmittelbare Abhängigkeiten zu ergeben scheinen. Wagenknecht glaubt sie untermauern zu können, indem er die für die Epigrammatik typische Wendung zum Betrachter (Ansprache) sowie ihr Prinzip, die Sachen (selbst) statt »Worte« sprechen zu lassen, auch für Brecht reklamiert: »die Worte sind nur dazu da, jene vorzuzeigen und mit dem Siegel einer stummen Empfindung [...] zu bezeichnen« (Herder, von Wagenknecht zitiert, 554). Die »Sachen« würden nun durch die Bilder vorgestellt, die Verse aber brächten sie zum Sprechen: man müsse ihnen eben nur Sprache geben. Der Beweis wird nun von Wagenknecht so geführt, daß er zwei Distichen aus Schillers *Spaziergang* zitiert und ihre genaue Entsprechung (wiederum) in der »Struktur« feststellt (Wagenknecht, 555 und ff.). Bei Schiller meldet der Stein, daß der Wanderer, heimkehrend, vom Ruhm der gefallenen Krieger künden soll: »du habest / Uns hier liegen gesehen, wie das Gesetz es befahl«. Dies sei, behauptet Wagenknecht, das »wirkliche Modell« zu Brechts Fotoepigramm Nr. 66, das jubelnde französische Kriegsgefangene zeigt, die aus dem geschlagenen Deutschland nach Hause zurückkehren und gemahnt werden:

> Heimkehrer, ihr, aus der Unmenschlichkeit
> Erzählt daheim nunmehr mit Schauder, wie's
> Bei einem Volk war, das sich knechten ließ
> Und haltet euch nicht selbst schon für befreit.

Wenn auch die Unterschiede zwischen Schiller und Brecht deutlich seien, so seien sie doch bloß »Varianten innerhalb eines und desselben Systems« (Wagenknecht, 555): auch Brecht habe es nicht nur auf den Geist, sondern auch aufs Herz abgesehen, politische und moralische Intention würden ohnehin deutlich. Wenn aber die »Sachen« sprechen, wie kann es dann zu solchen Gemeinsamkeiten kommen? Die Explikation der Behauptung führt konsequent in den Widerspruch zur Definition. Die Verse Brechts sind diffiziler, als es Wagenknecht ihnen zutraut. Es geht nicht um Moral, nicht um bloßes Berichten (von was immer), sondern um eine angemessene Erledigung der Vergangenheit (auch durch Worte!) und um den Verweis auf den weiterhin bestehenden Klassenkampf (es geht zurück in den westlichen Kapitalismus!). Diese Erinnerung ist sachlich genau das Gegenteil von dem, was Schillers Verse sagen: zum Ruhm des Vaterlands, in treuer Gesetzeserfüllung künden die Toten.

Diese kurze Widerlegung von Wagenknechts Behauptung (These läßt sich dazu nicht sagen) ist nötig, weil gerade im Fall der *Kriegsfibel* die bisherige Forschung (außer Bohnert) die Analyse eher behindert als gefördert hat. Die panische Sucht, auch die Werke, die sich gerade von einer bestimmten Tradition befreien und völlig neue Wege gehen, auf das *Althergebrachte festzulegen*, ist als Skandalon der Brecht-Forschung des Westens an diesem Ort wenigstens festzumachen.

Wenn man eine literarische Tradition für die Brechtschen Verse dingfest machen will, dann ist es die unübersehbare »volkstümliche« Tradition, des in Knittelversen geschriebenen gereimten Vierzeilers. Daß die Wahl auf ihn gefallen ist, muß Sinn im Zusammenhang des Fotoepigramms haben, wenn die Analyse nicht bei völliger Beliebigkeit ankommen will (wenn die Wahl der Verse nicht »hält«, dann müßte die Gesamtkonzeption als verfehlt angesehen werden). Kennzeichen der Verse ist – auch im Hinblick auf ihre Tradition – die Mündlichkeit, die entschieden verstärkt wird durch den Dialogcharakter, den die meisten Vierzeiler mit dem Rezipienten eröffnen. Dazu sind die Verse einfach – im guten Sinn (das Einfache, das schwer zu machen ist) – und durch die Hilfe des Reims leicht memorierbar. Daß Brecht gerade bei diesem Stoff gereimte Verse verwendet, hätte die Analyse geradezu herausfordern müssen. Der Unterschied wird deutlich zur Svendborger *Deutschen Kriegsfibel*: die als Wandinschriften figurierenden Gedichte, die auf andere Weise die Öffentlichkeit suchen, sind gerade nicht gereimt und entsprechend daher nicht nur Brechts mehrmals verkündeter Abneigung gegen den Reim (glatt, ölig; vgl. 19, 403), sondern auch seiner Ansicht, daß die Hitlerzeit das übliche Gedicht, den Reim (als Ausdruck der Harmonie) nicht mehr zulasse. Warum dann ausgerechnet beim Thema Krieg die »ölige Glätte des Reims«, die »In-Sich-Geschlossenheit« des Gedichts? Eine Erklärung – es sei denn, man hält die Form für verfehlt – kann sich nur aus dem Inhalt, aus der Zielrichtung der *Kriegsfibel* ergeben. Einen ersten Hinweis gibt der Begriff »Fibel«, das heißt, daß die Vierzeiler den Merk- und Lernversen der Schulfibel entsprechend gebaut sind. Da es um eine Alphabetisierung des Rezipienten in Sachen Illustrierten-Hieroglyphik (mit kriegerischen Folgen) geht, stellen die Vierzeiler sozusagen das auswendig zu lernende »Alphabet« des Krieges, besser: der Kriege (der inneren und äußeren Kriege) dar. Hinzu kommt, daß die Bilder »selbst« sprechen sollen, das heißt, der Text soll sich – wiederum nach dem Vorbild der Schulfibel – mit dem Bild unauflöslich verbinden. Deshalb ist der Text auch nicht »untergeschrieben« (subscriptio) sondern einbeschrieben. Da die Verse schließlich selbst dialogisch, »mündlich« sind, legen sie auch von daher die Mündlichkeit und damit die Abhebung vom Geschriebenen, dem Literarischen nahe (hier wirkt denn auch die »volkstümliche Tradition«).

Exemplarische Einzelanalysen

Nr. 2: Das Fotoepigramm weist neben der durchgehenden Zweiteiligkeit lediglich zwei Teile auf: Bild und Vierzeiler. Das Bild zeigt riesige Stahlplatten, die in zwei Reihen geschichtet liegen. Von oben ragen die Stahlseile mit Greifketten in das Bild hinein, zwei – gegenüber den Platten kleine – Arbeiter sind gerade dabei, die Greifketten an einer Stahlplatte zu befestigen, zwei weitere Arbeiter warten daneben auf ihren Einsatz. Die Verse lauten:

> »Was macht ihr, Brüder?« – »Einen Eisenwagen.«
> »Und was aus diesen Platten dicht daneben?«
> »Geschosse, die durch Eisenwände schlagen.«
> »Und warum all das, Brüder?« – »Um zu leben.«

Bereits die unterlegte schwarze Farbe – die »Blende« – besagt, daß das friedliche Bild den Krieg, den kommenden Weltkrieg in sich birgt. Die Arbeit gilt (auch) der Rüstung. Der Inhalt der Verse ist in doppelter Weise »paradox«, besser widersprüchlich. Die einen Platten sollen zu Eisenwagen verarbeitet werden, die anderen Platten zu Geschossen, diese Wände zu durchschlagen (Eisenwagen ist dabei doppeldeutig; es kann sich um den Wagen der Eisenbahn handeln, aber auch um den Panzerwagen). Auf die Formel gebracht: beide Arbeiten widersprechen einander, was die eine aufbaut, zerstört die andere wieder. Der unausgesprochene Schluß liegt nahe, die Arbeit ganz zu lassen – solche Arbeit jedenfalls kann zu nichts führen. Der zweite Widerspruch baut auf den ersten auf. Die Arbeiter bauen an ihrem Zerstörungswerk, um zu leben. Sie haben – jetzt wird der Inhalt auch politisch konkreter – von den Faschisten lediglich Arbeit bekommen, um das kommende Zerstörungswerk aufzubauen; ihr Lebensunterhalt, den sie durch diese Arbeit bestreiten, wird zu ihrer Vernichtung führen. Sieht man sich daraufhin das Bild noch einmal genauer an, merkt man, welche Perspektive es hat und was es alles an Auskünften verbirgt. Die Kameraperspektive schaut von oben (aber auch nicht vom Kran aus) auf die Arbeiter herab. Von ihnen sind nur die Konturen erkennbar, keine wirklichen Individuen werden sichtbar. Man spricht von den Ameisen, als die man die Menschen von weit oben sehe.

Allerdings ist der Betrachter nicht so weit entfernt, nicht doch spezifische Tätigkeiten ausmachen zu können, wobei man die gerade in sich bückender Haltung befindlichen zwei Arbeiter als weiteres Kennzeichen des »Von-Oben-Herab« nehmen darf. Hinzu kommen Größe und Gewicht der Eisenplatten. Die Menschen wirken ihnen gegenüber untergeordnet, wie ja auch alle Aufmerksamkeit der vier Arbeiter dem Material zugewandt ist. Der Primat des Materials wird so offenbar, und der Begriff »Menschenmaterial« stellt sich ein, und zwar im doppelten Sinn. Sie verrichten nicht nur zur Zeit ihrer Arbeit eine nutzlose, zerstörerische Arbeit, sie werden es auch sein, die in den Panzern als »Menschenmaterial« verheizt werden. Von da aus werden auch Verallgemeinerungen möglich: das »Arbeitsbeschaffungsprogramm« der Nazis, das propagandistisch als grandiose Leistung für das Volk ausgegeben worden ist (Bau der »Reichsautobahn«, Rüstung, Flottenbau), entlarvt sich in Wahrheit als doppelter Betrug und doppelte Ausbeutung. Arbeit gibt es nur auf Kosten des kommenden Kriegs; die Opfer des Krieges aber wird noch einmal das Volk bringen. – Der Vierzeiler verfährt überdies in doppeltem Dialog. Er bringt nicht nur – eben die menschliche Stimme gegenüber ihrer unmenschlichen Verplanung – das Bild zum Sprechen, er ist auch selbst rein dialogisch ausgeführt. Dabei kommt auch die Perspektive des inneren Krieges (des Klassenkampfes) zum Tragen: die Arbeiter werden als Brüder angesprochen, als Verbündete dessen, der sie zum Reden bringt (es ist also ein »parteiischer« Blick). Aus den Antworten der Angesprochenen erkennt der Leser, daß diese Arbeiter nicht blind in ihr Verderben gehen. Sie wissen Bescheid, was passiert, die Umstände jedoch – nämlich die langen Jahre der Arbeitslosigkeit und des Hungers – haben sie zu dieser Arbeit der Zerstörung gezwungen (was, wie der gesamte Band zeigt, keine »moralische« Entschuldigung des Mitmachens ist, sondern eine Erklärung, warum so viele mitgemacht haben. Es geht ohnehin bei Brecht nie um Moral, sie gehört für ihn zu den bürgerlichen Tröstungen). In ihrem Wissen jedoch liegt immerhin potentielle Widerständigkeit. Auf alle Fälle sind die Panzer- und Geschoßbauer keine faschistischen Parteigänger.

Nr. 7: Auch hier weist das Fotoepigramm im engeren Sinn nur zwei Teile auf. Das Foto zeigt ein Bild der Riffe des Kattegatts. Nichts ist zu sehen als »reine Natur«, der Himmel, die Riffe, das schäumende Meerwasser. Der Vierzeiler lautet:

> Achttausend liegen wir im Kattegatt.
> Viehdampfer haben uns hinabgenommen.
> Fischer, wenn dein Netz hier viele Fische gefangen hat
> Gedenke unser und laß einen entkommen.

Durch den Krieg, konkret den faschistischen Überfall auf Dänemark und Norwegen (sog. Unternehmen »Weserübung« vom 9.4.–10.6.1940) verliert die Landschaft ihre »Unschuld«, ihre natürliche Unberührtheit: unter dem schäumenden Wasser haben achttausend Menschen ihr sog. Grab gefunden, und zwar hinabgeführt von »Viehdampfern«. Es ist – mit diesem Wissen belastet – nicht mehr möglich, im Bild lediglich Natur, Landschaft zu sehen, sie hat sich vielmehr unter dem Eindruck des Krieges verändert, auch wenn sie »äußerlich« genau wie vorher aussehen mag. Die Menschen sind auf ihren Panzerkästen untergegangen wie Vieh; keiner ist entkommen. Das Bild bringt sie jedoch zum Sprechen, indem sie den Fischer bitten, bei seinem Fang wenigstens einen Fisch entkommen zu lassen: der Kampf um die tägliche Nahrung ist (soll sein) der Kreatur gegenüber humaner als der Kampf um die Erzgruben von Schweden, denen die »Weserübung« galt.

Nr. 10: Das Fotoepigramm, dessen Bild ein Grab mit Holzkreuz, das die Inschrift »Ynconnu« trägt, zeigt, schlägt jeder behaupteten Epigrammatik geradezu diametral entgegen. Der Vierzeiler ist diesmal nicht in der schwarzen Blende plaziert, er steht vielmehr direkt auf dem Grab, vor dem Kreuz, so daß der Tote in diesem Fall buchstäblich aus der Erde spricht:

> Daß er verrecke, ist mein letzter Wille.
> Er ist der Erzfeind, hört ihr, das ist wahr
> Und ich kann's sagen: denn nur die Loire
> Weiß, wo ich nunmehr bin und eine Grille.

Es handelt sich nicht um eine epigrammatische Inschrift, um kein »Vermächtnis«, sondern um den letzten Willen des »unbekannten Soldaten«, der normalerweise unter den Epigrammen der Sieger, die ihm ein Mahnmal errichten, endgültig ausgemerzt wird. Der letzte Wille aber ist kein Spruch, sondern die Aufforderung, den Faschismus – statt der vielen »Unbekannten« – endlich auszurotten. Er ist der »Erzfeind«, nicht die Franzosen, die u.a. vom Faschismus zum »Erzfeind« erhoben worden sind. Der gefallene Soldat ist es, der es »sagen« kann; sein Tod hat den wahren Gegner sichtbar werden lassen, wenn man sehen will. Der Vierzeiler jedoch macht noch mehr sichtbar: indem er aus dem Grab einen Menschen »reden« läßt, erhebt die Dichtung (und dann auch das Bild) den »unbekannten Soldaten« zum kenntlichen Einzelmenschen. Das »Ich«, das spricht, das aufgrund seiner leidenden Erfahrung auch Sprechen fordert, stellt sich dichterisch ein: kein – endgültig begrabender – Nachruf, keine das kollektive »wir« und »uns« aufrufende Allgemeinheit formuliert sich, sondern die menschliche Stimme eines Unbekannten, die kenntlich wird, weil sie zum Sprechen gebracht wird.

Reinhold *Grimm* (s. o.). – Christian *Wagenknecht* (s. o.). – Christiane *Bohnert* (s. o.; S. 255–285).

Deutungen

Die *Kriegsfibel* ist Stiefkind der Forschung. Der Grund ist paradoxerweise gerade in ihrer überragenden Bedeutung zu suchen: die Literaturwissenschaft pflegt sich da traditionell besonders schwer zu tun. Das Publikum dagegen erwies sich wieder einmal als fortgeschrittener: ein Nachdruck in hoher Auflage (Frankfurt 1978) war sofort vergriffen; in der *Brokdorfer Kriegsfibel* (Hamburg 1977) wurde ihr Verfahren wirkungsvoll nachgeahmt. Der Brecht-Forschung jedoch waren dies kaum Hilfen.

So besteht die Forschung zur *Kriegsfibel* aus einem überflüssigen Streit um die berühmte Nuance zwischen Reinhold Grimm und Christian Wagenknecht, dessen Ergebnis nur dadurch noch trauriger wird, daß Grimm seinen Aufsatz nicht nur dreimal (mindestens) hat drucken lassen und daß er Wagenknecht mit gleich zwei Entgegnungen entgegengetreten ist: der traurige Witz dieser Auseinandersetzung ist der, daß auch die umstrittene Nuance nichts mit Brechts *Kriegsfibel* zu tun hat. Ein Einwand Wagenknechts ist freilich noch zu referieren: er verweist mit Recht darauf, daß die barocke Emblematik einen »vorgegebenen, unauswechselbaren Sinngehalt« (vgl. Grimm, 366; Wagenknecht, 543) besitzt und eben gerade nicht »marxistisch« zu wenden ist. Die Emblematik ist Explikation eines fixierten Sinns (des der auf die pictura gezeichneten »Sachen« *übertragenen* Sinns), der keine beliebige Auslegung zuläßt und einen geschlossenen Sinnkosmos zur Voraussetzung hat: nicht die Sachen sprechen, sondern der Sinn spricht durch die Sachen. Dieses emblematische Verfahren läßt sich also nicht auf einen – wie immer verbal beschworenen – »materialistischen« Weltentwurf übertragen, weil Grimm dann eben erst den geschlossenen (»marxistischen«?) Sinnkosmos nachzuweisen hätte, der über die Sachen zu sprechen begänne. Grimm hat diesen, in der Tat schlagenden Haupteinwand Wagenknechts überhaupt nicht verstanden und beharrt statt dessen auf den berühmten »Grundmöglichkeiten« (um die es nicht geht) (Grimm, Forcierte Antinomik, 561). Freilich lag es Wagenknecht weniger an *dieser* Widerlegung, zu der eine halbe Seite benötigt worden wäre, sondern an der nunmehr »marxistisch« genannten Epigrammatik. So kommt der Einwand zu kurz, und die preiswerte Nuance muß den Einwand rechtfertigen; der Streit könnte also weitergehen.

Außerordentlich verdienstvoll dagegen ist die – vieles wiedergutmachende – Darstellung von Christiane Bohnert. Sie hat nicht nur die Archiv-Materialien benutzt und die Entstehungsgeschichte fakten- und dokumentenreich nachgezeichnet, sondern erstmals auch alle 69 Fotoepigramme der Reihe nach untersucht. Freilich bleibt bei ihr auch noch viel vorläufig und muß es angesichts der Forschungslage bleiben. Die Verweise zu den zeitgenössischen Vorbildern sind zwar da, jedoch berücksichtigt auch sie viel zu wenig die Gesamtkomposition des Bandes und bleibt bei den einzelnen Bildern oft im Vordergrund (auch mit regelrechten Fehllesungen; z. B. zu Nr. 7, Bohnert, 258). Die Verknüpfung von »innerem« und »äußerem« Krieg bleibt bei ihr dunkel, weil sie Krieg zu abstrakt als »Entfremdung« erfaßt. Dennoch stellen auch ihre Einzeluntersuchungen viel Material bereit, das zum Weiterdenken und -entdecken anhält. Eine Neuauflage der *Kriegsfibel* mit Kommentaren wäre zu wünschen.

Reinhold *Grimm* (s. o.). – Auch in: Emblem und Emblematikrezeption. Hg. von Sibylle *Penkert*. Darmstadt 1978. S. 502–542. – Auch in: R'G': Brecht und Nietzsche oder Geständnisse eines Dichters. Frankfurt a. M. 1979. S. 106–137. – Christian *Wagenknecht* (s. o.). – Reinhold *Grimm*: Forcierte Antinomik. Zu Christian Wagenknechts »Originalbeitrag«. In: Emblem und Emblematikrezeption (s. o.). S. 560–563. – Reinhold *Grimm*: Gehupft wie gesprungen. Eine kurze, doch notwendige Erwiderung. In: Brecht-Jahrbuch 1977, S. 177–183. – Christiane *Bohnert* (s. o.; S. 235–283).

Prosa

Vorbemerkung: der Prosaist Bertolt Brecht

Noch heute – obwohl der Prosaist Brecht längst kein »Unbekannter« mehr ist – wird gern ein Urteil von Walter Jens zitiert, um ihm zuzustimmen: »Im Unterschied zu Hofmannsthal, dem anderen großen Schriftsteller dieses Jahrhunderts, der souverän über die Gattungen verfügte, war Brecht zu allerletzt ein Romancier. Die beherrschende Form des spätbürgerlichen Zeitalters mochte ihm zu wenig traktathaft, zu gemächlich, nicht recht zur Didaktik und imperativischen Belehrung geeignet erscheinen. Das Element des Epischen war für den Stückeschreiber nun einmal mit dem Theater verknüpft« (Walter Jens: Bertolt Brecht. Ausgewählte Gedichte. Frankfurt a. M. 1960. S. 83). Ein prominentes Urteil, aber ein Fehlurteil. Brecht verfügte im Gegenteil so souverän »über die Gattungen« wie vor ihm in der deutschen Dichtung nur Goethe (wobei übrigens auch zu fragen wäre, worin Hofmannsthals überragender Beitrag zum Roman bzw. zur Prosa überhaupt besteht). Daß Brechts Prosa so im Schatten seines Werks stehen konnte, liegt nicht nur an der Dominanz des Stückeschreibers, die zweifellos besteht, sondern auch an der Eigenart des Prosa-Werks überhaupt. Es löst nämlich bestimmte Erwartungen, die mit den einzelnen Prosa-Gattungen verbunden sind, nicht ein. Dies aber nicht aus Unvermögen, sondern aus Gestaltungswillen: auch die Prosa-Formen sollten – wie die des Theaters – nicht unverändert bleiben, sollten sich den geänderten gesellschaftlichen Realitäten anpassen, um sie dichterisch in den Griff zu bekommen. Die Literaturwissenschaft hat diese neuen Formen lange Zeit nicht angenommen, weil sie nicht in ihren gesicherten Kanon paßten und weil erst neue Beschreibungsmöglichkeiten für diese Formen gefunden werden mußten. Inzwischen hat die Forschung dies – freilich erst in Ansätzen – geleistet, so daß sich das hier vorgetragene Urteil bereits vielfältig stützen läßt. Bemerkenswert ist dabei die Diskrepanz, die zwischen dem lange geltenden literaturwissenschaftlichen Urteil und dem des allgemeineren Lesepublikums (das in der Regel ja für inkompetent erachtet wird) besteht. Brechts *Dreigroschenroman* ist als Taschenbuch, das nur eine neben vielen anderen Ausgaben darstellt, ein ausgesprochener Bestseller (mehrere Hunderttausend Auflage), seine Erzählung *Bargan läßt es sein* erregte 1921 bei ihrer Erstpublikation im *Neuen Merkur* außerordentliches Aufsehen und machte den jungen Autor – lange vor seinem Theaterdebüt – bekannt, damit womöglich auch seine späteren Theatererfolge vorbereitend. Seine *Kalendergeschichten* gehören zu den liebsten Büchern der Deutschen (über eine Million Auflage im Taschenbuch). Das Lesepublikum hatte den Prosaisten längst entdeckt, als die Literaturwissenschaft ihn noch als weißen Fleck auf ihrer Landkarte führte – und schon das spricht für die Prosa Brechts.

Brecht hat zwar nur einen Roman vollendet, es gibt jedoch keinen Grund, aus den beiden »gescheiterten« Projekten, dem *Cäsar*-Roman und dem *Tui*-Projekt, auf mangelnde Fertigkeiten zu schließen. Zwei der größten Romanciers des 20. Jahrhunderts warten ebenfalls mit Fragmenten auf, ohne daß ihnen leichtfertig (und ohne Kenntnisse) Unvermögen vorgeworfen worden wäre: Robert Musil und Franz Kafka. Sind Brechts Fragmente zwar von anderer Art als *Der Mann ohne Eigenschaften* oder *Das Schloß* und kommen sie dem Fragmentismus (um das mal so zu nennen) nicht entgegen, der der Literaturwissenschaft traditionell als »tief« und damit interpretabel erscheint, so hat die Forschung die überragende Bedeutung der beiden Fragmente längst nachweisen können. Der *Cäsar* verwendet nicht nur eine höchst komplexe, vielfach gebrochene moderne Art des Erzählens, er gestaltet zugleich eine historische Geschichte, die in sich selbständig ist und dabei dennoch auf die Zeit ihrer Entstehung (sowie deren Geschehnisse) verweist: kein »Historischer Roman« im üblichen Sinn. Der *Tui*-Komplex war angetreten, die üblichen Gattungsgrenzen ganz zu mißachten bzw. zu sprengen, um so in der Formenvielfalt zu einer neuen literarischen Darstellungsweise zu gelangen, die vor allem in der Erweiterung der Möglichkeiten liegen sollte, »mehr Realität« in das literarische Gebilde zu bekommen. Wenn der Versuch auch unvollendet blieb, so sind die überlieferten Fragmente noch bedeutsam genug, vor allem die Satiren, die in der deutschen Literatur ohnehin sehr rar gesät sind. Beide Fragmente treffen sich in einer wichtigen Eigenart mit dem vollendeten *Dreigroschenroman*, nämlich die »Welt«, die – wie immer dargestellte – Realität des Romans, nicht dem Helden zuzuordnen und ihn also in den Mittelpunkt zu stellen; diese »aristotelische« Form des Romans suggerierte bereits von der Form her, daß das moderne

Individuum, das der Massengesellschaft, autonom wäre, und sie schränkte die »Welt«-Darstellung auf *das* ein, was mit diesem Individuum zu tun hat. Das fehlende Mittelpunkts-Individuum und die damit mangelnde Identifikationsmöglichkeit sind in erster Linie dafür haftbar zu machen, daß das Fehlurteil über Brechts epische Fähigkeiten zustande kommen konnte. Da mußten sich erst die Leseerfahrungen entwickeln und erweitern, ehe erkannt wurde, welche neuen Dimensionen sich mit der neuen Schreibweise eröffnen, ganz abgesehen von der Übernahme technischer, filmischer Verfahren in die Sprache.

Dies nur als erste Hinweise und Andeutungen, die sich ohne weiteres auch auf die Geschichten übertragen ließen – das jedoch soll der folgenden Darstellung vorbehalten sein. Zu betonen jedoch ist, daß zum »ganzen« Brecht die Gattungsvielfalt, aber auch das Übergreifen der Gattungen gehört, ihre produktive Veränderung im Hinblick auf das, *was* darzustellen ist (bei Brecht pflegen die Abbildungen hinter das Abgebildete zurückzutreten). Die Darstellungsweise hatte sich in dem Maß zu ändern, wie sich das Darzustellende änderte: mit den traditionellen Formen ließ es sich nicht mehr adäquat literarisch erfassen. Ich verweise dafür nur auf die historische Ablösung des Epos durch den Roman. Die Formzwänge, die das Epos mit sich brachte, behinderten die Darstellung der neuen bürgerlichen Realität; erst der – zunächst als formlos empfundene – Roman ermöglichte es, sie angemessen literarisch umzusetzen. Die Poetik brauchte lange, diesen Vorgang, der sich längst vollzogen hatte, auch wenn Goethe z. B. sich noch im Epos (*Achileis*) versuchte, anzuerkennen und die neue Form in ihren Kanon aufzunehmen. Nicht immer waren die neuen Darstellungsweisen darauf angewiesen, mit überkommenen Formen ganz zu brechen (wie mit dem Epos, das typischerweise z. B. die Nazis erneuern wollten!), oft reichte auch eine »innere« Verschiebung, im Roman also die Umkehr seines traditionellen Verhältnisses von Individuum und »Welt« zugunsten der »Welt«, das nun das Individuum in Pflicht nahm, um auf diese Weise zur Darstellung der neuen Realitäten zu gelangen (natürlich unter Verwendung weiterer Formen und Techniken).

Für Brechts Prosa gilt allgemein: sie ist von einer ganz eigenartigen, die Leser nachweislich faszinierenden Distanz des Erzählers zum Erzählten geprägt, und sie zeichnet sich weitgehend durch die Bewußtheit des Erzählers beim Erzählen aus. Das distanzierte Erzählen ermöglicht nicht nur viele Erzählebenen, die sich spiegeln, aber auch widersprechen, es betont vor allem auch den Primat des Erzählten, der geschilderten Realitäten (so fiktiv sie sein mögen), die der Erzähler nicht beherrschen, das heißt geistig beanspruchen, sondern übermitteln, vermitteln will, freilich so, daß es »begreifbar« wird. Der Erzähler herrscht nicht über eine Welt, er läßt sich vielmehr »Welt« geben, um über ihre Eigenart und ihre Personen sich klar zu werden. Mit dem Primat des Erzählten ist zugleich aller darstellerischer Subjektivismus ausgeschlossen, so daß auch in der Prosa ein typischer »Brecht-Ton« (in der üblichen Weise) fehlt. Brechts Erzählen tendiert vielmehr zur literarischen Detektion, das heißt der Fahndung nach einem – bereits abgeschlossenen, dem Erzähler nicht verfügbaren – Geschehen und seinem Personal. Dabei zeigt sich auch die zweite Eigenart Brechtscher Prosa. Der Erzähler ist sich in der Regel klar, was es für das Erzählte bedeutet, *wie* er es darstellt. Freilich geschieht dies nicht im modernen relativistischen Sinn, daß die Realität des Dargestellten von der jeweils gewählten Perspektive des Darstellers beherrscht ist und abhängt. Bei Brecht gilt die Bewußtheit des Erzählers beim Erzählen, wenn sie nicht spielerisch, ironisch eingesetzt ist, der Objektivierung des Dargestellten, das heißt stets der Frage, ob das Darzustellende auch im wörtlichen Sinn zur Sprache kommt, ob es *seine* Sprache, die Sprache des Wirklichen, ist.

Die Erforschung von Brechts Prosa hat in den letzten Jahren erheblich zugenommen, und sie kann auf bedeutsame Ergebnisse verweisen. Ohne die Arbeiten von Kirsten Boie-Grotz, Klaus-Detlef Müller und Wolfgang Jeske, die an erster Stelle zu nennen sind, neben der materialreichen Darstellung von Werner Frisch und K. W. Obermeier über Brechts Augsburger Zeit, wäre ein umfassender Überblick im *Handbuch* nicht möglich gewesen. Wie das Lyrik-Kapitel keinen Kommentar zum Einzelgedicht darstellt, so will auch der Abschnitt über die Prosa nicht Geschichte für Geschichte nacheinander abhaken, sondern einen Überblick vermitteln und wesentliche Kennzeichen markieren. Einzeldeutungen erfolgen wie bei der Lyrik exemplarisch an wichtigen und besonders charakteristischen Erzählungen; die Romane bzw. -projekte sowie die umfassenderen Prosa-Arbeiten sowie die Sammlungen erhalten selbstverständlich gesonderte Kapitel. Für die Einzelerzählungen verweise ich auf Müllers *Brecht-Kommentar zur erzählenden Prosa*, der glücklicherweise ohne die Fehler des Lyrik-Kommentars in derselben Reihe geblieben und von Sachkompetenz getragen ist. Diesen Kommentar kann und soll ein Handbuch nicht ersetzen. Des *Handbuchs* Stärke soll darin liegen, die – oft auch sehr zufällige – Einzelinformation durch eine Darstellung »aufzuheben«, mit der der Leser das Dargestellte, die Prosa Brechts, buchstäblich in den Griff bekommt, begreift.

Trotz der Vorarbeiten war ich jedoch auch in diesem Fall wieder auf viele eigene Recherchen 002100esen. Das gilt vor allem für den bisher ungenügend erarbeiteten *Tui*-Komplex und fürs *Me-ti*, die beide, das darf ich behaupten, hier erstmals angemessen vorgestellt sind. Die Darstellung zur übrigen Prosa faßt die vorliegende Forschung zusammen, ergänzt sie, wo notwendig, um neue Gesichtspunkte und Fakten und zieht die Konsequenzen.

Ein Hinweis sollte noch erfolgen zur Publikation. Neben einigen Einzelveröffentlichungen von Geschichten und der vielbeachteten Publikation des *Dreigroschenromans* 1934 gab es zu Brechts Lebzeiten außer den 1948 (normalerweise 1949 angegeben) veröffentlichten *Kalendergeschichten* keine Prosa-Anthologie auf dem Markt. 1930 hatte Brecht für den Berliner Verlag Felix Bloch Erben eine Sammlung von neun Geschichten zusammengestellt, sie scheint jedoch nicht als Publikation gelten zu können (die Rede ist von hektographierten Texten bzw. von bloßer Pressepublikation). Das Archiv merkt an: »Dieses Bändchen war nur für den Vertrieb an die Presse bestimmt. Inhalt: 1. Brief über eine Dogge [11, 108–115], 2. Die Bestie [11, 197–203], 3. Der Tod des Cesare Malatesta [11, 91–95], 4. Der Blinde [11, 52–56], 5. Nordseekrabben [11, 153–162], 6. Gespräch über die Südsee [11, 104f.], 7. Zuviel Glück ist kein Glück [11, 175–183], 8. Müllers natürliche Haltung [11, 145–152], 9. Der Vizewachtmeister [11, 73–77]. Um 1930« (BBA 1351/1–41 = Nr. 12130, Bd. 3, S. 72). Ob der Titel *9 Kurzgeschichten* bloßer Sammelname ist oder ob ihn Brecht bewußt so – als Gattungstitel (und sachlich) – wählte, ist nicht bekannt. Der Typoskriptdruck war üblich für Theatermanuskripte als Spielvorlagen für die Aufführungen (der Felix Bloch Verlag war darauf spezialisiert). Teile des *Cäsar*-Romans erschienen 1949 im 1. Sonderheft von *Sinn und Form*, eine Einzelpublikation des Fragments jedoch erfolgte erst posthum (1957). Und dabei blieb es. – Wenn der Prosaist wenig im Zentrum der Forschung stand (und damit begreiflicherweise unterbewertet wurde), so liegt dies auch an Brechts geringem Interesse an der Publikation der Prosa, das wiederum an mangelndem Interesse an der Prosa-Arbeit überhaupt liegen mag (bzw. daran, daß er die Theaterarbeit vorzog – aus den verschiedensten Gründen). – Allgemeiner zugänglich wurde die Prosa erst 1965 mit der systematischen Publikation in den Werken (nach Gattungen); eine entsprechende Rezeption, die überlagert war von aktuellen Interessen, aber auch politischen Querelen (Brecht-Boykotts etc.), setzte erst allmählich ein, freilich abgesehen von den Dauerbrennern *Dreigroschenroman* und *Kalendergeschichten*, deren Rezeption der Forschung aber nur sehr bedingt Impulse vermittelte. Heute ist der Prosaist Brecht unverstellt zu analysieren.

Werner *Frisch*, K. W. *Obermeier*: Brecht in Augsburg. Erinnerungen, Dokumente, Texte, Fotos. Berlin und Weimar 1975. – Kirsten *Boie-Grotz*: Brecht – der unbekannte Erzähler. Die Prosa 1913–1934. Stuttgart 1978. – Klaus-Detlef *Müller*: Brecht-Kommentar zur erzählenden Prosa. München 1980. – Wolfgang *Jeske*: Bertolt Brechts Poetik des Romans. Arbeitsweisen und Realitätsdarstellung. Karlsruhe (Diss. Masch.) 1981 [erscheint im Frühjahr 1984 im Druck, zusammen mit einem Band oder zwei Bänden Materialien im Suhrkamp Taschenbuch].

Die frühe Prosa 1913–1916

Texte

Brechts frühe Prosa, die 1916 offenbar einen Einschnitt aufweist, war lange Zeit nur in sehr begrenztem Umfang bekannt, so daß es über sie sich kraß widersprechende Urteile gab. Auf der einen Seite machte man aufgrund der schon früh bekannten Anekdote über den Schulaufsatz von 1916 den jungen Brecht zum »glühenden« Kriegsgegner: er hatte, aufgefordert einen patriotischen Aufsatz zum Thema »dulce et decorum est pro patria mori« (»süß und ehrenvoll ist es, für das Vaterland zu sterben«, Horaz) zu schreiben, den Satz als Zweckpropaganda verworfen, die bloß das Sterben, das vor allem jungen Menschen stets schwerfallen müßte, verbrämen sollte. Im Hinblick auf die Propagandisten formuliert Brecht: »Tritt der Knochenmann aber an sie selbst heran, dann nehmen sie den Schild auf den Rücken und entwetzen, wie des Imperators feister Hofnarr bei Philippi, der diesen Spruch ersann« (Frisch/Obermeier, 86f.). Auf der anderen Seite aber kannte man bereits vor allem lyrische Arbeiten, die das da geschmähte Vaterland nicht nur hymnisch besingen, sondern ihm geradezu chauvinistisch huldigen und den gerade »ausgebrochenen« 1. Weltkrieg in deutscher Weise verteidigen. Die bis 1975 publizierte Prosa, die aus einigen wenigen typisch literarischen Erzählungen bestand, anknüpfend an überlieferte Formen wie Parabel, Novelle, Märchen, bestätigte eher die »vaterländische« Auffassung. Immerhin fand sich unter ihr die Geschichte vom *Freiwilligen*, der zur Wiederherstellung der Ehre, die sein Sohn verwirkt hat, in den Krieg zieht und deshalb von den Honoratioren des Liederkranzes (sic!), die ihn bisher gemieden haben, wieder gegrüßt wird, worauf der »Freiwillige« »mit verklärtem Gesicht« (11, 11) eine der zugeworfenen Rosen auffängt – ziemlicher Kitsch also und wie zum fröhlichen Anlaß des Krieges bestellt. Mit der Publikation der Beiträge, die Brecht für Tageszeitungen in Augsburg schrieb, scheint sich dieses Bild endgültig bestätigt zu haben. Brechts Auslassungen in den *Kriegsbriefen* machen den Eindruck, als seien sie mit dem Prädikat »chauvinistisch« noch überaus milde beurteilt. So weit etwa die Sachlage bis heute.

Die ersten Erzählungen entstanden offenbar 1913, dem Jahr, in dem sie auch erstmals in der von Julius Bingen und Brecht herausgegebenen Schülerzeitung *Die Ernte* erschienen. Die Forschung jedenfalls rechnet nicht damit, daß etwa *Die Geschichte von einem, der nie zu spät kam* oder *Balkankrieg* (beide August 1913) aus der Schublade stammten. Weitere Prosaarbeiten, Kurz- und Kürzestgeschichten (wie *Der Dichter*; Text bei Boie-Grotz, 13), finden sich im Februar-Heft der *Ernte* (Nr. 7 = letzte Nr. der Zeitschrift) von 1914; sie dürften unmittelbar vor der Publikation entstanden sein.

Weitere Prosaarbeiten verfaßte Brecht für die Augsburger Lokalpresse. Die Texte häufen sich besonders August/September 1914, also zum Kriegsbeginn. Brecht hatte im Frühjahr Kontakte zu den *Augsburger Neuesten Nachrichten*, das heißt zu deren Redakteur Wilhelm Brüstle, geknüpft. Er schrieb Rezensionen, verfaßte dann aber – sozusagen auf das »äußere Stichwort« hin – patriotische Texte, die kaum literarische Ambitionen aufweisen und wahrscheinlich Auftragsarbeiten darstellen. Lediglich die Erzählung *Der Freiwillige*, entstanden August 1914, fällt leicht aus der Reihe, insofern sich das höchstwahrscheinlich authentische Ereignis (aus dem väterlichen Liederkranz stammend?) vom Vater, der in den Krieg zieht, um die verloren Ehre seines einsitzenden Sohnes wiederherzustellen, zu einer ganzen Erzählung abrundet. Die übrigen Texte geben Fakten, Stimmungen zum Kriegsausbruch wieder oder berichten – im Zeitungsstil – von Gedenkfeiern, Verwundetentransporten etc. Die sog. Augsburger *Kriegsbriefe*, die vom 14. 8. bis zum 28. 9. 1914 in der *München-Augsburger Abendzeitung* erscheinen, ergeben eine ganze Reihe und stellen mit ihrer Siebenzahl die umfangreichste Prosa-Publikation des jüngeren Brecht dar.

1915 entsteht dann lediglich noch die kleine »Novelle« *Dankgottesdienst*, in der ein Organist in sein Spiel während des Gottesdienstes die Vision seines »auf dem Feld der Ehre« gebliebenen Sohnes hineinprojiziert und stirbt (mit dem Tod hat er es, der junge BB). – Dazu gesellt sich dann nur noch der legendäre Horaz-Aufsatz von 1916, der aber nur bedingt zur Prosa zu rechnen und überdies nur in einem Abschnitt (wörtlich?) bekannt ist.

Texte: Geschichten I (= Prosa 1). Frankfurt a. M. 1965. S. 7–17. – wa 11, 3–10. – Werner *Frisch*, K. W. *Obermeier* (s. o.) (S. 225–228, 229–234, 237–243, 245–247, 249–256, 271–274).

Analysehinweise

Die unbedeutenden, z. T. läppischen ersten Geschichten Brechts gehören mittlerweile zu den bestkommentierten. War einmal der junge Brecht entdeckt, so schien es angebracht, möglichst viel des spateren bereits in den frühen Produkten zu entdecken. Von Frühreife ist die Rede (Grimm, 69), von den Keimen »zentraler Themen«, die sich in den frühen Werken finden ließen (Grimm, 71), und dies geht so weit, daß ein leicht erkennbarer Druckfehler in der *Werkausgabe* bei der Datierung zum Ausgangspunkt genommen wird, dem 14jährigen Brecht eine kleine Meistererzählung unterzuschieben (die *Geschichte auf einem Schiff* stammt von 1921, nicht von 1912). Von Erzählkunst verraten die frühen fiktiven Geschichten wenig. Der *Balkankrieg* (11, 3) ist eine einfache Parabel, die einzig und allein wegen ihrer »realistischen« Lösung Interesse beanspruchen kann: die Räuber erhalten vom Richter das Raubgut zugesprochen, weil sie sonst weiterhin Unfrieden stiften könnten. Das alte Besitzrecht tritt außer Kraft. Die *Satire von einem, der nie zu spät kam* (11, 4–6), zweiteilig in der *Ernte* publiziert, gibt sich inkonsequent und brüchig: stets muß der Erzähler neue fixe Charaktereigenschaften seines Helden erfinden, um die nächste Stoffeligkeit seines Verhaltens zu motivieren. Das *Märchen*, von Klaus-Detlef Müller als Parabel »von erstaunlich frühreifer Geschlossenheit« gelobt (Müller, 46), besteht aus nichts weiter als aus einer Umkehrung simpelster Art, an der höchstens wieder der Realitätssinn des jungen Brecht herauszuheben wäre. Gewisse erzählerische Qualitäten entwickelt nur die Erzählung *Die Mutter und der Tod* (11, 8–10), insofern sie Atmosphäre hat und die sterbende Mutter indirekt zu charakterisieren weiß, ihre Veränderung nämlich von der gramvollen, verbitterten, lieblosen Frau zu einer Frau, die sich nach Liebe sehnt und Liebe geben will, aber keine Gelegenheit mehr dazu hat. Das gemeinsame Kind, das sich Vater und Mutter gewünscht haben, zerstört durch den Tod der Mutter bei der Geburt die mögliche Gemeinsamkeit des Ehepaars. Die indirekt zum Ausdruck kommende Tragik der Geschichte stellt sich jedoch ganz traditionell dar: schicksalhaft, auswegslos, notwendig. Von daher ist es kein Wunder, daß der Schlußsatz von Brechts Deutscharbeit mit dem entwetzenden Horaz der bekannteste und beliebteste Satz des jungen Brecht geblieben ist. Bei seiner Beurteilung jedoch gibt es außerordentlich große Differenzen. War er, wie schon angedeutet, zunächst als Beweis für Brechts antimilitaristische Einstellung angeführt worden, so mußte er dann, nachdem die chauvinistischen Texte bekannt waren, zur Begründung der »Wende« herhalten. Der zunächst kriegsbegeisterte junge Brecht habe, durch die Realitäten belehrt, »plötzlich« erkannt, daß er bloß falschen Ideologemen aufgesessen war. Dabei ist sich die Forschung jetzt einig (das heißt weitgehend die westliche, da aus der DDR keine einschlägigen Arbeiten vorliegen), daß die frühen Prosatexte, z. T. auch Gedichte, die sich mit dem »deutschen Thema« befassen, ganz der Überzeugung des jungen Brecht entsprechen. »Offensichtlich entsprach der peinliche Patriotismus der Texte, die sich ganz im Rahmen der herrschenden Kriegsideologie bewegen, Brechts tatsächlicher Überzeugung« (Boie-Grotz, 16). Und in der Tat tönt der junge Patriot Fürchterliches daher: »Dieses Jubeln, das an den äußersten Enden der Stadt hörbar war, diese Gesichter, die in frommer, heiliger Begeisterung glühten, sie zeigten an, daß dieser Krieg, den wir Deutschen um unsere Existenz führen, ein Volkskrieg, eine Erhebung der Nation ist« (Frisch/Obermeier, 230). So geht es *Kriegsbrief* für *Kriegsbrief*; die Redaktion der Zeitung soll sehr zufrieden mit dem Kriegstrommler gewesen sein, und auch die Reaktionen der Leser scheinen die chauvinistischen Auslassungen goutiert zu haben.

Dennoch kann das einseitige Urteil nicht so stehen bleiben. Gegenüber den »literarischen« Erzählungen zeigen die Kriegskommentare eigentümliche Diskrepanzen. Herrschen dort Distanz und Sachlichkeit vor, so tönen die *Kriegsbriefe* bzw. die Kriegsprosa insgesamt direkt, aufdringlich, üblich, vor allem pathetisch. Dieses Pathos jedoch ist für den jungen wie den späteren Brecht untypisch, und diese Beobachtung wiegt um so schwerer, als es den Erzählungen des Gleichaltrigen – mit der Ausnahme der Erzählung *Der Freiwillige*, die der Kriegsprosa nahe steht (10, 11 f.) – mangelt. Dafür aber lassen sich in der Kriegsprosa Stellen markieren, die den Tugenden der Erzählungen (Distanz, »Sachlichkeit«) verpflichtet sind. Es fällt auf, daß den nationalen Jubeltönen beinahe immer »andere Bilder«, wie Brecht sie selbst nennt, gegenübergestellt werden, die die Folgen des Kriegs benennen, und dies in den ersten Tagen des Krieges, als noch niemand so recht – jedenfalls nicht in der Öffentlichkeit – den Krieg mit Schlachtfeld und Tod verbinden wollte. Da wurden vor allem Siegesfeste gefeiert. Diese Relativierungen gehen bis in einzelne Sätze hinein. Ein besonders typischer:

> Kaum vier Wochen hat nun der Krieg erst gedauert. Und schon ist es keine vereinzelte Tatsache mehr, daß in den Zeitungen die schwarzen Anzeigen stehen, die da melden, daß ein Sohn gestorben sei auf dem Feld der Ehre, schon kommen Züge mit Verwundeten ganz tief ins Land, kommen mit den Zeugen blutiger Schlachtfelder.
>
> (Frisch/Obermeier, 239)

Zunächst führt Brecht die offizielle Sprache, nennt den Tod möglichst beim neutralen Wort (»gestorben«) und zitiert den üblichen Euphemismus »Feld der Ehre«; aber noch im gleichen Satz konkretisiert sich die offizielle Sprachregelung, indem das Feld der Ehre zum »blutigen Schlachtfeld« umbenannt wird. Daß dies kein Zufall ist, belegen nicht nur die häufiger anzutreffenden Relativierungen der chauvinistischen Äußerungen durch Gegenüberstellung von Berichten realen Leidens, sondern auch merkwürdige Ergänzungen, die leicht überlesen werden. Brecht berichtet im 6. *Kriegsbrief* vom Dramaturgen Wolff, der bei einer Feier des Roten Kreuzes einen Vortrag über Kriegsgefangene in Frankreich hielt: »In schlichtem Plauderton erzählt er seine Erlebnisse, nicht ohne einen gewissen, den Feind entschuldigenden Humor. Aber man gewinnt doch den Eindruck, daß man die Deutschen nicht hätte schlechter behandeln können. Mit etwas bitterer Stimmung denke ich an die Behandlung der Franzosen auf dem Lechfeld« (Frisch/Obermeier, 249). Der Text bestätigt zunächst nur halbherzig, daß der »Erbfeind« selbstverständlich mit seinen deutschen Gefangenen so mies wie nur möglich umgeht, um dann in einem seltsamen Sprung der Behandlung der Franzosen auf dem Lechfeld zu gedenken. Der Bezug scheint absolut dunkel zu sein. Das »Lechfeld« (955) steht üblicherweise – jedenfalls nach der Version des Schulunterrichts – für die Rettung des »Abendlandes« vor der »asiatischen Gefahr«: die christliche Zivilisation konnte sich nach dem Sieg über die Ungarn ungehindert in Mitteleuropa ausbreiten. Die Parallele zu den Zeitereignissen scheint zunächst den Chauvinismus zu bestätigen, als jetzt die Franzosen in die Rolle der »Barbaren« gelangen. Nur: diese waren als der Stamm der Franken damals (auf dem Lechfeld) noch die Opfer, gehörten sie mit auf die »gute« Seite. Der historische Vergleich betont die Gemeinsamkeiten der jetzt Kriegführenden, undeutlich, auch ungenau formuliert (»Behandlung der Franzosen«, ohne Subjekt!), aber den Chauvinismus unterlaufend.

Um wenigstens plausibel machen zu können, daß die Formulierungen des jungen Brecht nicht unbedingt beim Wort und damit als Ausdruck seiner innersten Überzeugung zu nehmen sind, ist noch der Nachweis zu erbringen, daß die Kriegsprosa ein Bewußtsein über eine mögliche Diskrepanz von Darstellung und Dargestelltem bekundet, daß es also Anhaltspunkte dafür gibt, daß der Text nicht unbedingt den Tatsachen bzw. den Überzeugungen entsprechen muß. Und auch diesen Beleg gibt es:

> Gestern nacht, als die Perlachturmuhr die 12. Stunde verkündete und (wie ich mir aus einem Roman gemerkt habe) düstere Wolken am Himmel den Mond zeitweise verdeckten, schlichen zwei äußerst verdächtige Gestalten durch die menschenleere Hauptstraße zum Perlachturm.
>
> (Frisch/Obermeier, 225)

Brecht hält mit einem Mitschüler »Turmwacht« in Erwartung der kommenden Kriegsereignisse und berichtet darüber in der Augsburger Lokalzeitung. Der Beginn reiht ein Klischee ans andere, natürlich muß es 12 Uhr nachts sein. Selbstredend ist die Szenerie düster, sind die Gestalten verdächtig. So mag es sich der junge Autor in seinen Krimis angelesen haben. Stünde nur das da, so wäre kein Wort mehr zu verlieren. Aber indem Brecht die Klammer anfügt und also signalisiert, daß die Wolken nicht aus der Wirklichkeit, sondern aus dem Roman stammen und die Uhrzeit sich der »Dramaturgie« seines Berichts verdankt, bestätigt der junge Brecht, daß er weiß, was er macht, wenn er Sprachklischees übernimmt.

Warum sollte sich dieser Sachverhalt nicht auch auf die chauvinistische Kriegsprosa übertragen lassen? Für die Prosa bestätigt sich der Befund, der auch für die frühe Lyrik gilt: der Autor benutzt die gängigen Klischees, ohne daß man ihn auf sie verpflichten könnte. Er verfügt über die gängige offizielle Sprache und repetiert sie brav, ganz seinen Publikationsorganen angepaßt (von daher erklärt sich auch, warum die Schülerzeitungsprosa weniger offizielle Sprache spricht als die Kriegsprosa). Das soll nicht heißen, daß alles nur Maskierung wäre, daß Brecht in schlauer Weise nur die Bestellungen erfüllt habe. Dagegen sprechen die *Kriegsbriefe* selbst in entschiedener Weise, insofern sie sich ernsthaft darum bemühen, die »andere« Seite, das Leid, die »Opfer« zur Sprache zu bringen. Auch muß die Übernahme von Parolen, vorgefundenen Beurteilungen in dieser Weise nicht dagegen sprechen, daß der Autor nicht von ihnen angezogen worden wäre. Aber es bleibt ein Rest, der daran hindert, die Sprüche als Überzeugung Brechts und als *seine* Sprache zu werten.

Insofern ist dafür zu plädieren – und dies macht die Kriegsprosa zur interessantesten Prosa des jungen Brecht –, Widersprüchlichkeiten zu konstatieren. Die frühen Versuche enthalten erste vage Hinweise auf Brechts charakteristische Prosa, insgesamt jedoch proben sie literarische und journalistische Muster durch. Das macht die frühe Prosa typisch für eine – in der bürgerlichen Gesellschaft übliche – Rollensuche junger Menschen (zwischen 15 und 18 Jahren), zugleich aber auch untauglich für das Zeugnis eindeutiger und direkter Selbstaussage. So werte ich auch die Tatsache, daß Brecht nicht mit eigenem Namen, sondern lediglich mit seinen Vornamen, sich also halb bekennend, halb versteckend, zeichnet, mit Berthold Eugen. Der Schulaufsatz, der eine ganz andere, markante Sprache spricht, dagegen dürfte für die wahre Überzeugung Brechts zeugen, womit also modifiziert das frühere Urteil der Forschung Bestätigung erhielte. Da mit diesem antimilitaristischen »Bekenntnis« viel auf dem Spiel stand – Brecht wäre beinahe der Schule verwiesen worden

– und persönliche Gefährdung bedeutete, darf angenommen werden, daß es sich nicht (nur) um eine spielerische Herausforderung der Schule und der Lehrer handelte. Eine gewisse »Entwicklung«, das heißt eine zunehmende Einsicht in die wahren Zusammenhänge um den Krieg und die »vaterländischen« Belange, ist damit nicht geleugnet, wohl aber die plötzliche Wende, die ja auch erklären müßte, wieso Brecht auf einmal über eine solche Sprache verfügte. Sie dürfte sich im Rahmen der sog. Brecht-Clique, die, mit Lampions und Gitarren bewaffnet, bürgerschreckend durch die Augsburger Straßen zog oder sich in der Natur am Lech suhlte, ausgebildet haben.

Werner *Frisch*, K. W. *Obermeier* (s. o.). – Kirsten *Boie-Grotz* (s. o.). – Reinhold *Grimm*: Brechts Anfänge. In: R'G': Brecht und Nietzsche oder Geständnisse eines Dichters. Fünf Essays und ein Bruchstück. Frankfurt a. M. 1979. S. 55–76. – Klaus-Detlef *Müller* (s. o.; S. 43–47).

Die Prosa der Münchner Zeit 1918–1924

Überblick

Neben den wenigen Geschichten und der Kriegsprosa hat Brecht bis 1918 offenbar keine Prosa geschrieben; die Lyrik dominiert. Und die Erklärung lautet: da Brecht mit zunehmender Skepsis die offiziellen Ereignisse verfolgte und dadurch auch die Möglichkeit zur Publikation verlor (mangelnder Anpassungswille), mußte die Prosa als die »objektive« Gattung zurücktreten. Umgekehrt förderte die Bindung in der Brecht-Clique, im »Freundeskreis«, die – meist gesungene, gespielte – lyrische Produktion. Hinzu kam der Selbstfindungsprozeß, der mit der abnehmenden übersubjektiven Bindung (Vaterland, Familie) sich ausprägte und den Ausdruck in der subjektiven Gattung provozierte. – So eingängig und plausibel sich diese Erläuterungen anhören: *so* stimmen sie auf alle Fälle nicht. Brecht verwendete die Lyrik auch in seiner Jugendzeit keineswegs nur »subjektiv« – das wäre ein Denken in literarischen Gattungen, die diese »anthropologisch« festschrieben –, er kannte das Rollengedicht und die parabolische Verschlüsselung, die in Lyrik und Prosa gleichermaßen zu beobachten ist – bis hin zu identischen Stoffen (der *Geierbaum*; 8, 31–33; 11, 13 f.). Plausibler als die innerliterarischen Argumente sind die »äußeren«, nämlich die Verweise auf den Freundeskreis, der gerade in den letzten Schuljahren, vor allem dem letzten, und zu Beginn des Studiums in München eine große Rolle gespielt hat. Bekannt ist, daß die Schule angesichts der Kriegsereignisse und der desolaten inneren Verhältnisse nur noch bedingt stattfand, weshalb nicht nur mit einer recht miserablen Schulbildung bei Brecht (und seinen Freunden) zu rechnen ist (mangelnder traditioneller bürgerlicher Bildungskanon), sondern auch alle Vorsicht angebracht erscheint, den Plänen, die Frisch und Obermeier akribisch zusammengestellt haben, zu trauen: aus ihnen nämlich wird oft auf Kenntnisse Brechts geschlossen, die aller Wahrscheinlichkeit deshalb nicht gegeben sind, weil zwar Jahr für Jahr die Lektürepläne aufgestellt, nicht aber im Schulunterricht realisiert wurden. – Der Freundeskreis bedeutete demnach sozusagen zunehmende »realistische« Bildung, das heißt vor allem die der »modernen« Vergnügungen und Medien (Plärrer, Kino, Journale), und »gesellige« Produktion. Daß Brecht – und dies wird in den Analysen häufig vergessen – so viel Lyrik verfaßte, und zwar Lyrik zur Klampfe, gesungene Lyrik, hängt viel weniger mit »subjektivem Ausdruck« als vielmehr mit der gesellschaftlichen »Funktion« der Lyrik zusammen. Dadurch erklärt sich auch Brechts Neigung zur Rollenlyrik und zur Übernahme, sei es parodistisch, sei es satirisch. Oft genug war die Produktion auch spontan, im Zusammenhang mit der Gruppe und womöglich nicht wenig auch gemeinschaftlich. So gesehen wird es schon wesentlich einsichtiger, warum die Prosa-Produktion in dieser Zeit gering ausgeprägt ist – und es sei auch darauf verwiesen, daß dies ebenso für die Dramenproduktion gilt –, abgesehen vom frühen Einakter *Die Bibel* für die Schülerzeitung. Der *Baal* beginnt dann erst durch die Anregung mit dem Münchner Kutscherseminar zu entstehen. Aus ihm dürften auch die Anregungen für die Prosa, die 1919 wieder einsetzt und über drei Jahre lang im Zentrum der Produktion steht, hervorgegangen sein. Es ist jedenfalls sehr wahrscheinlich, daß sich die Prosa, die ab 1919 entsteht, ganz der Münchner Szene verdankt und mit Augsburg nur noch wenig zu tun hat, auch wenn Brecht häufig und oft über längere Zeit in Augsburg sich aufhielt. Das rechtfertigt auch, die Prosa auf den Münchner Ort zu konzentrieren – anders als die Lyrik, die auch Augsburg zur Voraussetzung hatte.

Ob das Jahr 1918 überhaupt ein Jahr der

Prosa Brechts ist, ist immer noch nicht ganz gesichert, obwohl die *Werkausgabe* für die Geschichte vom *Geierbaum* (11, 13f.) jetzt ohne Einschränkung das Jahr 1918 als Entstehungsdatum angibt (11, Anmerkungen 2). Diese chronologische Einordnung bleibt deshalb zweifelhaft, weil sich die Forschung darauf versteift hat, die an sich unbedeutende Geschichte als Deutschland-Parabel zu interpretieren. Jürgen C. Thöming hat im Vergleich mit dem nun auf 1912 datierten *Lied vom Geierbaum* (8, 31–33) den Weg gewiesen, und in der Tat scheinen seine Hinweise und Belege schlagend zu sein. Der Beweis nämlich pflegt mit dem Gedicht *Deutschland, du Blondes, du Bleiches* (8, 68) geführt zu werden, denn auch dort tauchen Geier auf und zerfleischen den »guten Leib« Deutschlands. Die Interpretation jedoch, die den Baum als Deutschland deutet, das von seinen vereinigten Gegnern, einsam und verlassen, nur auf sich gestellt, vernichtet wird, läßt sich für das Jahr 1918 nicht mehr plausibel erklären, es sei denn als eine merkwürdige Stilübung (Übertragung von Versen in Prosa). Es gibt keinerlei Hinweise mehr, die für eine solche politische Einschätzung, die zudem falsch ist, in Brechts Denken und Schreiben sprechen.

Das Dilemma läßt sich jedoch ohne weiteres lösen – und das Jahr 1918 als Entstehungsjahr halten. Daß der Baum Deutschland parabolisch verkörpere, ist lediglich Deutung, keineswegs aber direkt aus der Geschichte – und ebensowenig aus dem Gedicht – ablesbar. Wenn Thömings Beweisführung mit dem Deutschland-Gedicht so einleuchtend ist, daß die gesamte spätere Forschung ihm folgt (vgl. Boie-Grotz, 23; Müller, 47f.), dann ist der Beweis mit dem Gedicht *Morgendliche Rede an den Baum Green* (8, 186f.) noch schlagender zu führen. Die Entstehungszeit des Gedichts ist ungeklärt, um 1923 wird angenommen (die frühe Fassung findet sich bei Marsch: Brecht-Kommentar zum lyrischen Werk. München 1974. S. 122f., abgedruckt). Während das Deutschland-Gedicht nicht den Bildbereich des Baums aufweist, sondern lediglich die Geier aufnimmt, verbindet das *Green*-Gedicht Geier und Baum: »Es interessieren sich Geier für Sie« (Marsch, 122). Das Gedicht zeigt recht eindeutig, wer mit dem Baum gemeint ist, nämlich die absterbende bürgerliche Individualität, die und deren »Entwicklung« bereits traditionell mit der Pflanzenmetaphorik und dem entsprechenden »Wachstum« verbunden worden ist. Zieht man dazu denn noch die frühe Fassung des *Baal* heran (ab 1918), so wird diese Deutung schlagend. Im *Baal* spielt die Baum- und Waldmetaphorik eine ungewöhnlich zentrale Rolle bis hin zu den Holzfällern, die die alten »Lebensräume« niederlegen und zum »Tod im Walde«, der Baals Tod im Wald vorwegnimmt. Daß er noch wie ein altes Individuum eingehe und nicht wie eine Ratte verrecke, betont Baals letzte Rede – wie das gesamte Drama in der Wald- und Baummetaphorik noch einmal das gefährdete bürgerlich-anarchische Individuum sinnfällig erfaßt. Hier könnten auch die Verbindungen liegen, die Brecht veranlaßten, das frühe Motiv, das dann ebenso einzuschätzen wäre (also kein politisches Gedicht!), noch einmal in der Prosafassung zu bearbeiten. – Mit dieser Erläuterung kann folglich die Münchner Prosa vom Jahr 1918 an datiert werden (ansonsten ist dieser Kurzprosa zu viel Ehre durch zu ausgiebige Beachtung getan).

1919 setzt eine starke Phase der Prosa-Produktion ein. Das heißt, um genauer zu sein: es handelt sich um eine starke Schaffensphase überhaupt, die Werke, von denen Brechts Werk insgesamt ab zu zählen und als bedeutender zu gewichten sind, beginnen jetzt. Die Prosa macht keine Ausnahme: mit der *Flibustiergeschichte*, zu deutsch etwa »Seeräubergeschichte«, *Bargan läßt es sein* entsteht 1919 die erste literarisch gewichtige Erzählung Brechts, der neben wiederum dünnen Parabeln und Formenproben, z. B. den *Visionen*, weitere folgen sollten. Zu nennen sind die Erzählungen *Ein gemeiner Kerl* (eine *Novelle* von 1919), die *Geschichte auf einem Schiff* und *Der Javameier* (beide von 1921).

Obwohl Kirsten Boie-Grotz sich alle Mühe gibt, die einzelnen Geschichten – nicht nur dieser Zeit – auf Brechts Biographie zu beziehen und damit dem Vorbild zu folgen, das die Forschung für die Entwicklung der Lyrik Brechts vorgezeichnet hat, ergeben sich wenig direkte Hinweise auf Entstehungsort und -zeit in der Prosa. Die allgemeineren Kennzeichen freilich gelten: die Anti-Bürgerlichkeit, die Exotik (als Gesellschaftsflucht gedeutet) und das Thema »Liebe«. Die Prosa der Jahre 1923 und 1924, die eindeutig in den Schatten von Drama und Lyrik tritt, setzt die Anfänge sporadisch fort. Neu ist einzig, daß Brecht 1924 mit *Der Tod des Cesare Malatesta* ein historiographisches Thema wählt – und damit die Distanz noch mehr verstärkt. Diese Geschichte – und dann auch die folgenden Geschichten – läßt Brecht bereits in Berlin, den neuen Wohnort ab 1924, drucken.

Mit in diese Zeit fallen Brecht erste Versuche, sich in der Romanform zu üben. Es ist kein Zufall, daß die Aufzeichnungen zum *Buch Gasgarott* und zur *Rothaut* in die produktiven Jahre 1920/21 fallen. Brecht meinte ja, zum Roman noch nicht reif zu sein wegen »mangelnden Sitzleders« (vgl. Tagebücher, 40; vom 1.7.1920), dennoch aber fühlte er sich literarisch auch in dieser traditionellen bürgerlichen Gattung in dieser Zeit produktiv herausgefordert. Demnach zeigt gerade die Prosa, daß Brecht offenbar von vornherein »umfassend« literarisch zu arbeiten gedachte und sich keineswegs auf Drama und/oder Lyrik beschränken wollte. Überdies sollte noch einmal gesagt sein, daß Brechts erster größerer literarischer Erfolg mit der *Bargan*-Geschichte sich einstellte.

Jürgen C. *Thöming*: Kontextfragen und Rezeptionsbedingungen bei Brechts frühen Geschichten und Kalendergeschichten. In: Bertolt Brecht II. Sonderband aus der Reihe Text + Kritik. München 1973. S. 74–96. – Kirsten *Boie-Grotz* (s. o.; S. 25–105). – Klaus-Detlef *Müller* (s. o.; S. 47–69).

Einordnung, Texte

Die Abfolge der frühen Prosatexte ist verständlicherweise wegen ihres historischen Abstands relativ ungesichert. So kommt es, daß die Ausgaben die Geschichten nicht in der chronologischen Folge anordnen: neue Erkenntnisse führen zu Neueinordnungen. Die relativ gesicherte Chronologie findet sich jetzt in Müllers Kommentar-Band; Unklarheiten hat Müller verzeichnet, so z. B. die Frage nach der Einordnung der Erzählung *Die Erleuchtung* (11, 47 f.), die aufgrund ihrer Stoffidentität mit der *Apfelböck*-Ballade (8, 173–175) wohl zeitlich zu ihr zu rücken ist. Genauere Aufschlüsse müssen da einer historisch-kritischen Ausgabe vorbehalten sein, und die Forschung ist noch nicht so weit, durch Stilvergleiche etc. auch indirekte, philologische Nachweise führen zu können. Vor allem für die Jahre 1920 bis 1923 ist das *Tagebuch* Brechts, das in diese Zeit gehört, ein gutes Auskunftsmittel (wenn es Auskunft gibt). Es ist deshalb stets heranzuziehen, was über das Werkregister auch problemlos zu machen ist.

Dadurch, daß die Ausgaben teilweise noch Fehler enthalten, kommt es immer wieder zu Fehleinschätzungen, die den Autoren zwar insgesamt anzulasten, jedoch auch in gewisser Weise verständlich sind. So ist Manfred Voigts auf den Druckfehler des Bandes 11 der *Werkausgabe* (Anmerkungen 2) hereingefallen (1912 statt richtig 1921) und hat der »fast unglaublichen Meisterschaft« des 14jährigen ein ganzes Kapitel gewidmet (Voigts, 47–51): schön wär's.

Anders als bei den Dramen und bei der Lyrik hat die Publikation der Prosa in den diversen Ausgaben den Vorteil, in der Regel die historisch authentischen Texte abzudrucken, also keine späteren Überarbeitungen. Abgesehen von teilweise falschen »Verbesserungen« der Herausgeber bei der üblichen Normalisierung der Texte ist die Textlage für die Kurzprosa (vor allem, nicht für die Romane) recht eindeutig, und das heißt, daß die Ausgaben auch wirklich benutzt werden können und nicht wie bei der Lyrik oder beim Drama fast durchgängig auf die frühen Drucke bzw. kritischen Ausgaben zurückgegriffen werden muß. Das vereinfacht die Darstellung erheblich.

Texte: Geschichten I (= Prosa 1). Frankfurt a. M. 1965. S. 18–104. – wa 11, 13–90.

Manfred *Voigts*: Brechts Theaterkonzeptionen. Entstehung und Entfaltung bis 1931. München 1977.

Wichtigste Kennzeichen

Autobiographische Gesichtspunkte

Die Brecht-Forschung der jüngsten Zeit – und das ist für den jungen Brecht vorwiegend die westliche – hat zunehmend das Frühwerk autobiographisch fixiert. Voran ging die Lyrik-Forschung, nun hat sich die Prosa-Forschung (Boie-Grotz, Müller) dem Trend angeschlossen. Da die prinzipiellen Einwände bereits genannt worden sind, soll hier zunächst der Beweis am Exempel geführt werden, das heißt: die Vordergründigkeit und Unergiebigkeit der meist zufälligen autobiographischen Bezüge zu erweisen.

Kirsten Boie-Grotz hat an die – im übrigen recht belanglose – Erzählung *Die dumme Frau* (11, 49–51) autobiographische Daten Brechts im Zusammenhang mit Marianne Zoff angeknüpft. Die Verbindung ergibt sich für sie dadurch, daß Brecht im *Tagebuch* über die geliebte »Mar«, wie er sie dort nannte, schrieb: »Sie ist wie das Meer, wechselnd unter jedem Licht, gleichmäßig und stark« (Tagebücher, 141; vom Juli 1921), und zugleich seine Erzählung beginnen läßt: »Ein Mann hatte eine Frau, die war wie das Meer. Das Meer verändert sich unter jedem Windhauch, aber es wird nicht größer noch kleiner, auch ändert die Farbe sich nicht, noch der Geschmack, auch wird es nicht härter davon noch weicher, wenn aber der Wind vorbei ist, dann liegt es wieder still, und es ist nicht anders geworden« (11, 49). Die Übereinstimmung ist in der Tat beeindruckend, zumal auch die Entstehungszeit mit der des *Tagebuch*-Eintrags in etwa identisch ist. Für Boie-Grotz wird deshalb die Geschichte von der *Dummen Frau* zum »Versuch autobiographischer Problembewältigung« (Boie-Grotz, 56). Brecht habe Angst vor der bürgerlichen Bindung und Ehe gehabt, er habe sich noch nicht genügend reif gefühlt und zudem die »Ewigkeit« einer solchen Bindung als unsinnig empfunden: »Dabei wird, wie die Analyse des Textes gezeigt hat, die Ehe als jene absolute Bindung phantasiert, die Brecht fürchtete: Sie trägt irrational-metaphysischen Charakter und gestattet kein Ausbrechen mehr. Phantasiert wird die absolute Abhängigkeit der Frau vom Mann, ihre Unfähigkeit, ohne ihn zu überleben, die nicht nur sie selbst, sondern schließlich auch ihn ruiniert. Der Text dient damit aber eher zur Bekräftigung und Stabilisierung der Angst vor der Ehe als zu ihrem Abbau« (Boie-Grotz, 54; Klaus-Detlef Müller schließt sich in etwa dem an, 58).

Ganz abgesehen davon, daß der autobiographische Bezug sich erst über die Frau realisieren läßt und durchaus nicht erklärt ist, warum der (bürgerliche) Mann die »absolute« Abhängigkeit der Frau nicht goutieren sollte, hebt diese Deutung bloß nebensächliche, ja in gewisser Weise völlig schief akzentuierte Aspekte der Erzählung heraus. Thema der Erzählung ist weder die Bindung noch die Unterwerfung bzw. (absolute) Abhängigkeit. Es geht vielmehr um bürgerlichen Besitz, den die Frau aus »Dummheit« nicht zu wahren weiß und auf dessen Verlust sie dann in bestimmter Weise reagiert. Zunächst nämlich ganz »normal«, indem sie, als der Mann zurückkehrt, Angst hat und fliehen will, »irgendwohin«. Jedoch besinnt sie sich eines anderen:

> Da sie nun eine Zeitlang gelaufen war, fiel es ihr ein, daß es ihr Mann sei, und sie waren zusammengetan, und nun lief sie ihm fort. Da kehrte sie gleich um und lief zurück, dachte nicht mehr an das Haus und die Werkstatt und das Hemde und sah ihn von weitem und lief auf ihn zu, und da hing sie an seinem Hals. (11, 50)

Brecht kennzeichnet die »Umkehr« sprachlich durch eine aufdringliche syndetische »Und«-Reihung, die in recht präziser Weise die »immanente« Logik und damit den Zusammenhang ihrer Überlegung freilegt, eine Überlegung, die nicht nur in ihrem Kopf, sondern auch in ihren körperlichen Bewegungen »objektiviert« wird. Brecht benutzt dabei die – z. B. bei der Trauung übliche – Formel, daß sie »zusammengetan« seien, wobei der Zusammenhang der Erzählung einen Ton auf das »*sie*« legt. Der Mann hat, als er der Frau seine Habe übergibt, die Liebe zwischen ihnen über diese Habe definiert: »Wenn du mich lieb hast, dann kannst du es«, nämlich auf alles »achthaben«, auf »sein Haus und seine Werkstatt und den Garten um sein Haus und das Geld, was er sich verdient hatte« (auch hier wieder die syndetische Reihung!) (11, 49). Die Geschichte endet aber so, daß die Frau darauf besteht, daß *sie*, das heißt der Mann und die Frau, »zusammengetan« sind, und zwar auch ohne Haus und Garten und Werkstatt und, und, und. Und damit endet auch die Erzählung: die Frau besteht auf ihrer Liebe, verliert dadurch ihre Angst und vermag sich zu freuen. Dem Mann teilt sich die Freude mit: »Da kam ihm etwas in den Sinn, und er schwankte auch und legte den Arm um sie, fühlte gut, daß sie mager geworden war in den Schultern und küßte sie mitten auf den Mund« (11, 51). Und da ist die Geschichte auch schon zu Ende; wenn man will: voller Schmalz und Tränenseligkeit, aber nicht belastet von den Folgerungen, die die Forschung anbietet – im Gegenteil. Die Erzählung ist ein »hohes« Lied auf die »Liebe an sich«, wollte man den Befund pathetisch verabsolutieren. Im Kontext der frühen Geschichten Brechts jedoch geht es weniger um das Lob der (reinen) Liebe, als vielmehr darum, daß die Frau – und damit knüpft Brecht durchaus an übliche bürgerliche Schmalzbilder der Frau an – es versteht, sich über die durch den Besitz veräußerlichten Bindungen, die für die bürgerliche Gesellschaft typisch geworden sind, hinwegzusetzen und auf ihrer gefühlsmäßigen Bindung zu »ihrem« Mann zu bestehen. Sie definiert das Personalpronomen nicht wie der Mann über den Besitz (»Dies alles ist mein Eigen, und es gehört auch dir«; 11, 49), sondern über ihr Gefühl. Um da alle Mißverständnisse auszuschalten, müßte eigentlich die Schluß»szene« hinreichend beweiskräftig sein. Die Frau fällt nämlich dem Mann mitten »in der Straße« um den Hals, und die »Leute lachten über ihn unter den Türen«. Es heißt weiter: »Und er war sehr zornig. Er hatte aber die Frau am Halse, sie tat den Kopf nicht weg [...]« (11, 50). Der Mann hat die Frau buchstäblich am Halse, aber auch im übertragenen Sinn, wirft sie nicht – wie die Öffentlichkeit es erwartet – »weg«, sondern erkennt ihr Gefühl an, womit der Schluß eine weitere gewisse antibürgerliche Wendung nimmt.

Die Geschichte gewinnt noch mehr Hintergrund, wenn man sie als »Pendant«-Geschichte zu den übrigen Geschichten der Zeit liest: diese nämlich handeln durchweg von der Vereinzelung und zunehmenden Isolation des einzelnen. Die immer wieder gesuchten Bindungen zwischen Menschen kommen nicht mehr zustande. Die »dumme« Frau, die nur dumm ist hinsichtlich der Kenntnisse bürgerlicher Gepflogenheiten (nämlich den Besitz zusammenzuhalten bzw. zu vermehren), erweist sich in ihren Gefühlen überlegen. Mit ihnen »besiegt« sie den – im bürgerlichen Sinn – erledigten, korrumpierten und zugleich auch »dummen« – Mann: dessen bürgerliche Erfahrung hätte ihn davon abhalten müssen, einer Frau seinen Besitz anzuvertrauen (vgl. auch das Meer-Bild!), es sei denn, er hätte sich vorher davon überzeugt, daß sie »ihren Mann steht« (was nicht der Fall ist). In den anderen Geschichten der Zeit erhält das Gefühl (oder die Liebesbeziehung) diese überwindende Kraft nicht. In der Männerliebe des Bargan z. B. zu seinem Kumpanen Croze führt die Liebe direkt in den Untergang; freilich »dumm« ist sie im bürgerlichen Sinn auch, denn Bargan verzichtet zugunsten dieser Liebe auf alles das, was ihn als »göttliche« Erscheinung ausgezeichnet hat. Ansonsten aber sind die Geschichten vor allem durch den Mangel solchen Gefühls ausgezeichnet (und nicht umsonst hat die Bargan-Geschichte durch die sture Männerliebe ihre besonderen Reize).

Mit dieser Analyse ist es schon wesentlich schwieriger, den direkten biographischen Bezug herzustellen: die Geschichte beschreibt ein viel allgemeineres, ein gesellschaftliches Symptom, nämlich die noch einmal gegen die bürgerlichen Konventionen durchgesetzte Liebe. Das Bürgertum hat die zwischenmenschliche Beziehung längst »objektiviert« bzw. versachlicht (als Bindung über Besitz und Verträge). Das aber hat gerade nichts mit einem »irrational-metaphysischen Charakter« der Liebe zu tun, noch gar mit deren Absolutheit. Wenn nämlich etwas »absolut« zu nennen wäre, dann die (gleichbleibende, durch äußere Einflüsse nur tangierte, nicht aber beeinflußbare) Liebe der Frau (Meeres-Bild). Von ihr aus ist das bürgerliche Unterwerfungsgebot – das sich über den Besitz definiert – der Frau unter den Mann gerade in Frage gestellt und nicht etwa bestätigt. Wenn man also den Bezug zur Biographie herstellen möchte, dann müßte man eine Frauenliebe, die Brecht galt, finden, die in dieser Weise gewirkt hätte (dafür aber ist Marianne Zoff offenbar recht ungeeignet).

Der Befund läßt sich stützen, wenn man die aus gleicher Zeit stammende Geschichte *Die Erleuchtung* (11, 47 f.) hinzunimmt. Sie behandelt das Apfelböck-Thema, das Brecht bereits lyrisch gestaltet hatte (8, 173–175). Carl Pietzcker hat das Gedicht benutzt, um weitreichende Folgerungen zu ziehen, die bei ihm vor allem auch psychoanalytisch erklärt werden. Er sieht im Gedicht den Angriff auf die Eltern, damit indirekt auf ein Über-Ich, gestaltet; es wird »erledigt«, indem es (quasi stellvertretend) durch die Apfelböck-Geschichte (die authentisch ist), vernichtet wird. Das Ergebnis ist ein als »Nihilismus« gekennzeichneter Zustand, in der gänzlichen Verlassenheit des Ich, mit dem sich allmählich – gesellschaftlich gesehen – die Ablösung vom Mittelstand, zu dem Brecht gehört hat, vollzieht. Die Erzählung, die Pietzcker übrigens mit heranzieht (89–94), beweist – zumindest – die Einseitigkeit der biographisch orientierten Betrachtung. In der Erzählung interessiert nämlich überhaupt nicht der »Angriff« auf die Eltern – und zurückblickend aufs Gedicht fällt auch da auf, daß es vornehmlich nicht an der Darstellung des Mordes, sondern an der gänzlichen Sachlichkeit und Gleichgültigkeit, mit denen Apfelböck sowohl Ausführung als auch Folgen begleitet, interessiert ist. Apfelböcks mangelnde Anteilnahme, die noch einmal im Gerichtssaal bestätigt wurde, und Apfelböcks mangelnde Gefühlsäußerungen, ganz abgesehen von moralischen Erwägungen oder gar Reue, haben den historischen Mordfall so rasant wie für Brecht auffällig werden lassen (Gerichtsbericht bei Müller, 56 f.).

Die Geschichte thematisiert den Mordfall nicht vom unberührten Täter aus, sondern – und dies sehr bewußt – in der Reaktion auf die Generation, die bei Apfelböck daran hat glauben müssen. Das wird ganz deutlich dadurch, daß der Mann sich ein Kind wünscht, ja erwägt, vielleicht sogar eins zu haben, daß dennoch aber »kein Hahn nach ihm krähte« (vgl. 11, 48; eine ähnliche Formulierung findet sich in den Gedichten; 8, 90). Es ist sicher richtig, daß hier Generationsprobleme poetisch verhandelt werden, aber nicht so wie in der Forschung dargestellt. Entscheidend am Fall Apfelböck ist die Tatsache, daß der junge Apfelböck, den Brecht noch um drei Jahre verjüngt hat, mit den toten Eltern so weiterlebt, als sei nichts geschehen. Hier objektiviert sich also etwas, was generell für den Entwicklungsstand der bürgerlichen Gesellschaft der Zeit gilt, daß nämlich die Eltern für die Kinder auch in der »Normalität« so gut wie tot sind. Sie sind, weil sie nur noch veräußerlichte Funktionen wahrnehmen und die Familie, ihr Zusammenhalt, sich aufgelöst hat (vgl. *Im Dickicht der Städte*), *schon »gestorben«, auch wenn sie noch leben.* Die gesellschaftlichen Symptome, die dafür ausschlaggebend geworden sind (Vaterlosigkeit, weil der Vater außer Haus arbeitet und weitgehend auch dort seine privaten Verpflichtungen sieht, Veräußerlichung der ehelichen Beziehungen, Erziehung der Kinder außer Haus u. a.), hat Pietzcker vorbildlich herausgearbeitet und beschrieben (127ff.), die Frage ist nur, ob die biographischen Schlüsse dann angemessen sind. Zweifellos läßt sich Brechts familiäre Situation als zusätzliche Erklärung dafür reklamieren, daß Brecht bereits in diesen relativ jungen Jahren solche gesellschaftlichen Probleme poetisch angeht, daß sie deshalb aber auf ihn direkt zurückbeziehbar sein müssen bzw. als Ausdruck seiner Erfahrungen und Erlebnisse zu nehmen sind, ist überhaupt noch nicht erwiesen – im Gegenteil. Die »Erleuchtung« des Mannes in der Erzählung nämlich liegt gerade darin, daß ihm an der Apfelböck-Geschichte, die er zufällig beim Friseur hört, ein fatales »Licht aufgeht«. Er ist allein, und niemand kümmert sich um ihn. Auch er meint, die Leichname seiner Eltern auf einmal zu riechen (er phantasiert bzw. halluziniert bezeichnenderweise nicht den Mord!), in ähnlicher Weise wie Apfelböck in dumpfer Bewußtlosigkeit gelebt zu haben und schließlich überflüssig zu sein, und zwar auch im Hinblick auf seine ev. Kinder: sie werden ihn als »tot« empfinden. Die Erzählung deutet die gesellschaftlichen Zusammenhänge nur dunkel an, an wenigen, aber doch kennzeichnenden Einzelheiten. Zu Beginn ist es der Hund – ein häufiges Motiv des jungen Prosaisten! –, der ihn vertreibt (er geht heim), später ist es die rote Decke, die als faktum brutum sich gegen alle subjektiven Wünschbarkeiten durchsetzt (»Die Fußdecke ist rot, auch wenn ich nicht will, auch wenn ich gestorben bin«; 11, 48). Das Ende der Geschichte – der Mann rennt hinaus und entledigt sich seiner Sachen – läßt sich so gesehen, dann nicht nur als Ausbruch von Wahnsinn deuten, sondern auch als antibürgerlicher Affront: in *dieser* Gesellschaftsverfassung ist normales Leben »totes Leben«.

Der exemplarisch beschriebene Befund läßt gewisse Verallgemeinerungen zu. Brecht verstand ganz offenbar schon sehr früh Dichtung weniger als »Ausdruck«, als Versuch, die ihn subjektiv belastenden Probleme poetisch zu verarbeiten. Seine Dichtung ist vielmehr – und das muß ja gar nicht ausschließlich so der Fall sein – darauf gerichtet, gesellschaftliche Verhältnisse und Verhaltensweisen poetisch zu gestalten. Brecht ist von diesen Verhältnissen, und das meint die überpersonalen Konventionen, Institutionen, und von den Verhaltensweisen, und das meint die je subjektiven Reaktionen, Einstellungen auf die Verhältnisse, nicht unberührt. Aber seine Dichtung – und das gilt auch für die Prosa – ist mehr darauf gerichtet, die gesellschaftlichen und gesellschaftlich bedeutsamen Symptome zu erfassen, als die eigenen Probleme zu gestalten. Dafür sprechen einmal mehr die verschiedensten Rollen, in denen das erzählerische »Ich« auftritt (auch als Frau; vgl. *Die Flaschenpost*; 11, 78–80), die distanzierte und den Leser distanzierende Erzählhaltung, die vorherrscht, sowie das sich häufiger kundtuende Bewußtsein des Erzählers, daß er erzählt. Dies alles gibt der Prosadichtung einen »objektivierenden« Charakter, der noch genauer zu erfassen sein wird. Biographische Bezüge sollten daher mit Vorsicht, nie »kurz geschlossen« hergestellt werden, zumal es sehr wichtig ist, ihre häufige Zufälligkeit zu bedenken. Je objektiver sie werden, desto haltbarer werden sie auch sein.

Objektivierung innerer Verfassung

In der Erzählung *Die Erleuchtung* bringt die zufällig mitgehörte Apfelböck-Geschichte dem Mann seine (wahre) Verfaßtheit zu Bewußtsein; erzählerisch ist Apfelböcks Fall aber so eingesetzt, daß er nicht nur die ansonsten unerzählte Geschichte des Mannes spiegelt, sondern auch Anlaß wird, die eigene innere Verfassung zu reflektieren und vor allem nun auf sie handelnd zu reagieren, das heißt, in bestimmter Weise subjektiv tätig zu werden, aber auch »objektiv« – unter den anderen – zu wirken (Doppeldeutigkeit von Erleuchtung als Bewußtwerdung und Wahnsinn).

Anders verfährt die 1919 entstandene Novelle *Der gemeine Kerl* (11, 81–87), die von Frank Wedekinds Ballade *Die Keuschheit* angeregt sein soll (Wedekind: Gesammelte Werke, Bd. 1. München 1920. S. 66f.). Die novellistische »Unerhörtheit« liegt weniger in der Aufdringlichkeit, mit der ein bewußt als widerlich geschildeter Mann sich in das Leben der biederen Witwe Marie Pfaff drängt, als vielmehr darin, daß die äußere Handlung der Novelle immer mehr zum Ausdruck der inneren Verfassung der Witwe gerät, so daß – im Rückblick – das gewaltsame Eindringen des Martin Gair in die Privatsphäre der Witwe immer weniger von »außen« als vielmehr von »innen« motiviert erscheint. Das, was sie sich im geheimen wünscht, wird tatsächliches Ereignis, und die Tatsache, daß Gair nicht mehr loszukriegen ist, verweist auf ihre geheimen, körperlichen Sehnsüchte nach solch unbürgerlichen, ganz unbiederen Beziehungen. Die »Verderbnis«, die dem von einem Lüstling verführten Mädchen bei Wedekind fehlt, mangelt der Witwe Pfaff in keiner Weise: »Ich kann die Nacht nicht allein bleiben. Sie gingen nach Hause [die Witwe und eine junge Zufallsbekanntschaft]. Aller Anfang ist schwer. Sie dachte an ihn [den gemeinen Kerl]. Ihre Knie dachten« (11, 87), und das heißt, sie wird ihn nie mehr losbekommen, weil er längst zu ihr gehört, nur »äußeres Zeichen« ihrer inneren Bedürfnisse ist.

Das Thema ist beim jungen Brecht verbreitet: die bürgerliche Unschuld, erzogen in Zurückhaltung, Keuschheit, läßt sich von einem »gemeinen Kerl« auf die Treppe legen. Die »Sauerei«, die im bürgerlichen Umgang gemieden bzw. »verblümt« wird, erweist sich gerade für die »Unschuldigen« als besonders reizvoll und anziehend. Das Sexualtabu schürt die Sehnsucht, das Bedürfnis nach Grobheit und Gemeinheit, dem bürgerlichen Sauberkeitssinn entspricht die Lust auf Schmutz und Sauerei (vgl. vor allem die ebenfalls 1919 entstandene *Kleinbürgerhochzeit* mit der *Keuschheitsballade*).

Für Brechts Erzählweise ist aber weniger diese thematische Übereinstimmung mit Drama und Lyrik wichtig, als vielmehr der Versuch, inneren Einstellungen, innerer Verfassung seiner Mitbürger (und auch sich selbst) erzählerisch auf die Spur zu kommen. Da es nicht Apfelböck-Fälle am laufenden Band gab, waren bestimmte Ereignisse bzw. Konstellationen zu erfinden, die in äußerer Handlung innere Wünsche, Haltungen, Einstellungen spiegelten, offenlegten. Brecht versucht nicht, in die Personen erzählerisch »einzudringen«, obwohl es das in den frühen Erzählungen auch gibt (*Der Freiwillige*; 11, 11 f.), er erfindet vielmehr typische Verhaltensweisen bzw. Handlungen, die das »Innere« seiner Personen »objektivieren«. Statt des traditionellen Selbstausdrucks sucht Brecht nach »äußeren« Merkmalen, erfaßt er seine Menschen in beobachtbaren Situationen und Handlungen. An ihnen kann der Leser ablesen, wie es um die Personen steht. Von daher erklärt sich auch, daß die frühen Geschichten durchweg nicht »realistisch« im vordergründigen Sinn sind, daß z. B. die Witwe Pfaff nie auf die Idee kommt, die Polizei zu rufen, oder daß Vizewachtmeister Borg und der Gefreite Mayer (11, 73–77) so aneinander gekettet sind, daß Borg sterbend seinen toten Freund halluziniert: einer ist nur als Pendant des anderen zu sehen, als eine der zwei Seelen in einer Brust, die freilich – und das zeichnet eben diese Art des »Von-Außen-Erzählens« aus – keine »Seelen«, sondern grobschlächtige, heruntergekommene Gestalten sind, die im großen Krieg verheizt werden.

Kirsten Boie-Grotz hat eine fragmentarische Erzählung ausfindig gemacht, die um 1922/23 entstanden und offensichtlich aufgrund ihres parabolischen Charakters von Franz Kafkas Erzählkunst angeregt ist, die *Menagerie, eine Varieténummer* (BBA 457/74–77; Boie-Grotz, 91–94). Wenn damit bereits eine Beziehung Brechts zu Kafka hergestellt ist, so läßt sie sich sicherlich noch ausdehnen, und zwar weniger im Hinblick auf die Übernahme von bestimmten literarischen Formen – das bleibt vereinzelt – als vielmehr im Hinblick auf die Erzählweise: auch Kafkas Erzählkunst zeichnet sich dadurch aus, daß sie Situationen, Vorgänge, Handlungen erfindet, die die innere Verfassung der Helden nach außen legen und damit erfaßbar werden lassen. Das Verfahren entspricht übrigens auch dem neuen Medium des Films, das Brecht schon früh beachtet und reflektiert hat (vgl. Tagebücher, 97 ff. u. ö.).

Im Fall der *Novelle* vom *Gemeinen Kerl* kommt die Leistung des »Von-Außen-Erzählens« besonders deutlich zum Ausdruck. Die von der Gattung der Novelle her suggerierte Unerhörtheit des Vorgangs, daß sich da ein wildfremder Mensch in gutbürgerliche Verhältnisse drängt und mit (halber) Gewalt okkupiert, entpuppt sich als die Alltäglichkeit bürgerlichen Lebens: die beiden Paare, die sich am Ende im bzw. am Bett treffen (der »gemeine Kerl« mit Dienstmädchen im Bett, die »brave Dame« mit aufgegabeltem Liebhaber möchte ins Bett hinein) entsprechen sich spiegelbildlich. Der Kerl, gemeinhin als Parasit moralisch (und nicht nur das) verurteilt, legt das Parasitäre der Witwe offen. Einzig die zweifelhafte »Legitimität« der bürgerlichen Erbin gibt ihrem Parasitentum die wohlanständige Fassade; mit Menschen aber springt sie ebenso um, wie es der »gemeine Kerl« mit ihr getan hat bzw. tut. Ihr »körperliches Denken«, das die Erzählung als innere Verfassung objektiviert, bringt dies an den Tag. Daß damit alle moralisierende bzw. verurteilende Erzählhaltung ausgeschlossen ist – der Erzähler ist distanziert und »sachlich« (nicht mit »Neuer Sachlichkeit« zu verwechseln!) –, erfaßt ein frühes, kennzeichnendes Charakteristikum Brechtschen Erzählens.

Vermittelndes Erzählen

Schon in den frühen Geschichten Brechts zeigt sich eine Erzählhaltung, die sich nicht auf die – von Franz K. Stanzel so apostrophierten und allgemein akzeptierten – »typischen Formen« des Erzählens zurückführen läßt. Greifbar wird die Erzählhaltung am Ich-Erzähler, auch wenn sie keineswegs auf ihn beschränkt bleibt. Es handelt sich um einen Ich-Erzähler, der nicht mit Stanzels »Ich-Erzählsituation« kongruent ist, weil er in der Regel nicht »zur Welt der Romancharaktere« gehört, sondern sich außerhalb des Erzählten ansiedelt. Mit der »akutorialen Erzählsituation« hat er deshalb nichts (oder wenig) gemeinsam, weil seine »Vermittlung« nicht darauf beruht, daß der Erzähler über die erzählte Welt verfügte und kraft dieser Verfügung sie dem Leser vermittelnd wiedergäbe. Brechts Erzähler vermittelt anders; exemplarisch soll dies zunächst an der Geschichte *Der Javameier* (11, 62–72) gezeigt werden (sie stammt von 1921).

Die Geschichte gilt als »unfertig« (Boie-Grotz, 80) oder als zumindest »reichlich konstruiert« (Müller, 62). Obwohl diese Urteile auf einer Beobachtung der Besonderheiten der Erzählhaltung beruhen, werten sie negativ, was eigentlich als ihr besonderes Kennzeichen zu reklamieren ist. Der Ich-Erzähler gibt sich im ersten Satz kund, indem er den Fischhändler Samuel Kascher mit seinen Eigenheiten beschreibt, u. a. denen, eine ungeliebte Fischhandlung »erheiratet«, sie zugleich aber als Zentrum seines Lebens okkupiert zu haben; neben der Tatsache, daß er ungewaschene Männer weniger ertragen kann als Fischgeruch (was ihn vor dem Militär bewahrte!), zeichnet er sich aus, »fast alle wichtigen deutschen Zeitungen« zu halten, sie angeblich als gutes Einwickelpapier für seinen Fisch benötigend, in Wirklichkeit, um sich aus ihnen ein Bild der Wirklichkeit (bzw. seines ansonsten nicht – außerhalb – stattfindenden Lebens) zu machen. Der Ich-Erzähler führt zunächst über Seiten diesen merkwürdigen Menschen ein, so daß der Leser schon meinen mag, es handele sich bei ihm um den »Javameier«, den die Überschrift verspricht, und, als er merkt, daß es sich um eine ganz andere Geschichte handelt, könnte man meinen, daß alles, was über Kascher gesagt ist, bloße Geschwätzigkeit des Erzählers und mithin überflüssig sei. Will man die Besonderheit der Erzählhaltung beschreiben, kommt es weniger darauf an, den Kriminalfall des »Javameier« zu rekonstruieren, getreu dem, was Kascher, ihn erzählend, entwirft. Entscheidend ist vielmehr, daß es gar nicht darauf ankommt, was nun *wirklich* war. Der Leser wird mehrmals darauf gestoßen, daß Kascher, der zumindest sich einen Teil der Tatsachen durch Autopsie hätte aneignen können, gar nicht »hinsehen« *will*. Auf die erstaunte Frage des Ich-Erzählers, ob Kascher nicht zum Tatort gegangen wäre, antwortet dieser kurz: »Dachten Sie? Ich bin doch kein Hund. Der Milchhändler gab mir eine Schilderung« (11, 65). »Schilderung geben« bzw. Bericht-Geben ist das Stichwort, das diese Erzählhaltung prägt; mit ihm stellt sich auch der Zusammenhang zu Kaschers Zeitungssammlerei her. In der modernen Welt der Massenkommunikation sind die Menschen auf das »Bericht-Geben« angewiesen. Sie folgen dem »On dit«, sie müssen dem Hörensagen trauen, denn die meiste Realität vermittelt sich den Menschen nicht mehr direkt, sondern indirekt über »Vermittlungen« und »Vermittler«. »Geschichten« (vgl. 11, 68 f.) kann man nur noch so haben, nicht »direkt«, als unmittelbarer Augenzeuge. Die »Metaphern« (wenn man so will) sind entsprechend: Kascher spricht einmal unvermittelt vom »Druckfehler«, dessen Sinn dem Ich-Erzähler zunächst völlig dunkel bleibt, und deshalb fragt er nach ihm, ohne daß er sich – für den Leser – erhellte (die Interpreten haben um diese Stelle denn auch einen Bogen gemacht; 11, 67). Der Sinn ist, daß Kascher aus den Berichten geschlossen hat, die gedruckten Berichte hätten womöglich einen Fehler, hätten Identifikationen vorgenommen und folglich falsche Schlüsse im Hinblick auf das Verhalten bzw. die Motivation des »Selbstmörders« gezogen. Es gibt immer nur Anhaltspunkte, bestimmte Hinweise, der Rest ist »Fiktion«, wahrscheinliche »Ausschmückung«. So kann Kascher auch kurz replizieren, als der Ich-Erzähler Unverständnis äußert: »Ja, für Leute, die alles begreifen, gibt es keine Geschichten!« (11, 68), und diese Aussage läßt sich füglich auch auf Brechts Geschichte übertragen.

Das bedeutet: Kaschers Geschichte über den Javameier ist ein Konstrukt, besser: sie ist eine bloße Geschichte, im Sinn von »Fiktion«. Für ihre »Realität« gibt es Indizien, aber nur einige wenige, vor allem keine unmittelbaren, keine direkten Augenzeugen. Ihre Detektion hat eine gewisse Wahrscheinlichkeit für sich, ihr Ablauf jedoch ist – Kascher hat Sinn für Effekte – nicht verbürgt (Kascher benutzt deshalb auch die Vokabeln »wahrscheinlich«, »vermutlich«). Kascher »denkt sich das so«, und der Erzähler meint: »Er sah wohl alles ziemlich deutlich. Er war nicht aus seinem Laden herausgekommen und hatte doch alles gesehen im Dunkel, während seiner Arbeit« (11, 71). Dieses Sehen aber ist als »Vision« ausgewiesen, freilich mit realen Anhaltspunkten. Den Beweis dafür, daß Kaschers Geschichte aber nicht *reine* Fiktion ist, führt Kascher wiederum über das Medium, das die Berichte »vermittelt«. Er läßt den Ich-Erzähler eine Anzeige aufgeben, und prompt gibt es auf sie die Reaktion, mit der Kascher gerechnet hatte: der »richtige« Meier ist aufgehängt worden.

Da nun endlich wird die »Geschichte« vollends kompliziert und »schwer begreiflich«. Kaschers Detektion ist aufgegangen, seine Vermutung, daß vorher der falsche, nicht der Javameier umgebracht worden ist, hat sich bestätigt – jedenfalls für die »Geschichte«. Aber Beweise dafür, daß der ferne Mord (Tod durch Erhängen) mit dem nahen Tod durch Erhängen wirklich zusammenhängt, bleiben ebenso offen wie die Einzelheiten, die sich Kascher »so denkt«. Insofern bleibt die Geschichte schwer begreiflich – und realiter unbewiesen. Aber es gibt da noch die andere Seite. Wenn Kascher nämlich eine reale Geschichte erzählt hat, wenn sie »stimmig« ist, dann ist er am Mord des »echten Javameier« beteiligt. Durch seine Annonce bewirkt er, daß der Javameier sich zu erkennen gibt und also für den Mörder ausfindig zu machen ist. Die »Detektion« führt in diesem Fall nicht nur zur »Geschichte«, die Kascher zu erzählen hat, sondern auch zum Eingriff in ihren Ablauf: Kascher stellt sie sozusagen vor den Augen des Ich-Erzählers, abgesichert durch »mediale Zeugen«, her. Das ist das Unerhörte an dieser Erzählung, die gerade in ihrer »Offenheit«, im bewußt Inkommensurablen, ihr Raffinement verbirgt.

Um dieses vermittelte und vermittelnde Erzählen einzuschätzen, muß betont sein, daß Brechts Erzählkunst nicht auf den modernen Relativismus hinausläuft, wonach die Fiktionalität dieser Geschichte darauf verwiese, daß niemandem und nichts zu trauen ist, daß alle übermittelte Realität »unbegreiflich«, unnachprüfbar bleibt, ein Schluß, der naheliegen könnte angesichts der Tatsache, daß die Zeitungen nicht nur die Übermittlungs- und Kommunikationsfunktion für diese »Geschichte« spielen, sondern zugleich als Medium thematisiert sind. Es handelt sich im doppelten Sinn um »Rufmord« – einer, der nur durchs »On dit« sich herstellt, der aber auch durchs Medium bewirkt wird (realiter – wie »übertragen«). Die Detektion ist nur dazu da, das Funktionieren der medialen Vermittler zu »objektivieren«, »ihre« Geschichte zu erzählen (es ist vorbei, heißt es an einer Stelle, mit der »herrischen Welt« – vermutlich müßte es heißen »heroischen Welt« [11, 67] –, der Schweißgeruch der soldatischen Haudegen ist abgelöst vom Fischgestank des Kleinbürgertums, das sich seine »herrischen« Geschichten übers Medium der Zeitung vermittelt, das dann auch noch als Packpapier herzuhalten hat – keine Bücher entstehen mehr daraus!). Der (kritische) Leser solcher Geschichten, ausgestattet mit vielen Signalen, der Erzählung nicht zu vertrauen, soll nicht mit gängiger Relativität versöhnt werden, also an der Realität (selbst) zweifeln, vielmehr will ihn die Geschichte, ihre Vermittlungen thematisierend, zum Mißtrauen anstacheln: er soll überprüfen lernen, was ihm alles an Realität angeboten und was an diesem Angebot haltbar sein wird.

Der vermittelnde Ich-Erzähler dieser Geschichte verfügt nicht über das, was er erzählt, ja er ist ihm auch nicht gewachsen. Daß er die Geschichte zu durchschauen in der Lage wäre, darf füglich bezweifelt werden. Er kann sich folglich auch nur an das halten, was er bekommt, und es einigermaßen weitergeben, und er kann schildern, in welchen Situationen, unter welchen Vorkehrungen und Umständen er die Geschichte vermittelt erhält. Dabei ist auffällig, daß Kascher dem Erzähler – in bewußter Vorkehrung – einen Bottich mit Karpfen vor den Schemel stellt, so daß dieser, sollte er wegen einer überraschenden Wendung der Geschichte aufspringen, ihn umstoßen müßte (11, 69). Mit der nochmaligen Warnung vor dem Bottich endet auch die Geschichte, also mit einer scheinbaren Nebensächlichkeit. Abgesehen davon, daß man sich vorstellen kann, daß *diese* Geschichte eben (unausgesprochen) mit dem umgestoßenen Bottich endet, hat Kascher ihn als Barriere eingebaut, die die Rezeption lenken soll: nicht emotional (einfühlend), sondern kritisch, distanziert, mit dem Kopf soll der Ich-Erzähler – und dann auch der Leser – die Geschichte aufnehmen. Sie gilt nicht der Überrumpelung, sondern der Einsicht.

Der Ich-Erzähler gehört demnach weder zur »erzählten Welt«, noch steht er »auktorial« über oder neben ihr, so daß seine »Ich«-Perspektive nur die eines verkappten »auktorialen Erzählers« darstellte. Er ist bloßes Medium, das nur aufnimmt und wiedergibt, was ihm angeboten wird, voller Unverstand ausgeliefert an das, was »der Fall sein« soll. Als Person, wie immer, ist er nicht primär wichtig, wichtig ist die Vermittlung, die er tätigt und die in der »modernen Welt« in vieler Hinsicht fragwürdig geworden ist. Erzählen ist zur »Vermittlung« geworden; die Zeiten, diese Vermittlung einfach zu personalisieren und damit personal sich verbürgen (und absichern) zu lassen, sind vorbei. Die Medien haben »im-personalisiert«, ihre Wirkung freilich muß nicht weniger direkt (hier: mörderisch) sein. Es kommt darauf an, mit ihnen umgehen zu lernen – auch episch.

Sprachthematik

Nicht die »eigenen Wörter« zu haben, ist das sprachliche Pendant zur vermittelten Erzählweise: »Wir haben von den Dingen nichts als Zeitungsberichte in uns. Wir sehen die Geschehnisse mit den Augen von Reportern, die nur bemerken, was interessieren könnte, was verstanden wird« (Tagebücher, 54). Und weiter heißt es: »Man hat nicht seine eigenen Wörter, und man wäscht sie nie. Im Anfang war nicht das Wort. Das Wort ist am Ende. Es ist die Leiche des Dinges« (Tagebücher, 55). Der »Vermittlungsprozeß« wird noch als schmerzlich empfunden, nämlich als Hindernis, »sich« bzw. das »Eigentliche«, die »Dinge selbst« zur Sprache zu bringen. Die Wörter verallgemeinern, versachlichen, veräußerlichen; sie sagen nicht, was sie sagen sollen: »Es gibt keine Sprache, die jeder versteht« (Tagebücher, 71), soll heißen, daß die »innere Sprache«, der gesuchte Ausdruck, der ins Ziel trifft, sich nicht einstellen will: »Es gibt kein Geschoß, das ins Ziel trifft. Die Beeinflussung geht anders herum: sie vergewaltigt (Hypnose). Dieser Gedanke belagert mich seit vielen Monaten. Er darf nicht hereinkommen, denn ich kann nicht ausziehen« (Tagebücher, 71).

Diese sich 1920 häufenden Notierungen schlagen sich in den Erzählungen produktiv nieder. Am ergiebigsten und weitgehendsten in der kurzen, aber bemerkenswerten Erzählung von 1921 *Geschichte auf einem Schiff.* Sie erzählt, wie ein Schiff in Seenot gerät, sich die Seeleute längst aufgegeben haben, sich das aber nicht eingestehen wollen, deshalb verharmlosend darüber reden, bis einer von ihnen einfach von Bord geht. Ob er das deshalb tut, weil er »die verharmlosende Sprechweise [seiner Kameraden] für realistisch nimmt«, wie Voigts vermutet (Voigts 47), oder ob er einfach die Konsequenzen aus der aussichtslosen Situation zieht, läßt die Geschichte offen. – Die Geschichte thematisiert in mancherlei Hinsicht Sprache. Angesichts der bedrohlichen Situation sprechen die Seeleute, die ansonsten »roh und täppisch wie Grünlinge [sprechen], die meinen, man müsse über alle Dinge das letzte Wort sagen«, jetzt »in einer feinen Weise« (11, 44f.). Der Grund ist der, die Wahrheit über die bedrohliche Situation nicht auszusprechen, sie, die Bedrohung des »Letzten«, nicht bewußt werden zu lassen. Also spricht man in Euphemismen, erfindet immer neue Gründe dafür, warum es keine Aussichtslosigkeit geben kann, versucht stets wieder »eine ganz besonders dicke Dunkelheit über diese gewissen Dinge zu breiten« (11, 45): ihre Gewißheit auszuschließen. In diese Verschwörung hinein formuliert der Schiffskoch seinen Satz, den der Ich-Erzähler wie seine Kameraden auch nie vergessen haben werden: »Also, ich habe es satt. Ich habe das Herumkollern satt. Ich gehe heim« (11, 46). Ein banaler Satz, und – im Gegensatz zu den euphemistisch »guten Sätzen« (vgl. 11, 45) – ein schlechter Satz, der ausspricht, was allen im Sinn ist. Aber er ist auch doppeldeutig. Er redet von »Heimgehen« im profanen wie im metaphysischen Sinn. Der Erzähler konkretisiert bloß den profanen Sinn, insofern er darauf verweist, daß Ferry, der Koch, tatsächlich ein bürgerliches Heim hat, im Gegensatz zu allen anderen, also ein Ziel und einen Ausweg vor Augen haben kann. In dieser Hinsicht ist die Erzählung auch interpretiert worden: Ferry durchbricht den unausgesprochenen Kodex der Gruppe, wonach die Gefahr, die Aussichtslosigkeit nicht artikuliert werden darf. Mit seinem Satz hat Ferry einen solchen Verstoß begangen, so daß ihm tatsächlich nichts übrigbleibt, den Haß der anderen bemerkend, als »heim zu gehen«, das heißt ins Wasser.

Das ist freilich nur die eine Seite. Bezogen auf

die Situation, die auch für den Koch eindeutig ist, ist der Satz völlig unsinnig, es sei denn, man bemerkte seine metaphysische Doppeldeutigkeit: »Heimgehen« bzw. »Heimgang« heißt ja im christlichen Mythos auch der Tod, als Rückkehr aus dem Jammertal Welt in die eigentliche Heimat des Menschen, die Transzendenz. Die Geschichte weist mit ihrer extrem ausweglos scheinenden Situation die Zeichen eines »experimentum crucis« auf. Im Angesicht des gewiß scheinenden Untergangs ist die Frage nach dem »Letzten« gestellt. Daß die Seeleute sie nicht stellen, verweist weniger auf ihre Angst vorm Tod als vielmehr auf ihren starren Anspruch, sich die letzte Zeit vor ihm nicht noch vermiesen zu lassen. Als der Koch seinen Satz sagt, schlägt ihm aggressiver Haß entgegen, ein solcher Haß, daß Ferry weiß: geht er nicht von selbst, werden ihn die »Mitkollerer« hinauswerfen. – Aber auch hier ist die Geschichte doppeldeutig. Es bleibt nämlich durchaus offen, ob der Koch Ferry tatsächlich nicht den metaphysischen Ausweg hat, ob er der einzige ist, der »Heimgehen« kann, weil er an ein transzendentes Leben glaubt. Der Ich-Erzähler andererseits erwägt den metaphysischen Doppelsinn nicht; diesmal als Beteiligter bleibt er ganz auf der »immanenten« Seite, wie auch der Schluß »immanent« ist. Einzig der Koch, der heimgehen wollte, ist auf der Strecke geblieben; die anderen können weiterleben, weil »der Himmel« plötzlich ein Erbarmen mit ihnen hatte? – Erwägt man den metaphysischen Doppelsinn der Geschichte, so bestätigt ihr Ende die »Diesseitigkeit«. Einzig der Metaphysiker, der die verzweifelte Situation nicht aushalten konnte und »aussteigen« wollte, wird Opfer. Das Leben aber geht ohne »Aussicht auf ein Heim« weiter. Oder noch verallgemeinerter gesagt: Der Metaphysiker sucht den Tod, weil er das Leben nicht aushalten kann.

Die Sprache nun spielt eine vielfältige Rolle in dieser Erzählung. Als euphemistisches Sprechen (= »gute Sätze« im Erzähler-Verständnis) hat sie zunächst die Funktion, über die ausweglose Situation hinwegzureden. Freilich schließt dieser Einsatz von Sprache zugleich ein, daß die »eigentliche« Verständigung – nämlich über die Aussichtslosigkeit der Lage – *sprachlos* stattfindet bzw. stattgefunden hat. Der Erzähler formuliert dieses Wissen aller auch noch einmal gesondert: »Er [der Koch] hatte ein Heim, ein kleines Haus im Staat Arkansas, mit einer Frau drin, aber dort ging er nicht hin, und wir wußten genau, als er das sagte, so genau wie: daß wir selber niemals wieder irgendwohin gehen würden auf diesem Planeten, wir, die wir kein ›Heim‹ hatten. Und obwohl wir also wußten, daß weder er noch wir noch einmal irgendwohin gehen würden und das Wasser allen gleich naß ist, war unser Haß doch so groß, daß er ihn gleich fühlte und hinausging in das Wasser« (11, 46). Die sprachlose Verständigung ist in diesem Fall die »Sprache«, die (in dieser abgeschlossenen »exemplarischen« Gruppe) »jeder versteht« (vgl. Tagebücher, 71). Der »Heimgang« des Kochs ist ein Ausschluß aus diesem Verständnis, das sich nicht auf Gerede, sondern auf Erfahrung stützt. In einer solchen Lage gibt es vernünftigerweise keinen Ausweg, es sei denn den illusionären, den der Koch entwirft, und zwar, indem er *spricht*. Sein Satz ist schlecht, weil er die reale Situation einfach übersieht. Die guten Sätze sorgen, so gesehen, für eine (humane) Erträglichkeit der Realität – ohne Anspruch mehr, das »letzte Wort« zu sagen. Der schlechte Satz besteht auf dem »letzten Wort« und besteht sogar noch auf einer Alternative (Heim), das die übrigen Gruppenangehörigen überhaupt nicht haben. Angewiesen auf ihren miesen Kahn und das Leben auf ihm, wäre das »Heimgehen« auch in gefahrloser Situation der reinste Hohn auf ihr Leben. Das wirkliche Verständnis teilt sich nur denjenigen mit, die diese Voraussetzung (»Heimlosigkeit«) auch zu teilen vermögen.

Insofern wiederholt die Geschichte auf erzählerische Weise den inhaltlichen Vorgang noch einmal. Der Erzähler reflektiert beim Erzählen das Erzählen selbst. Die Hinweise erfolgen so, daß sich für den Rezipienten dieselbe Lage ergibt wie für den Koch. Wer sich nicht auf die – übers »Gequatsche« (vgl. 11, 45) vermittelte – »eigentliche« Verständigung ohne Sprache, nämlich die der »darunter liegenden Realität«, einläßt, der schließt sich ebenso aus wie der Koch, in diesem Fall heißt dies: er versteht die Geschichte nicht. Die Unerhörtheit des Satzes, den der Koch spricht, wird dem Leser nur klar, wenn er sich auf die vorausgesetzte Realität (reale Erfahrung) der Geschichte einläßt. Nachdem der Erzähler den (an sich banalen) Satz des Kochs zitiert hat, stellt er nicht nur fest, daß dies »alles war«, also scheinbar nichts Bemerkenswertes, sondern er fährt auch noch erklärend fort (die Leser ansprechend): »Es mag euch jetzt nicht viel scheinen, und es ist keiner blässer geworden, wie ich es sagte, obwohl ich einen Kniff machte und solches Gewicht darauf legte, aber ihr seid in keinem Speisesalon, und es geht nicht dieser Wind usw., und ihr könnt wohl kaum begreifen, daß es auf das hin damals stille wurde [...]« (11, 46), und von da an wird kein Wort mehr gesprochen. Der Rezipient erweist sich der Erzählung nur dann gewachsen, wenn er im »Gequatsche« des Erzählers den unausgesprochenen »realistischen« Sinn entdeckt. Für sich genommen ist die Geschichte ebenso banal wie der Satz des Kochs. Vordergründige Rezeption führte zum Ausschluß des Lesers.

Brecht hat mit dieser Erzählung einen überzeugenden Ausweg aus seinem Dilemma gefunden. Wichtig ist dabei, daß er nicht modisch relativistischen Lösungen folgt und die Darstellbarkeit dessen leugnet, was zur Sprache gebracht werden soll. Auch die »Flucht« in die typisch irrationalistische »Aporie« ist nicht sein Weg, nämlich mit Sprache die Unsagbarkeit, das »Unsägliche« »auszudrücken«, und zwar möglichst dunkel, mit dem Angebot freier, ungebundener Assoziation für den Leser. Die Sprachlosigkeit bei Brecht ist vielmehr »realitäts-vermittelt« (gemeint ist die Realität, die die Erzählung »setzt«). Sie erhält ihre Bedeutung nicht aus irgendwelchen, rational nicht begreifbaren Bezügen, sondern vom Boden der Tatsachen, die die Erzählung voraussetzt. Der Leser wird überdies daran gehindert, Bedeutung assoziativ einfach beliebig »hinzuzufügen«, er wird vielmehr vom Erzähler angehalten, sie aus der geschilderten Realität der Geschichte selbst zu beziehen.

Franz K. *Stanzel*: Typische Formen des Romans. Göttingen 1964.

Carl *Pietzcker*: Die Lyrik des jungen Brecht. Vom anarchischen Nihilismus zum Marxismus. Frankfurt a. M. 1974. – Manfred *Voigts*: Brechts Theaterkonzeptionen. Entstehung und Entfaltung bis 1931. München 1977 (S. 47–51; nur zu *Geschichte auf einem Schiff*). – Kirsten *Boie-Grotz*: Brecht – der unbekannte Erzähler. Die Prosa von 1913–1934. Stuttgart 1978 (S. 28–105). – Helmut *Brandt*: Zur Erneuerung des Erzählens in den Geschichten Bertolt Brechts. In: Erzählte Welt. Studien zur Epik des 20. Jahrhunderts. Hg. v. Helmut *Brandt* und Nodar *Kakabadse*. Berlin und Weimar 1978. S. 169–209. Hier S. 169–187. – Klaus-Detlef *Müller*: Brecht-Kommentar zur erzählenden Prosa. München 1980 (S. 48–66).

Die Romanprojekte

Aus der Zeit 1920/21 stammen drei Romanprojekte. Im Sommer 1920 entwirft Brecht *Das Buch Gasgarott* (BBA 801 = Nr. 13127, Bd. 3, S. 181); erste Pläne zu *Flucht Karls des Kühnen nach der Schlacht bei Murten* (BBA 424 = Nr. 13187, Bd. 3, S. 187) fallen ebenfalls in diese Zeit, freilich plante Brecht da noch ein Drama über diesen geschichtlichen Stoff (die Arbeit am Romanprojekt fällt in die Zeit 1924/25; s. d.); 1921 schreibt Brecht überdies einige Entwürfe (kurze Übersichtspläne) zu einem »Stadtindianer«-Roman nieder: *Die Rothaut* (BBA 437 = Nr. 13148, Bd. 3, S. 183).

Das Buch Gasgarott sollte ein Künstlerroman werden. Geplant waren offenbar drei Kapitel; zum zweiten Kapitel liegen einige Ausführungen vor, und zwar eine Debatte zwischen dem Künstler Gasgarott und einem Kunstkritiker, der dem Maler mangelnde Originalität vorwirft. Während der Kritiker vor allem neue Formen – ohne Rücksicht auf den Inhalt fordert –, plädiert der Maler für den Primat des Inhalts, der dann auch zu neuen Formen führen kann, lehnt jedoch neue Formen um jeden Preis ab. Daß die Position des Malers derjenigen Brechts einigermaßen entsprechen dürfte, läßt jedoch keine weitergehenden biographischen Schlüsse zu. Erkennbar ist, daß Brecht über die Künstlerthematik das Romanschreiben bzw. die Schriftstellerei selbst thematisieren wollte, also wiederum den Abstand suchte und die eigene Tätigkeit zumindest reflektierte, was griffige Identifikationen, z. B. daß das Gespräch mit dem Kritiker im Hinterzimmer einer Kneipe bei Heidelbeerwein (vgl. Boie-Grotz, 37), ausschließt. – Das abschließende Kapitel, das »Beils Originaltragödientheater« überschrieben ist, war daraufhin angelegt, eine bestimmte Form von – antibürgerlichem – Schmierentheater vorzustellen: Plakate, Spruchbänder im Zuschauerraum (vgl. das Ende von *Trommeln in der Nacht*), statt dem üblichen Kitschkronleuchter sollte ein Riesenventilator die Decke schmücken, und für die Aufführungen waren clowneske Unterbrechungen geplant.

Die Erfahrungen mit diesem Projekt waren für Brecht offenbar recht niederschmetternd. Ihm fehlte die nötige Ruhe, bzw. wie er es ausdrückte, die »Reife des Steißes: ein Sitzleder« (Tagebücher, 40). Er sieht sich in dieser Zeit als »ungeduldiges Leckermaul und Handlungsreisender«, der sich mehr lyrisch oder durch kurze Erzählungen artikulieren konnte. Interessant aber ist, daß Brecht im Zusammenhang mit dem Scheitern dieses ersten Romanprojekts seine poetischen Absichten so formuliert: »Hauptstützpunkte sind die einfachen Schilderungen von Vorgängen und Zuständen, die das Innerste davon auskramt, die Freude am Gegenständlichen (nicht am Problematischen!)« (Tagebücher, 40; vom 30. 8. 1920). Das bestätigt die Beobachtungen, die an den Erzählungen zu machen waren.

Das zweite Projekt – der *Karl*-Roman existierte in dieser Zeit nur als Dramen-Projekt – beschreibt einen häßlichen Rothaarigen (und -häutigen), der von seinen Mitschülern gemieden und gehänselt wird und ein abgesondertes Eigenleben beginnt. Im Zentrum des Romans sollten – wie es die wenigen Notizen nahelegen – die Erinnerungen und Gedanken der »Rothaut« stehen, die diese in der Abgeschiedenheit ihrer Mansardenwohnung entwirft, sozusagen als »Lebensersatz«. Eine der Erinnerungen gilt einem Filmregisseur Peter Müller, der ins amerikanische Filmgeschäft einsteigen will, dort aber scheitert, weil er nicht genügend mit der »Vermarktung« von Kunst vertraut ist. Über den Film hatte Brecht auch in seinem zweiten Roman-Plan die Kunst- und Künstlerthematik integriert. Auch hier interessiert Brecht die Kunst nicht als »Ausdruck« oder als subjektives Problem. Indem er den Regisseur Müller am »big business« scheitern läßt, greift Brecht bereits auf ein Thema der späteren Jahre vor: die Kunst als Ware, die den bürgerlichen Illusionen von der Sondersphäre bzw. Honorigkeit der Kunst den Garaus bereitet.

Auch diesem Projekt geht höchstwahrscheinlich ein Stück-Plan voraus. Im Brecht-Archiv liegt ein Fabelentwurf zu einem *Manuel Wasserschleiche* vor (datiert auf »um 1919«; BBA 460/64–66 = Nr. 3200, Bd. 1, S. 278). Wasserschleiche heißt auch die »Rothaut« des Romans, so daß Verbindungen wahrscheinlich, jedoch nicht einwandfrei nachweisbar sind. Die Entscheidung für die Gattung, das läßt sich daraus schließen, fällt offenbar erst über die Auseinandersetzung mit dem Stoff; sie scheint sich offensichtlich erst aus den inhaltlichen Erfordernissen zu entwickeln, so daß die Zurückstellung formaler Fragen durch Brecht sich an diesen Plänen nochmals bestätigt.

Kirsten *Boie-Grotz*: Brecht der unbekannte Erzähler. Die Prosa 1913–1934. Stuttgart 1978 (S. 36–43; *Das Buch Gasgarott*). – Wolfgang *Jeske*: Bertolt Brechts Poetik des Romans. Arbeitsweisen und Realitätsdarstellung. Karlsruhe 1981 (S. 54–61).

Bargan läßt es sein. Eine Flibustiergeschichte (1921)

Als Entstehungszeit dieser außergewöhnlichen Geschichte gilt 1919; genauere Einzelheiten scheinen nicht bekannt zu sein, auch die Tagebücher geben keine Auskunft. Publiziert wurde sie im September 1921 im *Neuen Merkur*, »die einzige im geistigen Sinne existierende Zeitschrift in deutscher Sprache« (Hugo von Hofmannsthal 1924; nach Müller, 51). Brecht wurde mit einem Schlag bekannt und bereitete so – zunächst in München – seine Karriere als Dramatiker und Lyriker vor. Unter sich avantgardistisch dünkenden Verlegern galt Brecht von da an als Geheimtip.

Erzählt wird die Geschichte einer Männerliebe unter Flibustieren, das sind Seeräuber (der Name leitet sich von westindischen Piraten her, wahrscheinlich nach ihren Booten, den »flyboats«; nach Müller, 51). Bargan, »der beste Flibustierkapitän weit und breit bis nach Ecuador hinauf«, eine »Anstrengung Gottes« (11, 34 bzw. 35), verliebt sich in einen hinkendem, häßlichen, fetten Kumpanen, Croze mit Namen, verliert zunehmend seine überragenden Fähigkeiten, läßt sich von Croze hintergehen, ausnutzen, erniedrigen, um doch bis zuletzt zu ihm zu halten. Die Geschichte beginnt mit der sachlich-nüchternen Schilderung eines Piratenüberfalls auf eine chilenische Stadt. Die Bevölkerung wird von den Flibustieren niedergemetzelt, die Frauen werden vor den Augen ihrer Männer vergewaltigt und dann buchstäblich geschlachtet, alle bewegliche Habe wird abgekarrt: alles unter Bargans genialer Leitung, alles unter dem Einsatz von Bargans Leben. Bargan ist unerreichtes Vorbild seiner Mannen, zu denen auch der Ich-Erzähler gehört, »wie der liebe Gott«, ein Himmelstürmer, der »keinen von uns allen sterben sehen« konnte (11, 21). Als Bargan sich aus den »Beutestücken« eine Frau ausgesucht hat, beansprucht sie Croze, und Bargan überläßt sie ihm unter der Verwunderung der Kumpanen, die Bargan jedes Vorrecht zugestehen und nie auf die Idee gekommen wären, Bargan etwas streitig zu machen. Der hinterhältige Croze sorgt dann für die Entwaffnung der Truppe, führt sie mehrmals in Hinterhalte, und zwar alles mit Bargans Billigung, entführt das Schiff, ist schuld am Tod vieler Mit-Flibustiere und schwingt sich am Ende zum Kapitän der abtrünnigen Teiltruppe auf, indem er Bargan zu Hilfsarbeiten, wie Deckwischen, erniedrigt. Den ehemaligen Bargan-Getreuen gelingt es schließlich, die Meuterer zu überwältigen und niederzumetzeln. Als Bargan um das Leben Crozes bittet, setzt der Ich-Erzähler beide – schon ziemlich weit auf See – in einem kleinen Boot aus.

Die Forschung hat darauf verwiesen, daß Homoerotik bzw. Homosexualität ein häufigeres

Thema vor allem beim jungen Brecht ist, ihm dabei ebenfalls (zumindest) homoerotische Neigungen z. B. zu Orge (d. i. Georg Pfanzelt) nachsagend. Bekannt ist die Männerfreundschaft zwischen Baal und Ekart (im Stück *Baal*), da freilich nicht im Zentrum stehend. Intensiver gestaltet ist die Männerliebe zwischen Garga und dem ebenfalls als ekelhaft, abstoßend und fett geschilderten »Chinesen« Shlink in *Im Dickicht der Städte*. Dieses Drama thematisiert die unendliche Vereinsamung zwischen den Menschen, die die großen Städte mit sich gebracht haben. Obwohl zusammengepfercht, aufeinander hockend, isoliert die Großstadt ihre Bewohner, höhlt sie aus, stumpft sie ab, macht sie einsam. Die Liebe zwischen Garga und Shlink realisiert sich in einem – bis aufs Blut gehenden – Kampf, der sie jedoch auch nicht mehr zusammenbringt, ebensowenig die Liebe es vermochte. Im späteren Drama (1921/22, 2. Fassung 1927) ist die Vereinsamung total, während die Erzählung, die übrigens entstehungsgeschichtlich durchaus mit den frühen Entwürfen zum *Dickicht*-Drama (1919) zusammenhängen könnte, noch Zweisamkeit zuläßt. Zweimal setzen die Flibustiere Bargan und Croze gemeinsam aus, einmal auf der Suche nach dem Schiff, dann am Ende nach der Eroberung des Schiffs und zwar so, wie Bargan es gewünscht hat.

Die Liebe überfällt Bargan durchaus als »Himmelsmacht«, also irrational, gegen alle Vernunft. Der Ich-Erzähler läßt keinen Zweifel an seinem Unverständnis, zumal Croze als wahrer Ausbund der Häßlichkeit und Hinterhältigkeit vorgestellt sein muß. Bargans Liebe ist »blind«, und sie läßt Bargans Fähigkeiten total verkümmern. Er, der »gottähnliche« Fähigkeiten hatte, ist buchstäblich auf den Hund gekommen (Croze wird mehrmals als »räudiger, fetter Hund« gekennzeichnet; 11, 36). Im Laufe der Geschichte jedoch – die Überschrift deutet dies bereits an – stellt sich Bargans Liebe auch als bewußter Entschluß heraus, als aktives »Sein-Lassen«. Bargan habe sich an »diesen Aussatz gehängt«, so deutet es der Ich-Erzähler, »nur weil er etwas haben wollte, dem er nützlich sein konnte« (11, 36), ein Nutzen freilich, der nur darin besteht, sich von Croze ausschlürfen zu lassen »wie ein rohes Ei, mit einem einzigen Zug« (11, 36). Für Bargan stellt der eigene Untergang in sozusagen perverser Umkehr der »Normalität« gesteigerten Selbstgenuß dar: der Untergang als Selbsterfüllung.

Die Frage ist, welche Bedeutung Brecht der so charakterisierten Männerliebe geben wollte. Die Geschichte spielt in exotischen Räumen (Chile), in der »Natur«; Bargan ist, das geht aus geplanten Folgegeschichten hervor, ein sagenumwobenes »Urwaldgewächs« (»auf einem Baum gewachsen«; 11, 37), bürgerlicher Arbeit abhold, faul, mißtrauisch, aber naturverbunden. Als Flibustier aber ist er unerreichtes Muster; die Worte des Erzählers sind da so eindeutig und überschwenglich, daß Bargan nicht nur als unerreichtes, sondern gar unerreichbares Muster zu denken ist, und zwar angetreten, den »Himmel zu erobern« (11, 36). Innerhalb der Gruppe ist er geachtet, Widersacher könnte er ohne weiteres ausschalten lassen. Der Comment der Gruppe ist als engste Zusammengehörigkeit und Einheit zu denken (vgl. Boie-Grotz, 65), Bargan ist ihr Führer, und zwar einer, der auch bei allen Gefahren vorangeht. Nach außen hin – als Piraten – agiert die Gruppe in jeder Hinsicht mörderisch und unmenschlich. Während auf jeden »Kameraden« geachtet wird, gilt ein Menschenleben sonst nichts. Die Schilderung des Überfalls läßt da an Deutlichkeit nichts zu wünschen übrig. Zugleich aber definiert sich die Zusammengehörigkeit der Flibustiere lediglich über ihre »Arbeit« als »Kampfbund«, ist also äußerlich, ohne Gefühle, ohne innere Bindung, was auch »formal«, durch die Erzählweise des Ich-Erzählers, gut zum Ausdruck kommt: ihm geht alle Anteilnahme an anderen ab, seine Art zu berichten, ist dermaßen veräußerlicht und »versachlicht«, daß sie inhuman erscheint. Hinzu kommt ein nicht unbeträchtliches Maß an Zynismus, so wenn er z. B. den Mord an den Meuterern euphemistisch beschreibt als »unsere Hände der Erinnerung an unsre lieben Brüder hingaben« (11, 34). Diese totale Veräußerlichung läßt sich auch mit dem Terminus der »Entfremdung« erfassen, wie es Boie-Grotz getan hat. Freilich thematisiert Brecht keineswegs »existentielle Angst« (Boie-Grotz, 66) mit der »Entfremdung«, von ihr ist in der Geschichte nirgends die Rede, wie auch Bargan überhaupt keine Furcht vor dem Tod hat; im Gegenteil bietet er sich zum Ersatz für Croze sogar regelrecht an. Die Entfremdung besteht vielmehr in der totalen Veräußerlichung, die in dieser Geschichte auch schon die exotischen Räume erreicht hat. Nicht nur die Großstadt bringt Vereinzelung und Vereinsamung, auch die Abenteuerwelten sind damit bereits besetzt. Wie sehr sich Brecht mit dieser Entfremdung beschäftigt hat, kann eine Tagebuch-Notiz belegen: »Fast alle bürgerlichen Institutionen, fast die ganze Moral, beinahe die gesamte christliche Legende gründen sich auf die Angst des Menschen, allein zu sein, und ziehen seine Aufmerksamkeit von seiner unsäglichen Verlassenheit auf dem Planeten, seiner winzigen Bedeutung und kaum wahrnehmbaren Verwurzelung ab« (Tagebücher, 154; vom 28. 9. 1921).

Die Verlassenheit pflegt gern metaphysisch bestimmt zu werden: da Gott tot ist, hat sich der Mensch isoliert, ist ihm die Möglichkeit einer transzendenten Geborgenheit genommen. Das Bild der heimatlos dahinfahrenden Flibustiere ließe sich so direkt übertragen: der Mensch segelt heimatlos und ausgesetzt und unruhig durch die Welt; der Himmel hat ihn verlassen, die Natur setzt ihm zu. Ein Ziel gibt es nicht mehr, was bleibt, ist die Angst. So lautet in etwa die auf Nietzsche zurückbezogene Position des »nihilistischen« jungen Brecht nach der Meinung der Forschung. Die *Bargan*-Erzählung jedoch läßt diese Einschätzung nicht zu. Es gibt wohl keinen Text Brechts, in dem so geballt »Gott« vorkommt, und zwar in allen Varianten, metaphysisch und »übertragen« profanisiert. Bargan versteht es mit den Sternen »wie der liebe Gott«; von den überfallenen Städtern wendet sich Gott ab, »um die Ernte in Brasilien zu besehen« (11, 22), Croze haust als »ihr lieber Gott« unter den Kumpanen (11, 33) etc. Man fährt in den Himmel, man kommt als »Engel«, man hat »liebe Brüder«; häufiger könnte der Eindruck entstehen, da schreibe ein ganz Frommer – wenn nicht der Inhalt so sehr dagegen spräche. Diese Sprache gehört zur Zynik des Textes, die bis dahin geht, daß Bargans Liebe zu Croze als »Hingabe« Gottes gedeutet wird: »Denn ich verstand mit einem Male Gott, der wegen einem so räudigen, fetten Hund, der kein Messer wert war, den man nicht schlachten, sondern verhungern hätte lassen sollen, einen solchen Mann wie Bargan hingab, für den es keinen Vergleich gibt, der ganz und gar dafür geschaffen wurde, den Himmel zu erobern« (11, 36). Dieser Passus leitet die Schlußreflexion des Erzählers ein, mit der er Bargans Untergang als Selbstgenuß deutet. Ihr geht voran die Aussetzung Bargans und Crozes, zu der sich der Erzähler, sehr unbestimmt, Gedanken über »das Leben auf diesem Stern macht« und dabei Gott näher kommt, und zwar »näher als in vielen Gefahren, in denen ich selber war« (11, 36). Die Formel von der Eroberung des Himmels, die Bargan möglich gewesen wäre, ist doppeldeutig. Sie kann heißen, daß es Bargan möglich gewesen wäre, ein Leben zu führen, das ihm die transzendente »Heimat« eingebracht hätte, sie kann aber auch heißen, daß Bargan den Himmel hätte besetzen, das heißt abschaffen können. Er, die Anstrengung Gottes, wäre als überragender »Übermensch« (Nietzsche?) in der Lage gewesen, sich an Gottes Stelle zu setzen, was in etwa der gängigen Nihilismusdeutung entspräche. Die erste Bedeutung der »Himmelseroberung« kann ausgeschlossen werden, weil Bargans Lebensführung und die Art der Bewährung seiner Fähigkeiten in keinerlei Einklang mit gottgefälligem Leben zu bringen ist; ihm bliebe allemal nur die Hölle (zumal sowohl Bargan als auch der Erzähler von Moral etc. noch nicht einmal etwas haben läuten hören). So bleibt nur die zweite Bedeutung, die aber sich gerade nicht im »nihilistischen Sinn« einlöst; denn Bargan »läßt es sein«, u. a. eben auch die Himmelseroberung. Ihm ist das mit der Liebe, dieser widersinnigen, völlig unvernünftigen Liebe zu dem fetten Hund, alles gleichgültig geworden. Der Himmel wird nicht abgeschafft, er wird einfach vergessen, ignoriert bzw. »umgedeutet«, zynisch neu interpretiert.

Der Erzähler wählt nur die »heiligen Worte«, wenn er behauptet, er sei Gott näher gekommen. Ihm ist aufgegangen, daß Bargan in dieser »inneren Beziehung« zu einem Menschen erstmals »er selbst« geworden ist. Die Unvernunft dieser Bindung besteht gerade in der Aufgabe aller »äußerlichen« Zusammenhänge, Tröstungen etc. Bargan besteht auf seiner Liebe, weil sie die »Entfremdung« auflöst. Die »unsägliche Verlassenheit« auf diesem Planeten ist »innerweltlich« aufgehoben: keine transzendente Tröstung, aber auch keine Himmelstürmerei, also kein Nihilismus, sondern die Abwendung von allen Äußerlichkeiten und die Hinwendung zu einem Menschen, mit dem sogar noch der Untergang geteilt werden darf (die Erzählung läßt keinen Zweifel daran, daß Bargan und Croze in ihrem Ruderboot verrecken werden). Insofern ist Bargans einseitige Liebe eine Zuwendung zum »wirklichen Leben«, auch wenn es den Untergang bedeutet (vgl. das »Natur«-Thema der Gedichte).

Jürgen C. Thöming hat darauf aufmerksam gemacht, daß Bargans Liebe von Verstummen begleitet ist. Das entspricht ganz der Auffassung des jungen Brecht, wonach die Sprache die »eigentliche«, die innere »Stimme« nicht zum Ausdruck bringe. Die lebendige Verständigung vollzieht sich stumm: »In solcher Taubheit bleibt nur körperlich Berühren / Zwischen den Männern« (1, 252), heißt es im *Eduard*-Drama, ein weiteres Werk des jungen Brecht, das Homosexualität thematisiert (vgl. Thöming, 86f.). Bargans Liebe ist ein Entschluß zum Leben, über dem der Himmel einfach vergessen wird.

Die Erzählweise – von außen her – vollzieht die »Roheit der Worte«, die das »Eigentliche« nicht sagen können, noch einmal nach. Die mangelnde Beteiligung des Erzählers, seine Gefühlsroheit, seine »Sachlichkeit« resultieren aus der Erkenntnis, daß das Innere nicht selbst darzustellen, sondern nur über Äußeres anzudeuten ist. Zu finden sind die Vorgänge, Handlungen und Gegenstände, die das leisten. Dabei kann erzählerisch der »alte Gott« ruhig seine alte Rolle spielen, als Schöpfer Bargans, als Tröster oder Beruhiger in Gefahr. Er gehört ebenso zu den »Äußerlichkeiten« wie alles andere, durch die hindurch die innere Verfassung, hier die Sehnsucht nach wirklicher Bindung und Liebe Ausdruck finden.

Jürgen C. *Thöming*: Kontextfragen und Rezeptionsbedingungen bei Brechts frühen Geschichten und Kalendergeschichten. In: Text + Kritik. Sonderband Bertolt Brecht II. München 1973, S.74–96 (hier S.81–87). – Kirsten *Boie-Grotz*: Brecht – der unbekannte Erzähler. Die Prosa 1913 bis 1934. Stuttgart 1978 (S.58–68). – Klaus-Detlef *Müller*: Brecht-Kommentar zur erzählenden Prosa. München 1980 (S.50–54).

Die Prosa der Berliner Zeit 1924–1933

Überblick, Texte

Die Berliner Zeit markiert, was die Produktion von Kurzprosa anbetrifft, einen Höhepunkt in Brechts Werk. Vor allem die Jahre 1925 und 1926 bringen einen gesteigerten »Ausstoß« von Kurzgeschichten, von denen immerhin nicht weniger als vierzehn publiziert werden. 1927 folgt dann lediglich die Veröffentlichung von zwei weiteren Prosaarbeiten, 1928 ist es nur noch eine, nämlich *Die Bestie*; dann bricht die Publikation von Prosa ganz ab, sieht man einmal von den elf *Keuner-Geschichten* ab, die 1930 im ersten Heft der *Versuche* erscheinen, offenbar aber größtenteils schon früher entstanden sind, und den weiteren acht *Keuner-Geschichten*, die 1932 im 5. Heft der *Versuche* folgen (die *Keuner-Geschichten* werden gesondert besprochen, auf ihre Entstehungszusammenhänge jedoch ist jeweils am chronologischen Ort aufmerksam zu machen).

Die Forschung sieht in Brechts Prosaproduktion vor allem für die Berliner Zeit finanzielle Motive. Daß Brecht zunächst wenig Kurzgeschichten verfaßt, erklärt sich danach aus seiner Theaterarbeit, die am Beginn der Berliner Zeit steht. Brecht arbeitet mit Carl Zuckmayer als dramaturgischer Mitarbeiter am Deutschen Theater und versucht dort, seine dramatischen Pläne zu realisieren. Später, als der Vertrag am Deutschen Theater ausläuft, fehlen die regelmäßigen Einkünfte: »Bei relativ geringer Arbeitszeit brachten die Kurzgeschichten mit hoher Wahrscheinlichkeit sichere Einkünfte durch den Abdruck in Zeitschriften oder Zeitungen. Ohne diesen Aspekt zu verabsolutieren, muß daher berücksichtigt werden, daß diese Texte unter anderen Bedingungen entstanden als die bisher analysierten. Die Orientierung am literarischen Markt und seinen dominierenden Strömungen – d.h. hier: der Neuen Sachlichkeit – erweist sich als sehr ausgeprägt« (Boie-Grotz, 113). Obwohl der finanzielle Gesichtspunkt sicherlich nicht zu unterschlagen ist, kann er bei genauerer Beachtung der herrschenden Literaturszene der Berliner Zeit nicht die ausgeprägte Rolle (und damit Motivation) spielen, die die biographisch orientierte Forschung unterstellt. Aufschlußreich nämlich ist eine Stellungnahme Alfred Döblins zur Prosa der Zeit, die einige Rückschlüsse auf Brecht zuläßt. Döblin hatte in dem literarischen Wettbewerb, den die *Literarische Welt* im September 1926 ausschrieb, den Jurorenpart für die Prosa übernommen, während Brecht für die Lyrik und Herbert Ihering für die Dramatik zeichneten. In seiner Stellungnahme, die Ende 1926 ebenfalls in der *Literarischen Welt* publiziert wurde, faßt Döblin seine Eindrücke zusammen. Er betont, daß trotz der vielen Einsendungen ihm keine »eigentlichen Kurzgeschichten« vorgelegen hätten: »Das ist nicht uninteressant. Kurzgeschichten – auch knappe Novellen – erfordern nicht nur eine besondere Technik, sondern auch den besonderen Willen eines modern nahen Kontaktes mit dem Leser. Daß das erste nicht vorhanden ist, ist bei jugendlichen Autoren begreiflich, das zweite aber läßt gleich etwas sehen. Hier wird noch viel auf dem Isolierschemel geschrieben, man schreibt für sich«. Die Autoren – übrigens gehörte auch Oskar Maria Graf zu ihnen – hätten nicht gelernt, »einer Sache ins Gesicht« zu blicken, sie unterwürfen alles ihrer – subjektiven – Schreibmethode und schulten den Stil nicht am Objekt, das angemessen zur Sprache gebracht sein müßte:

»Die Autoren müssen wissen, daß sie zuerst den Zugang zu den Objekten zu finden haben. Lyrik und die erbärmliche Pseudopsychologie von heute, dazu etwas Schreibfertigkeit sind nicht die Grundlagen für einen Erzähler. Die Objekte und die Realität fordern Augen und Ohren«. Selbst die besseren und deshalb preiswürdigen Erzählungen bzw. Romane – ihre Länge ist eines der Hauptkennzeichen – seien hinter ihrer Zeit her: »im Gros sind sie greifbar zurück, noch nicht angelangt« (*Literarische Welt*, 3. Jahrgang 1926, Heft 11, S. 1).

Auf dem Hintergrund von Döblins symptomatischen und gewichtigen Urteil stellt sich Brechts Kurzprosaschaffen der Berliner Jahre durchaus anders dar. Die Tatsache, daß Brecht seine Arbeiten offenbar ohne Schwierigkeiten und noch dazu finanziell befriedigend publizieren kann, zeigt, daß seine Arbeiten sowohl den Leserbezug aufweisen als auch die Realitätsnähe haben, die die neuen Medien fordern. Es ist noch viel zu wenig im Bewußtsein, daß Brecht in einer Zeit, nämlich 1925/26, als die bürgerliche Literatur weiterhin auf »Ausdruck«, Psychologie und Innerlichkeit setzt, mit seinen Prosaarbeiten großen Erfolg beim Publikum und folglich auch keinerlei Schwierigkeiten bei der Publikation seiner Kurzgeschichten hat: in Schreibweise, Thematik und Art der Präsentation entsprechen sie den medialen Anforderungen und sind auf der »Höhe der Zeit«.

Brecht realisiert damit etwas ästhetisch in der Prosa, was für sein Werk insgesamt von Bedeutung ist: er geht mit der Zeit, versucht, seine Schreibweise an den realen Gegebenheiten zu orientieren. Wie in der Dramatik die »neuen Formen« sich nicht auf einmal der marxistischen Ideologie verdanken (und verdanken können), so zeichnet sich auch Brechts Prosa dadurch aus, daß sie den neuen gesellschaftlichen Gegebenheiten zu folgen sucht und sich zugleich kritisch mit ihnen auseinandersetzt. Daß in der neuen, temporeichen, medienbestimmten Massengesellschaft anders geschrieben werden müßte, war schon dem jungen Brecht klar, und zwar gerade auch durch Alfred Döblins Werk. »Es ist eine große Kraft drinnen, alle Dinge sind in Bewegung gebracht, die Verhältnisse der Menschen zueinander in unerhörter Schärfe herausgedreht«, schreibt er ins *Tagebuch* (Tagebücher, 65 f.). Daß die Zeitung nicht nur ein möglicher Publikationsort war, sondern auch dem Schreiben bestimmte Bedingungen setzte, war Brecht sicherlich vom Beginn der Berliner Zeit an als Tatsache bekannt. Brecht arbeitete u. a. in der »Gruppe 1925« mit, zu der neben Döblin u. a. auch Egon Erwin Kisch gehörte, der als »rasender Reporter« längst die »Zeitungsschreibe« für aufgeschlossene und realitätsnahe Zeitgenossen zur Kunst erhoben hatte. Es ist sicherlich kein Zufall, daß die *Literarische Welt* zum Thema »Reportage und Dichtung« in dieser Zeit eine Umfrage veranstaltete. Die neue Schreibweise war gesellschaftlich bewußt geworden, und es ist anzunehmen, daß Brecht George Grosz' Antwort auf die Umfrage gelesen und womöglich auch mit ihm diskutiert hat (ab wann Brecht mit Grosz bekannt war, ist noch nicht im ganzen Umfang bekannt; spätestens ab 1928 ist ihre Zusammenarbeit bezeugt): »Vor dem Kriege galten die Bücher, die von der Zeitung ihrem Stoff und ihrem Stil nach beeinflußt waren, als nicht ganz erstklassig. Sie wurden von der Kritik nicht als reines Kunstwerk anerkannt. Das beste Beispiel dafür ist Jack London. Heute ist es ganz anders. Dichter wie Upton Sinclair, Sinclair Lewis sind genauso Dichter wie in früheren Zeiten etwa weltfremde Lyriker. Damit zeigt sich, daß tatsächlich die Form der Reportage mit der Zeit entscheidenden Einfluß gewinnen wird. Auch in Deutschland wird sich diese Richtung Bahn brechen« (*Literarische Welt*, 3. Jahrgang 1926, Heft 26, S. 2).

Von den bisher bekannten und publizierten Geschichten entstanden in der Berliner Zeit 24, von denen die meisten auch sofort publiziert worden sind, eventuell direkt auch für die jeweilige Publikation (Auftragsarbeiten?) geschrieben wurden. Die produktivste Zeit war, wie gesagt, 1926. Einen Höhepunkt freilich brachte das Jahr 1928, als Brecht den 1. Preis der *Berliner Illustrirten Zeitung* mit der *Bestie* gewann; er brachte ihm immerhin stolze 3000,– Mark ein. Brecht ließ gestandene Prosaisten wie Arnold Zweig, Oskar Maria Graf, Robert Neumann und Georg Britting hinter sich. Diese zeitgenössische Anerkennung von Brechts Prosaschaffen ist für die Gesamteinschätzung des Erzählers Brecht nicht aus den Augen zu verlieren. Nach 1928, ein Jahr, das nur die eine herausragende Erzählung einbrachte, geht das Prosaschaffen ganz rapide zurück; überliefert sind lediglich ein Fragment und eine kafkaeske Verwandlungsgeschichte (*Ein neues Gesicht*), die aber deutlich belegt, daß Kafka das viel besser konnte.

Dafür aber arbeitet Brecht an den *Keuner-Geschichten* weiter, die von 1926 ab datieren, insgesamt aber in der Chronologie bis heute nicht einwandfrei erschlossen sind. Mit ihnen entwirft Brecht einen neuen Typus von Kurz- und Kürzestgeschichten, die dann auch Brecht gemäße Schreibweisen entwickeln. Interessant ist, daß sich dieser Geschichtentypus eng mit der Dramatik der Zeit, vor allem den *Lehrstücken* verknüpft, was belegt, daß Brecht ab 1928 primär dramatisch tätig ist. So kommt es auch, daß die gesamte Berliner Zeit keine erzählerische Thematisierung des bzw. eine Auseinandersetzung mit dem Faschismus dokumentiert, das heißt mit seinem sich abzeichnenden Aufkommen.

In die Berliner Zeit fallen überdies zwei wichtigere Romanprojekte, nämlich *Flucht Karls des Kühnen nach der Schlacht bei Murten* und der Boxerroman *Das Renomee.* Während das erste Projekt in Brechts (meist lyrischer) erster Auseinandersetzung mit den »großen Männern« der Geschichte gehört und er vor allem 1925 daran gearbeitet hat, fügt sich der Boxerroman in die Thematik der epischen Arbeiten ein und steht in engem Zusammenhang mit dem Prosa»boom« 1926, dem Jahr, in dem auch die Hauptarbeit an diesem Projekt geschieht.

Die Texte der Ausgaben folgen in der Regel dem zeitgenössischen Erstdruck; liegt er nicht vor, so pflegt der 1. Band der *Prosa* (1965) die Erstpublikation zu enthalten. Eine Ausnahme bildet die erst 1978 aufgefundene satirische Kurzgeschichte über den Untergang einer amerikanischen Familie *Das Kreuzwort*; die Authentizität dieser Geschichte, mit dem doppeldeutigen Titel (das Wort wird zum Kreuz), ist nicht restlos geklärt, jedoch von großer Wahrscheinlichkeit. Sie datiert wahrscheinlich aus dem produktiven Jahr 1926 und war der Schriftsteller-Agentur *Vierzehn Federn* zur Verbreitung angeboten worden (in dieser Weise ist die Erzählung auch überliefert). Die Erstpublikation erfolgte diesmal in den *Notaten*, dem Mitteilungsblatt des Berliner Brecht-Zentrums (Heft 9, August 1978, S. 6f.).

Texte: Geschichten I (= Prosa 1). Frankfurt a.M. 1965. S. 105–226. – wa 11, 91–206.

Kirsten *Boie-Grotz*: Brecht – der unbekannte Erzähler. Die Prosa 1913–1934. Stuttgart 1978 (S. 103–163). – Klaus-Detlef *Müller*: Brecht-Kommentar zur erzählenden Prosa. München 1980 (S. 66–90).

Neue Sachlichkeit

Mit »Neue Sachlichkeit« pflegen Literatur- und Kunstwissenschaften die Literatur bzw. Kunst der Jahre zwischen 1924 und 1932 (oft auch nur bis 1929) zu kennzeichnen. Nach den Visionen und Aufbruchsräuschen des bereits 1919 abgewirtschafteten, aber bis 1925 wirkenden Expressionismus, so die These, kehrt die Kunst zur Realität und ihren Gegenständen zurück. Da ist zunächst die Realität der technischen Welt und ihrer Errungenschaften, die künstlerische bzw. literarische Weihe erhalten (Stichwort: Technikkult). Dann kommt das »Vorbild« Amerika, das Land der »unbegrenzten Möglichkeiten«, das mit seinen Dollars – »Aufgehen der Dollarsonne« – zugleich Lebensart und Weltanschauung auf den alten Kontinent wirft. Technische Denkformen und Verhaltensweisen breiten sich aus, Gefühle und Gefühligkeiten sind verpönt, der technischen Rationalität und Rationalisierung entsprechen sachlicher Umgang der Menschen untereinander, zumal sich das alles innerhalb einer Massengesellschaft vollzieht, die den einzelnen tendenziell zumindest nivelliert, andererseits aber auch das bewußte Individualisieren als Gegenhaltung provoziert (Tillergirls, Bohemiens). Weiterhin werden »Verwendbarkeit« und »Nützlichkeit« Schlüsselbegriffe der Zeit. Schließlich bestimmt der Primat des Faktischen nicht nur die Gesellschaft, sondern auch die Kunst. Tatsachen sind wiederzugeben, zu beschreiben; die Literatur wird reportagehaft; der Erzähler verschwindet hinter dem Berichterstatter; die Form erfolgt nicht mehr aufgrund subjektiven Gestaltungswillens oder gar der Phantasie, sie ergibt sich vielmehr zwangsläufig aus dem Stoff.

Vor allem Brechts Prosa – die Zugehörigkeit wurde freilich auch innerhalb der Dramatik erörtert – gilt als »neusachlich«. Es herrschen in ihr in der Tat die wesentlichen Kennzeichen der »Neuen Sachlichkeit« vor. Inhaltlich sind es die Hinwendung zum Amerikanismus, die Thematisierung des Sports (vor allem Boxen), des Geschäfts und der Technik; Ingenieure sind oft ihre »Helden«. Erzählerisch weisen die Berichterstatter- bzw. Reportagehaltung in die Richtung der »Neuen Sachlichkeit« sowie die stoffliche Dominanz, die die Form prägt. Während die ältere Forschung – hier vor allem die zur Lyrik – Brechts Technikbegeisterung bis ins Jahr 1929 datierte, als nämlich das kritische und parodistische Gedicht *700 Intellektuelle beten einen Öltank an* (8, 316f.) erschien, hat Boie-Grotz inzwischen differenziert: *Das Paket des lieben Gottes* sei durch Sujet- und Themenwahl noch ganz dem Amerikanismus, mit naturalistischer »Überbetonung des Alltagsdetails« und dessen »Fetischisierung«, verhaftet, wohingegen das Jahr 1926 mit *Barbara* und vor allem den *Nordseekrabben*

Erzählungen bringe, die den Götzenkult kritisierten, den die »Neue Sachlichkeit« mit der Technik betrieb (Boie-Grotz, 114–117). Demnach sei also ab 1926 zwar noch mit neusachlicher Thematik zu rechnen, Brecht selbst jedoch entferne sich von ihr zunehmend kritisch.

Zu überprüfen ist zunächst die Behauptung an dem *Paket des lieben Gottes* (11, 189–192). Die Erzählung ist im Zusammenhang mit dem *Joe Fleischhacker*-Stück entstanden, spielt folglich in Chicago und hat die scharfen sozialen Gegensätze des brutalen Arbeitsmarkts im Hintergrund; zweifellos stehen auch die drastischen Schilderungen aus Upton Sinclairs Roman *Der Sumpf* (*The Jungle*; 1906, dt. 1906) Pate. Neusachlich mag daran sein, daß sich Brecht mit dieser Geschichte des sozialen Elends annimmt und die Anekdote gradlinig durcherzählt. Aber bereits der Untertitel läßt stutzen: *Eine Weihnachtsgeschichte*. Läßt man ihn als eine Art Gattungsbezeichnung gelten, dann steht eine erbauliche, traurige oder tröstende, auf alle Fälle Gottes Wirken in der Menschengeschichte dokumentierende, oft sentimentale Geschichte ins Haus, und der Erzähler, der die Leser auffordert, sich »mit hier hinter an den Ofen« zu verziehen, weiß darum. Von daher betont er auch zweimal, daß »Sentimentalität« an solchen Abenden auszubrechen pflegt. Die Geschichte spielt dann – an einem der härtesten Winterabende (im Jahr 1908) Chicagos – in einer billigen Kneipe, in der sich die Arbeitslosen versammelt haben, fest entschlossen, jegliche Sentimentalität auch an diesem Abend auszuschließen. Zwar beschließt man, zumal sich etwas Whisky unvermutet einstellt, die Würde des Abends nicht zu vergessen, die Geschenke aber, die man sich gegenseitig zugedenkt, sind absolut bösartig: »So schenkten wir dem Wirt einen Kübel mit schmutzigem Schneewasser von draußen, wo es davon gerade genug gab, *damit er mit seinem alten Whisky noch ins neue Jahr hinein ausreichte*« (11, 191), so auch dem Kellner eine verbeulte, erbrochene Konservendose (»ein anständiges Servierstück«), so einem Mädchen ein schartiges Taschenmesser (Schicht Puder vom letzten Jahr abzukratzen) und so schließlich einem Mann, der sichtlich Angst vor Polizeiverfolgung zeigte, Telefonseiten mit sämtlichen Adressen und Nummern der Chicagoer Polizeireviere. Die sozial Deklassierten benutzen den »heiligen« Abend dazu, ihren Realitätssinn dadurch unter Beweis zu stellen, daß sie auch die womöglich noch vorhandenen letzten Lebenslügen rücksichtslos aufbrechen. In einer solchen Situation der letzten Härten, die man sich gegeneinander zuzufügen hat, kann »keine rechte Stimmung« aufkommen, und der Erzähler vermutet, »der Teufel mochte seine schwarze Hand im Spiel haben« (11, 190). Jedoch da kommt die Wendung: ein Stück Zeitung, in den die freundlichen Kumpanen dem Mann seine Adressen verpackt haben, enthält ausgerechnet und zufällig den Bericht über das Verbrechen, dessentwegen er sich verfolgt glaubte. Dieser Bericht rehabilitiert ihn vollständig, und alles löst sich in allgemeine Befriedigung auf, ein »ausgezeichnetes Weihnachten« werdend. Dabei spielte es keine Rolle mehr, so betont der Erzähler, »daß dieses Zeitungsblatt nicht wir ausgesucht hatten, sondern Gott« (11, 192).

»Neusachliches« ist an dieser Erzählung wenig zu entdecken. Der erzählende »Rahmen«, der wie üblich bei Brecht am Ende nicht wieder geschlossen ist, spricht bereits gegen die »Sprache der Wirklichkeit selbst«, neusachlich war es, die Dinge möglichst unmittelbar, »von selbst« zur Sprache zu bringen, also bloß zu dokumentieren, bloße Reportage zu geben. Der Erzähler sollte Übermittler sein, aber keinesfalls auf die Darstellung kraft seiner Darstellungsweise Einfluß nehmen. Daß diese Geschichte jedoch eine »Weihnachtsgeschichte« wird, ist eindeutig Erzählerwille. Vom Teufel und von Gott redet er allein, indem er darauf besteht, fehlende bzw. eintretende »Stimmung« auf transzendente Mächte zurückzuführen. Die geschilderten Personen sowie die gesamte Realität ihrer Lage lassen verbindliche »Wunder« – die die schlechte Welt rechtfertigten durch jenseitige Verheißungen – nicht zu. Der zufällige Fund hebt lediglich eine Lage für eine gewisse Zeit auf, die das Fest der Menschlichkeit geradezu in sein Gegenteil zu verkehren drohte: man findet sozusagen auf den kleinsten gemeinsamen menschlichen Nenner zurück, weil es hier einmal den Fall gab, daß jemand sich unvermutet aus tiefster Erniedrigung befreien konnte.

Im übrigen fordert diese Geschichte, indem sie Gott als Verursacher des Zufalls einsetzt und also auf dem Wunder besteht, in aufreizender Weise neusachliches Denken heraus. Die antimetaphysische Tendenz der »Neuen Sachlichkeit« hätte diese Schlußvolte nicht zugelassen und auf dem berechenbaren Zufall bestanden. Möglicherweise spielt eben deshalb die Geschichte in Amerika, wo ein solch naives Bestehen auf dem Wunder eher denkbar wäre als unter europäischen Arbeitslosen.

Auf alle Fälle jedoch löst sich neusachliche Einstellung insgesamt nicht ein.

Den Befund bestätigt auch der *Brief über eine Dogge* (11, 108–115). Entstanden 1925, eventuell schon Ende 1924, zweimal in Zeitungen publiziert (1925 im *Berliner Börsen-Courier*, 1926 in der *Neuen Leipziger Zeitung*), spielt sie zwar auch in den USA, diesmal in San Francisco, thematisiert aber wiederum nichts typisch »Amerikanisches«, das in der »Neuen Sachlichkeit« wirksam geworden wäre. Es ist die – von ihm selbst brieflich mitgeteilte – Geschichte über einen relativ begüterten Mann, der in einem Haus mit sozial Deklassierten zusammenlebt; diese haben eine Dogge, die dem Mann aber prinzipiell feindselig begegnet. Auch als er sich in den Besitz der Dogge bringt – um den Preis, die ehemaligen Besitzer zu ruinieren –, sie pflegt, umsorgt, um ihr Zutrauen bettelt, ändert sich am Verhalten des Tieres nichts. Höhepunkt und Ende ist das Erdbeben von San Francisco, das Brecht von 1906 auf 1912 verlegt: der Hund ist in den Haustrümmern eingeklemmt, lehnt aber – aus »unbeschreiblicher Angst« (11, 114) – jegliche Hilfe ab. Den Brief schreibt der Mann, sich über die seltsame, ihm unbegreifbare Abneigung des Tieres klar zu werden, offenbar jedoch ohne Erfolg; er kann nur eine hundfeste Irritation seines »ganzen Wesens« konstatieren. Da der Hund eindeutig zu den »Armen« gehört und beim jungen Brecht die Hunde-Metapher (neben ihrer bösartigen Bedeutung für den fetten Croze in *Bargan läßt es sein*) auch sozial gefärbt vorkommt (vgl. *Die Erleuchtung*; 11, 47), läßt sich die »Hundegeschichte« als realistische Parabel des gescheiterten Anspruchs des Reichen auf die »Seele der Armen« lesen. Recht deutlich fixiert Brecht die Ich-Bezogenheit des Briefe-Schreibers (vgl. Müller, 74), ebenfalls läßt er keinen Zweifel daran, daß der Reiche es ohne weiteres schafft, die Armen zu ruinieren: aber die Werbung darum, nun auch noch – gezeigt am Hund – ihre freundliche Zuneigung zu gewinnen, also auch noch ihre innere Einstellung, ihre Haltungen durch »äußere Anreize« (hier gute Fütterung etc.), schlägt fehl. Die »Seele« lassen sich die Armen nicht abkaufen. Sie hüllen sich in gefährliche, unergründliche und allmählich gefährdende Abwehrhaltung, die dem Reichen unerklärlich bleiben muß, weil sie seiner »Vernunft« widerspricht.

Dieselbe Thematik greift die in Deutschland, genauer in Berlin spielende *Kleine Versicherungsgeschichte* (11, 170–174) auf. Stofflich könnte sie ganz neusachlich sein, insofern sie ganz real – aber mit stets süffisant-ironischem Erzählerton – einen Versicherungsschwindel vorführt. Ein Geldmann, kurz vorm Bankrott, ergaunert sich mit Hilfe eines heruntergekommenen Bettlers einen Haufen Geld, mit dem er dann eine Konservenfabrik aufmacht. Der soziale Kontrast ist diesmal über die Arbeit definiert. Während der Geldmann Kückelmann nicht mehr »buchstäblich« arbeitet, sondern – wie heißt es – sein »Geld arbeiten läßt«, findet und sucht er bei Aschinger Menschen aus dem »einfachen Volke, das noch mit buchstäblicher *Arbeit* um seine Existenz kämpfte, gleichsam in antäischer Berührung mit der Erde selber« (11, 170). Hier glaubt er, »vitale Antriebe« herauspressen zu können. Diesmal geht die Geschichte für den Geldmann gut aus, auch wenn sich sein Opfer, das zunächst mitmacht, bis es durchschaut, was mit ihm geschieht, entzieht und das »antäische« (erd- und realitätsverhaftete) Leben vorzieht. Der Fabrikant bewertet dies übrigens aus Unverstand mit »Sentimentalität« und »Undankbarkeit« (vgl. 11, 174). Gegenüber der *Dogge*-Erzählung ist die *Versicherungsgeschichte* realistischer, als der Geldmann doch seinen Schnitt macht. Aber: dem Versicherungsschwindel folgt die Menschen-Versicherung nicht; der Arme verzichtet in dem Moment auf die angebotenen Verlockungen, als er durchschaut hat, daß sie nur dem Geschäft des Reichen dienen und auf die Dauer an seiner Lage nichts ändern. Noch einmal formuliert die Geschichte also den totalen Zugriff der – so kann man es jetzt genauer benennen – Bourgeoisie auf die Arbeiter und Armen (Bettler), sie ihren Geschäften buchstäblich mit Haut und Haar (Aufblühen und Verelenden des Bettlers) zu unterwerfen. Der Widerstand gegen diese totale Vereinnahmung bringt eine erste Quelle der Unsicherheit für die herrschende Bourgeoisie mit sich. Sie bleibt – das zeigen die Fälle – ohne jegliches revolutionäres Potential; die soziale Thematik jedoch überwiegt bei weitem den womöglich neusachlich einzustufenden »Stoff«.

Eine unterschätzte Satire auf die »Neue Sachlichkeit« stellt die Erzählung *Barbara* (11, 184–188) dar. Sie berichtet von einer wahnwitzigen Autofahrt aus der Sicht des ohnmächtig ausgelieferten Beifahrers, und sie endet banal: dem Wagen geht der Sprit aus, die gefürchtete Katastrophe tritt nicht ein. In der Beschreibung des Fahrers nimmt Brecht die neusachliche Symbiose von Körper und Maschine auf die Schippe: »Er sah genau so aus, als ob eine Fettkugel, mit einem kleinen steifen schwarzen Hut als Kopf, in ihrem Mittelpunkt einen kleinen schwarzen Schalthebel und zwischen diesem und dem Hut, alles sorgsam in Fett eingepolstert, ein ziemlich großes Lenkrad hätte und sich nun mit unheimlicher und zunehmender Schnelligkeit in der Richtung auf größere Wälder zu bewegte« (11, 184 f.). Dieses nur schwer zu realisierende Bild des Fett und Fleisch gewordenen Lenkrads gewinnt auf dem Hintergrund der neuen »Körperkultur« der »Neuen Sachlichkeit« seinen provokativen Charakter: die Maschine aus Fleisch und Blut, wie etwa die berühmten Tiller-Girls beschrieben worden sind (vgl. Lethen, 44), ist hier aller technizistischen Emphase und Veredelung entkleidet (Brecht kannte die Tiller-Girls, wie aus seinen *Autobiographischen Aufzeichnungen* hervorgeht; Tagebücher, 205). Die gesamte Geschichte ist gegen den Technikkult gerichtet. Der 200 Pfund schwere Eddi, der Fahrer, kann nichts als Autofahren (11, 187), so jedenfalls die einseitige, übertreibende Feststellung des Ich-Erzählers. Obwohl Eddi jegliche Gefühlsreaktion verbal leugnet, benutzt er dennoch das Auto, um seine Eifersucht auf Barbara, die der Geschichte den Titel gibt, abzureagieren. Die Autofahrt gewinnt den Charakter einer emotional aufgeheizten sexuellen Abreaktion, auf die der Erzähler zu Beginn hintersinnig aufmerksam macht, indem er betont, die Erzählung könne nicht anders heißen als »Barbara«, obwohl die Dame »selber nur ganz am Anfang vorkommt« (11, 184). Die witzige Auflösung erfolgt durch den Spritmangel am Ende, durch den die Fettkugel, die maschinisierte Fettkugel, wieder zum Menschen wird: zwei Männer schieben einen Chrysler vor sich her, »während der eine, schlanke, dem anderen alles sagte, was er über ihn dachte und noch einiges mehr, und der andere, eine ramponierte Fettkugel ohne jede Form, schnaufend schob und ab und zu lachte«; der Erzähler versichert, es sei ein »kindliches und fröhliches Lachen« gewesen (11, 188). Keine Verbitterung steht am Ende, sondern ein befreiendes Lachen; indem die »Fettkugel« »aus der Form« ist, ist sie wieder Mensch geworden – und das technische Gefährt zur körperlichen Anstrengung. »Wir setzen uns ans Steuer unseres Automobils und fahren betriebssicher durch die elektrisch bestrahlte Ehrenpforte des unbegrenzten Imperiums der Zukunft«, so lautet die diametral entgegengesetzte Devise der Neuen Sachlichkeit (Eugen Diesel; zitiert nach Lethen, 94).

Nordseekrabben oder Die moderne Bauhauswohnung (11, 153–162) hieß die ebenfalls mit der »Neuen Sachlichkeit« abrechnende Erzählung bei ihrer Erstpublikation (*Münchner Neueste Nachrichten*, Januar 1927). Auf witzige und ironisch distanzierte Weise setzt sich Brecht mit der Nützlichkeits-Ästhetik des Bauhauses auseinander, der maßgebenden Kunstrichtung der Weimarer Republik (ab 1919, zunächst in Weimar, dann in Dessau, als »Schule« von Walter Gropius eingerichtet). Erzählt wird eine Wohnungsbesichtigung. Ehemalige Kriegskameraden treffen sich, inzwischen zu Ingenieuren geworden, zu einem Whiskyabend in einer stilechten Bauhaus-Wohnung. Gastgeber ist ein Herr Kampert, im Krieg »ein ausgezeichneter Mann«; jeglichem Heldentum abhold, machte er sich »gemein« und verrichtete jede noch so schäbige Arbeit. Heimgekehrt jedoch beschließt Kampert – nicht wie die vielen anderen, an der Revolution teilzunehmen –, das bisherige, erniedrigende Leben zu vergessen, eine Art Kragler, der einen Schlußstrich macht, sich allerdings keine »beschädigte«, sondern eine standesgemäße Dame zulegt und aus dem »gekachelten Badezimmer« nicht mehr herauszulocken ist. Nur zufällig trifft Kampert den ehemaligen Kameraden Müller wieder und lädt ihn sowie den Ich-Erzähler zum Whisky-Abend ein. Jedoch statt zu einem zünftigen Besäufnis nötigt der Gastgeber die beiden Kriegskameraden zur Begutachtung seiner neuen Lebensform, und zwar nicht nur dadurch, daß er sie die Wohnung besichtigen läßt, sondern sie auch zunächst mit allmöglichen Likören (statt des erhofften Whiskys) behelligt. Je mehr Müller mit der Sachlichkeit, ihrer hygienischen Unantastbarkeit und zweckdienlichen Praktikabilität konfrontiert wird, desto intensiver widmet er sich nicht nur dem Alkohol, sondern auch der Vorbereitung eines genauen Schlachtplans, mit der er die Wohnung auf den Kopf stellen wird. Der Reiz der Geschichte besteht darin, daß der Ich-Erzähler Müllers Reaktionen erst allmählich wahrnimmt und sich über ihren gefährlichen Gang klar wird. Zugleich wird der Leser dadurch gewahr, wie sehr der Gastgeber Kampert diese Reaktion herausfordert, da er mit stupider Selbstverständlichkeit das Einverständnis seiner Gäste voraussetzt und gar nicht merkt, wie zynisch und erniedrigend seine Haltung und seine Lebensform ist. Daß Brecht den Titel *Nordseekrabben* wählt, weist auf die Hypertrophie dieser neusachlichen Lebensform hin: den Glauben, sich nämlich *alles* leisten zu können und selbstverständlich *jeder* Bitte der Gäste zu folgen (Müller besteht, obwohl er für Kampert eine Dose Nordseekrabben – »Der Junge war immer so auf Delikatessen aus«; 11, 154 –, mitgebracht hat, darauf, daß Kampert seinen Gästen Nordseekrabben kredenzt; als er die Wohnung verläßt, schreitet Müller zur Tat und demoliert die Wohnung). Es geht weniger um die Nützlichkeits-Ästhetik des Bauhauses als um die dahinter stehende totale Vereinnahmung von allem und jedem und ums zynische Bestehen darauf, stets nur das »Beste« zu haben bzw. zu wollen, in Wirklichkeit aber nur noch mit sich selbst beschäftigt zu sein. Kampert interessiert sich für seine Gäste überhaupt nicht (sie waren auch nicht zur standesgemäßen Hochzeit eingeladen); aber sie müssen ihre »Minderwertigkeit« mit jeder Geste, jedem Getränk (immer nur das Beste), jeden Satz spüren. Müllers Reaktion ist dem dann nur noch angemessen.

Auch in dieser Geschichte steckt eine soziale Thematik. Kampert – und seine natürlich schöne Frau – verkörpern eine neue Sorte von »Aristokratie« in der neuen (Weimarer) Republik. Ihnen gegenüber erscheinen die anderen – hier ehemalige, enge Kameraden – wie »Schweine« (»Ja, man wohnt eigentlich wie ein Schwein«, bestätigt Müller einmal – *noch* gnädig; 11, 156). Vergessen sind Herkunft und Realität, man »sahnt ab« und kümmert sich um nichts mehr als ums eigene Wohlleben, seinen Stil.

Schließlich unterläuft auch die 1926 geschriebene Geschichte *Müllers natürliche Haltung* (11, 145–152) den Technikkult. Auch diese Geschichte spielt unter Ingenieuren, und sie wird wiederum parteiisch erzählt. Diesmal geht es um eine Probe. Der Erzähler Pucher ist von seinem so deklarierten Erbfeind Müller zu einer geschäftlichen Zusammenkunft aufgefordert worden, deren Ort sie – Müller besteht darauf – per Flugzeug ansteuern. Pucher, der erstmals fliegt, zeigt in naivem Technikvertrauen keinerlei Spuren von Besorgnis oder Angst, in den »Blech«-Dingern zu fliegen, Müller dagegen deutet erhebliche Wirkung an. Obwohl Müller – in einer kurzen Flugunterbrechung – Pucher noch eine waghalsige Flugzeug-Geschichte erzählt, ändert sich Puchers Verhalten beim Weiterflug nicht. Daraufhin läßt Müller das Geschäft platzen, selbst mit dem Zug zurückfahrend: »Du hast nicht jenes primitives Minimum an Mißtrauen«, lautet die Begründung, »das jedes beliebige Vieh hat und ohne das es auf einem Planeten wie diesem einfach zugrunde geht« (11, 152). Müllers »natürliche Haltung« ist beim Wort zu nehmen: als »instinktive« Äußerung von Besorgnis, Angst; sie verweigert sich totaler technischer Anpassung, wie sie für die neue Sachlichkeit, die solche Angst als unbegründet, ja irrational von sich weist, bezeichnend ist. Umgekehrt statuiert Müller damit in der Geschichte dem Technik-Gläubigen das Exempel: wer sich dermaßen auf alles Technische verläßt, ist unzuverlässig (ist imstande, vom »Kohlenmann einen Wechsel« anzunehmen; 11, 152). Freilich hat die Geschichte noch eine unausgesprochene Pointe. Dadurch, daß die Geschichte von Müllers »Feind« und zweifellos als »böse« Geschichte, nämlich »hereingelegt worden zu sein«, erzählt wird, der weitere (ansonsten unbeteiligte) Ich-Erzähler sie zugleich als »eine ältere, schon etwas angegraute Geschichte« ankündigt, bestätigen sich die Gesprächspartner – gegen den »Erbfeind« –, daß sie eigentlich recht behalten haben. Müller ist ein überholtes Fossil, die Entwicklung geht gegen seine »Natur«.

Brechts Prosa ist nicht »neusachlich«, wenn damit gesagt sein soll, daß er Themen, Stil und Ideologie der »Neuen Sachlichkeit« geteilt und übernommen habe. Selbstverständlich gibt es Übereinstimmungen, die durch die Zeitgenossenschaft vorgegeben, aber auch auf Brechts Zustimmung gestoßen sind. Der »Versachlichung« der Kunst hat Brecht sehr positiv gegenübergestanden: gegen die bürgerliche Mystifikation der Kunst und Literatur, gegen ihren Kultersatz (Nähe zur religiösen Übung), gegen ihre Metaphysik war Brecht ebenso entschieden wie die »Neue Sachlichkeit«. Auch den Primat des Stoffs, dessen, was dargestellt werden soll, teilte Brecht mit der zeitgenössischen Strömung: der Stoff sollte »seine« adäquate Form finden und nicht bloß Vehikel für den »Ausdruck« von Individuen sein. Dazu gehörte auch, daß Brecht den Funktionswandel der Kunst in der technisierten Massengesellschaft erkannte und anerkannte. Gegen alle konservative oder reaktionäre Nörgelei, daß die Kunst durch die Massenkultur ihre »Weihe« verlöre, ging er ebenso rabiat vor, wie sich die »Neue Sachlichkeit« von solchen Positionen (teilweise höhnisch) verabschiedete.

Zu erinnern ist, daß Brecht in der Berliner Zeit – im Zusammenhang mit den *Lehrstücken* – den Begriff des »Einverständnisses« entwickelt. Er besagt, daß es notwendig ist, wenn man zu einer realistischen Einschätzung kommen will, die tatsächlichen Gegebenheiten der Gesellschaft und der Zeit zu erkennen, zu verstehen und als solche auch »anzuerkennen«. Realistisch ist gegen sie erst vorzugehen, wenn man zunächst mit ihnen »einverstanden« ist. In dieser Hinsicht ist Brecht mit vielem »einverstanden«, was gerade an der Zeit ist – was aber noch lange nicht heißen muß, daß er die Positionen deshalb teilt oder unkritisch einfach hinnimmt. Hinzu kommt, daß Brecht den technischen Fortschritt prinzipiell für positiv ansieht, deshalb aber keineswegs Technikfetischist ist: ihm ging es darum, die Technik für die »Erleichterung der menschlichen Existenz« einzusetzen, aber gar nicht als Mittel zur Ausbeutung.

Helmut *Lethen*: Neue Sachlichkeit 1924–1932. Studien zur Literatur des »Weißen Sozialismus«. Stuttgart 1970 (2. Aufl. 1975).

Manfred *Voigts*: 100 Texte zu Brecht. Materialien aus der Weimarer Republik. München 1980.

Kirsten *Boie-Grotz*: Brecht – der unbekannte Erzähler. Die Prosa 1913–1934. Stuttgart 1978 (S. 106–127). – Klaus-Detlef *Müller*: Brecht-Kommentar zur erzählenden Prosa. München 1980.

Themen

Boxen

Brechts Interesse am Sport, vor allem am Boxsport in den zwanziger Jahren, pflegt ebenfalls mit der »Neuen Sachlichkeit« in Verbindung gebracht zu werden. Die Propagierung des Sports war an der Zeit, daß auch die Kunst sich an ihr zu beteiligen hatte, Thema verschiedener literarischer bzw. kunsttheoretischer Zeitschriften. So schrieb *Der Querschnitt* 1921: »›Der Querschnitt‹ hält es für seine Pflicht, den Boxsport auch in den deutschen Künstlerkreisen populär zu machen. In Paris sind Braque, Derain, Dufy, Matisse, Picasso, de Vlaminck begeisterte Anhänger, und Rodin fehlt in kaum einem Kampf« (nach Boie-Grotz, 123). Herbert Ihering hat das dominierende Interesse des Publikums am Sport, vor allem am Boxen, 1927 in einem Aufsatz erörtert; es ist anzunehmen, daß die in diesem Text vertretenen Thesen vorher in Diskussionen, an denen auch Brecht teilnahm, verhandelt worden sind.

Die Menschen laufen in die Arena, um Sieger und Besiegte zu sehen. Sie wollen Resultate erleben. Im Werktag um die Entscheidungen betrogen, ohne Aussicht auf eine jähe Wendung oder Überraschung in ihrer Arbeit, sichern sie sich hier Erregung und Spannung. Ein ästhetisch schönes Sportschauspiel geht sie nichts an. Zehntausende reagieren gleichzeitig auf die fabelhaftesten Kampffiguren, auf die eleganteste Taktik. Sie nehmen hingerissen den beweglichen Kampfstil Domgörgens auf, jedes Ausweichen in der Hüfte, jedes Vorstrekken des linken Armes, jede tänzelnde Defensiv- und Offensivstellung. Aber sie werden durch die faszinierendsten Kampfvariationen nur angeregt, weil sie in ihnen, ohne es zu wissen, eine Wendung auf das entscheidende Ende hin sehen. [...] Daß die Leute Entscheidungen sehen wollen, soll man ihnen nicht austreiben, im Gegenteil für geistige und politische Vorgänge nutzbar machen. Der Sport ist lebendig. Er erfüllt ein Bedürfnis. Daran können seine Feinde nichts ändern und seine Freunde nur dann, wenn sie das Boxen zu einer abstrakten Sportwissenschaft machen, so daß man nicht mehr Kämpfen beiwohnt, sondern Kathederdiskussionen.

Die Lebendigkeit des Sports hat bereits die Sprache befruchtet. Das mit Bildung belastete, intellektualisierte Hochdeutsch hat durch die Ingenieursprache und durch den Einbruch des Sports an Bildhaftigkeit und Aktivität gewonnen. Ein anderer Menschentyp, eine andere Ausdrucksweise. Kämpfer und Zuschauer werden zu gegenständlichem Sehen gezwungen. Die Art der Vergleiche führt in naivere Zeiten zurück. Paolino gegen Breitensträter, »Baskischer Holzfäller gegen deutsche Eiche«– das mag komisch klingen, ist aber schlagkräftig, man behält es, so sprechen die Leute, es ist ihr Jargon. (Das Tagebuch, 8. Jahrgang, 1927, Heft 15, 15.4.1927, S. 587 f.)

Iherings vehemente Verteidigung des Boxsports mit entscheidendem Ausgang (K.O.) gegen seine Verflachung durchs Punktesystem, das damals in der Diskussion stand, stellt die gesellschaftlichen Bezüge her, die den Sport in den zwanziger Jahren auf einmal so populär werden ließen. Die Massengesellschaft hatte die Menschen nicht nur in vielfältiger Hinsicht »nivelliert« und in bisher ungeahnte Sachzwänge sowie Fremdbestimmungen gepreßt, sondern ihnen auch das »Selbst«-Erlebnis ganz oder wenigstens teilweise genommen. Der Sport bot sich als Ersatz an – wie vieles andere mehr (vor allem die neuen Medien) –, das Boxen vor allem, weil dort noch der Kampf zwischen zwei Individuen zu beobachten und zu begutachten war und die Regel galt, daß der Kampf nur durch eine wirkliche Entscheidung, und das heißt hier den K.O., zu beenden war. Verschiedene Kampfformen, divergierende Temperamente waren zu sehen, alles mußte »offen« (ohne Illusionierungsmittel) geschehen, denn das Geschehen war von allen Seiten einblickbar (natürlich gab es auch Schiebungen). Brecht sah in dieser Zeit (um 1926) im Boxsport sowohl ein Vorbild für die *Darstellungsweise* seines Theaters als auch das »richtige« Publikum versammelt, das sich »nichts vormachen« ließ: »Wer im Sportpalast war, der weiß, daß das Publikum jung genug ist für ein scharfes und naives Theater« (15, 77). Im Drama *Im Dik-*

kicht der Städte (1923) hat Brecht die Kampfform zur Grundlage der dramatischen Handlung gemacht.

Auf dem Hintergrund von Iherings Aufsatz wird die Erzählung *Der Kinnhaken*, entstanden 1925, klarer analysierbar. Der Boxer Freddy, genannt der »Kinnhaken«, ist kein besonders guter und starker Boxer, aber er beherrscht das »Sichzusammennehmen«, so daß er im entscheidenden Moment alle Kräfte zu konzentrieren weiß: »Aber dann hatte er plötzlich ein Tempo wie ein Propeller und dazu ein Hineingehen wie mit fünfzig Pferdekräften, und am Schluß war der ganze Mann wirklich ein einziger Kinnhaken« (11, 117). Freddys Niedergang beginnt in dem Moment, wo er sich nicht mehr auf den Kampf konzentriert, sondern sich eine bürgerliche Existenz zuzulegen sucht. Indem sich Freddy im Bürgertum einrichtet, unterwirft er sich der gängigen Nivellierung, ist die konzentrierte Kraft der allgemeinen Verflachung des Alltäglichen ausgesetzt. Was sich unmittelbar vor dem Kampf – Freddy will unbedingt ein Bier trinken, was ihm sein Manager verbietet – in einer scheinbaren Nebensächlichkeit offenbart, ist nur die Bewußtwerdung dessen, was schon vorbereitet ist: ein richtiger Kämpfer und Boxer kann keine bürgerliche Existenz führen. Mit ihr geht der *ganze Mann*, der der »Kinnhaken« zu sein hat, verloren.

Iherings Hinweise, daß der Sport einen neuen Menschentyp sowie auch eine andere, gleichsam naivere, aber bildstarke Sprache bedingt habe, lassen sich an dem Fragment gebliebenen *Lebenslauf des Boxers Samson-Körner*, entstanden 1925/26, in Fortsetzungen 1926/27 erschienen, verifizieren. Brecht wertete die Bekanntschaft mit dem Halbschwergewichtler (gegen den er wie ein Wicht wirkte; vgl. das Foto bei Kesting, 42) als »Glücksfall«. Er ist der Typ eines modernen Abenteurers, der jegliche »Normaldimension« sprengt und entsprechend auch Erfahrungen aufzuweisen hat, die für den »Normalbürger« kaum denkbar sind. »Allerdings sind solche Wirklichkeiten wie Samson-Körner an den Fingern herzuzählen«, sagt Brecht in einem Gespräch mit Bernard Guillemin am 30.7.1926). So ist schon das, was Samson-Körner zu berichten hat, ein außergewöhnliches, großes Thema. Seine Erfahrungen führen zu neuem, anderem Verhalten und zu Haltungen, die Brecht interessieren.

Den *Lebenslauf* realisiert Brecht als fiktive Autobiographie Samson-Körners. Den genauen Titel bei der Erstpublikation in *Scherls Magazin* formulierte Brecht so: *Der Lebenslauf des Boxers Samson-Körner. Erzählt von ihm selber, aufgeschrieben von Bert Brecht.* Diese Art der Übermittlung steht in Brechts Werk einzigartig dar, lediglich noch einmal, aber durch die Mitarbeiterin Käthe Rülicke, aufgenommen im Zusammenhang mit dem *Büsching*-Projekt (vgl. BH 1, 372–374). Es handelt sich dabei um die neue Form des sog. Bio-Interviews, die Sergej Tretjakow jedoch erst 1926 entwickelt und 1932 in seiner Autobiographie beschrieben hat (*Internationale Literatur*, Nr. 4/5, 1932): »Ich war bestrebt, die Geschehnisse [in China] tiefer zu erfassen: in ihrer Dialektik, in ihrer Bewegung und Veränderung. So entstand die Idee des Bio-Interviews, eines großen Werks, eigentlich eines biografischen Romans, geschrieben von einem Journalisten mit Hilfe des Interviews. – Da ich dem Schriftstellerhirn, welches einen erdachten, aus den Beobachtungen an vielen Individuen entstandenen Typus schafft, nicht traute, war ich bemüht, ein solches Individuum ausfindig zu machen, das typisch für Epoche und Milieu wäre. Zum Thema meines Werkes wählte ich einen wirklichen Menschen, meinen Schüler, mit dem ich freundschaftliche Beziehungen unterhielt«(gemeint ist der Roman *Den Schi-chua*, 1930 auf Russisch zuerst publiziert, im Untertitel *Bio-Interview*; dt. 1932). Es gibt zweifellos Zusammenhänge zwischen Brechts *Lebenslauf* und Tretjakows *Bio-Interview* (als Form); präzisieren lassen sie sich freilich nicht, weil Brecht und Tretjakow erst später (1931) persönlich bekannt werden. Es ist aber durchaus möglich, daß Brecht von Tretjakows literarischen Experimenten wesentlich früher erfuhr, wie andererseits aber diese neue literarische Form »in der Luft lag«, das heißt, daß das neue literarische Interesse an Authentizität und Reportage das *Bio-Interview* zur Konsequenz hatte, zumal es auch durch das Medium des Journals gefördert wurde (Prominenz, die nicht selbst in der Lage war, das zu sagen, was sie sagen wollte und deshalb als Sprachrohr »Ghostwriter« engagierte; ein solcher Ghostwriter war aufs »Bio-Interview« geradezu verwiesen).

Brechts – so auch von ihm deklarierte – Wirklichkeitsinteresse (im Gespräch mit Guillemin) stellt wiederum Verbindungen zur »Neuen Sachlichkeit« her, Hauptimpuls aber ist einmal mehr, daß er den neuen Typus angemessen erfassen will, andererseits ihn zugleich in seiner Antibürgerlichkeit fixiert. Die Boxchampions sind von einem eigenartigen Widerspruch geprägt, der Brecht herausfordern mußte. Einerseits sind sie die Helden des niederen Schauvergnügens, meist dubioser Herkunft, »ungeistig«, brutal, keineswegs geeignet, braven Bürgersöhnen als Vorbild vorgehalten zu werden, andererseits aber stellen sie die noch mögliche Verkörperung bürgerlichen Individualismus dar – als »ganze Männer«, als Individualisten ihres Sports, der ausgetragen wurde im Kampf Mann gegen Mann. Die reportageartige Wiedergabe des *Lebenslaufs* bildete zugleich eine Herausforderung des klassischen Bildungsromans, und zwar vom Inhalt her, der sich so gar nicht als Bildungsstoff anbietet. Brecht hat sich zur fraglichen Zeit mit Fritz Sternberg über das »gestorbene« Individuum verständigt, das in der neuen Massengesellschaft von den »Kollektivkräften« vereinnahmt worden ist. Der *Lebenslauf* jedoch rekurriert noch einmal eindeutig auf das – nur noch spärlich vorkommende – Individuum, stellt es im *Bio-Interview* aber kollektiv dar, insofern es »sich nicht selbst ausdrückt«, sondern durch den Schriftsteller zur »Sprache gebracht wird«. Müller hat darauf hingewiesen, daß »Brecht keineswegs nur aufgeschrieben [hat], was Samson-Körner ihm erzählt hat, sondern sehr bewußt literarisch gestaltet« (Müller, 78). Die Aufgabe des Schriftstellers im *Bio-Interview* ist es, der Wirklichkeit zu folgen, also durchaus authentisch zu sein, dennoch aber sie auch angemessen zur Sprache kommen zu lassen, was dem Interview-Partner (so) nicht möglich war. Der Schriftsteller sucht den realistischen Ausdruck, der die »Authentizität« nicht auf sturen Naturalismus (bloße Wiedergabe) beschränkt.

Dem Thema Boxen gilt auch ein Romanprojekt, das um 1926 datiert ist und zu dem der *Lebenslauf* als Vorstufe angesehen werden kann. *Das Renomee*, so der in Aussicht genommene Titel, soll von Bernard Shaws Boxerroman *Cashel Byron's Profession* (dt. 1924) angeregt worden sein. Entscheidender aber als die möglichen literarischen Abhängigkeiten ist für Brechts Projekt die Realität: »Der Roman lehnt sich in seinen Tatsachen an an den Weltmeisterschaftskampf Dempsey-Carpentier«, der übrigens am 2.7.1921 stattfand, und zwar vor 120000 Zuschauern in einer extra dafür gebauten Arena (»Mankiller« bzw. »Schmiedehammer« gegen den »eleganten Georges«). Brechts Roman sollte jedoch weniger mehr dem Kampf selbst gelten als den mit ihm verbundenen Geschäften: wie wird ein Mann gemacht, und wie macht jemand etwas aus sich, das dann angemessen vermarktet werden kann. Die Manager sollten als »Macher«, aber auch als »Absahner« eine entscheidende Rolle spielen; weniger war an den Einzelhelden als Mittelpunktsfigur des *Romans* gedacht, als vielmehr an eine Darstellung der Zusammenhänge. »Held« sollte dabei nicht der Sieger Dempsey, sondern der unterlegene Carpentier (im Roman George Carras) sein: ausgesucht, vom schwachen Dempsey so geschlagen zu werden, daß Dempseys Schwäche nicht offenbar werden kann und der Gegner einen »guten Eindruck« hinterläßt. Dazu ist ein unglaublicher Werberummel nötig und der Aufbau von Carras, dem seine »Rolle« sitzen muß: »interessanter ist schon zu sehen, wie ein Mann durch Boxen Geld und Ruhm verdient, und wie er es macht, daß er dann den Ruhm noch einmal zu Geld macht. Und was die Zeitungen und einzelne Leute darin treiben, wenn sie aus einem Mann einen Helden machen müssen« (nach Jeske, 78). Als Austragungsort des Kampfes sah Brecht Kuba vor: Amerika und Europa sollten sich als zwei rivalisierende Kontinente gegenüberstehen, im »Kesseltreiben«. – Dieses Romanprojekt weist in vieler Beziehung auf Brechts späteres Romanwerk voraus. Das Individuum, das traditionell die Mittelpunktstellung im Roman gehört hat, wird »vermittelt«; gezeigt werden die intersubjektiven Zusammenhänge, und vor allem, welche Interessen dahinter stehen, wenn ein »Held« gemacht wird. Möglicherweise sollte eine der ironischen Konsequenzen des Romans sein, daß Carras (später auch »Carrare«) durch seine Niederlage auf einmal vom ganzen Treiben um ihn befreit ist, daß er erst dann wieder »er selbst« sein kann und darf. Die Niederlage war möglicherweise nicht nur als Untergang (wie im *Kinnhaken*), sondern auch als Befreiung vorgesehen. – Zum *Renomee* liegen im Archiv umfangreichere Materialien vor, die auf ein Gemeinschaftsprojekt von Elisabeth Hauptmann und Emil Burri, ebenfalls Boxer und zur Zeit »Assistent« von Samson-Körner, hinweisen. Das Projekt gehört zweifellos zu den interessanteren Materialien des Nachlasses, zumal sie auch umfangreichere Milieuschilderungen (Frauen und ihre »Rollen«) und internationale Schauplätze vorsahen.

Kirsten *Boie-Grotz*: Brecht – der unbekannte Erzähler. Die Prosa 1913–1934. Stuttgart 1978 (S. 122–127). – Klaus-Detlef *Müller*: Brecht-Kommentar zur erzählenden Prosa. München 1980 (S. 18f., 74–79). – Wolfgang *Jeske*: Brechts Poetik des Romans. Karlsruhe 1981 (S. 70–87) [erscheint Frankfurt a. M. 1984].

Marianne *Kesting*: Bertolt Brecht in Selbstzeugnissen und Bilddokumenten. Hamburg 1959 (S. 42 f.; dort Bild Brechts mit Samson-Körner).

Amerikanismus

Das Thema »Amerika« verbindet sich hier in der Berliner Zeit vor allem mit der »großen Stadt«, dem »Dickicht der Städte«, und dem Imperialismus, das heißt der unaufhaltsamen Ausdehnung amerikanischer »Kultur« in den exotischen Ländern. Ironisch heißt es: »Amerika ist schön. Wie schön muß eine erstklassig amerikanisierte Südsee sein!« (nach Seliger, 106). Diese erstklassig amerikanisierte Südsee ist direkter Handlungsort des *Gesprächs über die Südsee* (11, 104 f.). Die Südsee ist nicht mehr besetzt von Exotik, von Abenteuer, Schönheit der Natur und der Menschen, kein Ort mehr, der modernen Zivilisation zu entgehen, er ist Ort geworden »der Langeweile und modischen Freizeitbeschäftigungen«. »Damit ist die Südsee keine Alternative zur unbefriedigenden Berliner Wirklichkeit, sondern bestenfalls ein überdimensioniertes Ferienziel« (Müller, 71).

Rasanter freilich wird das Thema in der Geschichte *Schlechtes Wasser* (11, 163–169), die 1926 entstanden ist. Vordergründig eine Kriminalgeschichte, hintergründig aber den (amerikanischen bzw. anglo-amerikanischen) Imperialismus geißelnd. Der halbfarbige Lewis wird von den weißen Händlern so lange als Partner akzeptiert, so lange er Geschäfte mit ihnen – zu ihren Gunsten – zuläßt und fördert. Als er jedoch mit einem »von den weißen Haien« (11, 165) ins Getriebe kommt, ist es mit der »Duldung« aus. Lewis verschwindet, heiratet und vermietet seine Frau stundenweise an einen weißen Händler. Bei einem der Kundenbesuche erschlägt Lewis den Händler und seine Frau. Ein weißes Gericht verurteilt ihn zum Tode, und das Urteil wird unter reger und johlender Anteilnahme der farbigen Bevölkerung der (Südsee-)Insel am Ende vollstreckt. Dem Erzähler freilich ist es zunehmend mulmig geworden, obwohl er als weißer Händler ungefährdet ist. Brecht erzählt eigentlich zwei Geschichten, wobei die erste, nämlich die von der Zeit, als Lewis geduldeter Mitbürger ist, ziemlich viel Platz einnimmt, ohne daß sie direkt mit dem Fall zu tun hätte. Aber sie gibt dem Fall erst die Dimensionen, weil er keineswegs mit der »Erniedrigung durch den Rassismus« zu tun hat (so anders Müller, 81). Wenn Geschäfte zu machen sind oder die bürgerlichen Gelüste zu befriedigen (gelb sei »in der Liebe besser als weiß und gerade Hüften geschweiften vorzuziehen«; 11, 166), spielt der Rassismus überhaupt keine Rolle. Unter dieser Voraussetzung ist auch der Kriminalfall zu sehen. Lewis wird zunächst von einem »weißen Hai« geschäftlich ruiniert. Dann dringt der weiße Mann ins Privatleben ein, in diesem Fall durch den Händler Smith. Auch dies scheint Lewis noch akzeptabel; als jedoch seine Frau auch noch durch den Umgang mit dem Weißen ihm gegenüber nachlässig wird, ist es Lewis zu viel. Er schlägt zu, trifft dabei »leider auch« Smith. Der weiße Richter ist nicht in der Lage einzusehen, daß dadurch, daß Lewis nicht sein gewohntes Trinkwasser vorfindet, sogar sein unmittelbarer Lebensunterhalt (»Schlechtes Wasser«) gefährdet ist – und er nun zurückzuschlagen beginnt. Die Geschichte ist so erzählt, daß niemand der Beteiligten bzw. der Beobachter *diesen Grund* zu erkennen vermag, daß er sich aber durch die Wiedergabe der äußeren Fakten erschließt. Brecht wendet wiederum konsequent die »Außenschau« an, um die inneren Kämpfe, die dem Mord vorausgegangen sein müssen (der Mann schlägt in voller Wut zu und dabei auch auf den Beischläfer), anzudeuten. Die Erniedrigung der farbigen Bevölkerung liegt in der erbarmungslosen Ausbeutung, die am Ende hohnvoll auch noch die eigenen »Moral«-Vorstellungen durchboxt (Mord aus Eifersucht). Der Imperialismus ist in einem so fortgeschrittenen Stadium, daß die eingeborene Bevölkerung die Exekution durch die weiße »Gerechtigkeit« unterstützt und die farbige Frau sich angesichts des weißen »Gastes« nicht mehr um ihren Mann, seinen Lebensunterhalt, kümmert.

Ironisch-witzig behandelt die lange unbekannt gebliebene Erzählung *Das Kreuzwort* (Notate, Heft 9, August 1978, S. 6 f.) den ersten Aspekt des »Amerikanismus«: den Auseinanderfall der (traditionellen mittelständischen) Familie. Hier ist es die mit dem Zeitungsmedium verbundene »Kreuzwortepidemie«, die in den Staaten die Mitglieder der Familie C. Archer hinwegrafft. Ein »unverdauliches Kreuzworträtsel«, das C. Archer in der Wochenbeilage des *Littleriver Herald* findet, läßt alle familiären Zwistigkeiten ans Licht kommen. Da sich die ganze Familie an der nervenaufreibenden Jagd nach den Lösungswörtern beteiligt, werden die schließlich doch gefundenen Wörter nur unter Bezahlung, Bedingungen etc. »abgegeben«, bis schließlich die ganze Familie entzweit ist und den Kampf mit den Wörtern führt. Das endliche Lösungswort findet C. Archer – so die Schlußpointe –, als ein Hurricane der Familie den endgültigen Garaus macht: es war sozusagen ein »menschlicher Hurricane«, und die »Lösung« stellt sich erst ein, wenn die Katastrophe vollzogen ist. Die »Naturkatastrophe« vollendet nur, was die gesellschaftliche Katastrophe längst vorbereitet hat. Zweifellos stehen bei dieser Geschichte das *Dickicht*-Drama und *Mahagonny* Pate.

Helfried W. *Seliger*: Das Amerikabild Bertolt Brechts. Bonn 1974 (S. 90–124). – Kirsten *Boie-Grotz*: Brecht – der unbekannte Erzähler. Stuttgart 1978 (S. 120–122). – Klaus-Detlef *Müller*: Brecht-Kommentar zur erzählenden Prosa. München 1974 (S. 71, 81).

Untergang des Individuums

Die Thematik des untergehenden Individuums geht in der Berliner Zeit einerseits zurück und gewinnt andererseits an sozialer Schärfe und Genauigkeit. Am Beginn der Berliner Zeit steht die im Renaissancemilieu spielende Erzählung *Der Tod des Cesare Malatesta* (11, 91–95). So ganz fiktiv, wie Klaus-Detlef Müller meint (67), ist die Geschichte offenbar nicht; Müllers Verweis auf Jacob Burckhardts *Kultur der Renaissance* läßt sich insoweit verifizieren, als Burckhardt von einem typischen kleinen Gewaltherrscher der Renaissance in Rimini berichtet, der in ausgesuchter Weise Gottlosigkeit, Gewalttätigkeit (sogar versuchte Notzucht am eigenen Sohn Roberto; Burckhardt, 428), aber auch kriegerisches Talent und höhere Bildung in seiner Person vereinigte: Sigismondo Malatesta (gestorben 1467). Die Malatestas verdingten sich, selber nur Herrscher über kleinere Städte, als Condottiere im Dienste größerer Stadtstaaten (die Malatesta u. a. für Venedig). Condottiere waren Söldnerführer, meist als Berittene dargestellt, die sich durch ihre Kriegsdienste Reichtum und Unabhängigkeit zu erwerben suchten, also ausgesuchte Kriegsleute, gewalttätig und erbarmungslos. Sigismondo Malatesta hatte einen Enkel Pandolfo, der Brudermord begangen hatte und auch durch weitere Greueltaten aufgefallen war, so daß sich sogar seine Untertanen von ihm abwandten; überliefert ist ein Bombardement der Malatestischen Burg von Rimini durch die Städter, allerdings ohne zum Untergang des Tyrannen zu führen (er entkommt). Burckhardt führt die Malatesten als ein Exempel für den Untergang der Condottieren an. Da das gesamte Haus offenbar aus gewalttätigen Berserkern bestand (bis ins Jahr 1534, als der letzte, Ridolfo Malatesta, sein Schreckensregiment beendet), ist es gut möglich, daß Brecht im Namen des »Cesare« Malatesta die einzelnen Mitglieder des Hauses in einer Person vereinigte. Der Name »Cesare« pflegte sich für den Allgemeingebildeten der Zeit mit Cesare Borgia zu verbinden, der als Prototyp des skrupellosen, von persönlichen Wirkungen bestimmten Gewaltherrschers der Renaissancezeit gilt. Die Wahrscheinlichkeit wird um so größer, als Cesare Borgias Name bei Burckhardt unmittelbar nach der Darstellung der Greuel der Malatestas folgt (Burckhardt, 32 und f.). Der Untergang der Condottieren konnte auf diese Weise für Brecht ein historisches Beispiel für den Untergang des Individuums sein. Schon die Zeit, in der nach üblicher Einschätzung der abendländischen Geschichte das »Individuum« überhaupt erst entdeckt wird und sich im neuzeitlichen Sinn entwickelt hatte, kennt auch ihren – hier allerdings selbstverschuldeten – Untergang.

Brecht allerdings spiegelt eine modernere Problematik im historischen Fall, nämlich die abgebrochener Kommunikation, die das Individuum in totale Vereinzelung treibt und vollständig in seiner Persönlichkeit bricht. Ausgangspunkt ist dabei eine »witzige Bemerkung« des Malatesta im Haus des Gaja über einen seiner fernen Verwandten; Malatesta ist sich des Frevels, noch nicht einmal um die verwandtschaftlichen Beziehungen wissend, gar nicht bewußt, als Gaja – und dann auch noch nach längerem Abwarten – die Belagerung Malatestas beginnt. Gaja schafft es, daß Malatesta von allen Untertanen verlassen wird, so daß er nurmehr völlig isoliert in seiner Stadt lebt und zunehmend zerfällt: »Gajas Absicht und Witz war es, so lange zu warten, bis der Belagerte Zeit gehabt hätte, sein ganzes Leben in Gedanken noch einmal durchzugehen, um die Stelle zu finden, die faul gewesen war« (11, 94). Ob Cesare sie findet, bleibt dunkel, und in der Konsequenz der Erzählung ist eher anzunehmen, daß er sie gar nicht finden *kann.* Das erhöht den Wahn-Witz des Unternehmens noch beträchtlich: nicht nur wird Malatesta völlig isoliert, es ist für ihn auch unmöglich, den Grund dafür zu finden, so daß das Strafgericht, das ihn ereilt, ihm völlig undurchschaubar, geradezu irrational erscheinen muß. Ihm erscheint als willkürliches »Schicksal«, was für Gaja genau kalkulierter und mit »Sinn« erfüllter Plan ist – der Mangel an Kommunikation geht also noch beträchtlich weiter. Malatesta wird beim »Durchgang« durch sein

Leben auch noch der »Sinn« dieses Lebens abhanden kommen. Malatesta sieht sich auf brutalste Weise fremdbestimmt. – Die Forschung (Boie-Grotz, Müller) hat auf Bezüge in Brechts Werk aufmerksam gemacht, vor allem zum *Dickicht der Städte*, das die Vereinzelung im modernen Großstadtdschungel so fortgeschritten vorführt, daß die »unendliche Vereinzelung« (1, 187) selbst einen (bis auf den Tod gehenden) Kampf ausschließt. Auch hier spielt die moderne Kommunikationslosigkeit eine wichtige Rolle: »Die Sprache reicht zur Verständigung nicht aus« (1, 187). Wichtig ist, hinzuzufügen, daß das Individuum – gerade in der Erzählung – gegenüber der Fremdbestimmung und Kommunikationslosigkeit sich als völlig machtlos erweist. Es ist nicht in der Lage, wie es moderner Individualismus und Subjektivismus immer wieder behaupten, dem eine individuelle, aus der eigenen Persönlichkeit kommende »Alternative« entgegenzusetzen. Malatestas Niedergang dauert nur drei Wochen, und er brauchte in der Zeit keinen äußeren Mangel zu leiden: sowohl Kleidung als auch Nahrung sind nach den Andeutungen der Erzählung ausreichend vorhanden, und dennoch verändert sich Malatestas ganze Natur in so kurzer Zeit. Die große – aus sich selbst bestimmte – Persönlichkeit ist, auf die Probe gestellt, nicht vorhanden, ja sie ist noch nicht einmal in der Lage, Selbstmord zu begehen. Die »etwas billige Wendung« von Gajas Spaß, seine Hinrichtung, erwartet Malatesta ohne Widerstand. Die »große Persönlichkeit« hat sich lediglich als »Schandfleck Italiens, den Kummer und den Dreck Roms« (11, 95) erwiesen.

Ganz anders verfährt die Erzählung von 1926 *Vier Männer und ein Pokerspiel oder Zuviel Glück ist kein Glück* (11, 175–183). Es ist die Geschichte vom Untergang des »Glückskinds« Johnny; sie spielt auf einem Schiff, das von Havanna nach New York fährt, und unter Sportlern, diesmal Schwimm-Champions, die auf Kuba gerade großes Geld gemacht haben. Johnnys Erfolge pflegen von seinen zwei Kameraden und dem Manager nicht in erster Linie auf sein Können, sondern auf sein Glück zurückgeführt zu werden. Auch diesmal hatte er wiederum nur gesiegt, weil angeblich der beste Mann »indisponiert« gewesen sei. Als die drei anderen aus Übersättigung (durch Wohlleben und Ruhm) zum Pokerspiel übergehen, können sie – als auch das zu langweilig wird – Johnny, der nicht pokern kann, zum Mitspielen überreden – und prompt gewinnt Johnny ständig, bis er den anderen sogar die Braut abgenommen hat. Ein anberaumtes Versöhnungsessen (mit dem gewonnenen Geld) führt zur endgültigen Katastrophe. Noch einmal spielt man »um alles«, noch einmal gewinnt Johnny »alles« und wird von den drei anderen – eine knappe Stunde vor New York – ins Meer gestoßen. Der Erzähler ist sich sicher, daß Johnny nun vom Glück verlassen ist; denn zu viel Glück ist eben am Ende kein Glück: »Aber so gut *kann* einer gar nicht schwimmen, daß er sich vor den Menschen rettet, wenn er auf der Welt zu viel Glück hat« (11, 183). Mit diesem Schluß ist die Geschichte auf eine ganz andere Ebene transponiert, als es die äußere Handlung anzeigt. Es geht um menschliche Beziehung sowie um die genaueren Gründe für das Glück. Letztere faßt Brecht ins Bild der Eisenbahn, die auch ohne Kenntnisse des Lokomotivführers in Sachen Geographie ihr Ziel findet: »Aber der Lokomotivführer hat eben Schienen, die etwas von Geographie verstehen: der Mann kommt eben von New York nach Chicago und nirgends anders hin. Genau nach diesem System hatte er [Johnny] gewonnen«. Johnny spielt ohne Kenntnisse des Spiels, er bleibt unbeteiligt, verläßt sich auf die »Mechanik« des vorgegebenen Ablaufs, er läßt sich »leiten« und versucht nicht – wie ein Entdecker (hier: Entdeckung des »Bluffs« –, jeden möglichen Winkel auszuloten. Er *ist* so unbeteiligt wie die anderen es zu spielen versuchen (und nicht können; vgl. das »poker-face«). Johnnys »Glück» besteht danach in der Exekution der Unbeteiligtkeit und Undurchsichtigkeit »Des ›poker face man‹, der sich seinen Mitbürgern als unlösliches Rätsel aufgab«, wie es das Gedicht *Verschollener Ruhm der Riesenstadt New York* (9, 478) formuliert. Johnny legt im Pokerspiel eine Haltung an den Tag, die den neuen »Menschentypus« der amerikanischen Geschäftswelt prägt: rücksichtslos, mit lächelndem Gesicht, scheinbar völlig unbeteiligt, sich auf die moderne Technik und Kommunikation verlassend, die anderen bis aufs Hemd ausplündernd. Brecht macht diese Dimension des Spiels unmißverständlich klar, wenn er – den Leser ansprechend – das Pokerspiel zur Expropriierung (Ausbeutung) erklärt: »Sie müssen zum Pokerspielen ein ebenso hartes Herz haben wie zu irgendeiner anderen Form der Expropriierung«(11, 178). Jedoch: Johnny hat das harte Herz gar nicht, und er spielt deshalb so gut, weil er eigentlich gar keine Lust hat zu spielen. Aber einmal ins Spiel gedrängt, ist er seinem System unterworfen, und da er, nachdem er die anderen ruiniert hat, nicht auch die Konsequenzen zieht, nämlich sein »Glück« als Verdienst (im doppelten Wortsinn) einzustreichen und über das Unglück der anderen hinwegzugehen, gibt er sich eine persönliche Schwäche, die die anderen nutzen. Der Mord ergibt sich mit der Zwangsläufigkeit, mit der Johnny den anderen sein »gutes Herz« offenbart. Das Geschäft läßt keine Sentimentalitäten zu. Das Raubsystem führt notwendig ins Unglück – auch für denjenigen, der »Glück« hat, »Glückskind« ist, wenn er sein Glück nicht rücksichtslos ausbeutet, sondern mit anderen »teilen« will. Das individuelle »Glückskind« läßt die moderne technische Massengesellschaft nicht mehr zu.

Einen anderen Aspekt des Untergangs des Individuums sollte schließlich noch ein Roman leisten, der aber über erste Entwürfe nicht hinausgekommen ist. Bereits um 1920 projektierte Brecht, offenbar unter dem Eindruck einer Panorama-Darstellung des Augsburger Plärrers, ein Drama *Flucht Karls des Kühnen nach der Schlacht bei Murten* (vgl. 17, 950). 1925 nimmt Brecht das Projekt als Roman wieder auf, und er arbeitet daran – mit Unterbrechungen – bis Anfang Januar 1926. Das Projekt zeigt erstmals das »Brecht-Team« an der gemeinsamen Prosa-Arbeit (Elisabeth Hauptmann, wahrscheinlich auch Caspar Neher – also in der »kleineren Zusammensetzung«), und erstmals greift Brecht zum Typus des »Historischen Romans«, der die Ereignisse der Jahre 1467/77 behandeln sollte. Bezeichnend ist, daß Brecht schon hier nicht den Sieger, den »Helden« als Mittelpunktsfigur wählt, sondern den Verlierenden und Scheiternden, der sich überdies auch noch aus der Verantwortung stehlen will. Von Karl sollte »nur so viel als ein neben ihm laufender sehen und hören kann« dargestellt werden (nach Jeske, 66), das heißt, daß Brecht »laufende Bilder« wählen wollte, die jegliche Introspektion ausgeschlossen, dafür aber den Ablauf des bewegten Geschehens wiedergegeben hätten. Auf der anderen Seite sollten die mitbetroffenen Soldaten breite Berücksichtigung erhalten: »ein geschlagener heereszug auf der flucht beobachtet von abends neun bis nachts drei uhr von einem unterrichteten mann« (nach Jeske). Die Nähe zur Reportage, ihrem Tempo, ihrer »technisierten« Darstellungsweise mit filmischer Optik und Massenszenen ist unübersehbar. Es ist daher auch kaum anzunehmen, daß Brecht sich mit den »großen Männern« bei diesem Projekt primär beschäftigen wollte. Alles deutet vielmehr darauf hin, daß Brecht mit moderner Darstellungstechnik den historischen Fall, der in den üblichen Darstellungen auf den großen einzelnen fixiert ist (wie auch in den überlieferten Panoramen), von seiner Zeit aus neu beschreiben und erfassen wollte – als *Massen*ereignis, in dem der »große einzelne« (Karl der Kühne) zu verschwinden, unterzutauchen versucht. Das Projekt jedenfalls beweist recht eindeutig, wie sehr sich Brecht um neue – der Zeit entsprechende – Darstellungsweisen bemühte und mit welcher Bewußtheit er sie ausprobierte. Daß gerade dieses Projekt nicht weiter verfolgt wurde, muß nach den vorliegenden wenigen Zeugnissen als besonderer Verlust gewertet werden.

Quellen: Jacob Burckhardt: Die Kultur der Renaissance in Italien. Ein Versuch. Stuttgart 1966 (zuerst 1860) (S. 22, 25–27, 32, 428; zum Herrscherhaus der Malatesta). – *Das große Rundbild*, Die Schlacht bei Murten am 22. Juni 1476. O. O., o. J. (= Besucher-Broschüre für das bis 1930 in einer Rotunde auf dem Züricher Bellevue-Platz zu besichtigende Panorama mit einer Fläche von ca. 1000 qm. Mit einer Erklärung des Bildes von V. *Tobler* und einem geschichtlichen Beitrag von E. *Bär*).

Kirsten *Boie-Grotz*: Brecht – der unbekannte Erzähler. Die Prosa 1913–1934. Stuttgart 1978 (S. 95–97, 130 f.). – Klaus-Detlef *Müller*: Brecht-Kommentar zur erzählenden Prosa. München 1980 (S. 66–68, 83). – Wolfgang *Jeske*: Brechts Poetik des Romans. Arbeitsweisen und Wirklichkeitsdarstellung. Karlsruhe 1981 (S. 62–70).

Erzählweisen

Die in Augsburg und München erarbeiteten bzw. probierten Erzählweisen erhalten in Berlin Erweiterungen und Nuancierungen, wobei die Form des Bio-Interviews (*Lebenslauf des Boxers Samson-Körner*) eine bis dahin unbekannte Neuerung darstellt, aber auch im Werk Brechts vereinzelt bleibt. Erhalten sind distanziertes Erzählen sowie die »Außenschau«, deren filmische Qualität jetzt erkannt und filmästhetisch eingesetzt wird (*Die Bestie*; *Flucht Karls des Kühnen*). Introspektion und Psychologisierung sind jetzt vollständig »überwunden«; erhalten aber bleibt die Objektivierung innerer Verfassung, jetzt freilich wesentlich mehr in äußeren Haltungen und Handlungen aufgehoben und mit realistischem Stoff angereichert (vgl. vor allem *Schlechtes Wasser*). Quantitativ überwiegt jetzt der vermittelnde Ich-Erzähler, der in der Regel mit der berichteten Geschichte nichts zu tun hat, sie bloß weitergibt; oft bleibt der Ich-Erzähler anonym in der Gruppe und tritt erzählerisch nur unter einem »Wir« auf (Gesprächsgruppen, häufig am Schanktisch, ab und zu auch schon betrunken). – Im folgenden sind einige erzählerische Besonderheiten zusammengefaßt (unter Stichworten), die für die Prosa der Zeit typisch sind; sie erweitern Brechts erzählerisches Spektrum.

Offener Rahmen: Viele der Berliner Erzählungen weisen einen offenen Rahmen auf (z. B. *Der Kinnhaken, Müllers natürliche Haltung, Nordseekrabben*), das heißt, die Geschichte beginnt mit einer Gesprächssituation, einer Zustandsbeschreibung u. Ä., aus denen heraus der »Fall« geschildert wird. Anders aber als beim typischen Novellenerzählen wird der Rahmen am Ende nicht wieder aufgenommen, die Geschichte endet gewöhnlich mit dem Abschluß der Falldarstellung selbst. Der »offene Rahmen« weist darauf hin, daß Brecht seine Geschichten weniger als »exempla«, als didaktisch orientierte Illustrationsbeispiele verstanden wissen will, sondern ihre Authentizität damit betont. Der Rahmen führt sozusagen den Beweis, daß die Geschichte nicht erfunden, sondern als realer Fall in bestimmten Situationen überliefert worden ist. Es ergibt sich dadurch zwar eine gewisse Nähe zur Reportage, jedoch wahrt Brecht zugleich Distanz. Während die Reportage ihre Authentizität aus dem realitätsnahen Augenzeugenbericht bezieht, legt Brecht großen Wert auf den beurteilenden Übermittler, der zwar auch authentisch berichtet (bzw. zu berichten vorgibt), zugleich aber auch – meist recht offen (*Müllers natürliche Haltung*) – einen bewertenden Standpunkt einnimmt. Hinzu kommt, daß Brechts Ich-Erzähler häufiger sich nicht dem gewachsen zeigt, was er berichtet. Der Briefe-Schreiber in der *Dogge*-Geschichte z. B. zeigt sich nicht in der Lage, für das Verhalten der Dogge (ihre Verweigerung) einen Grund zu finden. In der Art seiner »objektivierenden« Darstellung provoziert die Erzählweise eine Verdoppelung des »point of view« beim Leser. Er muß, will er die Geschichte verstehen, gegen den »Strich« des Briefe-Schreibers lesen, hinter jeder seiner »objektiven« Detailangaben sowohl die »Motive« der Dogge suchen, als auch die wahren Beweggründe und Reaktionen des Betroffenen finden. Helmut Brandt hat die Besonderheit dieses erzählerischen Mittels so zusammengefaßt: »Brecht widerstand einer Dichtung, die man als ›Frucht‹ hinnehmen mußte, so als hätten die Kräfte des Himmels sie gezeugt, und er verlangte statt dessen ein Werk, das die Haltung des Autors und seine Machart deutlich erkennen ließ. Nur scheinbar korrespondiert diese Forderung mit dem in der neueren Epik verbreiteten Unglauben, daß das Erzählwerk überhaupt noch eine stichhaltige Wirklichkeit zeigen könne. Brecht, wie schon seine frühen Geschichten ausweisen, hat nicht die Möglichkeit realistischer Wiedergabe in Frage gestellt, er hat lediglich auf ihre Bedingtheit verwiesen. [...] Sein Verlangen nach der Fixierung eines erkennbaren Autorenstandpunkts korrespondiert im Grunde mit seiner anwachsenden Abneigung, das bürgerliche Individuum und seine alles überschwemmende Innerlichkeit als humanes Zentrum der Literatur anzuerkennen und die Welt noch länger allein durch dessen Optik zu sehen« (Brandt, 181 f.). Damit ist noch einmal deutlich Übereinstimmung mit der und Abgrenzung zur »Neuen Sachlichkeit« in der Erzählweise markiert. Wirklichkeitsdarstellung bleibt angestrebt, sie folgt aber keineswegs einer naiven Objektivierungstechnik, die meint, in der bloßen Wiedergabe des Authentischen bereits die Wirklichkeit zu besitzen. Die vielfältigen Vermittlungszusammenhänge bleiben stets vor Augen – wodurch auch die Optiken vermehrt werden –, wie auch die Bedingungen, unter denen Wirklichkeit wiedergegeben wird, in die Darstellung eingehen. Oft ist es allein der interessengebundene Erzählstandpunkt, der den Leser provoziert, gegen ihn anzulesen. Es ist klar, daß darin auch eine Leser-Aktivierung steckt, eine Herausforderung danach, Urteil und Verstand zu gebrauchen.

Spiegelfunktion des Rahmens: Die Erzählung *Nordseekrabben* bleibt ohne genauere Beachtung der offenen Rahmenerzählung unverständlich. Diese enthält nämlich die gesamten gesellschaftlichen Hintergründe, die die »Bauhausgeschichte« überhaupt erst zur gesellschaftskritischen Satire machen. Ohne den »Spiegel« des Rahmens, der hinter die vordergründigen ästhetischen Phänomene blicken läßt, kann die soziale Thematik der Erzählung nicht vom Leser erkannt werden. Der Rahmen markiert den entschiedenen Wandel, den die Menschen durchgemacht haben, die nach den Erfahrungen des Kriegs nun ihr »Recht« auf Wohlleben fordern und sich durch keinerlei menschliche Rücksichtnahme und Bindung mehr davon abbringen lassen. Menschen, die wild entschlossen sind, die gesellschaftliche Realität, der sie doch ihr Wohlleben verdanken, einfach zu ignorieren und Eigenräume – zum illusionären Ausleben des eigenen Ichs – zu schaffen.

Polyperspektive: In der modernen Erzählkunst gilt die Polyperspektivität, die Darstellung verschiedener »points of view« in einer Erzählung, als Ausweis dafür, daß es keine »richtige« Perspektive mehr gibt, also alles nur »relativ« zu sehen sei (Stichwort: Verlust der äußeren Realität). Entsprechend komme die jeweilige – meist personalgebundene – Innen-Perspektive zur Geltung, die entweder auf mehrere Personen verteilt ist oder mehrere »innere« Perspektiven (auch Erlebnisperspektiven) des »Helden« zum Ausdruck bringt. Brechts polyperspektivische Darstellung steht dazu im diametralen Gegensatz. Sie ist ganz in den Dienst der »Vermittlung«, des vermittelnden Erzählens, gestellt. Am weitestgehenden für die Berliner Zeit in *Müllers natürliche Haltung*, die eine Erzählung in der Erzählung enthält. Zuerst steht der Rahmen: Ingenieure sitzen beisammen und plaudern, um dann auf Müller zu kommen. Dann erzählt Pucher seine »etwas angegraute Geschichte«. Und schließlich erzählt Pucher noch in seiner Geschichte die Geschichte, die ihm Müller von einem Flugzeug-»Abenteuer« berichtet hat. Das erzählerische Raffinement der Erzählung in der Erzählung in der Erzählung besteht darin, daß Müller Pucher gegenüber so tut, als habe er sie wiederum von einem »Bekannten«, gebe also nochmals nur wieder, was ihm wiederum erzählt worden sei. Daß dem jedoch nicht so ist, geht aus einem verräterischen Versprecher Müllers hervor (11, 148). Er verwendet plötzlich die Ich-Erzähl-Situation anstatt der vorher verwendeten personalen Erzählsituation. Für den Leser der Erzählung ist der Versprecher eindeutig, jedoch durchaus nicht für Pucher, der aus ihm keinerlei Schlüsse gezogen hat. Pucher bemerkt zwar den Perspektivenwechsel, mokiert sich jedoch über die von Müller, als vom Bekannten stammende, wiedergegebene Meinung. Diese Binnengeschichte war Müllers sozusagen letzter Versuch, Puchers einseitige Technikverherrlichung und das mit ihr verbundene »Vertrauen« in die Technik wenigstens zu relativieren. Hätte Pucher bemerkt, daß diese Geschichte auf Müllers eigenes Erleben zurückgeht, Müller also Grund zur Furcht hat, dann hätte er vielleicht auch für die wahren Gründe für solche Furcht Verständnis haben können. Pucher aber nimmt sie mehr oder weniger als »fiction«, vor allem als Ausdruck von angegrauter Technikfeindlichkeit, von unangemessenem Konservativismus. Daß sich an Puchers Einstellung bis dato (des fiktiven Erzähldatums) nichts geändert hat und der vermittelnde »Wir«-Erzähler Puchers Meinung beipflichtet, zeigt der offene Rahmen. Man erzählt die Geschichte als »angegraute«, das heißt, daß die Zeit inzwischen so weit »fortgeschritten« ist, daß Müllers »natürliche Haltung« bloß noch als Fossil aus alten Zeiten wiederzugeben ist.

Entspannung: In den meisten Fällen verrät der Erzähler den Ausgang seiner Geschichten schon am Beginn (*Der Kinnhaken, Nordseekrabben, Schlechtes Wasser* u. a.). Damit – und mit der Distanz – ist der Leser von vornherein auf »Entspannung« gestellt. Seine Beobachtung ist darauf gelenkt, die Entwicklung des Geschehens zu diesem vorher fixierten Ausgang, der meist ein Untergang ist, zu verfolgen. Die Spannung resultiert aus dem »Wie«, weniger aus dem »Was«. Dennoch bedeutet dies keine Aufhebung des Inhaltsprimats, so als interessierte nur noch das Detail, *seine* Beschreibung, nicht mehr der Fall und seine »Größe«. Das Verfahren ist vielmehr analytisch angelegt, tendiert prinzipiell zur Kriminalerzählung, die Brecht in den zwanziger Jahren auch theoretisch verteidigt hat (vgl. z. B. die *Glossen über Kriminalromane*; 18, 31–33). Im übrigen *sind* auch nicht wenige Geschichten Kriminalerzählungen. Der Fall liegt vor, zu finden sind die Bedingungen, Handlungen, Verhaltensweisen, die zu ihm geführt haben. Die Faktizität ist vorgegeben, alle Indizien, die maßgebend waren, müssen habhaft gemacht werden. Oft sind dann nur Vermutungen möglich (vgl. die Häufung des »scheint« in *Die Bestie* oder am Ende von *Vier Männer und ein Pokerspiel*).

Eindruck statt Ausdruck: Die Rahmenerzählung der Geschichte *Barbara* besteht lediglich aus einem kurzen Nachdenken darüber, wie die Geschichte insgesamt angemessen zu überschreiben wäre, und der Erzähler erklärt, daß es keinen anderen Titel geben könne, obwohl Barbara »die ganze Geschichte hindurch in viel zu schlechtem Licht dasteht«. Die weitere Erläuterung, daß Barbara nur am Beginn vorkomme, ist einleuchtend (11, 184), wieso sie aber »in viel zu schlechtem Licht« dasteht, scheint völlig unsinnig zu sein, denn es wird über sie gar nichts weiter gesagt. Dennoch ist der Rezipient durch diese Erzählerqualifizierung herausgefordert, und die Herausforderung löst sich ein, wenn man alles, was Eddi mit seinem Auto anstellt, als Reaktion auf von ihm vermutete Aktivitäten Barbaras nimmt. Konkret: er wiederholt mit dem Auto reaktiv die sexuellen Aktionen, die er Barbara mit dem Kabarettdirektor unterstellt. Eddi, der sich verbal allem »überhoben« wähnt und natürlich sich nicht eifersüchtig glaubt, steht wie gebannt unter dem *Eindruck*, den die kurze Szene mit Barbara auf ihn gemacht hat, und reagiert sich mit dem Sexualsymbol des Autos regelrecht ab. Die Geschichte beschreibt vordergründig lediglich die äußerlichen Reaktionen, wahrt ihren Primat, aber sie haben in Eddi tiefe Spuren hinterlassen. Die witzige Aufhebung dieser sexuellen Ersatzhandlung – die sich übrigens in dem Moment noch einmal steigert, als der Ich-Erzähler Eddi vorhält, er fahre »saumäßig«, wo doch »Fahren« das einzige ist, was Eddi »kann« – geschieht durch den Spritmangel, sozusagen durch erzwungene Erschlaffung der geweckten Energien.

Musikbegleitung: Die Geschichte vom *Pokerspiel* sei »von A bis Z poetisch«, weshalb sie »eigentlich nur unter Jazzbandbegleitung richtig« zu erzählen wäre (11, 175). Zu erinnern ist, daß ein Großteil von Brechts Lyrik Lieder darstellt, daß sich die Lyrik also nicht auf das eine Medium, die Sprache, beschränkt, sondern polymedial verfährt und damit auch in gewisser Weise »kollektiv« wird. Sie löst sich vom bloß gelesenen Text, kann auf mehrere Personen im Vortrag verteilt werden und kann überdies – das ist der Regelfall – von mehreren oder vielen zugleich rezipiert werden. In der Tendenz weist die Erzählung mit ihrer zugleich ironisierten Begründung von »poetisch« – »Sie fängt an mit Zigarrenrauch und Gelächter und endet mit einem Todesfall« (11, 175) – auf eine ebensolche Aufhebung des Monologischen und der Fixierung auf das sprachliche Medium. Die Erzählung berücksichtigt damit nicht nur für die Massengesellschaft übliches Rezeptionsverhalten, das sich vom Allein-Lesen abwendet und kollektive Rezeption sucht, sondern versucht auch, in die Erzählweise mehrere mediale Ebenen einzublenden. Die Umsetzung der neuen Medien in Sprache begann in der Berliner Zeit in den Vordergrund zu rücken. Der *Dreigroschenroman* wird die Einlösung bringen.

Helmut *Brandt*: Zur Erneuerung des Erzählens in den Geschichten Bertolt Brechts. In: Erzählte Welt. Studien zur Epik des 20. Jahrhunderts. Hg. v. Helmut *Brandt* und Nodar *Kakabadse*. Berlin und Weimar 1978. S. 169–209.

Die Bestie (1928)

Die Geschichte entstand 1928, und sie markiert nach übereinstimmender Forschungsmeinung den Höhepunkt Brechtscher Erzählkunst in der Berliner Zeit. Publiziert wurde sie erstmals in der *Berliner Illustrirten Zeitung* (27. Jahrgang, Nr. 50, 9. 12. 1928, S. 2161–2163), und zwar als 1. Preis eines Preisausschreibens, zu dem die Zeitung am 10. 6. 1928 aufgefordert hatte. Im Text hatte es geheißen: »Die kurze Novelle, die ein Thema in knappster, lebendigster Fassung zusammendrängt und in packender Steigerung ein Geschehnis spannend und bannend darstellt, ist eine Form der erzählenden Prosa, die wie wenig andere typischer Ausdruck unserer Zeit ist. Fremde Autoren sind in Novellen aus der Großstadt und aus der Weite der Welt mit dieser Konzentration und diesem Tempo vorausgegangen, während die deutsche Kurzgeschichte erst im Begriff ist, sich ihren Platz im Schrifttum zu erobern« (nach Dyck, 211). Waren die Gattungsvorstellungen der Redaktion auch vage, so besagt der Text recht eindeutig, was man wollte, die moderne, den Erfahrungen der Großstadt und den Medien folgende Erzählweise, die in Deutschland als defizitär empfunden wurde und es offenbar auch war. Trotz der Konkurrenz soll Brechts Sieg leicht gewesen sein, weil seine, zum Teil als Prosaschriftsteller wesentlich prominenteren Kollegen recht seichte Geschichtchen abgaben (Arnold Zweig, Georg Britting, Oskar Maria Graf u. a.), die den Erwartungen noch weniger entsprachen als Brechts Geschichte.

Brecht war 1928 mit dem Medium des Films in mancher Hinsicht vertraut. Er hatte verschiedene Filmpläne entwickelt, mehrere Stories für Filme geschrieben, den möglichen Einfluß des Mediums aufs Schreiben und Lesen reflektiert und auf seine Erzählweise die neuen Möglichkeiten übertragen. In der *Bestie* macht Brecht die Filmästhetik zugleich thematisch.

Die Erzählung geht auf eine wahre Begebenheit zurück, die durch eine offenbar nicht weiter identifizierte Zeitungsnotiz überliefert ist (BBA 388/28 = Nr. 20259, Bd. 4, S. 199); ihren Wortlaut hat Joachim Dyck mitgeteilt, von dem auch die eingehendste Analyse der Erzählung vorliegt (die Darstellung ist ihr entschieden verpflichtet). Muratow, der ehemalige zaristische Gouverneur, hatte aus Not tatsächlich die Rolle seines eigenen Ichs im Film *Der weiße Adler* übernommen, war dabei aber von zwei Juden wiedererkannt worden, die ebenfalls für den Film engagiert worden waren (Text bei Dyck, 239). Brecht entnimmt der Notiz die Namen sowie die Konstellation, folgt ihr insgesamt aber nicht, weil die Notiz das Wiedererkennen ins Zentrum stellt und deshalb auch als Nachricht übermittelt ist. Brecht interessiert, obwohl er die zwei Juden in seine Geschichte übernimmt, das

Wiedererkennen – das nur ein Effekt ist – überhaupt nicht, die nachträgliche Mitteilung des wahren Sachverhalts, der dem aufmerksamen Leser im Laufe der Geschichte längst zur Gewißheit geworden ist, gilt vor allem der Beglaubigung dessen, was die Erzählung eingangs das »Entsetzliche« nennt (11, 197). Der Leser wird durch die Bestätigung, daß es sich beim »Ähnlichen« um Muratow selbst handelt, noch einmal auf die Ungeheuerlichkeit der Diskrepanz zwischen Wirklichkeit und ihrer künstlerischen Darstellung – und damit auch Überlieferung – regelrecht gestoßen.

Wie Dyck nachgewiesen hat, kannte Brecht das künstlerische Verfahren der Mozsropom-Ruß-Filmgesellschaft, das u. a. durch Wsewolod Pudowkin theoretisch vertreten worden ist (*Filmregie und Filmmanuskript* erschien 1928 auf deutsch). Dazu gehörte vor allem das sog. »Auffinden« der »echten« Menschentypen. Pudowkin vertrat nämlich die Meinung, daß der Film Wirklichkeit wiedergebe und gar keine »Vortäuschung« sei: »Die Bedingtheit des Films ist nicht die der Unechtheit: sie täuscht nicht die Materie, sondern nur Zeit und Raum vor« (nach Dyck, 232). Deshalb müßten die Darsteller nach rein äußerlichen Kriterien ausgesucht werden, die die jeweilige Wirklichkeitswiedergabe erfordere. Dyck weist darauf hin, daß die russische Filmproduktion der zwanziger Jahre auch tatsächlich nach diesem Prinzip verfahren ist und die Mehrheit ihrer Filme mit »ähnlichen« Laiendarstellern realisierte (vgl. Dyck, 233–238). Brecht weist in der Erzählung auf dieses realistische Verfahren ausdrücklich hin (11, 198). Zweifellos liegt in ihm auch der Kern der Brechtschen Geschichte. Das wird auch dadurch unterstrichen, daß Brecht erwogen hat, die Geschichte nicht im Mozsropom-Ruß-Filmatelier, sondern in dem der Paramount-Gesellschaft spielen zu lassen und den Schauspieler Kochalow durch Murphy zu ersetzen (Brecht dachte vielleicht an den amerikanischen Schauspieler George Murphy). Diese Änderung ist deshalb außerordentlich merkwürdig, als der Fall ja tatsächlich vorlag und das ästhetische Verfahren ebenso beglaubigt war, deshalb also für Kenner auf jeden Fall als Verfahren des neuen sowjetischen Films zu identifizieren gewesen sein würde (Hollywood verfuhr ja völlig anders und förderte den Starkult entschieden; wichtige Rollen wären nie an »Laien«-Darsteller vergeben worden). Der Grund für die Änderung (BBA 52/20–24, 458/2–6 = Nr. 12208, Bd. 3, S. 82) kann eigentlich nur darin liegen, daß Brechts ästhetische Kritik als »antisowjetisch« hätte ausgelegt werden können. Da die vorhandenen Typoskripte nur die »amerikanische« Fassung aufweisen, muß sich Brecht erst sehr spät, das heißt zum oder beim Druck, für die authentische Fassung entschlossen haben. Freilich: Brechts Sorge erwies sich als unbegründet. Die Rezeption blieb bis zu Dycks wegweisendem Aufsatz auf dem Holzweg, und die DDR-Forschung schreitet weiter auf ihm, obwohl Dycks ganz andere Ergebnisse aufweisende Studie vorliegt.

Die Analyse der Erzählung steht und fällt mit der theoretischen Passage, mit der Brecht die Fall-Darstellung abschließt: »Es hatte sich eben wieder einmal gezeigt, daß bloße Ähnlichkeit mit einem Bluthund natürlich nichts besagt und daß Kunst dazu gehört, um den Eindruck wirklicher Bestialität zu vermitteln« (11, 203). Die Frage ist, ob diese Aussage beim Wort genommen werden kann, oder ob es sich um einen ironischen Erzählerkommentar handelt. Nadeshda Dakowa, die die erste umfassende Arbeit über Brechts Prosa verfaßt hat, die im ganzen aber von der späteren Forschung verarbeitet und damit »aufgehoben« ist, sieht darin Brechts »dramaturgisches Credo« (Dakowa, 135), das sich gegen »naturalistische« Kunst richtet, das bloß Alltägliches überwindet und zur Darstellung des Veränderlichen und Veränderbaren gelangt. Auch Helmut Brandt nimmt die Passage beim Wort und meint, daß erst die dritte, von Muratow vorgelegte Variante, die Kochalow dann auch spielt, »das entmenschte Verhältnis der Bestie zu ihren Opfern durch eine einfache, aber durchdringende Geste« verdeutliche, nämlich die bösartige »Schenkung des Apfels«, die Brandt auf dem Hintergrund ihrer Geschichte sieht, als »Zeichen der Freundschaft, der Güte und Liebe« (Brandt, 189). Klaus-Detlef Müller, der ansonsten Dycks Darstellung folgt, will die Stelle »nicht rein ironisch« aufgefaßt wissen; denn, wenn auch Muratows erste Darstellung die »richtige« gewesen sei, so könne die Kunst sich nicht auf die Reproduktion des »Richtigen« beschränken, sondern müsse nach künstlerischen Prinzipien vorgenommen werden, die die dritte Version erfüllt. Müller verweist zur Absicherung dieser Lesart auf Brechts berühmte Zurückweisung bloßer Realitätswiedergabe innerhalb des *Dreigroschenprozesses* (18, 161). Lediglich Joachim Dyck besteht auf der Ironie und sieht in der Geschichte insgesamt eine scharfe Kritik an bürgerlicher Kunst – die eben sehr wohl noch in der Sowjetunion ausgeübt wird – formuliert, wobei die dritte Version, die, die schließlich vom Schauspieler gespielt wird, die depravierteste, in Brechts Sinn die schlechteste und auch unkünstlerischste ist. Ich meine, daß Dyck recht hat. Freilich ist der Nachweis nicht ganz einfach zu führen und von Dyck offenbar auch noch nicht so überzeugend geführt, daß die Forschung ihm ganz gefolgt wäre (was Müllers Verarbeitung von Dycks Ergebnis zu vermuten nahelegt). Aber es gibt Indizien, die Dycks Analyse absichern und entschieden unterstützen lassen.

Dyck sieht in den verschiedenen Versionen eine entscheidende Verlagerung des wiederzugebenden Vorgangs. Muratow »spielt« zunächst die authentische Fassung, deren Überzeugungskraft darin liegt, daß sie nicht nur die Abzeichnung von Todesurteilen als alltägliche Handlung so nebenher vorstellt, sondern die »Bestie« auch als Bürokraten des Terrors, als kenntlichen Kleinbürger, zeichnet: ein solcher Mann wird nie Schuld empfinden und sich stets als Vollzieher »höherer« Zwecke oder Befehle sehen. Die anwesenden und »mitspielenden« Juden bewerten Muratows Spiel entsprechend: »auf sie habe seinerzeit gerade das Gewohnheitsmäßige und Bürokratische einen entsetzlichen Eindruck gemacht« (11, 201). Je mehr Muratow jedoch gezwungen wird, von seiner authentischen Haltung abzurücken, desto mehr wird sein Verhalten »psychologisiert«, geht an ihm die Verallgemeinerbarkeit verloren, wird aus dem Typus das einzelne Individuum. Nicht mehr »die Funktionalität der Bestialität« kommt zum Vorschein, sondern die »ausdrucksstarke Bestialität eines einzelnen Individuums« (Dyck, 257). Die dritte Version ist daher bürgerliche Ausdruckskunst geworden, die auf Einfühlung setzt, was sowohl die körperliche Anstrengung des Schauspielers Kochalow bei der Darstellung als auch die Reaktion des Publikums beweist. Joachim Dyck beurteilt das Ergebnis so: »Insofern die Bestialität in der isolierten Einzelfigur angesiedelt wird, in dem aus dem Warencharakter des Films entsprungenen Glauben, dadurch ließe sich ›Wirklichkeit‹ ohne Rücksicht auf soziale und damit gesellschaftlich motivierte Zusammenhänge vermitteln, verkommt die letzte Szene zum unvermittelten Sadismus des modernen Italo-Westerns, allerdings mit dem Unterschied, daß der durch Muratows Geste dargestellte Sadismus sich in Form einer Herrschaft zeigt, die das reale Töten den Liquidierungskommandos überläßt« (Dyck, 257).

Daß die Erzählung in besonderer Weise Kunst und Wirklichkeit thematisiert, betonen alle Analysen und Deutungen. Jedoch haben sie sich auch alle viel zu viel für die Kunst interessiert – als für die Wirklichkeit, und das mag auch der Grund dafür sein, daß sich Dycks Analyse noch nicht durchgesetzt hat (ich möchte an dieser Erzählung noch einmal den Sinn der Unterscheidung von »Analyse« und »Deutungen« demonstrieren). Sieht man die Frage Kunst und Wirklichkeit unter dem Primat von Wirklichkeit – die ästhetisch zur Darstellung gelangen soll –, dann ergeben sich andere Perspektiven. Zu fragen ist dann nämlich, was an Wirklichkeit in der Darstellung alles *nicht* zur Darstellung gelangt, inwieweit die jeweiligen Darstellungslösungen Wirklichkeit beseitigen. Diese Frage ist insofern berechtigt, als Brecht das Thema Kunst – zwar in dieser Zeit noch nicht so eindeutig und theoretisch bewußt – unterm Primat der Wirklichkeit behandelt hat, daß die Kunst die Aufgabe hat, das, was sie darstellen will, auch angemessen ästhetisch »umzusetzen«.

Die Erzählung enthält für die Beantwortung der Frage eine nachhaltige Passage, die um so schwerer wiegt, als die Zeitungsnotiz gerade da ihre »Pointe« hat, ihre makabre. Die zwei Komparsen, die zur jüdischen Deputation gehört haben, finden die erste Darstellungsversion des Muratow »merkwürdigerweise« »nicht schlecht«. So weit hat die Forschung diese Stelle bisher beachtet. Eigentlich könnte nun auch die Erkennungsszene folgen; denn hat man erst einmal *diese* »Ähnlichkeit« gefunden, ist es nur noch ein Schritt, auch die »Echtheit« der Person zu bemerken oder wenigstens zu vermuten. Brecht biegt aber genau an dieser Stelle ab und schiebt statt dessen einen kurzen Disput zwischen den beiden Juden und einem »Hilfs«-Regisseur ein. Die Stelle im Kontext:

> Sie könnten nicht sagen, wie es auf andere, Unbeteiligte, wirke, aber auf sie habe seinerzeit gerade das Gewohnheitsmäßige und Bürokratische einen entsetzlichen Eindruck gemacht. Diese Haltung hatte der ›Ähnliche‹ ziemlich naturgetreu wiedergegeben. Auch wie er bei der ersten Aufnahme den Apfel gegessen habe, so ganz mechanisch, bei ihrer Unterredung habe übrigens Muratow keinen Apfel gegessen. Der Hilfsregisseur lehnte das ab, »Muratow hat immer Äpfel gegessen«, sagt er schneidend. »Waren Sie denn überhaupt dabei?«
> Die Juden, die nicht in den Verdacht kommen wollten, nicht unter den damaligen Todeskandidaten gewesen zu sein, zogen sich erschrocken auf die Mutmaßung zurück, Muratow habe vielleicht kurz vor oder kurz nach ihrer Audienz Äpfel gegessen. (11, 201)

Zunächst wird klar, warum es bei Brecht gar nicht mehr zur Erkennungsszene kommt, ja kommen kann. Die Juden sind durch den »schneidenden« Einwand des Hilfsregisseurs mundtot gemacht. Ihr Versuch bereits, nur geringe Wirklichkeitsdetails geltend zu machen, stoßen auf solchen Widerstand, daß sogar noch die Glaubwürdigkeit ihrer Terrorerlebnisse auf dem Spiel steht (es sei daran erinnert, daß viele jüdische Zeugen nach der hitlerschen Schlächterei von deutschen Gerichten auch in den Verdacht gebracht wurden, entweder nicht »dabei« gewesen zu sein oder mitgemacht zu haben, weil sie andernfalls eigentlich hätten tot sein müssen). Abgesehen von der Frechheit des Hilfsregisseurs – daß es noch nicht einmal der »Chef« ist, besagt da viel – gegenüber den Juden, beweist sein »Einwand«, daß es der Regie überhaupt nicht darum geht, »Wirklichkeit« wiederzugeben, sondern *ihre* Vorstellungen davon zu realisieren. Und diese Vorstellungen kehren sich, um das, was war, überhaupt nicht. Das marktschreierische Apfelessen des Muratow ist wichtiger als der Bürokratismus der Terrorherrschaft, um die es geht, gehen müßte. Den Augenzeugen wird – bestehen sie auf anderem – einfach ihre Glaubwürdigkeit abgesprochen, und der damaligen Todesdrohung sekundiert nun das Mundtot-Machen (die Komparsen brauchen das Geld offenbar sehr nötig – wie Muratow ja auch!). Das ist als Vorgang – für die wiederum betroffenen Juden – schon »entsetzlich« genug, und nicht ohne Grund wird Brecht das Wort attributiv gerade an dieser Stelle wiederholt haben – der Erzähler findet ja, daß der ansonsten vielleicht »unbedeutende« Vorgang »etwas Entsetzliches an sich hatte« (11, 197).

Das hat Konsequenzen. Das Versprechen der Mozsropom-Ruß-Film-Leute, möglichst »naturgetreu« zu sein, ist ein falsches Versprechen. Man holt sich zwar die »authentischen« Leute, stellt reale Szenen nach, hält sich an »überlieferte Fakten«, insgesamt aber bleibt das alles äußerlich, um nicht zu sagen völlig naiv. Das sind nur Einzelheiten, ohne Zusammenhang und vor allem ohne Reflexion darüber, was ihr Einsatz ästhetisch bedeutet. Das ist eine Naturtreue, die meint, wenn man nach einem Fußballspiel den authentischen Ball ausstellt, auch das Fußballspiel angemessen dokumentiert zu haben. Indem man sich aber mit dieser vordergründigen »Authentizität« zufrieden gibt, bemerkt man gar nicht, daß man darstellerisch wildentschlossen die »eigentliche« Wirklichkeit zu beseitigen angetreten ist. Es geht der Geschichte viel weniger darum, die erste »Version« des Muratow aufgrund ihrer »Naturtreue« zu verteidigen, als vielmehr im Verfolgen des Prozesses zu demonstrieren, wie nachhaltig und entschieden die ästhetischen Vorstellungen der Filmemacher *diese* Wirklichkeit beseitigen und sie statt dessen auf wirkungsvolle Effekte setzen, die die geglückte Darstellung des »Bestialischen« zum *umjubelten* Ereignis machen, das nun aller beklemmenden Momente entkleidet ist. Damit plädiert Brecht noch keineswegs für den Naturalismus von Muratows erster »Version«; er ist notwendig für die Erzählung, weil nur dadurch die »eigentliche« Wirklichkeit erzählerisch darstellbar wird – sie wird ja als Folie für die Beurteilung der beiden folgenden Versionen gebraucht. Die jüdischen Komparsen betonen auch, als sie die Ähnlichkeit feststellen, daß sie nicht beurteilen könnten, wie Muratows »echte« Darstellung auf Unbeteiligte wirke, aber auf sie habe gerade diese Art »einen entsetzlichen Eindruck« gemacht. Der Erzähler also differenziert durchaus, und er hütet sich, Muratows authentisches Nachspielen als ästhetisch »richtig« zu qualifizieren. Jedoch hätte für eine realistische Ästhetik, wie sie Brecht vertritt, der Hinweis der Juden auf das »Gewohnheitsmäßige und Bürokratische« der *Ausgangspunkt* für eine ästhetisch angemessene Lösung dieser Szene sein *müssen.* Die Kunst hätte dann darin bestanden, die Szene auch für Unbeteiligte so zu gestalten, daß sie eben die Wirkung auslöst, die die Betroffenen realiter spürten: einen *entsetzlichen Eindruck.* Offenkundig leistet das Spiel des echten Muratow dies nicht – aber viel schlimmer wiegt, daß die Regie sich überhaupt nicht *darum* kümmert. Das Entsetzliche ist dann auch, daß das wahre Entsetzen ästhetisch beseitigt wird. Diese Kunst verharmlost, beschönigt, macht Wirklichkeit undurchschaubar, nicht mehr handhabbar – und sie geht, wenn auch nur angedeutet von Brecht, über Leichen.

Der ironische Kommentar des Erzählers am Ende ist so gesehen noch bösartiger, als Dyck ihn charakterisiert hat, als »bissigen Kommentar des beobachtenden und gleichzeitig allwissenden Erzählers« (Dyck, 249). Er bestätigt die eigene Kunstauffassung zynisch an der Unkunst der anderen, die noch nicht einmal die Hohlheit ihres Naturalismus durchschauen und bemerken, daß sie doch »Kunst« machen – aber was für eine, nicht nur eine unrealistische, sondern auch eine, die die Wirklichkeit der ehemals Betroffenen verhöhnt. Dem realen entsetzlichen Eindruck gesellt sich durch effekthaschende, sensationsgeile Darstellungsweise ein entsetzlicher künstlerischer Eindruck hinzu.

Es ist vielleicht nicht überflüssig, zu erwähnen, daß sich Brechts Erzählung – ist die Grundlage für ihr Verständnis erst einmal präpariert – nicht »gegen die Sowjetunion« richtet, auch nicht gegen »den« sozialistischen Realismus. Trotz Eva Kreilisheims Untersuchungen über Brecht und die Sowjetunion wissen wir relativ wenig über Brechts Kenntnisse über die Auseinandersetzungen, die Autoren wie Sergej Tretjakow in der Sowjetunion gegen den dortigen kleinbürgerlichen, nur rot angestrichenen Kunstbetrieb geführt haben. Über importierte Aufführungen – bekannt ist 1927 das Gastspiel der Truppe *Sinie bluzy* am Piscator-Theater – und über Piscator selbst, der sich um das sowjetische Theater bemühte, dürfte Brecht einiges kennengelernt haben. Die Freundschaft mit Tretjakow, die spätestens ab 1930 datiert, war spontan und ästhetisch produktiv. Es ist nicht auszuschließen, daß Brecht indirekt einiges in Erfahrung gebracht hat, zumal die Versuche, eine wirklich realistische sozialistische Kunst durchzusetzen, nicht nur auf Brechts Zustimmung, sondern auch auf ästhetische Gemeinsamkeiten stieß. Deshalb ist es wichtig festzuhalten, daß die avantgardistische Kunst in der Sowjetunion untypisch für sie ist, während der allgemeine und allgemein anerkannte Kunstbetrieb in geradezu hohnsprechender Weise sozialistischen Biedermeierkitsch hervorbrachte. Wenn die Geschichte also gegen künstlerische Darstellungsweisen in der Sowjetunion gerichtet ist, dann gegen diese überständige bürgerliche Kunst in der Sowjetunion, für die Versuche eintretend, sie sozialistisch zu wenden. Wichtig ist dabei auch der Gesichtspunkt, daß Brecht – nicht das Individuum leugnend (!) – weg wollte vom Ausdruck des Individuellen hin zur Darstellung dessen, was zwischen den Menschen vorfällt. Die offizielle Kunstrichtung der Sowjetunion jedoch blieb beim individuellen Ausdruck, meinte aber, daß er, wenn er jedem, nicht nur dem »Helden« zugebilligt würde, schon unbürgerlich wäre.

Noch ein mögliches Mißverständnis ist anzusprechen. Dyck macht darauf aufmerksam, daß auch Sergej Eisensteins große Filme sich des Moszropom-Ruß-Film-Naturalismus bedienten. Auch Eisenstein setzte Laien als Darsteller ein und suchte sie nach Pudowkins Methoden aus. Daß bei ihm – und natürlich auch bei manchen anderen Könnern der russischen Kunst – kein Mißverständnis in Sachen Naturalismus entsteht, verdankt sich dem großartigen Einsatz der Montage und der fast durchgängigen Darstellung von Massen. Da bekommt der »Naturalismus«, der es natürlich auch da nicht ist, etwas Dokumentarisches und der Film unglaubliches Tempo, so daß die Fehler, die Brechts Erzählung beschreibt, da (fast ganz) ausgeschlossen sind. Brecht nennt denn Eisensteins Kunst in der Wirkung auf ihn in einem Atemzug mit Marx (vgl. 20, 46).

Dyck hat darauf aufmerksam gemacht, daß Brechts Erzählung filmtechnisch, also montageartig aufgebaut ist, selbst also filmisch verfährt, wodurch sich die ohnehin schon inhaltlich mehrfach gespiegelte »Filmästhetik« auch formal einlöst (vgl. Dyck, 228 f.). Unschwer ist zu erkennen, daß Brechts Erzählung weder der ersten, noch der dritten Version (die zweite ist eine Zwischenstufe) darstellerisch folgt. Bei der ersten hätte er der »Anekdote« folgen müssen, die Brechts Thematik jedoch nicht zuläßt. Bei der dritten hätte er notwendig aus der Perspektive Muratows schreiben müssen, dem ein ästhetisches Exempel statuiert worden wäre. Die Erzählung geht konsequent nach der »Außenschau« vor, wobei der Erzähler durchaus nicht allwissend ist, sondern vieles aus bestimmten Haltungen, Verhaltensweisen erst erschließt – und sich auch da nicht ganz sicher ist (vgl. die Häufungen von »scheint«, »vielleicht«, »anscheinend«). Wie im Film werden also die Reaktionen der handelnden Personen aufeinander zum Indikator ihrer inneren Einstellung, Haltung. Dazu kommt der »Schnitt«, der ständig neue Konstellationen einfängt und in keiner Weise auf den »Helden« fixiert bleibt (der kann sich nicht »ausdrücken«). Folglich moralisiert die Geschichte auch nicht, indem sie sich über Muratow aufregte, was bei der Psychologisierung der Figur sich als Wirkung beim Leser zumindest eingestellt hätte. Muratow kommt relativ gut weg, und sein Auftritt im Filmatelier wird vom Erzähler am Ende sogar als ein kleiner Sieg im Kampf ums tägliche Brot gefeiert, ein Sieg, der jedoch eine Niederlage ist – und nicht nur eine der Ästhetik.

Text: Berliner Illustrirte Zeitung, 27. Jahrgang, Nr. 50, 9.12.1928, S. 2161–2163. Authentischer Nachdruck bei Dyck (s. u.), S. 213–217; in Anm. 24 Hinweise auf Fehler bzw. Änderungen in den einschlägigen Ausgaben der Werke.

Nadeshda *Dakowa*: Die erzählende Prosa Bertolt Brechts 1913–1934. Leipzig 1962 (Masch.) – Eva *Kreilisheim*: Bertolt Brecht und die Sowjetunion. Wien 1970 (Masch.). – Joachim

Dyck: Ideologische Korrektur der Wirklichkeit. Brechts Filmästhetik am Beispiel seiner Erzählung *Die Bestie*. In: Brechtdiskussion. Kronberg/Ts. 1974. S. 207–260. – Helmut *Brandt*: Zur Erneuerung des Erzählens in den Geschichten Bertolt Brechts. In: Erzählte Welt. Studien zur Epik des 20. Jahrhunderts. Hg. von Helmut *Brandt* und Nodar *Kakbadse*. Berlin und Weimar 1978. S. 169–209. Hier: 187–194. – Klaus-Detlef *Müller*: Brecht-Kommentar zur erzählenden Prosa. München 1974 (S. 85–89).

Die Exil-Prosa 1933–1945

Überblick, Texte

Zur Textauswahl ist zunächst eine Vorbemerkung notwendig. Die neuere DDR-Forschung (Tauscher, Ignasiak) hat gute Gründe geltend gemacht dafür, Texte, die bisher als »Aufsätze« zu Politik und Gesellschaft galten, als Prosaarbeiten – genauer: als Prosa-Satiren – zu qualifizieren. Es handelt sich um folgende Texte: *Briefe um Deutschland* (20, 234), zu denen auch der Text *Unpolitische Briefe* (20, 182–188) gehört (1933 geschrieben, konzipiert als größere »Reisebeschreibung«), *Die Horst-Wessel-Legende* (20, 209–219; geschrieben 1934/35), *Eine Befürchtung* (20, 275–278; geschrieben und publiziert 1935, in der *Werkausgabe* zeitlich falsch eingeordnet), *Über die Wiederherstellung der Wahrheit* (20, 191–198, geschrieben 1935), die prosaisch-satirische Umsetzung, die der Aufsatz *Fünf Schwierigkeiten beim Schreiben der Wahrheit* (18, 222–239) theoretisch fordert, *Über die Frage, ob Hitler es ehrlich meint* (20, 199–203; geschrieben um 1936, ebenfalls zeitlich falsch eingeordnet) sowie *Über den Satz ›Gemeinnutz geht vor Eigennutz‹* (20, 230–233) (vgl. Tauscher, 93–175; Ignasiak, 40f. und 228, Anmerkung 49). Ich schlage vor, auch noch die beiden, von Brecht ohne Überschriften hinterlassenen Kurztexte (der erste eine Art Anekdote) zur Prosa zuzuschlagen: *Argument gegen Hitler* (20, 205; geschrieben um 1934) und *Der wunderbare Bazillus* (20, 222f.; geschrieben um 1937), ein Text, der an *Eine Befürchtung* – Wiederaufnahme der Metaphorik – anschließt. – Für diese Neueinstufung spricht nicht nur der »künstlerische Wert«, den Tauscher (24) geltend macht und auf den sich auch Ignasiak beruft. Es gibt recht handgreifliche Bezüge zum *Tui-Roman*, z. B. in der *Horst-Wessel-Legende*, die ebenfalls das »regierende Triumvirat aus einem verbummelten Studenten, einem entlassenen Offizier und einem Reichswehrspitzel« (20, 219) auftreten läßt (im *Tui-Roman* ist deftiger die Rede vom »schmutzigen Trifolium«, das »aus dem Armeespitzel Hu-ih, dem verkrachten Pfaffen Goggher Gog und dem früheren Feldwebel, dem furchtbaren Angerlan« bestehe; 12, 662), wie auch der satirische Stil von Roman und Geschichten große Ähnlichkeiten aufweist (freilich sind die Geschichten weniger verschlüsselt, sozusagen »realitätsnäher«). Textüberschneidungen bzw. -bearbeitungen zwischen *Mies und Meck* und dem Prosatext *Über die Frage, ob es Hitler ehrlich meint* hat bereits der Kommentar der Werkausgabe konstatiert (Hecht, 20, Anmerkungen 30). Daß *Mies und Meck* wiederum große Ähnlichkeit mit den *Flüchtlingsgesprächen* hat, die seit jeher unter *Prosa* rangieren, ist stets betont worden, wenn diesem Dialog überhaupt Aufmerksamkeit geschenkt wurde. Daß Brecht-Texte ohnehin schlecht im üblichen Sinn rubizierbar sind, ist ebenfalls ein offenes Geheimnis, daß es andererseits doch irgendwie notwendig erscheint, sie zu rubrizieren, das heißt gattungsmäßig einzuordnen, ergibt sich daraus, für den Leser und »Benutzer« von Brechts Werk, dessen Überschaubarkeit zu erhalten. Dichtung, die sich als »Zeitdichtung« (aber nicht im verpönten Sinn) verstand, gerät gerade bei kleineren Prosatexten schnell in die Nähe des Traktats, vor allem dann, wenn überdies noch mit den gängigen Formen essayistischer oder »wissenschaftlicher« Prosa bewußt gespielt wird. Im *Tui-Roman* hatte Brecht mit der Geschichte des Massenmörders und Menschenfressers Denke die Form einer »Dissertation« geplant. Die *Horst-Wessel-Legende* ist auch eine quasiwissenschaftliche »Legende« – im Sinn von beschreibender Unterschrift – zur offiziellen – »Wahrheit beanspruchenden« – politischen Legende über Wessel und zugleich zur romanhaften Verklärung durch Ewers (*Horst Wessel. Ein deutsches Schicksal*. Stuttgart, Berlin 1932). Hinzu kommt, daß Brecht im finnischen Exil auf eine dialogische Form des Romans stieß, die der finnische Dichter Aleksis Kivi (1834–1872) ausgebildet hatte und die Vorbild für die *Flüchtlingsgespräche* wurde. Daß diese Gespräche auch dramatisch zu realisieren sind, spricht *nicht* gegen ihre Einordnung in die Prosa, wenn Ausgaben überhaupt so rubrizieren: und insgesamt gesehen, folgt das *Brecht-Handbuch* den durch die Werkausgaben vorgenommenen Aufteilungen, und zwar sinnvollerweise (das Prinzip soll auch nicht für die folgenden Ausgaben aufgegeben werden, so z. B. nicht für die Brecht-Ausgabe, die Werner Hecht,

Klaus-Detlef Müller und ich für den Klassiker-Verlag vorbereiten).

Die Umordnung der antifaschistischen Prosasatiren zur künstlerischen Prosa hat noch einen weiteren Aspekt für sich. Brechts überragende Kunst der Satire ist dadurch, daß das satirische Hauptwerk unvollendet geblieben ist (*Tui-Roman*), bisher viel zu wenig gewürdigt worden, indem man die entsprechenden Texte lediglich als sarkastischen Zeitkommentar las. Als Prosa-Stükke erhalten sie mehr Eigengewicht und sind so auch angemessenerer Rezeption zugänglich. – Und damit kein Mißverständnis aufkommt: die gattungssprengenden oder -übergreifenden Eigenformen des Brechtschen Werks werden bei der Analyse selbstverständlich herausgestellt und betont.

Es wäre merkwürdig gewesen, wenn sich Brechts Prosaproduktion in den ersten Exiljahren nicht dem Faschismus gewidmet hätte. Er greift zum »operativen Genre« (Ignasiak, 26) der Satire, um möglichst direkt und wirkungsvoll antifaschistische Aufklärung zu betreiben. Noch war mit deutschen Lesern zu rechnen, noch gab es gewisse Hoffnung, daß der »braune Spuk« sich nicht in der vorgesehenen Weise etablieren könnte. Überdies sah Brecht die Notwendigkeit – wie in Drama und Lyrik ebenso –, auf die kriegerischen Absichten der Nazis aufmerksam zu machen und vor ihrer Unterschätzung zu warnen. Wenn Brecht den Plan zu einer Reisebeschreibung »um Deutschland« entwarf (gleich 1933 nach der Flucht, besser Vertreibung), so in der Absicht, wenigstens auch in den Nachbarländern Aufklärung vor den Gefahren, die sich in Deutschland zusammenbrauten, zu leisten. »Um« Deutschland meinte nicht nur, daß die Reise um Deutschland »herum« gehen sollte (konzipiert sind die Stationen Österreich–Wien, Tschechoslowakei–Prag, England–London), sondern auch daß die »Reiseländer« sich um Deutschland kümmern, die kommenden Gefahren sehen lernen sollten. Direkteres, aufklärerisches Engagement stand in den Prosaarbeiten von 1933 bis 1935 im Vordergrund.

Das ändert sich mit der zunehmenden Etablierung der braunen Herrschaft in Deutschland. Die kämpferischen Texte weichen Experimenten in verschiedenen – mehr parabolischen – Kurzprosaformen, ohne jedoch Ergebnisse zu zeitigen, über die hier gehandelt werden müßte. Daß die *Keuner-Geschichten* weitergeschrieben werden, versteht sich: mit ihnen bildet sich der nachhaltigste Typus neuer Kürzestgeschichten aus.

Die wichtigsten Jahre für die kürzere Prosa werden die Jahre 1938 bis 1940; es sind das letzte Jahr auf Fünen sowie die Jahre des schwedischen Exils. *Der verwundete Sokrates* (1938) und *Der Stalljunge* (= *Das Experiment*; Januar 1939) schreibt Brecht noch in Skovsbostrand, wo er mit Ruth Berlau zusammen auch noch einen Novellenband *Jedes Tier kann es* plante (erotische Novellensammlung; erhalten blieb ein Berlau-Typoskript BBA 2210/70 bzw. 13–15 = Nr. 13303f., Bd. 3, S. 199). Auf Lidingö folgen dann auf einen Schwung die Erzählungen *In der Erwartung großer Stürme, Der Mantel des Nolaner* (= *Der Mantel des Ketzers*), *Die Trophäen des Lukullus* und *Die unwürdige Greisin.* Fünf der bis dato geschriebenen Erzählungen wählt Brecht nach dem Krieg für die einzige realisierte Prosa-Anthologie *Kalendergeschichten* aus. Sie bilden den Grundstock zur klassischen Prosa-Sammlung, und sie gehören längst zum klassischen Kanon deutscher Erzählkunst.

In Finnland folgen ein weiterer »Klassiker«, *Der Augsburger Kreidekreis*, sowie die hintergründige »Detektiv«-Geschichte *Eßkultur*, entstanden beide noch 1940, wie auch die *Flüchtlingsgespräche.* Dann versiegt die Arbeit an kürzerer Prosa. Das amerikanische Exil scheint für sie keine geeignete Basis bereitgestellt zu haben. Was an kurzer Prosa jetzt auftaucht, steht in engem Zusammenhang mit dem Film, wobei natürlich die Filmskripte, die ja keine Drehbücher, sondern die Fixierung möglicher »Stories« für den Film darstellen, *Prosawerke* sind. 1942 schreibt Brecht die bedeutsame Filmgeschichte *Cäsar und sein Legionär*, zunächst als Filmskript für den Film *Cäsars letzte Tage* gedacht, dann jedoch als eigenständige Erzählung umformuliert; als solche geht sie in die *Kalendergeschichten* ein. Aus einem weiteren Filmprojekt entwickelt sich schließlich 1945 die Erzählung *Die zwei Söhne*, die chronologisch letzte Geschichte für die *Kalendergeschichten.*

Zu verweisen ist hier nur auf die Roman-Produktion des Exils. Alle drei maßgeblichen Romane bzw. Projekte fallen in die Exilzeit, der 1933 geschriebene, 1934 publizierte *Dreigroschenroman*, der *Tui*-Komplex (ab 1934 bis in die DDR) und der *Cäsar*-Roman (ab Ende 1937). Diese Werke sind im Anschluß an das *Prosa*-Kapitel gesondert besprochen. Dazu kommt noch das *Buch der Wendungen, Me-ti,* (zwischen 1934 und 1941).

Die folgende Darstellung der Exil-Prosa berücksichtigt auch nicht die in den *Kalendergeschichten* publizierten Geschichten, obwohl ihre Entstehungszeit sie hier ansiedeln müßte. Da die *Kalendergeschichten* jedoch einen Sonderfall darstellen, die erfolgreichste und klassische Sammlung Brechts sind, erhalten sie ein gesondertes Kapitel – ebenso wie die *Keuner-Geschichten*, die sich über einen außerordentlich langen Zeitraum ihrer Entstehung erstrecken.

Texte: Geschichten 1 (= Prosa 1). Frankfurt a.M. 1965. S.227–274, 277–289, 298–316. – Geschichten 2 (= Prosa 2). Frankfurt a.M. 1965. S.5–102 (= Kalendergeschichten). – wa 11, 207–366. – wa 20, 182–188, 191–203, 205, 209–219, 222f., 230–233, 275–278.

Rolf *Tauscher*: Brechts Faschismuskritik in den Prosaarbeiten und Gedichten der ersten Exiljahre. Berlin 1981 (S. 80f., 93–175). – Detlef *Ignasiak*: Bertolt Brechts »Kalendergeschichten«. Kurzprosa 1935 bis 1956. Berlin 1982 (passim).

Themen

Fortführung der sozialen Thematik

Die Prosaproduktion der Weimarer Republik wird thematisch weitergeführt mit den umfangreicheren Erzählungen *Der Arbeitsplatz oder Im Schweiße deines Angesichts sollst du kein Brot essen* (11, 224–229) und *Safety first* (11, 210–223). Beide Geschichten sind inhaltsreich und filmträchtig, deshalb auch inzwischen verfilmt, und zwar unter dem Titel *Tod und Auferstehung des Wilhelm Hausmann*, Drehbuch Werner Hecht und Christa Mühl, 1977, DDR-Fernsehen, sowie unter dem Titel *Die Rache des Kapitäns Mitchell*, Drehbuch-Verfasser wie oben, 1979.

Die Erzählung vom *Arbeitsplatz* geht auf einen realen Fall zurück. Die Zeitungsmeldung lautete:

Zwölf Jahre als Mann verkleidete Frau. In einer Mainzer Fabrik hat sich seit zwölf Jahren ein Nachtwächter gut bewährt, der – wie die Steuerbehörde eines Tages herausfand – eine Frau ist. Sie hatte sich die Papiere ihres von ihr getrennt lebenden Mannes angeeignet und als Mann verkleidet um Stellung beworben. Sogar die Rolle eines guten Familienvaters hat sie gespielt, indem sie sich mit einer Frau, der Mutter von zwei Kindern, standesamtlich trauen ließ. (Wide World). (Ein Buch für Alle, Nr. 1, 1932)

Ob Brecht genauere Angaben vorlagen, ist bisher nicht ermittelt. Kirsten Boie-Grotz jedoch hat recherchiert, daß Brecht den Stoff wahrscheinlich nur indirekt durch Anna Seghers übermittelt bekam. Anna Seghers, die die Geschichte ebenfalls literarisch bearbeitet hat (BBA 424/146–153 = Nr. 20260f., Bd. 4, S. 199), erzählte danach Brecht von diesem authentischen Fall aus ihrer Heimatstadt am »Beginn des Exils« (nach Boie-Grotz, 161), das heißt also, da das Seghers-Manuskript die Pariser Adresse enthält, im Juni 1933, eventuell auch im September des Jahres (womit auch die Entstehungszeit der Erzählung feststehen dürfte). Brecht bemühte sich um Filmaufträge, und es ist nicht unwahrscheinlich, daß beide Geschichten mit dem sozialkritischen Inhalt (also auch *Safety first*) zu diesem Zweck geschrieben worden sind.

Was konkret sich beim realen Fall abspielte, legt die Zeitungsmeldung nicht offen. Jedoch ist es nicht schwer, die Phantasie an ihm zu entzünden, denn im Winter 1931/32 war die vorfaschistische Arbeitslosigkeit auf ihrem Höhepunkt (6 Millionen), und es ist leicht vorstellbar, daß die »Enttarnung« damit im Zusammenhang stand. Da die Frau jedoch ihren männlichen Part zwölf Jahre lang überzeugend zu spielen vermochte, liegt der eigentliche Beginn der Geschichte 1924, also zur Zeit des – durch den Dawes-Plan allmählich einsetzenden – Wirtschaftsaufschwungs. Die zeitliche Verlegung ans Ende der zwanziger Jahre in Brechts (und auch Seghers Erzählung) dient ganz eindeutig der Verschärfung der sozialen Thematik, da in dieser Zeit der Kampf um den Arbeitsplatz ein Kampf ums Überleben geworden ist. Auch verfahren die Erzählungen dadurch markanter, daß sie den Tod des Mannes voraussetzen und die Entdekkung einem Arbeitsunfall zuschreiben. Ansonsten aber differieren die Versionen von Brecht und Seghers. Während diese vor allem am »Schicksal der Frauen im Privatbereich« interessiert ist, geht es jenem um »die Herausarbeitung und Verdeutlichung der sozialen Situation selbst« (Boie-Grotz, 162).

Die Bedeutung von Brechts Geschichte liegt darin, daß sie den Fall dazu benutzt, die Ursachen der gesellschaftlichen Rollenverteilung von Mann und Frau kritisch zu befragen. Der Mann gilt als »Ernährer der Familie« und *deshalb* auch als »Familienoberhaupt«. Was ökonomisch-gesellschaftliche Ursachen hat, wird jedoch ideologisch als »Natur« des jeweiligen Geschlechts ausgegeben. Mit dem Fall kann Brecht das Gegenteil beweisen. Zwölf Jahre lang hat diese Frau »ihren Mann gestanden«. Sie war in der Lage zu spielen, was angeblich angeborene, nicht veränderbare »Eigenschaft« des Mannes ist. Dadurch, daß die unendliche Not, in die die Frau durch den Tod ihres Mannes kommt, die Frau zwingt, die männliche

Rolle zu übernehmen, kann die Geschichte die eigentlichen Ursachen der Rollenverteilung aufdecken: »In wenigen Tagen wurde die Frau zum Manne, wie der Mann im Laufe der Jahrtausende zum Manne wurde: durch den Produktionsprozeß« (11, 226f.). »Mut, Körperkraft, Besonnenheit [können] schlechthin von jedem, Mann oder Weib, geliefert werden [...], der auf den betreffenden Erwerb angewiesen ist« (11, 226). Für Brecht lag damit ein geschichtlicher Beweis für die Richtigkeit der Marxschen These vor, daß sich mit der gesellschaftlichen Entwicklung auch die Natur des Menschen verändert. Die »Aufgabe des Geschlechts« und die Verwandlung der Frau in den Mann zeigen sich als Resultat der gesellschaftlichen Verhältnisse, ihres Zwanges.

Aber das ist nur die eine Seite. Brechts Erzählung behandelt auch die öffentliche Reaktion auf den Fall (wobei die Frage, ob sie auf reale Reaktion zurückgeht oder nicht, offen bleiben muß; Werner Hecht hat im Werbeheft für den TV-Film einen »Skandal in Mainz« – mit fiktiven Zeitungszitaten – erfunden – aber es kann so gewesen sein). Dadurch, daß die Frau ihre Rolle überzeugend gespielt hat und nur durch einen unglücklichen Zufall – und nicht etwa durch »frauliches« Fehlverhalten – entdeckt wurde, mußte ihr Fall die ideologische Einschätzung der realen Rollen von Mann und Frau in der Gesellschaft in Frage stellen. Wenn es *dieser* Frau gelungen war, so mußte also der Rollentausch grundsätzlich möglich sein, und dies mußte zu einer erheblichen Verunsicherung führen, zumal ja die Frauenarbeit gesellschaftlich längst durchgesetzt – im 1. Weltkrieg brauchte man die Frauen für Männerarbeit sehr dringend –, jetzt aber, angesichts der Arbeitslosigkeit wieder außerordentlich unerwünscht war. Brechts Geschichte realisiert diese – womöglich auch authentische – ideologische Nachgeschichte des Falls. Die Gesellschaft, und das heißt hier vor allem in der sog. öffentlichen Meinung des durch die Boulevardpresse aufgepeitschten »gesunden Menschenverstands«, rächt sich an der Frau, indem sie ihren Fall zum Ärgernis (11, 228) und sie selbst zum »Monstrum« (11, 229) erklärt. Alles muß »unglaublich«, die Frau so zum »biologischen Unmenschen« verunglimpft werden, daß er nicht mehr als gesellschaftliches Symptom der Unnatur der gesellschaftlichen Verhältnisse erscheinen kann. »Entartung« nannten dies zur gleichen Zeit die Nazis, und insofern stellt sich über die Ideologie, die die Geschichte scheinbar bloß referierend entwickelt, doch noch ein Bezug zur Zeit der Entstehung her. Solchermaßen ideologisch verfährt auch die faschistische Propaganda, indem sie für die Unnatur der Gesellschaft angeblich »entartete« Menschen verantwortlich macht.

Der Film *Tod und Auferstehung des Wilhelm Hausmann* (Regie: Christa Mühl), der relativ eng dem Gang der Geschichte folgt, geht in zwei wesentlichen Aspekten interpretierend über die Erzählung hinaus: Er versteht es, erstens die in der Erzählung nicht einmal angedeutete Kunstthematik mit außerordentlich ruhigen und langen Einstellungen (Kamera: Jürgen Heimlich), die den Filmzuschauer zur genauen Beobachtung des *Spiels* anhalten, am Stoff kenntlich zu machen; das Hineinfinden der Hausmann in ihre neue Rolle (Darstellerin: Ursula Karusseit) wird so auch zur Demonstration von Schauspiel*kunst*. Und zweitens macht der Film den Primat der gesellschaftlichen Verhältnisse gegenüber der menschlichen Natur dadurch überzeugend sichtbar, daß er die Hausmann, nachdem sie sich in die Rolle gefunden hat, innerhalb des doch unter Eingeweihten *spielenden* Familienlebens in typisch *männlichen Reaktionen* vorführt (Imponiergehabe, Eifersucht). Selbst im privaten Raum, in dem kein Spiel mehr nötig wäre – unter den beiden Frauen, die sich aus der Not zusammengefunden haben –, beginnt die Frau, die in der Öffentlichkeit Mann sein muß, männlich zu fühlen. Beide Interpretationen liegen in der poetischen Konsequenz der Erzählung.

Safety first ist sicherlich von der ab 1926 nachgewiesenen Myers-Lektüre angeregt (Gustavus Myers: *Geschichte der amerikanischen Vermögen*, 2 Bände, Berlin 1916; jetzt unter dem Titel *Money*, Frankfurt a. M. 1969). Das Kapitel über *Die Entwicklung des Vanderbilt-Vermögens* enthält eine Geschichte über einen Betrug mit Schiffen in »besorgniserregendem Zustande«, die Vanderbilt – obwohl sie seeuntüchtig sind – der Regierung andreht und die selbstverständlich – als Truppentransporter eingesetzt – untergehen. Die Geschichte steht Pate für den Schiffe-Betrug im *Dreigroschenroman*, der übrigens ebenfalls in England spielt; da auch die Entstehungszeiten (weitgehend) übereinstimmen, darf ein Zusammenhang der Erzählung mit dem Roman vermutet werden.

Daß »das Mistschiff nicht sank«, wird für Kapitän Mitchell zum Verhängnis. Nach einem Zusammenstoß (ohne seine Schuld) erklären die »Herren im Navigationsraum« das Schiff für unrettbar, worauf Mitchell SOS funken und das Schiff evakuieren läßt – ein teures Unternehmen. Als er denn doch noch mit dem Schiff in London einzufahren vermag, entläßt ihn die Reederei wegen »Feigheit«, und mit diesem Kainsmal versehen, kann er keine neue Anstellung finden. Die privaten Folgen lassen nicht auf sich warten, und in einer ziemlich kompliziert gestalteten Intrigengeschichte entfremdet er sich auch seiner Verlobten und scheint nun auch gesellschaftlich »erledigt« zu sein sowie auch seine Selbstachtung endgültig verloren zu haben. Da jedoch entschließt sich Mitchell, endlich zu agieren. Die Chance bietet sich dadurch, daß er das zynisch angetragene Angebot erhält, einen »Invaliden« von London nach Rotterdam zu schiffen: »Es war der älteste, dreckigste, verkommenste Eimer, den er je gesehen hatte« (2, 218). Ein offensichtlicher Versicherungsbetrug, den er für sich auszunutzen gedenkt. Er nimmt den Auftrag an, bittet die neuen und alten Reeder nebst seinen – ihm Übel mitspielenden – »Freunden« zu einem üppigen Diner aufs Schiff und simuliert das Auslaufen des Schiffs, von dem jeder weiß, daß es in jedem Moment absaufen wird. Die Reaktionen sind entsprechend, eben entlarvend. In dieser Situation kann Mitchell, der sich freilich durch einen anwesenden Pressevertreter abgesichert hat, seine Wiedereinstellung erpressen.

Kirsten Boie-Grotz meint, das Happy-End sei »konstruiert« (161). In der Tat enthält die Story in unübersehbarer Menge Zitate trivialer Genres, sowohl der Abenteuer-Geschichte als auch der Detektiv-Geschichte (im Mittelteil), aber auch der Liebes-Geschichte (die Wandlung der Jane vom armen Dienstmädchen zur Kapitäns-Gattin). Diese Züge sind jedoch dermaßen aufdringlich – wie auch die gelungene Rache des Kapitäns Mitchell am Ende –, daß sie kaum aus Unvermögen zu erklären sind. Brecht muß sie ganz bewußt eingesetzt haben – wie das Ende auch: »um der poetischen Gerechtigkeit willen« (Boie-Grotz, 161).

Die Geschichte führt den Lernprozeß – allerdings ohne den Zeigefinger! – eines Mannes vor, der zwar ein guter Kapitän ist, aber die Zeichen der Zeit noch nicht verstanden hat und sie nun allmählich zu verstehen beginnt und anzuwenden bereit ist. Der Ich-Erzähler betont gleich zu Beginn, daß die Zeit der rauhen Seebären vorbei ist, daß man Mitchell, der wie ein Ingenieur aussieht, als eine Art Hoteldirektor anzusehen hat. Damit ist auch klargestellt – und Mitchell weiß das, als das Mistschiff nicht sinkt –, daß sein Posten zuallererst ein wirtschaftlicher Posten ist und nicht etwa der eines Ersten Mannes auf einem Schiffsgiganten. Ordnet er etwas falsch an, das das Geschäft stört oder ruiniert, ist er ruiniert. Er hat also zuerst ans Geschäft zu denken, dann erst auch an anderes, an die Passagiere (sehr teure) und an das Schiff (er hätte, wenn der Mistkahn nicht von selbst sank, eben nachhelfen müssen, damit die Versicherungen auch zahlen, oder eben das Leben der Passagiere aufs Spiel setzen müssen). Wo Geschäfte gemacht werden, kann auf Menschen keine Rücksicht genommen werden. Das wäre die überholte Seebärenromantik. Mitchells Verhalten auf dem Schiff hat Parallelen im Privatleben. Er ist der Ernährer einer Großfamilie, ihr Abgott (11, 212), läßt sich also – wie man sagt – »ausnehmen«. Er lebt auch privat in überholten Verhältnissen. Damit ihm dies klar wird, hat Brecht die als unübersichtlich geltende Intrigen-Geschichte (triviale Kriminalgeschichte) eingeschaltet. Sie zeigt einerseits die mangelnde Solidarität der Seeleute untereinander (Boie-Grotz, 159), indem sie Mitchells (quasi-) Verlobter seine prinzipielle Feigheit demonstrieren wollen, sie führt andererseits aber Mitchell auch zur Erkenntnis der herrschenden gesellschaftlichen Verhältnisse. Ihre Bewußtwerdung führt über das Küchenmädchen Jane, das Zeugin der Intrige gegen Mitchell geworden und deshalb entlassen worden ist. Mitchell, am Tiefpunkt seines Lebens, mit dem Gefühl, er sei wirklich ein Feigling, merkt auf einmal an dem unscheinbaren (eher häßlichen) Mädchen, daß man »sich etwas herrichten« müsse, um angemessen zu wirken (11, 219). Auch Jane bemüht sich um eine neue Stelle – und kann sie so, wie sie aussieht, nicht erhalten. Mitchell überträgt diese Erkenntnis auf sich und wandelt sich zum Berserker, freilich nicht ohne sich vorher Mut angetrunken zu haben. Die »Szene« mit Jane stellt den Schlüssel für die Geschichte dar. Von da an verhält sich Mitchell auf der »Höhe der Zeit«. Er schmeißt die Familie raus (Ende der anachronistischen Großfamilie), nimmt den Betrugs-Posten an und inszeniert seinen Aufstieg durch den simulierten Untergang des »Invaliden«. Die Rückeroberung des alten Postens geschieht wohl vorbereitet durch klare Erpressung. Die Reeder des »Invaliden« hat er in der Hand, weil sie durch ihr Verhalten den Versicherungsbetrug offen zugegeben haben; seinen alten Reeder hat er in der Hand, weil er sich durch sein Verhalten nicht nur moralisch erledigt hat, sondern auch mit eben den Methoden arbeitet, die die Konkurrenz verwendet. Sie aufzudecken, könnte manchem guten Geschäft schaden. Mitchell, der annimmt, also bereit ist, fortan Betrug mitzumachen, indem er in die alten Dienste zurückkehrt, hat die Presse als Druckmittel eingeschaltet. Der »bekannte Reporter« Keynes (11, 221) behält das letzte Wort. Als Jane Zweifel äußert, ob der alte Reeder Watch sein Angebot »aufrecht erhalten« wird, sagt Keynes zynisch: »Er wird« (11, 223). Mitchell hat den Reporter gekauft, notfalls über die doch lieber zu verschweigenden »unwürdigen Szenen«, die die Geladenen aufführten, zu berichten. Damit ein Artikel nicht erscheint, läßt man gern etwas »springen«, und Keynes weiß das.

Der Schluß ist also gar kein »Happy-End«, es sei denn, man sähe den zynischen Lernprozeß des Herrn Mitchell als »glückliches Ende« an. Das wäre auch viel zu sehr aus der Perspektive von Mitchell, also viel zu individuell und traditionell gesehen. Am Ende hat sich eine total korrupte Gesellschaft versammelt, die nur noch zusammenhält, weil sie nun alle irgend etwas »Schädliches« vom andern wissen und sich entschlossen haben, dieses Wissen zur künftigen geschäftlichen Grundlage zu erheben. – Und Mitchell wird nie wieder den Fehler machen, zuerst an die Passagiere zu denken. In solcher Gesellschaft hat man weder Verantwortungsgefühl »(so heißt die andere Seite von Feigheit)« (11, 219) noch feige zu sein. *Das* hat Mitchell gelernt, und Jane wird künftig »hübsch« aussehen.

Die Trivial-Stories, die Brechts Erzählung »zitiert«, stehen im Dienst dieser »Aufsteiger«-Geschichte, die zunächst als solche nicht kenntlich ist, weil Mitchell schon »oben« scheint. Aber dieser Aufstieg war noch nicht »verdient«, weil noch nicht dadurch abgesichert, daß Mitchell bereit gewesen wäre, für seine Stellung und sein »Geschäft« die anderen zu opfern. Das aber gehört zur »guten Gesellschaft«. Indem Brecht die Trivialmuster der bürgerlichen Kunst für seine Erzählung verwendet, versucht er poetisch zugleich den bürgerlichen Hintergrund zu markieren: als *persönliche* Rache bzw. Leistung oder Ausstrahlung pflegt sie künstlerisch zu verbrämen, was in Wirklichkeit verbrecherische Ausnutzung anderer ist. Der Wiederaufstieg Mitchells ist in eine Abenteuergeschichte gekleidet, die Erledigung der »alten« Liebesgeschichte in einen Kriminalfall und die neue Liebesgeschichte schließlich in den modernen Liebesroman (nach dem Muster »Adliger entdeckt häßliches Entlein und macht es zum Schwan«). Diese Muster sind so eingesetzt, daß sie Einfühlung verhindern sollen. Der bewußt eingesetzte Kitsch zerstört die – scheinbare – Individualstory des Kapitän Mitchell und projiziert sie auf die massenhafte Konsumware der bürgerlichen Bewußtseinsindustrie.

Die Regie zum Fernsehfilm, der bei der DEFA (DDR) gedreht wurde, führte wiederum Christa Mühl (der Film wurde auch von der ARD, 1981, ausgestrahlt). Auch hier bot die filmische Umsetzung die Interpretation, die offenbar die Geschichte erst richtig lesen läßt. Im Bild scheinen die zitierten Trivialmuster für den heutigen Rezipienten bereits deutlicher aufzufallen als im sprachlichen Medium. Dieter Mann spielte den Mitchell so »cool« wie in westlicher Konsumware üblich geworden, die Arrangements von gesellschaftlichen Gruppen taten dazu ein übriges, wie die »typische« Londoner Szenerie, die der Film aus englischen und westdeutschen Krimis zitiert.

Dokumente: Ein wichtiger Fund zur Werk-Geschichte [Zeitungsausschnitt des Mainzer Falls mit Foto der Frau]. In: Notate 6, 1978, S. 8. – Tod und Auferstehung des Wilhelm Hausmann [Begleitheft]. Hg. vom Fernsehen der DDR. Berlin 1978. – »Das Mistschiff sinkt nicht!« [Rezensionen zum Mitchell-Film]. In: Notate 1, 1980, S. 8.

Kirsten *Boie-Grotz*: Brecht – der unbekannte Erzähler. Die Prosa 1913–1934. Stuttgart 1978 (S. 158–163). – Klaus-Detlef *Müller*: Brecht-Kommentar zur erzählenden Prosa. München 1980 (S. 94–96)

Das Volk und seine »großen« Männer

Die Frage, aus welchen Gründen die Deutschen sich einen Hitler und den Nationalsozialismus zugelegt hatten, beschäftigte Brecht in der ersten Exilzeit in mancherlei Hinsicht; sie taucht auch häufiger in der Kurzprosa auf. Ausgangspunkt für die erzählerische Behandlung der Frage scheinen Erlebnisse bzw. übermittelte Ereignisse des eigenen Exils zu sein. Schließlich mußte der Flüchtling sich nicht nur jeweils in der neuen »Kultur« des Gastlandes einrichten und auf diese Weise auf Unterschiede aufmerksam werden, ihm ging es aber erstaunlicherweise auch darum – neben den gesellschaftlichen Ursachen –, das »typisch Deutsche« zu thematisieren. Zwar hat Brecht es stets abgelehnt, »dem« deutschen Volk die Schuld an Hitler zuzuweisen, deshalb aber keineswegs die Berechtigung nach dem »Deutschen« zu fragen, bestritten. Überwiegend freilich behandelt Brecht das »Deutsche« im satirischen Kontext, so daß von vornherein eine positive Definition ausgeschlossen ist und der Festlegung eines mystifizierten »Volkscharakters« entgeht. Im *Tui-Roman* z. B. schrieb er: »Das Volk war eines der geduldigsten, über das je eine Regierung verfügt hatte, und auch sein Aufruhr war noch sanftmütig. Er entstand aus Ordnungsliebe« (12, 623). In den *Unpolitischen Briefen* appellieren die (deutschen) Kleinbürger, die sich »große Taten« vorgenommen haben, an Idealismus und Opfersinn (20, 182). Ähnliche satirische Seitenhiebe finden sich in den *Flüchtlingsgesprächen*, in *Mies und Meck* sowie in zwei Geschichten, die das »Deutschtum« direkt thematisieren.

Die beiden Geschichten, *Ein Irrtum* und *Eßkultur*, sind, obwohl sie in Frankreich spielen, im dänischen bzw. schwedischen Exil entstanden (die erste 1937 oder 1938, die zweite 1940). Die Anregungen zum Schauplatz können von Brechts verschiedenen Parisreisen herstammen, aber auch inhaltlich begründet sein. Die Franzosen waren ja nicht nur der »Erbfeind« und von daher schon häufig zur »Abgrenzungsargumentation« benutzt worden, ihre materialistische Lebensweise (das gute Essen und Trinken) forderte eine Gegenüberstellung mit deutscher »Vergeistigung« geradezu heraus. In *Eßkultur* wird auch dementsprechend auf die Pauke gehauen: »›Sie haben ganze Arbeit mit ihm [dem Materialismus] gemacht, die Deutschen‹, sagte er [Jean, der »Berg«] entrüstet, ›sie haben ihn so vergeistigt, daß tatsächlich nur noch das Gespenst einer Materie umgeht in ihren Systemen. Es war natürlich zu erwarten, daß der Materialismus, wenn sie ihn einmal in die Hände bekamen, nichts mehr von einer Lebensweise an sich behalten würde, sie wissen einfach nicht zu leben, ihre Philosophie ist überhaupt dazu da, sie zu lehren, wie man es macht, nicht zu leben [...]‹« (11, 337). Dies alles äußert der »Berg« – wie es sich versteht – während der Zubereitung eines großen, fetttriefenden Rinderstücks. Aber so ernst ist es Brecht keineswegs. Daß es nicht zu Mißverständnissen kommt, verhindert er schon dadurch, daß der Ich-Erzähler – der hier nahe an Brechts Person selbst ist und auf ein Erlebnis Brechts zurückgreift (mit Jean Renoir und Carl Koch 1933) – als der Betroffene geschildert wird. Er ist es, den die Franzosen als Deutschen ansprechen, er wird mit dem Bild konfrontiert, das er sonst – sich davon distanzierend – satirisch auf die eigenen Landsleute münzt. Zugleich enthält die Erzählung eine Erzählung in der Erzählung, die eindeutig als Spiegelgeschichte zum Bild »des« Deutschen erzählt ist. Es handelt sich um einen unaufgeklärten Kriminalfall aus der Geschichte der französischen Kolonialkriege (1920–1926, Kämpfe gegen die Rifkabylen; vgl. Müller, 343). Jean muß die Kriegsgeschichte – von der Hausfrau dazu verurteilt – sich zur »Strafe« erzählen, weil er den Gast auf chauvinistische Weise herausgefordert hat. Sie handelt von einem Koch, der gefangenen Rifkabylen unerlaubterweise Brot zugesteckt hat, dennoch aber von ihnen erschlagen worden ist. Jean hat die Geschichte schon häufiger erzählt. Zunächst als Beispiel für Chauvinismus, das heißt den der Kabylen, die, anstatt die menschliche Geste zu würdigen, im ihnen helfenden Franzosen bloß den Feind sehen und ihn also erschlagen. Inzwischen erzählt Jean die Geschichte als Fall dafür, daß man im Krieg nicht gutmütig sein könne. Der Koch hätte danach die Gesetze des (brutalen) Kriegs mißverstanden; in Zeiten der Unmenschlichkeit kann die menschliche Geste nicht auf Verständnis stoßen. Dadurch jedoch, daß der ebenfalls anwesende Kunsthändler den Kriminalfall löst, erhält die Geschichte eine dritte Deutung, die der »Strafe« für Jean erst die richtige Pointe liefert. Yvette, die Hausfrau, hatte sie offenbar in der anfänglichen Fehldeutung Jeans gesehen, deutet mit ihrem »Oh« jedoch an, daß sie die neue Pointe verstanden hat. Der Koch ist nämlich deshalb erschlagen worden, weil er den Kabylen ungenießbares Brot – angesichts ihres wahnsinnigen Hungers – gegeben hatte. Die Kabylen mußten sich dadurch nicht nur aufs äußerste herausgefordert sehen, es entlarvt sich vielmehr auch die »Unkultur« des – helfenwollenden – Franzosen. Er, als Franzose aufgewachsen in der landesüblichen »Eßkultur«, ist der Meinung, die Kabylen mit dem letzten Mist abspeisen zu können. In üblerer Weise ließ sich der – angeblich »barbarische« – Feind nicht degradieren, zumal der Mörder ja auch noch vor allen anderen *sein* Brot aufessen mußte. Die chauvinistische Deutung erweist sich vom Ende her doch noch als richtig, jedoch nicht die Kabylen, sondern der Franzose hat sich chauvinistisch verhalten. Insofern wurde ihm von den angeblichen Barbaren »Kultur« gelehrt, was denn auch den dunklen Schlußsatz des Kunsthändlers erklärt: »Sie verstanden sich aufs Brot. Die Kultur war auf ihrer Seite« (11, 343). Auf raffinierte Weise hat Brecht die ursprüngliche Diskussion umgewertet und die Eßkultur der Franzosen auf ihren realen Boden gestellt: sie, das heißt die begüterten Bürger, können sie sich leisten.

Aber sie wird erst zur wahren Kultur, wenn sie auch bereit sind, sie den »Barbaren« zuzugestehen.

Die frühere Erzählung erinnert an Johann Peter Hebels *Kannitverstan*, in der ein Handwerksbursche nach Amsterdam kommt und aus der dreimaligen Antwort »Kannitverstan« auf seine Frage, *wer* da jeweils gemeint sei, aus mangelnder Sprachkenntnis einen Herrn Kannitverstan entnimmt. Bei Brecht ist es ein gründlicher, ordentlicher, sparsamer deutscher Arbeiter, der sich zur kostenlosen Behandlung, die ihm freundlicherweise vermittelt wurde, auf den langen Weg zum Arzt macht, aber nicht mit Erfolg, weil er den Zeitpunkt »Sieben Uhr« auf morgens *vor* der Sprechstunde fixiert hatte und nicht auf abends *während* der Sprechstunde. Auch hier ein Mißverständnis, das nicht nur aus Sprachunkenntnis resultiert, sondern auch aus der selbstverständlichen Übertragung deutscher auf französische Verhältnisse und Lebensweisen. Brecht diffamiert das Unverständnis seines Arbeiters Karl Krucke ebensowenig wie Hebel sich über seinen Handwerksburschen lustig machte. Im Gegenteil, er erzählt humorvoll, durchaus mit Anteilnahme und mit großem Verständnis für die schwierige Lage des Exils (Krucke war nach Frankreich gekommen, »weil die Gestapo allzu großes Interesse an ihm bezeigte«; 11, 241), die erzwungene Untätigkeit, der Verlust der Kommunikation etc. Dennoch aber ist die kleine Geschichte eine insgeheime Studie des »Deutschen« (aber bitte nicht »Wesens«). Krucke bemüht sich in keiner Weise darum, Französisch zu lernen, ihm bleibt die »fremde« Lebensweise fremd, weil er sich nicht um ihr Verständnis bemüht, er neigt dazu, Tatsachen hinzunehmen und sogleich »vernünftige« Erklärungen für sie auszuhecken, er ist überpünktlich und macht sich dadurch verdächtig, und er spart schließlich an der falschen Stelle (die unnütze mühevolle Reise zu Fuß nach Paris und zurück). Die Betroffenheit, die der Arzt, aufgeklärt über das Mißverständnis, äußert, soll sich sicherlich auch dem Leser mitteilen, der Kruckes – am Ende doch sehr tragikomischen – Gang nach Paris anteilnehmend verfolgt hat. Indem Brecht einen Arbeiter und noch dazu einen antifaschistischen zum »Helden« wählt, kann er indirekt im unausgesprochenen Spiegelbild einige deutsche »Eigenschaften« hervorkehren, die in Deutschland ihre unheilvolle Herrschaft angetreten haben, und zwar ohne jeglichen chauvinistischen Unterton oder als Beschreibung eines »deutschen Wesens« (auch die bloß negative Umkehrung des von den Nazis beschworenen »deutschen Wesens« wäre reaktionär). Brecht hat an anderen Stellen seines Werks auf die »deutsche Misere« – auch als das *Deutsche Miserere* – aufmerksam gemacht und sie als *historisch* begründet beschrieben. Es kann da also keine Mißverständnisse geben.

Den Ansatz zu einer großen Satire, die leider sehr frühzeitig steckengeblieben ist, enthält *Die Geschichte des Giacomo Ui* (Titel nicht von Brecht; entstanden wohl 1939, erste Pläne dazu wahrscheinlich bereits 1934, übermittelt durch die Gespräche, die Walter Benjamin dokumentiert hat; 11, 252–262). Der Blickwinkel aufs »Volk« – das deutsche – wird hier satirisch-sarkastisch umgekehrt. Es tritt als »elende Kartoffelesser« auf, die an nichts anderes denken, als sich aus »niederster Selbstsucht« den Wanst zu füllen. Das wird möglich, indem Brecht den Faschismus als bereits historisch vergangene Zeit behandelt – fünfzig Jahre nach dem Tod Uis (= 1889) –, die nun als Zeit des »großen Ui« historiographisch angemessen festgehalten werden soll (die Forschung datiert übrigens die Erzählung auf 1938, da jedoch die »fünfzig Jahre« genau auf Hitlers Geburtsjahr zurückdatieren, dürfte die Erzählung doch erst 1939 entstanden sein, womöglich bei Kriegsbeginn). Das Volk hat Ui bereits überstanden, sein Andenken nicht geehrt, sondern mit seinem Bienenfleiß »alles« wieder aufgebaut und darüber vergessen, über den »großen Geschichtshelden« Zeugnisse zu bewahren: »Der Bienenfleiß der kleinen Leute baut alles wieder auf. Der Bauer kennt keine Pietät. Er zieht grinsend den Pflug über das Schlachtfeld. Auf der halbzerstörten Stadtmauer nistet sich eine Seilerei ein. Das tiefe Loch, von einer Kartätsche gerissen, dient zum Aufbewahren des Hanfes! So ist die Nachwelt auf Bücher angewiesen, und sie sind von den Ratten angefressen« (11, 254). Der parteiische Historiograph, der partout seine Heldengeschichte haben will und das Volk seiner großen Männer für absolut unwürdig befindet, übergibt seine »schmählichen Reste der Chronik« nur im »Zorn« auf das nur »materiell« denkende Volk. Es lebt sozusagen skandalös auf Kosten des Angedenkens an die großen Taten seiner Herren weiter.

Brecht hat mit diesem satirischen Ansatz einige wichtige Aspekte erfaßt. Der wichtigste ist der, daß er »das Volk« seine Herren überleben läßt. In dem Moment, als die Nazis die Welt in den Krieg stürzen, beschreibt Brecht sie bereits als längst vergessene Vergangenheit. Mit dem Vergessen ist zugleich ein »deutscher« Zug erfaßt, nämlich das mit Bienenfleiß weiterarbeitende Volk, das seine Vergangenheit ablegt und vergißt (anstatt sie zu »erledigen«): so sollte es ja auch kommen. Zugleich begreift das satirische Bild das Volk als das Opfer der »großen« Taten seiner geschichtemachenden Herren. Mit diesem Heroismus hat es auch nur sehr bedingt und äußerlich zu tun, weil die Sicherung des Lebensunterhalts – satirisch als niederer materialistischer »Sinn« gebranntmarkt – vorangehen muß. – Diesen gelungenen Aspekten steht ein mißlungener entgegen. Der Ausgangspunkt, daß das bienenfleißige Volk die Scharten des Kriegs mit seinen »Geschäften« ausgestopft hat, führt insgesamt zu einer groben Verharmlosung der Greuel, die der Nazi-Krieg mit sich bringen sollte. So einfach würden die Opfer im neuen Krieg nicht zu beseitigen sein – auch wenn die Geschichte ins 19. Jahrhundert verlegt ist. Hinzu kommt, daß ein ähnlicher erzählerischer Ansatz im *Cäsar*-Roman vorliegt, hier aber am historischen Stoff angemessen ist, wie auch die Suche nach der »Geschichte« des Giacomo Ui für das 20. Jahrhundert viel zu biographistisch im Ansatz ist. *So* ließ sich die Opferbereitschaft und Duldsamkeit des Volks nicht mehr umfassend poetisch darstellen.

Aufschlußreich für die Thematik sind neben diesen Erzählungen die antifaschistischen Prosa-Satiren in den *Schriften zur Politik und Gesellschaft.* Die *Unpolitischen Briefe* führen die Bereitschaft, dem neuen »Führer« zu folgen, auf die anti-materialistische Propaganda zurück. Bloß den unmittelbaren Lebensunterhalt zu besorgen, bleibe ohne höheren Sinn, sei keine »menschenwürdige Existenz«:

> Einige ihrer Leute hatten ihnen klargemacht, daß ihre elende Lage – sie waren alle mehr oder weniger bankrott – von einer allzu materialistischen Einstellung dem Leben gegenüber herrühre, und so hofften sie jetzt durch einen kräftigen Idealismus, das heißt durch unbegrenzten Opfersinn, eine menschenwürdigere Existenz aufbauen zu können. Sie zweifelten nicht, daß dabei für den einzelnen manches abfallen würde. Sie erkannten, daß sie ohne Führung nur eine Herde von Schafen waren. »Wenn man uns nicht tüchtig schurigelt, anbrüllt und in die Fresse haut, bleiben wir elende Jammerlappen«, sagten sie, »so können wir uns unmöglich weiter herumlaufen lassen.« Ein Führer fand sich glücklicherweise, und die Macht wurde ihm übergeben. (20, 182)

Brecht beschränkt allerdings das »Volk« in diesem Fall auf das Kleinbürgertum, den historischen »Träger« des Nationalsozialismus. Auch hier finden keine Mystifikationen eines »deutschen Charakters« statt – getroffen wird jedoch ein Symptom, das zur Kräftigung und Stützung des Nationalsozialismus führte. Die Person Hitlers steht in den Satiren nicht mehr im Vordergrund wie in der *Giacomo Ui*-Geschichte. Der »Führer« findet sich, weil er bestimmte Interessen in bestimmter Weise übernehmen kann; der Boden wird ihm hier vom Kleinbürgertum bereitet.

Die Satire *Eine Befürchtung* behandelt das Thema unter dem Stichwort »Krankheit« bzw. Seuche. Sie geht von dem »Forschungsergebnis« eines französischen Wissenschaftlers aus, nach dem Massenpsychosen »einen mikrobenartigen Erreger haben« (20, 275). Der Ich-Erzähler erwägt nun im Konjunktiv, was er auszustehen hätte, wenn eine neue Hexenverfolgung käme und er – ausnahmsweise – nicht vom Erreger befallen würde. Indem Brecht das unwissenschaftliche Ergebnis bürgerlicher Wissenschaft satirisch beim Wort nimmt, kann er alle mystifizierenden Deutungen des Faschismus als Ausdruck »plötzlicher Barbarei« etc. zurückweisen. Schon dieser Ansatz schlägt aller vernünftigen Erklärung ins Gesicht.

Kirsten *Boie-Grotz*: Brecht – der unbekannte Erzähler. Die Prosa 1913–1934. Stuttgart 1978 (S. 170–175 zu *Giacomo Ui*). – Klaus-Detlef *Müller* (s. o.; S. 317, 318–321, 342 f.). – Detlef *Ignasiak* (s. o.; S. 41–45, 47–49).

Geschichte

Geschichte wird in vielen Exil-Erzählungen, vor allem auch in den »großen«, thematisch. Die Erzählungen fanden daher auch fast ausschließlich Eingang in den Band der *Kalendergeschichten.* Eine Ausnahme bildet die Lukullus-Geschichte, die Brecht dem Band verweigerte, womöglich wegen der inzwischen viel entschiedeneren dramatischen Bearbeitung, die Lukullus auch nicht mehr das Verdienst, den Kirschbaum nach Europa gebracht zu haben, lassen kann. Die Kriegserfahrungen verboten eine solche gleichsam idyllische Rechtfertigung des asiatischen Erorberungszugs. Dennoch ist die Geschichte im Ansatz kritisch, da sie einer – der bürgerlichen Geschichtsschreibung konträren – Geschichtssicht Bahn bricht und den Feldherrn als »Handlanger und Vollstrecker bestimmter Klasseninteressen entlarvt« (Ignasiak). Überdies steht die Geschichte im Bann des *Cäsar*-Romans, aus dessen Stoff sie sich herausgelöst hat (entstanden 1939). Gesprächspartner von Lucius Licinius Lukullus (um 117 bis 57 v. Chr.) ist der Dichter Lukrez (um 98 bis 55 v. Chr.), dessen Verse Lukullus genauestens kennt und sogar zu zitieren weiß. Ein Teil der Verse stammt aus Lukrez' Hauptwerk *De rerum natura*, das Brecht als Vorlage für sein *Manifest* benutzt hat (dort ist auch die Beziehung der beiden Dichter zueinander genauer abgehandelt). Das erste Zitat aus *De rerum natura* folgt der Übersetzung Knebels, und zwar den Versen 830, 870–878, 881–883, 885–887, stellt folglich eine moderne Montage dar und ist im ganzen auch recht frei bearbeitet (11, 311 f.; vgl. Müller, 335). Das zweite »Zitat« (11, 312 f.) aber ist aller Wahrscheinlichkeit originärer Brecht, der lediglich noch den »Ton« des Vorbilds wiedergibt. Die *Werkausgabe* hat diese Passage dem *Lehrgedicht von der Natur der Menschen*, zu dem das *Manifest* gehört, zugeordnet (10, 898 f.). Möglicherweise hat sie sich für die Geschichte als brauchbar herausgestellt, so daß diese Geschichte auch im Zusammenhang mit dem *Lehrgedicht* zu sehen ist.

Detlef Ignasiak hat darauf aufmerksam gemacht, daß die Exilgeschichten mit historischen Stoffen durchweg »Beziehungen« von historischen Personen »zu einem ihrer Klasse entgegenstehenden Vertreter« gestalten, in diesem Fall die des Feldherrn und Patriziers Lukullus zum »plebejischen« Dichter Lukrez (es kann wie bei Sokrates oder Bruno auch in »umgekehrter« Richtung der Fall sein). Brecht stelle damit »die Figuren als Individuen in die vorgefundene Gesamtheit der gesellschaftlichen Verhältnisse«, behandle sie also historisch-materialistisch und gebe ihnen »philosophische« Tiefe: »Der historische Materialismus ist das einigende Band. In diesem Sinne sind sie [die Geschichten] als historisch-philosophische Erzählungen zu bezeichnen« (Ignasiak, 72).

Klaus-Detlef *Müller* (s. o.; S. 331–335). – Detlef *Ignasiak* (s. o.; S. 61 f., 71 f., 78–84).

Mythos

Viel beachtet sind Brechts *Berichtigungen alter Mythen* (entstanden um 1933), die relativ wenig Zeitbezug haben, jedoch im Zusammenhang mit der allgemeinen »Wendung zur Geschichte« stehen, ausgelöst durch den Nationalsozialismus und das Exil. Da sich die gegenwärtigen Bindungen lockerten, die Nazis sich ihre eigene Vergangenheit im Mythos zurechtlegten, forderten sie die kritische Auseinandersetzung mit der Überlieferung heraus. Das führte verstärkt zu historischen Stoffen.

Die *Berichtigungen alter Mythen* entstanden nach Franz Kafkas Vorbild (vgl. die Fußnote 11, 207). Brecht hatte den 1931 erschienenen Nachlaßband Kafkas von Walter Benjamin erhalten und »verschlungen« (Walter Benjamin: *Briefe*, Frankfurt a. M. 1966, Bd. 2, S. 359). Er enthielt auch Kafkas Mythenkorrektur *Das Schweigen der Sirenen* (jetzt in: Franz Kafka: *Hochzeitsvorbereitungen auf dem Lande*, Frankfurt a. M. 1966, S. 78 ff.). Bei Kafka nähert sich Odysseus, selbst die Ohren mit Wachs verstopft, den Sirenen allein, die jedoch nur so tun, als ob sie sängen, in Wirklichkeit aber schweigen; denn ihr Gesang hätte das Wachs schmelzen lassen und Odysseus den Tod gebracht.

Brecht äußert seine *Zweifel am Mythos*, so ein verworfener Titel für die Geschichten (vgl. Müller, 90), mit sozialkritischer Schärfe. Die Gefährten, die Odysseus im antiken Mythos (*Odyssee*, 12. Gesang) hat, werden bei Brecht zu bloßen Ruderern und Knechten, die – das nur ganz andeutungsweise, dennoch aber hörbar – der Willkür ihres Herren ausgesetzt sind. Odysseus will sich einen folgenlosen Kunstgenuß – Haltung der Kontemplation – erschleichen. Die im Mythos »bösen« Sirenen, die mit ihrem Gesang locken, jedoch blutrünstige Mörderinnen sind, bekommen von Brecht positive Attribute: »machtvolle und gewandte Weiber«, nennt er sie (11, 207). Sie verweigern Odysseus ihre Kunst, beschimpfen und schmähen ihn; Odysseus aber getraut sich nicht, seine Schmach einzugestehen und erzählt seinen Untergebenen eine falsche Version. Indem Brecht Odysseus »Schlauling« und »Provinzler« nennt, untergräbt er die mythische Größe des Listenreichen als bloß angemaßt, gefälscht. Darüber hinaus bestimmt Brecht mit seiner Berichtigung die Kunst als Wagnis, die dem »abgesicherten« Provinzler von den Sirenen verweigert wird. Zur Kunst und ihrem Genuß gehört mehr Verbindlichkeit als bloße Kontemplation. Kunst und Kunstgenuß müssen, sind sie »richtig«, sich der Wirklichkeit aussetzen.

Die *Kandaules*-Berichtigung geht (nach Müller) nicht auf die antike Überlieferung um den Lyerkönig Kandaules und seinen Nachfolger Gyges zurück, sondern auf das Drama von Friedrich Hebbel *Gyges und sein Ring* (entstanden 1853/54). Dort kommt es – nach dem tödlichen Zweikampf – am Ende auch noch zum Selbstmord der Königin, die ihre »Reinheit« bewahren möchte. Der polemische Anknüpfungspunkt könnte der sein, daß bei Hebbel die Schönheit der Königin nicht »auf die Probe« gestellt werden kann, weil sich diese dem Gyges unmittelbar nach den Hochzeitsfeierlichkeiten durch Selbstmord entzieht. – Brechts Richtigstellung kritisiert zunächst die »typisch deutsche« Deutung des Mythos durch Hebbel (in der Antike lebte die Königin mit Gyges ohne Skrupel). Der Selbstmord scheint kaum glaublich, er vergeistigt den Mythos noch einmal. – Der andere Aspekt ist der der Neubestimmung von »Schönheit«. Bloße Schönheit gilt Brecht nichts, sie muß sich auch »praktisch« bewähren, das heißt in der Liebeskunst. Folglich muß Kandaules' Angebot »sehr weit« gegangen sein (11, 208) und die Schönheit der Königin versagt haben, so daß sie folglich als »nicht schön« zu gelten hat und damit auch einen Grund, sich umzubringen.

Auch die Ödipus-Umdeutung enthält Kunstthematik, insofern Brecht an die Tragödie – als Gattung – denkt und ihr das »Schicksalsmächtige« nimmt. Ödipus müßte eigentlich dem Zuschauer zublinzeln, um anzuzeigen, daß er insgeheim eine Ahnung von der »Tragweite seiner Taten« hat (11, 209). Brecht nimmt damit dem »tragischsten« der tragischen antiken Mythen seinen Ernst und heitert ihn – mit komödiantischen Mitteln – auf, nicht aber, um ihn zu verharmlosen, sondern um ihm größere Dimensionen zu geben. Der Mensch ist nicht mehr bloß dem Schicksal ausgesetzt, er nimmt an ihm auch aktiv Anteil und bekommt an ihm auch Verantwortung. Seine Verzweiflung resultiert dann daraus, daß in dem Moment, in dem das »Schicksal« zuschlägt, dem Betroffenen die Eigenverantwortung an ihm aufgeht und er zu erkennen vermag, daß es auch andere Möglichkeiten gegeben hätte (man kann darin einen Hinweis auf die Zeitereignisse, die Brecht betont, – »jedenfalls nach heutigen Begriffen«–, sehen).

Weitere Versuche in der Kurzprosa – wie *Die Denkaufgabe* (11, 234f.) oder *Der Arzt Hunain und der Kalif* (11, 236) – sind, wie auch die anderen Kürzestgeschichten, außerhalb der *Keuner-Geschichten* von geringer Bedeutung. Sie versuchen sich meist in der Parabelform, bleiben aber anders als das Kafkasche Vorbild ohne die (ja auch ängimatische) Tiefe. Brechts Prosa ist viel zu realistisch und stoffgesättigt, als daß ihr die vereinfachte Parabel stünde. Aus der Reihe fällt die eigentümliche, surrealistisch anmutende Erzählung *Gaumer und Irk*, in der Müller (317) eine Filmvorlage vermutet (11, 247–250). Sie spielt in kafkaesken Räumen (Kontor) und handelt von einem Mord sowie dem scheiternden Versuch, die Leiche zu beseitigen. Gaumer hat Irk, der »sehr beschäftigt [war] und sorgte für viele, aber nicht für sich selber« (11, 247), erschlagen, muß dann aber feststellen, daß die Leiche für ihn zu schwer ist und überdies auch noch ständig größer wird. Er muß sich deshalb der Hilfe seines Neffen bedienen und nach einigen, auch komischen Anstrengungen, Irks Leiche in den Kanal zu verfrachten, auch diesen beseitigen. Irks Körper aber ragt »riesig, ungeheuerlich, eine nie zu versteckende Masse« aus der Flut (11, 250). Ob die um 1938 entstandene Erzählung konkrete Zeitbezüge aufweist und parabolisch auf die Verbrechen der Nazis – eins folgt dem anderen, und die Versuche, sie zu vertuschen, schlagen fehl – hinweist, müßte eingehender geprüft werden.

Klaus-Detlef *Müller* (s.o.; S. 90–94 zu *Berichtigungen alter Mythen*, die vorangegangene Forschung ist dort aufgearbeitet, zusammengefaßt und kritisiert, 317 zu *Gaumer und Irk*).

Karins Erzählungen 1933

Die Forschung hat diese Kurzerzählungen gewöhnlich auf 1935 datiert; nach Detlef Ignasiak sind sie jedoch schon 1933 entstanden. Die Brechts wohnten vom Sommer bis Dezember 1933 bei der dänischen Schriftstellerin Karin Michaelis auf der Insel Thurö. In dieser Zeit hat Karin Michaelis (1872–1950) Brecht die Geschichten erzählt, und Brecht hat sie auch gleich aufgezeichnet. Möglicherweise hat Brecht sie 1935 noch einmal überarbeitet.

Es handelt sich um sieben Kurzerzählungen (11, 230–233), zu denen noch ein Nachlaß-Fragment hinzukommt (BBA 1122/08 = Nr. 12242, Bd. 3, S. 86). Sie geben sich auf den ersten Blick recht unscheinbar und vordergründig, enthalten jedoch in ihrer sachlichen Kürze einige hintergründige Dimensionen, zumal es sich um wahre Begebenheiten handelt. Sie »haben durchweg eine sozial- und ideologiekritische Pointe, die für Karin Michaelis' Haltung kennzeichnend ist« (Müller, 313). Die Erzählhaltung ist distanziert und (scheinbar) völlig unbeteiligt und wertungsfrei. Die Kritik ergibt sich aus dem »Stoff« selbst, so daß der Leser gewöhnlich zu mehrmaligem Lesen gezwungen wird, wenn er ihren Sinn erfassen will.

Unberücksichtigt blieb bisher in der Forschung, daß die Wiedergabe von Erzähltem diese Kurzgeschichten in die Nähe des Bio-Interviews rückt, eine »Form«, die Brecht bereits im *Lebenslauf des Boxers Samson-Körner* angewendet hatte und die als solche 1931 von Sergej Tretjakow gekennzeichnet worden ist. Die Geschichten tragen auf diese Weise insgeheim dialogischen Charakter. Zu verweisen ist auch auf die Erzählungen in *Herr Puntila und sein Knecht Matti* (4, 1672ff.), die sich die Bräute des Herrn Puntila, von diesem abgewiesen, auf dem Heimweg erzählen. Diese *Finnischen Erzählungen* stammen von der Schriftstellerin Hella Wuolijoki (vgl. BH 1, 213f.) und sind von Brecht ebenfalls nacherzählt. Obwohl es sich in beiden Fällen um Schriftstellerinnen-Erzählungen handelt, tragen sie jedoch durchaus auch etwas »Volkstümliches« (nicht im verpönten Sinn) in sich. Sie formulieren – kritisch – Erfahrungen aus dem Alltag. In diesem Sinn sind sie auch als gegen die faschistische Volkstümelei gewendet zu verstehen.

Harald *Engberg*: Brecht auf Fünen. Exil in Dänemark 1933–1939. Wuppertal 1974 (zuerst Dänisch 1966) (S. 68–70). – Klaus-Detlef *Müller*: Brecht-Kommentar zur erzählenden Prosa. München 1980 (S. 312f.). – Detlef *Ignasiak*: Bertolt Brechts »Kalendergeschichten«. Kurzprosa 1953–1956. Berlin 1982 (S. 264).

Antifaschistische Prosasatiren 1933–1935

Die Prosasatiren wurden – wie im Überblicks-Abschnitt dargestellt – als solche erst von der jüngsten DDR-Forschung erkannt. In den Ausgaben finden sie sich unter den *Schriften zur Politik und Gesellschaft.*

1933 plante Brecht ein »Reisebuch«, das formal sicherlich an die Reisebeschreibungen Heinrich Heines (1797–1856) anknüpfen sollte (*Die Harzreise*, 1853). Parallelen ergaben sich zum erzwungenen Exil Heines, der reaktionären politischen Situation und auch zum Stil: ironisch-satirische Abrechnung mit den deutschen Zuständen. Über Heine ergeben sich weitere Beziehungen zur Reiseliteratur, die die Französische Revolution ausgelöst hatte: hier begann das Genre seinen politischen Charakter zu entwickeln und von der bloßen Abenteuergeschichte wegzukommen (Georg Forster, 1754–1794, *Ansichten vom Niederrhein*).

Die *Reise um Deutschland* sollte die jeweiligen Exilländer »um« Deutschland herum berücksichtigen. Den Beginn machte Österreich, und die erste Station ist Wien, die Stadt, die wie »jeder Zeitungsleser weiß«, »um einige Kaffeehäuser herum gebaut [ist], in denen die Bevölkerung zusammensitzt und Zeitungen liest« (20, 184). Geplant war offensichtlich, mit den weiteren Stationen fortzufahren, mit Prag, mit London, mit Paris, so daß sich tatsächlich eine Reisebeschreibung um Deutschland herum ergeben hätte. Aber es geht auch um Deutschland, konkret um die Aufklärung der Bevölkerung im Gastland über den Ernst der Zustände in Deutschland sowie um den Kampf gegen den herrschenden Faschismus; in den ersten Jahren des Exils war ja in begrenztem Umfang noch mit deutschen Rezipienten zu rechnen, und der Kampf erschien noch nicht ganz aussichtslos.

Die *Unpolitischen Briefe*, von denen nur der aus Wien vorliegt (20, 182–188), beginnen mit einer gedrängten Darstellung vom Aufkommen der Naziherrschaft und des Erzählers »Entschluß«, sein Land zu verlassen: »Von Natur unfähig, mich großen und mitreißenden Gefühlen vertrauensvoll hinzugeben und einer energischen Führung nicht gewachsen, fühlte ich mich recht überflüssig, und vorsichtige Umfragen in meiner näheren Umgebung sowie einige Besuche machten mich darauf aufmerksam, daß, wie dies mitunter im Leben der Völker geschieht, nun wirklich eine große Zeit angebrochen war, wo Leute meines Schlages nur das große Bild störten« (20, 183). In Wien angekommen, findet er die dortige Bevölkerung im Kaffeehaus versammelt und Meinungen, Ansichten wie Briefmarken austauschen und sammeln. Die allgemeine Meinung ist die, daß in Deutschland ein barbarischer Geist »plötzlich« aufgezogen sei, daß aber die Stimmen der Vernunft nicht zu unterdrücken seien und folglich alles nicht so schlimm: »Diese Stimmen, hieß es, seien niemals und durch keine Gewalt der Erde völlig zum Schweigen zu bringen. Einige Besitzer solcher Stimmen hatten sie schon jetzt vorsorglich ins Ausland gebracht, damit sie weiterhin ertönen könnten« (20, 186). Gedrückter als vorher verläßt der Erzähler Wien und Österreich.

Die Satire verfährt relativ streng autobiographisch und orientiert sich an Brechts Erfahrungen im März 1933. Sie arbeitet die fehlgeschlagenen Versuche Brechts auf, die Entstehung des Faschismus in Deutschland aus ökonomischen und gesellschaftlichen Ursachen zu erklären und über seine Gewalttätigkeit aufzuklären. Wie weit Brecht geht, beweist, daß er nicht nur den Bogen zum 1. Weltkrieg zurückschlägt (»die ganze Welt, wenigstens so weit sie zivilisiert war, hatte vier Jahre lang, nicht ohne Erfolg, versucht, sich gegenseitig abzuschlachten«; 20, 186), sondern auch die künftigen

Schlächtereien »prophezeit« (»In einem Teil der Menschheit [...] schien ein ganz besonderer kriegerischer Geist zu schlummern, der, wenn immer er erwachte, sogleich den Erdteil in ein Schlachthaus verwandelte«; 20, 186). Der Sarkasmus ist unübersehbar; der gefühlsmäßige Anteil Brechts (Verachtung, Hohn) ist hoch anzusetzen.

Kaum weniger bösartig ist die 1935 publizierte Satire *Eine Befürchtung* (20, 275–278; National-Zeitung Basel, 14.3.1935). Sie ist ganz hypothetisch (im Konjunktiv) formuliert und »probt« den Fall, daß bei einer erneuten »Hexenverfolgung«, verursacht durch einen bakteriellen Erreger, der Erzähler ausgespart bliebe (»Nicht einmal die Pest verschont keinen«; 20, 276). Während alle im Wahn taumelten, begeistert den großen Worten lauschten, frohen Muts in den Krieg zögen, bliebe er kalt, vernünftig, abseits und ausgeschlossen:

> Da durchschritte dann das Idol die Massen, die sich jubelnd vor ihm beugten, und wieder stände ich, der Immune, unberührt in dem Trubel, unfähig, die göttlichen Züge zu erkennen, womöglich sie mit denen eines Spießers zu verwechseln. Ich hörte nicht die berauschende Stimme, sondern, ich Unglücklicher, den Inhalt der Rede! Und doch müßte auch ich natürlich meine Reverenz erweisen [die Ausgabe schreibt falsch: »erwiesen«], nur sehenden Auges, also mich viel tiefer als andere erniedrigend. (20, 277)

Das satirische Verfahren besteht hier darin, als bloße Hypothese, als bloßes Gedankenspiel zu formulieren, was in Deutschland längst Realität ist und zugleich den Standpunkt der Vernunft, des Nicht-Mitmachens und Durchschauens als »abseitig«, absolut »unnormal« zu postulieren. Die Hypothese, die sich nicht naturalistisch an das halten muß, was real ist, kann weitergreifen und bereits sagen, was erst Realität werden wird, nämlich der Eroberungskrieg, den Brecht wiederum als Konsequenz der Naziherrschaft richtig erkannt hat. Die satirische Negativ-Beschreibung alles Vernünftigen deckt auf, in welcher Weise die Nazis vernünftiges Verhalten und Handeln unterdrükken, wie vernunftfeindlich sie insgesamt eingestellt sind und ihre Wirkungen daraus beziehen, das Volk in einen wahnhaften Rausch zu versetzen.

Die *Horst-Wessel-Legende*, entstanden 1934/35, liegt in einem umfangreichen Nachlaßkomplex vor, und sie gehört zu einem der großen Probleme der Brecht-Edition (Werner Hecht berichtet darüber). Es handelt sich folglich um ein ehrgeizigeres Projekt über das »Idol« des Nazis. Horst Wessel (1907–1930), Sohn eines Pfarrers, verkrachter Jura-Student, ab 1926 in der NSDAP, ab 1929 SA-Trupp-Führer, verdiente seinen Unterhalt als Zuhälter in der Großen Frankfurter Straße in Berlin und wurde dort am 14.1.1930 bei einem typischen Zuhälterstreit erschossen (Abreibung, weil Wessel seine Prostituierte ins Revier eines Konkurrenten geschickt hatte). Die Nazis, vor allem Goebbels, stilisierten ihn nachträglich zum politischen Märtyrer, der »natürlich« von Kommunisten heimtückisch ermordet worden war. Tatsächlich »ermittelte« Goebbels' Terrororganisation auch die »Täter«: »Am 11. April 1935 wurden die Kommunisten Sally Epstein und Hans Ziegler wegen angeblicher Beteiligung an der Ermordung des Horst Wessel in Berlin-Plötzensee hingerichtet« (20, 209), so gedenkt Brecht der Opfer in einer Art Widmung (der eigentliche Täter hieß Adi Höhler, er wurde im ersten Prozeß zu 6½ Jahren Zuchthaus wegen Totschlags verurteilt, allerdings ohne daß das Gericht sich um die Hintergründe der Tat bemüht hätte). Horst Wessel verfaßte das Lied *Die Fahne hoch...*, das als Horst-Wessel-Lied in die Geschichte einging und 1933 bis 1945 von den Nazis nach der Nationalhymne intoniert zu werden pflegte. Die Liedstrophe, die Brecht als Motto der Legende vorangestellt hat, parodiert in seinem Refrain »Der Metzger ruft. Die Augen fest geschlossen / Das Kalb marschiert mit ruhig festem Tritt / [etc.]« das Horst-Wessel-Lied (als *Kälbermarsch* im *Schweyk* verarbeitet; 5, 1975f.; dort findet sich auch eine Kurzversion der Horst-Wessel-Geschichte). Das Motto macht die nazistische Aneignung fremder Symbole wieder rückgängig und deutet sie realistisch um. Von den Kommunisten stahlen die Nazis die rote Farbe ihrer Fahne und zugleich die Parolen für ihren depravierten Kleinbürgersozialismus; von den Christen entlehnten sie das Symbol des Kreuzes und verbanden es mit ihren verblasenen Blut- und Boden-Mythen.

Die Horst-Wessel-Legende hat Brecht nach Zeitungsberichten gearbeitet, die dem 2. Horst-Wessel-Prozeß gegen die beiden Kommunisten galten (den Nachweis führt im einzelnen Tauscher, 123–125), das war im Juni 1934. Die vorangestellte Notiz über Epstein und Ziegler entnahm Brecht der *Frankfurter Zeitung* vom 11.4.1935. Damit ist in etwa – nimmt man den Mai 1935 evtl. noch hinzu – auch der Entstehungszeitraum der *Legende* (ständige Umarbeitungen) fixiert.

Die *Legende* ist zweigeteilt. Der erste Teil erzählt ironisch, wie Goebbels und mit ihm im Auftrag Hanns Heinz Ewers die Geschichte des

Zuhälters in die eines nationalsozialistischen Helden umschreiben. Ewers Roman *Horst Wessel. Ein deutsches Schicksal* (Stuttgart und Berlin: Cotta 1932) bildet eine weitere Quelle zu Brechts Arbeit. Brecht bezeichnet Ewers (1871–1943) als »erfolgreichen Pornographen«, der u.a. ein Buch geschrieben habe, »in dem ein Leichnam ausgegraben und vergewaltigt wurde« (20, 210) »Er schien hervorragend geeignet, die Lebensgeschichte des toten Wessel zu schreiben«. Brecht spielt damit wahrscheinlich an auf Ewers' Roman *Vampir* (1928), eventuell auf den Kitschroman *Alraune* von 1911, der relativ großen Erfolg hatte. – Der zweite Teil verallgemeinert die Einzelgeschichte und beschreibt den Nationalsozialismus als politisches Zuhältertum. Das Scharnier beider Teile bildet der unvermittelte, zunächst »logisch« unbegründete Satz: »*Dann war er ein Zuhälter*« (20, 215). Von da an wird der Ton sachlich, die Ironie aufgegeben. Diese Zweiteilung hat Brecht offenbar schon frühzeitig festgelegt in einem Konzept, das Rolf Tauscher inzwischen zugänglich gemacht hat (Tauscher, 125).

Die satirische Wirkung des ersten Teils ergibt sich im ironischen Nachvollzug der außerordentlichen Bemühungen und Mühen des Pornographen und des Propagandadoktors, die Tatsachen, daß Wessel in der bekannten Bordellstraße wohnte, seine »Freundin« Hure war und Wessel in diesem Milieu erschossen wurde, in eine Heldenlegende umzubiegen. »Propagandaarbeit« nennt dies der Erzähler ironisch (Brecht ließ den Begriff »Arbeit« nur für produktive Arbeit gelten; vgl. die heutige Inflation von Begriffen wie »Trauerarbeit«, »Erinnerungsarbeit« etc.; 20, 212). Brecht deckt auf, *wie* Legenden fabriziert werden und wie man aus negativ eingeschätzten Tatsachen positive Heldentaten zaubert. So habe Wessel in der verrufenen Gegend deshalb gewohnt, weil »er dem Volk nahe sein wollte«, »der Nationalsozialist suchte das Volk auf, damit wenigstens etwas Glanz in die Gegend kam, und er nahm es auf sich, dort zu wohnen, obwohl es dort unbequem sein soll. Nur die Kommunisten sprengten dann aus, er habe einfach kein Geld gehabt, und schändeten so sein Andenken. [...] Dieser Student wollte das Volk zu sich emporziehen, allerdings nicht in bessere Wohnungen« (20, 211). Das Bedrohliche beim »Nachvollzug« der Legende ergibt sich daraus, daß Brecht ihren Schluß zugleich als reale Tat vorführt und den Leser so zum Komplizen macht. Die Legende beginnt zunächst sozusagen literarisch, indem die »Vergangenheit« des »Helden« Wessel vom »Fachmann für Entschleierung« und vom »Fachmann für Verschleierung« idealistisch, erschütternd und heldenhaft umgeschrieben wird (vgl. 20, 211). Den angemessenen Schluß jedoch müssen die beiden erst »inszenieren«, also realiter vorbereiten, ehe er zur Legende auch paßt:

> Als der Anfang der Legende schon gedichtet war – das war nämlich ein Fortsetzungsroman –, gab es ein Gerichtsurteil in der Sache, das die Kommunisten, die man dem Gericht genannt hatte, freisprach. General Göring hatte den Augiasstall in Preußen noch nicht eingemistet, und die Polizei, der man die Gerichte ruhig zurechnen kann, bewies jeden Tag ihre Schwäche. Erst als diese Schwäche vermittels der zündenden Argumente des Generals beseitigt war, konnte sich der Propagandaminister einen falschen Bart kleben, eine echte Robe anziehen und als Richter zwei Kommunisten wegen politischem Mord an dem Studenten der Rechte zum Tode verurteilen.
> Erst jetzt hatte man die ganze Legende unter Dach. Man hatte den Anfang, und man hatte den Schluß. Horst Wessel, wie er gelebt (idealistisch, erschütternd, heldenhaft) und wie er geendet hatte (idealistisch, erschütternd, heldenhaft). Es war wirklich gute Propaganda. (20, 213)

Die *Legende* ist also nicht nur »literarische« Arbeit, sie beruht auch auf realen Handlungen, die nach dem Konzept des »Fortsetzungsromans« ausgeführt werden, damit die *Legende* ihren angemessenen Schluß bekommt. Dazu werden zwei Menschen ermordet. Die Sprachmetaphorik, die Brecht auch gern in seinen satirischen Gedichten der Exilzeit angewendet hat, ist auch hier wieder probates stilistisches Mittel (vgl. vor allem »zündende Argumente«, gemeint ist der Reichstagsbrand).

Der zweite Teil führt die Parallele Zuhältertum – Nationalsozialismus aus. Brecht verwendet dabei die zentralen Punkte nazistischer Propaganda: der Begriff der »Ehre« ergibt sich aus dem »Schutz« des Zuhälters, der gewährleistet, daß die Dirne – die für das ausgebeutete Volk steht – »als Mensch« behandelt wird: »Er verlangt den normalen Geschlechtsverkehr« (220, 216), und so weiter mit »Kraft durch Freude«, »Arbeitsbeschaffung«, »Jugend«, »Gefolgschaft«, »Privatinitiative«, »freiwillige Spendung«. Die Satire verdankt sich hier dem Vergleich. Er sorgt für die Konkretisierung der propagandistisch vernebelten Begriffe, und zwar so, daß sie sich einhaken und produktiv weiterwirken.

Die *Horst-Wessel-Legende* ist auch eine Literatursatire, eine Satire auf die bürgerlich-christliche Gattung der Legende. Goebbels erhält eindeutig die Rolle des christlichen Gotts zugeschrieben, der aus dem »Lehmkloß« sich seinen Menschen, sprich: Helden, formen will, mit den Eigenschaften »Sex-Appeal, Redegewandtheit, Mangel an Kenntnissen und Brutalität« (20, 210; Anspielung auf 1. Mos. 1, 2, 7–8). Da es den Heldentypus, der »wirklich paßt«, nicht mehr gibt – er ist mit dem Untergang des Bürgertums ausgestorben (1. Weltkrieg) –, muß er aus dem Zuhälter »herausgebildet« werden. Da Wessel ja tot ist, der »Schluß« in der Realität noch nicht gefunden (Prozeß gegen die Kommunisten), kann Brecht zum Bild des »Ausgrabens von Toten« greifen, das er bereits in der *Legende vom toten Soldaten* literarisch verwendet hat (diese *Legende* hatte Brecht auf den Index der Nazis schon in frühen Jahren gebracht; 8, 256–259). Damit hat Brecht die satirische Umkehrung für die »Auferstehung« der christlichen Heiligen, deren Geschichte die Legenden schreiben. Schließlich gewinnt Brecht, indem er den Leser am literarischen wie realen Vollzug der Legende beteiligt und im zweiten Teil die »Umwörterung«, wie Brecht das Verfahren im *Tui*-Komplex benennt, vorführt, den satirischen Effekt, daß die Legendenbildung sich im Prozeß selbst entlarvt. Ihr Idealismus endet im Puff.

Zwei weitere Satiren der Zeit (um 1934/5) widmen sich der *Wiederherstellung der Wahrheit* (20, 191–198) und dem *Satz ›Gemeinnutz geht vor Eigennutz‹* (20, 230–233). Die erste stellt nach einem Einleitungspassus Reden von Göring (12. 12. 1934) und von Rudolf Hess (1934) satirisch richtig, indem sie Satz für Satz das ergänzt, was die Reden verschweigen bzw. verschleiern. Die zweite Satire klärt über den Scheinsozialismus der Naziparole »Gemeinnutz geht vor Eigennutz« auf und beschreibt statt dessen, wie der Kommunismus den Zusammenhang zwischen Allgemeinheit und einzelnen sieht. Dabei erweist sich der nazistische Satz als Betrüger:

> Er schreit immerfort, er sei voll der edelsten Absichten, er schlafe keine Nacht, weil er sich solche Sorgen um die Allgemeinheit mache, er werde nur nicht genügend geschätzt, nicht allgemein genug geschätzt, man müsse ihn nur endlich einführen, nämlich in die gute Gesellschaft, dann werde alles noch gut werden. Es ist richtig, in der guten Gesellschaft, bei den feinen Leuten ist er nicht eingeführt, man nimmt ihn dort nicht für voll, er spielt keine Rolle, selbst die Bonzen der Partei wollen mit ihm nichts zu tun haben. (20, 232)

Werner *Hecht*: Probleme der Edition von Brecht-Texten. In: W'H': Sieben Studien über Brecht. Frankfurt a. M. 1972. S. 220–267. Hier S. 234–236. – Rolf *Tauscher*: Brechts Faschismuskritik in Prosaarbeiten und Gedichten der ersten Exiljahre. Berlin 1981 (S. 93–175).

Mies und Meck

Der Dialog wurde von Werner Hecht als *Anhang* zum 20. Band der *Werkausgabe* aus dem Nachlaß ediert. Es handelt sich um sieben kürzere Stellungnahmen zur zeitgenössischen Politik, die eindeutig entweder auf einen Partner hinreden oder dialogisch realisiert sind (vgl. BBA, Nr. 12050–12063; dort vor den *Flüchtlingsgesprächen*, 1940, eingeordnet). Die Typoskripte, die mit vielen handschriftlichen Korrekturen versehen sind, stellen lediglich Entwürfe dar, die – so Hecht (20, Anmerkungen 30) – für den Rundfunk geschrieben, wahrscheinlich aber nicht gesendet worden sind. Auch die Entstehungszeit ist nicht eindeutig zu bestimmen, jedoch lassen die besprochenen Ereignisse gewisse Rückschlüsse zu. Das zeitlich jüngste Ereignis ist der »Hitler-Stalin-Pakt«, der am 23. 8. 1939 in Moskau abgeschlossen worden ist. Da der Dialog bereits den Überfall auf Polen enthält, hat der September 1939 als Terminus post quem für die *Mies und Meck*-Geschichten zu gelten. Nach der Einordnung des Archivs wäre Ende 1939 anzunehmen, was natürlich nicht ausschließt, daß Teile des Dialogs schon früher geschrieben worden sind.

Werner Hecht nimmt als Anregung für die Gesprächspartner die Fotomontage von John Heartfield an, die am 5. 7. 1934 in der *Arbeiter-Illustrierten-Zeitung* (A-I-Z) gestanden war (leider enthalten Heinz Willmanns *Geschichte der Arbeiter-Illustrierten-Zeitung* 1921–1938, Berlin 1975, und Eckhard Siepmanns Darstellung über *Montage: John Heartfield*, Berlin 1977, keine Reproduktion davon). Die Montage nannte sich *Mies und Meck im Dritten Reich* und zeigt zwei sich unterhaltende Pinguine, von denen einer das »Meckernburger Tageblatt« unterm Flügel hat, während der andere im »Miesmacher Anzeiger« blättert; beide stehen auf einer Eisscholle in der Form des damaligen Deutschlands. »Mies« steht also für »Miesmacher« (amerikanisch »muckraker« nach Roosevelt) und »Meck« für »Meckerer« (anderes übliches Wort war »Kritikaster«). Mit diesen Vokabeln belegte die Naziführung die »undeutschen Nestbeschmutzer«.

Als direkt angesprochene Fakten lassen sich eruieren: In *Das Bankkonto des Führers* (20, 353–355) interpretiert Mies die Reichstagsrede vom 7. 3. 1936, dem Tag, als Hitler die Truppen ins entmilitarisierte Rheinland einmarschieren ließ. Brecht hat in anderer – satirischer – Form, diesmal aber ohne Dialekt denselben Stoff schon früher (wohl 1936) bearbeitet in *Über die Frage, ob es Hitler ehrlich meint* (20, 199–203, hier 200–203). Weiterhin befassen sich Mies und Meck mit dem »Anschluß« Österreichs in *Die Besetzung Österreichs* (20, 359); das war am 12. 3. 1938. Der Text über die »fertige« *Aufrüstung* dürfte das Jahr 1939 meinen (20, 359 f.). Und die letzte Geschichte handelt, wie gesagt, vom Deutsch-Sowjetischen Nichtangriffspakt, den Außenminister Joachim von Ribbentrop (1893–1946) in Moskau im Namen Hitlers abgeschlossen hat. Brechts Anspielung, daß Ribbentrop »noch größer wie Bismarck, als Staatsmann betrachtet« sei (20, 360), spielt einerseits auf Bismarcks geschickte Bündnispolitik an, die auf frühere Verunglimpfung der »neuen Freunde« keinerlei Rücksicht nahm, wenn es galt, den eigenen Vorteil zu sichern (die Unfähigkeit seiner Nachfolger, das komplizierte Instrument zu handhaben, war eine Mitursache für den 1. Weltkrieg), und ironisiert andererseits Ribbentrops unqualifizierte Amtsführung, die, im Gegensatz zu Bismarcks Bündnispolitik, gerade zur Isolation geführt hatte, wobei der »Hitler-Stalin-Pakt« dann von ihm als *das* bündnispolitische Ereignis überhaupt gefeiert wurde. Es sollte Hitler (zunächst) vor einem Zweifrontenkrieg schützen; verbunden war mit ihm die Verschacherung Polens, worauf der Dialog eingangs eingeht. – Die übrigen Dialoge sprechen Personen und Verhaltensweisen des »Dritten Reichs« an, die zeitlich nicht genauer festzulegen sind. Die Geschichte vom *Spitzel* findet sich dramatisiert auch in der Szenenfolge *Furcht und Elend des Dritten Reichs* (20, 357; vgl. 3, 1131 1141).

Die Texte sind sämtlich im Berliner Dialekt verfaßt. Er gibt ihnen von vornherein die typische Schnoddrigkeit (»Berliner Schnauze«), nimmt dem Inhalt seinen heroischen Ernst und untergräbt alles Pathos und allen Idealismus. Es sind Texte in der Sklavensprache, wie Lenin die Sprache »von unten« nannte, die die Wahrheit nicht offen aussprechen durfte, sie aber dennoch – verschmitzt, scheinbar zustimmend, in bestimmter Weise übertreibend – zum Ausdruck brachte. Als »Schweyk-Ton« ist sie auch aus Brechts Werk bekannt (*Schweyk im zweiten Weltkrieg*). Diese Sprache angemessen und ungefährdet zu sprechen, dazu bedarf es der Bewältigung der *Fünf Schwierigkeiten beim Schreiben der Wahrheit* (so der Titel eines Aufsatzes, der davon handelt; 18, 222–239; von 1935). Man muß Mut haben, die Wahrheit zu sagen, die Klugheit, sie zu erkennen, die Kunst verstehen, sie als Waffe handhabbar zu machen, das Urteil haben, diejenigen auszuwählen, die sie wirksam anzuwenden wissen, und man muß schließlich mit großer List vorgehen, sie unter vielen zu verbreiten. *Mies und Meck* läßt sich als praktische Demonstration dazu verstehen, wobei weitergehende Folgerungen des fragmentarischen Charakters wegen kaum möglich sind.

Die Mittel im Dialog sind u. a. folgende. Zunächst ist da der scheinbar harmlose Alltagston. Man redet über dies und das, also auch über aktuelle politische Fragen, und zwar stets zustimmend, ja sogar besorgt um das Wohl und Wehe der faschistischen Machthaber. Hitlers Ausruf, daß er »keen Rittergut und keen Bankkonto nich besitzt«, nehmen Mies und Meck zum Ausgangspunkt einer langen Tirade über den armen Führer, der »obdachlos« ist und dem in keiner Weise seine harte Arbeit ums Wohlergehen des deutschen Volks entgolten wird. Oder sie besprechen die »neuen Ideen«, die der »Führer« auf dem letzten Parteitag geäußert hat. Die Tatsache, daß Hitler »Gold« schluckt und »Blech« redet (so eine Heartfield-Montage), nehmen die beiden »kleinen Leute« zum Anlaß, sich zu gestehen, daß sie die Hitlerschen Sätze auch nach fünfmaligem Lesen noch nicht verstehen, weil sie zu viel enthalten und so hoch seien. Indem sie sich selbst als Deppen darstellen, degradieren sie in Wahrheit Hitler zum Deppen, der stundenlang inhaltsleeres Zeug daherschwafelt. – Dann ist ein weiteres wirksames Mittel, die Wahrheit zu sagen, ohne sie offen zu sagen, daß Mies und Meck Beispiele aus dem Alltagsleben »zitieren«, wobei Klara und ihr Mann eine Rolle spielen. An Klaras Mann demonstrieren Mies und Meck, was Idealismus heißt, nachdem sie kurz vorher Hitlers Idealismus über alle Maßen gelobt haben. Klaras Mann nämlich ist ständig dabei, das geringe Familieneinkommen damit zu verschleudern, daß er alle möglichen Dinge erfindet, die entweder nicht funktionieren oder schon längst erfunden sind – was Klaras Mann deshalb nicht wissen kann, weil er nicht »jebildet« is, »ehm Idealist, wat wolln Se den übelnehm?« (20, 356). – Weiterhin decken beide Widersprüche auf, so, wenn sie nach dem Hitler-Stalin-Pakt nun ein äußerst positives Bild von Stalin entwerfen, der vorher als Ausbund der Bösartigkeit durch die Propaganda Hitlers vorgestellt worden war: »Scheintn janz umgänglicher Mann, der Stalin, nich? Janz einnehmendes Lächeln, wie?« (20, 361). – Und schließlich setzt Brecht Neologismen ein, die die Verlogenheit politischer Propaganda-Darstellung in einem Wort offenlegen. Die Bevölkerung Österreichs empfängt beim »Anschluß« die Nazitruppen »freudeschlotternd«(20, 359): »die Freude is ihnen nur so in de Knochen jefahrn, wie unsre Wehrmacht ieber de Grenze jeströmt is. Blumen ham se ihr zujeworfn, vahungert wie se jewesen sind nach dem Judenregime«.

Das satirische Verfahren setzt auf die »Weisheit des Volkes«; sie verfügt über alltägliche Erfahrungen, an denen zu messen ist, was die politischen »Höhenflüge« realiter bedeuten. Wenn Brecht »normale Berliner« so reden läßt, dann setzt er auf diese Weisheit als mögliche widerständige Kraft, die unbedingt zu unterstützen ist.

Text: wa 20, 351–261. – Schriften zur Politik und Gesellschaft 1919–1956. Redaktion Werner *Hecht.* Frankfurt a. M. 1967.

Hans *Mayer*: Bertolt Brecht und die Tradition. München 1965 (zuerst Pfullingen 1961) (S. 79–87).

Flüchtlingsgespräche 1936–1944

Entstehung, Texte

Die *Flüchtlingsgespräche* erschienen zu Brechts Lebzeiten nicht, so daß eine von Brecht eindeutig als abgeschlossen gezeichnete Fassung nicht vorliegt. Da Brecht noch 1944 in den USA daran gearbeitet hat, stellt sich aufgrund der vorliegenden und inzwischen edierten Materialien auch die Frage nach dem Fragmentarischen des Dialogs. Unterscheiden lassen sich vier Entstehungsphasen:

1. Phase: Die erste Phase läßt sich nur indizienhaft erschließen. Am 1. 10. 1940 schreibt Brecht ins *Arbeitsjournal*, daß er den »alten *Ziffel*-Plan« wieder aufgenommen habe. Das Archiv wahrt dazu einen Text auf, der *Aufzeichnungen eines unbedeutenden Mannes in großer Zeit* überschrieben ist. Dieser Mann ist Ziffel und wiegt – wie er gleich zu Beginn ausführt – 230 Pfund (also noch 50 mehr als in den *Flüchtlingsgesprächen*). Die *Aufzeichnungen* stellen einen biographischen Bericht bzw. Roman (Brecht spricht selbst davon) dar. Sie haben also noch keinen Partner, beziehen aber einen Ansprechpartner bereits ein, so daß der dialogische Charakter schon gegeben ist. Dort sind auch biographische Angaben aus Brechts Leben verarbeitet, so daß das angegebene Alter Ziffels, nämlich 36, Rückschlüsse auf die Entstehungszeit zulassen (Brecht war 1934 36 Jahre alt). – Große Teile der Aufzeichnungen gehen teils wörtlich (Memoiren Ziffels), teils verarbeitet (dialogisiert) als »Fertigteile« (Häußler, 156) in die späteren *Flüchtlingsgespräche* ein. Die konkret beschriebenen Umstände der Emigration, die die *Aufzeichnungen* zu Beginn enthalten (Ziffels kleines Hotelzimmer), und Hinweise auf die Arbeitslosigkeit werden getilgt. Auszüge aus den Aufzeichnungen hat Inge Häußler mitgeteilt (BBA 610/9–10b, 19 = Nr. 12066, Bd. 3, S. 65). Unklar ist, wieweit die *Aufzeichnungen* in dieser Phase gediehen sind. Sicher ist nur, daß der ursprüngliche Plan 1940 wieder aufgenommen worden ist.

2. Phase: Wenn Brecht im Oktober 1940 von der Verwirklichung des *alten* »*Ziffel*-Plans« spricht, so ist anzunehmen, daß er zunächst an der Fortsetzung der *Aufzeichnungen* gearbeitet hat. Auf alle Fälle entstand das Blatt BBA 610/24 (= Nr. 12072, Bd. 3, S. 66) erst im September 1940, weil es die Zerstörung Londons durch deutsche Bombenflieger erwähnt (die Angriffe wurden am 13. 8. 1940 begonnen und dauerten bis Ende September an). Die übrigen zu den *Aufzeichnungen* gehörenden Texte (BBA 610/11–18, 20, 21, 22a–b, 23 = Nr. 12067–12071, Bd. 3, S. 66) wären dann jeweilig den beiden Phasen zuzuordnen; eine Entscheidung kann jedoch nur eine historisch-kritische Ausgabe treffen. Hinweise auf die Dauer dieser 2. Phase lassen sich durch die *Arbeitsjournal*-Notierungen erschließen. Am 19. 3. 1940 schreibt Brecht, er »überdenke jetzt eine kleine epische arbeit DIE BEFÜRCHTUNGEN DES HERRN KEUNER« (AJ 88), die der inhaltlichen Beschreibung nach den »alten *Ziffel*-Plan« meinen sollte (vgl. Müller, 287). Am 1. 10. 1940 liegen bereits die ersten beiden Gespräche vor; auch der spätere Name ist gefunden. Es ist folglich anzunehmen, daß die 2. Phase vom März bis zum September (evtl. auch August) 1940 andauerte und daß sich daraus spontan die neue Idee entwickelte (= 3. Phase). In diese Phase gehört auch die Idee, die *Aufzeichnungen* mit einigen Erzählungen (= Kalendergeschichten) zu einem Buch zu vereinen, konkret, »aus zwei halben Büchern ein ganzes zu machen«. Brecht verfaßte dazu bereits die Einleitung, die Klaus-Detlef Müller in Originalgestalt zitiert (Müller, 288; vgl. auch Prosa 2, S. 301 f.). Die Begründung für die »halben« Bücher ist, daß die Zeit es fraglich sein läßt, ob die Verfasser von Büchern 80 Jahre alt würden, weshalb die Bücher nicht mehr fertiggeschrieben werden könnten (alles in ironischem Ton verfaßt). Die Einleitung spricht noch ausdrücklich von den »aufzeichnungen eines unbedeutenden mannes in großer zeit, die nicht fertig sind« (Müller, 288). Der Aufbauplan sah vor, die *Aufzeichnungen* aufzuteilen und die Teile jeweils mit einzelnen Geschichten zu konfrontieren. Die Arbeit im August ist brieflich bezeugt (Briefe, Nr. 415; vom 1.8.).

3. Phase: Bisher galt allgemein, daß die 3., und das heißt die eigentliche, Phase der Entstehung von September 1940 bis Ende 1940 oder Anfang 1941 liegt. Die Indizien schienen eindeutig. Der finnische Hintergrund, der zugleich biographisch abgesichert ist (April 1940 – Mai 1941). Dann liegt eine *Tagebuch*-Notiz vor, die 1941 datiert: »Ferner ein kleines satirisches Buch [fertiggestellt] (in der Art am ehesten dem ›Candide‹ Voltaires vergleichbar), in dem ein Flüchtling von einem Land in das andere flieht, da überall zu viele Tugenden verlangt wurden« (*Autobiographische Aufzeichnungen*, 1941, Tagebücher, 229). Inge Häußler hat, entgegen diesen Verlautbarungen, jedoch nachweisen können, daß zumindest größere Teile – z.B. das 8. Kapitel – erst 1942 haben entstehen bzw. ihre vorliegende Form bekommen können. Das erwähnte Lidice (14, 1436), »in dem der deutsche Mensch sich hat blicken lassen«, verweist auf den 10.6.1942: das Massaker, das die Nazis unter der Bevölkerung anrichteten mit anschließender vollständiger Zerstörung des Orts, galt der »Rache« des Mords an Heydrich. Brecht befaßte sich mit dem Ereignis auch im Zusammenhang mit seinem Filmplan *Hangmen also die*, der dann ohne Brecht von Fritz Lang realisiert wurde. Überdies stammt das Gedicht *Die Maske des Bösen*, das das 8. Gespräch ebenfalls enthält, erst aus dem USA-Exil, und zwar wiederum aus dem Jahr 1942. Und noch ein weiteres Indiz spricht für die offenbar kontinuierliche Weiterarbeit zwischen 1940 und 1942 an den *Flüchtlingsgesprächen*. Im *Arbeitsjournal* findet sich am 1.2.1942 ein Entwurf der »Ziffel- und Kalleschrift«, allerdings ohne jeglichen Zusammenhang mit den Gesprächen herzustellen (AJ 369). Müllers Feststellung: »Die Druckfassung bezeichnet die Arbeitsstufe, die 1940/41 in Finnland entstand«, ist nicht richtig. Die beiden »vollständigen« textgleichen Fassungen stammen ganz offensichtlich erst aus dem Jahr 1944 (vgl. BBA 104/1–178 = Nr. 12064, Bd. 3, S. 65, das die Aufschrift enthält: »Finnland 1940 und Amerika 1944). In dieser 3. Phase blieb der Plan, die *Flüchtlingsgespräche* aufzuteilen und mit einzelnen Kalendergeschichten zu konfrontieren (auch eine Geschichte aus *Me-ti*), erhalten (vgl. das bei Müller, 289, oder bei Häußler, 292f., abgedruckte Schema).

4. Phase: Die 4. Phase ist wiederum durch eine Notiz im *Arbeitsjournal* dokumentiert: »ich nehme die FLÜCHTLINGSGESPRÄCHE wieder vor, lese einige kapitel winge und dessau vor, sowie dem österreichischen arbeiter brainer, der mit uns auf der ›anni johnson‹ herüberkam und in der southern pazific arbeitet. ihre reaktion ermutigt mich etwas. es war die absicht, philosophische gespräche auf einer ›niederen‹ ebene zu plazieren, jedoch bedrückt mich aufs neue der mangel an eleganz« (AJ 703; vom 15.11.1944). Entstanden sind 1944 nachweislich noch Bruchstücke zum vorliegenden Material, die aber offensichtlich nicht mehr integriert wurden. Nach den Indizien (Jahreszahl 1944) hat Brecht 1944, als er neue Texte dazu schrieb, die bereits ausgearbeiteten Texte zu einer Fassung zusammengestellt (mit Überarbeitung?). Dabei sah er immer noch vor, einzelne Geschichten (*Der Mantel des Ketzers* in der Fassung BBA 104/1–178, *Der Poilu von La Ciotat – Der Soldat von La Ciotat, Der unpolitische Arzt* aus *Me-ti*, 12, 501 f., *Der Augsburger Kreidekreis* sowie *Appell der Tugenden* = Gedicht in der Fassung 2011/1–174 = Nr. 12064f., Bd. 3, S. 65) zu integrieren. Von »zwei halben Büchern« läßt sich aber nicht mehr sprechen.

Die Frage, ob die vorliegenden *Flüchtlingsgespräche* Fragment sind, läßt sich nicht so eindeutig mit »nein« beantworten, wie Thiele es tut: »Verfehlt ist es, von einem Fragment zu sprechen« (195). Für Thiele spricht, daß »vollständige« Fassungen vorliegen (er beruft sich auf 2011/1–178; vgl. Thiele, Anmerkungen Nr. 577–579, S. 421). Das ist richtig, sie wurden aber keineswegs so ediert, wie sie im Archiv vorliegen (die Geschichten fehlen). Dann ist die Frage, ob die Zusammenstellung vor oder nach der Wiederaufnahme der Arbeit erfolgte. Erfolgte sie vorher, so braucht es sich lediglich um eine zusammenfassende Bestandsaufnahme des Vorliegenden – als Arbeitsgrundlage – handeln. Liegt sie nachher, so deutete alles auf eine Art Schlußredaktion, die allerdings dadurch entschieden relativiert wird, als Brecht dem vorliegenden Material »mangel an eleganz« bescheinigt. Diese Fassung zu edieren, hat sich

Brecht jedenfalls nicht entschließen können. Daß die *Flüchtlingsgespräche* einen relativ geschlossenen Eindruck machen (glücklicherweise), liegt daran, daß sie kontinuierlich vorangehen, einen sinnvollen Ablauf aufweisen und einen markanten Schluß haben. Insofern liegt ein geschlossenes Werk vor. Aber es enthält noch einige Ungereimtheiten, die zumindest darauf schließen lassen, daß eine konsequente Schlußredaktion nicht erfolgt ist. Ziffels Beruf ist eindeutig mit Physiker bestimmt (vgl. 14, 1418), im 13. Kapitel jedoch sucht er Verwendung als Chemiker. Im 15. Gespräch spricht Ziffel Kalle mit »Herrn Winter« an (14, 1489), ein Name, der völlig vereinzelt bleibt und unvermittelt fällt. Daß Kalle seinen Namen zunächst nicht nennt, hat inhaltliche Bedeutung: der Proletarier ist Ziffel gegenüber mißtrauisch. Wenn Brecht dann doch den Namen preisgeben wollte, so wäre das als Zeichen eines inzwischen bestätigten Vertrauens zu werten; das Motiv aber ist nicht ausgeführt. Und schließlich – um noch ein Indiz zu nennen – enthält das 17. Gespräch (eigentlich ein Monolog Ziffels) den Ton einer freundschaftlichen Vertrautheit (»Kalle, Mensch, Freund, ich hab alle Tugenden satt, ...«; 14, 1497), der ebenfalls nicht integriert ist. Zu erwarten wäre, daß sich Ziffel und Kalle am Ende duzten, was aber durchaus nicht der Fall ist

Die Texte zu den *Flüchtlingsgesprächen* edierte Herta Ramthun aus dem Nachlaß, und zwar zunächst in Auszügen im Sonderheft von *Sinn und Form* sowie in der Zeitschrift *Aufbau* (1957 bzw. Nr. 14, 1958). Die erste Einzelausgabe erschien 1961 (Frankfurt a. M.). Die *Prosa*-Ausgabe (Prosa 2) machte dann noch die Bruchstücke sowie die Ziffel- und Kalleschrift zugänglich). Dieser Text ging in die *Werkausgabe* ein. Die Einordnung des Dialogs in die Prosa besteht zweifellos zu Recht (die ab und zu erhobene Forderung, die *Flüchtlingsgespräche* in die Dramen einzuordnen, beruht auf mangelnden Kenntnissen der Entstehungsgeschichte).

Texte: Flüchtlingsgespräche [Teildruck = Nr. 1]. In: Sinn und Form. 2. Sonderheft Bertolt Brecht. Berlin 1957. S. 178–184. – Frankfurt a. M. 1961 (= Bibliothek Suhrkamp). – Geschichten 2 (= Prosa 2). Frankfurt a. M. 1965. S. 149–298. – wa 14, 1381–1515.

Klaus-Detlef *Müller*: Brecht-Kommentar zur erzählenden Prosa. München 1980 (S. 286–289). – Dieter *Thiele*: Bertolt Brecht. Selbstverständnis, Tui-Kritik und politische Ästhetik. Frankfurt a. M., Bern 1981 (S. 195–248). – Inge *Häußler*: Denken mit Herrn Keuner. Zur deiktischen Prosa in den Keunergeschichten und Flüchtlingsgesprächen. Berlin 1981 (S. 133–173; enthält die detaillierteste Darstellung der Entstehungsgeschichte, mit viel Material, z. B. auch über ausgeschiedene Texte zur *Natur*, die man als Städter nur noch mit großen Anstrengungen erreichen könnte; vgl. 153). Im folgenden wird auf die dem Buch zugrundeliegende Dissertation Inge Häußlers zurückgegriffen, da die überarbeitete Buchfassung stark gekürzt ist: I' H': Untersuchung zur Problematik und Gestalt der deiktischen Prosa Bertolt Brechts – dargestellt an den *Geschichten vom Herrn Keuner* und den *Flüchtlingsgesprächen*. Diss. Jena 1977 (zit. als Häußler, Diss.).

Einarbeitungen

Daß die *Flüchtlingsgespräche* Gedichte von Brecht zitieren und damit in den Kontext einarbeiten, um auch die lyrische Gattung aufzunehmen, hat die Forschung bereits festgehalten: *Maske des Bösen* (14, 1435 = 10, 850), *Appell der Laster und Tugenden* (14, 1437 f. = Abschlußgedicht der *Steffinischen Sammlung*, bisher nicht in den *Gedichten* gedruckt) und *Über Deutschland* (14, 1454 = 9, 752). Dagegen wurde übersehen, daß Brecht wortwörtliche Passagen aus den Prosasatiren, die im 20. Band der *Werkausgabe* als *Schriften* ediert sind, eingebaut hat. Es handelt sich um die *Unpolitischen Briefe* (20, 183), die für Ziffels Memoiren ausgewertet sind (wörtliche Übereinstimmung zu 14, 1429), um die Passage über Hitlers Rede vom 7.3.1936 aus *Über die Frage, ob es Hitler ehrlich meint* (20, 200–203; z. T. wörtliche Übernahmen 14, 1423 f.) und um die Deutung des Satzes »Gemeinnutz geht vor Eigennutz« (Entsprechungen 20, 230–233 = 14, 1465 f.). Diese Einarbeitungen belegen zweierlei. Die *Flüchtlingsgespräche* haben den in den Prosasatiren entwickelten ironisch-satirischen »Ton« zur Voraussetzung. Brecht beschrieb den Ton auch als »schwejk-ton«, den er noch vom *Puntila*-Stück im Ohr habe (AJ 169; vom 14.9.1940, und AJ 181; vom 1.10.1940). Und außerdem ergeben sich durch die Einarbeitungen gewisse Annäherungen an Brechts Biographie, die auch durch weitere Einzelheiten (vor allem Ziffels Memoiren) belegt sind. Freilich soll mit diesem Hinweis nicht behauptet werden, daß Brecht sich sozusagen »seine persönlichen Schwierigkeiten« von der »Seele geschrieben« habe, dazu bestehen bereits in den Prosasatiren zu viel Distanz wie auch biographische »Beschönigungen«, wenn Brecht behauptet, er sei »von Natur unfähig, mich großen und mitreißenden Gefühlen vertrauensvoll hinzugeben« (20, 183), so vergißt er seine Huldigungsgedichte an Wilhelm II. aus seiner Jugendzeit, die zumindest so taten, als ob da ein begeisterungsfähiger Patriot am deutschen »Aufbruch« sich öffentlich beteiligte. Auch die Satiren sind – zumal sie jetzt in die künstlerische Prosa eingeordnet wurden – nicht direkt auf Brechts biographisches »Ich« zu beziehen (im naturalistischen Sinn). Aber sie haben mit Brecht insofern viel zu tun, als sie nicht nur auf Selbsterlebtes zurückgreifen, sondern auch Versuche darstellen, die eigene Position zu objektivieren. Es ist die Position des bürgerlichen Dichters, der »die sache des proletariats« zu seiner Sache gemacht hat, und zwar notwendigerweise, weil er beobachten und erleben mußte, wie die kapitalistische Gesellschaftsform den Faschismus und damit den nächsten Krieg ausheckte. Jedoch mit dem Entschluß, sich auf die Seite des Proletariats zu schlagen, war die bürgerliche Klassenzugehörigkeit *nicht* aufgehoben:

solche dichter wie hašek, silone, [o'casey] und mich zögert man oft, bürgerliche dichter zu nennen, aber mit unrecht. wir mögen die sache des proletariats zu der unsrigen machen, wir mögen sogar für eine gewisse zeitspanne die dichter des proletariats sein – dann hat eben das proletariat in dieser zeitspanne bürgerliche dichter, die für seine sache eintreten. [...]. [Wir zeigen] begrenzungen und schwächen unserer klasse, die uns zu kritisch zu betrachtenden mitkämpfern machen. freilich, wenn wir die bürgerliche kultur überliefern, so ist es doch eben die kultur. [...] am sichersten geht man, wenn man uns als die dialektiker unter den bürgerlichen dichtern anführt und benutzt. damit stehen wir in einer reihe mit den bürgerlichen politikern, welche die sache des proletariats zu der ihrigen gemacht haben. (AJ 143; vom 5. 8. 1940)

Diese Eintragung steht in direktem Zusammenhang mit der Arbeit bzw. Vorarbeit an den *Flüchtlingsgesprächen.* Sie kann direkt als Selbstdeutung des Dialogs übernommen werden und zeigen, in welcher Weise die Objektivation vor sich geht. Nicht als (bürgerliche) Dokumentation des eigenen Lebens, sondern als – auf eigenen Erfahrungen beruhende – kritische Befragung, in welchem Umfang die Intellektuellen, die vom Faschismus ins Exil gejagt worden sind, bereit sind zu erkennen, daß dies nicht die Folge einer (mehr oder minder unerklärlich) »ausgebrochenen Barbarei«, sondern die Folge der kapitalistischen Wirtschafts- und Gesellschaftsordnung ist. Ziffels Biographie, die häufig biographische Daten Brechts einarbeitet, soll vorführen, wie selbst ein unkritischer, insgesamt liberal eingestellter und sich bloß seiner Arbeit widmender Physiker – und insofern hat Ziffel mit Brecht auch wieder wenig zu tun – daran gehindert wird, ungestört zu arbeiten (die Geschichte vom Laboratoriumsdiener Zeisig; 14, 1389f.) und schließlich ins Exil getrieben wird, obwohl keinerlei politische Gründe dafür vorliegen (Geschichte vom Assistenten, der Ziffel anschwärzt, weil er nicht bereit ist, zugunsten »politischer« Gründe die wissenschaftliche Unfähigkeit des Assistenten zu übersehen; 14, 1429). Ziffels Memoiren führen einen redlichen Intellektuellen vor, der Opfer der herrschenden Verhältnisse wird, *obwohl* er (zunächst) ihr Nutznießer war. Gezwungen zur Entscheidung, entweder die »Barbarei« aktiv zu unterstützen (allenfalls sie einfach zu übersehen) oder die persönliche Redlichkeit zu bewahren, muß er ins Exil gehen. Indem er sich über die Gründe klarzuwerden versucht (Memoiren) stößt er notwendig auf den Klassenkampf und damit auf die »Sache des Proletariats«. Es ist anzunehmen, daß die *Aufzeichnungen eines unbedeutenden Mannes in großer Zeit* tendenziell bereits so angelegt waren und daß sich aus der zunächst monologisch angelegten Selbsterkenntnis der Dialog herausgebildet hat: die Konfrontation mit den realen Erfahrungen des Arbeiters beweist, daß die persönlichen Erfahrungen, die Ziffel mit dem Exil erst macht, die andauernden Erfahrungen des Arbeiters bereits zu einer Zeit waren, in denen Ziffel noch »das friedliche Leben einer Intelligenzbestie« lebte (14, 1418). Erst mit dem Einbau des Arbeiters erhält die »Biographie« ihre Verbindlichkeit und Typik für die Intellektuellen, die der Faschismus aus Deutschland vertrieben hatte. Es ist klar, daß damit auch erwiesen ist, daß die *Flüchtlingsgespräche* nicht nur weiterhin für die Volksfrontpolitik eintreten, sondern darüber hinaus sogar ihre Notwendigkeit zu beweisen suchen. Die bürgerlichen Intellektuellen, die die Zusammenhänge zwischen Faschismus und Klassenkampf nicht erkennen, unterstützen nicht nur indirekt (natürlich ohne subjektive »Schuld«!) die objektiven Wirkungen des Faschismus, sondern bringen sich auch in Gefahr, deren Opfer zu werden (Dieter Thieles Ausführungen ist hier ganz zuzustimmen; 219–248).

Konkrete Einzelheiten aus Brechts Leben enthalten vor allem die ausformulierten Teile von Ziffels Memoiren, d. h. vor allem Brechts Schulerfahrungen, die berühmte Anekdote, mit der sich Brecht die Versetzung erschlich (Anstreichen von Zusatzfehlern in der Französisch-Arbeit; vgl. Frisch/Obermeier 85f. = 14, 1403f.), hier aber nicht Ziffel selbst betreffend, sondern seinen Mitschüler B., der Bordellbesuch mit 17 Jahren, Namen von Freunden und Freundinnen, Details von Augsburg etc. Die Erfahrung des Lehrers Franz Xaver Herrenreiter (vgl. Frisch/Obermeier, 36, 38, 40, 63) hat Brecht in Kalles Biographie eingebaut

(14, 1405f.). Sie paßte besser zur Versinnbildlichung des proletarischen Ausgeschlossen-Seins. Die Aufzählung von Einzelheiten ist hier nicht möglich; es sei nur darauf verwiesen, daß bis zur Arbeit von Frisch und Obermeier zu *Brecht in Augsburg* die biographischen Darstellungen zu Brecht die *Flüchtlingsgespräche* als Materialgrundlage benutzt haben.

Weitere Geschichten, die sich Ziffel und Kalle erzählen, gehen auf – wohl meist reale – Erzählungen der Exil-Gastgeber Brechts zurück. Zu erinnern ist an *Karins Erzählungen.* Direkte Exilerlebnisse Brechts sind weniger zu vermuten, da es Brecht trotz der allgemeinen Hindernisse, die ihm die Exilländer auferlegten, persönlich relativ gut ging. Das heißt vor allem: er konnte schriftstellerisch arbeiten und war insgesamt durch die vielen Einladungen – bei übrigens geringen Ansprüchen – versorgt (im Gegensatz zu Ziffel, ganz zu schweigen von Kalle). Der Ursprung einer »Geschichte« ist konkret nachgewiesen. Harald Engberg führt die »witzige« Anekdote über den der Unterschlagung überführten Finanzminister auf den dänischen Politiker Peter A. Alberti zurück (Engberg, 244f.). Inge Häußler hat bestätigen können, daß es sich um eine Erzählung von Karin Michaelis handelt (Häußler, Diss., Anm. 40f.). – Die Asthma-Geschichte geht nach Klaus-Detlef Müller auf die Berichte »des ehemaligen Chefarztes des Wiener Rothschildkrankenhauses, Dr. Waldemar Goldschmidt« zurück, »die er zusammen mit Margarete Steffin im Herbst 1939 in Schweden nach dessen Erzählungen aufgezeichnet hatte« (Müller, 290; vgl. 14, 1466ff.).

Harald *Engberg*: Brecht auf Fünen. Exil in Dänemark 1933–1939. Wuppertal 1974 (zuerst dänisch 1966) (S. 82, 99, 110, 225, 244f.). – Werner *Frisch*, K. W. *Obermeier*: Brecht in Augsburg. Erinnerungen, Dokumente, Texte, Fotos. Berlin und Weimar 1975. – Klaus-Detlef *Müller* (s. o.; S. 289–293). – Dieter *Thiele* (s. o.). – Inge *Häußler*, Diss. (s. o.).

Literarische Vorbilder

Aleksis Kivi

»die art, zwiegespräche einzuflechten, hatte mir schon bei KIWI [sic] gefallen«, schreibt Brecht am 1.10.1940 ins *Arbeitsjournal* (AJ 181), als er beginnt, die alten Ziffel-Aufzeichnungen in Dialogform zu realisieren. Im 4. Gespräch (14, 1408f.) wird Kivi auch zum Gegenstand der Unterhaltung, als Ziffel und Kalle den Bahnhofsplatz überqueren und dort auf das große Steinmonument des Dichters stoßen. Die »Deutung« der künstlerischen Darstellung ist ironisch zu verstehen, und zwar als Materialisierung des überhöhten idealistischen Ausdrucks, den das Monument eigentlich hat: »Der Bildhauer hat Humor, er hat ihm einen träumerischen Ausdruck verliehen, als ob er von einer herrenlosen Brotkruste träumte« (14, 1408). Aleksis Kivi (1834–1872) gilt als Finnlands größter Dichter. Sohn eines armen Dorfschneiders, schwere Jugend, abgebrochenes Studium, freie Schriftstellertätigkeit zwischen Krankheit und Armut, mit 35 Jahren »geistig umnachtet«, siechte einsam, weitgehend verkannt zum Tod. Kalles Behauptung »ist aber verhungert« stimmt nicht in diesem Sinn, deutet aber Kivis Ende parteiisch richtig. »Das Dichten ist ihm nicht bekommen«, so stellt Kalle auch indirekt den Bezug zum Dichter Brecht her, zu Lebzeiten verfolgt und nach dem Tod als »finnischer Homer« erkannt, so pflegt es den Dichtern zu gehen, die sich nicht den Herrschenden angedient haben.

Brecht bezieht sich bei seiner Kivi-Berufung auf dessen Roman *Seitsemän veljesta* (1870; *Die sieben Brüder*, deutsch 1921). Sieben Brüder erben einen Hof von den Eltern und sollen als künftige Herren lernen, sich den Normen und Konventionen der Gesellschaft zu unterwerfen. Sie sehen darin jedoch ihre »Natur« und ihre Persönlichkeiten gefährdet und ziehen das unzivilisierte, bildungslose Leben in den finnischen Wäldern vor. Zehn Jahre leben sie dort, jagend, rodend, das unwirtliche Gebiet urbarmachend, um dann ins heimatliche Dorf zurückzukehren, und nun auch bereit sind, selbstbewußt dem Land zu dienen. Es handelt sich um einen kraftvollen Abenteuer- und Entwicklungsroman, der dem »unzivilisierten«, maßlosen und deftigen Leben der Brüder auch sprachlich folgt und deshalb bei Erscheinen als »unsittlich« galt, obwohl die Brüder sich in die Gemeinschaft reintegrieren. Inge Häußler meint: »Brecht kann [...] von Kivi die dialektische Grundstruktur der Negation der Negation übernommen haben: Absage an eine Gesellschaft, mit der das Individuum in Konflikt gerät aus Gründen, die die Gesellschaft zu verantworten hat und Bejahung der Emanzipation des Menschen zum Wohle der Gemeinschaft« (Häußler, Diss., 387).

Auf alle Fälle übernommen hat Brecht das

darstellerische Mittel Kivis, die in die Erzählung eingefügte Dialogform. Nach den jeweiligen ausschweifenden Schilderungen der Ausschweifungen der wilden sieben Brüder läßt Kivi sie – ohne epische Zwischentexte – über längere Passagen Gespräche führen, die durchaus dramatischen Charakter haben (tatsächlich gibt es eine – spätere – dramatische Umformung des Romans unter Verwendung der Originaldialoge). Hier hat Brecht angeknüpft.

Inge *Häußler*, Diss. (s. o.; S. 384–390).

Denis Diderot

Die *Arbeitsjournal*-Notiz, die Kivi als literarisches Vorbild nennt, führt den Anstoß zur dialogischen Ausführung der *Flüchtlingsgespräche* auf die Lektüre von Denis Diderots *Jakob der Fatalist* zurück (vgl. AJ 181). Der Antiroman *Jacques le fataliste et son maître* entstand 1771–1774 und gilt als bedeutendstes Werk des Dichter-Philosophen Diderot (1713–1784). Es enthält die für Brecht maßgebliche Konstellation Herr–Diener bzw. Herr–Knecht (es gibt auch Bezüge zur Konstellation in *Herr Puntila und sein Knecht Matti*; Brecht hatte für den Namen Mattis zunächst den des »Kalle« erwogen). Freilich handelt es sich bei Diderot noch um die Konfrontation Feudalismus–Bürgertum. Wie in Hegels späterer philosophischer Analyse (*Phänomenologie des Geistes*; 1807) zeichnet sich der Diener, der ja unter der Herrschaft steht, als der überlegenere »Geist« aus, dem die Zukunft gehören wird, wobei der Fatalismus des Jacques ironisch sich bricht, indem der fatalistische Knecht dem Herrn seinen Fatalismus nachweist. Das Bewußtsein wird vom Knecht, nicht vom Herrn weiterentwickelt.

Neben diesem inhaltlichen Gesichtspunkt gibt es vor allem erzähltechnische Parallelen. Diderot wandte sich mit seinem Anti-Roman gegen die üblichen ausschweifenden, das heißt in diesem Fall schwafelnden, Schilderungen im Roman seiner Zeit: Zustandsbeschreibungen ohne Handlung. Er löste alle Beschreibung bzw. Charakteristik von Menschen in Handlungen, Prozesse auf. Der inhaltlichen Konfrontation entspricht in der Form der Dialog, der unterbrochen wird durch philosophische Reflexionen des »Erzählers«. Der Dialog sorgt für die Doppelperspektive, die den üblichen einsträngigen Erzählerstandpunkt »dialektisiert«. Die Reflexion sorgt zugleich für Unterbrechung und Diskontinuität: keine fortlaufende, einsträngige Erzählung. Entsprechend behandeln die Dialoge »Geschichten«, das heißt aufs Stichwort geäußerte, erzählte Erfahrungen, die doppelperspektivisch »begutachtet« werden. So hat der Roman bei Diderot keine eigentliche Fabel mehr, sie setzt sich erst aus den Einzelteilen nachträglich zusammen. Und die beiden Personen werden nur in dem Maß faßbar, als sie von ihren Erfahrungen berichten. Bei Brecht ist mit Ziffels Memoiren zunächst noch das »Entwicklungsroman«-Modell gegeben, das aber – auch formal auffällig – bewußt und nachhaltig »aufgehoben« wird (auch weil »das Leben« fehlt – und alles »entwickelt« sich zum Krieg hin). Schließlich konnte Diderot auch noch in Sachen Humor Vorbild werden. Die Dialoge sind von ironischer Eleganz geprägt, gespickt mit Bosheiten und satirischen Kommentaren, durchweg »unmoralisch« und von heiterer Grundstimmung. Es ist gut möglich, daß Brecht die mangelnde Eleganz seiner Dialoge an Diderots dialektischer Kunst gemessen hat.

Direkter zitiert ist Diderot im 4. Gespräch beim Thema Pornographie. Es handelt sich um eine frühe Geschichte, die Jacques seinem Herrn erzählt, und zwar von der Frau seines Wundarztes, die sich – des Kranken nebenan gedenkend – erst ziert, um dann doch – unter lauter Berufung des Juckreizes im/am Ohr – dem Ehemann zu Diensten zu sein. Jacques wird in doppeldeutigem Sinn zum Ohrenzeugen (der Text findet sich in der Reclam-Ausgabe des Romans, Stuttgart 1972, S. 21–26).

Hinzuweisen ist in diesem Zusammenhang, daß sich Brecht bereits im dänischen Exil (um 1939) mit dem Gedanken trug, eine Diderot-Gesellschaft zu gründen, hat da aber weniger an den Romancier Diderot als an den Theater-Theoretiker gedacht. Schon da fällt der Name Diderots im Zusammenhang einer Kunst, die Interesse »an einer realistischen, das heißt die Realität meisternden (die Meisterung der Realität erlaubenden) Darstellung des gesellschaftlichen Zusammenlebens der Menschen« hat (15, 309). Von Diderot leitete Brecht das »induktive Theater« ab, das er später »Theater des wissenschaftlichen Zeitalters« genannt hat (Text hier 15, 305–309). Die Lektüre von *Jacques der Fatalist und sein Herr* erwies für Brecht, daß Diderot auch auf dem Gebiet der Prosa in der Richtung – fürs Bürgertum – vorgearbeitet hatte, die nun für die Darstellung des Gegensatzes Bürgertum–Proletariat zu nutzen war.

Theo *Buck*: Brecht und Diderot oder Über Schwierigkeiten der Rationalität in Deutschland. Tübingen 1971. – Inge *Häußler*, Diss. (s. o.; S. 370–384).

Weitere Vorbilder

Eine wichtige Rolle in den *Flüchtlingsgesprächen* hat – wieder einmal – der deutsche Philosoph Georg Wilhelm Friedrich Hegel (1770–1831) erhalten. Ziffel beschreibt die humorvolle Hegelsche Dialektik vor allem am Beispiel »Die große Logik«, das heißt *Wissenschaft der Logik* (1812–1816). Herausgehoben ist die Widerspruchsdialektik und die »Flüssigkeit der Begriffe« (vgl. vor allem 14, 1459–1462). Da Brecht jedoch im *Me-ti* sich nicht nur auf dieselben Aspekte und wiederum auf die *Logik* bezieht, sondern sie dort auch umfassender und systematischer abhandelt, sei hier auf den entsprechenden Abschnitt in der dortigen Abhandlung verwiesen (vgl. BH 2, S. 447-476).

Dieter Thiele hat vorgeschlagen, Karl Billingers autobiographischen Roman *Schutzhäftling Nr. 880* als Vorbild für die – von Kalle berichteten – KZ-Erlebnisse anzusehen und für das gegensätzliche Verhältnis von Intellektuellen und Proletariern zu erwägen: »Brechts Betonung der intellektuellen Fähigkeit des Proletariats und ihrer [sic] Anschauungsweise findet hier den Beleg«. In den ursprünglichen *Aufzeichnungen*, so Thiele, spielten die KZ-Erlebnisse, da freilich noch die Ziffels, eine wesentlich umfangreichere Rolle (vgl. BBA 610 = Nr. 12066 ff., Bd. 3, S. 65–67). In der dialogischen Konzeption der *Flüchtlingsgespräche* hat Brecht Kalle den – zunächst Ziffel zugedachten – KZ-Aufenthalt zugeschrieben. Damit war der Gegensatz zu den mehr sekundären Erfahrungen der Intellektuellen (»geistiger Art«) und den unmittelbaren Erfahrungen der (sozialistisch eingestellten) Arbeiter stärker zu akzentuieren (14, 1491). Der Roman Billingers erschien 1935 in der Edition du Carrefour (Willi Münzberg); Brecht kannte die Produkte der Edition, zumal auch sein und Eislers Gedichtband *Lieder – Gedichte – Chöre* (1934) dort erschienen ist (relevante Stellen finden sich S. 32, 62, 105, 133, 137, 139 f., 140 f.).

Cesare Cases hat auf das Vorbild von Goethes *Unterhaltungen deutscher Ausgewanderten* hingewiesen, was von der neueren Prosaforschung aber nicht mehr weiterverfolgt worden ist (vgl. Müller, 289–293, der Cases verarbeitet hat, aber diesen Hinweis nicht gibt). Inge Häußler hat nachgewiesen, daß es keinerlei Zeugnisse für Goethes Vorbild gibt, räumt jedoch dem Werk als möglicherweise »wirkungsvoll verfremdenden Hintergrund« eine gewisse »Gegenbild«-Funktion ein. Beim »gebildeten« deutschen Leser war mit der Goethe-Assoziation (in der damaligen Zeit) durchaus zu rechnen (Häußler, Diss., Anm. 62, Nr. 20).

Nachweislich stand der *Candide* (Roman, 1758) von Voltaire (1694–1778) für den Dialog Pate. Der Roman war gegen Leibniz' These von der »prästabilierten Harmonie« und der »besten aller möglichen Welten« gerichtet. In satirisch-komischer Weise führte Voltaire eine Reihe von Gegenbeispielen an und verband das Ganze mit einer satirisch-beißenden Kritik am französischen Adel der Zeit. Candide, der naive, »gute« Mensch erlebt die Welterfahrungen als zunehmende »Offenbarung ihrer Übel«, so entstand vor Goethes Bildungsroman seine satirische Gegenform. An Voltaire schulte Brecht den satirischen Stil und das Prinzip, mit möglichst handgreiflichen und zugleich einhakenden Beispielen für idealistische Beschönigungen realistisch zu destruieren. Voltaire wurde immer wieder Vorbild für satirische Erzählweisen (auch im Film; vgl. die Verfilmung des Romans *Candy oder Die sexte der Welten* von Terry Southern und Mason Hoffenberg, zuerst 1964, mit dem »Beatle« Ringo Starr im Jahr 1968).

Die Gesichtspunkte, die das Marxsche Werk in den Dialog eingebracht hat, sind in der Analyse berücksichtigt.

Cesare *Cases*: Bertolt Brecht, »Flüchtlingsgespräche«. In: C' C': Stichworte zur deutschen Literatur. Wien u. a. 1965. S. 201–210. – Dieter *Thiele* (s. o.; S. 424). – Inge *Häußler*, Diss. (s. o.). – Klaus-Detlef *Müller* (s. o.; S. 289–293).

Analyse

Aufbau

Trotz der »relativen Offenheit der Montagetechnik und Selbständigkeit der Teile« sieht die Forschung in den *Flüchtlingsgesprächen* »ein in sich abgeschlossenes und konsequent aufgebautes Werk« (Müller, 293). Das Ganze werde zusammengehalten und strukturiert »durch den Weg des bürgerlichen Intellektuellen zu gesellschaftlicher Parteinahme«, das heißt, daß aus der zunächst biographisch angelegten Geschichte Ziffels durch sein proletarisches Gegenüber nicht nur eine kritische Reflexion des Lebenswegs eines Intellektuellen erfolgt, sondern am Ende auch die Einsicht, die nur die Konsequenz der Reflexion ist, nur der Sozialismus kann auf die Dauer zu einer menschenwürdigen Gesellschaft führen und vor allem dauerhaft den Krieg verhindern. Klaus-Detlef Müller hat folgende, »thematisch bedingte Gliederung« vorgeschlagen:

> Kapitel 1 und 2 sind eine Exposition der Gesprächssituation;
> Kapitel 3 bis 7 sind durch Ziffels Memoiren, d. h. durch die Geschichte seiner Sozialisation bestimmt;
> Kapitel 8 thematisiert vorläufig und kontrovers das Verhältnis von Intellektuellem und Arbeiter;
> Kapitel 9 bis 13 behandeln die Stationen der Emigration;
> Kapitel 14 bis 16 schildern die Bewußtwerdung der Lage im politischen Kontext;
> Kapitel 17 und 18 exponieren die neue Situation des Kampfes. (Müller, 293 f.)

Die *Flüchtlingsgespräche* sind kein reiner Dialog; dieser ist vielmehr eingebettet in einen zwar kurzen, nur angedeuteten, aber zugleich eine »Geschichte« der beiden entwickelnden epischen Kontext. Ziffel und Kalle treffen sich zufällig, beide sind weitgehend mittellos, im Gastland nur geduldet, und zwar unter der Bedingung, ihrem Beruf nicht nachzugehen, weil sie sonst Arbeitsplätze der Einheimischen wegnähmen. Überdies sind politische Äußerungen unerwünscht und könnten – wie anderes Fehlverhalten auch – zur Ausweisung, das heißt zur sicheren Vernichtung, führen. Ihnen bleibt bloß die Reflexion auf die eigene bzw. politische Situation, die sich an öffentlichen Orten (Restaurants, Plätzen) dialogisch vollzieht bzw. privat von Ziffel in Form der Niederschrift seiner Memoiren vollzogen wird. Der Dialog nimmt eine gewisse Zeit in Anspruch – man trifft sich immer wieder –, die allerdings ohne nähere Angaben bleibt, freilich – wenn man die angesprochenen Kriegsereignisse heranzieht – über zwei Jahre währen müßte (von Sommer 1940 bis nach Juni 1942). Wären die amerikanischen Gesprächsteile noch eingebaut worden, so währte das Gespräch ca. 4 Jahre. Brecht jedoch blieb bei der Fiktion, das Gespräch sei örtlich in Finnland, Helsingfors (= Helsinki) angesiedelt und dauere ca. ein halbes Jahr (von Sommer bis Winter 1940).

Im epischen Kontext des Dialogs ist überdies der von Ziffel und Kalle »organisierte« Aufbau einer »Firma zur Wanzenvertilgung« als »Geschichte« eingebaut (vgl. 14, 1491); im letzten Gespräch hat Kalle »einen Geldgeber für die Gründung meiner Wanzenvertilgungsanstalt mit beschränkter Haftung gefunden« (14, 1498). Und er bietet Ziffel an, ihn zu engagieren, der Arbeiter den Bürger. Diese Gesellschaft muß folglich in ihrem politischen Charakter erkannt sein, eine Gesellschaft, die angetreten ist, die »Blutsauger« zu vertilgen. Wenn der Arbeiter Geldgeber gefunden hat, so ist klar, daß die Quelle nur in der Sowjetunion sein kann und daß das »Engagement« des Bürgers so zu verstehen ist, daß dieser nun bereit ist, die »Sache des Proletariats« zu vertreten. In der Stoßrichtung, die die Wanzenvertilgungsanstalt symbolisch enthält, kann man – und zwar entschieden gegen anderslautende Meinungen der westlichen Forschung – die alte Volksfrontidee (mit Brechtscher Interpretation) wiedererkennen: den Zusammenschluß von Sozialisten und Bürgerlichen gegen den Faschismus, der mit dem von ihm begonnenen Weltschlachten endgültig als eigentlicher Gegner erkannt sein müßte; daß Brecht sich die Volksfront nur auf der Basis des Sozialismus und seiner Erkenntnisse vorstellen konnte, spricht nicht gegen den Sinn der »Wanzenvertilgungsanstalt« (vgl. dagegen Weisstein; dafür Häußler, 222–225).

Für den Aufbau der *Flüchtlingsgespräche* ist zu beachten, daß sie diesen »epischen Vorgang« enthalten, also zweigeteilt sind: in Erzählerbericht und Dialog, wobei die Dialoge wiederum aus vielen Einzelteilen, Geschichten und Reflexionen, additiv (aufs »Stichwort«) montiert sind. Die relative Selbständigkeit des Erzählerberichts ergibt sich aus seiner (kritisch aufdeckenden) Sprachgebung und inhaltlich aus der Angabe von Daten, Ereignissen, Handlungen und Haltungen, die sich nicht durch den Dialog ersetzen lassen oder in dramatische Bilder umzusetzen wären. Die epische Handlung ist für die Entwicklung des Gesprächs von großer Wichtigkeit. Sie sorgt für den »großen« Rahmen des »kleinen« – von »Niedrigem« handelnden – Gesprächs, und es setzt die durch Reflexion gefundenen Konsequenzen handlungsmäßig um. Das Gespräch wird zunehmend »konspirativer«, führt zu noch größerer Vorsicht, nun aber nicht mehr gegeneinander, sondern miteinander gegen die »anderen« (Ortswechsel, »Lokal«-wechsel, auch symbolisch zu verstehen!) und schließlich zum »kämpferischen Zusammenschluß« (Wanzenvertilgungsanstalt). Und dies alles vollzieht sich auf dem welthistorischen Hintergrund des sich ausbreitenden 2. Weltkriegs, der die Maßstäbe setzt. Von ihnen aus erhalten die »kleinen« Vorkommnisse ihre – ja in vieler Hinsicht – verbindliche Dimension (ganz abgesehen von der persönlichen Gefährdung – Exil –, die mit dem Krieg für beide verbunden ist).

Ulrich *Weisstein*: Bertolt Brecht. Die Lehren des Exils. In: Die deutsche Exilliteratur 1933–1945. Hg. von Manfred *Durzak*. Stuttgart 1973. S. 373–397. – Klaus-Detlef *Müller* (s. o.; S. 293–296). – Inge *Häußler* (s. o.; 215–228).

Erfahrung Exil

Die Gespräche finden unter Flüchtlingen statt. Brecht bestand auf diesem Ausdruck und lehnte den des »Emigranten« ab. Das heiße, dichtete Brecht, »doch Auswanderer«: »Vertriebene sind wir, Verbannte« (9, 718). Die *Flüchtlingsgespräche* behandeln in den Kapiteln 9 bis 13 die Stationen des Exils, teilweise wiederum unter Anlehnung an Brechts Biographie, wobei sich auch Bezüge zum Plan der Prosasatire *Reise um Deutschland* ergeben, in denen brieflich die einzelnen Exilstationen kritisch unter die Lupe genommen werden sollten. Der Dialog thematisiert die Exilländer unter den folgenden Stichworten: »Die Schweiz, berühmt durch Freiheitsliebe und Käse« (14, 1443), »Frankreich oder der Patriotismus« (14, 1450), »Dänemark oder der Humor« (14, 1456), »Schweden oder die Nächstenliebe« (14, 1464) und schließlich »Lappland oder Selbstbeherrschung und Tapferkeit« (14, 1472). Die Systematik zeigt sich bereits in den Überschriften, die jedes Exilland mit einem bestimmten typischen Attribut belegen (»Tugenden«) und in der Regel die Strukturierung durch das »oder« aufweisen, die das jeweilige Land mit seiner Eigenschaft identifiziert.

Die Gespräche verlaufen jeweils so, daß sie die – zunächst positiv gemeinten – Eigenschaften der Exilländer konkretisieren, und das bedeutet materialisieren. Grundlage bilden die Erfahrungen, die Ziffel und Kalle in der epischen Fiktion gemacht haben. Besonders nachhaltig, weil z. T. skurril und in ihrem Ablauf absurd, ist die Asthma-Geschichte, die in Schweden spielt und dem dortigen Berufsverbot für Emigranten sehr konkrete Details gibt (14, 1465–1472). Die Pointe der Geschichte ist eine doppelte: erst im Exil erfährt der Arzt, daß die Patienten eigentlich Kunden sind – Kalle interpretiert so – und daß folglich die Nächstenliebe dadurch nötig wird, daß Geldmangel herrscht.

Exemplarisch zu besprechen ist die »Schweiz-Geschichte«, da ihr Thema, nämlich »Freiheit«, später aufgenommen wird (auch die USA kommen da noch mit ins Spiel). Die Freiheitsliebe der Schweizer pflegt auf ihre – schon sagenhafte – »Unabhängigkeit« (Rütlischwur, 1307) zurückgeführt zu werden. Die Schweiz blieb weitgehend außerhalb der europäischen Kriege und vermochte es auch, den Faschismus ohne kriegerischen Übergriff zu überstehen. Ideologisch pflegen diese Tatsachen auf eine besondere, geschichtlich verbürgte Freiheitsliebe der Schweizer zurückgeführt zu werden. Ziffel macht dagegen zunächst einmal die ungünstige Lage der Schweiz geltend. Da die Schweiz von »lauter Mächten [umgeben ist], die gern was erobern« (14, 1443), reagieren die Schweizer in besonderem Maße mit »Freiheitsdurst«, denn sie müssen ständig aufpassen, daß nicht mal einer »was« erobert. Daß die Schweiz verschont bleibt, liegt nun auch nicht daran, daß die Schweiz unabhängig wäre, sich wirklich »heraushielte«, sondern allein daran, daß es »gleich mehrere sind, die schlimme Absichten auf sie haben. Keiner von ihnen gönnt dem andern die Schweiz«, allein das etwaige Gleichgewicht der auf dem Sprung sitzenden Räuber verbürgt die Freiheit. Verkürzt entspricht dies durchaus den Tatsachen, einmal ganz abgesehen davon, daß die »Frontisten« eine starke Bewegung in der Schweiz darstellten, die meinten, für einen »Anschluß« an Hitlerdeutschland plädieren zu müssen, wie auch die Auswahl der »Flüchtlinge« besonderen Kriterien unterlag (Repräsentanten des »deutschen Geistes«). Brecht geht es um die satirische Offenlegung der tatsächlichen Verhältnisse, die nicht ausführlich, »abgesichert« erfolgen kann, wenn sie nicht ihre bissige Schärfe verlieren will. So ist die Schweiz auch kein Land für (politische) Flüchtlinge: nur der Tourist mit viel Geld (im Hotel muß er wohnen können) kann dort auf »Freiheit« hoffen. – Brecht votiert mit dem Beispiel gegen den bürgerlich-abstrakten Freiheitsbegriff, der nicht danach fragt: Freiheit wozu und für wen? Das Amerika-Beispiel, das im Rahmen des Schweiz-Kapitels entwickelt ist, zeigt die Diskrepanz, die aus dem Ruf nach abstrakter Freiheit und der gleichzeitigen Tatsache der alltäglichen Unfreiheit im »Gewerbsleben« entsteht: die Geknechteten sorgen dafür, daß die Unternehmer »frei« schalten dürfen. Sie beschneiden nicht nur den »Arbeit-Nehmern« ihre persönliche Freiheit im Gewerbsleben, sie haben zugleich die Freiheit, z. B. Kriege vorzubereiten und auf Kosten der Allgemeinheit zu führen (vgl. 14, 1447). Die Konkretisierung des Freiheitsbegriffs muß die Aufdeckung der alltäglichen Gewaltanwendungen – die auf den ersten Blick nicht so aussehen (schlechte Wohnung, Kampf ums Essen, miese Bedingungen am Arbeitsplatz, Arbeitslosigkeit etc.) – und der Kriege, die der friedliche Handel bereits impliziert, leisten.

Das hat auch persönliche Konsequenzen, die im 14. Gespräch angesprochen werden. Ziffel bemängelt – mit dem üblichen Argument –, daß der Kommunismus »die Freiheit des Individuums vernichtet« (14, 1480). Kalle verneint diese Feststellung nicht, versucht sie jedoch für den Bürger Ziffel insofern zu konkretisieren, als er ihn auf seine bereits bestehende Unfreiheit aufmerksam macht. Ziffel, obwohl privilegierter Bürger, hat im Kapitalismus bereits die Unfreiheit erfahren, die im Faschismus zu einer totalen geworden ist (das führt das Schweiz-Kapitel aus, in dem darauf verwiesen wird, daß die KZs tatsächlich »Erziehungs«-Lager wären, nämlich das gesamte deutsche Volk darin einzubeziehen, was vorerst »nur« an den Feinden ausprobiert wird). Ziffel redet immer noch abstrakt von Freiheit, obwohl er konkret die Erfahrung von Unfreiheit machen mußte, und zwar in der Vertreibung aus Deutschland und in der aufgezwungenen Untätigkeit im Exil (was auch mangelnde Versorgung an »Produktionsmitteln« bedeutet). Ist die persönliche Unfreiheit erkannt, dann ergibt sich, daß der abstrakte Freiheits-Begriff lediglich den Herrschenden dazu dient, *selbst* machen zu können, was sie wollen, z. B. Kriege vorzubereiten oder »auszubrechen«.

Die zunächst »positiv« erscheinenden Tugenden der jeweiligen Exilländer stellen sich nach ihrer Konkretisierung als Folgen von Mangelerscheinungen dar. Die Tugenden sind notwendig, um der schlechten Realität »begegnen« zu können, daß heißt, sie auszuhalten. Die kritische Besinnung auf sie jedoch negiert ihre Positivität. Erhalten bleiben durch sie schlechte Verhältnisse. Würden dagegen die Verhältnisse geändert, wären die Tugenden nicht mehr nötig.

Der »konkrete« Freiheitsbegriff entsteht vor allem durch die »Materialisierung« des abstrakten Freiheitsbegriffs, das heißt, er wird mit den realen Erfahrungen von Unfreiheit konfrontiert und so mit Inhalt gefüllt bzw., um es Hegelisch zu sagen, »vermittelt«: Er entsteht aus der Negation, die wiederum zu negieren wäre, hier durch die Veränderung der negativen Verhältnisse. Entsprechend gering bestimmt Brecht den »neuen« »positiven« Freiheitsbegriff. Er bedeutet »Diktatur der 999 über den tausendsten« und das Verbot der Ausbeutung (14, 1480), beides wiederum starke Verkürzungen, die jedoch die Richtung weisen. Der neue Freiheitsbegriff bezeichnet keinen Zustand, sondern einen Ablösungsprozeß, der zunächst und weitgehend negativ ist: Beschneidung der »herrschenden Freiheiten«. Ziel ist der Interessenausgleich von einzelnem und Allgemeinheit, der aber nur anzupeilen ist – und dies ist die Pointe der gesamten *Flüchtlingsgespräche* –, wenn man gerade die Tugenden propagiert und fordert, die vorher – bezogen auf die bürgerlich kapitalistischen Gesellschaften – negativer Kritik anheimgefallen sind. Diese Widersprüche provoziert Brecht mit seinem Prosatext, weil er sie als reale gesehen wissen will, nicht weil sie Ausdruck »falschen Denkens« wären. »Die beste Schul für Dialektik ist die Emigration«, stellt Ziffel fest (14, 1462). In dieser Hinsicht objektiviert der Text Exilerfahrungen (nicht nur Brechts) in ihrer Widersprüchlichkeit. Zwar retten die Exilländer die Flüchtlinge vor dem Faschismus, doch lassen sie sie zugleich – am eigenen Leibe – Erfahrungen machen, und zwar innerhalb der »Normalität« des Lebens dort, die auf die des Faschismus zurückweisen (Berufsverbot, Verbot politischer Betätigung, Einschränkung der persönlichen Freiheit etc.). Die Emigration könnte also nicht nur eine wichtige Beweisfunktion erfüllen, nämlich den Beweis dafür, daß der Faschismus keinen »dunklen barbarischen Trieb«, der »ausgebrochen ist«, darstellt, sondern lediglich die brutalste Form des Kapitalismus (vgl. den »Humor« der Dänen), sondern zugleich den Bürger, der Opfer des Faschismus ist, zum Sozialismus »erziehen«.

Klaus-Detlef *Müller* (s. o.; S. 298–300).

Negation des Bildungsromans

Die *Flüchtlingsgespräche* sind entstehungsgeschichtlich aus der fiktiven Autobiographie Ziffels *Aufzeichnungen eines unbedeutenden Mannes in großer Zeit* hervorgegangen. Damit ist der Bezug zum bürgerlichen Bildungsroman bereits vorgegeben, freilich mit dem Unterschied, daß die Memoiren Ziffels sich nicht mehr »exemplarisch« für die Menschheitsentwicklung – wie der bürgerliche Bildungsroman –, sondern vom zeitgenössischen Widerspruch besetzt sehen, daß Kleinbürger angetreten sind, anachronistisch eine neue »große Zeit« aufzuziehen. Ziffels autobiographische *Aufzeichnungen* setzten bereits voraus, daß Ziffel Opfer der Nazis (Emigration) geworden war und wenig »Leben« mehr in Aussicht spürte. Auch im Dialog ist der Ausgangspunkt für Ziffel der, »daß ich wahrscheinlich am Ende meines Lebens steh«(14, 1396), nicht aber aufgrund seines Alters (um die 40), sondern aufgrund der allgemeinen politischen Lage (Krieg). Bedacht ist auch die Depravierung des ehemaligen Bildungsromans des Bürgertums im 19. Jahrhundert durch die kapitalistische Warenproduktion. Sie fördert nicht mehr »bedeutende Meinungen«, sondern die »unbedeutenden Meinungen« (also den Unsinn) der »großen Leute«: *sie* will man hören, *sie* will man lesen. Es interessiert nicht mehr, *was* zu sagen ist, sondern *wer* sich genügend aufgeblasen hat, daß man ihn hören will. Insofern ist die Exemplarität des klassischen Bildungsromans bereits auf die Warenästhetik heruntergekommen, ist sie nicht mehr in der Auseinandersetzung von Individuum und »Welt« stofflich erworben, sondern aufgrund der öffentlichen Rolle angemaßt (vgl. die Parallelen zu Hitler, zur Propaganda, zur aufgeblasenen Niedertracht der nazistischen Kellerasseln, um auf Bloch anzuspielen). Das alles ist bereits vorausgesetzt, wenn Brecht in den *Flüchtlingsgesprächen* die zunächst geplante bürgerliche Autobiographie endgültig scheitern läßt. Sie fängt »gut« an, das heißt sehr typisch und auch brav entwicklungsgeschichtlich mit der Schule (damit insgeheim auch mit dem Thema Bildung). Schul- und Internatsgeschichten sind für die depravierte Form des Bildungsromans im 20. Jahrhundert (freilich durchaus als positive, realistische Weiterentwicklung) außerordentlich kennzeichnend, so Robert Musils *Die Verwirrungen des Zöglings Törleß* (1906), Robert Walsers *Jakob van Gunten* (1909) oder Thomas Manns *Bekenntnisse des Hochstaplers Felix Krull* (1922, 1936, 1954). Die Schule ist *das* Thema, weil sie realiter mehr oder weniger durchlitten worden ist, später dann aber gern zur Verklärung heroischer Jugendzeiten herhalten muß (vgl. vor allem Heinrich Spoerls *Feuerzangenbowle*, 1933). Die »Zöglingsromane« des 20. Jahrhunderts zeichnen sich bei den kritischen Schriftstellern dadurch aus, daß sie eine kritische und ganz und gar nicht verklärende Bestandsaufnahme der – kaputten – Gesellschaft implizieren (Musil, Walser). Genau da knüpft Brecht mit den Ziffel-Memoiren an, *seine* »schönsten« Schulgeschichten dabei nicht auslassend, mit ihnen aber auch die Gefahr eingehend, in die verklärende Richtung zu kommen (in BB-Biographien liest sich das dann auch so nach dem Muster »Ach, wie haben *wir* doch die Lehrer vorgeführt«). Die Unentschiedenheit – zwischen Kritik und Stolz auf die eigenen »Leistungen« – prägt zunächst Ziffels Memoiren, obwohl sie zwei wesentliche Kritikpunkte an der bürgerlichen Erziehung des 20. Jahrhunderts (spätestens) offenlegen: das stoffliche Desinteresse, das alles zur bloßen »Form« macht und zur »Form-Betrachtung« drängt, sowie das Erlernen von Menschenkenntnis in »Form« von Lehrerkenntnis, der umgekehrt die totale Unterwerfung des Schülers, die Nicht-Entwicklung *seiner* Fähigkeiten, entspricht. Literarisch realisieren sich die Memoiren da auch ganz adäquat, nämlich in der Form von Anekdötchen.

Mit der Schule aber brechen die Memoiren bereits ab, die in Aussicht gestellten 80 (großen) Seiten bleiben auf maximal 5 (kleinere) Seiten beschränkt. Was Ziffel im 4. Gespräch noch zu bieten hat, sind lediglich »Punkte«. Sie lassen sich zwar thematisch ordnen, zu Schule, Sex-Erfahrungen etc., weisen auch »typische« Zusammenhänge auf, geben sich in *dieser Form* jedoch durchaus »absurd«. Kalle thematisiert den formalen Aspekt:

> *Kalle*
> Wie machen Sie das, daß das zusammengeht? Schreiben Sie einfach auf, was Ihnen in den Kopf kommt?
>
> *Ziffel*
> Keine Rede. Ich arrangiere. Aber mit dem Material. Wollen Sie noch einen Zettel hören?
>
> *Kalle*
> Sicher.
>
> *Ziffel*
> »[...]«.
>
> *Kalle*
> Ich find es hübsch, wie es sich auf den Krieg zubewegt.
>
> *Ziffel*
> Meinen Sie, ich soll es doch in Kapitel bringen?
>
> *Kalle*
> Wozu?
>
> *Ziffel*
> Es sieht zu modern aus. Modern ist veraltet.
>
> (14, 1411–1413)

Brecht spielt ganz bewußt auf moderne Schreibweisen des Romans an, der »es nicht mehr in Kapitel« bringt, das heißt in einen ausformulierten, entwicklungsgeschichtlichen Zusammenhang, sondern Unverbundenes nebeneinander stellt, aus dem sich dann mosaikartig erst das Ganze ergibt. Der Arbeiter Kalle jedoch erkennt aus dem »arrangierten« modernen Montagetext sowohl den Zusammenhang (es geht zusammen), als auch die Tendenz: auf den Krieg zu (hier den 1. Weltkrieg). Der Krieg ergibt sich als Konsequenz aus der chauvinistischen Bildung, die die Schule vermittelt.

Es folgt dann lediglich noch ein dreiseitiges Bruchstück, das wieder ausformuliert ist, aus der Zeit der Weimarer Republik, eine kurze Darstellung des Berufslebens, ohne daß sich bestimmte Inhalte für Ziffels Leben ergäben außer den allgemeineren Voraussetzungen, die ein halbwegs gesichertes bürgerliches Leben versprachen. Die dann noch folgenden Informationen, vor allem die, die den Grund für die Emigration enthalten, erfolgen nur noch »mündlich«, das heißt, Ziffel liest keinen ausformulierten Text mehr vor, sondern beantwortet Kalles Fragen. Dann gesteht Ziffel, »daß er keine Möglichkeit sehe, seine Memoiren fortzusetzen, da er zu wenig erlebt habe« (14, 1450).

Das scheint auf den ersten Blick eine überraschende Eröffnung zu sein: denn es gab ja schon einiges zu erzählen. Und Faschismus und Emigration wären doch weitere »Erlebnisse« von Gewicht. Der Grund ist da zu suchen, wo die bürgerliche Form der autobiographischen Selbstmitteilung ihr Zentrum hat, nämlich in der positiven wie negativen Versicherung des »Ich selbst«. Positiv in dem Sinn, daß der klassische Bildungsroman die Bildung des »Individuums« *in* der Welt exemplarisch vorführte, negativ in dem Sinn, daß die kritische Fortführung des Typus im 20. Jahrhundert das Individuum im Gegensatz zu den verunbildenden Welt- bzw. Gesellschaftszuständen zu retten versucht: das, was unbeschädigt aus den Zwängen, die Brechts Memoiren auch schildern, hervorgeht, was noch nicht total gebrochen und angepaßt ist. Ziffels autobiographische Nachforschungen jedoch führen zum Ergebnis, daß er als Person eigentlich kaum habhaft zu machen ist. Je »normaler« sein Leben sich im bürgerlichen Sinn des intellektuellen Aufstiegs »bildete«, desto mehr kam er als Persönlichkeit abhanden. Leute wie der Herr Zeisig (14, 1389 f.) haben mit ihrer Ordnungswut bereits alles und alle nivelliert – und Ziffel hat nichts dagegen unternommen, weil es so aussah, als habe Zeisig sich »Mühe« gegeben. Der bürgerliche Leistungsbegriff, der einmal den der Selbstbildung garantierte, ist auf den Hund gekommen.

Die notwendige Umwertung und Umkehrung des Bildungsbegriffs leistet Brechts Text ebenfalls. Im klassisch-idealistischen Sinn meinte Bildung einmal die Entwicklung der eigenen, in der Persönlichkeit ruhenden speziellen Fähigkeiten im umfassenden Sinn, Erziehung zur individuellen, seine Möglichkeiten vorbildhaft einsetzenden Persönlichkeit. Dieser Bildungsbegriff, der seine historische Zeit hatte (nach der Französischen Revolution), ist durch die Entwicklung der bürgerlichen Gesellschaft längst auf den Kopf gestellt worden: die ökonomische Entwicklung hat auf den einzelnen keine Rücksicht nehmen können, immer mehr forderte sie den Spezialisten und damit die Vereinseitigung der Bildung. Aus ihr wurde immer mehr die Aus-Bildung, die berufliche Qualifikation. Die erlernten Fähigkeiten, das Wissen etc. gelten nicht mehr der Bildung der Persönlichkeit, sie müssen vielmehr verkauft und vermietet werden, um den Lebensunterhalt zu sichern. Daher gibt es streng genommen keine »Bildung« mehr, und die Gebildeten sind folglich nicht mehr »Persönlichkeiten« im alten Sinn, sondern Vermieter ihres Intellekts, also, wie Brecht sie nannte, Tuis. In satirischer Verkehrung beweist Kalle seinem bürgerlichen Bekannten, daß mit der gesellschaftlichen Notwendigkeit, den Intellekt zu vermieten, die »Bildung« des Intellektuellen zur bloßen Marktanpassung geworden ist, wohingegen die sich bildenden Arbeiter (in der Freizeit) die Bildung noch zum alten »Selbstzweck« erwerben. Das heißt: im alten Sinn *bilden* können sich nur noch die Arbeiter:

> Ich bin auf die Volkshochschul gegangen. Ich hab geschwankt, was ich lernen soll: Walther von der Vogelweide oder Chemie oder die Pflanzenwelt der Steinzeit. Praktisch gesehn wars gleich, verwenden hätt ich keins können. Wenn Sie Physik gelernt haben, haben Sies mit einem Seitenblick auf die Erwerbsmöglichkeiten getan und sich nur zugelegt, was Sie wieder haben verkaufen können, für uns hat sichs nur um Bildung gehandelt und nach welcher Seit wir sie ausbauen. (14, 1431)

Ziffel kommt als Folge seiner »objektiven« Rolle seine Persönlichkeit abhanden; dies wird ihm in dem Moment bewußt, wo er sich ihrer versichern will – im autobiographischen Rückblick. Der Roman *seines* Lebens kommt nicht zustande, weil er *von sich* in *seinem* Leben zu wenig findet.

Der Negation jedoch entspricht eine »positive« Entwicklung. Mit der Entdeckung, »zu wenig erlebt« zu haben, werden die Memoiren umgewertet: sie sind nun eine Vergewisserung der klassenspezifischen Herkunft Ziffels geworden, Beweis dafür, daß das Individuum mit seiner persönlichen Freiheit und Entscheidungskraft, das er suchte, durch bestimmte Verhältnisse verlorengegangen ist (wie z. B. auch die Familie »zerrissen« worden ist; vgl. 14, 1495). Der Enttäuschung über den »Verlust« entspricht ein Gewinn: was *einen selbst* betroffen hat, hat *allgemeine* Ursachen und treffen allgemeiner zu, als man anzunehmen bereit war. Nur die Ideologie hat daran gehindert zu erkennen, daß der Intellektuelle der modernen technischen Welt gar nicht mehr die »Persönlichkeit« ist, als der sie sich fühlen mag, sondern objektiv proletarisiert wird:

> Das ist die moderne Entwicklung. Es ist eine ganze Kaste geschaffen worden, eben die Intellektuellen, die das Denken besorgen müssen und eigens dafür trainiert werden. Sie müssen ihren Kopf ausvermieten an die Unternehmer wie wir unsere Hände. (14, 1482)

Auf der Grundlage dieser Erkenntnisse, über die der Arbeiter verfügt, gewinnen die »Memoiren« einen neuen Stellenwert – auch für den Leser: sie belegen, daß Kalles Gesellschaftsanalysen richtig und nicht etwa nur eine wiederum parteilich ideologische Sicht auf die Realität sind. Je mehr Ziffel bereit ist, die Analysen zu bestätigen, desto mehr bewegt sich sein Lernprozeß – gewonnen an eigener Erfahrung – der Konsequenz »Sozialismus« zu. Formal bestätigt sich das in der Aufgabe der »Lesungen« und komplementär in der zunehmenden Ausbildung des Dialogs.

Klaus-Detlef *Müller* (s. o.; S. 296 f.).

Dialektik

Dialektik meinte zunächst – so in der antiken Philosophie (Plato) – die Kunst der Unterredung. Durch das Aufeinandertreffen verschiedener Meinungen war der Disput herausgefordert, der das Ziel hatte, die auftretenden Widersprüche zu überwinden und so zu einer »allgemeineren« Wahrheit zu gelangen, allgemeiner in dem Sinn, als sie nicht nur im Gespräch zwischen Menschen (intersubjektiv) gefunden, sondern auch gemeinsam als solche begründet war. In der dialogischen Wahrheitsfindung liegt nicht nur die Mehr-Perspektivität (Polyperspektivität), sondern auch der gedankliche Prozeß: Wahrheit »ist« nicht einfach gegeben, sie wird im Diskurs aktiv »angeeignet«, ist denkerische Mühe, Mühe auch der wissenden Argumentation. Menschliche Kommunikation nimmt nicht einfach etwas hin, sondern sie nimmt aktiv auf, wenn sie wirklich etwas in den »Griff« bekommen will. Zu erkennen, daß auch die Begriffe solche Griffe sind (materieller Sinn von be-greifen), fördert die Kunst der Unterredung:

> Die Begriffe, die man sich von was macht, sind sehr wichtig. Sie sind Griffe, mit denen man die Dinge bewegen kann. Das Buch [Hegels *Logik*] handelt davon, wie man sich unter die Ursachen der vorgehenden Prozesse einschalten kann. (14, 1461)

In diesem Sinn ist bereits die Dialogform ein Hinweis auf demokratische Wahrheitsfindung; zugleich ist sie ein literarischer Affront gegen die öffentlich gebrüllten Monologe der Nazis, ihren angemaßten »Sachzwang« und der damit verdeckten Inhaltsleere.

Die zweite Ebene des Begriffs »Dialektik« konkretisieren die *Flüchtlingsgespräche* mit Hegels *Logik*. Dabei greift Brecht – was er mit Vorliebe tut – die Hegelsche Kritik an der aristotelischen Identitätslogik heraus, wonach etwas nur mit sich selbst identisch sein könne. Hegel weist nach, daß schon die Formulierung des Gesetzes (vgl. die Ausführungen zum *Me-ti*) den Widerspruch enthält, von zwei A (im Satz A = A) zu behaupten, sie seien identisch (Sichselbstgleichheit). In den *Flüchtlingsgesprächen* führt Brecht die Kritik am Identitätssatz recht hintergründig ein, indem er Ziffel sein Bierglas »durchschauen« läßt: das Bier sei nämlich kein Bier etc. Scheint dies zunächst ein ganz profaner Ausgangspunkt zu sein, daß nämlich das Bier säuisch ist und *deshalb* kein Bier, erhält es ungeahnte Dimensionen, als die beiden über den Paß, den sie benötigen, und zwar den »echten«, auf Hitler und Mussolini gekommen sind, die Führer. Ziffel bemerkt:

> Die beiden Namen, die Sie erwähnt haben, erinnern mich an das Bier und die Zigarren hier. Ich möcht sie als führende Marken ansehen, das Beste was hier zu haben ist, und ich seh einen glücklichen Umstand darin, daß das Bier kein Bier ist *und* die Zigarre keine Zigarre, denn wenn da zufällig keine Übereinstimmung bestände, wär das Restaurant kaum zu führen. Ich nehm an, daß der Kaffee auch kein Kaffee ist. (14, 1384)

Brecht benutzt Hegels *Logik*, um die total auf den Kopf gestellte Logik des Faschismus am einfachsten Beispiel zu demonstrieren. Nur, wenn alles falsch ist, kann es sich wieder den Anschein von Stimmigkeit und Logik erschleichen. Träten Diskrepanzen auf, so gäbe es Möglichkeiten, die »führenden« Marken zu entlarven und die »Führung«

des Restaurants unmöglich zu machen. Ziffel nennt es »Gleichgewicht«. Umgekehrt hat Ziffel damit zugleich ein profanes Bild der »Unechtheit« der »Führer«: sie sind keine Führer, verkaufen sich aber als solche (kapitalistischer Markt), ihre Qualität ist säuisch, aber die angemaßte »Marke« bürgt für »Qualität«. Möglich ist das nur innerhalb eines Systems (traditionelle Identitätslogik), die der Anmaßung logischen Sinn, den falschen »Inhalten« die »richtigen Markierungen« zukommen läßt. Die Anwendung von Hegels Widerspruchsverfahren, daß die Identität nur über den Widerspruch, die Ordnung nur durch die Unordnung zu definieren ist, entlarvt nicht nur die falsche Logik, sondern bezieht sie durch die »profanen« Beispiele gleich auf das kapitalistische System (Markt).

Der »existentielle« Widerspruch zur falschen Etikettierung ergibt sich für Ziffel und Kalle daraus, daß bei aller – durchschauten – Falschheit der Paß »echt« sein muß (eigentlich müßte der auch falsch sein, um den herrschenden Verhältnissen »logisch« angepaßt zu sein). Der echte Paß aber bedeutet für den »mechanischen Halter«, den Menschen, existentielle Gefährdung: erstens, ob er ihn überhaupt bekommt, und zweitens, weil er an ihm dingfest zu machen ist. Die Exilierten dürfen sich nicht verstecken, das heißt die Opfer nicht – im Gegensatz zu den Tätern, die sich falsch etikettieren. Der Menschen»verschleiß« des Faschismus ist so auch noch von seiner bürokratischen Seite »durchschaut«. Das »große Interesse an Menschen«, wie ihre bürokratische Erfassung satirisch heißt (so Ziffel, 14, 1385), gilt in erster Linie der Sicherung ihres »Verbrauchs« (im Krieg).

Das erste Gespräch demonstriert das dialektische Widerspruchsdenken exemplarisch. Es führt das »scherzhafte« scharfe Denken (14, 1481) so ein, daß dem (ja meist bürgerlichen) Leser der gesicherte Boden entzogen wird und die Begriffe vieldeutig, widersprüchlich werden oder sich aufzulösen beginnen, wie es die Hegelsche Dialektik vorgemacht hat. Diese Dialektik ist eine geistvolle Verführung zum kritischen Hin-Hören oder Hin-Sehen. Das »Durchschauen« wird zur – positiv gemeinten – intellektuellen Methode, an deren Ende ein neues Wirklichkeitsbegreifen steht, das im dialogischen Prozeß gewonnen worden ist und in diesem Sinn weiterdenken und womöglich dann auch handeln soll. Die Kunst der Unterredung gewinnt von dieser Dialektik her noch einen weiteren Sinn. Wenn die Identitätslogik falsch ist, »richtiges«, realistisches Denken mit dem Widerspruch argumentiert, dann steckt auch dann schon der Dialog im Denken, wenn es monologisch sich vollzieht. Zu lernen ist, was das Gespräch in verteilten Rollen vorführt, im eigenen Kopf zu leisten, also nicht »monologisch«, sondern »dialogisch« zu denken, nicht die eigene Position ständig zu rechtfertigen, sondern auch im Gedankenspiel zu befragen, ihr zu widersprechen. Insofern sind die *Flüchtlingsgespräche* eine dialektische Denkschulung, das Erlernen des Denkens, andere im eigenen Kopf denken zu lassen, wie umgekehrt in den Köpfen anderer zu denken. »Er dachte in andern Köpfen, und auch in seinem Kopf dachten andere. Das ist das richtige Denken« (20, 166). – Es ist klar, daß durch eine solche denkerische Einstellung auf die Realität – aus ihr bezogen – auch die Konsequenz einer anderen, nicht auf sich selbst, nur individuell bezogener Haltung und entsprechenden Verhaltens resultiert. Ziffel ist am Ende des Gesprächs auch dazu bereit.

Die nächste Ebene der Dialektik ist der mit ihr verbundene Humor. Ziffel bezeichnet Hegels *Logik* als »eines der größten humoristischen Werke der Weltliteratur«, und zu Hegel führt er aus:

> Er hat das Zeug zu einem der größten Humoristen unter den Philosophen gehabt, wie sonst nur noch der Sokrates, der eine ähnliche Methode gehabt hat. [...] Er hat einen solchen Humor gehabt, daß er sich so etwas wie Ordnung z. B. gar nicht hat denken können ohne Unordnung. Er war sich klar, daß sich unmittelbar in der Nähe der größten Ordnung die größte Unordnung aufhält, er ist so weit gegangen, daß er sogar gesagt hat: an ein und demselben Platz! [...] Die Begriffe haben sich bei ihm immerfort aufm Stuhl geschaukelt, was zunächst einen besonders gemütlichen Eindruck macht, bis er hintüberfällt. (14, 1460)

Die Beschreibung der Hegelschen Dialektik an einfachen, profanen Beispielen will Genuß und Vergnügen am Denken (Nicht-Hinnehmen) wekken und sich als Selbstbeschreibung verstanden wissen: so gehen auch die Gespräche vor. Sie formulieren die Widersprüche und lassen die Begriffe schaukeln, bis sie hintüberfallen. Damit rechtfertigt Brecht auch seinen »Witz«, sein scheinbar unernstes Palaver in ernster Zeit über ernsteste Gegenstände. Die humoristisch-dialektische Aufdeckung ernster Sachverhalte bleibt beim (wie immer fatalistischen) Herumwitzeln (Kalle sagt das Wort) nicht stehen, aber sie weiß, daß das noch so ernsthafte Moralisieren über den Ernst der Lage (etc.) überhaupt nichts nützt, während die denkerische Anstrengung – Denken ist witziges Vergnügen und scharfes, schmerzhaftes Erkennen *zugleich* – wenigstens zum Begreifen der Wirklichkeit, der Möglichkeit ihrer Handhabbarkeit führt. Ziffel sagt dazu grundsätzlich:

> Erstens könnt ich Ihnen antworten, daß wir beide zum wirklichen Ernst nicht satt genug sind, besonders mit 2 motorisierten deutschen Divisionen im Land und keinem Visum. Zweitens ist der Ernst als Lebenshaltung ein bissel diskreditiert im Augenblick; denn das Ernsteste, was es je gegeben hat, ist der Hitler und die Seinen. Er gehört zu den ernstesten Mördern, Mord ist was sehr Ernstes. Keine oberflächliche Natur, die Polen werdens Ihnen bestätigen. Dagegen war der Buddha ein Humorist. Und drittens brauchen wir uns nicht würdig zu verhalten, wir sind keine Metzger. Eine gute Sache können s immer auch lustig ausdrücken. (14, 1442)

Als letzte und »höchste« Ebene kommt zur Dialektik ihre »Materialisierung«, zu Hegel also Marx. In dialektischer Umpolung nannte Brecht diesen Ebene natürlich die »niedere«: sie handelt vom Essen, Sich-Kleiden, Waschen und auch Scheißen (vgl. Kalles Schilderung von den unmöglichen Clos, so daß ein Bekannter zu ihm nur zu diesen Zweck regelmäßig gekommen ist). Engels schrieb über Marx' Entdeckung: »Wie Darwin das Gesetz der Entwicklung der organischen Natur, so entdeckte Marx das Entwicklungsgesetz der menschlichen Geschichte: die bisher unter ideologischen Überwucherungen verdeckte einfache Tatsache, daß die Menschen vor allen Dingen zuerst essen, trinken, wohnen und sich kleiden müssen, ehe sie Politik, Wissenschaft, Kunst, Religion usw. treiben können«. Diese Tatsache, im normalen Leben verdeckt, bringt das Exil als »gute Schule für Dialektik« ebenfalls schmerzhaft zur Kenntnis, wobei der dicke und große Bürger *mehr* zu leiden hat als der Entbehrungen gewöhnte Prolet (das ist der Ausgangspunkt der Gespräche). Aufzudecken ist zunächst, daß die alltäglichen Versorgungen zum unmittelbaren Lebens*unterhalt* deshalb als »niedrig« gelten, weil das Urteil von denen stammt, die sich darum nicht mehr zu kümmern haben, weil sie über genügend Besitz verfügen, der die Sorge darum überflüssig macht. In der Beleibtheit Ziffels und der schmächtigen Untersetztheit Kalles drücken sich die Klassenunterschiede körperlich aus; sie sind keine bloße Äußerlichkeit (wobei – für heutige Leser – anzumerken ist, daß der »Wohlstand für alle« – wie lange noch? – damals nicht existierte und Brecht auf real Erfahrenes zurückgreift). Die Menschen sehen auch körperlich so aus, wie es in ihrem materiellen Vermögen liegt (vgl. Kalles Freikörperkultur-Erfahrungen).

Brecht verwendet die Materialisierung nicht nur inhaltlich – es gäbe viele weitere Beispiele aufzuzählen –, sondern auch sprachkritisch:

> Damit einer von Freiheit redet, muß ihn der Schuh drücken. Von Menschen, die in gutem Schuhwerk herumgehn, werdens selten erleben, daß sie in einem fort davon reden, wie leicht ihre Schuh sind und wie sie passen und nicht drücken und daß sie keine Hühneraugen haben und keine dulden würden. (14, 1448)

Daß »einem der Schuh drückt«, wird gesagt, wenn man Sorgen, Kummer hat oder Verluste beklagen muß. Kalle führt die Redewendung zunächst in diesem übertragenen Sinn ein, um sie dann »beim Wort« zu nehmen. Wer gutes Schuhwerk hat, kann es als solches vergessen, weil da nichts drücken kann: es steht für beruhigenden, vergessen machenden Besitz. Die »Materialisierung« liegt nicht nur darin, daß die sprachlich übertragene Formel auf die »niedere Ebene« gezogen wird, sie macht zugleich darauf aufmerksam, daß die Sprache Erfahrungen speichert, aufhebt – in scheinbar bloßer Formelhaftigkeit –, die bloß wieder durch materialistische Wendung herausgeschält werden müssen. Die Sprachformel wurde nur möglich, weil das Schuhwerk sich tatsächlich einmal dadurch ausgezeichnet hat, daß es drückte (als Allgemeinerfahrung). In dieser Weise seziert der Dialog manche sprachliche Wendung auf witzige, vergnügliche, dennoch den Ernst nicht leugnende Weise. Das schönste Beispiel ist wohl die Redewendung in einer führenden Zeitung vom »Verkaufen« des Kriegs:

> In einer führenden Zeitung hat gestanden: »Die Hauptaufgabe des Präsidenten ist es, dem Kongreß und dem Land den Krieg zu verkaufen.« Gemeint war die Idee, in den Krieg einzutreten. In Diskussionen über wissenschaftliche oder künstlerische Probleme sagt man, wenn man seine Zustimmung ausdrücken möchte: Sie, das kauf ich. Das Wort überzeugen ist einfach durch das treffendere Wort verkaufen ersetzt. (14, 1483)

Hier ist der Vorgang umgekehrt. Das Schuhbeispiel demonstrierte die Aufhebung proletarischer Erfahrungen in der Sprache, die freigelegt, sogleich den Widerspruch zwischen Wohlleben und Sorge ums »Niederste« provozieren. Hier zeigt sich dagegen eine ungewollte Anpassung der Sprache an die tatsächlichen Verhältnisse. Unbedacht schleicht sich die Kaufmannssprache in die Politik bzw. Kunst ein und legt deren »Materialisierung« offen: es handelt sich eigentlich um niedrigste Dinge, nämlich um die Sicherung des Wohllebens. Daß sich solche Vokabeln in die offizielle Sprache regelrecht »einschleichen«, beweist überdies, daß die Sprache sich mit der Realität wandelt, sich ihr anpaßt. In diesem Fall ist das Metaphorische des Ausdrucks »verkaufen« abzuwehren und der Begriff als Ausdruck von Realität zu nehmen. Schon weiß der kritische Leser, daß der Krieg Handelsobjekt ist, daß der Krieg nur die Fortsetzung der Politik mit anderen Mitteln ist.

Die Materialisierung führt vor, daß die Sprache kein »Sonderbereich« ist, sondern in spezifischer Weise Realität zum Ausdruck bringt bzw. verdeckt (Ideologie). Kalles realistisches Sprechen beruht auf der konkreten, am eigenen Leibe erfahrenen Realität des Proleten (einschließlich, weil er Kommunist ist, des KZs). Es ist philosophisch-dialektisch insofern, weil Kalle in der Lage ist, seine Erfahrungen angemessen »niedrig« zu formulieren. Aus dieser reflektierten Realitätserfahrung resultiert auch seine philosophische Überlegenheit, die ihm Ziffel neidlos zugeben muß und die für den bürgerlichen Intellektuellen durch lesende Aneignung nur notdürftig zu kompensieren ist: die Lektüre ist unverbindlich, die Erfahrungen des Arbeiters sind *sein* Leben.

In diesen Zusammenhang gehört dann auch der Kolportageroman, den die Brecht-Forschung daraus gemacht hat, was »eine halbwegs komplette Kenntnis des Marxismus kostet heut« (14, 1440): 25 000 Goldmark – und das ist ohne die Schikanen. Bei diesem Wort wäre es spätestens angebracht gewesen aufzuhorchen. »Schikanen«! Die 25 000 Goldmark, für die damalige Zeit eine in jeder Hinsicht Schwindel bereitende Summe, selbst für Freizeit-Bürger, diese 25 000 Goldmark sind nur die nach bürgerlichen Maßstäben zu bemessene Äquivalenzsumme für die Entbehrungen, die ein Prolet kostenlos zu berappen hatte, »Unterricht« in Marxismus zu bekommen. Sie gibt eine zarte Andeutung davon, was die Realitätserfahrung jedes einzelnen Proleten »wirklich kostet«. Es ist gräßlicher Zynismus, wenn die Brecht-Forschung, gewöhnt Harmlosigkeiten zu verbreiten, stets bemüht war, nachzurechnen, was sie selbst schon alles für Marxismus und BB ausgegeben hatte (sicher keine – umgerechnet – 25 000 Goldmark, den Kaufwert eines mittleren bürgerlichen Anwesens, wobei man abziehen müßte, was man alles daran verdient hat). Brechts wiederum gezielt eingesetzter Hinweis, daß selbst der Marxismus was kostet, gibt vielleicht eine Ahnung davon, was die Realitätserfahrung des Proleten, der sich diese Bildung »kostenlos leisten« muß, wirklich kostet. Der Bürger war angesprochen, in die Lehre zu gehen, der Prolet Kalle hatte sie bereits kostenlos. Das ist der prinzipielle Unterschied, der Kalle und Ziffel trennt – und aus dem Brecht wußte, daß er selbst bürgerlicher Schriftsteller bliebe, auch wenn er sich für die Sache des Proletariats einsetzte.

Klaus-Detlef *Müller* (s. o.; S. 300–306). – Inge *Häußler* (s. o.; S. 175–266).

»Die Ziffel- und Kalleschrift«

In den Nachlaß-Fragmenten zu den *Flüchtlingsgesprächen* findet sich der Entwurf zu einer neuartigen Bilderschrift, die Brecht »Ziffel- und Kalleschrift« genannt hat. Die Schrift ist nachweislich vom Chinesischen angeregt und zunächst für das *Me-ti. Buch der Wendungen* gedacht gewesen (vgl. AJ 369; vom 1. 2. 1942). Als direkte Quelle kommt am ehesten das *I Ging. Das Buch der Wandlungen* in Frage (entstanden in der Chou-Zeit, zwischen 1050–256 v. Chr., dunkle Herkunft). Es handelt sich um ein chinesisches Orakelbuch, das aus 64 Hexagrammen besteht (später erweitert). Die Hexagramme sind aus sechs Strichen gebildet, die in den verschiedensten Zusammenstellungen in der Mitte unterbrochen werden und so 64 verschiedene Gestalten formen. Diese Bildzeichen sind durch einen poetischen und einen Prosa-Kommentar erläutert. Das erste Bildzeichen zeigt sechs ungeteilte Striche, die das »Schöpferische« bedeuten: »Das Schöpferische wirkt erhaben Gelingen, / fördernd durch Beharrlichkeit« (I Ging, 25).

Brecht sprach von einer »sozialen schrift« (AJ 369). Ziffel erläutert, sie solle »die stupende Ungenauigkeit einiger Wörter« beseitigen. Das scheint auf den ersten Blick eine Absage an die oben erläuterte Sprachkritik zu sein, die in dialektischer Manier in den Begriffen gerade die Doppeldeutigkeit und Widersprüchlichkeit entdecken möchte. Die dann entworfenen Bildzeichen jedoch weisen dieser Schrift eine »soziale Genauigkeit« zu, die es vermeiden soll, daß wichtige Grundbegriffe ideologisch umdeutbar werden. Zu erinnern ist etwa an die Einführung des Begriffs »Arbeitnehmer« statt »Arbeiter«, der nicht nur falsche Assoziationen weckt (als würden die Arbeiter die Arbeit »nehmen«, sie geben sie) und den Klassenbegriff ausmerzt; umgekehrt der »Arbeit-Geber« statt des »Unternehmers«, ein Begriff, der suggeriert, als gäben die Fabrikbesitzer die »Arbeit«, obwohl sie sie nehmen etc. Das Bildzeichen für Mensch entwerfen Ziffel und Kalle als nach unten geöffnetes, kopfstehendes, leicht geschwungenes V, durch das nach oben gebogen zwei »Arme«, ein Rundbogen, nach oben geöffnet, gezogen sind. Die Arme bedeuten, daß der Mensch »hilfreich« ist (sozusagen von »Natur« aus), so daß ein »schlechter Mensch« durch das einfache Weglassen der Arme abzubilden ist: »Sie verstehen, der Schreiber muß sich festlegen. Er kann nicht die Schrift dazu benutzen, daß er uns im unklaren läßt« (14, 1511). Für den Arbeiter schlägt Kalle das Zeichen eines Arms mit abgetrennter Hand vor (»Die hilfreichsten Menschen sind die Arbeiter«; 14, 1511). Das bedeute »Handweggeber, Gemieteter«. »Die Besonderheit dieser Schrift zeigt sich nun darin, daß etwa der Satz ›Krupp war ein großer Arbeiter‹ nicht zu schreiben ist. Brechts Zeichenschrift folgt der Realität. Krupp mußte weder seine Hand vermieten noch war er ein hilfreicher Mensch. Ferner hätte diese Schrift eine Entwicklungsmöglichkeit, wenn sie für den Arbeiter in der sozialistischen Gesellschaft das Zeichen der nichtabgetrennten Hand reserviert. Die ›normale‹ Schrift aber verdeckt durch das gleiche ›Arbeiter‹ die entscheidenden Unterschiede qualitativ völlig verschiedener Realitäten« (Thiele, 216).

Die Ziffel- und Kalleschrift ersetzt nicht die »normale« Schrift; sie interpretiert sie vielmehr in einem sozialen Sinn. Das heißt, sie macht die Widersprüche, die in den »Normalbegriffen« stekken, augenfällig. Wird Krupp als »großer Arbeiter« bezeichnet, z. B. zu irgendwelchen weihevollen Anlässen (Nekrologe z. B.), so meint »Arbeiter« hier etwas völlig anderes, als wenn vom »Arbeiter des Kohlenpotts« gesprochen wird, wie wiederum der Arbeiter im Kommunismus andere Bedeutung hat. Insofern unterstützt die Bilderschrift die Aufdeckung von Widersprüchen und verhindert die ideologische Umdeutung von Begriffen: da ist sie eindeutig.

Quelle: I Ging. Das Buch der Wandlungen. Übers. von Richard *Wilhelm*. Düsseldorf, Köln 1956 (zuerst 1923).

Dieter *Thiele* (s. o.; S. 215 f.).

Aufführungen

Daß der Prosa-Dialog die Theater reizen würde, ihn szenisch darstellen zu lassen, war zu erwarten. Der große Witz, die satirische Schärfe, die polemischen Umdeutungen und die vielfältigen überraschenden Einsichten, die der Dialog vermittelt, müßten auch bei szenischer Darstellung Vergnügen bereiten (es handelt sich übrigens um eine der vergnüglichsten Schriften Brechts – trotz ernstem Thema). Der Erzählerbericht konnte durch einen Extrasprecher bewahrt werden, zugleich war es möglich, den zeitgeschichtlichen Hintergrund durch entsprechende Dokumentierung vor Augen zu stellen. Dennoch sollte noch einmal betont sein, daß die *Flüchtlingsgespräche* kein Drama sind. Es fehlt ihnen sowohl die dramatische Handlung als auch der dramatische Dialog (er ist ein Gedanken-Spiel), ganz abgesehen vom epischen Rahmen und seinem epischen Fort-Schreiten. Dieser Rahmen läßt sich nicht als »Regieanweisung« szenisch realisieren, ohne daß wesentliche Inhalte verlorengingen (Wanzenvertilgungsanstalt). Überdies gestattet die szenische Darstellung nicht das oft notwendige »Zurückblättern«: der »Witz der Sache« – zumal oft einer nach dem andern folgt – ist durch das bloße Zuhören auch von »geübten Intellektuellen« häufig nicht zu erfassen.

Die Uraufführung war eine kleine Sensation, weil Erwin Piscator von den Münchner Kammerspielen dafür gewonnen werden konnte. Es war Piscators erste Nachkriegsinszenierung eines Brecht-Textes. Zugleich sorgten Werner Finck (als Ziffel) und Willy Reichert (als Kalle) für eine »Bomben«-Besetzung. Freilich war denn die Enttäuschung groß. Piscator hatte – vielleicht noch unterm Eindruck des Brecht-Boykotts nach dem Mauerbau (1961) – den Text beschnitten und nicht gewagt, am Ende den Sozialismus hochleben zu lassen, so daß der Lernprozeß ohne »These« blieb. Es geht ja nicht ums Hochlebenlassen einer Utopie, eines Idealstaats, wie vulgär immer wieder unterstellt, sondern um den widersprüchlichen, gemeinsamen (Bürger und Arbeiter) Aufbau eines Gebildes für »mittelmäßige« Menschen in mittelmäßiger Zeit, gegen die »großen Zeiten« mit Krieg und »großen Männern«, die große Tugenden fordern (z. B. Opfersinn). Wenn die Schauspieler auch gute Figur machten und ihre komödiantischen Fähigkeiten einsetzen konnten, was immerhin Spaß machte, vermochten sie kaum die Dimensionen des Textes freizulegen. Es war wirklich ein Herumwitzeln. Für die Illustration des zeitgenössischen Hintergrunds des Gesprächs wählte Piscator, wohl in Anknüpfung an seine *Schwejk*-Aufführung Karikaturen (damals von George Grosz), die der Bühnenbildner Henri Meyer-Brockmann entwarf. Sie sollen einen makabren Eindruck gemacht haben. Ansonsten scheint die Aufführung kein politisches Wagnis gewesen zu sein (Premiere am 15. 2. 1962).

Die DDR-Aufführung folgte am 11. 10. 1966

am Berliner Ensemble, und zwar im Nachtprogramm. Während die Münchner Uraufführung mit kargen Mitteln gearbeitet hatte, setzten Manfred Wekwerth und Joachim Tenschert auf szenische Gestaltung. Sie bemühten zu Beginn mit einem halben Dutzend Schauspielern »Bahnhofsatmosphäre« und streuten Projektionen, Filme aus den sog. großen Zeiten ein sowie den Vortrag von Hitlerreden, die verlogen von Hitlers »Sorge um den kleinen Mann« handeln. Der insgesamt gute Eindruck mit klarer politischer Tendenz und »These« wurde dadurch entscheidend gestört, daß die beiden Darsteller Martin Flörchinger (als Ziffel) und Norbert Christian (als Kalle) die Texte nicht »spielten«, sondern vom Blatt ablasen, so daß der ganze szenische Aufwand in merkwürdigem Kontrast zur szenischen Lesung stand. Ernst Schumacher spricht in seiner Rezension vom Eindruck einer »Probe«. Ob seine Empfehlung, die Texte »in Bälde auswendig zu lernen, um die Zuschauer in den ungeschmälerten Genuß« kommen zu lassen, befolgt wurde, ist nicht überliefert.

Hinzuweisen ist außerdem auf die Aufführung des Schauspiels Frankfurt (Kammerspiele) am 25.9.1981, in der Edgar M. Böhlke (Ziffel) und Michael Hanemann (Kalle) in einer Inszenierung von Gerhard Fiedler spielten, übrigens diesmal ohne die vordergründigen »Symbole« (Proletenmütze etc.) und Kostümierung. Zur Aufführung gibt es ein originell gemachtes, informatives Beiheft in Form eines (bundesdeutschen) Passes mit dem Wodehouse-Motto und dem Kalle-Spruch »Der Paß ist der edelste Teil eines Menschen« auf dem Titelblatt (vgl. 14, 1381 und 1383; das Motto zu den *Flüchtlingsgesprächen* stammt von Pelham Grenville Wodehouse, 1881–1975, einem englischen Romancier, der die meiste Zeit seines Lebens in den USA verbrachte). Das Programmheft enthält ein Foto des »Tatorts« (S.7 = Bahnhof von Helsinki) und vom Denkmal Aleksis Kivis (S.33). Überdies stellt das Programmheft aktuelle Bezüge her (Deutschland im Herbst 1981).

Monika *Wyss* (Hg.): Brecht in der Kritik. Rezensionen aller Brecht-Uraufführungen. München 1977 (S. 386–388). – Ernst *Schumacher*: Brecht-Kritiken. Berlin 1977 (S. 42–44 zur BE-Aufführung, S. 257–264: Analyse des Texts). – Schauspiel Frankfurt: Flüchtlingsgespräche [Programmheft]. Redaktion Ingo *Waßerka*. Frankfurt a. M. 1981.

Nachkriegs-Prosa 1945–1956

Überblick, Texte

Die poetische Prosa-Produktion Brechts geht nach dem Krieg rapide zurück. Es entstehen neben einigen *Keuner-Geschichten* lediglich noch die Kalendergeschichte *Die zwei Söhne* (11, 363–366) und die *Eulenspiegel-Geschichten* (11, 367–372). Beide Arbeiten stehen im Zusammenhang mit Filmplänen. Am 12.5.1945, vier Tage nach dem Zusammenbruch, nahm sich Brecht vor, »Filme für Deutschland« zu machen (vgl. AJ 741). Die Fabel für die spätere Geschichte hält Brecht bei der Gelegenheit fest; ausformuliert wird sie erst 1946. »Die Filme sollten dem deutschen Volk erkennen helfen, daß es Opfer einer verbrecherischen Politik ist, daß sich der Krieg nicht für das Volk lohnt, daß ein radikaler Bruch mit der Vergangenheit notwendig ist« (Gersch, 234). Die Geschichte hat Brecht 1947 an Slatan Dudow geschickt, der bereits bei der (ostzonalen) DEFA arbeitete, jedoch ohne Erfolg. Dudow war mit anderen Arbeiten beschäftigt. Die Verfilmung erfolgte erst 1970, und zwar als erster Teil des Episodenfilms *Aus unserer Zeit* (DEFA/DDR).

Auch die *Eulenspiegel-Geschichten* entstehen nicht auf deutschem Boden, sondern 1948 in der Schweiz, so daß die Zeit in der DDR für die poetische Prosa – abgesehen von den *Keuner-Geschichten* – ausfällt.

Texte: Geschichten 1 (= Prosa 1). Frankfurt a.M. 1965. S. 317–323. – Geschichten 2 (= Prosa 2). Frankfurt a.M. 1965. S. 24–27. – wa 11, S. 363–372.

Wolfgang *Gersch*: Film bei Brecht. Bertolt Brechts praktische und theoretische Auseinandersetzung mit dem Film. München 1975 (S. 234–236). – Klaus-Detlef *Müller*: Brecht-Kommentar zur erzählenden Prosa. München 1980 (S. 346–349).

Eulenspiegel-Geschichten (1948)

Die *Eulenspiegel-Geschichten* sind eigentlich *Texte für Filme*. Sie entstanden für ein gemeinsames Film-Projekt mit Günther Weisenborn (1902–1969), das zunächst jedoch noch als Theater-Projekt vorgesehen war, und zwar dachte Brecht an Hans Albers, den bekannten Volksschauspieler, dem ein Leichtmetalltheater angeboten worden war, mit dem man durch ganz Deutschland hätte ziehen können (Brecht erwog das in einer *Arbeitsjournal*-Notiz; AJ 824; vom 2.4.1948). Weisenborn hat 1949, nach dem Scheitern des Filmplans, aber schon während der Arbeit an ihm konzipiert, ein Drama verfaßt, und zwar *Ballade vom Eulenspiegel, vom Federle und von der dicken Pompanne.* Brecht arbeitete in Zürich vor, wobei denn auch – der Plan mit Albers zerschlug sich – der Filmplan anvisiert wurde, kam mit den Arbeiten im Oktober nach Berlin, besprach sich mit Weisenborn und schrieb eine Filmskizze im November. Zur Realisierung mit der DEFA kam es jedoch durch den großen Aufwand nicht, so daß ein Filmprojekt, das Brecht mit Hanns Eisler entworfen hatte, vorgezogen wurde, nämlich *Offenbachs »Hoffmanns Erzählungen« in einer neuen Version* (Texte für Filme 2, II, 628–631). Aber man entschloß sich dann schließlich für den *Courage*-Film, der aber auch nicht zustande kam.

Es ist typisch, daß Brecht nach dem Krieg an einen Schauspieler wie Hans Albers dachte und in ihn sogleich die Eulenspiegel-Figur projizierte. Albers war einer der wenigen wirklich »volkstümlichen« deutschen Schauspieler, denen nicht die Last deutschen Tiefenbodens an den Stiefeln klebte und der auch in der Lage war, witzig-komisch zu spielen. – Ein anderer, mehr intellektueller Typus des »volkstümlichen« Schauspielers war übrigens Werner Finck (der in München den Ziffel spielte). Ihm hatte Brecht 1948 oder 1949 – eventuell im Zusammenhang mit dem Filmplan – ein Gedicht gewidmet: *Eulenspiegel überlebt den Krieg* (10, 961 f.). »Volkstümlichkeit« war Brechts großes Thema nach dem Krieg. Endlich sollte das – schwer geschlagene – deutsche Volk zu sich und zu seinem Selbstverständnis finden. Dazu waren Gestalten nötig, die die ganz andere als nazistische »Volkskraft« historisch verkörpert hatten und die den subversiven Witz und die geistreiche Tücke hatten, den Herrschenden Paroli zu bieten. Brecht wollte die Figur mit dem Bauernkrieg verbinden, damit die notwendige historische Dimension in den Stoff bringen. So war zugleich vor entscheidenden Fehlern zu warnen. Es durfte dem Volk nicht reichen, seiner Arbeit nachzugehen, blindwütig das Zerstörte wieder aufzubauen und ansonsten sich wieder einmal nicht um die Politik zu kümmern (Warnung vor der Beruhigung »Es gibt schlechte und gute Herren«, »man läuft aus dem Krieg, die Ernte einzubringen«; II, 632).

Ausgangspunkt der Handlung sollte eine persönliche Erfahrung Eulenspiegels von Herrscherwillkür sein. Ihm geht auf, daß er die persönliche Erfahrung bereits an anderen zu beobachten hatte und wandelt sich vom Bauernpreller und -fänger zum Bauernhelfer. Er stiftet sie mit seinen Streichen an, handelt wie ein »völlig politischer Valentin«(II, 633) und weist ihnen satirisch ihre Fehler auf (satirisch-politische Kommentierung des Geschehens, das historisch – für die Bauern – scheitert: Bauernkriege). »Wir wollen den Stoff so gestalten, wie wir es jetzt in unserer Zeit fühlen. Diese geballte Bauernmacht hat losgeschlagen, einen starken Erfolg erzielt und, anstatt weiterzustoßen, sich in den alltäglichen Sorgen verloren. Die Bauern merken nicht, wie die geschlagenen Ritter wieder erstarken. Das gibt eine lebendige Funktion für Eulenspiegel« (II, 635). Es liegen lediglich fünf Geschichten vor, die aber insgesamt weniger auf eine poetische Erzählung hin als auf den Film konzipiert sind. Am nachhaltigsten ist wohl die Geschichte vom *Eulenspiegel als Arzt* (11, 369). Eulenspiegel gibt sich als Arzt aus und frißt den armen Leuten (ein Greis und die kranke Bäuerin) das letzte Essen weg und führt sie so vor, freilich bei Brecht mit dem Ergebnis, daß die Bäuerinnen vom Murgthal sagen: »›Die Ärzte der Herren sind nicht besser als die Herren‹, und das war dem Eulenspiegel recht« (11, 371). Eulenspiegel hatte sich vorsorglich als »Leibarzt des Grafen von Geerten« (11, 369) ausgegeben und damit diese Reaktion vorprogrammiert.

Texte: Geschichten 1 (= Prosa 1). Frankfurt a.M. 1965. S. 317–323. – wa 11, 367–372. – wa II, Texte für Filme II, 632–635.

Wolfgang *Gersch*: Film bei Brecht. München 1975 (S. 258–261). – Klaus-Detlef *Müller*: Brecht-Kommentar zur erzählenden Prosa. München 1980 (S. 347–349).

Kalendergeschichten 1948/49

Entstehung, Texte

Der Kern zur Sammlung der *Kalendergeschichten* liegt in den »zwei halben Büchern«, die Brecht 1940 plante (vgl. *Flüchtlingsgespräche*, Entstehung, 2. Phase). Die – damals noch monologisch geschriebenen – *Aufzeichnungen eines unbedeutenden Mannes in großer Zeit* (= Ziffel-Memoiren) sollten mit »einigen Erzählungen« zusammen »ein Ganzes« ergeben (Text der *Einleitung* in: Geschichten 2 = Prosa 2, Frankfurt a.M. 1965, S. 301 f.). Zu den Erzählungen heißt es: »Ich habe einige Erzählungen geschrieben, in denen ich, nicht ohne Heiterkeit, auf weises Verhalten hinwies«. Aus einem Schema, das Brecht für die »zwei zerfetzten Bücher«, als Dokumente des Kriegs, der nichts mehr zu Ende bringen läßt, anlegte, geht hervor, welche Geschichten er für die »zwei halben Bücher« vorgesehen hatte; sie sollten jeweils in die Ziffel-Memoiren eingeschoben werden:

1 pässe / ordnung [= Ziffel-Memoiren/ *Aufzeichnungen*]
2 memoiren / bedeutende menschen [= *Aufz.*]
3 schule / memoiren [= *Aufz.*]
Das Experiment [= 11, 264 ff.]
4 tugend der armen / pornographie [= *Aufz.*]
5 memoiren II / italien / größe [= *Aufz.*]
Der Mantel des Ketzers [11, 276 ff.]
6 der totale krieg [= *Aufz.*]
7 memoiren III / wien oder die kultur? [= *Aufz.*]
8 die schweiz oder die freiheit [= *Aufz.*]
Die unwürdige Greisin [= 11, 315 ff.]
9 frankreich oder das vaterland [= *Aufz.*]
Der Poilu von La Ciotat [= 11, 237 ff.]
10 dänemark oder der humor / hegel [= *Aufz.*]
11 schweden oder die liebe zum beruf [= *Aufz.*]
Der unpolitische Arzt [= 12, 501 f. aus *Me-ti*]
12 lappland oder die selbstbeherrschung [= *Aufz.*]
(nach Müller, 289)

Das Schema wird von der Forschung im Zusammenhang der *Flüchtlingsgespräche* abgehandelt, obwohl es für die Grundkonzeption der *Kalendergeschichten* aufschlußreicher ist. Die eingestreuten Geschichten (die Hälfte der späteren Sammlung, sieht man von den *Keuner-Geschichten* ab) durchbrechen den kontinuierlichen Ablauf der *Aufzeichnungen* Ziffels und geben ihnen sowohl geschichtlichen wie alltäglichen Hintergrund als auch entschiedenen Kontrast. Wenn Brecht von »zwei zerfetzten Büchern« sprach, so steht nach dem Schema offenbar auch die Vorstellung dahinter, daß nicht wohlgeordnet sein kann, was zur ungeordneten Zeit Stellung bezieht. Das Ineinander der beiden Bücher, das sie zugleich auseinanderreißt, sollte die Widersprüchlichkeit des durch die Zeit Unfertigen auch in der Anordnung sinnfällig machen. Das Grundprinzip der Anordnung der späteren *Kalendergeschichten* ist in diesem Schema bereits enthalten, wohingegen die *Flüchtlingsgespräche* davon wieder abgehen, weil nun der Dialog für den notwendigen Kontrast und die Widersprüchlichkeiten sorgt. Die Geschichten hätten das Geschichten-Erzählen und -Reflektieren sichtlich gestört. Brecht erwog es übrigens in späteren Plänen, auch noch die *Kalendergeschichten Sokrates im Krieg* (11, 286 ff., da anderer Titel) und *Der Augsburger Salomo* (11, 286 ff.) aufzunehmen.

Der spätere Titel freilich war zu diesem Zeitpunkt noch nicht erwogen worden, wie sich auch die Anordnung des späteren Bandes noch erheblich verändert hat. Die Konzeption des späteren Bandes liegt Anfang des Jahres 1948. Es ist anzunehmen, daß der Kontrakt, der ab 6.3.1948 mit dem Gebrüder-Weiß-Verlag in Berlin besteht, das Projekt bereits einschließt. Die erste schriftliche Nennung des Bandes ist in einem Brief von Richard Weiß (Gebrüder-Weiß-Verlag) vom 30.4.1948 nachweisbar. Der Satz muß im Sommer 1948 erfolgt sein, letzte Korrekturen Brechts erfolgen mit dem Datum des 25.9.1948. Danach geht der Band in den Druck. Wesentlich beteiligt – auch an der Zusammenstellung – war Ruth Berlau bei den Verhandlungen mit dem Verlag (es gab einen beachtlichen Vorschuß).

Brecht muß zu gleicher Zeit über die *Kalendergeschichten* mit anderen Verlagen verhandelt haben. Zwar lagen die Rechte bei Weiß in Berlin, da aber – wegen der Sektoreneinteilung und der Berlin-Krise – der Absatz in ganz Deutschland durch den Berliner Verlag (amerikanischer Sektor) nicht gewährleistet war, erwirkte Brecht Lizenzen (d.h. wahrscheinlich Ruth Berlau) für den Mitteldeutschen Verlag in Halle und den Verlag Neues Leben in Berlin (sowjetischer Sektor). Verwendet wurde jeweils derselbe Satz – auch Aufmachung und Umschläge sind identisch –, jedoch blieb ausgerechnet die Gebrüder-Weiß-Ausgabe weitgehend unkorrigiert, so daß sie z.T. so gravierende Fehler ausweist, daß sie beinahe unbenutzbar ist. Einen weitgehend korrigierten Text dagegen hat die Ausgabe des Mitteldeutschen Verlags, die nicht nur in der Lizenznummer das Jahr 1948, sondern auch als Erscheinungsjahr 1948 angibt. Dieser Widerspruch ist bis heute nicht endgültig geklärt, und ich weiß nicht, welche Angabe als verbindlich angesehen werden kann. Immerhin sieht es so aus, als habe möglicherweise der Verlag in Halle die Korrekturen Berlaus und Brechts erhalten, der Westberliner Verlag jedoch wegen der Berlinblockade nicht. Das könnte auch der Grund dafür sein, daß die Ausgabe von Halle doch noch Ende 1948 erschienen ist und deshalb auch dieses Jahr in der Titulatur angibt. Die Ausgabe bei den Gebrüdern Weiß sowie die des Verlags Neues Leben verzeichnen nur das Jahr 1949 in der Titulatur (Copyright), wohingegen die am Ende angegebene Lizenznummer selbstverständlich dieselbe ist und 1948 als Jahresdatum enthält. Detlef Ignasiaks Recherchen freilich haben zum Ergebnis, daß die Ausgabe von Halle im Januar 1949 erschien (nach

Verlagsangaben) und die Berliner im Februar gefolgt ist (Ignasiak, 253, Anm. 4). Solange nur Erinnerungen vorliegen, ist der Sachverhalt noch nicht eindeutig zu klären.

Die *Kalendergeschichten* greifen beinahe durchweg auf ältere Texte zurück. 1948 ist also lediglich das Jahr der Zusammenstellung der bereits geschriebenen Texte. Von den Erzählungen ist *Der Soldat von La Ciotat* (11, 237–239) die älteste und auch die mit der verwickeltsten Entstehungsgeschichte. 1929 liegt zu ihr ein erster Entwurf vor (jedenfalls nach Aussagen von Elisabeth Hauptmann; vgl. Müller, 314). Er könnte im Zusammenhang mit Brechts Arbeitsaufenthalten in Le Lavandou (Südfrankreich) 1928, 1930, 1931 stehen und evtl. einen realen Fall festhalten. Ignasiak hat inzwischen jedoch eine literarische Quelle ausfindig gemacht, die von 1932 datiert, die Geschichte *Es kann wieder losgehen* von Elisabeth Castonier, die Ende 1932 in der satirischen linksbürgerlichen Zeitschrift *Die Ente* erschienen ist (Ignasiak, 267). Die eigentliche Ausarbeitung erfolgte 1935 in Dänemark, wobei die Titel immer wieder verändert wurden, zunächst hieß die Geschichte *27. September* (Datum der Zeitungsmeldung – *Politiken*, dänische Zeitung –, die über die Kriegsbegeisterung der italienischen Truppen berichtet; tatsächlich beginnt Anfang Oktober der »erste faschistische Krieg« – Emil Nolte; nach Müller, 315 – mit dem Überfall der Italiener auf Abessinien), dann *Eine unerklärliche Krankheit*, bei ihrer ersten Publikation *L'Homme statue* (Internationale Literatur, Nr. 2, 1937, Moskau), dann noch *Der Poilu von La Ciotat* im Zusammenhang mit den zwei »halben Büchern«, bis schließlich der Titel für die *Kalendergeschichten*-Sammlung gefunden wurde. – Die Geschichten *Das Experiment* (11, 264–275), zunächst *Der Stalljunge* geheißen, *Der Mantel des Ketzers* (11, 276–285), zunächst *Der Mantel des Nolaners* geheißen, und *Der verwundete Sokrates* (11, 286–303) entstehen alle – zusammen mit den *Trophäen des Lukullus* – im Winter 1938/39. Für die Bruno- und die Sokrates-Geschichten notierte Brecht das Abschlußdatum 12.2.1939. Alle drei Geschichten haben geschichtliche Thematik, und sie sind im Zusammenhang mit Brechts Arbeit am *Galilei* und am *Cäsar*-Roman zu sehen. *Die unwürdige Greisin* folgt 1939 bereits im schwedischen Exil; genauere Anlässe hat die Forschung für diese Geschichte nicht finden können, obwohl sie auf der Hand liegen. 1939 jährte sich der Todestag der Großmutter Karoline Brecht geb. Wurzler (1839–1919) zum 20. Male (das genaue Datum ist mir nicht bekannt, es liegt jedoch im letzten Vierteljahr, so daß damit auch die Entstehungszeit auf Ende 1939 zu legen ist). Freilich ist das Datum des Todestags lediglich als Anlaß zu nehmen, weniger als Bestätigung einer naturalistischen Nacherzählung der Eskapaden von Karoline Brecht, die es nach allen Verlautbarungen nicht gab (auch das Alter ist geändert). Aber es handelt sich ja um eine fiktive Erzählung, so daß der zurückblickende Enkel, ebenfalls eine fiktive Figur, sich einen »Stammbaum« zulegen kann, der seiner Entwicklung entspricht: die Großmutter bereits als Renegatin ihrer Klasse. – *Der Augsburger Kreidekreis* (11, 321–336) folgt 1940 in Schweden. Brecht kannte den Stoff aus dem Drama Klabunds *Der Kreidekreis* (1925). In welchem Zusammenhang die Aufnahme des Stoffs 1940 erfolgt ist, ist nicht bekannt. Zu verweisen ist auf den *Kaukasischen Kreidekreis* Brechts (1944), der den Stoff ebenfalls bearbeitet, ihn aber sowohl in andere Zusammenhänge als auch in eine andere Zeit stellt (vgl. BH 1, S. 254–271; dort auch die Stoffgeschichte, 256–258). Möglicherweise war die Erzählung zunächst als Fabel-Entwurf für ein Drama gedacht, der sich dann zur eigenständigen Geschichte rundete. Zusammenhänge gibt es zur *Courage* und zum *Galilei*. – Die Geschichte *Cäsar und sein Legionär* entstand 1942 in den USA als Filmskript, das sich aus der Arbeit am *Cäsar*-Roman ergeben hat und einen weiteren – scheiternden – Versuch darstellt, in der Filmindustrie Hollywoods zu landen. William Dieterle, der, nachdem ihm Brecht vom *Cäsar*-Roman erzählt hatte, an eine Verfilmung dachte, bestand darauf, daß ergiebigere Ende des Diktators zugrundezulegen, das Brecht für den Roman nicht vorgesehen hatte. Daher mußte Brecht eine neue Story entwerfen, die die Geschäfte des Herrn Cäsar aus der Doppelperspektive entwickelte. Der Filmtext steht schon der späteren Erzählung sehr nahe (Texte für Filme 2, II, 372–400), vor allem der erste Entwurf von *Cäsars letzte Tage* (II, 372–391) ist schon mit ihr weitgehend identisch. – Die letzte Erzählung *Die zwei Söhne* (11, 363–366) ging wiederum aus einem Filmskript hervor, das 1946 verfaßt worden ist.

Diesen acht Erzählungen stehen alternierend acht Gedichte gegenüber. Alle Gedichte stammen bis auf den Kinderkreuzzug 1939 (10, 833–838) aus der Sammlung der *Svendborger Gedichte* (1939) und die Mehrzahl von ihnen aus dem 3.

Kapitel der *Chroniken,* nämlich *Gleichnis des Buddha vom brennenden Haus* (9, 664–666), *Die Teppichweber von Kujan-Bulak ehren Lenin* (9, 666–668), *Fragen eines lesenden Arbeiters* (9, 656 f.) sowie *Legende von der Entstehung des Buches Taoteking auf dem Weg des Laotse in die Emigration* (9, 660–663). Die *Ballade von der »Judenhure« Marie Sanders* (9, 641 f.) steht im 2. Kapitel der *Svendborger Gedichte,* das keine Überschrift aufweist (Gattungsbezeichnungen); es beschreibt im Chronik-Stil, allerdings unter bewußter Anwendung einer »alten« Form, die aktuellen Nazigreuel, die 1949 zwar schon Geschichte waren, deren Auswirkungen aber immer noch direkt vor Augen standen. Innerhalb des 2. Kapitels der *Svendborger Gedichte* stehen auch die beiden *Kinderlieder* der *Kalendergeschichten* (9, 645 f. und 647 f.), nämlich der *Schneider von Ulm* (in den *Kalendergeschichten* rückt der ehemalige Untertitel in den Titel *Ulm 1592*) und *Mein Bruder war ein Flieger.* Beide Gedichte behandeln komplementär Aktuelles, auch wenn das erste Gedicht scheinbar bloß ein historisches Exempel aufführt: die ausgesparte dritte Strophe wird vom Kind automatisch ergänzt (»aber heute kann man doch fliegen!«), so daß die Aktualität des ehemals scheiternden Flugversuchs sich von selbst einstellt. Das zweite Kinderlied bezieht sich auf die Ereignisse um den spanischen Bürgerkrieg (1936), als Hitler – zur Erprobung des 2. Weltkriegs unter allgemeiner Duldung der Westmächte – seine »Legion Condor« zur Unterstützung der Faschisten schickte (»Sturzkampfflugzeuge« = »Stukas«). Das Gedicht zeigt die Negativ-Seite des Fortschritts, den das Schneider-Gedicht zum unausgesprochenen Inhalt hat. In pervertierter Anwendung – als Eroberungsmittel – führt der technische Fortschritt zum Tod. Zwar war auch der spanische Bürgerkrieg nach dem 2. Weltkrieg historisch geworden, die Folgen waren jedoch noch nach wie vor aktuell, so daß auch dieses Gedicht einen durchaus aktuellen Eindruck machen konnte. Außerhalb der Reihe steht das weitere Kinderlied *Kinderkreuzzug 1939,* das in keiner Sammlung vorher zu finden war, aber ganz offensichtlich sich nicht nur in die Reihe der *Kinderlieder* fügt, sondern auch thematisch an sie anschließt. Behandeln die beiden anderen *Kinderlieder* sozusagen Einzelfälle (in symptomatischer Weise), so bringt der *Kinderkreuzzug* das kollektive Leiden ins Bild. Nach dem Krieg war in ihm unschwer auch ein Kreuzzug der Völker zu sehen, der durch Gewalt oder Propaganda irregeleitete Völker dieses Schlachten erleiden ließ, ohne das »Land des Friedens« zu finden.

Diesen je acht Erzählungen und Gedichten sind in einer dritten Gattungsart, der parabelhaften Kürzestgeschichten, die *Geschichten vom Herrn Keuner,* und zwar »geschlossen«, angefügt. Da Brecht – wie bekannt ist – auf Ausstattung und Anordnung sehr viel Wert legte, weil auch das Äußere mit sprechend sein mußte, war ihnen der »Rang« *einer* Kalendergeschichte – 39 aneinandergereihte Exempla – zugewiesen. Sie sind als Geschichten in *einer* Geschichte graphisch fixiert. Der Obertitel nämlich ist in der Kapitälchenschrift wie die jeweiligen anderen Geschichten- und Gedichte-Titel geschrieben; außerdem findet sich darüber – wie sonst auch – der Kolumnentitel *Kalendergeschichten.* Die Einzelgeschichten haben dann kleiner gehaltene Kursivtitel mit der Kolumnenüberschrift *Geschichten vom Herrn Keuner.* Die Zusammenstellung dieser in den verschiedensten Zeiträumen entstandenen Geschichten (ab 1926) ist also als eine neue Einheit aufzufassen und zu rezipieren. Die Entstehungszeit der einzelnen Geschichten kann im einzelnen nicht eruiert werden, zumal auch die Forschung trotz eingehendster Bemühungen häufiger keine genaueren Angaben machen kann. Publiziert waren *Keuner-Geschichten* bereits im 1. und im 5. Heft der *Versuche* (Berlin 1930, S. 22–25 bzw. Berlin 1932, S. 99–103), und zwar 11 plus 8 Geschichten sowie ein Gedicht *Die Auswahl der Bestien.* Von den bereits publizierten *Keuner-Geschichten* übernahm Brecht in die *Kalendergeschichten* durchaus nicht alle, z. B. fielen aus *Maßnahmen gegen die Gewalt, Von den Trägern des Wissens* oder *Das Recht auf Schwäche* (eine genaue, überblicksartig angeordnete Aufstellung der Keuner-Geschichten enthält Klaus-Detlef Müllers Kommentar, 98–102, auch mit Verzeichnis wichtiger Varianten). Die Zusammenstellung der *Geschichten vom Herrn Keuner* (= 39 Geschichten) innerhalb der *Kalendergeschichten* ist ihre größte zusammenhängende Publikation überhaupt, die auf Brecht selbst zurückgeht (vgl. Müller, 99).

Es ist interessant, daß sich Brecht nach dem Krieg dem deutschen Publikum in erster Linie als Prosaist präsentiert. Abgesehen vom Druck der Szenenfolge *Furcht und Elend des dritten Reiches* (1948 und 1949) sowie einer Vervielfältigung des *Puntila*-Stücks für die Bühne stehen die Prosabände der *Kalendergeschichten* und des *Dreigroschenromans,* der 1949 in München bei Desch erscheint, am Beginn der Brechtschen Nachkriegsdrucke (vgl. die Aufstellung bei Ignasiak, 252; Ignasiak meint allerdings fälschlich, daß die *Dreigroschenroman*-Ausgabe nicht zustandegekommen sei; 174f.). Die Gründe dafür sind vor allem in Brechts Zweifeln zu suchen, daß die deutschen Theater in der Lage wären, seine Stücke angemessen zu realisieren. Außerdem setzte sich in der Ostzone eine Kulturpolitik durch, die nicht an die proletarisch-revolutionäre Tradition anknüpfte, sondern das Vorbild der deutschen Klassik und das humanistische »Erbe« des 19. Jahrhunderts propagierte (Georg Lukács). Brechts Werk war ohnehin weitgehend unbekannt, wie es auch zunächst für die Nachkriegsliteratur kaum eine Rolle spielte – im Gegensatz etwa zu Thomas Mann. Mit dem *Dreigroschenroman* erschien Brechts einziger abgeschlossener Roman, der zumindest an den größten Vorkriegserfolg, die *Dreigroschenoper,* erinnern ließ und der von der damaligen Kritik (1934/35) u.a. als Brechts »Hauptwerk« eingeschätzt worden war. »Die Textauswahl für die *Kalendergeschichten* zeigt [...] die Entschlossenheit Brechts, wesentliche, seine entwickelte Konzeption von Dichtung tragende Werke breiten Leserkreisen bekanntzumachen. So lassen die in den Band aufgenommenen Texte [...] darauf schließen, daß es Brecht darauf ankam, alle wesentlichen Themen seines Exilwerkes in gedrängter Form zu präsentieren. Somit ermöglichen die *Kalendergeschichten* dem unbefangenen Leser einen Zugang zum Gesamtwerk des Dichters« (Ignasiak, 172).

Die Werkausgaben Brechts haben die *Kalendergeschichten,* obwohl sie die erste und einzige Anthologie Brechtscher Prosa darstellen, auseinandergerissen, so daß sich mit ihnen kein Bild von der Zusammenstellung ermitteln läßt. Es gibt jedoch genügend Ausgaben der Sammlung im Taschenbuch, so die Ausgabe des Rowohlt-Verlags (Hamburg ab 1952, 19. Auflage 1975 – bis dahin 535000 Exemplare), die zur Untersuchung und Lektüre heranzuziehen wäre. Die folgende Analyse arbeitet mit den beiden Erstausgaben (Halle und Berlin), notiert aber den Ort der Werkausgabe als Zitatnachweis. Der in der Ausgabe der *Prosa* (= Prosa 2) angegebene Titel *Kalendergeschichten,* da er nur die acht Erzählungen in der Reihenfolge der Buchausgabe betrifft, täuscht; auch die anschließenden *Geschichten vom Herrn Keuner* bewahren nicht die Anordnung und Auswahl der Sammlung von 1948/49.

Texte: Kalendergeschichten. Halle/Saale 1948. – Kalendergeschichten. Berlin 1949. – Geschichten 2 (= Prosa 2). Frankfurt a.M. 1965. S. 5–102. – wa 11, 237–239, 264–303, 315–336, 344–366.

Detlef *Ignasiak*: Bertolt Brechts »Kalendergeschichten«. Kurzprosa 1935–1956. Berlin 1982 (S. 169–189). – Jan *Knopf*: Die deutsche Kalendergeschichte. Ein Arbeitsbuch. Frankfurt a.M. 1983 (S. 263–268).

Der Titel

Die Entscheidung für den Titel *Kalendergeschichten* fiel wahrscheinlich erst, als der Vertrag mit einer Sammelausgabe von Brechtscher Prosa und Lyrik mit dem Gebrüder-Weiß-Verlag vereinbart war. Der Titel annonciert »Volkstümliches«, und zwar in einer durchaus idyllisierenden, von allen klassenkämpferischen Nebentönen befreiten Weise. Der Titel geht zurück ins 19. Jahrhundert, in dessen Mitte er auftauchte, um zunächst bürgerlich-biedermännischen Geschichten-Sammlungen den Namen zu geben, meist handelte es sich um Geschichten, die zunächst in sogenannten »Volkskalendern« gestanden hatten und dann nach dem Vorbild Johann Peter Hebels im *Schatzkästlein* zusammengeschlossen wurden. Dieser Usus setzte sich im 20. Jahrhundert unvermindert fort. Auch in der Nazizeit erfreuten sich idyllisierende Kalendergeschichten-Sammlungen unverminderter Beliebtheit (Adolf Wurmbach: *Sankt Nimmerlein. Der Kalendergeschichten anderer Teil.* Siegen 1941; Karl Franz Leppa: *Brunnenrauschen. Kalendergeschichten.* Karlsbad 1942 u.v.a.). Besonders verbreitet war die Ausgabe *Kalendergeschichten* (1937) des Österreichers Karl Heinrich Waggerl (1897–1973), als deren »Widerpart« Brechts Sammlung die Forschung reklamiert hat (Rohner, 405). Aber es ist kaum anzunehmen, daß Brecht den schreibenden Volkstümlern so viel Ehre angetan hätte, seine Sammlung ihnen als Gegenentwurf zu widmen. Die weitaus meisten Kalendergeschichten-Sammlungen des 20. Jahrhunderts sind literarisch ohne Bedeutung, häufig wirklich in einem »schlichten Sinn« volkstümlich und »bodenständig«, häufig politisch völlig ahnungslos (siehe die Titel oben) oder auch mit der nazistischen Blubo-Jauche getränkt (Leppa). Hätte Brecht diese Produkte wirklich genauer gekannt, so darf man annehmen, wäre er vor dem Titel eher zurückgeschreckt.

Die Strategie, die Brecht mit dem Titel verfolgte, ist nur zu erschließen. Aber es gibt gute Indizien. Zunächst und zuerst verbindet sich der

Titel, auch wenn Hebel ihn nicht kannte, mit Hebels Erzählkunst. Im 20. Jahrhundert war es üblich geworden, Hebels Geschichten als »Kalendergeschichten« zu bezeichnen. Diejenigen, die Kalendergeschichten schrieben, pflegten sich auf Hebel zu berufen, da mit ihm einer der größten Kurzprosa-Dichter als gute Tradition zu reklamieren war. Insofern ist es durchaus möglich, daß Brecht meinte, diese (positive) Herkunft des Titels für seine Sammlung in Anspruch nehmen zu können (vgl. dagegen Rohner, 405). Noch wahrscheinlicher jedoch ist, daß Brecht mit dem Namen an Oskar Maria Grafs Sammlung *Kalender-Geschichten. Zwei Bücher* (München: Drei Masken Verlag 1929) anschloß. Ähnlich wie beim *Dreigroschenroman* gab es hier eine Möglichkeit, auf die Vorkriegszeit zurückzugreifen und eine andere als die volkstümlich-idyllisierende Literaturlinie wieder aufzunehmen. Brecht kannte Oskar Maria Graf gut, war im USA-Exil noch bis in die letzte Zeit mit ihm zusammen, zumal Graf politisch aktiv war, und der Drei Masken Verlag hatte vor dem Krieg auch Brecht verlegt, so daß mit hoher Wahrscheinlichkeit anzunehmen ist, daß Brecht wenigstens vom Titel des Buchs wußte. Überdies sind die Grafschen Geschichten, die wie die Brechts nie in einem Kalender gestanden haben, zweifellos die bedeutendsten der »Gattung« bis zu denen Brechts. Grafs Geschichten beschreiben »aussterbende« Typen seiner bayrischen Heimat, in der Regel abgründige und böse Gestalten, die zwischen bodenständiger Tradition und der technischen neuen Welt hin und her gerissen sind. Die Aufteilung der *Kalender-Geschichten* in zwei Bücher markiert die Zerrissenheit auch äußerlich. Das erste Buch spielt auf dem Land, das zweite in der Stadt, und Graf ist klar, daß die bäuerliche Idylle, die keine war und ist, durch die technische Entwicklung, die in der Stadt die Menschen neu prägt und zu neuen Haltungen führt, nicht unberührt gelassen würde (Oskar Maria Graf hat später übrigens die Stadt-Geschichten der Sammlung von den Land-Geschichten getrennt und nur noch diese *Kalender-Geschichten,* jene aber *Jedermann-Geschichten* genannt). Zu Oskar Maria Graf (1894–1967) gab es also genügend Anknüpfungspunkte.

Sicherlich ist die Titelwahl aber auch auf Taktik zurückzuführen. »Die Veröffentlichung der Brechtschen Kalendergeschichten [...] kann als Versuch Brechts angesehen werden, den von ihm vor dem Krieg konzipierten Volksbegriff auf die als ›volkstümliche Gattung‹ geltenden Kalendergeschichten anzuwenden« (Knopf, 1973, 15). Brecht, der sich keine Illlusionen über die psychische und ästhetische Deformation der Deutschen durch den Faschismus machte, konnte mit diesem Titel an Übliches, vertraut Klingendes anschließen und sozusagen subversiv seine Vorstellungen von »Volk« und »Volkstümlichem« einbringen. Der Titel annoncierte Harmloses, einfache, traditionsgebundene Erzählungen, Geschichten aus »dem Leben des Volkes«, was ja z.T. auch von ihnen eingelöst, aber auch unterlaufen wird, ohne daß sich die »Tendenz« dem Leser aufdrängte. Im Gegenteil sind die Geschichten relativ verhalten, im guten Sinn klassisch formuliert, nicht ohne gewisses Sentiment, das dem sonst so sachlich, ironisch-satirischen Erzähler Brecht fremd ist. Dennoch aber vertreten sie einen kämpferischen Begriff von »Volkstümlichkeit«:

> *Volkstümlich* heißt: den breiten Massen verständlich, ihre Ausdrucksform aufnehmend und bereichernd / ihren Standpunkt einnehmend, befestigend und bereichernd / den fortschrittlichsten Teil des Volkes so vertretend, daß er die Führung übernehmen kann, also auch den andern Teilen des Volkes verständlich / anknüpfend an die Traditionen, sie weiterführend / dem zur Führung strebenden Teil des Volkes Errungenschaften des jetzt führenden Teils übermittelnd.
> (19, 325)

Die 1938 im Zusammenhang mit der Expressionismus-Debatte formulierte Definition – Brecht hatte sie zurückgehalten – galt es für Brecht nach dem faschistischen Krieg umzusetzen, um zu vermeiden, daß wiederum das »Volk« zu wenig am Aufbau des neuen Staats – damals war die Teilung noch nicht endgültig – beteiligt würde. »Wir haben ein Volk vor Augen, das Geschichte macht, das die Welt und sich selbst verändert. Wir haben ein kämpferisches Volk vor Augen und also einen kämpferischen Begriff *volkstümlich*« (19, 325). Programmatisch befragt das Gedicht *Fragen eines lesenden Arbeiters* die bisherige Geschichte nach dem Anteil des Volkes an ihr. Aus den Opfern sollten nunmehr Täter werden, und keine *neuen* Herren waren gefragt, sondern keine.

Die Anknüpfung an die Tradition ergibt sich aus dem Titel ebenfalls. Es handelt sich nicht nur um die Assoziation des bürgerlichen »Volkstumsbegriff«, sondern auch um historiographische Tradition. Brecht kannte aus der Exilzeit Walter Benjamins *Geschichtsphilosophische Thesen,* deren 15. die »historische Funktionalität des Kalenders« (Ignasiak, 193) formuliert: »Das Bewußtsein, das Kontinuum der Geschichte aufzusprengen, ist den revolutionären Klassen im Augenblick ihrer Aktion eigentümlich. Die große Revolution führte einen neuen Kalender ein. Der Tag, mit dem ein Kalender einsetzt, fungiert als ein historischer Zeitraffer. Und es ist im Grunde genommen derselbe Tag, der in Gestalt der Feiertage, die Tage des Eingedenkens sind, immer wiederkehren. Die Kalender zählen die Zeit also nicht wie Uhren. Sie sind Monumente eines Geschichtsbewußtseins, von dem es in Europa seit hundert Jahren nicht mehr die leisesten Spuren zu geben scheint« (Walter Benjamin: *Zur Kritik der Gewalt und andere Aufsätze*. Frankfurt a. M. 1965. S. 90f.). Der Titel sollte ein neues Geschichtsbewußtsein einsetzen und zugleich an die Geschichte des Volkes erinnern, die es gegeben hat, die aber zu wenig Geschichte gemacht hat. Ob Brecht nun Hebel genauer kannte oder nicht – es gibt keine Zeugnisse darüber –, in seinen Geschichten jedenfalls gibt es die Menschen und Typen, die in Brechts Sinn als volkstümliche Gestalten einzuschätzen sind. Wenn der Zundelfrieder die Obrigkeit narrt und regelrecht vorführt oder der Steiermärker Mittel und Wege findet, den Krieg einigermaßen unbeschadet zu überstehen, so dokumentiert sich in diesem Personal eine »volkstümliche« Erfahrung und Kraft, an deren positive Wirkung zu erinnern war. Der Richter Dollinger aus dem *Augsburger Kreidekreis* könnte unmittelbar von Hebel stammen, auch wenn diesem die offen kämpferische Note fehlte (aber mit der Französischen Revolution hielt es der Badener doch und der Hofer, Andreas, der »volkstümlich« um die Erhaltung der alten Feudalzustände kämpfte, wird von ihm als menschenmordender Reaktionär gebranntmarkt). Heinz Härtl hat sogar gemutmaßt, daß Brecht direkte Bezüge zu Johann Peter Hebel in seine Sammlung eingebaut habe. Das ist zwar nirgends weiter belegt, durchaus spekulativ, vielleicht jedoch von gewisser Stichhaltigkeit. Der *Augsburger Kreidekreis* stelle nicht nur einen Hinweis auf Brechts Geburtsstadt dar, sondern spiele auch auf die »dominierende oberdeutsche Tradition der Kalendergeschichte an«. Die *Unwürdige Greisin* stammt aus dem Badischen (Achern), die ihr unwürdiges Treiben in K. – d.i. Karlsruhe – absolviert. Karlsruhe ist die Stadt, mit der sich der Name Hebels am meisten verbindet; hier ist Hebel auch begraben. Schließlich stehe am Ende der Sammlung Brechts die *Keuner-Geschichte* vom »Wiedersehen«. Hebels Sammlung im *Schatzkästlein des rheinischen Hausfreundes* weist als vorletzte Geschichte das *Unverhoffte Wiedersehen* auf, Hebels berühmteste und modernste Geschichte (Härtl, 93 f.). Darüber hinaus gibt es auch strukturelle und kompositorische Parallelen zwischen Hebels *Schatzkästlein* (Erstausgabe 1811) und Brechts Sammlung. Auch Hebels Sammlung vereinigt die verschiedensten Genres von Kurzprosa und enthält darüber hinaus auch zwei Gedichte, was bei anderen Kalendergeschichten-Sammlungen durchaus nicht der Fall ist (vgl. Ignasiak, 195 f.).

Auch die Rückerinnerung an Johann Jakob Christoffel von Grimmelshausen (1621–1676) meint Heinz Härtl gefunden zu haben, und zwar in der »Rückdatierung« des *Augsburger Kreidekreises* in den Dreißigjährigen Krieg. Wenn auch der Terminus »Rückdatierung« – es gab keine andere – zumindest mißverständlich ist, könnte eine gewisse »Erinnerung« an den »ersten Kalendergeschichten-Schreiber« in der Zeit des ersten »großen Kriegs« zu finden sein, wenn Brecht auch primär daran gedacht haben wird, daß sich im historischen Krieg der aktuelle spiegelte. Und überdies ist stets bei solchen Spekulationen daran zu erinnern, daß die Geschichten sämtlich nicht für die Sammlung geschrieben wurden. Deshalb ist es auch falsch zu meinen, Brecht habe das historisch überlieferte Geschehen vom Schneider von Ulm auf 1592 »zurückdatiert« (tatsächlich war das im 19. Jahrhundert), um diesen Fall möglichst stimmig in die Nähe der Bruno-Geschichte, die 1600 spielt, zu bringen (so Müller, 311). Das Gedicht war bereits 1934 auf 1592 datiert, und da gab es noch keinen Zusammenhang mit den *Kalendergeschichten*. Dennoch kann bei der Geschichten-Auswahl der Gesichtspunkt der traditionellen Vorbilder eine Rolle gespielt haben, was leider aber noch nicht genau genug erforscht worden ist. Im Zusammenhang mit Grimmelshausen ließe sich auch eine Traditionslinie zu dessen Kürzestgeschichten durch die *Geschichten vom Herrn Keuner* ziehen. Die sich meist durch Wortwitz auszeichnenden Apophthegmen, die Grimmelshausen in seinen *Ewig-währenden Calender* (1671) eingerückt hat, weisen nicht nur den Zusammenhang durch die stehende Figur – hier Simplicissimus – auf, sondern knüpfen auch im pointierten Dialog an die Tradition der »Scherzreden« an (besonders deutlich etwa in *Das Wiedersehen*). Aber auch hier stehen genauere Untersuchungen noch aus.

Ich habe vorgeschlagen, den Titel mit *Geschichten zur Geschichte* angemessen zu übersetzen. Es handelt sich um Geschichts-Geschichten, die Ereignisse aus dem »Volk« berichten, sogenannte »kleine Dinge«, sie aber so berichten, daß sie Nachweise dafür werden, daß das Volk in der Lage ist, selbst Geschichte zu machen und nicht mit sich – als Opfer – Geschichte machen zu lassen. Für Brecht ist der Nachweis im klassenkämpferischen Sinn zu interpretieren. Die Kalendergeschichten sind ein »Geschichtsbuch für das Volk, nicht einfach ein Geschichten-Buch« (Müller, 309).

Jan *Knopf*: Geschichten zur Geschichte. Kritische Tradition des »Volkstümlichen«in den Kalendergeschichten Hebels und Brechts. Stuttgart 1973. – Ludwig *Rohner*: Kalendergeschichte und Kalender. Wiesbaden 1978 (S. 373–433). – Heinz *Härtl*: Zur Tradition eines Genres. Die Kalendergeschichte von Grimmelshausen über Hebel bis Brecht. In: Weimarer Beiträge 24, 1978, Heft 7, S. 58–95. – Klaus Detlef *Müller*: Brecht-Kommentar zur erzählenden Prosa. München 1980 (S. 307–312). – Detlef *Ignasiak*: Bertolt Brechts »Kalendergeschichten«. Kurzprosa 1935–1956. Berlin 1982 (S. 189–198). – Jan *Knopf*: Die deutsche Kalendergeschichte. Ein Arbeitsbuch. Frankfurt a. M. 1983 (S. 55–79 zu Grimmelshausen, S. 236–249 zu Graf, S. 263–285 zu Brecht).

Komposition

Zunächst ist auf die drei verschiedenen »Gattungen« der *Kalendergeschichten* hinzuweisen. Die Sammlung enthält Kurzgeschichten (Novellen), Gedichte verschiedenster Formen (freie Rhythmen, gereimt mit festem Metrum, Lieder) sowie Kürzestgeschichten (parabolische Kurzepik, meist dialogischen = dialektischen Charakters). Die Kurzgeschichten und die Gedichte sind alternierend angeordnet, so daß auf jede Geschichte – der *Augsburger Kreidekreis* eröffnet die Sammlung – ein Gedicht folgt. Die Kürzestgeschichten finden sich en bloc am Ende zusammengestellt; nach dem Inhaltsverzeichnis sowie nach der graphischen Gestaltung gelten sie zusammen genommen als *eine* Kalendergeschichte, die aus vielen Kleinstgeschichten zusammengesetzt ist. Somit dehnt sich in der Grundstruktur die Alternation auch auf die *Keuner-Geschichten* aus: sie folgen auf ein Gedicht *(Legende von der Entstehung ...)*, stellen selbst Prosagebilde dar. Der »prosaische« Abschluß sowie das Überwiegen der Prosaformen ist damit gegeben.

Damit ergibt sich einerseits ein streng geregeltes »symmetrisches« Gebilde (acht Geschichten / acht Gedichte), das andererseits durch den Abschluß mit den *Keuner-Geschichten* wieder ungleichgewichtig wird. Daß Brecht die Anordnung mit großem Bedacht gewählt hat, geht aus den verschiedenen Versuchen hervor, die das Bertolt-Brecht-Archiv verwahrt. Es gibt immerhin noch drei Varianten zur endgültigen Zusammenstellung. Jedoch der alternierende Wechsel von Erzählung und Gedicht sowie die Zusammenstellung der *Keuner-Geschichten* sind durchgängig. Und am Ende steht jeweils das *Wiedersehen,* das doppeldeutig »Vertrautes« anspricht, aber eindeutig für Veränderung plädiert. Das Prinzip des Veränderlichen und Veränderbaren, von Ordnung und Unordnung scheint danach die Anthologie in erster Linie zu bestimmen.

Die Forschung hat überdies versucht, inhaltliche Kriterien für die Anordnung zu finden, wobei die *Keuner-Geschichten* nach wie vor außer Betracht geblieben sind. Lediglich Detlef Ignasiak merkt an: »Die Reihenfolge der ›Keunergeschichten‹ ist mit Sicherheit vom Autor genau bedacht worden – eine detaillierte Aufschlüsselung steht jedoch noch aus« (Ignasiak, 262). Ludwig Rohner hat folgenden Vorschlag gemacht: »Das Alternieren erscheint hier als *Kompositionsprinzip*. Mehr noch: das Beispiel (Historie) ruft jeweils dem Widerspiel (Legende). Das führt über die bloße Reihung hinaus. Denn die Kette der zweigliedrigen Beispiele ist gerichtet: auf das Ziel, auf den Schluß hin. (Gerichtet wie Eisenpfeile in einem verborgenen Magnetfeld.) Es gibt keine Mitte, aber einen Schluß, der an- und herzieht. Eine Steigerung. Ins Einfache, zu vollkommener Schlichtheit, um zwei ›fatale‹ Formeln zu übernehmen. Die Steigerung führt von der ›Ballade von der Judenhure Marie Sanders‹ [sic] (1935) bis zur ›Legende von der Entstehung des Buches Taoteking auf dem Weg des Laotse in die Emigration‹ (1938)«. Obwohl damit inhaltliche Kriterien angesprochen sind, benennt Rohner sie nicht konkret. Es wird nicht klar, worin die Steigerung ins Einfache (eine Formel Martin Heideggers für Hebel) besteht und wie sie sich mit dem »Verhältnis der Kalendergeschichten untereinander« (Rohner, 402 f.) verträgt. Danach gehören die Geschichten paarweise zusammen. Der *Augsburger Kreidekreis* und *Zwei Söhne* haben die »gute Mutter« gemeinsam, das *Experiment* und der *Mantel* sind der »Aufklärung« verpflichtet, *Cäsar* und der *Soldat von La Ciotat* zeichnen die »Opfer der Weltgeschichte« und die *Sokrates*-Geschichte sowie die *Unwürdige Greisin* thematisieren »unwürdiges Verhalten« (Rohner, 403).

Detlef Ignasiak kommt zu Gruppierungen. Der 1. Abschnitt, der *Kreidekreis, Marie Sanders, Zwei Söhne* und *Gleichnis des Buddha* umfaßt, bringt »Deutsche Geschichte und die kleinen Leute in ihr«, der 2. Abschnitt, *Experiment, Ulm 1592* und *Mantel des Ketzers,* stellt »Die Vorkämpfer eines neuen Weltbildes« zusammen, der 3. Abschnitt, *Kinderkreuzzug, Cäsar, Teppichweber, Soldat, Lesender Arbeiter,* beschreibt die »›Helden‹ der Geschichte«, der 4. Abschnitt, *Sokrates, Mein Bruder war ein Flieger, Unwürdige Greisin,* zeichnet »Die neuen Helden« und der letzte Abschnitt, *Taoteking* und *Keuner-Geschichten* stellt die »Weisen« in den Mittelpunkt (Ignasiak, 209 f.). Darüber hinaus sei die »biographische Klammer« unübersehbar. Der Band eröffnet mit dem Geburtsort Brechts und endet mit seiner (fiktiven) Großmutter. Die beiden letzten *Keuner-Geschichten* weisen ebenfalls Biographisches auf. Unverkennbar prägen sich in den Städten »A.« und »B.« Augsburg und Berlin, wobei Brecht in Berlin »in die Küche« geladen wird und *deshalb* dort lieber ist, eine Absage an »Bodenständiges«, Unveränderliches, zugleich ein (unausgesprochenes) Plädoyer für Arbeit und Arbeiter. Das *Wiedersehen* ließe sich danach auf das bevorstehende Wiedersehen der alten Heimat lesen und die Furcht davor, nicht als Veränderter erkannt zu werden: die Geschichte soll sich auch in den Menschen, ihrem Aussehen niedergeschlagen haben.

Man sollte den Begriff »Heimatdichtung« für diesen Band nicht scheuen, auch wenn er einer Umdeutung bedarf. Ausgangspunkt dafür kann das Titelbild sein. Es zeigt eindeutig Brecht selbst, jedoch mit stark verfremdeten Attributen. Es handelt sich um eine Tuschezeichnung von Caspar Neher, die in der Manier altchinesischer Zeichnungen verfertigt ist: Brecht mit Zigarre und Nikkelbrille vor einer angedeuteten Seelandschaft mit Schilfgras und Sonne sowie Wolken und Berge im Hintergrund; das Gesicht ist freundlich, leicht lächelnd, aber bebartet, und zwar an der Oberlippe und am Kinn, ein chinesischer Weiser, der als Bertolt Brecht zu erkennen ist. »Heimat« bedeutete schon für Johann Peter Hebel die Verbindung von »Heimatland« und Fremde. Das Kosmopolitische ist für Hebels Geschichten ebenso kennzeichnend wie die »Liebe« zur »Heimat«. Wenn mit »Heimat« nicht die Engstirnigkeit des Bodenständigen, der Haß auf Fremdes und das Abschirmen gegen jegliches Andere verbunden wird, kann der Begriff sinnvolle Verwendung finden. Brecht hat nie einen Hehl daraus gemacht, daß er seine »Heimat« für seine Arbeit brauchte. Deshalb kam er auch nie auf die Idee (wie Thomas Mann im USA-Exil) das »deutsche Volk« mit Hitler zu identifizieren und »Bestrafung« zu fordern. Die deutsche Sprache blieb für Brecht das Zentrum seiner Arbeit (was wäre sein Werk ohne die Tradition des Lutherdeutschen). Das »deutsche Volk« blieb für ihn der Ansprechpartner, für es schrieb er. Wenn sich mit den *Kalendergeschichten* ohnehin »Volkstümliches« verband, so auch »Heimattümliches«. Nicht ohne Grund dürften deshalb die *Kalendergeschichten* mit Augsburg beginnen. Der Geburtsals »Heimatort« eröffnet für den aus dem Exil zurückkehrenden das »Vaterland«. Aber das bleibt ohne »bodenständiges« Sentiment; denn hier wird nicht in den »Mutterschoß« zurückgekehrt (ob mit oder ohne Freud) und kein Blutsrecht reklamiert. Das Gedicht, das sich anschließt, prangert am Extremfall den »Fremdenhaß« an, die Judenverfolgung stellte in Deutschland die übelste Verfolgung von angeblich »Undeutschem« dar. Als Spiegelgeschichte zur ersten Geschichte folgt die von den *Zwei Söhnen.* Die Mutter erkennt »ausgerechnet« im russischen Gefangenen *ihren* Sohn und überwindet den ideologischen Haß auf das Fremde und vermag dadurch auch, ihren Sohn zu retten. Als Lebensretter treten die »ehemaligen Feinde« auf, die Sowjets. Zugleich ist mit den ersten drei Geschichten ein historischer Bogen geschlagen: vom »klassischen« »großen Krieg« zum inneren Krieg in Deutschland (Judenverfolgung) zum 2. Weltkrieg und seinem Ende. Blubo, Heimat-, Volks- und Muttertum sind mit den ersten drei Geschichten bereits nachhaltig umgedeutet. Die »rechte« Mutter ist nur die, die sich auch ums Kind »kümmert«; nicht der Ursprung entscheidet, sondern das Zusammenleben, das Miteinander. Die »Judenhure« steht für die Frau, die nicht Mutter werden durfte, weil sie sich mit den angeblich Falschen eingelassen hat; ihr Tod steht für die Unnatur von Verhältnissen, die das Miteinander, menschliche Freundlichkeit verhindern. Die Mutter in der Geschichte *Die zwei Söhne* erkennt im »Schicksal« des russischen Gefangenen das »Schicksal« ihres Sohnes und ist dadurch in der Lage, die »Mütterlichkeit« auch auf den fremden »Sohn« auszudehnen. Der Versuch, den Russen zu retten, ist zugleich die Vorbereitung für die Rettung ihres eigenen Sohns, so daß sich ein unmittelbarer Zusammenhang ergibt. Das Ergebnis ist die Überwindung des Völkerhasses und die Möglichkeit nach dem erneuten Schlachten nun endlich zu einem neuen Miteinander zu kommen. Das anschließende *Gleichnis des Buddha* zieht das

Fazit: es ist keine Zeit mehr zu fragen, wenn das Handeln notwendig geworden ist. Verfaßt einst (1938), um vor dem Krieg zu warnen, die Menschen aufzurufen, nicht nur gegen die Kriegsgefahr zu reden, sondern aktiv zu handeln, steht das Gedicht nun als Aufruf, endlich mit dem »Neuen« ernst zu machen. Worin das Neue besteht, haben die ersten drei Geschichten vorgestellt: nach dem Krieg kein ursprüngliches Besitzrecht mehr (sie kamen wieder aus den Löchern), Besitz den Arbeitenden, Überwindung des Völker- und Menschenhasses, Aufbau eines sozialistischen Gemeinwesens. Die Dringlichkeit zu *handeln* in diesem Sinn und nach den Erfahrungen nicht mehr sinnlos zu fragen, sollte Brechts eindeutige Stellungnahme betonen. Aus seiner Lyrik vor allem (vgl. *Freiheit und Democracy;* 10, 943–949) geht hervor, wie ernst es Brecht damit war. Nicht nur rührte sich die mit altfaschistischen Elementen bestückte Reaktion, sondern es machte sich auch der Antikommunismus (Antisowjetismus) wieder auf den Weg.

Dem aktualisierenden Auftakt (auch die Augsburger Geschichte ist primär nicht historisch zu sehen) folgt der historische Rückblick, die Herstellung der richtigen Tradition. Brecht setzt auf das bewährte historisierende »Mittel«, Fälle zu erzählen, die den Charakter eines historischen Beweises haben. Was einmal für unmöglich gehalten wurde, hat sich historisch dennoch durchgesetzt und ist durch die Geschichte und ihre Veränderungen selbstverständlich geworden. Im *Ulm*-Gedicht hat die »ausgelassene« 3. Strophe die Geschichte selbst geschrieben. Gerade diese Geschichten implizierten für Brecht den doppelten »Beweis«: er hatte sie unter dem Eindruck des siegreichen Faschismus geschrieben in der steten Hoffnung, daß er am Ende doch besiegt sein würde. Da er nun besiegt war, war es notwendig, daß die Geschichte denen übergeben würde, die mit ihr »richtig« umgehen. Die drei Geschichten behandeln positive Beispiele für Geschichte-Machen (und keinen Krieg).

Die folgenden Geschichten dagegen handeln primär vom Krieg, vom bisher üblichen Geschichte-Machen. Der *Kinderkreuzzug* zeigt das sinnlose Leiden der Völker. Wie man historisch selbst die Kinder für die ideologischen Wahnideen der Erwachsenen ins Feld schlug (das war 1212), so sind die modernen Kriege längst zum Völkermord geworden, weil inzwischen die »Zivil«-Bevölkerung der Hauptleidtragende geworden ist und die »Militärs« noch am ehesten die Möglichkeit haben, dem Schlachten zu entkommen (sie wissen, wo was eingesetzt wird). Zu erinnern ist an das eindrückliche Bild, das Brecht in den *Flüchtlingsgesprächen* gegeben hat (14, 1427). In satirischer Weise erörtern dort Kalle und Ziffel den tatsächlichen Plan des General Amadeus Stulpnagel (d.i. Karl-Heinrich Stülpnagel, 1886–1944, als Widerstandskämpfer gegen Hitler hingerichtet), das »Problem« der die Kriegsoperationen störenden »Zivilbevölkerung« dadurch zu beseitigen, daß man sie mit Transportflugzeugen und Fallschirmen hinter der feindlichen Frontlinie absetzt, damit sie dann da »störte«. »Nur die restlose Entfernung der Völker könnt eine vernünftige Kriegsführung mit voller Ausnützung der neuen Waffen ermöglichen. Und es müßte eine Dauerevakuierung sein, denn die neuen Kriege brechen blitzschnell aus, und wenn dann nicht alles bereit, das heißt weg ist, ist alles verloren. Und die Evakuierung müßt auf der ganzen Welt vorgenommen werden, denn die Kriege breiten sich rasend aus und man weiß nie, wohin die Vorstöße erfolgen« (14, 1426f.).

Ob sich die Geschichten *Kinderkreuzzug* bis *Unwürdige Greisin* so ohne weiteres in zwei Gruppen teilen lassen, wie Ignasiak vorschlägt, ist zu bezweifeln. Den beiden Geschichten *Kinderkreuzzug* und *Cäsar und sein Legionär* folgt zweifellos ein »positives« Beispiel, das nicht mehr vom Krieg handelt. In der *Cäsar*-Geschichte stellt Brecht Cäsars Eroberungspolitik dar, mit der auch der »kleine Mann« seinen Schnitt zu machen versucht, am Ende aber doch nur das Opfer der Geschichte bleibt, auch wenn er sich »angedient« hat. Das *Teppichweber*-Gedicht jedoch ist Beispiel für eine sinnvolle historische Tat und zugleich für eine neue Geschichtsschreibung (die Tafelinschrift), kollektives Handeln, keine sinnlose »Ehrung«, sondern sinnvolles Handeln. Die Geschichte vom Statuenmenschen kehrt zum Thema Krieg zurück, wie auch das anschließende Gedicht die »alte« Auffassung von Geschichte befragt. Hier kommt freilich eine neue Dimension hinein, die in den vorhergehenden Geschichten lediglich angedeutet war: der Klassenkampf. Die *Sokrates*-Anekdote, die folgt, bleibt beim Thema Krieg, jedoch mit positiven Aspekten, insofern Sokrates sich weigert, sich zum Aushängeschild eines kriegerischen Staatswesens machen zu lassen, das ansonsten seine Verdienste nicht zu würdigen vermag. Und alternierend folgt mit dem Gedicht vom Spanien-Flieger der negative Fall. Die, die am Krieg teilnehmen, erobern auf alle Fälle stets eins, das eigene Grab. Die sich anschließende Geschichte von der *Unwürdigen Greisin* paßt in diese Reihe nicht mehr hinein. Zwar läßt sich die Greisin als »neue Heldin« einstufen, aber der »Flieger« gehört keinesfalls zu den neuen Helden. Überdies verläßt diese Geschichte wie die nachfolgende *Legende* auch das Thema des äußeren Kriegs und wendet sich dem inneren Krieg zu, und zwar innerhalb der Familie zunächst. Die Greisin, die ein Leben in »Knechtschaft« verbracht hat, verläßt – und dies im hohen Alter – ihr »gewohntes Leben« und damit ihre »Klasse«: sie gesellt sich zu den »Niederen« (Flickschuster).

Die den ersten Teil abschließende *Legende,* die Brecht in einer kleinen Geschichte, *Die höflichen Chinesen* (11, 100), schon einmal gestaltet hat, bildet eine Art »theoretischen« Abschluß der vorhergehenden »praktischen« Beispiele. Die Erfahrungen, die gemacht sind, das Wissen, das bereitliegt, müssen *angewendet* werden, und zwar von denen, die es benötigen. Die Intellektuellen, die dem Schlachten wenigstens durch das Exil entgehen konnten, sollen ihr Wissen ans »Volk«, für das der Zöllner steht, übergeben und es nicht weiterhin als Tuis den Herrschenden verkaufen. So gesehen leistet die *Legende* den Übergang zu den *Keuner-Geschichten.* Keuner ist, wie der Brecht auf dem Titel, so etwas wie ein schwäbischer Lao-tse, ein Weiser, der bereit ist, sein Wissen und seine Erfahrungen an die Richtigen weiterzugeben.

»Die Montage von Prosageschichten unterschiedlicher Genres und Gedichten ermöglicht dem Autor, den philosophischen Fragenkomplex in einen universellen Zusammenhang zu stellen«, nämlich die Veränderbarkeit und Änderungsbedürftigkeit der Geschichte. »Die lyrischen Texte, einige von ihnen sind Drehpunkte der inhaltlichen Gliederung, vertiefen das weltanschauliche Anliegen. ›Das Gleichnis des Buddha vom brennenden Haus‹, das Leningedicht, ›Fragen eines lesenden Arbeiters‹ und die ›Legende von der Entstehung des Buches Taoteking auf dem Weg des Laotse in die Emigration‹ sind solcher Art. Durch diese ›Kunstgriffe‹ wird es möglich, Realitätsbereiche in ihrer Komplexität abzubilden. Damit deuten die ›Kalendergeschichten‹ ein Werk an, das wie der ›Tui‹-Roman und ›Me-ti. Buch der Wendungen‹ jenseits der epischen Welt einzuordnen ist. Wie die drei Romane Brechts ordnen sich auch die ›Kalendergeschichten‹ in die umfassende Aufnahme und Analyse der Grundkräfte der Epoche ihres Autors ein. Ihr Ziel ist die Gestaltung einer besseren Welt. – Neben der Erneuerung des Erzählens in der erzählenden Kurzprosa unternahm Brecht auch wiederholt den Versuch, epische Texte in einem großen Verband darzustellen. Bis auf die ›Kalendergeschichten‹ blieben die Versuche dieser Art unvollendet. Die ›Kalendergeschichten‹ sind ein wichtiger Schritt Brechts zur Realisierung solcher weitgesteckter Vorhaben« (Ignasiak, 217).

Jan *Knopf*: Geschichten zur Geschichte. Kritische Tradition des »Volkstümlichen« in den Kalendergeschichten Hebels und Brechts. Stuttgart 1973 (S. 1–21, 230–259). – Ludwig *Rohner*: Kalendergeschichte und Kalender. Wiesbaden 1978 (S. 386–411; dort auch Zusammenstellung und Referat der bisherigen Forschung). – Detlef *Ignasiak*: Bertolt Brechts »Kalendergeschichten«. Kurzprosa 1935–1956 (Ignasiak liefert Interpretationen sämtlicher Erzählungen – »Novellen« – des Bandes).

Das Dialogische und Didaktische

Die Kalender pflegen traditionell den Dialog mit dem Leser. Meist ist es der personifizierte Kalender, der als Kalendermann, als »Hausfreund« (Hebel), »Gevattersmann« (Berthold Auerbach) u.a., den Leser anspricht und als auktorialer – allwissender – Erzähler auftritt. Der Einbau der *Keuner-Geschichten* ist mit großer Wahrscheinlichkeit durch diese traditionelle Kunstfigur veranlaßt und durchaus mit dem »Kalendermann« vergleichbar, auch wenn er zu anderen Zwecken eingesetzt ist. – Aber auch in subtilerer Weise zitiert Brecht in den *Kalendergeschichten* kalendarische Tradition. Auf die notwendige »Ergänzung« der 3. Strophe durch den Rezipienten im Gedicht *Ulm 1592* wurde bereits hingewiesen: der Leser vollendet aus seiner Erfahrung das »unfertige« Gedicht. Der Dialog mit dem Leser realisiert sich nicht im gemütlichen Gespräch – wie noch bei den »Hausfreunden« üblich –, sondern in der herausgeforderten, bewußt das Urteil des Lesers provozierenden Produktivität. Das Dialogische tendiert damit vom bloß Sprachlichen weg zur Handlungsanweisung hin. Die Geschichte *ist gemacht,* und damit ist Geschichte *machbar.* Der »Gegentypus« ist der L'Homme statue, der Statuenmensch im *Soldaten von La Ciotat.* Die Provokation dieser Geschichte liegt darin, daß sie das – bedauernswerte – Opfer der Geschichte darstellt, es zugleich aber regelrecht anprangert (ein Aspekt, auf den erst Ignasiak hingewiesen hat; 37). Der Soldat verkauft nämlich sein Leiden als *Kunst.* Damit wird er zum Fall für die traditionelle Kunst, die stets auch die Kriege und ihre Leiden zum heroischen Thema erhoben hat (Brecht hat das häufiger thematisiert: »Ach, vor eure in Dreck und Blut versunkene Karren / Haben wir noch immer unsere großen Wörter gespannt! / Euren Viehhof der Schlachten haben wir ›Feld der Ehre‹ / Eure Kanonen ›erzlippige Brüder‹ genannt«; 9, 485). Diese Perspektive fordert der »Wir«-Erzähler heraus, indem er in den Soldaten hinein die geschichtlichen Gestalten projiziert, den »Bogenschützen des Cyrus, den Sichelwagenlenker des Kambyses« etc. (11, 238) und so dieser Kunst ihre historisch notwendigen Dimensionen gibt. Das Dialogische realisiert sich in den Projektionen, den damit verbundenen Fragen sowie mit der nur scheinbar offenen Frage am Ende, die den Leser herausfordert, nicht nur nach der Ursache für das Leiden zu suchen, sondern auch einer Dichtung zu mißtrauen, die aus ihm noch Kunstgenuß zu gewinnen sucht.

Das Dialogische erfüllt sich bei Brecht in der Übergabe der Erfahrungen an die »neue Generation« nach dem Krieg, und sei es mit Zwang, wie die Bäuerin aus dem Thüringischen ihren Sohn daran hindert, noch Opfer zu werden. Der »lesende Arbeiter« oder der Enkel, der die Geschichte seiner »unwürdigen« Großmutter übermittelt, sind die richtigen »Erben«. Sie treten für Veränderung und Veränderbarkeit ein und entreißen die Geschichte den bisherigen »Machern«. Die Personen, die Brecht seinen »Helden« zur Seite stellt, den das Experiment fortführenden Jungen, den Zöllner, der das Wissen abverlangt etc., sind die Dialogpartner, die zugleich die Seite der Opfer repräsentieren und die den Leser herausfordern, ebenso wie sie zu verfahren.

Das Didaktische weist in dieselbe Richtung. Es geht nicht darum, abstrakte Lehren zu vermitteln, Wissen um des Wissens willen anzuhäufen oder gar einzupauken; es ist stets auch nach dem Nutzen gefragt. Als Paradigma kann hier das Gedicht von den *Teppichwebern* gelten, die Lenins »Lehren« anwenden und sie dadurch »erfüllen«. In der aktiven Umsetzung von »Lehre«, ihrer praktischen Anwendung und damit auch Erprobung, machen die Teppichweber neue Erfahrungen, die wiederum zur Lehre werden. So ist Fortschritt gewährleistet und nützliche Arbeit betrieben. Ähnlich verfährt wiederum der Schüler Francis Bacons im *Experiment,* der sich um alte Vorurteile nicht kümmert und lieber die Probe aufs Exempel macht. Oder der Zöllner bewirkt durch sein Befragen, daß Laotse sein Wissen aufschreibt und damit verallgemeinert: den Zöllner interessiert das Wissen Laotses, weil es ihm Aufschluß über seine Verhältnisse gibt und Veränderbarkeit bedenkt.

Auch die Didaxe hat kalendarische Tradition, insofern die Kalenderschreiber ihre Geschichten gern als Exempla für bestimmte »Moralen« erzählten. Sie ist geradezu zur Definition der »Gattung«, die es *so* nicht gibt, herangezogen worden: »belehrend erbauliche Geschichten« (vgl. Knopf, 17–26). Die besseren Kalenderschreiber haben diese Tendenz entweder wie Hebel unterlaufen, indem sie Exempel und Moral sich reiben ließen, oder ironisierend zitiert wie Graf, indem er bürgerliches Unverständnis (Moral) auf bäurisch-proletarisches Verhalten treffen läßt (die Bürger pflegen dabei schlecht wegzukommen). Brechts Geschichten knüpfen da an. Sie reißen die Widersprüche auf, die Brecht freilich als Klassenwidersprüche marxistisch fixiert, und leiten aus ihnen dann, einen Schritt weitergehend, Handlungsanstöße ab. Die Veränderung kann nicht abstrakte Einsicht bleiben, ihr Sinn ist erst erfüllt in der Aktion. Nach dem Krieg hieß das für Brecht: Aufbau eines sozialistischen Deutschlands, um künftige Kriege zu vermeiden und die Kinder den rechten Müttern – der Anna des *Kreidekreises* – zu übergeben.

Detlef *Ignasiak*: Bertolt Brechts »Kalendergeschichten«. Kurzprosa 1935–1956. Berlin 1982. – Jan *Knopf*: Die deutsche Kalendergeschichte. Ein Arbeitsbuch. Frankfurt a. M. 1983 (S. 17–26, 268–270).

Hinweise zur Wirkungsgeschichte

Die *Kalendergeschichten* sind Brechts erfolgreichstes Buch. In der DDR ist es (bis 1981) mit 230 000 Einzelexemplaren, in der Bundesrepublik mindestens mit 800 000 Stück verbreitet. Dazu kommen unzählige Drucke einzelner Geschichten, besonders des *Augsburger Kreidekreises,* der *Sokrates*-Geschichte und der *Unwürdigen Greisin* (die auch verfilmt ist). Die frühen Auflagen, die erste in den drei Verlagen umfaßte immerhin bereits 40 000 Exemplare, waren schnell verkauft, und besonders in der DDR pflegten Nachauflagen im Nu vergriffen zu sein. Sie waren auch bei einer Höhe von 30 000 Exemplaren stets zu klein bemessen (z. B. die 2. Auflage der Aufbau-Ausgabe 1965). In der Bundesrepublik war vor allem die Taschenbuchausgabe des Rowohlt-Verlags erfolgreich, die 1975 bereits in der 19. Auflage war; höhere Auflagen hatten auch Buchgemeinschaftsausgaben. Kurz:

das lesende Publikum hat das Buch ganz entschieden angenommen und zum Bestseller werden lassen.

Dieser Tatsache steht das eigentümliche Desinteresse sowohl von Presse als auch von der Forschung gegenüber. Rezensionen der Ausgabe gab es nur höchst spärlich und dann auch in der Regel ohne Verständnis für die Besonderheiten. Erst Ende der 50er, Anfang der 60er Jahre beginnen in der DDR wenigstens die Presseorgane die Neuauflagen zu beachten, in der Bundesrepublik bleiben die Reaktionen spärlich. Die Forschung ignoriert den Band bis 1973 fast völlig, was z. T. auch daran liegt, daß die Werkausgaben die Sammlung auseinandergerissen und »gattungsmäßig« eingeordnet haben. Übersehen blieb, daß Brechts Anthologien nicht bloß einfach ein Sammelsurium zwischen zwei Buchdeckel fallen ließen, sondern stets »komponiert« waren, besser »montiert«, und häufig die üblichen Gattungsgrenzen bewußt mißachteten. Spiegelungen, Gegensätze, Widersprüche sollten als Einheit auftreten und zu einem neuen Kunstbegriff führen. Viele Einzelgeschichten wurden zwar beachtet, zumal sie auch Schullektüre geworden sind, der Zusammenhang mit dem Band jedoch nicht aufgesucht. – Vergleichbar ist der Tatbestand mit der Forschungslage zum *Dreigroschenroman*, den das Publikum angenommen und auch goutiert hat, der jedoch auf die eingefleischten Lesegewohnheiten und Einteilungen der Wissenschaft stieß und deshalb als unerheblich abgetan worden ist. Die hohe Kunstfertigkeit dieses Romans hat erst die neuere Forschung entdeckt. Mein Buch *Geschichten zur Geschichte* (1973) hat erstmals konsequent nach der Anthologie gefragt und sie in die Tradition gestellt (vor allem Hebels *Schatzkästlein*). Die Forschung gesteht dem Buch inzwischen den »Rang einer Pilotstudie« zu (Ignasiak, 202), weshalb sie denn auch vor der Hohen Philosophischen Fakultät in Göttingen beinahe als Dissertation gescheitert wäre. 1978 erst folgte eine kritische Bestandsaufnahme durch Ludwig Rohner. Sein Kapitel über Brecht im umfangreichen Buch *Kalendergeschichte und Kalender* faßt die Einzelhinweise der Forschung zusammen und kritisiert sie z.T. heftigst. Da Rohner jedoch mit einem relativ konservativen Verständnis der »Kalendergeschichte« arbeitet, gehen ihm weitergehende Gesichtspunkte gerade für Brecht wieder verloren. Für die DDR leistet Heinz Härtl 1978 endlich die längst überfällige Bestandsaufnahme (als Beitrag zu den *Weimarer Beiträgen*), weist jedoch keinerlei Literaturverarbeitung nach. 1982 endlich folgt dann auch in der Reihe der *Brecht-Studien* (Brecht-Zentrum/DDR) die erste Gesamtdarstellung von Detlef Ignasiak, die die einzelnen Erzählungen in der Reihenfolge ihrer Entstehung bespricht und die Sammlung als Montage vorstellt. Eine genauere Analyse der *Keuner-Geschichten* im Kontext der Anthologie bleibt jedoch weiterhin Desiderat. Ignasiak hat wahrscheinlich im Hinblick auf Inge Häußlers umfangreiche Studie zu den *Keuner-Geschichten* auf eine eingehendere Bearbeitung verzichtet. Da aber auch Inge Häußler die Zusammenstellung in den *Kalendergeschichten* nicht eingehender analysiert, steht die genauere Untersuchung weiterhin aus.

Der Augsburger Kreidekreis (1940)

Das Motiv des *Kreidekreises* hat eine doppelte Herkunft. Zum einen geht es auf die Schwertprobe Salomos zurück. Das 1. Buch der Könige im Alten Testament (3, 16–28) berichtet von zwei Dirnen, die zur gleichen Zeit im gleichen Haus ein Kind geboren haben; eins ist gestorben, beide erheben Anspruch auf das andere Kind. Das Salomonische Urteil lautet: das überlebende Kind solle in zwei Hälften geteilt werden und jede solle eine Hälfte bekommen. Daraufhin »entbrennt das mütterliche Herz« über ihren Sohn, das heißt, die leibliche Mutter verzichtet auf ihren Anspruch und wird so als die rechte Mutter erkannt. Sie erhält ihr Kind. – Die andere Herkunft ist chinesisch. Es handelt sich um das chinesische Stück *Der Kreidekreis* von Li Hsingtao (1259–1368), das Klabund frei ins Deutsche übersetzt hat (bei Li Hsingtao handelt es sich eigentlich um einen Kreidestrich). Im Chinesischen geht es nicht mehr nur um die »echte Mütterlichkeit«, sondern bereits um die Sicherung des Erbes durch das Kind. Die rechte Mutter ist die Nebenfrau des reichen Pfandleihers Ma, die dadurch, daß sie einen Sohn zur Welt bringt, zur »ersten« Frau aufsteigt. Hai-tang sichert dem reichen Ma sein Erbe. Die ehemalige »erste« Frau neidet jedoch Hai-tang ihre Vorrechte, bringt den Mann um und eignet sich das Kind an und versucht durch es auch das Erbe für sich zu sichern. Der weise Manderin Pao jedoch entlarvt mit der Kreidestrich-Probe die falsche Mutter und läßt die Mörderin bestrafen.

Nachdem Brecht bereits im Zwischenspiel zu *Mann ist Mann, Das Elefantenkalb*, das Motiv verarbeitet hat (vgl. BH 1, 52f.), beschäftigt sich

Brecht schon in den früheren dänischen Exiljahren mit dem Plan eines Kreidekreis-Stücks, diesmal als *Fünischer Kreidekreis.* »Damit setzen die Überlegungen ein, den chinesischen Stoff in einen vertrauteren oder aktuelleren Rahmen zu versetzen. Von Anfang an verstand Brecht das Urteil als einen Akt der Auflehnung gegen Rechtsnormen, veränderte also den überlieferten Fall, indem er davon ausging, daß im Geiste einer neuen sozialethischen Norm das Kind der Mütterlichen und nicht der leiblichen Mutter zuzusprechen sei. Schon für den *Fünischen Kreidekreis* suchte er deshalb einen historischen Rahmen, der politisch begründet, weshalb die Mutter ihr Kind im Stich läßt, so daß die Mütterliche sich seiner annehmen muß« (Müller, 340; die Fabel teilt Engberg mit, 99).

Die Erzählung entsteht jedoch erst 1940 im schwedischen Exil (Lidingö). Sie stellt gewissermaßen eine Vorstufe zur dramatischen Bearbeitung im *Kaukasischen Kreidekreis* (1944) dar, ist jedoch eine selbständige Prosageschichte. Eine weitere Prosafassung mit eingestreuten Versen (des Sängers im Stück) hat Brecht 1955 für den Band von Tadeusz Kulisiewicz *Zeichnungen zur Inszenierung des Berliner Ensembles / Bertolt Brecht, Der kaukasische Kreidekreis* (Berlin 1956) geschrieben (abgedruckt im Materialienband zum Stück, herausgegeben von Werner Hecht, Frankfurt a. M. 1966, S. 7–16).

Brechts Geschichte greift in zweierlei Hinsicht in die »Vorlagen« ein. Sie stellt die Probe »auf den Kopf«, indem sein Richter, das »volkstümliche Original« Ignaz Dollinger, der nichtleiblichen Mutter das Kind zuspricht, und sie markiert gleich zu Beginn zwei sich gegenüberstehende Gesellschaftsklassen, Bürgertum und »Proletariat«. Die Zinglis sind Besitzer einer großen Gerberei, ihr Kind der Erbe; Anna arbeitet als Magd bei ihnen und hat u. a. offenbar auch die Aufgabe, das Kind zu versorgen. Die Handlungszeit hat Brecht in den Dreißigjährigen Krieg verlegt, als Handlungsort Augsburg gewählt, so daß sich ein »heimatlicher« Hintergrund ergibt und das weise Urteil Dollingers als authentisch suggeriert werden kann: Überlieferung im Volk. Die Geschichte ist »volkstümlich« und historisch zugleich fixiert (sie spielt im Jahr 1635, als die Truppen Kaiser Ferdinands II. ganz Süddeutschland zu beherrschen begannen, nach der Schlacht bei Nördlingen am 6.9.1634; überdies hat Brecht eine Fülle »eigentlich überflüssiger« Einzelheiten über die Heimatstadt Augsburg, z. B. »Goldener Saal«, eingefügt; vgl. Ignasiak, 116).

Brecht erzählt die Geschichte ohne jegliche »Ideologie«, wie er auch später den *Kaukasischen Kreidekreis* nicht als (lehrhafte) Parabel anlegt, sondern eine selbständige Geschichte vortragen läßt, die als historischer Fall gewissen Beweischarakter erhält. Ausgangspunkt ist, daß die »Familienbande« in der bürgerlichen Familie längst versachlicht bzw. veräußerlicht sind. Brechts kurze Hinweise darauf, daß der Gerbereibesitzer die Flucht womöglich abgelehnt hat, weil er seinen Besitz nicht verlassen wollte, und daß Frau Zingli sich zu lange beim Aussuchen ihrer Habe aufhielt, weisen in diese Richtung – wie auch die Tatsache, daß Frau Zingli in ihrem Sohn in erster Linie den Erben, also seine Funktion, nicht aber den Menschen sieht. Im Bürgertum gilt die Leiblichkeit der Kinder primär als Sicherung des Familienbesitzes, wie auch die persönlichen Beziehungen der Menschen in der bürgerlichen Familie in erster Linie vertraglich, und das heißt sachlich, geregelt sind (vgl. Kants berühmte sachliche Ehedefinition, die Brecht häufiger mit ironisch-satirischen Seitenblikken verarbeitet hat; vgl. BH 1, 295 f.). Dieser Ausgangspunkt entspricht ganz der marxistischen Analyse der bürgerlichen Verkehrsformen und der damit verbundenen Auflösung der Familie als »Einheit« und »Keimzelle« des Staats (vgl. dazu vor allem Otto Rühles *Illustrierte Kultur- und Sittengeschichte des Proletariats* von 1930). Diese Voraussetzung gibt der Geschichte einen modernen soziologischen Hintergrund, der zu beachten ist.

Auch Annas Beziehung zum Kind ist zunächst ein ganz veräußerlichtes. Zwar ist nicht ausdrücklich gesagt, daß sie sich um das Kind zu kümmern hat, die Nennung ihrer Stellung und Arbeiten im Haushalt deuten jedoch darauf hin: die Magd sorgt für die »leiblichen« (materiellen) Dinge, und zwar auch gegenüber dem Kind. Auch kümmert sie sich keineswegs »spontan« um das Kind, insofern sie von vornherein »Mütterlichkeit« zeigte. Im Gegenteil rettet auch sie sich zunächst auf ähnliche Weise wie die leibliche Mutter, und nur wie »durch ein Wunder« bleibt das Kind bei der Durchsuchung und Plünderung des Hauses unentdeckt (11, 322). Das heißt: auch Anna hat das Kind zunächst dem sicher scheinenden Tod ausgesetzt. Und auch dann gilt ihre erste Sorge, sich des Kindes zu entledigen, weil es für sie zu gefährlich sein könnte. Erst im 3. Anlauf setzt die persönliche Beziehung zwischen beiden ein, als

Anna nämlich »zu lange gesessen und zu viel gesehen hatte, um noch ohne das Kind weggehen zu können« (11, 323). Obwohl doch Anna das Kind schon kannte – als Magd –, hatte sie in ihrer Funktion im Haus eine ebenfalls veräußerlichte Beziehung zum Kind, die sie erst allmählich durch eine persönliche ersetzt, als sie – von außen aufgezwungen – die Entscheidung zu fällen hat, das Kind entweder dem sicheren Tod auszuliefern oder es an sich zu nehmen (was zunächst nur ein Akt von vordergründigster Menschlichkeit ist). Das Motiv des Sehens, das heißt die Entdeckung des Menschen im anderen, bestimmt übrigens die gesamte Erzählung. Es sorgt auch für die Verständigung zwischen Dollinger und Anna, wobei Dollinger Anna regelrecht »durchschaut« – und so auch in ihr den richtigen »Menschen« für das Kind entdeckt – und sich am Ende mit den Einsichtigen verständigt, daß er das geltende Recht außer Kraft gesetzt hat (denn nach ihm gehörte Anna das Kind niemals).

Entscheidend ist dann für das Urteil, daß sich zwischen Anna und dem Kind eine persönliche Beziehung entwickelt hat, die nicht mehr auf versachlichten Ansprüchen auf den anderen beruht, sondern sich aus gemeinsamem Zusammenleben und -arbeiten ergibt. Das wirkliche »Sorgen« um das Kind sowie die Reaktionen des Kindes auf Annas Bemühungen um es – es kommt da ja allerhand an Entbehrungen zusammen – führen zu neuen »familiären« Banden, die sich auch körperlich niederschlagen. Das Kind wird Anna ähnlich: »Der Kleine empfing sie mit seinem freundlichen Lächeln, von dem ihr Bruder immer behauptet hat, er habe es von ihr« (11, 329). Diese Ähnlichkeit, die sich aus den sich allmählich erst entwickelten persönlichen Beziehungen zwischen beiden ergibt, löst die ererbte Ähnlichkeit ab: sie ist nun sozial definiert. Entsprechend erfährt das Kind auch als »Mensch« Anerkennung, das heißt, Annas Bemühen geht nicht darum, einen Erben zu erziehen, sondern dem Kind zur Entwicklung seiner selbst, seiner Möglichkeiten, zu verhelfen und es zugleich zu sozialem (freundlichem) Verhalten gegenüber anderen anzuhalten. Trotz großer materieller Sorgen, der unglücklichen Ehe, die sie wegen des Kindes eingehen mußte, erlebt Anna viel Freude bei der Erziehung des Kleinen (weil er angemessen reagiert), und bei der Vernehmung durch Dollinger will Anna ihn wenigstens so lange behalten, »bis er alle Wörter kann« (11, 331), das heißt, bis der Junge so selbständig geworden ist, daß er »fremden« Einflüssen nicht mehr unterliegt. Die »Stimme des Blutes«, auf die die Nazis ideologisch setzten, ist so zum Schweigen gebracht (Brecht spielt mit dem »volkstümlichen Sprichwort«, Blut sei dicker als Wasser, darauf an; 11, 334). Die gemeinsame Geschichte von Anna und dem (fremden) Kind ist das eigentlich Prägende geworden, so daß der »Ursprung« unerheblich geworden ist. Auch darin verbirgt sich ein marxistischer Gedanke, daß nämlich die Prägung des Menschen, seiner Natur, primär durch die Geschichte, nicht aber durch seine Abstammung geschieht.

Die Geschichte schließt mit einer dialektischen Pointe, der Kreidekreisprobe, die keineswegs bloß die Vorbilder »umkehrt«. Richter Dollinger weiß, daß beide Frauen lügen. Anna, indem sie das Kind als ihr leibliches Kind ausgibt, Frau Zingli, indem sie behauptet, ihr Kind haben zu wollen, aber in Wahrheit mit ihm nur an das Erbe gelangen will. Die Kreidekreisprobe wird für die Bürgerin nun zur Demonstration ihres materiellen Interesses am Kind. Indem sie Dollingers Worte, die »Stärke der Liebe« müsse erprobt werden, beim »materiellen Wort« nimmt, also meint, die Stärke liege in der körperlichen Kraft, beweist sie offen, daß es ihr lediglich um materiellen Besitz geht und gar nicht um das Kind. Die Pointe ist, daß Brecht damit die bürgerliche Ideologie und sog. Menschenliebe sich selbst entlarven läßt. Anna hat die »ideelle Kraft« ihrer Liebe dagegen unter Beweis gestellt. Die persönliche, gefühlsmäßige Bindung und Beziehung zwischen Anna und dem Kind ist bestätigt; das Urteil des Richters zieht nur die Konsequenz: Anna ist »die rechte Mutter« (vgl. 11, 331).

Die Erzählung nimmt keine ideologische Deutung der Geschichte von Anna und ihrem Kind vor, auch wenn unzweifelhaft der unpersönliche Erzähler Sympathie für Anna und für Dollingers volkstümliche Urteilsfindung hat. Der Fall demonstriert seine Ideologie implizit; die »Fakten«, die natürlich fiktive Fakten sind, sollen für sich selbst sprechen.

Anzumerken ist: die erste Erzählung der Sammlung entwickelt bereits einen hohen »Gefühlswert«, den die übrigen Erzählungen weitgehend bestätigen, besonders *Die zwei Söhne, Der Mantel des Ketzers* und *Die unwürdige Greisin,* alles Geschichten, die mit besonderer Anteilnahme und durch die Erfassung präziser gefühlshaltiger Situationen arbeiten. Die thüringische Mutter sieht im Gesicht des Fremden das Gesicht ihres

Sohnes und reagiert entsprechend gefühlsmäßig und kommt dadurch in Konflikt mit ihrem Bruder, dessen nazistische Ideologie sie durchaus teilt. Giordano Bruno schildert die Erzählung in tiefster Erniedrigung, aber als einen, der um die Sorge der kleinen Leute weiß und deshalb die scheinbar nebensächliche Angelegenheit ernst nimmt; kämpfend um sein Leben kümmert er sich bis zuletzt, daß das arme Schneiderehepaar zu seinem Geld kommt. Der Schluß der Erzählung markiert wiederum einen hohen Gefühlswert. Bruno wird im Januar nach Rom ausgeliefert, und der Mantel ist weg. Und die *Unwürdige Greisin* läßt einen anteilnehmenden Enkel die Geschichte der Großmutter erzählen (s. die folgende Analyse).

Brechts Erzählhaltung ist auch in den *Kalendergeschichten* vergleichsweise sachlich geblieben. Es fehlen Beschreibungen, es fehlen stimmungshafte Ausschmückungen etc. Aber die wie stets von »außen« gesehenen Ereignisse und vor allem Verhaltensweisen provozieren außerordentlich viel Gefühlshaftes. Anna setzt sich – unschlüssig – zum Kind und sitzt zu lange, sieht zu viel; kaum etwas über das Kind, freilich einige wenige Einzelheiten, der Leberfleck, das Saugen an der kleinen Faust, kein Wort des Gefühligen für Anna – und dennoch ist die Wirkung so groß, daß die Forschung (bis zu Klaus-Detlef Müller einschließlich) von Annas »Mütterlichkeit« spricht, die sich in »spontanem Mitgefühl« äußere (Müller, 340). – Die *Kalendergeschichten* könnten das Gerede vom Vorherrschen der »Kälte«, vom Ausmerzen des Gefühls bei Brecht beenden helfen. Gefühlshaftes ist nicht bloß Ausdruck innerer Wehleidigkeiten (oder Ähnlichem), sondern auch eine Beziehung – vor allem zu Menschen –, die sich »äußert« und deshalb an sog. Äußerlichkeiten habhaft zu machen ist. Die Fähigkeit, an bestimmten Reaktionen, die zu beobachten sind, Gefühl zum Ausdruck zu bringen, wäre zu messen an den üblichen Innerlichkeitsdarstellungen, die in der Häufung von Gefühlsvokabeln beanspruchen, das »Gefühlshafte« allein zu vertreten.

Klaus-Detlef *Müller*: Brecht-Kommentar zur erzählenden Prosa. München 1980 (S. 338–342). – Detlef *Ignasiak*: Bertolt Brechts »Kalendergeschichten«. Kurzprosa 1935–1956. Berlin 1982 (S. 112–121). – Jan *Knopf*: Die deutsche Kalendergeschichte. Ein Arbeitsbuch. Frankfurt a. M. 1983 (S. 274–278).

Die unwürdige Greisin (1939)

Ich habe eine Fotografie von ihr gesehen, die sie auf dem Totenbett zeigt und die für die Kinder angefertigt worden war. Man sieht ein winziges Gesichtchen mit vielen Falten und einen schmallippigen, aber breiten Mund. Viel Kleines, aber nichts Kleinliches. Sie hatte die langen Jahre der Knechtschaft und die kurzen Jahre der Freiheit ausgekostet und das Brot des Lebens aufgezehrt bis auf den letzten Brosamen.
(11, 320)

So lautet das Fazit des Erzählers am Ende, der Enkel, der von seiner Großmutter erzählt, die er persönlich gar nicht gekannt hat und deren Leben er sich aus Briefen und Berichten rekonstruieren muß. Das Urteil des Enkels am Ende ist eindeutig: das Leben der Großmutter in der Familie, als ihr Mann, der Besitzer einer kleinen Lithographenanstalt, noch lebte, war ein Leben in Knechtschaft, das sie ebenso »ausgiebig« durchzumachen hatte wie die wenigen Jahre, in denen sie sich aus den angestammten Banden löst und endlich ihr eigenes Leben lebt. Mit dem Urteil ist schon klar, daß das Ausbrechen der Greisin aus ihrem gewohnten bürgerlichen Umkreis, ihre Weigerung, das Knechtsdasein beim Sohn zu erneuern bzw. zu verlängern, nicht bloß ein spinnertes »Ausflippen« ist (wie man heute sagt), sondern mehr bedeutet. Obwohl über ihr Leben im bürgerlichen, kleinbürgerlichen Haushalt wenig gesagt wird und das, was gesagt wird, ganz »sachlich« bleibt (»besorgte ohne Magd den Haushalt, betreute das alte, wacklige Haus und kochte für die Mannsleute und Kinder«; 11, 315), ist das Urteil deutlich und fordert »Interpretation«. Und die kann nur lauten, daß die Rollenverteilung im bürgerlichen Haushalt zwischen Mann und Frau dem zwischen Herrn und Knecht entspricht, und zwar in seiner Normalität (s. die Tätigkeitsbeschreibung) und nicht deshalb, weil Herr B. ein brutaler, ausbeuterischer Mensch gewesen wäre. Damit ist nicht nur ein »klassenmäßiges« Urteil über die bürgerliche Ehe gegeben, vom Ende her stellt sich die Weigerung von Frau B., ihre bürgerliche Rolle, die des Knechts, aufzugeben, als »Klassenverrat« dar. Sie verläßt ihre Klasse, mehr noch: die Familie, und gesellt sich zu »geringeren Leuten«, zu den Verrufenen, zum »Krüppel« und zum sozialdemokratischen Flickschuster (und die Sozialdemokraten waren damals noch gleichbedeutend mit den Kommunisten).

Die Forschung hat inzwischen nachhaltig darauf aufmerksam gemacht, daß Robert Minders Deutung, die erste große Analyse der Erzählung,

Brecht habe sich »in die Großmutter hineinprojiziert, sie diskret als einen Pionier [ge]feiert und durch sie den Anschluß an die Familie« wiedergefunden (Minder, 218), nicht den Tatsachen entspricht, aber gewisse biographische Ähnlichkeiten mit Caroline Brecht geb. Wurzler (1839–1919) bestehen doch. Die Suche nach biographischer Authentizität wäre ohnehin ein naturalistisches Mißverständnis, zumal das Todesjahr der wirklichen Großmutter schlecht zur Erzählung gepaßt hätte. Deren Handlungszeit ist vor dem 1. Weltkrieg anzusetzen, in der Zeit, in der die Bürgerlichkeit gesellschaftlich noch ohne große Fragezeichen besetzt war und das Verhalten der Großmutter aufreizend und »unwürdig« wirken mußte. Aber wie Brecht mit Augsburg seinen Geburtsort aufsucht, so überprüft er am Ende seine (badische) Abstammung, überprüft die Einheitlichkeit des Bürgerlichen und zugleich die heimatliche Herkunft. Das stimmt durchaus überein mit der »kalendergeschichtlichen« Tradition, die ihre Erzählungen gern »am Ort« und »unter den heimatlichen Menschen« ansiedelte, wenn sie auch – s. Hebel – den Kosmopolitismus nicht (immer) schmähte. Wenn Brecht dann aber die Großmutter dazu benutzt, in die – stets »einheitlich« gedachte – volkstümliche Überlieferung den Keil des Widerspruchs zu schlagen, da muß er zur Fiktion greifen. Die Erzählung knüpft an vertraute volkstümliche Geschichtenüberlieferung an, wendet sie aber, insofern sie die Widersprüche – in durchaus witziger Weise – herausarbeitet und betont. Badische Gemütlichkeit hat keine Chance.

Erzählerisch markiert diese Geschichte einen Höhepunkt in Brechts Kurzprosawerk. Der Enkel als Ich-Erzähler verfügt über keinerlei eigene Erfahrung und Anschauung, er muß die Geschichte aus den Berichten, oft Briefen, Dritter rekonstruieren und bleibt »selbst draußen«. Die schon früh entwickelte vermittelnde Erzählweise bekommt mit dem Enkel personale Kontur und zugleich eine – der Kalendergeschichte – angemessene historiographische Dimension. Der Enkel kennt seine Großmutter aus den Briefen seines Onkels, aus Erzählungen seines Vaters, weiteren übermittelten Berichten (der Gastwirt z. B.) und aus wenigen Zeugnissen (die Fotografie). Da die Übermittlungen alle Wertungen enthalten, vor allem die Berichte des Onkels, des Buchdruckers, sehr parteiisch und zugleich die Hauptinformationsquelle sind, ist die Geschichte von vielen Perspektiven beherrscht, die in der Montage des Enkels zusammengesetzt werden und so »ein Bild« ergeben. Auch der Enkel wertet, und er macht daraus den »historischen« Fall. Die parteiische Beurteilung vor allem des Buchdruckers nutzt der Enkel aus. Die Briefe des Buchdruckers nämlich – er möchte gern die Mutter im eigenen Haus weiterhin ausnutzen – spielen den Fall hoch, regen sich über die »unwürdigen« Aufführungen der »lieben Mutter« auf, werten die Rollenverweigerung von Frau B. als unbürgerlich und damit verachtenswert. Der Enkel weiß – aus den Berichten anderer –, daß die Großmutter »In Wirklichkeit« auch in diesen letzten Jahren »keinesfalls üppig« lebte (11, 319). Indem der Enkel aber die Perspektive des Onkels zitiert, kann er die weitgehende Bedeutung der unwürdigen Aufführungen für das bürgerliche Selbstverständnis vermitteln und dem »Fall« größere Dimensionen geben, als er »in Wirklichkeit« gehabt hat. Der Enkel schlüpft so in die Rolle eines Historiographen, der den »Fall« als einen Fall, der das bürgerliche Selbstverständnis erschütterte, vorträgt und am Ende – als der wahre (ideelle) Erbe seiner Großmutter das Urteil fällt: »Die kleinbürgerliche Familienideologie erweist sich damit als ein internalisierter Unterdrückungsmechanismus, der sich als Liebes- und Fürsorgebeziehung tarnt. [...] Der Enkel billigt dieses [der Großmutter] Verhalten und stellt die Werturteile des Buchdruckers als Ansprüche bloß. Der neue Umgang der alten Dame, der sozialdemokratische, politisierende Flickschuster und der hilfsbedürftige ›Krüppel‹, kennzeichnen ein bewußtes Engagement im neu gewonnenen Freiraum. Sie sind zu Recht als Hinwendung zu den unteren Ständen aufgefaßt worden. – Die ›unwürdige Greisin‹ muß nicht Brechts Großmutter gewesen sein, um eine Großmutter für Brecht sein zu können« (Müller, 338).

René Allio hat Brechts Geschichte 1964 unter dem Titel *La vieille dame indigne* verfilmt (es gibt auch eine deutsch synchronisierte Fassung). Robert Minder rügte an der Verfilmung die Verlegung des Schauplatzes nach Marseille: »Das Bohrende, Hintersinnige ist dem Charme und subtiler Munterkeit gewichen: die Sonne dringt in alle Winkel« (Minder, 67, Anm. 3). Überdies hat Allio die Perspektive des Enkels völlig ausgelassen und damit eben das »Ausflippen« *innerhalb* des bürgerlichen Rahmens vorgeführt, was Brecht als seine Infragestellung erzählerisch realisiert hat. »So entstand ein Film von einer liebenswürdigen Eigenbrötlerin, die sich gegen das Schmarotzerdasein ihrer

Söhne wehrt, sonst aber in der Welt der Supermärkte, Restaurants und Autos den Anschluß an die nun zum Technischen hin entwickelte Gesellschaft sucht: Anpassung statt Absetzung und Infragestellen. Alles in allem gutes Illusionstheater, nicht ohne Witz, kurzweilig, aber ohne kritische Distanz und nicht auf die Gesellschaft zielend. Allios Film bleibt unverbindlich, privat, und er hat mit Brechts Geschichte wenig mehr als den Titel gemeinsam« (Knopf, 302, Anm. 98). – Eine Neuverfilmung der Erzählung soll im kommenden Jahr durch das Fernsehen der DDR (Regie: Karin Hercher) erfolgen. Die Hauptrolle spielt Brechts Tochter Hanne Hiob.

Robert *Minder*: Brecht und die wiedergefundene Großmutter. In: R'M': Dichter in der Gesellschaft. Erfahrungen mit deutscher und französischer Literatur. Frankfurt a. M. 1966. S. 191–209. – Jan *Knopf*: Geschichten zur Geschichte. Kritische Tradition des »Volkstümlichen« in den Kalendergeschichten Hebels und Brechts. Stuttgart 1973 (S. 109–122, 174 ff.). – Klaus-Detlef *Müller*: Brecht-Kommentar zur erzählenden Prosa. München 1980 (S. 335–338). – Detlef *Ignasiak*: Bertolt Brechts »Kalendergeschichten«. Kurzprosa 1935–1956. Berlin 1982 (S. 99–112). – Weitere Einzelinterpretationen finden sich bei Müller und Ignasiak; eine ausführliche »Übersicht zur kurzen Erzählprosa Bertolt Brechts (1935–1956)« liefert Ignasiak im Anhang; dort sind sämtliche, bis dahin wichtigen Deutungen im einzelnen, Geschichte für Geschichte, Quellen, Handlungszeiten etc. aufgelistet; Ignasiak, 263–278.

Geschichten vom Herrn Keuner 1926–1956

Entstehung, Texte

Die Entstehungsgeschichte der *Keuner-Geschichten* umfaßt einen Zeitraum von dreißig Jahren. Als erste Geschichte gilt *Herr Keuner und die Zeitungen* (12, 403 f.; von 1926), als letzte *Herr Keuner und Freiübungen* (12, 400; von 1956), das heißt: die Figur ist eine durchgängige, stets aktuelle Figur des marxistischen Brecht (besser des marxistisch bewußten), da von 1926 ab die Marx-Lektüre datiert. Die Entstehungszeiten der einzelnen Geschichten, die oft in engstem Zusammenhang mit anderen Werken stehen (Dramen, *Me-ti* u. a.) sind in den meisten Fällen nicht genauer eruierbar. Eine exakte Datierung weist nur die Geschichte *Zwei Fahrer* (12, 398 f.) auf, nämlich den 1. 5. 1953. Die ungefähren Entstehungsdaten der anderen Geschichten lassen sich lediglich aus den Veröffentlichungen zu Brechts Lebzeiten schließen, es sei denn, der Umkreis anderen Nachlaß-Materials oder der Zusammenhang mit anderen Werken ist gegeben.

Die ersten elf Geschichten publizierte Brecht im ersten Heft der *Versuche* (Berlin 1930). Die *Werkausgabe* hat die Anordnung durch die Reihenfolge der Publikation bewahrt, so daß auch dort die elf erstpublizierten Geschichten die Reihe der 87 Geschichten eröffnen. Die Reihenfolge der Anordnung in den *Kalendergeschichten* (1948/49) freilich kennt die *Werkausgabe* nicht, weil die *Kalendergeschichten* auch den größten Teil der früher publizierten *Keuner-Geschichten* enthalten, für die *Werkausgabe* aber ein Prinzip zu wählen war. – Es folgen neun Geschichten im 5. Heft der *Versuche* (Berlin 1932); eine von ihnen ist ein Gedicht (*Über die Auswahl der Bestien*; 12, 383–385). Bis zum Exil sind damit zwanzig Geschichten publiziert, was freilich nicht heißt, daß in den sechs, sieben Jahren nicht noch mehr Geschichten entstanden wären; sie wurden aber erst aus dem Nachlaß veröffentlicht. Inge Häußler hat aus dem Nachlaß bis 1930 elf veröffentlichte und acht bis neun unveröffentlichte, bis 1932 noch weitere neun veröffentlichte und sieben unveröffentlichte Geschichten gezählt. 1934 entsteht eine weitere, in den folgenden Exiljahren noch 21 Geschichten, nach 1948 noch vier bis sieben weitere. Über 22 Geschichten gibt es keine Anhaltspunkte über die Entstehung, sie sind weder zu Lebzeiten Brechts erschienen noch datiert.

Eine Auswahl von 39 *Keuner-Geschichten* enthalten die *Kalendergeschichten* (Berlin; Halle/Saale 1948/49). Sie entstammen dem gesamten Zeitraum von 1926 bis 1948. Aus dieser Auswahl publiziert Brecht in den *Versuchen*, im Heft 15 (Berlin 1953), wiederum eine Auswahl von 22 Geschichten, denen nach Brechts Tod im Sonderheft von *Sinn und Form* noch einmal sieben Geschichten nachfolgen, die z. T. 1953 und später geschrieben wurden. Die Publikation der restlichen Geschichten erfolgte aus dem Nachlaß, wobei dort auch einige Fragmente verblieben sind. Eine weitere *Keuner-Geschichte* (d. i. die 88.) teilt Klaus Völker in seiner Biographie mit. Sie stammt aus dem Jahr 1955 oder 1956 und gilt der Schauspielerin Käthe Reichel (Völker, 386).

In etwa lassen sich darüber hinaus folgende Geschichten datieren: *Menschenkenntnis* (12, 401 f.) und *Wer kennt wen?* (12, 407 f.) um 1929,

Der beste Stil sowie *Herr Keuner und der Arzt* (12, 408 f.) 1929, *Über die Entwicklung der großen Städte* (12, 413 f.), *Schuldfrage* (12, 411) und *Luxus* (12, 412) 1931, *Die Rolle der Gefühle* (12, 412) auf Winter 1931/32, *Eine aristokratische Haltung* (12, 413) 1932, *Freundschaftsdienste* (12, 389) um 1934, wahrscheinlich im Zusammenhang mit der Geschichte *Die Denkaufgabe* (11, 234), die die gleiche Fabel hat, aber epischer ausfällt, *Vom jungen Keuner* (12, 412) 1953 sowie *Apparat und Partei* (12, 415) 1954 (weitere Datierungen vermerkt Inge Häußler in ihrer Dissertationsfassung, Anm. 10–12, Nr. 3).

Die Textfassungen weisen z. T. nicht unerhebliche Unterschiede auf, die in erster Linie auf Bearbeitungen Brechts zurückgehen (für die Ausgabe der *Kalendergeschichten* sowie für später geplante Publikationen), aber auch andere Urheber haben können. Wichtige Varianten verzeichnet Klaus-Detlef Müller (100–102).

Texte: Geschichten vom Herrn Keuner [11 Geschichten]. In: Versuche, Heft 1 [= 2. Versuch]. Berlin 1930. S. 22–25. – Geschichten vom Herrn Keuner [8 Geschichten + 1 Gedicht]. In: Versuche, Heft 5 [= 2. Versuch]. Berlin 1932. S. 99–103. – Geschichten vom Herrn Keuner [12 Geschichten]. In: Versuche, Heft 12. Berlin 1953. S. 149–154. – Geschichten vom Herrn Keuner [7 Geschichten]. In: Sinn und Form. 2. Sonderheft Bertolt Brecht. Berlin 1957. S. 185–187. – Geschichten. Frankfurt a. M. 1963. S. 191–201 [23 Geschichten]. – Geschichten 2 (= Prosa 2). Frankfurt a. M. 1965. S. 103–148 [86 Geschichten; es fehlt *Über Systeme*]. – wa 12, 373–415 [87 Geschichten; sonst wie in Geschichten 2].

Weitere Texte: Kalendergeschichten. Halle/Saale 1948 bzw. Berlin 1949. S. 160–184 [39 Geschichten]. – Klaus *Völker*: Bertolt Brecht. Eine Biographie. München, Wien 1976 (S. 386) [1 Geschichte].

Inge *Häußler*: Untersuchung zur Problematik und Gestalt der deiktischen Prosa Bertolt Brechts – dargestellt an den »Geschichten vom Herrn Keuner« und den »Flüchtlingsgesprächen«. Diss. Masch. Jena 1977. – Klaus-Detlef *Müller*: Brecht-Kommentar zur erzählenden Prosa. München 1980 (S. 96–102). – Inge *Häußler*: Denken mit Herrn Keuner. Zur deiktischen Prosa in den Keunergeschichten und Flüchtlingsgesprächen. Berlin 1981 (S. 21 f.).

Die Keuner-Figur

Herkunft

Die umfangreichen Quellenstudien Reiner Steinwegs haben die Herkunft der Keuner-Figur aus den *Lehrstücken* Brechts aufdecken können. Es handelt sich *zunächst* nicht um eine selbständige Gestalt, sondern um eine Bühnenfigur, freilich von besonderer Art.

Die Keuner-Figur entsteht im Zusammenhang mit der Arbeit am umfangreichen Fragment *Untergang des Egoisten Johann Fatzer* (Textauszüge u. a. in 7, 2893–2912; vgl. BH 1, 351–355). Ob die Dramen-Figur den Primat hat oder eine, zunächst lediglich »der Denkende« genannte Gestalt läßt sich kaum mehr mit Sicherheit bestimmen, da die Materialien sich überschneiden. Nach Elisabeth Hauptmanns Erinnerungen fallen die ersten *Keuner-Geschichten* und *Fatzer*-Entwürfe zusammen, also Ende 1926, Anfang 1927 (vgl. Häußler, 57). Steinweg hatte bereits darauf hingewiesen, daß die BBA-Mappe 433 Texte zu *Flug der Lindberghs, Badener Lehrstück, Fatzer* und *Keuner-Geschichten* miteinander mischt, wobei sich auch interessante Überschneidungen ergeben. Die *Geschichte vom Überstehen der Stürme* (12, 410) findet sich fast wörtlich im *Badener Lehrstück* wieder (2, 602; dort heißt es »der Denkende«). Gesprochen wird das »Exempel« innerhalb eines Kommentar-Texts (vgl. Steinweg, 104 f.).

Die Keuner-Figur selbst ist aus der Fatzer-Figur Nauke-Koch herausgebildet worden. Sie hat auf der – von Steinweg so gezählten – 5. Stufe (»Stufe V«) die Züge eines »Lehrers« der anderen Figuren erhalten. Die Umbenennung der Figur liegt zeitlich erst zur Drucklegung der *Versuche*-Ausgabe (Heft 1), also 1930; erst der Druck kennt den Namen Keuner, in den Typoskripten ist noch von Koch die Rede (vgl. Steinweg, 234), in früheren Stufen heißt die Figur auch Nauke. Das schließt jedoch nicht aus, daß »der Denkende« schon vorher Keuner geheißen hat.

Den »Denkenden« benötigte Brecht als Kommentator für die parabelhaften Zwischen-Texte, wie sie im *Badener Lehrstück* vorkommen und fürs *Fatzer*-Stück vorgesehen waren. »Im Imperfekt sprechend und dadurch das Berichtete distanzierend, sollte der Kommentator es ermöglichen, bestimmte *Gesten zitierbar zu machen*« (Steinweg, 106). Die Funktion dieser Figur im dramatischen Kontext, für die Brecht offenbar auch die Bezeichnung »Ideologischer Sekretär« (= »idsec«) vorgesehen hatte – auch der Leiter des Parteihauses in der *Maßnahme* hieß in einer frühen Fassung des Stücks »Keuner« (vgl. Steinweg, 106) – läßt sich am besten an einem weiteren Stück-Fragment Brechts verdeutlichen *Aus Nichts wird nichts*. Dort wird gleich zu Beginn »der Denkende« »auf einem Stuhl auf die Bühne« geschleppt. Der Denkende soll »den andern Zuschauern erklären, was hier oben [auf dem Theater] vorgeht; denn sie sind das Denken im Theater nicht gewohnt« (7, 2950). Daß der Denkende auf dem Stuhl angeschleppt wird (bequem auf ihm ruhend), erläutert er so: »Denn vor allem liegt mir daran, daß ich die Haltung in meinem Stuhl einnehmen kann, die sich für einen Denkenden schickt, nämlich eine unbelästigte, forschende und wissende Haltung« (7, 2951). Der denkende Zuschauer findet sich auf der Bühne wieder und bietet sich dem traditionellen Publikum als Provokation dar. Der Denkende ist »von der Genesis her als Gegenfigur konzipiert [...] zu den romantischen Glotzern, die Brecht in seinem Stück ›Trommeln in der Nacht‹ mit dem Spruch ›Glotzt nicht so romantisch‹ schockierte«. Der Denkende demonstriert nicht nur die richtige Zuschau-Haltung, er ist auch in anderer Weise am Spiel beteiligt als der glotzende Zuschauer: als denkender Kommentator, sozusagen »realistischer Übersetzer« des Bühnengeschehens. Die *Lehrstück*-Figur des Keuner bzw. des Denkenden war keine übliche Dramenfigur; sie verkörperte vielmehr »auf der Bühne« die Figur des »richtigen Zuschauers«, das heißt eines Betrachters, der – wie die Stücke dies vorführten – das gesehene Bühnengeschehen kritisch-distanziert beobachtet und »ideologisch« kommentiert. In dieser Weise sind auch die Kommentare des *Fatzer*-Fragments zu sehen, von denen Brecht ins 1. Heft der *Versuche* einen Kommentar aufgenommen hat (die Überschrift *Fatzer, komm* ist nach Steinweg als *Fatzer, Kommentar*), zu lesen. Die drei Fatzer-Szenen und der Kommentar im Heft von 1930 (S. 26ff.; Neudruck, S. 29–41) zeigen das noch unendschiedene Nebeneinander der dramatischen Keuner-Figur und des Kommentars.

»Da die Lehrerfigur als ›dramatische Person‹ im *›Fatzerdokument‹* zunehmend die gleichen Funktionen erhielt wie der Erzähler in den *Kommentaren* [*»Fatzerdokument«* = Stückhandlung], konnten beide Figuren identifiziert und mit dem gleichen ›sprechenden‹ Namen belegt werden: Keuner« (Steinweg, 106). Mit der Identifizierung war eine gewisse Verselbständigung der Figur gegeben, die im Fragment *Aus Nichts wird nichts* klar vor Augen tritt (die Zusammenhänge zwischen beiden Stücken sind nachgewiesen; vgl. BH 1, 358f.). Mit der Verselbständigung verband sich wiederum die Herausbildung eigenständiger Geschichten, die nicht mehr direkt auf die Spielhandlung bezogen waren.

Der Zeitpunkt der Trennung läge dann 1930, als Brecht das Experiment »zerschmeißt« und die Geschichten vom *Fatzer* loslöst; was von ihm vorzeigbar ist, stellt Brecht dann mit den *Keuner-Geschichten* im 1. Heft der *Versuche* zusammen. »Mit der Auflösung des *›Fatzer‹*-Komplexes wurde KEUNER zu einer persistierenden literarischen Figur (cf. 12, 405: KEUNER wird in der Zeit der blutigen Wirren *ausgetilgt* bzw. ausgelöscht, aber nur *für lange Zeit,* kann sich also lediglich verwandeln, nicht ›sterben‹); als solche kann sie auch in anderen Lehrstücken (›Die Maßnahme‹, ›Der böse Baal der asoziale‹ [vgl. die kritische Ausgabe von Dieter Schmidt, Frankfurt a.M. 1968, S. 82–84, 88]) oder Prosasammlungen (*›Meti‹*, hier allerdings nur einmal und vielleicht atypisch vorkommend, 12, 472) für die bezeichnete Funktion verwendet werden« (Steinweg, 107).

Reiner *Steinweg*: Das Lehrstück. Brechts Theorie einer politisch ästhetischen Erziehung. Stuttgart 1972 (S. 104–109, 230–255). – Klaus-Detlef *Müller*: Brecht-Kommentar zur erzählenden Prosa. München 1980. (S. 102–110). – Inge *Häußler*: Denken mit Herrn Keuner. Berlin 1982 (S. 50–58).

Name

Obwohl Brechts Mitarbeiterin und Schriftstellerin Elisabeth Hauptmann beteuert hat, der Name sei nicht »sprechend« (vgl. Häußler, 281, Anm. 20), ist er doch schon früh gedeutet worden, und zwar einmal als »Keiner« und als »Koiné« (griechisches Wort für Umgangssprache und Allgemeinverständlichkeit). Beide Deutungen hat Walter Benjamin bereits 1930 bzw. 1931 vorgetragen, die erste in einem Vortrag, die zweite in der Erstfassung seines Aufsatzes *Was ist das epische Theater? Eine Studie zu Brecht* (beide Texte sind jetzt zugänglich in der Neuauflage des Bandes *Versuche über Brecht,* hg. von Rolf Tiedemann, Frankfurt a.M. 1981, S. 9–16 bzw. 17–29; die Namensdeutungen finden sich auf S. 11 bzw. 21). Benjamin deutet den Namen nach dem griechischen »Keunos«, »das Allgemeine, alle Betreffende, allen Gehörende«: »In der Tat ist Herr Keuner der alle Betreffende, allen Gehörende, nämlich der Führer. Er ist es nur ganz anders, als man sich einen Führer gewöhnlich vorstellt; beileibe kein Rhetor, kein Demagog, kein Effekthascher oder Kraftmensch [wie Hitler]. Seine Hauptbeschäftigung liegt meilenweit fort von dem, was man sich heute unter einem Führer vorstellt. Herr Keuner ist nämlich der Denkende. Ich erinnere mich, wie Brecht eines Tages Keuners Erscheinen, wenn er je auf die

Szene käme, ausmalte. Auf einer Bahre würde man ihn heranbringen, denn der Denkende inkommodiert sich nicht; und dann würde er den Vorgängen auf der Bühne schweigend folgen oder auch nicht folgen« (siehe die erste Szene aus *Aus Nichts wird nichts*). Benjamin referiert dann noch über die »chinesischen« Züge, die Keuner habe (»unendlich verschlagen, unendlich anpassungsfähig« etc.), und darüber, daß Keuner ein Ziel habe: den neuen Staat. »Ein Staat, der philosophisch und literarisch so tief fundiert ist, wie man es von dem des Konfuzius weiß«. Die »Keunos«-Deutung kann sich überdies auf die erste Fassung von *Leben des Galilei* berufen, in der ein kretischer Philosoph Keunos die *Keuner-Geschichte* von Herrn Egge, *Maßnahmen gegen die Gewalt* (12, 376), erzählt (Einleitungstext jetzt am bequemsten bei Müller, 106). – Die »Keiner«-Deutung des Namens führt Benjamin in seinem Aufsatz aus. Er entwirft da eine (private) Szene, die den Zustand der Gesellschaft meint, einen Familienzwist, in den ein Fremder hineinplatzt. Diesen Fremden deutet Benjamin als einen »schwäbischen ›Utis‹«, als ein »Gegenstück zu dem griechischen ›Niemand‹ Odysseus, der den einäugigen Polyphem in der Höhle aufsucht. So dringt Keuner – so heißt der Fremde – in die Höhle des einäugigen Ungetüms ›Klassenstaat‹. Listenreich sind sie beide, ebenso leidgewohnt, viel bewandert; beide sind weise.« Nach dieser Deutung ist der Name eine List, eine Tarnung, um den »Klassenstaat« von *innen* auszuhöhlen. Scheinbar sich anpassend, so den »Sturm überstehend und überwindend«, bereitet Keuner subversiv den Umsturz vor.

Beide Namensableitungen haben viel für sich und sind von der Forschung auch aufgegriffen worden; da Benjamins frühe Arbeiten in engem Kontakt mit Brecht entstanden sind, Benjamin ganz offenbar von der Konzeption der Keuner-Figur sehr angetan war, darf nach der nun offenliegenden Forschungslage (vgl. Müller, 109f.; Häußler, 281f., Anm. 20) damit gerechnet werden, daß Brecht beide Deutungen nicht nur kannte, sondern auch billigte.

Inge Häußler hat noch auf weitere »namensdeutende« Bezüge aufmerksam gemacht, die jedoch nicht zu einer Identifikation der Keuner-Figur mit Brecht führen sollten (so die frühe Forschung, z.B. Esslin). Das Bertolt-Brecht-Archiv verwahrt ein Titelblatt des »Arturo Ui / (Dramatisches Gedicht) / von / K. Keuner« (BBA 1978/1 = Nr. 1769, Bd. 1, S. 153). Biographisch orientiert ist die unveröffentlichte Geschichte *Als Herr Keuner in die Emigration ging* (BBA 434/22 = Nr. 12491, Bd. 3, S. 112). In der *Horst-Wessel-Legende* kommt der fingierte Verfassername »Kinner« vor (BBA 71/21 und 242/70 = 16985f., Bd. 3, S. 587). Diese Namen waren sicherlich als Tarnnamen für eine Publikation der Texte innerhalb Deutschlands vorgesehen, die Brechts Identität verbergen sollten. Über den Namen »Kinner« stellen sich dann auch noch Bezüge zum Dichter Kinjeh, Kin, Ken-jeh, Kien-leh (so die Varianten) im *Me-ti* her; dort alternieren in einem Text auch Keuner und Kin-jeh (12, 472). In einem Brief vom 11.6.1941 teilt Brecht dem Genossen Michail J. Apletin mit, an ihn aus den USA unterm Namen Karl Kinner oder nur K. K. zu schreiben, diesmal als Vorsichtsmaßnahme gegen den Antikommunismus in den USA, aber auch die Verfolgung durch den Stalinismus in der Sowjetunion (Briefe, Nr. 429). Und schließlich gibt es noch die anglizierte Form des Namens mit John Kent, einen Namen, den Brecht im skandinavischen Exil verwendet hat (z.B. für den Einakter *Was kostet das Eisen?*).

Die Namensgebung selbst wie auch die Bezüge, die sich herstellen, weisen die Keuner-Figur als dichterische Fiktion aus, die auf bestimmte reale Verhältnisse reagiert und offenbar auch für sie direkt verwendbar ist. Sie hängt mit den Realitäten der Zeit viel enger zusammen – zum Ende der Weimarer Republik, zum Aufkommen des Faschismus, zum Kampf gegen ihn –, als die didaktisierende Rezeption ihr es zugestanden hat. Heiner Müllers gut formuliertes, schmissiges Urteil wäre an den Realitäten zu überprüfen: »Mit der Einführung der Keunerfigur (Verwandlung Kaumann [sic] / Koch in Keuner) beginnt der Entwurf zur Moralität auszutrocknen. Der Schatten der Leninschen Parteidisziplin, Keuner der Kleinbürger im Mao-Look, die Rechenmaschine der Revolution. Fatzer als Materialschlacht Brecht gegen Brecht Nietzsche gegen Marx Marx gegen Nietzsche. Brecht überlebt sie, indem er sich herausschießt, Brecht gegen Brecht mit dem schweren Geschütz des Marxismus-Leninismus. Hier, auf der Drehscheibe vom Anarchisten zum Funktionär, wird Adornos höhnische Kritik an den vorindustriellen Zügen an Brechts Werk einsichtig« (Heiner Müller: Keuner ± Fatzer. In: Brecht-Jahrbuch, 1980, S. 20).

Klaus-Detlef *Müller* (s. o.; S. 107–110). – Inge *Häußler* (s. o.). – Auf weitere Einzelhinweise zu Stücken, Texten Brechts, zur Tradition ist hier verzichtet; sie sind vorbildlich bei Müller zusammengestellt.

Gruppierungen

Im folgenden referiere ich zwei Vorschläge, die Geschichten zu gruppieren; der erste Vorschlag stellt die Geschichten zu »Problemkreisen« zusammen, der zweite Vorschlag markiert die Kommunikationsformen der Kürzestgeschichten quantitativ.

Problemkreis »Philosophie und Religion« (1): *Der Zweckdiener, Die Frage, ob es einen Gott gibt, Herr K. und die Natur, Überzeugende Fragen, Wenn Herr K. einen Menschen liebte, Erfolg, Sokrates, Das Horoskop, Menschenkenntnis, Über den Verrat, Über die Wahrheit, Irrtum und Fortschritt, Über Systeme* = 13 Geschichten.

Problemkreis »Soziologie und Politik« (2): *Maßnahmen gegen die Gewalt, Vaterlandsliebe, Der Haß gegen Vaterländer, Das Schlechte ist auch nicht billig, Hungern, Der hilflose Knabe, Über die Auswahl der Bestien, Herr K. und die Katzen, Eine gute Antwort, Der Gesandte, Der natürliche Eigentumstrieb, Wenn die Haifische Menschen wären, Über Bestechlichkeit, Herr Keuner und die Schauspielerin, Herr Keuner und die Zeitungen, Kommentar, Die zwei Hergaben, Kennzeichen guten Lebens, Über die Wahrheit, Herrn Keuners Krankheit, Diener oder Herrscher, Apparat und Partei* = 21 Geschichten.

Problemkreis »Kunst« (3): *Originalität, Form und Stoff, Das Altertum, Herr K. und die Lyrik, Mühsal der Besten, Zwei Fahrer, Herr Keuner und die Zeichnung seiner Nichte, Der beste Stil, Architektur* = 9 Geschichten.

Problemkreis »Tugenden« (4): *Die Kunst, nicht zu bestechen, Das Recht auf Schwäche, Verläßlichkeit, Der unentbehrliche Beamte, Gerechtigkeitsgefühl, Über Freundlichkeit, Unbestechlichkeit* = 7 Geschichten.

Problemkreis »Dialektische Haltungen« [= Gestik] (5): *Weise am Weisen ist die Haltung, Organisation, Von den Trägern des Wissens, Vorschlag, wenn der Vorschlag nicht beachtet wird, Das Wiedersehen, Gespräche, Gastfreundschaft, Über die Störung des »Jetzt für das Jetzt«, Herrn K.s Lieblingstier, Das Lob, Zwei Städte, Freundschaftsdienste, Herr K. in einer fremden Behausung, Herr K. und die Konsequenz, Die Vaterschaft des Gedankens, Rechtsprechung, Warten, Erträglicher Affront, Herr K. fährt Auto, Mißverstanden, Herr Keuner und Freiübungen, Zorn und Belehrung, Herr Keuner und die Flut, Über die Befriedigung von Interessen, Liebe zu wem?, Wer kennt wen?, Herr Keuner und der Arzt, Gleich besser als verschieden, Der Denkende und der falsche Schüler, Über die Haltung, Wogegen Herr Keuner war, Vom Überstehen der Stürme, Schuldfrage, Die Rolle der Gefühle, Vom jungen Herrn Keuner, Luxus, Eine aristokratische Haltung* = 37 Geschichten (nach Häußler, 23 f.).

Nach den Beobachtungen von Dieter Krusche bieten rund drei Fünftel der Geschichten (50 von 87) einen Dialog; »in 23 der Stücke kommen die Gesprächspartner Keuners nur in indirekter Rede zu Wort« (Krusche, 192), wobei teilweise die Meinungen, Haltungen der indirekten Redepartner Keuners aus Keuners Worten ableitbar sind. »In manchen Fällen ist die Reduktion dieser die Rede Keuners stimulierenden Partner-Äußerung so weit getrieben, daß sie sich nur aus einzelnen Worten erschließen läßt (»*entschuldigte* er sich«, »*ihr wißt*«); doch ist diese implizierte Dialoghaftigkeit zu unterscheiden von Sprechsituationen, in denen Keuner ohne vorausgegangene Partneräußerung (ungefragt, unprovoziert), also gleichsam ›spontan‹ seine Vorschläge macht (z. B. »Herr K. empfahl [...]«); immerhin ist auch noch hier eine Situation der Betroffenheit der Partner Keuners impliziert, indem auf eine Mangelsituation, eine Schwierigkeit, eine Aporie angespielt wird, die durch die ›Empfehlung‹ Keuners behoben werden könnte. Häufigste Form der Dialogführung ist die Frage-Antwort-Form. So ›wird‹ Keuner in 18 Fällen ›gefragt‹; Keuner selbst ›fragt‹ in 16 Fällen. Er ›fragt‹ *sich* einmal; er ›fragt‹ gelegentlich *zurück* [zwei Fälle]; er führt einen Dialog mit sich selbst« (Krusche, 192).

Die Länge der Geschichten schwankt zwischen siebzehn Worten (= *Organisation;* 12, 375) und knapp zwei Druckseiten (nach der *Werkausgabe* = *Wenn die Haifische Menschen wären;* 12, 394–396). Die meisten Geschichten tendieren jedoch zur Kürze (die längste Geschichte fällt schon beinahe aus dem »Rahmen«). Durchschnittlich ergibt sich eine Länge von rund 11 Druckzeilen, was einer Dauer des Sprechvortrags von 30 bis 40 Sekunden entspricht. Das heißt, daß die meisten Geschichten nacherzählbar oder »wenigstens *in ihrem Grundgestus rekapitulierbar*« sind, teilweise auch *»wörtlich merkbar«* (bekanntestes Beispiel dafür ist *Das Wiedersehen;* 12, 383; das schon zum geflügelten Wort geworden ist; ähnlich *Mühsal der Besten*) (vgl. Krusche, 192). Die Sprachhaltung ist vorwiegend umgangssprachlich.

Die relativ enge Bindung der Geschichten an Brechts Biographie sowie Brechts Arbeitsweise, auf bestimmte Ereignisse der Zeit zu reagieren, geben den *Keuner-Geschichten* eine gewisse fortlaufende Entwicklung, nämlich »die geschichtliche Entwicklung des Marxismus in Deutschland«, und zwar ausgehend vom zunächst offenen, dann versteckten Kampf gegen den Faschismus, über die Auseinandersetzung mit den verschiedenen »Tui« (= Intellektuellen-)Haltungen in der Exilzeit (auch Einschätzung der Rolle, die die Kunst zu spielen hat), bis zum Aufbau des Sozialismus in der DDR. Diese Entwicklung ist freilich nur in Andeutungen vorhanden, in gewisser Weise auch nicht für Nicht-Marxisten verständlich, weil für die marxistische Interessengruppierung formuliert (»unsere Lehre« z. B.).

Dietrich *Krusche*: Kommunikation im Erzähltext. 1. Analysen. Zur Anwendung wirkästhetischer Theorie. München 1978 (S. 191–193). – Inge *Häußler*: Denken mit Herrn Keuner. Berlin 1982 (S. 22–24).

Figurenkonstellation

Die Bedeutung der Keuner-Figur liegt weniger in ihrer Person bzw. Unperson als in ihrer kommunikativen Funktion, was als Schluß ja bereits die dominierende dialogische Anlage der *Keuner-Geschichten* impliziert. Über Keuner selbst erfährt der Leser wenig. Er hat das feststehende Attribut des »Denkenden« und erfüllt die Rolle eines Lehrers; er hat einige Freunde (auch Genossen), wohnt bei einer Wirtin (ist folglich ohne »bürgerlichen Hausstand«), hat einen Sohn, eine kleine Nichte und später eine Freundin, die Schauspielerin ist. Wichtiger als diese »persönlichen« Einzelheiten sind die »Haltungen«, die Keuner verkörpert: »Als Argumentierender, Dialogisierender wird er in Mimik, Gestik und Tonfall des Sprechens sichtbar und hörbar, innerliche Dispositionen deuten sich an« (Krusche, 194). Er »teilt sich mit«, wenn er Mitteilungen macht. Die Haltung ist dabei ebenso wichtig wie das, was gesagt wird. Sie ist gerichtet auf den Dialog-Partner, und zwar wechselseitig. Das Interesse liegt nicht in der Darstellung eines »Subjekts« (Individuum), sondern im Intersubjektiven, dem, was zwischen den Subjekten statt hat. Die 1. *Keuner-Geschichte,* die in der ersten Publikation der Geschichten ebenfalls am Beginn stand, setzt ex negativo das Zeichen für die übrigen Geschichten:

> Zu Herrn K. kam ein Philosophieprofessor und erzählte ihm von seiner Weisheit. Nach einer Weile sagte Herr K. zu ihm: »Du sitzt unbequem, du redest unbequem, du denkst unbequem.« Der Philosophieprofessor wurde zornig und sagte: »Nicht über mich wollte ich etwas wissen, sondern über den Inhalt dessen, was ich sagte.« »Es hat keinen Inhalt«, sagte Herr K. »Ich sehe dich täppisch gehen, und es ist kein Ziel, das du, während ich dich gehen sehe, erreichst. Du redest dunkel, und es ist keine Helle, die du während des Redens schaffst. Sehend deine Haltung, interessiert mich dein Ziel nicht.« (12, 375)

Die Keuner-Figur wird zunächst programmatisch gegen die üblichen »Philosophen«, die Schulphilosophen, abgegrenzt. Die Beschreibungen, die Keuner von den Haltungen des Professors gibt, deuten ganz auf den traditionellen »Typen« des stets »zerstreuten Professors« (»täppisch«), der, weil er nur mit dem Denken beschäftigt ist, nicht mehr auf die alltäglichen Dinge achten kann. Da sein Denken »abgehoben«, zugleich aber anspruchsvoll ist (»Weisheit«), charakterisiert Keuner es als »unbequem«, das heißt aber nicht, »unbequem« für andere, aufmüpfig, kritisch, sondern von unbequemen Haltungen des Professors begleitet. Dieses Denken ist anstrengend, und zwar im körperlichen, nicht im inhaltlichen Sinn, es ist Selbstquälerei. Die Resultate liegen in dunklen Formulierungen, bieten – auch im wörtlichen Sinn – keine Aufklärung, keine Erklärung, sondern nur Irrationales. In der Haltung des Philosophieprofessors verrät sich, daß er nichts zu sagen hat, weil er sich nicht um die Realitäten um ihn herum – auch um den Gesprächspartner nicht – kümmert, sich nicht »einrichtet« und folglich im realitätsfernen Freiraum (»Elfenbeinturm«) lebt. An seiner Haltung wird kenntlich, daß seine Rede keinen Inhalt haben *kann,* weil sie frei von Realitäts- und Menschenkenntnis ist. Keuners Absage gilt nicht dem Inhalt, im Gegenteil, aber Inhalt bekommt die Rede erst, wenn sie sich mit realistischen Haltungen und realistischem Verhalten verbindet, das heißt, wenn sie, mit Brecht zu reden, »gestisch« wird (zur Definition vgl. BH 1, 392–394). Gestik meint dann nicht nur, daß Rede und Haltung auf Reales hin-weisen, sondern daß der Kommunikationsprozeß, der in der Rede in Gang gesetzt ist, dialogisch-dialektisch ist. Die Geschichte negiert durch Keuner rabiat den Dialog, den der Philosophieprofessor zu führen meinte. Keuners Reaktion besagt, daß die Rede des Philosophieprofessors nicht kommunikativ, nicht dialogisch ist, sondern monologisch (was ja auch ein Charakteristikum des »zerstreuten« Typus zu sein pflegt). Kurzum: der Philosophieprofessor, der die »Liebe zur Weisheit« institutionell vertritt, ist am Ende als vertrottelter Idiot entlarvt.

Positiv heißt dies. Keuner vertritt keine Lehren, und er lehrt nicht im »schulmeisterlichen Sinn«. »Als Argumentierender ist Keuner eine Art Verkörperung eines materialistisch-dialektischen Diskussionsvermögens; im Hinblick auf einen vernünftigen Diskurs ist er der ›ideale‹ Gesprächspartner, der bald fragend, bald selbst von den anderen befragt, die besprochenen Dinge ›in Fluß bringt‹, ihnen neue Seiten abgewinnt – ein Katalysator von Sprachabläufen, in denen sich das Bewußtsein von Bedingungen menschlichen Zusammenlebens verändert« (Krusche, 194). Die Keuner-Figur ist prinzipiell dialogisch angelegt, sie benötigt also den Dialogpartner, der er auch selbst sein kann. Die Sprache ist als »ein Werkzeug« eingesetzt, »daß einer auch dann mit andern spricht, wenn er mit sich spricht« (12, 459). Sprache *ist* »dialogisch«, sie ist nicht »Selbst«-Ausdruck, sondern intersubjektives Kommunikationsmittel, mit dem man »Helle« über die Realität verbreitet, sich und anderen etwas »klarmacht«, und zwar im Verständigungsprozeß *zwischen* Menschen *über* etwas. Die *Keuner-Geschichten* spielen diesen Dialog an den verschiedensten Beispielen mit den verschiedensten Partnern durch, die eine gewisse Typik gewährleisten: der Kaufmann, der Arzt, der Offizier, die Schauspielerin, der Gärtner neben einigen sprechenden Namen wie Herr Wirr (12, 403), der Schüler Tief (12, 406) und geschichtlichen Namen wie Dschuang Dsi (12, 380 = *Buch vom südlichen Blütenland*). Das sind, so Krusche, »eben keine Typen der leiblich-seelisch-geistigen Konstitution nach, sondern das Gattungshafte dieser Figuren ergibt sich aus ihrer charakteristischen Prägung durch die Umstände, in denen sie leben, aus ihrer *Sozialfunktion*. [...] Und insofern es um die Bewahrung oder Veränderung von Sprechgewohnheiten geht, vertreten die Mitfiguren Keuners je nach ihrem Interesse oder ihrer Bereitschaft, auf Keuners *Anstöße zur Umdeutung der Wirklichkeit im Medium der Sprache* einzugehen, sozialtypische Sprecher-Interessen, genauer: verschiedene *Positionen des Interesses von Sprachverwendung*« (Krusche, 195).

Dietrich *Krusche*: Kommunikation im Erzähltext. 1. Analysen. München 1978 (S. 191–196).

Die Gattungsfrage

Die *Geschichten vom Herrn Keuner* heißen sicherlich mit Grund nicht *Keuner-Geschichten*, wie sie häufig abgekürzt werden. Der Titel ist doppeldeutig, insofern das »vom« als Herkunftsbezeichnung »von ihm herstammend, überliefert, gemacht« und als Gegenstandsbezeichnung »über ihn« zu verstehen ist. Die Herkunftsbezeichnung gibt Herrn Keuner eine gewisse historische Authentizität. Er tritt als derjenige auf, der »einstmals« (die Geschichten sind durchweg im Präteritum geschrieben) in bestimmter Weise gelebt, gehandelt, sich verhalten, Meinungen geäußert hat. Sie sind von ihm überliefert als einer quasi-historischen Gestalt, was sich auch im angedeuteten »Entwicklungs«-Gang der Geschichten niederschlägt, und insofern kann Herr Keuner mit einer gewissen Berechtigung mit »Herrn Brecht« identifiziert werden (pointiert bei John Milfull, 99: »Herr Keuner is, after all, Herr Brecht«). – Als Geschichten über Herrn Keuner geben sie sich als Geschichten, die in der »Negation« zu anderen »Typen« einen neuen Typus des Denkenden, den »neuen Philosophen« vorstellen und propagieren.

Die erste Deutung des Titels rückt die *Keuner-Geschichten* gattungsmäßig in die Nähe der Anekdote, der zweite in die Nähe der Parabel, wobei sich mit der letzteren in der Regel das »Didaktische« zu verbinden pflegt – und als didaktische Figur ist Keuner ja häufig verstanden worden. Jedoch zeigt die Nennung dieser beiden Gattungstitel, die die Forschung erwogen hat, daß sie nicht recht passen. Gibt es zwar gewisse Übereinstimmungen, so fassen beide Begriffe das Spezifische der Geschichten nicht. Das gilt auch für die weiteren Gattungstitel, die die Forschung erwogen hat, nämlich Aphorismus, Witz, Sentenz. »Von der *Sentenz* und vom *Aphorismus* sind die *Keuner-Geschichten* durch ihre zumindest latent dialogische Struktur und durch den Kontextbezug der Keunerschen Aussprüche unterschieden. Auch bezeichnen sie nicht Ergebnisse, sondern Phasen eines Denkprozesses. Dem Denkspruch gegenläufig ist auch die Zitatform« (Müller, 129). Als »Witz« wird man sie auch nur in wenigen Fällen gelten lassen, zumal ihr »Witz« weniger in der abschließenden Pointe, sondern im Denkprozeß, der sich dialogisch-dialektisch vollzieht, liegt.

Klaus-Detlef Müller hat – einen beiläufigen Hinweis der Forschung aufnehmend (vgl. Müller, 130) – vorgeschlagen, für die *Keuner-Geschichten* auf die Form des Apophthegmas zurückzugreifen, um die Geschichten gattungsmäßig einzuordnen. Für diesen Vorschlag sprechen nicht nur die Kennzeichen der »Gattung«, die zu deutsch »Scherzrede« hieß, sondern auch die Aufnahme der *Keuner-Geschichten* in den Band der *Kalendergeschichten* (1948/49). Die Kalendergeschichten haben eine apophthegmatische Tradition vor allem durch Grimmelshausens »Kalendergeschichten« im *Ewig-währenden Calender* (1671), in dem sich in der 3. Rubrik 88 solcher Kürzestgeschichten finden, die – wie die *Keuner-Geschichten* – eine feststehende Figur, den Simplicissimus, haben; überdies identifiziert sich der Verfasser, Grimmelshausen, in spielerischer Weise mit dieser Figur, indem er in der Vorrede zum Kalender als »älterer Simplicissimus« auftritt, der den Kalender seinem Sohn dediziert (vgl. über Verfasserfiktion, Herausgeberfiktion etc., Knopf, 1973, 45–52). Wie neuere Belege haben nachweisen können, blieb die Gattung auch im 18. Jahrhundert im Kalender präsent und wurde erst durch die Literarisierung am Ende des 18. Jahrhunderts aus dem Medium vertrieben (vgl. *Alltages-Ordnung. Ein Querschnitt durch den alten Volkskalender.* Hg. von Jan Knopf. Tübingen 1983. S. 230–232). Es gibt offenbar keine Zeugnisse darüber, ob Brecht und wenn, in welchem Umfang er, für die *Kalendergeschichten* überhaupt Kalender konsultiert und die literarische Tradition der Geschichten reflektiert hat, solche Bezüge jedoch drängen sich förmlich auf, wobei ja auch vieles auf die Mitarbeiter, vor allem auf Ruth Berlau, zurückgehen kann.

Die Gattung des Apophthegma war selbst für den historischen Ort, an den sie ursprünglich gehört, ins Zeitalter des Barock, zurückgehend auf humanistische Traditionen, lange Zeit kaum erforscht, und sie beanspruchte erst über Grimmelshausens »Scherzreden« wieder Aufmerksamkeit. Zum apophthegmatischen »Grundbestand« gehören die historische Persönlichkeit, ein Ereignis (konkreter Bezug, kein bloßer Wortwitz) und ein sentenziöser Ausspruch (vgl. Verweyen, 33; Müller, 131). Gegenüber der Anekdote, in deren Nähe das Apophthegma am ehesten steht, bezieht sich dieses »stärker auf die berichtete Situation als auf die Person, von der es überliefert wird, so daß der historische Kontext austauschbar wird«; prägend ist »das Formprinzip der argutia, der Kürze und pointierten (witzigen) Prägnanz, deren Sinn es ist, ›den Hörer oder Leser anzusprechen und zu eigener Denktätigkeit anzuregen, ja zu zwingen‹« (Müller, 131; zitiert Verweyen, 56).

Das historische Apophthegma hat bei Grimmelshausen, der es erstmals konsequent literarisiert, indem er es einer fiktiven Figur zuschreibt, eine besondere Funktion. Mit dem Verfügen über die Sprache, ihrer »Macht«, gewinnt der »apophthegmatische Mensch« (Simplicissimus) Macht über die Realität. Mit der Mehrdeutigkeit der Sprache begegnet Simplicissimus den Eindeutigkeiten der Realität und »überwindet« sie. Diese kleine Form steht ganz in der Entwicklung des sich emanzipierenden Bürgertums, das aufgrund größerer Sprachmächtigkeit versuchte, die Realität in den Griff (auf den Begriff) zu bringen und so seine Überlegenheit sowohl gegenüber den alten feudalen Gewalten zu gewinnen wie auch sprachlich sich die Welt anzueignen. Da Brecht viel über die »Sprach«-Potenz reflektiert und Sprachkritik als ein Mittel gegen den Faschismus propagiert hat, könnte hier durchaus ein ganz spezifischer Anknüpfungspunkt zu finden sein. Sprache ist nach materialistischer Anschauung ja nicht »für sich«, bloßes Gedankengebäude, bloßer Geist, sondern »Ausdruck der Sache selbst«. Je mehr man über Sprache verfügte, desto mehr Wirklichkeit war auch erkannt und »angeeignet« (positiver ehemaliger Inhalt des bürgerlichen Bildungsbegriffs). Sprachkritik konnte so nicht nur bürgerlicher und faschistischer Sprachverhunzung und Vernebelung begegnen, sondern zugleich auch *eine* aktive »Waffe« im Kampf gegen den Faschismus sein und wenigstens das erforderliche Bewußtsein liefern, das dann freilich auch aktiv umgesetzt werden mußte, sollte es wirklich wirksam sein.

Theodor *Verweyen*: Apophthegma und Scherzrede. Die Geschichte einer einfachen Gattungsform und ihrer Entfaltung im 17. Jahrhundert. Bad Homburg, Berlin, Zürich 1970. – Jan *Knopf*: Geschichten zur Geschichte. Kritische Tradition des »Volkstümlichen« in den Kalendergeschichten Hebels und Brechts. Stuttgart 1973 (S. 35–52). – John *Milfull*: From Baal to Keuner. Bern, Frankfurt a. M. 1974 (S. 89–99). – Klaus-Detlef *Müller*: Brecht-Kommentar zur erzählenden Prosa. München 1980 (S. 129–132). – Jan *Knopf*: Die deutsche Kalendergeschichte. Ein Arbeitsbuch. Frankfurt a. M. 1983 (S. 74–78 zu Grimmelshausen; 272–274 zu Brecht).

Umpolung der Begriffe

Wesentlicher, durchgängiger Zug der *Keuner-Geschichten* sind direkt oder indirekt ausgesprochene Sprachkritik und ihre praktischen Konsequenzen. Der Leser/Hörer der Geschichten wird regelrecht dazu gezwungen, seine Begriffe und seine Gewohnheiten zu überprüfen, wenn er die Geschichten, die in gewisser Weise »offen« sind, verstehen will. Ihre Offenheit besteht darin, daß der Leser mit dem »Witz« der Geschichte allein gelassen wird und entsprechend aktiv reflektierend weiterdenken muß. Ein einfaches Beispiel mit vielen Folgen ist *Das Wiedersehen*:

Ein Mann, der Herrn K. lange nicht gesehen hatte, begrüßte ihn mit den Worten: »Sie haben sich gar nicht verändert.« »Oh!« sagte Herr K. und erbleichte. (12, 383)

Die Begrüßung durch den Dialogpartner ist durchaus freundlich gemeint und im alltäglichen Umgang üblich. Indem man, sozusagen in der ersten Verlegenheit, was man wohl sagen könnte, dem anderen attestiert, er sei ganz der Alte geblieben und habe sein altes Aussehen bewahrt, begegnet man ihm mit einer aufmunternden Geste: »Sie sind jung geblieben«, »Sie haben die Widrigkeiten des Lebens gut und wohlbehalten überstanden«. Die Pointe von Brechts Geschichte liegt lediglich in der Reaktion des Erbleichens, sprachlich in einem Wort (das »Oh!« ist durchaus noch doppeldeutig, könnte auch positives Zustimmen meinen). Keuners Reaktion macht zunächst auf die Höflichkeitsfloskel als Sprachfloskel aufmerksam. Der Leser/Hörer ist darauf gestoßen, ihren wortwörtlichen Inhalt zur Kenntnis zu nehmen. Tut er dies unter dem Eindruck der Negativ-Reaktion des Herrn Keuner – als wäre dieser bei einer Untat ertappt –, so ist er angehalten, auch zu überlegen, was die Nicht-Veränderung bedeutet – was übrigens besonders kraß wird, wenn man die Endstellung der Geschichte in den *Kalendergeschichten* beachtet: Faschismus, Krieg, Exil wären dann an Herrn Keuner spurlos vorübergegangen. Die Floskel unterstellt »festen Charakter«, das »Wesen« eines Menschen, das sich gleichbleibt, unbeeindruckt durch Erfahrung, ungezeichnet von der Zeit. Damit markiert die Floskel die extreme (kleinbürgerliche) Gegenposition zur materialistischen Dialektik. Die (gemeinte) Höfligkeit polt sich in der Geschichte zur (nicht-gemeinten) groben Unhöflichkeit gegenüber Menschen um, die sich für Veränderung eingesetzt haben, weil sie es vielleicht einmal vermögen können, daß sich die Menschen nicht mehr so rapide verändern müssen (vgl. *An die Nachgeborenen:* »Dabei wissen wir doch: / Auch der Haß gegen die Niedrigkeit / Verzerrt die Züge. / Auch der Zorn über das Unrecht / Macht die Stimme heiser. Ach, wir / Die wir den Boden bereiten wollten für Freundlichkeit / Konnten selbst nicht freundlich sein«; 9, 725).

Nicht anders verhält es sich mit der ebenfalls vielzitierten Geschichte *Mühsal der Besten:*

»Woran arbeiten Sie?« wurde Herr K. gefragt. Herr K. antwortete: »Ich habe viel Mühe, ich bereite meinen nächsten Irrtum vor.« (12, 377)

Die Pointe entwickelt sich in doppelter Weise. »Viel Mühe« zu haben, scheint zunächst auch wieder eine stereotype Antwort (»Bin ja so überlastet«) zu sein. Durch die nachfolgende Erläuterung, die sprachlich ebenfalls merkwürdig operiert, gewinnt der Vorgang seine Umpolung: einen Irrtum »bereitet« man üblicherweise nicht vor, sondern etwas Wichtigeres, z.B. ein Experiment etc. Wenn man dies überdies mit viel Mühe tut, so klafft ein Mißverhältnis zwischen Aufwand und Ergebnis. Dies aber nur scheinbar, denn die Diskrepanz wertet den »Irrtum« um: er ist das »gewünschte« Ergebnis, kein »Fehler«. Im materialistischen Verstand heißt dies, daß die Wahrheiten ihre Zeit haben, daß also alles, was einmal für richtig galt, falsch (»Irrtum«) wird. Es gibt keine feststehenden, ewigen Wahrheiten, und die Vorbereitung des nächsten Irrtums sieht das Ergebnis bereits unter dem Blickwinkel der erst darauffolgenden Epoche. Es handelt sich um einen doppelten Vorgriff auf die Geschichtlichkeit von Erkenntnissen, ihre Bewußtmachung. Zu erinnern wäre hier an den Entwurf einer Ziffel- und Kalleschrift in den Flüchtlingsgesprächen. In der vorgeschlagenen Bildersprache sollte ein leeres Viereck (= Schultafel) für »ewige Wahrheit« stehen, »Lehre« dagegen mit eingeschriebener Jahreszahl, »nur verwendbar mit Jahreszahl«: »Dasselbe Zeichen ohne Jahreszahl würde dann EWIGE WAHRHEIT bedeuten, und wir könnten es gleichzeitig für GEISTIGEN BETRUG verwenden« (14, 1513). Damit ist ein weiteres Indiz beigebracht, daß sich Brechts Keuner nicht mit einem der üblichen Schulmeister verwechselt: die Lehren sind nur verwendbar mit Jahreszahl, ohne sie sind sie geistiger Betrug.

Die Geschichte *Der natürliche Eigentumstrieb* (12, 393f.) polt den Begriff des Eigentums und seiner Natürlichkeit durch scheinbare Bestätigung um. Erzählt wird eine absurde Geschichte – als absurder Beweis:

Als jemand in einer Gesellschaft den Eigentumstrieb natürlich nannte, erzählte Herr K. die folgende Geschichte von den alteingesessenen Fischern: »An der Südküste von Island gibt es Fischer, die das dortige Meer vermittels festverankerter Bojen in einzelne Stücke zerlegt und unter sich aufgeteilt haben. An diesen Wasserfeldern hängen sie mit großer Liebe als an ihrem Eigentum. Sie fühlen sich mit ihnen verwachsen, würden sie, auch wenn keine Fische mehr darin zu finden wären, niemals aufgeben und verachten die Bewohner der Hafenstädte, an die sie, was sie fischen, verkaufen, da diese ihnen als ein oberflächliches, der Natur entwöhntes Geschlecht vorkommen. Sie selbst nennen sich wasserständig. Wenn sie größere Fische fangen, behalten sie dieselben bei sich in Bottichen, geben ihnen Namen und hängen sehr an ihnen als an ihrem Eigentum. Seit einiger Zeit soll es ihnen wirtschaftlich schlecht gehen, jedoch weisen sie alle Reformbestrebungen mit Entschiedenheit zurück, so daß schon mehrere Regierungen, die ihre Gewohnheiten mißachteten, von ihnen gestürzt wurden. Solche Fischer beweisen unwiderlegbar die Macht des Eigentumtriebes, dem der Mensch von Natur aus unterworfen ist.«

Die Geschichte gibt sich ganz realistisch, ernst; sie ist jedoch komisch-absurd, widerlegt die These, daß der Eigentumstrieb natürlich sei und bestätigt sie zugleich, nimmt sie also sehr ernst. Kontur gewinnt die Geschichte, wenn man Wasser durch »Boden« ersetzt (das ist ja auch gemeint) und die Mystifizierung bedenkt, die damit verbunden ist. »Wasserständigkeit« bringt die Absurdität der »Bodenständigkeit« ins ästhetische Bild: wie man im Wasser nicht »verwurzelt« sein kann, so ist auch die »Verwurzelung« im Boden bloß eine das Denken fehlleitende Metapher, so, als wäre der Mensch ein Gewächs, ein Baum, der durch seinen Boden, auf dem er »fest« steht, gebildet, geformt, gemacht würde und nicht durch Geschichte, durch die Möglichkeit, sich gerade vom Boden zu befreien, ihn zu unterwerfen (sozusagen die Mindestvoraussetzung dafür, daß der Mensch überhaupt Mensch werden konnte). Im Gegensatz von Stadt und Fischerort hält Brecht den geschichtlichen Fortgang fest, wobei die Verachtung der Städter das typische Argument von der Verflachung durch die Stadt (etc.) enthält. Hinzu kommt, daß die »Wasserständigkeit« zunächst nur der Sicherung des Unterhalts galt, dann aber ideologisch umgedeutet und zur »Wassernahme« (statt Landnahme) wurde, wobei die Diskrepanz, daß die Fische zur Nahrung dienen und zugleich als Haustiere »liebevoll« gehalten werden, immer mehr verschwindet und in der »Vernatürlichung« des Eigentumsbegriffs »aufgehoben« wird. Je weniger die »Wassernahme« wirtschaftlichen Sinn hat, desto bornierter wächst sich die »Wasserständigkeit« ideologisch aus und desto gefährlicher wirkt sie (Sturz der Regierungen). Die Unnatur der Verhältnisse, die am Ende in ihrer Aggressivität festgehalten sind, führt zur Suggestion, der Eigentumstrieb sei natürlich. Da die Ideologisierung des Eigentums aber aggressiv sein kann und die Geschichte sicherlich im Hinblick auf die Blut- und Bodenparolen der Nazis geschrieben ist, bestätigt sie einerseits die Behauptung (ihnen ist der »Eigentumstrieb« wieder zur »Natur« geworden = Aggression) und widerlegt sie zugleich. Das Wasser ist ein schlechter Boden für natürliche Verwurzelung. Die *Keuner-Geschichte* erfaßt diese »kopfstehende« Natürlichkeit im absurden poetischen Bild.

Dietrich *Krusche*: Kommunikation im Erzähltext. 1. Analysen. München 1978 (S. 197–213). – Klaus-Detlef *Müller*: Brecht-Kommentar zur erzählenden Prosa. München 1980 (S. 114–129).

Wenn Herr K. einen Menschen liebte

Diese Geschichte eignet sich am besten, die »Doppeldeutigkeit« der *Keuner-Geschichten* exemplarisch zu demonstrieren; ihre Datierung ist ungewiß, sie entstand auf alle Fälle vor 1948, wahrscheinlich aber in den Jahren 1934 bis 1936, da es eine direkte »Weiterdichtung« von ihr gibt (*Me-ti;* 12, 468), die übrigens auch den Sinn analytisch aufschlüsselt (vgl. die Gegenüberstellung bei Müller, 125):

»Was tun Sie«, wurde Herr K. gefragt, »wenn Sie einen Menschen lieben?« »Ich mache einen Entwurf von ihm«, sagte Herr K., »und sorge, daß er ihm ähnlich wird.« »Wer? Der Entwurf?« »Nein«, sagte Herr K., »der Mensch.«
(12, 386)

Björn Ekmann deutete 1969 kurz entschlossen: »Brecht schreckt auch nicht davor zurück, ausdrücklich zu erklären, er wolle den Menschen nach einer fertigen Schablone umbilden, und zwar aus Liebe zu ihm« (Ekmann, 122). Mit dieser Deutung ist die Geschichte zum Prototyp »kommunistischer Anmaßung« (Menschen-»Erziehung«) bei Brecht geworden, zum Exempel für Parteidisziplin und Inhumanität.

Aber diese Deutung ist falsch und überdies sehr oberflächlich. Diese Geschichte ist außerordentlich vielschichtig und traditionsbeladen; ihre Umdeutungen sind viel tiefgreifender, als solch kurzschlüssige Rezeption zu vermitteln vermag (ich verweise hier noch einmal auf den Sinn der Unterscheidung von Analyse und Deutungen). – Zweierlei Traditionsstränge sind angesprochen. Einmal die biblische Tradition vom Bildnis-Verbot: »Du sollst dir kein Bildnis machen« (2. Mose 20, 4); gemeint ist Gott. Die Bilderlosigkeit hat in den religiösen Auseinandersetzungen eine große Rolle gespielt (und es gilt z. T. noch heute); darauf kann jedoch nur verwiesen sein. Schon die Anwendung des Verbots auf Menschen stellt eine nachhaltige »Säkularisierung« des Verbots dar. Aber es gibt bereits auch seine Umpolung und damit verbundene Aussetzung, die die andere Traditionslinie bildet. Sie ist zu belegen mit Goethes Sturm-und-Drang-Gedicht *Prometheus,* dessen letzte Strophe lautet:

Hier sitz' ich, forme Menschen
Nach meinem Bilde,
Ein Geschlecht, das mir gleich sei,
Zu leiden, weinen,
Genießen und zu freuen sich,
Und dein nicht zu achten,
Wie ich. (Hamburger Ausgabe, S. 46)

Prometheus, der Freund der Menschen, lehnt sich gegen Gottvater, Zeus, auf, geht seinen eigenen Weg, formt neue Menschen und weist jegliche überkommene Bindung, überkommenen Zwang ab. Im Gedicht steckt sowohl eine Umdeutung des christlichen Mythos wie auch seine säkularisierende Fortführung. Prometheus entwirft Menschen nach seinem Bilde, wie einst Gott die Menschen sich zum Ebenbild geschaffen hat. Da seine Tat zugleich die Geste des Aufruhrs ist, setzt er zugleich mit seinem Schaffensakt die ehemaligen göttlichen Gebote außer Kraft. – Es sei nur im Vorbeigehen vermerkt, daß das Bildnisverbot – vgl. z. B. besonders *Andorra* – im Zentrum von Max Frischs Werk steht und dort in der Identitätsproblematik variierend und variationsreich abgehandelt ist.

Brechts Geschichte beruft sich auf beide Traditionslinien und »hebt« sie »auf«. Das Bildnisverbot spielt keine verbindliche Rolle mehr (Gott kommt nicht vor; die *Frage, ob es einen Gott gibt,* hat Keuner schon beantwortet, indem er sie nicht beantwortete; 12, 380), es können Bilder gemacht werden, aber keine *fertigen*. Herr Keuner macht einen *Entwurf,* und Entwurf meint weder fertiges Bild, schon gar nicht Schablone, sondern etwas, was unfertig ist und noch der Ausführung harrt. Die prometheische Traditionslinie kommt insofern ins Spiel, als in der Antithese zum Gesprächspartner Herr Keuner selbstbewußt darauf beharrt, den Menschen seinem Entwurf anzugleichen, also Menschen nach seinem Entwurf zu »formen«. Keuners Anspruch hat sozusagen prometheische Ausmaße, er ist potentiell umstürzlerisch (weshalb denn auch bestimmten Deutungen objektive Grenzen bei Brecht gesetzt sind).

»Entwurf« ist also ein Bildnis mit Zukunft, verweist auf zukünftige Entwicklung, er kann sich nur in der Geschichte der gemeinsamen Beziehung zu dem/der Geliebten (über Alter und Geschlecht ist kein Wort gesagt, es kann sich auch um ein Kind handeln) realisieren und nur in der *Gemeinsamkeit* (= Liebe). Diese Liebe hält nichts fest, beansprucht nicht, was *ist,* sondern versteht sich als zukünftige Produktion (Entwurf ist noch nicht das »Produkt« selbst). Auf dem Hintergrund bürgerlicher Liebeserfahrungen lassen sich die Unterschiede noch deutlicher bestimmen. Da geht es darum, in erster Linie ein bestimmtes »Bild« – aus »Erfahrung« – zu fixieren. Hat man es – per Heirat – in Besitz genommen, so pflegt es bewahrt zu werden, wobei die Entwicklung des Bildes dann negativ abzulaufen pflegt: der Mensch, je mehr im Alltag »erfahren« mit dem anderen, beginnt vom ehemaligen Bild (das sich als Idealbild herausstellt) abzufallen. Er hält nicht, was er versprach (etc.; Folge: zunehmende Grausamkeiten und Auseinandersetzungen in der Ehe, »Ehebruch«, Scheidung). Da der bürgerliche Begriff von »Liebe« den der produktiven Veränderung nicht kennt, ist er es, der in Wirklichkeit die »Schablonen« bedient, mit falschen angemaßten Bildern arbeitet (vgl. auch das Beschwören des »guten Alten«). Um sich davon ein Bild zu machen sowie die Dimensionen des Themas zu erfassen, kann man sich des Werks von Max Frisch bedienen (dort auch die Konsequenzen).

Liebe ist bei Brecht keine Inbesitznahme, sondern der Beginn eines produktiven Miteinander, das nicht desillusionierend auf das starrt, was der geliebte Mensch alles nicht »einlöst« und »ist«, sondern mit Selbstverständlichkeit damit rechnet, daß der geliebte Mensch sich noch verändert und daß er als Liebender auf die Veränderung Einfluß nehmen kann und soll. Die Entwicklung des Menschen erfolgt nicht aus »sich heraus«, aus seinem »Wesen«, seinem »Charakter«, sondern sie vollzieht sich im sozialen Kontext mit anderen gemeinsam. »Liebe ist die Kunst, etwas zu produzieren mit den Fähigkeiten des andern« (12, 407 = *Liebe zu wem?*). In der gemeinsamen Verständigung und Arbeit mit dem/der Geliebten, in der »Sorge« und »Besorgen« mit ihm/ihr und um sie/ihn vollzieht sich »Liebe«, so daß Keuners »anmaßende« Umdeutung auch auf ihn anwendbar ist. Die dialogisch-dialektische Struktur der *Keuner-Geschichten* implizieren ihre Anwendung selbstverständlich auch auf ihn, womit denn endgültig jede Schablonierung verabschiedet sein dürfte. – Ein weiterer, die Geschichte ausdeutender Paralleltext findet sich in den *Schriften zur Politik und Gesellschaft, Über das Anfertigen von Bildnissen* (20, 169 f.), der die Gegenseitigkeit des »Bilder-Machens« betont, aber viel »geschwätziger« ist. – Ich verstehe die voranstehende Analyse als Muster-Analyse für alle anderen *Keuner-Geschichten,* deren ausführliche Darstellung jeglichen sinnvollen Umfang hier sprengte. Die produktive Anwendung des Musters – auch seine Kritik – bedeutete die Weitergabe Keunerschen Denkens. Der Gebrauch allein ist entscheidend, in jeder Hinsicht.

Björn *Ekmann*: Gesellschaft und Gewissen. Die sozialen und moralischen Anschauungen Bertolt Brechts und ihre Bedeutung für die Dichtung. Kopenhagen 1969 (S. 120–123). – Dietrich *Krusche*: Kommunikation im Erzähltext. 1. Analysen. München 1978 (S. 213–224). – Klaus-Detlef *Müller*: Brecht-Kommentar zur erzählenden Prosa. München 1980 (S. 124–126). – Inge *Häußler*: Denken mit Herrn Keuner. Berlin 1982 (S. 29–34). – Jan *Knopf*: Die deutsche Kalendergeschichte. Frankfurt a. M. 1983 (S. 180–182).

Dreigroschenroman (1933/34)

Vorbemerkung

Der *Dreigroschenroman* pflegt üblicherweise mit den anderen Dreigroschen-Projekten Brechts zusammen behandelt zu werden; man geht dabei davon aus, daß der Roman – als das chronologisch letzte Projekt – entstehungsgeschichtlich in einer Reihe mit der *Dreigroschenoper* (1928), mit dem *Dreigroschenfilm* (Titel *Die Beule, Texte für Filme* 1, 329–345; 1930) und mit dem *Dreigroschenprozeß* (18, 139–209; 1931) stehe. Wenn auch dieser stoffliche Zusammenhang zwar durchaus gegeben ist, so ist andererseits doch die relative Selbständigkeit des Romans zu betonen: er ist weder »Fortsetzung des Dreigroschenfilms« noch die »Wiederholung desselben Stoffs«, der *Dreigroschenoper* nämlich, in einer anderen, ›ausgiebigeren‹ Gattung, wie sich die traditionellen Urteile der Brecht-Forschung auf den Begriff bringen ließen. Wenn auch ein Teil der Hauptfiguren aus Oper und Film übernommen ist, wenn auch wiederum die Zusammenhänge zwischen Bürger und Verbrecher eine Rolle spielen, so erzählt der Roman dennoch eine völlig andere Geschichte als Oper und Film – selbst da, wo prägnante Einzelheiten übernehmbar gewesen wären, fehlen sie im Roman (z. B. die Ausstattung der Bettler nach »behavioristischem« Vorbild; vgl. 2, 400 f.), – und vor allem setzt der Roman das Räubertum von Macheath voraus. Macheath ist zu Beginn des Geschehens bereits Geschäftsmann, seine räuberische Vergangenheit gehört der – später nachgetragenen – *Vor*geschichte an, von der aber gar nicht mehr klar entscheidbar ist, ob sie lediglich Legende oder Realität ist. Diese Verschiebung und gänzliche Umgestaltung des Stoffs ist wichtig; denn Brecht geht es – 1933/34 – nicht mehr nur um das Verhältnis Räuber = Bürger, sondern um seine Erweiterung Kapitalismus = Faschismus; diese aber gründet sich auf ein ganz neues Handlungsgefüge sowie auf eine erhebliche Erweiterung des Themas, der die ursprüngliche »Bearbeitung des Stoffs« nur noch ironisierendes Zitat ist.

Entstehung, Mitarbeiter

Seit der Publikation der *Briefe* (1981) ist die Entstehungsgeschichte des *Dreigroschenromans* gut zu verfolgen; die aufgrund mangelnder Information fehlerhaften Angaben der Forschung lassen sich korrigieren. So ist die Angabe von Hans-Joachim Bunge, Brecht habe den Roman bereits während des Krankenhausaufenthalts im Februar 1933 (noch in Berlin) geschrieben, nicht mehr haltbar (vgl. Engberg, 71; Bunge, 7). Auch die Annahme, der Vertrag mit dem Verlag Allert de Lange, Amsterdam, über den Roman setze bereits das (weitgehend fertige) Manuskript voraus, ist falsch (Engberg, 70). Es kann sogar mit großer Wahrscheinlichkeit angenommen werden, daß Brecht, als er im Juni 1933 von Paris aus, wo er mit Kurt Weill das Ballett *Die 7 Todsünden der Kleinbürger* vorbereitete, nach Amsterdam fuhr, höchstens eine Vorstellung von seinem Projekt hatte, mit der er freilich den Verleger offenbar zu überzeugen wußte. Brecht schloß jedenfalls mit de Lange einen »guten Handelsvertrag« ab, der ihm einen Vorschuß von 5050 Kronen (= 3030 RM) einbrachte; dieser Vorschuß ermöglichte es Brecht am 9. August 1933 das Haus in Skovsbostrand bei Svendborg – das »dänische Strohdach« – zu erwerben (7000 Kronen). Wie wenig Brecht sich zu diesem Zeitpunkt festgelegt hatte, legt eine Formulierung an Hermann Kesten, den späteren Lektor bei de Lange, anzunehmen nahe: Brecht spricht in einem Brief vom 20. 7. 1933 lediglich von einem »Vertrag über einen Roman«, den er mit de Lange habe, ohne weitere oder nähere Angaben (Briefe, Nr. 180, S. 175).

Die erste große und intensive Arbeitsphase fällt in die Zeit des Herbstes 1933, als sich Brecht wieder in Paris bzw. in Sanary-sur-Mer bei Lion Feuchtwanger aufhält. Im September 1933 schreibt er an Helene Weigel: »Mit dem Roman komme ich vorwärts, ich habe in der ersten Hälfte noch allerhand geändert wegen des Schlusses« (Briefe, Nr. 184, S. 179). Im Oktober ist Brecht davon überzeugt, den Roman noch vor dem (nicht mitgeteilten) vereinbarten Termin abschließen zu können, wie er an Gerard de Lange schreibt, der Brecht wegen einer Vertragsänderung angegangen ist; Brecht lehnt sie freilich sehr bestimmt als Versuch, politische Zensur ausüben zu wollen, ab (Briefe, Nr. 186, S. 181 f.). Anfang November meldet Brecht bereits an Helene Weigel nach Dänemark: »Der Roman ist fast fertig (im Rohbau)« (Briefe, Nr. 189, S. 183). Zu dieser Zeit hat sich Brecht in Paris in einem großen Hotel fest einquartiert und wartet dort ab, bis das Haus in Svendborg, das Helene Weigel mit Hilfe von Mogens Voltenen einrichtet, bezugsfertig ist.

Im Dezember 1933 kommt es zu offenbar ernsthaften Auseinandersetzungen mit dem Verlag, der fälschlich annimmt, Brecht habe mit der Ausarbeitung des Projekts noch gar nicht begonnen und sei vielleicht auch gar nicht in der Lage, einen Roman zu schreiben. Brecht hält – ein Gespräch bestätigend – Hermann Kesten vor, bei allen Differenzen ihrer Auffassung von Literatur ihn nicht genügend gegenüber dem Verlag vertreten zu haben: »Sie konnten Ihrem Verlag etwa mitteilen, daß Sie ein Kapitel gelesen hätten und daß es allgemein lesbar sei (also nicht ein verkappter Essay, oder ein unverkäuflicher Leitartikel usw.), oder Sie konnten sich von mir, was ich vom ›Dreigroschenroman‹ schon geschrieben habe, zeigen lassen und die Besorgnis des Verlags zerstreuen, es sei *nichts* geschrieben« (Briefe, Nr. 192, S. 186). Am 15. Januar 1934, als Brecht nach Skovsbostrand ins neue Haus umgezogen ist (Ende Dezember 1933), schickt er an den Verlag das von ihm sogenannte »Einleitungskapitel« »für den Vorverkauf«. Es handelt sich dabei also um den »Prolog« *Die Bleibe,* der dem 1. Kapitel, wie Brecht auch schreibt, vorausgeht. Im Begleitschreiben heißt es weiterhin: »Die erste Fassung des Romans habe ich fertig, so daß Sie, was die Einhaltung des Termins betrifft, keine Sorge zu haben brauchen. Die erste Fassung besteht aus etwa 250 Seiten – 280 Seiten der Art, wie ich sie Ihnen hier schicke. Die endgültige Fassung wird vielleicht länger, aber keinesfalls kürzer werden« (Briefe, Nr. 199, S. 194). Brecht denkt außerdem bereits an die äußere Gestaltung, wünscht, daß »für eine möglichst bequeme Lesbarkeit« gesorgt werde und daß der Romantitel ohne Artikel erscheint. Wenn auch die erste Fassung bereits in drei Bücher aufgeteilt ist, zeigt schon die Umfangsangabe, daß sie gegenüber dem endgültigen Manuskript sehr lückenhaft gewesen ist (492 Druckseiten).

Die weiteren Arbeiten am *Dreigroschenroman* bestätigen, daß die erste Fassung wesentliche Bestandteile noch nicht aufgewiesen hat. Aus einem Brief von Karl Korsch an Brecht vom 17.3.1934 geht hervor (gedruckt in: Alternative 105, S. 242–245), daß Korsch bereits in einem kurz vorangehenden Brief auf die erste Fassung reagiert und sie mit entsprechenden Ratschlägen kommentiert hat, die Brecht dann für die weitere Ausarbeitung berücksichtigte. Korsch empfiehlt Brecht, für eine englische Ausgabe den Titel des späteren Epilogs *Das Pfund der Armen* auf alle Fälle mit *Man is man's talent* und nicht mit *The poor man's talent* zu übersetzen, ein Titel, den Brecht offenbar auch für den gesamten Roman erwogen hat (dieser heißt endgültig dann *A Penny for the Poor,* London 1937). Korsch informiert Brecht über eine ihm aufgetragene Umfrage über die Assoziationen, die Engländer bei »pound« bzw. »talent« haben, mit dem Ergebnis, daß sich bei »talent« der Doppelsinn des Worts einstellt, den Brecht offenbar erwartet hatte (»Geld« und »persönliche bzw. geistige Fähigkeit«; vgl. im Deutschen »Vermögen«). Brecht benutzt den Doppelsinn (13, 1143), bleibt dennoch aber an der entscheidenden Stelle bei »Pfund«: »Der Mensch ist des Menschen Pfund« (13, 1165), um den geschäftlich-pekuniären Verwertungsaspekt zu betonen. Darüber hinaus bezieht sich Korschs Brief auf die Anfragen Brechts nach den »relativ besten und billigsten Abtreibungsmittel«, die Korsch an den Arzt Herbert Levi weitergegeben hat und später beantworten will. In einem Postscriptum schließlich gibt Korsch noch ausführliche Hinweise auf die Abwicklung von Mordanklagen in England, die Brecht später in das 3. Buch einbaut: Prüfung durch »Coroner's Inquest«, Verfahren vor der »Grand Jury« mit Anklageerhebung und Hauptverhandlung (3. Phase vor Richter und Geschworenen).

Dieser Brief und weitere (zu vermutende) Briefe Korschs fallen in eine Zeit, in der Brecht statt am Roman an seinem Stück *Die Rundköpfe und die Spitzköpfe* wieder »schwer« arbeitet; wenn »ich da herauskomme«, schreibt Brecht im Mai 1934, »beginnt wieder die [Arbeit] am Roman« (Briefe, Nr. 206, S. 203). Die Phase, in der die 2. Fassung des Romans entsteht, ist danach auf die Zeit von Mai bis Juni 1934 anzusetzen; sie schließt mit der Sendung des 1. Buchs an den Verlag am 23.6. offenbar ab. In seinem Begleitbrief gibt Brecht bereits genaue Angaben darüber, wie er sich den Druck und die Aufteilung des Texts vorstellt; außerdem erwähnt er die Kursivschrift, in der alle am Rand rot markierten Stellen des Manuskripts gesetzt werden sollen. Sie sei – so betont er außerdem – vom Sperrdruck ausdrücklich zu unterscheiden (Briefe, Nr. 212, S. 209).

Wenn Brecht auch im selben Brief schreibt, daß die weiteren Teile des Romans lediglich noch »einer letzten Korrektur« zu unterwerfen seien, muß doch damit gerechnet werden, daß wesentliche Ausführungen des 2. und 3. Buchs erst der 3. und letzten Arbeitsphase entstammen, die parallel zu den ersten Korrekturen in die Zeit Juli/August 1934 verläuft. Es ist die Zeit, in der sich auch Walter Benjamin in Svendborg aufhält; seine Gesprächsaufzeichnungen, die vom 3. Juli ab (bis zum 4. 10.) datieren, freilich enthalten merkwürdigerweise keinerlei Hinweise auf den Roman. Auch brieflich erwähnt Benjamin den *Dreigroschenroman* zu dieser Zeit nur gegenüber Werner Kraft mit dem kurzen Hinweis, daß er »eben« abgeschlossen worden sei; leider aber ist dieser Brief nicht datiert (Walter Benjamin: Briefe. Hg. v. Gershom Scholem und Theodor W. Adorno. Frankfurt a. M. 1966. Nr. 239, S. 616; Datierung: »Ende Juli 1934?«).

Am 20.7.1934 erhält Brecht den ersten Druckbogen des Verlags und beginnt eingehende Klagen über die Schrift, die Abschnitts-Markierungen und die Kursivierungen zu führen. Am 23.7. geht das 2. Buch an den Verlag ab, am 3.8. schließlich auch das 3. Buch; der Epilog (»Schlußkapitel«) wird für die nächsten Tage in Aussicht gestellt und offenbar auch geschickt. Am 27.8. sind dann bereits sämtliche Korrekturen abgeschlossen, so daß der Roman im September in den Druck gehen kann.

Der Anteil der direkten Mitarbeiter am Roman ist relativ schwer zu bestimmen. Klar ist, daß Karl Korsch mit seinen erhaltenen und rekonstruierbaren Briefmitteilungen ein Mitarbeiter-Status eingeräumt werden muß: die Informationen über das englische Gerichtswesen waren Brecht offenbar von großer Bedeutung, zumal er im Gegensatz zum »Lokalkolorit« von London in dieser Frage genau vorgehen wollte, und wahrscheinlich hat Brecht auch die von Korsch übermittelten Erfahrungen Levis in Sachen Abtreibung aufgenommen und ausgeführt. – Inwieweit Lion Feuchtwanger, den Brecht in Sanary September 1933 besucht hat, als Mitarbeiter anzusehen ist, muß vorerst ungeklärt bleiben; jedoch ist die Wahrscheinlichkeit groß, daß er – zumal in der ersten entscheidenden Arbeitsphase – seine Vorstellungen mit eingebracht hat. – Einen wohl kaum zu überschätzenden Anteil jedoch hat auf alle Fälle Margarete Steffin am Roman gehabt, was allein schon ihre vielen nachweisbaren Manu- und Typoskripte des *Dreigroschenroman*-Materials belegen. Eventuell findet sich in ihrem Mitarbeiter-Anteil auch die Erklärung dafür, daß Brecht im Juli und August (und dies bei einem Krankenhausaufenthalt im Juli!) in den Gesprächen mit Benjamin nichts (mehr?) über den Roman verlauten läßt, offenbar also keine Probleme mehr mit ihm hatte. Es könnte also gut sein, daß die 3. Phase der Arbeit weitgehend von Margarete Steffin allein absolviert worden ist, wobei sich dann natürlich entschiedene Fragen nach dem Stand des 2. und 3. Buchs vor diesem Zeitraum stellen. Aus dem Archiv-Material ist vor einer genauen Sichtung und Aufarbeitung nichts Genaues zu entnehmen, kennzeichnend jedoch mag eine – wie immer »scherzhafte« – Briefpassage Brechts an Steffin sein, die nicht genau zu datieren ist, aber bereits öffentliche Reaktionen auf den Roman voraussetzt: »Überhaupt hat es den Anschein, als hättest Du ein Meisterwerk geschaffen, alter Muck. Insbesondere wird Deine klare Sprache gepriesen [...]« (zitiert nach: Exil in der Tschechoslowakei, 488). Brecht tut hier so, als wäre der gesamte Roman eigentlich von Margarete Steffin geschrieben worden.

Ungeklärt muß daher vorerst auch die Frage bleiben, ob beim Stand der Arbeiten der erst Anfang Juli im ganzen Umfang »aufgedeckte« Röhm-Putsch noch in das 3. Buch einzuarbeiten gewesen ist oder nicht (O'Hara-Episode). Die Forschung geht davon wie selbstverständlich aus, daß dies der Fall ist (vgl. z. B. Müller, 316), obwohl der Abschlußtermin für die Arbeit nicht bekannt gewesen ist. Nach den jetzigen Dokumenten ist wahrscheinlich, daß der sich möglicherweise aus der O'Hara-Geschichte ergebende Bezug verdeutlicht worden ist, ob O'Hara aber nur deshalb überhaupt in den Roman gelangt ist, bleibt zu erörtern. Solche Fragen wird erst eine historisch-kritische Ausgabe klären können, die von Wolfgang Jeske und von mir geplant ist.

Fassungen, Texte

Das Bertolt-Brecht-Archiv unterscheidet drei größere Fassungen des Romans, die freilich auch als die drei Entstehungsstufen angesehen werden können und möglicherweise sich auch überschneiden. So – um ein Beispiel zu nennen – fehlt in der 1. Fassung das »Einleitungskapitel«, obwohl Brecht es als erste »Probe« an den Verlag geschickt hat (15.1.1934). Nach dem Archiv-Bestand dagegen sieht es so aus, als ob die »1. Fassung« das Einleitungskapitel noch gar nicht aufwiese, es also einer späteren Fassung oder Entstehungsstufe angehören müßte. Die folgende Aufstellung ist mit diesem Vorbehalt zu betrachten.

1. Fassung (BBA 269–271 = Nr. 11207, Bd. 3, S. 1): Die Fassung weist vom 1. Buch alle sechs Kapitel auf, ist sich aber über deren Abfolge noch im unklaren. Das 2. Buch ist als drei, nicht numerierte Kapitel vorhanden, trägt aber bereits den endgültigen Titel. Das 3. Buch umfaßt nur ein Kapitel, das im wesentlichen dem endgültigen 13. Kapitel (»Schwerwiegende Entscheidungen«, »Der kranke Mann stirbt«) entspricht (13, 1031ff.). Insgesamt umfaßt sie also 10 Kapitel in drei Büchern, wobei die Zählung nur (und auch unsicher) im 1. Buch überhaupt durchgeführt ist. Der Epilog fehlt ganz, der Prolog wahrscheinlich deshalb, weil er an den Verlag geschickt worden ist. Das Archiv datiert diese Fassung auf 1933/34; es handelt sich wahrscheinlich um die Fassung, die zwischen September 1933 und Januar 1934 in der 1. Entstehungsphase ausgearbeitet worden ist.

2. Fassung (BBA 272–273 = Nr. 11209, Bd. 3, S. 1): Die Fassung ist recht lückenhaft, enthält aber entgegen den falschen Aussagen des *Bestandsverzeichnisses* Teile von allen drei Büchern und auch den Prolog (womöglich die Abschrift aus der 1. Fassung). Das ausgeführte 1. Buch ist weitgehend mit dem später gedruckten identisch. Vom 2. Buch sind nur die Kapitel 7 und 8 vorhanden, und vom 3. Buch fehlt jetzt ausgerechnet das in der 1. Fassung vorhandene 13. Kapitel. Der Epilog fehlt weiterhin. – Diese Fassung zeichnet sich dadurch aus, daß sie erstmals die Markierungen für den späteren Kursivdruck enthält, die Brecht spätestens seit Juni 1934 angebracht hat. Außerdem sind hier erstmals, aber noch nicht endgültig, die Mottos eingearbeitet.

3. Fassung (BBA 291–293 = Nr. 11208, Bd. 3, S. 1): Die Fassung ist die bei weitem umfangreichste und vollständigste, entspricht aber noch nicht vollständig der späteren Druckfassung. So haben im 1. Buch die Kapitel 2 und 3 keinen Titel, die Kapitel 2–4 sind ohne Abschnitte geschrieben. Dafür aber gibt es zu ihnen je eine weitere Fassung, wobei die zum 2. Kapitel dann auch unterteilt ist. Die Bücher 2 und 3 sind der Endfassung weitgehend angenähert und auch vollständig. Der Epilog findet sich hier erstmals. Die Markierungen für den Kursivdruck fehlen im 1. Buch dieser Fassung vollständig (womöglich, weil das der 2. Fassung an den Verlag ging), in den beiden weiteren Büchern stehen sie nicht überall dort, wo die Erstausgabe auch kursiv druckt; die endgültige Kursivierung scheint erst unmittelbar für den Druck vorgenommen worden zu sein. – Die im Text genannte Zeitung heißt hier erstmals *Spiegel,* während die vorangegangenen Fassungen noch *Correspondent* aufweisen.

Aus den Korrekturfahnen (BBA 288–290 = Nr. 11210, Bd. 3, S. 1) geht hervor, daß das dem Verlag eingereichte – nicht im Archiv vorhandene – endgültige Manuskript kaum mehr abgeändert worden sein kann. Auffälligste Änderung ist die, daß der »Probst« der Trauerfeier (15. Kapitel, »Nebel«) nun zum »Bischof« wird.

(Die voranstehenden Angaben beruhen auf Abschriften des Archivmaterials durch Wolfgang Jeske sowie auf dessen zusätzlichen Informationen. Frühere Ausführungen über die Entstehungsgeschichte des Romans – auch die ausgiebig dokumentierte durch Renate Fischetti etwa – sind damit überholt. Die endgültige An- und Zuordnung der Fassungen sowie die Chronologie des Materials werden der historisch-kritischen Ausgabe vorbehalten bleiben müssen.)

Der Text des *Dreigroschenromans* erscheint erstmals im November 1934 in Amsterdam (auf Deutsch), und zwar im Exil-Verlag Allert de Lange, den Gerard de Lange 1933 gegründet hatte. Literarischer Leiter und Lektor war (ab Mai 1933 bis 1940) Hermann Kesten, zu dem Brecht im Laufe der Entstehung seines Romans ein gespanntes Verhältnis entwickelt hat. Der »gute Handelsvertrag« (vgl. Völker, 206f.) hinderte Brecht an einem Bruch, der mit einer brieflichen Klarstellung seiner Position und seiner selbstbewußt vorgetragenen literarischen Bedeutung überbrückt wurde (Briefe, Nr. 192; vom Dezember 1933).

Brecht bestand darauf, daß der Copyright-Vermerk durch die Bemerkung ergänzt wurde: »Dem Roman liegt das Theaterstück ›Die Dreigroschenoper‹ und John Gays ›Beggar's Opera‹ zugrunde« (Briefe, Nr. 223, S. 219), der in leicht abgewandelter orthographischer Form auch ergänzt wurde. Die voranstehende Copyright-Angabe der Erstausgabe 1933 bezieht sich auf den Zeitpunkt des Vertragsabschlusses und meint nicht etwa das Erscheinungsjahr. Der Schutzumschlag mit Carola Neher als Polly Peachum geht ebenfalls auf Brechts Anregung (Foto) zurück, so daß äußerlich zumindest die Anknüpfung an die *Dreigroschenoper* und ihren Erfolg (vor allem) gewährleistet sein sollten.

Vorabdrucke von Kapiteln bzw. Ausschnitten aus ihnen erschienen vielfach in Exilzeitschriften und im Jahrbuch des de Lange-Verlags. Eine weitere deutsche Ausgabe folgte 1935 in Moskau, die erste Übersetzung, und zwar ins Dänische, im selben Jahr. Die erste deutsche Nachkriegsausgabe brachte 1949 der Desch-Verlag in München heraus.

Gegenüber der Erstausgabe weisen alle späteren Ausgaben Abweichungen und z.T. gravierende Fehler auf. Viele Ausgaben haben den von Brecht ausdrücklich verworfenen falschen Titel mit Artikel (so die Ausgabe bei Desch und die des *Dreigroschenbuchs,* die – jetzt auch im Taschenbuch – stark verbreitet ist). Dann pflegen die meisten Ausgaben nicht zwischen Kursiv- und Sperrdruck zu unterscheiden und dadurch den besonderen Charakter der Kursivierungen zu unterschlagen (so verfahren alle Suhrkamp-Ausgaben einschließlich der *Werkausgabe*). Der erste Satz lautet richtig, auch wenn er grammatisch falsch sein mag: »Ein Soldat namens George Fewkoombey wurde im Burenkrieg ins Bein geschossen, sodaß ihm [...] der Unterschenkel amputiert werden mußte«. Die Herausgeber-»Richtigstellung« »Einem Soldaten namens...« ist auch dann falsch, wenn sie den Duden auf ihrer Seite hat (*Dreigroschenbuch*, Frankfurt a.M. 1960, S. 229). Weiterhin müssen »Berichtigungen« in der *Werkausgabe* wie »Mahagonitische« statt »Mahagonnytische« (13, 873 und 965 entsprechend Ausgabe 1934, 164 und 266) oder »Was heißt Attika?« statt »Was ist Attica« (13, 1159 entsprechend Ausgabe 1934, 485) nicht auch die richtige Lesart darstellen. Es ist ja keine Kleinigkeit, wenn Brecht mit der Schreibung »Mahagonny« auf seine Oper direkt anspielt und damit die literarischen Bezüge seines Romans bewußt verstärkt. Und schließlich sei noch darauf hingewiesen, daß die Erstausgabe bei wörtlicher Rede die Personalpronomen der Angesprochenen groß schrieb und die Dialogpartien graphisch absetzt (Absätze): die graphischen Signale des Rede-Charakters werden so verstärkt; da die Reden große inhaltliche Bedeutung haben, handelt es sich auch dabei um keine bloße Äußerlichkeit.

Text: [Vorabdruck] in: Europäische Hefte (Prag), Nr. 28, 25.10.1934, S. 465–470 [Auszüge aus dem 3. Buch = 13, 1060–1063; 1065–1067; 1083–1088]. – [Vorabdruck] in: Neue Deutsche Blätter (Prag), Oktober/November 1934, S. 5–15 [= »Das Pfund der Armen«]; 13, 1149–1165. – [Vorabdruck] in: Jahrbuch des Verlags Allert de Lange 1934/35 [= »Die Bleibe«; 13, 731–741]. – Dreigroschenroman. Amsterdam 1934 [Copyright 1933] [= Erstausgabe]. – Dreigroschenroman. Moskau/Leningrad 1935. – Der [sic] Dreigroschenroman. München 1949. – Prosa, Band 3, o.O. [Copyright 1934 (sic) Amsterdam] 1965, (S. 5–479). – wa 13, 729–1165. – Dreigroschenroman. Historisch-kritische Ausgabe [korrigierter Text der Erstausgabe, Lesarten, Materialien, zeitgenössische Rezeption, fortlaufender Kommentar u.a.], 2 Bände. Hg. v. Wolfgang *Jeske* und Jan *Knopf*. Frankfurt a.M. [in Vorbereitung].

Hans [-Joachim] *Bunge*: Brecht i nordisk landsflykt. In: Ord och bild 73, 1964, Heft 1 [= Brecht-Sondernummer], S. 6–13. – Harald *Engberg*: Brecht auf Fünen. Exil in Dänemark 1933–1939. Wuppertal 1974 (zuerst 1966; S. 70f.). – Renate *Fischetti*: Bertolt Brecht. Die Gestaltung des Dreigroschen-Stoffes in Stück, Roman und Film. University of Maryland, Phil. Diss. [Masch.] 1971. – Klaus *Völker*: Bertolt Brecht. Eine Biographie. München 1976 (S. 205–218). – Ernst und Renate *Schumacher*: Leben Brechts in Wort und Bild. Berlin 1978 (S. 115–119, 121f.). – Klaus-Detlef *Müller*: Brecht-Kommentar zur erzählenden Prosa. München 1980 (S. 134–139). – Wolfgang *Jeske*: Bertolt Brechts Poetik des Romans. Arbeitsweisen und Realitätsdarstellung. Phil. Diss. Karlsruhe 1981 (S. 94–108).

Quellen

Aus dem umfangreichen Quellenmaterial wird hier nur das Wichtigste vorgestellt – dafür aber mit ausführlichen Erläuterungen und genauen Nachweisen. Quellen, die in der Forschung eine Rolle gespielt haben, nachweislich oder wahrscheinlich nicht von Brecht benutzt worden sind, werden berücksichtigt. Die zeitgenössischen Quellen (bzw. Anspielungen und Bezüge) – sie betreffen vor allem die faschistische Politik – sind in einem gesonderten Abschnitt abgehandelt.

Wirtschaftsgeschichte

Einzelheiten der Wirtschaftshandlung des Romans, die gegenüber der *Dreigroschenoper* erheblich komplexer und genauer geworden ist und in diesem Sinn mehr an die *Heilige Johanna der Schlachthöfe* als an den »alten Dreigroschen-Stoff« anschließt, entnahm Brecht wie schon bei allen »Amerika«-Stücken (*Joe Fleischhacker, Dan Drew, Mahagonny*) historischen Darstellungen über das kapitalistische Wirtschaftsgebaren. Als eine der wichtigsten Quellen bewährte sich auch hier wieder die Darstellung von Myers über die amerikanischen Vermögen:

Gustavus *Myers*: Geschichte der großen amerikanischen Vermögen. 2 Bände. Berlin 1916 (zuerst amerikanisch); Fotomechanischer Neudruck: Money. Die großen amerikanischen Vermögen. Frankfurt a.M. 1979 [die Ausgabe ist seitengleich].

Wenn Brecht bestimmte (verbrecherische) Taktiken der amerikanischen Wirtschaftsmagnaten in den Roman übernahm, Taktiken vor allem von Cornelius Vanderbilt, von John Pierpont Morgan – Vanderbilt sollte dramatische Figur in *Dan Drew* als Gegenspieler des Titelhelden werden (vgl. BH, Band 1, 367), Morgan lieh dem Fleischfabrikanten Pierpont Mauler in der *Heiligen Johanna der Schlachthöfe* den Vornamen –, dann nicht, um mit diesen sozusagen abzurechnen, ihre Praktiken persönlich zu brandmarken, Brecht ging es vielmehr darum, mit ihnen bestimmte Symptome kapitalistischen »Geschäftsgebarens«, und zwar historisch nachgewiesene, zu erfassen. Dabei spielte es keine Rolle, daß bestimmte Einzelheiten nicht zutreffen oder völlig getrennte Ereignisse zusammengelegt und Personen ausgetauscht werden. – Brecht übernahm von Myers einmal die Namen Eastman (ein Strohmann J. P. Morgans, der während des Bürgerkriegs Waffengeschäfte im Auftrag durchführte; Myers, 535–539) und Hale (der als Senator dafür sorgte, daß der Name Vanderbilts bei einem Schiffsgeschäft aus dem Spiel blieb), zum anderen übernahm Brecht die – und zwar zu Beginn des amerikanischen Bürgerkriegs getätigten – korrupten Geschäfte für die Peachum-Coax-Handlung seines Romans. Sowohl Morgans Waffengeschäft als auch Vanderbilts Schiffsverkauf sind nicht nur symptomatisch für die Karriere ihrer »Macher« (sowie der davon nutznießenden Familien), sondern typisch für die »nationale Gesinnung« der Verantwortlichen: bei beiden Geschäften werden unbrauchbare Gegenstände (wobei Eastman die Waffen, die Morgan später an die Regierung verkaufen läßt, vorher von ihr wegen Unbrauchbarkeit abgekauft hatte; der Bürgerkrieg ließ sie wiederverwendbar erscheinen: Stückpreis 3,50 Dollar, Wiederverkaufspreis angesichts des Bürgerkriegs 22 Dollar) an die Regierung veräußert, und in beiden Fällen verlaufen die Untersuchungen im Sande oder werden zugunsten der Delinquenten entschieden. Brecht hatte mit Myers' Hintergrundsschilderungen historische Beweise dafür, daß die aufstrebenden Geschäftsleute »ihren glühenden Patriotismus« damit bewiesen, wie Myers ironisch formuliert, »indem sie aus der großen Krisis riesige Vermögen herausschlugen« (Myers, 281), und sich um die eigenen Opfer nicht kümmerten (der Krieg nach außen ist immer auch ein Krieg nach innen bzw. setzt diesen voraus); außerdem zeigte Myers deutlich, warum die »Biographien unserer großen Geschäftsleute auf vielen Seiten so stoffarm« (13, 848) bzw. im »Halbdunkel« sind: da waren die Strohmänner und bezahlten Helfershelfer tätig. – Die beiden großen Geschäfte, die zwischen 1861 und 1863 getätigt wurden, liefern den Stoff für das Schiffsgeschäft der »Gesellschaft zur Verwertung von Transportschiffen« (TSV), wobei das Geschäft selbst aus der Vanderbilt-»Biographie«, die Rolle Coax' aber aus der Morgan-»Biographie«, dort die Rolle Eastmans, übernommen ist.

Die für das Schiffsgeschäft ebenfalls angegebene Quelle aus *Livius* kann dagegen mit hinreichender Sicherheit ausgeschlossen werden; Witzmann hatte sie zuerst verzeichnet (Witzmann, 126), Buono (ohne Witzmann zu nennen) dann weitreichende Schlüsse daraus gezogen: Brecht habe sich »Klassizität« und »geschichtliche Würde« verleihen wollen, indem er sich »auf eine Episode von so bezeugter ›Klassizität‹ bezog« (Buono, 44; vgl. dort 40–44). Livius berichtet in der *Römischen Geschichte* zwar ebenfalls von einem Betrug mit Schiffen – es handelt sich dort um einen Versicherungsbetrug, bei dem alte, schadhafte und mit wertlosen Waren versehene Schiffe versenkt und als wertvoller Verlust eingeklagt werden –, er weist aber gerade die entscheidenden Kennzeichen *nicht* auf: Betrug der eigenen Regierung, Bemäntelung des Geschäfts als »Patriotismus«, Kriegsführung nach innen, Gehen-über-Leichen (Livius: Ab urbe condita, Kapitel 25, Abschnitt 3, 9–12; bezieht sich auf das Jahr 212 v. Chr. in Rom; deutsch: Titus Livius, Römische Geschichte = Werke, Bd. 3. Stuttgart 1960. S. 235 f.; in der entsprechenden Ausgabe bei Reclam findet sich der Passus nicht).

Die Schlüsselanekdote des Romans über Nathanael Rothschild (13, 870–872) entnahm Brecht, wie Jeske jetzt hat nachweisen können, einem populärwissenschaftlichen Werk des englischen Romanschriftstellers und Essayisten H. G. Wells, der vor allem mit seinem – später verfilmten – Roman *The Time Machine* (1895; deutsch *Die Zeitmaschine*, 1904) bekannt wurde (Herbert George Wells, 1866–1946):

H. G. *Wells*: Arbeit, Wohlstand und das Glück der Menschheit. 2 Bände. Berlin 1932 (zuerst: London 1930: The Work, Wealth, and Hapiness of Mankind).

Auf Wells weist eine, die »Ehrlichkeit« der Rothschilds und des kapitalistischen Geschäftsgebarens insgesamt kritisch zurückweisende Auseinandersetzung Brechts mit Wells' Buch, die im 20. Band der *Werkausgabe* unter die *Aufsätze über den Faschismus* eingeordnet ist (20, 203–205; die Datierung ist unsicher; ihre Anordnung hier stellt sie in die Zeit um 1936, weil sich thematische Überschneidungen mit dem vorangehenden Aufsatz über Hitlers Ehrlichkeit ergeben, sie ist aber mit Sicherheit früher anzusetzen, zumal sich im Material zum *Dreigroschenroman* ein Zeitungsausschnitt über ein Gespräch zwischen Stalin und Wells vom 27. 10. 1934 findet, der keine weiteren Zusammenhänge mit dem Roman aufweist und auch nicht mehr Quelle gewesen sein kann; BBA 473/7–12 = Nr. 20407 u. 20417, Bd. 4, S. 217 f.). Die Ausführungen Wells' über Rothschilds Ehrlichkeit, gemeint ist der 2. des Namens Nathaniel (1840–1915), der 1., der Gründer lebte 1777–1836, finden sich im 2. Band, 10. Kapitel, in der deutschen Ausgabe S. 9–18. Brecht hat sich vor allem an dem Satz Wells' gestoßen: »Alles, was die Rothschilds taten, war nach den damaligen Begriffen, richtig und berechtigt« (Wells, 18), der auf die Einschätzung der Geschäfte folgt: »Man muß ihnen aber [trotz einiger Manipulationen etc.] zugute halten, daß sie ehrlich waren. Sie wandten wohl alle zu ihrer Zeit üblichen Mittel an, um zum Ziele zu gelangen, aber was sie versprachen [die Rothschilds], das hielten sie. Es war vor ihnen noch keiner in so großem Maßstabe und bei Transaktionen, die in so unruhigen Zeiten durch so viele Hände gingen, je ehrlicher gewesen. Sie kamen nicht nur den eigenen Verpflichtungen nach, sondern führten auch finanzielle Integrität und gesunde Finanzmethoden [...] ein«. (Brecht zitiert Wells BBA 245/70–72 = Nr. 16945, Bd. 3, S. 583). – In seiner Notiz zu Wells weist Brecht die suggerierte »Ehrlichkeit schlechthin« (20, 204) entschieden zurück: das klinge nach der kleinbürgerlichen Auslegung von »treuherzig«, »dem als ›Bestes‹ ein Moment des Opfers, des nicht selten schmerzlichen Verzichts auf unerlaubte Vorteile, anhaftet« (20, 204). In Wirklichkeit bemäntele aber diese Art von »Ehrlichkeit« lediglich die dahinterstehende »Kalkulation«, die den Betroffenen schon übervorteilt und hereingelegt hat, ehe er sich auf die ehrliche (offene) Abwicklung des Geschäfts verpflichtet; es gehe lediglich um »anständige und biedere Namen« für die Korruption bzw. Verbrechen, die in ihrem Sinn versteckt würden. – In eben dieser Weise führt Brecht die »Ehrlichkeit« im Roman aus, indirekt in den »Vermittlungen« des Coax z. B., der mit seinem ehrlichen und offenen Vertrag seine Partner schon hereingelegt hat, ehe sie sich überhaupt mit dem Geschäft befreunden konnten, direkt in dem Entschluß des Macheath, endgültig auf seine eingeübten Gangstermethoden zu verzichten und den geraden Weg zu gehen (vgl. vor allem 13, 950 und 973: »Ein wahrer Durst nach Solidität befiel ihn. Ein gewisses Maß von Ehrlichkeit und Vertragstreue, einfach von menschlicher Verläßlichkeit, war eben doch unentbehrlich, wenn es sich um größere Geschäfte handelte! Warum wäre sonst Ehrlichkeit, fragte er sich, überhaupt so geschätzt, wenn es auch ohne sie ginge? Das ganze Bürgertum war ja doch darauf schließlich begründet.«). – Im Geschäftsprinzip der Ehrlichkeit – die nur noch ab und zu einmal zum Mord greifen muß – zeigt sich für Brecht das Grundprinzip der herrschenden Bourgeoisie, das auf der einen Seite dazu da ist, den unlauteren Geschäften seriösen Anstrich zu geben, zugleich aber auch Stütze der bürgerlichen Ideologie gegenüber den »Kleinen«, den Kleinbürgern, ist, mit deren tatsächlicher Ehrlichkeit die großen Geschäftemacher rechnen müssen, weil sonst ihre Geschäfte nicht klappen könnten. Wie sich die Kleinbürger hereinlegen lassen, indem sie den großen Geschäften und ihren Machern auch »große« Gesichtspunkte, die »hohe Warte« zubilligen, hat Brecht mit den B-Warenhändlern, die, von Peachum gegen Macheath aufgehetzt, dennoch zu ihm stehen, gestaltet: »Man faßte den Entschluß, wirtschaftliche Dinge aus dem Spiel zu lassen, da sie mit der Sache nichts zu tun hätten [der Mordvorwurf] und nur die hohen, sittlichen Standpunkte der Anwesenden schädigten. [...] Die kleinen Leute lieben es sehr, ihren Zusammenbruch von hoher Warte aus zu betrachten« (13, 1007). – Zugleich verweist das Prinzip der Ehrlichkeit auf die Zusammenhänge zwischen kapitalistischer Gesellschaft bzw. Bürgertum mit dem Faschismus, der *politisch*, und zwar in gesteigertem und brutalisiertem Maß das betrieb, was wirtschaftlich ohnehin gängig war. Brechts Ausführungen über die Ehrlichkeit Hitlers (um 1936; 20, 199–203) zeigen das sehr deutlich (als Beispiele aus der Wirtschaft werden da übrigens Morgan und Henry Ford angeführt; 20, 199f.); ebenfalls finden sich dort fast wörtliche Übereinstimmungen mit Passagen aus dem *Dreigroschenroman*, die von der Unwahrscheinlichkeit der Wahrheit (Realität) handeln (13, 949f. und 20, 200).

Auf Wells geht auch die Charakteristik Macheath' zurück, die die »persönliche« Seite der geschäftlichen »Ehrlichkeit« betrifft, wenn von ihm gesagt wird: *»Ich habe gehört, er lebe so einfach, rauche nur ganz wenig und trinke überhaupt nicht. Irgendwer hat sogar gesagt, daß er Vegetarier sei. Es hieß, persönlich könne man ihm nichts vorwerfen, er lebe ganz seiner Idee«* (13, 1121; bei Wells heißt es über einen Rothschild, daß er ein »einfaches und bürgerliches Leben« geführt habe: Wells, Band 2, 16). – Wenn die Forschung diese Passage – wie eindeutig – auf Hitler, und zwar als »Parodie«, bezieht (vgl. Heeg, 178; Boie-Grotz, 197), so ist zu bedenken, daß die Selbststilisierung Hitlers als »einfachen Manns« zwar – wenn die Adressaten die entsprechenden waren – tendenziell auch in den frühen Reden (vor 1933) vorhanden ist, ihre eigentliche Bedeutung jedoch erst während der Kanzlerschaft und da frühestens nach dem Röhm-Putsch (30.6.1934) gewinnt. Brecht notiert diese Stilisierung handgreiflich *erst* nach der berühmt-berüchtigten Rede vom 7.3.1936, der die Besetzung des Rheinlands als der entmilitarisierten Zone durch deutsche Truppen rechtfertigen sollte: »Als Hitler gegen Frankreich eine militärische Besatzung ins Rheinland vorschob, hielt er eine große Rede, in der er schluchzend ausrief, er habe kein Rittergut und kein Bankkonto. Dieser Satz hinterließ allgemein einen tiefen Eindruck« (20, 200); zur gleichen Zeit oder später entstand auch das Gedicht »Über den enthaltsamen Kanzler«, das beginnt: »Ich habe gehört, der Kanzler trinkt nicht / Er ißt kein Fleisch und er raucht nicht / Und er wohnt in einer kleinen Wohnung« (9, 602).

Den Zeitungsausschnitt, der die Schneiderei des Peachum ziert und »den Heldentod der Putzmacherin Mary Anne Walkley« behandelt, entnahm Brecht dem *Kapital* von Karl Marx (Zeitungsbericht von Juni 1863 »Death from simple Overwork« in London, MEW Band 23, 245ff., bes. 269–271; 13, 1100). Marx führt den Fall an als Beispiel für die reale Sklaverei der scheinbar nur »Lohnabhängigen« von ihren sog. »Arbeitgebern« (er zieht auch die Parallele zu Amerika und seiner Sklaverei). Brecht verbindet die reale Sklaverei zugleich mit der nationalistischen Politik, die auch dies Ereignis in die glorreiche Geschichte der Nation einzuverleiben weiß. – Im Zusammenhang mit Marx' Bericht ist Brecht wohl auch auf den Namen des Thomas Carlyle (1795–1881) gestoßen, dessen geflügeltes Wort »Arbeiten und nicht verzweifeln« 1866 bei der Rektoratsrede erstmals geprägt wurde und nun Brechts Motto für dieses Kapitel bildet (13, 1100). Carlyle war einer der Ideologen des englischen Rassismus und Imperialismus; seine Schriften erschienen 1902 – als auch Deutschland sich anschickte, imperialistische Macht zu werden: die Spielzeit des Romans zugleich – erstmals als Gesamtausgabe in Deutsch. – Weitere wirtschaftliche Bezüge ergeben sich zur zeitgenössischen Politik und sind da abgehandelt.

Die Quellen aus der Wirtschaftsgeschichte zeigen insgesamt, daß nicht nur Verbrechen und bürgerliches Geschäft nahtlos zusammenpaßten, wobei die großen Verbrechen alias großen Geschäfte ungeahndet blieben, wohingegen die kleinen Verbrecher bestraft und die kleinen Geschäftsleute ruiniert wurden, sie waren für Brecht vielmehr auch Beweis dafür, daß der Faschismus nichts »Anderes«, Gegenteiliges, den Kapitalismus bzw. das Bürgertum entmachtender »Dämonismus«, sondern »nacktester, frechster, erdrückendster und betrügerischster Kapitalismus« (18, 227 von 1935) und als solcher zu bekämpfen war. Es gehört zur »Ironie« des *Dreigroschenromans*, daß der reale Verlauf der Geschichte Brechts frühere Darstellung bestätigte, was die Geschichte des Faschismus zum faktum brutum werden ließ. Obwohl Brecht wirtschafts*historische* Quellen benutzte, wurden sie durch die späteren Ereignisse im wesentlichen eingeholt. Die Rezeption bestätigte dies (unfreiwillig), indem sie etwa die von Wells erborgte Beschreibung Macheath' später wie selbstverständlich mit der von Hitler identifizierte: die Praktiken der kapitalistischen Wirtschaftsgeschichte erwiesen sich mit denen des Faschismus, der als das angeblich ganz andere erst kommen sollte, vor der geschichtlichen Entwicklung als ziemlich kongruent.

Geschichte

Mehrmalige Bezüge gelten Napoleon, wobei sich die Forschung keineswegs einig ist, ob es sich dabei um den 1. (Napoleon Bonaparte, 1769–1821) oder um den 3. (Louis Bonaparte, 1808–1873) handelt. Eindeutig jedoch auf den 1. Napoleon verweisen etwa das Motto »On s'engage et puis on voit« (»Man engagiert sich und sieht dann weiter«; 13, 892), die »napoleonischen Pläne« Macheath' (gemeint ist die »Einbeziehung« der Commercial Bank in den »Wettbewerb«), wie ein ganzer Abschnitt überschrieben ist (13, 892–908), ebenso die Bezeichnung Macs als »B.-Laden-Napoleon« (13, 949, 1018); überdies verweisen auch die Namen Nelsons (1758–1805, 13, 1036: Polly stickt »Lord Nelson bei Trafalgar« und 45: die Schiffe aus Nelsons Tagen) und Wellingtons (1769–1852; 13, 1092: ein Bild hängt in Browns Amtsstube), beide militärische Widersacher Napoleons I., auf die früheren historischen Bezüge. Das heißt: Macs Unternehmungen werden mit denen Napoleons verglichen, indem sie dadurch sowohl eine kriegerische als auch eine »imperialistische« Komponente erhalten, die sich zunächst nicht eindeutig zeigt, aber in der allmählichen Monopolisierung, auf die Macs »Olympiade« hinausläuft, angelegt ist. Brecht kommt es dabei nicht darauf an, im naturalistischen Sinn zu parallelisieren, indem Fakten aus Napoleons Laufbahn mit der Macheath' sich direkt entsprächen, er will vielmehr die sich gegenseitig erhellenden Dimensionen von Geschäftemachern und Kriegern (alias Politikern) andeuten (wozu dann auch der berühmte Clausewitz-Ausspruch gehört). Auch geht es nicht darum, den historischen Napoleon sozusagen nachträglich moralisch zu verurteilen, sondern die historische Erfahrung, die mit ihm Tatsache geworden ist, als Erfahrung in die Beurteilung der gegenwärtigen Politik einzubringen, und das heißt: auf Hitler und den Faschismus anzuwenden; sie sind gemeint, sie sollen mit Hilfe der historischen Erfahrungen »kalkulabel« werden. Brecht war sich sehr klar, was kommen würde; er hat »gewußt«, was da erneut »Geschichte machte«. – Daß ausgerechnet die Ohnmacht Napoleons vor dem Staatsstreich (13, 925; vgl. BBA 294/110 = Nr. 11409, Bd. 3, S. 15: »macheath' angst vor dem staatsstreich. napoleon«) sich nun auf den 3. Napoleon beziehen soll, wie Schlenstedt (1968, 78) behauptet und Müller von ihm übernimmt (136), ist ganz unwahrscheinlich. Schlenstedt gibt als Quelle Karl Marx' *18. Brumaire des Louis Bonaparte* (1852) an, die aber weder von Ohnmacht, noch von Angst oder »Zögern« (Müller, Schlenstedt) berichtet, sondern vom Ereignis, das »lange vor seinem Eintritt seinen Schatten vor sich hergeworfen hat« (MEW Band 8, 188); hinzukommt – und da war Brecht bei Marx (und Hegel) bereits in die Schule gegangen, daß Marx' Schrift über den 3. Napoleon dessen Taten nur noch als »Zitat«, als farcehafte Wiederholung der Taten des 1. Napoelon, und dazu mit entsprechend distanzierter Ironie wiedergibt, wie es ja bereits der Titel besagt, der den 2. Dezember 1851 ironisch als den 18. Brumaire (9.11.1799) des »Louis Bonaparte« zitiert (Marx' hatte ihn in der Erstausgabe zwar noch Louis Napoleon genannt, ihm dann aber auch diesen Namen versagt). – Der berühmt-berüchtigte Spruch des Karl von Clausewitz (1780–1831), des »Kriegstheoretikers der napoleonischen Epoche«, aus dessen Buch *Vom Kriege* (1832), daß der Kieg die Fortsetzung der Politik mit anderen Mitteln sei, ist Peachums Rechtfertigung, Fewkoombey auf den geschäftlichen Widersacher Coax zu hetzen (13, 1056: »wenn die Geschäftsleute am Rand ihrer Weisheit sind, dann kommt der Soldat dran«); es sei angemerkt, daß Hitler, dessen Reden Brecht, auch für diesen Roman, sehr genau verfolgt hat, in seiner Rede vor dem »Industrieklub« (sic) in Düsseldorf vom 27.1.1932 Clausewitz zustimmend zitiert: Politik »ist nichts anderes und kann nichts anderes sein als die Wahrnehmung der Lebensinteressen eines Volkes und die praktische Durchführung seines Lebenskampfes mit allen Mitteln« (das heißt: auch kriegerischen, bezogen auf die Außenpolitik; Text bei Domarus, 69f.); Clausewitz selbst verharmlost den Krieg als »eine Art Handel in größerem Maßstabe«, bemerkt aber nicht, daß er den Handel umgekehrt zugleich als eine »Art Krieg« definiert. Brecht brauchte hier nur die bürgerliche Theorie beim Wort (und bei der Sache) zu nehmen (Karl von Clausewitz: Vom Kriege. 2 Bände. 1832. Hier: Band 1, S. 143). – In übertragener Bedeutung zitiert Brecht Clausewitz' Satz in einer Rede des Staatsvertreters Hale, der die Politik als »Fortführung der Geschäfte mit anderen Mitteln« bezeichnet (13, 916), insofern doch die Politik auch nur auf den persönlichen Reibach sehe (»plump« sei), dann aber die Persönlichkeit und ihre Ehre füglich heraushält.

Literatur und Kunst

Samuel Butler, der Jüngere (1835–1902), der englische satirische Schriftsteller war mit seinem Roman *The Way of All Flesh' (Der Weg allen Fleisches;* 1903) Vorbild für die Gestaltung der Personen, ihrer Beziehungen zueinander und vor allem für die Rolle, die das Geld dabei spielt; 1929 hat Brecht diesen Roman besprochen und festgestellt: »Butler gehört zu den bürgerlichen Schriftstellern, die man an den Fingern einer Hand herzählen kann: bei denen das Geld die Stelle einnimmt, die ihm im bürgerlichen Leben gebührt« (18, 73; die Rezension insgesamt: 18, 73–75). Vor allem das Kapitel »Alles für das Kind« – wobei der Satz pure Ironie ist, weil in Wahrheit »Alles für den Profit« eingesetzt wird: auch das Kind – geht auf Butlers Roman zurück (vgl. aber auch Karl Marx, *Das Kapital,* MEW Band 25, S. 832, das ebenfalls für das »personifizierte Kapital« Pate gestanden haben kann; vgl. Schlenstedt, 1976, 156 und 173, Anm. 12).

Rudyard Kipling (1865–1936), der seit dem *Dickicht der Städte* Brecht Material liefert, wird mit der Devise »Der kranke Mann stirbt und der starke Mann ficht« mehrmals zitiert (13, 906, 932, 941, 1134, 1148 bzw. leicht abgewandelt: 13, 983, 991, 1025 z.B.); als Überschrift erscheint sie geteilt im 13. Kapitel (13, 1060ff.: »Der kranke Mann stirbt«, gemeint ist hier der Mord an Coax) und im 14. Kapitel (13, 1069ff.: »Der starke Mann ficht«, gemeint ist Peachum, der Fewkoombey an den Galgen liefert, da er Macheath nun gut gebrauchen kann). Kiplings Satz stammt aus dessen *Ballade,* die als Motto über dem 12. Kapitel des Romans *The Light that Failed* (*Das Licht erlosch;* 1890; deutsch 1894), den Brecht spätestens 1917 gekannt hat (Lyon, 127); Brecht hat die Devise bereits im Lehrstück *Die Ausnahme und die Regel* (2, 802) für das Lied des Kaufmanns verwendet. Der große Stellenwert, der Kiplings Zeilen zukommt, sollte nicht zum Schluß führen, daß der Roman insgesamt von Kipling (Burenkrieg etc.) angeregt und aus dessen »geistiger Verwandtschaft« (Lyon, 126) geprägt sei; schon im Lehrstück hat die Devise nur noch wenig mit Kiplings Sozialdarwinismus zu tun, sondern mit den kapitalistischen Methoden, die gerade nicht mehr den *persönlich* starken bzw. schwachen, den »Tüchtigen« und weniger Tüchtigen fördern, vielmehr denjenigen, der die Mittel hat und sie entsprechend skrupellos einsetzt. Im *Dreigroschenroman* ist aus Kiplings Devise in verschärfter Weise längst eine faschistische Parole geworden, die auf Hitlers »Rasse«-Vorstellungen ebenso anspielt wie auf die brutalisierten Methoden, die eigenen Interessen durchzusetzen (Coax z.B. ist alles andere als krank). Insofern erledigen sich alle weitergehenden Hinweise auf Kipling.

Pieter Brueghel der Ältere (1520–1569), der sog. »Bauernbrueghel«, ist mit seinemBild *Der Zug der Blinden* (1568) in die Beschreibung des Demonstrationszugs eingegangen, den Peachum zunächst als nationale Demonstration gegen den Streik der Dockarbeiter einsetzen wollte, der sich dann aber spontan bildet, als ein »toller« Zug der Kriegsversehrten: »Man rechnet nie genügend mit der Dummheit der Leute! Diese Leute ohne Arme und Beine und Augen sind immer noch für den Krieg! Dieses Kanonenfutter hält sich wahrhaftig für die Nation!« (13, 1062). Die Formulierung, die den Inhalt des Brueghelschen Bilds übernimmt, lautet: »Es gab sogar Kriegsblinde in diesem tollen Zug, sie wurden geführt von solchen, die zu sehen glaubten« (13, 1062). Walter E. Schäfer hat gezeigt, daß Brueghels Bild im Anschluß an die Bibelstelle: »Wenn aber ein Blinder einem anderen Wegführer ist, werden beide in die Grube fallen« (Matthäus 15, 14; vgl. Lukas 6, 39), gestaltet ist und auch eben diesen Sinn hat.

Johann Wolfgang Goethes (1749–1832) Darstellung des Einzugs der Königin von Frankreich und Erzherzogin von Österreich Marie Antoinette am 7. Mai 1770 in Straßburg könnte, wie Müller angibt (138), Brecht zu den Verschönerungsmaßnahmen angeregt haben, von denen Brown (nachträglich) berichtet (13, 976f.), als der englischen Königin der Anblick der Realitäten des Hafenviertels erspart bleiben soll, Peachums Bettler aber mit einer Elendsdemonstration drohen (Peachum erhält die benötigte Konzession für seinen illegalen Laden, und die Königin kann sich an den Schönheiten der Welt erfreuen). Goethe nennt in *Dichtung und Wahrheit* (1811–1822; 2. Teil, 9. Buch; Hamburger Ausgabe, Band 9, 365) die Anordnung »ganz vernünftig«, daß nämlich, »sich keine mißgestalteten Personen, keine Krüppel und ekelhafte Kranke auf ihrem Weg zeigen sollten«. Brecht verwendet das Motiv bereits ausführlich im *Dreigroschenfilm Die Beule* (Texte für Filme II, 335f.) mit bereits gezielten Anspielungen auf den aufkommenden Faschismus (September 1930; vgl. auch den *Song von der Tünche*, den die Polizisten bei den Arbeitern im Film singen sollen, und Brechts häufige Kennzeichnung Hitlers als Anstreicher).

Als wichtige weitere literarische Quellen haben vor allem der *Kriminalroman* und der *Kolportageroman*, insbesondere der triviale Frauenroman, zu gelten. Die Forschung ist bei der Angabe dieser Quellen bis jetzt nur bei ganz allgemeinen Angaben geblieben, so daß weder für das eine Genre noch für das andere konkrete Quellen zu nennen sind. – Daß Brecht eifriger Kriminalromanleser gewesen ist, ist nicht nur durch entsprechende Hinweise von ihm selbst und durch das Lob dieser Gattung, die er boshaft gegen den depravierten Romanbetrieb der bürgerlichen Schriftsteller hält, bekannt (vgl. vor allem 18, 28–33), sondern auch dadurch erwiesen, daß Brechts Bibliothek eine Unmasse von Krimis aller Art aufweist. Aus einer Umfrage über Kitsch von 1926 ist bekannt, daß Brecht dort Edgar Wallace gegen Franz Werfel ausspielt (»Den großen Wallace laß ich mir doch nicht nehmen!«; 18, 35 bzw. 34f.), Brecht also im *Dreigroschenroman* Wallace verarbeitet haben könnte. Brecht, der London bis dahin nicht kannte, hat im geplanten Vorwort zum Roman (BBA 294/137; zit. bei Müller, 137) angegeben, die Schilderung Londons aus Krimis entnommen zu haben: er habe »eine reihe englischer kriminalromane sorgfältig durchgearbeitet. selbstverständlich kann man für drei groschen nicht eine bis ins einzelne genaue schilderung einer so grossen stadt verlangen«. Er könne keinen »bädecker« für sieben Mark ersetzen. Im Vorwort zur englischen Fassung (BBA 294/136; zit. bei Müller, 137) verweist Brecht darauf, daß die Schilderung Londons – wie auch Freunde bestätigt hätten – gar nicht wirklichkeitsecht ausgefallen wäre, so daß sie dann eben nicht mit der Wirklichkeit, dafür aber »mit der schilderung englischer autoren« übereinstimme. Tatsächlich hat sich Brecht, was ihm durch den Ankauf eines Stadtplans ein leichtes gewesen wäre, nicht, bewußt nicht an die tatsächlichen Namen, Dimensionen der Stadt gehalten (auch das hat Tradition durch Arthur Conan-Doyles berühmte »Bakerstreet«), wie es das Kapitel 15 (»Nebel«; 13, 1137–1141) deutlich zeigt. Das trifft sich mit Brechts Realismusverständnis: nicht das vordergründige unmittelbare Abbild hat zu stimmen, es sind vielmehr die realen Funktionsgesetze der Gesellschaft und ihres Zusammenlebens sichtbar zu machen, und da hat London nicht das »richtige« London zu sein, sondern die Metropole (»Hauptstadt der Welt«; 13, 732 u.ö.), die dann nicht nur London, sondern auch Berlin (u.a.) meint. – Für den Trivialroman, der als 2. Muster sich durch den gesamten Roman hindurchzieht, und zwar in der sog. »Liebesgeschichte« der Polly und des Macheath, hat die Forschung ebenfalls keine konkreten Namen genannt; Brecht hat in einer nicht vollendeten Notiz in ironischer Weise Hedwig Courths-Mahler als »die große Realistin« gelobt (18, 35; von 1926), was darauf schließen läßt, daß er Romane von ihr gekannt hat. Der Inhalt eines solchen Romans ist durch das Selbstgespräch Pollys (13, 753f.) zumindest angedeutet: das reine, schöne Mädchen Elvira, das aufrichtig verliebt ist, fühlt sich zugleich aber auch sexuell durch andere Männer angezogen. – Beide »trivialen« Genres haben eine wichtige ästhetische Bedeutung für den *Dreigroschenroman*, die unten in einem gesonderten Abschnitt behandelt wird.

Bibel

»Den Trick habe ich aus der Bibel« (2, 446), erklärte bereits der Macheath der *Dreigroschenoper*, als er den Polizeichef Brown für seinen »Verrat« mit einem bösen Blick strafte. Direkte oder indirekte Berufungen auf die Bibel sind auch im Roman häufig und oft auch sehr augenfällig eingesetzt. So wenn Peachum den sog. Unglücksfall des »Optimisten«, wie das seeuntüchtige Schiff verbrämend hieß, damit rechtfertigt, daß »die Natur« immer wieder für solche Unvermeidbarkeiten sorge: *»Wer die menschliche Natur kennt, weiß, daß alles Menschenwerk Stückwerk sein muß. Der Satz steht schon in der Bibel, und es ist eine Befürchtung, die man beachten muß«* (13, 1102; gemeint ist wohl 1. Korinther 13,9: »Denn unser Wissen ist Stückwerk«). – Ausführlich behandelt ist das »Gleichnis von den anvertrauten Pfunden« (Lukas, 19, 12–26; vgl. Matthäus 25, 14–30), das der Bischof in seiner Predigt für die Opfer der »nationalen Katastrophe« geistlich ausdeutet (13, 1141–1144). Brecht stellt eine verkürzte Fassung des Gleichnisses her und »zitiert« sie (13, 1141); er läßt dabei gerade die Passage aus, die – im Sinn der Hegelschen Dialektik von Herrschaft und Knechtschaft in der *Phänomenologie* (vgl. BH 1, 218) – auf die Ausbeutung durch den Herren verweist, wenn der Knecht, der sein Pfund nicht vergrößert hat, sagt: »ich fürchte mich vor dir, denn du bist ein harter Mann; du nimmst, was du nicht hingelegt hast, und erntest, was du nicht gesät hast« (Lukas 19, 21). Brecht konzentriert das Gleichnis auf die wuchernden Pfunde und läßt den in ihm angelegten Widerspruch aus. Die Auslegung des Bischofs verläuft dann ganz in den gewohnten Bahnen, wobei die von ihm angeführte Differenzierung des »Lebens« in »ein *Vorn* und ein *Hinten*« ganz und gar nicht auf eine Aufdeckung der realen Hintergründe, sondern allein auf ihre verblasene und ablenkende Rechtfertigung hinausläuft. Dem »Opfertod« der Soldaten, der durch ein Wirtschaftsverbrechen verursacht worden ist, wird die höhere Weihe dadurch angelegt, als mit ihm das notwendige Nationalgefühl entfacht und England insofern doch noch gestärkt wurde. Zugleich hat das Gleichnis die »vordergründige« Ungleichheit zu rechtfertigen, der (natürlich) eine »hintergründige« Gleichheit vor Gott entspricht. Brecht verweist dabei ausdrücklich auf die beiden Fassungen des Gleichnisses bei Lukas und Matthäus, wobei letzterer statt vom Pfund vom Talent spreche (in der Lutherübersetzung heißt es übrigens »Zentner«), das den »schönen Doppelsinn« von Geld (aus Silber) und »geistiger Fähigkeit« habe. Während der Bischof als geistlicher Tui (Intellektueller) die Unterschiede (= Gleichheit vor Gott) auf die geistigen Fähigkeiten zurückführt und so verteidigt, behalten seine Formulierungen – durch Brecht raffiniert eingesetzt – ständig ihren Doppelsinn: »Jedem nach seinem Vermögen«, »Fähigkeiten sind Geld, Leistung ist Wohlstand« (13, 1143). In seinem Brief vom 17.3.1934 hat Karl Korsch Brecht auf

Übereinstimmungen des Bibel-Gleichnisses mit Passagen von Karl Marx' *Kapital* aufmerksam gemacht, die er auch in seiner Einleitung zur Ausgabe von 1931 (Berlin) verarbeitet habe (vgl. Karl Marx: Das Kapital. Mit einem Geleitwort von Karl Korsch. Berlin 1932. S. 27; MEW Band 23, S. 326 f., 514 und 609 f.). – Das Gleichnis wird im Epilog *Das Pfund der Armen* wieder aufgenommen, und zwar dort unter Anspielung auf die *Apokalypse* des Johannes und das Jüngste Gericht. Anders als in der Bibel – und nach den »Lehren des Religionsunterrichts« (vgl. 13, 844) – stehen die Menschen nicht vor Gottes Thron beim Weltgericht, sondern vor dem Gericht der Massen (der Armen, genauer: der Proletarier), und es findet das Gericht, im Traum freilich nur des Soldaten Fewkoombey, nicht am Ende aller Zeiten, sondern notwendig zu vorgezogener (unbestimmter) Zeit statt: »Keine Rede konnte davon sein, daß dieses Gericht am Ende allen Lebens stehen konnte, da es doch eigentlich erst seinen Beginn einleitete« (13, 1152). Angeklagter des Gerichts ist Christus als Urheber des Gleichnisses, Ziel des Gerichts ist es zu erfahren, was denn nun wirklich das Pfund ist, das da in den Händen der Reichen wuchert; das Gericht ist parteiisch, also deutlich auf der Seite der Armen. Sein Ergebnis ist: »Der Mensch [ist] des Menschen Pfund« (13, 1165), das heißt: die Vermehrung des *einen* Pfundes, mit dem angeblich jeder Mensch zu Beginn seines Lebens ausgestattet ist, ist nur möglich, weil nur wenige das eine Pfund erhalten, die Vermehrung aber des Pfundes nicht aus »eigener Kraft«, aus Talent und Vermögen (im geistigen Sinn) geschieht, sondern durch die Ausbeutung derjenigen, die kein Pfund erhalten haben und auch keines erhalten werden. Das »Heulen und Zähneklappern«, mit dem Matthäus den »faulen Knecht« bestrafen läßt, ist für diese bereits Voraussetzung für ihr menschenunwürdiges Leben (vgl. bes. 13, 1157). Fewkoombey als Oberster Richter verurteilt den Urheber des Gleichnisses und alle, die es weitergeben, zum Tod; aber mehr noch: auch diejenigen, die ihm zuhören und sich nicht gegen seine Unwahrheit erheben, verurteilt er ebenfalls zum Tode und das heißt: auch sich selbst. Der kurze abschließende Absatz, der die Hinrichtung Fewkoombeys als angeblichen Mörders der Mary Swayer »unter dem Beifall einer großen Menge« darstellt, stellt die Selbstverurteilung Fewkoombeys wieder in die geschilderte Realität des Romans und schließt ihn unversöhnlich ab.

Die Bibel-Zitate und Bibel-Anspielungen lassen sich noch weniger als in der *Dreigroschenoper* (vgl. BH 1, 60) positiv als »Exempla« menschlicher Verhaltensweisen deuten, auf die dann der jeweils konkrete geschilderte Fall beziehbar und als typisch menschlich beschreibbar würde. Im Gegenteil deckt Brecht nicht nur die apologetische und handlangerische Rolle der *Kirche* auf, die die nationale Sache zu ihrer eigenen macht und bereitwillig Verbrechen deckt, er zielt auch auf die Realitätsferne und Wirklichkeits-Unkenntnis der *Religion* und ihres Stifters, die der jeweiligen Kirche und Politik die Parolen lieferte, mit denen die Ungleichheit zu rechtfertigen war. Der unversöhnliche Schluß des *Dreigroschenromans* gelangt mit der Umdeutung des Gleichnisses vom Pfund, mit dem zu wuchern sei, zur radikalen Negation nicht nur des scheinbar immergültigen »Exemplums« menschlicher Passion, sondern auch derjenigen, die sich dadurch »beruhigen« lassen. Die realistische Konseqeunz des Schlusses bei Brecht ist die: wenn nicht die bisherigen Opfer Gericht halten über ihre Schlächter, werden sie wieder Opfer werden; in ungeahnt brutaler und menschenverachtender Weise hat der Nazismus zur Realität werden lassen, was Brechts Roman – übrigens mit nur wenig Hoffnung ausgestattet – bereits vorweggenommen hatte.

Griechischer Mythos

Eine bemerkenswerte Rolle spielen Anspielungen auf den griechischen Mythos, und zwar auf den Oedipus-Mythos und auf die *Ilias*, die Brecht bereits in *Leben Eduards des Zweiten von England* (vgl. BH 1, 45) oder indirekt in der *Heiligen Johanna der Schlachthöfe* (vgl. BH 1, 111 f.; hier vor allem im Hinblick auf die mythische Stilisierung des »Neuen Amerika«, die ganz der Warborn Castles = englischer Wallstreet entspricht, S. 13, 897) zurückgegriffen hat. Dem ungebildeten, aber geschäftstüchtigen Peachum unterschiebt der Erzähler (»Wäre er gebildet gewesen, hätte er ausrufen können«; 13, 381) ein Selbstgespräch, in dem Peachum seine Rolle, nämlich mit Wissen hereingelegt zu werden, gegen die von Ödipus, den ein unvermeidbares Schicksal »schlug«, ausspielt: der »Unseligste der Sterblichen« sei ihm gegenüber geradezu ein »Glückspilz«, denn er habe, solange er nicht um die Identität seiner selbst wußte, ein sehr angenehmes Leben geführt und schließlich sich selbst nichts vorzuwerfen gehabt, da er »nichts Vermeidbares« getan habe. Peachum dagegen sei mit allem Wissen ausgestattet in die Falle Coax' getappt und müsse nun damit leben. Es ist interessant, daß Brecht etwa zur Entstehungszeit des Romans den Oedipus-Mythos bereits in dieser Weise »richtiggestellt« hat: er glaube nicht, daß Ödipus so ahnungslos gewesen wäre, wie die Tragödie des Sophokles (um 430 v. Chr.) ihn vorführe. Wenn Ödipus dagegen eine Ahnung gehabt habe, werde die Tragödie nur tragischer, weil nun nicht mehr das »Unmenschliche«, sondern das Menschliche in seinem ganzen Ausmaß, im »riesigen Umfang seines Schreckens« eintrete (11, 209). Seine Verzweiflung nach der Unterrichtung über seine Identität sei dann erst begründet: »Kennen wir doch [dagegen] alle den zweifelhaften Wert der Verzweiflung, die jene Schuldner oder säumigen Vertragspartner äußern, wenn sie von der Vis major [der unvermeidlichen ›höheren‹ Macht] sprechen!«. Brecht holt den »menschlichen Mythos« vom Unseligen auf den Boden der (wirtschaftlichen) Tatsachen: eben dies geschieht auch in Peachums Selbstgespräch, das seine ironische Brechung freilich dadurch erhält, daß Peachum aus Unbildung nicht in der Lage ist, sich mit Ödipus zu vergleichen. Das tut der (»allmächtige«) Erzähler für ihn, und das heißt: sein »Schicksal«, von Coax nämlich hereingelegt worden zu sein, erscheint nicht wie im antiken Mythos in seiner »Berichtigung« als tragischer, sondern umgekehrt gerade als lächerlicher, weil ihm der volle Ernst versagt bleibt und sein »Schicksal« selbstbereitet ist. Die Anspielung auf den Mythos hebt auch hier – wie bei den Bibel-Anspielungen – das

Muster berichtigend und ironisierend auf; zugleich verweist sie – wie viele der Brechtschen Zitate oder Anspielungen – auf komische Umkehrung, die als das »Gesellschaftlich-Komische« für Brechts Ästhetik mitbestimmend ist: die Tragödie wird zur Farce (vgl. Karl Marx: Der achtzehnte Brumaire des Louis Bonaparte, MEW Band 8, S. 115: »Hegel bemerkt irgendwo, daß alle großen weltgeschichtlichen Tatsachen und Personen sich sozusagen zweimal ereignen. Er hat vergessen hinzuzufügen: das eine Mal als Tragödie, das andere Mal als Farce«). – Mit der *Ilias*-Anspielung (13, 901 f.) stellt sich das Pendant zu Peachums Selbstgespräch her. Hier sind es die Oppers, die Inhaber der Commercial Bank, die sich, das heißt: der Seniorchef Jacques, im angestammten Bildungsgut ausweisen können. Jacques schreibt an einer Biographie des Lykurg (um 390 bis 324 v. Chr.), des griechischen Politikers und Redners, der in Athen Finanzminister gewesen ist, sich gleichzeitig aber einen Namen damit machte, daß er die griechischen Tragiker überlieferte, eine Rolle, die sich Opper der Ältere offenbar auch selbst zudenkt. Als Macheath ihnen jedenfalls die Vorstellungen über das Geschäft, und das heißt vor allem das gegenseitige Ausspielen der Konkurrenten, entwickelt hat, sehen die Oppers den geschäftlichen »Wettkampf« in mythischen Bildern, nämlich die »Verkäufer die erschlagenen Kunden zur Kassa schleifen, wie Achilles den Hektor« (13, 902). Die Verbrämung des »freien« Konkurrenz-Kampfes mit Bildern des griechischen Mythos (zu dem historische kommen, z. B. der Vergleich des Macheath mit Alkibiades; ebd.) nimmt die liberalistische Vorstellung vom freien »Wettbewerb« in der Wirtschaft auf, in der ja Sport-Metaphern (»Spielregel«, »Wettkampf«, »Einsatz« etc. etc.) vorherrschend sind. Brecht verbindet mit dem Einbezug des griechischen Mythos die Verwendung angestammter Bildung zur Absicherung wirtschaftlicher Macht auf ironische Weise (»Jacques Opper konnte Geld nicht ausstehen«; 13, 899) mit der – mit ihm verbundenen – Martialität des realen Kampfes, die in der politischen Sprache mit den scheinbar unschuldigen Metaphern aus dem Bereich des Sports zugedeckt wird (entsprechend finden denn auch bei Brecht statt des über Leichen gehenden Gangstergeschäfts »Olympiaden« statt; vgl. vor allem 13, 901, 922, 931, 1077, wo die Verbindung zum Krieg noch hinzukommt). Brecht verdoppelt bzw. verdreifacht damit den Sinn des scheinbar »einfach« Erzählten: durch die Anspielungen und damit neu herangezogenen Sinnebenen verliert das »eigentlich« erzählte Geschehen seine »Unschuld« und deckt umgekehrt die Vieldeutigkeit der geschwätzigen Bemäntelung der wahren Geschäfte (Rolle von Bildung, Rolle des Sports, Rolle der guten Formen etc.) unter Anwendung der eigenen Mittel auf. Dazu gehört, daß auch Oppers Bildung nicht so ganz vollkommen ist, wenn er das griechische Ideal der »Kalokagathia« freudsch mit »Kollokakadia« verballhornt (13, 902). Die antike »Schöngutheit« bezeichnete Platos Bildungsideal, die Einheit von »Adel«, Reichtum und körperlich-geistigen Fähigkeiten, ein Ideal, das der deutsche Idealismus erneuert hat; aus der »Schöngutheit« wird die »Warengutheit« (Kollo = Ware). Mit der »Kalokagathie« ist zugleich eine weitere Ebene der Geschäftsbeziehungen angesprochen: während der liberalistische Wettbewerb suggeriert, daß da freie Menschen nach ihrem »Vermögen« (das heißt: geistigen Fähigkeiten) nach festen Spielregeln miteinander konkurrieren und so »Persönlichkeit« darstellen (und also ihr gutes Geschäft als Leistung der tüchtigen Persönlichkeit auffassen), zeigt Brecht, daß im realen Geschäft nur diejenigen eine Chance haben, die sich der brutalen Realität des gar nicht sportlichen Konkurrenzkampfes anzupassen und aus ihr die jeweilig richtigen Schlüsse zu ziehen vermögen. Persönlichkeit gibt es da bloß noch als bürgerliche Legende.

Film

Neben der Übernahme von Filmtechniken, die im Analyse-Teil besprochen sind, verarbeitet der Roman auch direkt einen Stumm-Film der Zeit, und zwar im 13. Kapitel, als Polly mit ihrer Mutter ins Kino geht und beide das »Kunstwerk« tief bewegt genießen (13, 1047–1050). Brecht erzählt den Inhalt des Films relativ ausführlich nach. Es handelt sich dabei um den 1923 entstandenen Comedia-Film *Mutter, Dein Kind ruft*, der nach der Novelle *Brennendes Geheimnis* von Stefan Zweig gedreht worden ist; die Zweig-Novelle entstand 1910 und wurde 1911 in der Novellensammlung *Erstes Erlebnis* publiziert. Das Buch des Films verfaßte Hanns Janowitz, die Regie führte Rochus Gliese; als Darsteller wirkten u. a. mit Jenny Hassekquist, Gertrud Eysoldt, Ernst Deutsch und Otto Gebühr.

Angabe nach:
Gerhard *Lamprecht*: Deutsche Stummfilme 1923–1926. Hg. v. d. Deutschen Kinemathek. Berlin o. J. (= Deutsche Stummfilme. 8).

Selbstzitate

Brecht hat – das scheint unmittelbar in der Fortführung des »Dreigroschen«-Stoffs zu liegen – eine Fülle von Selbstzitaten verwendet, die allerdings – da der Roman gegenüber der *Dreigroschenoper* und dem *Dreigroschenfilm* selbständig ist – nicht auf bloße Übernahme bzw. »Fortführung« in einer anderen Gattung beschränkt bleiben. Es folgt zunächst die kommentierte Auflistung der wichtigsten Selbstzitate.

Die weitaus meisten Selbstzitate finden sich als Mottos, und diese wiederum sind meist Zitate aus der *Oper:*

Lied der Polly Peachum (13, 743 f. = 2, 423–425: Polly deutet ihren Eltern die Verheiratung mit Macheath an),
Dreigroschenfinale (13, 777 = 2, 458: aus dem 2. Dreigroschenfinale, dort auf Jenny und den Chor, letzte zwei Zeilen, verteilt),
Dreigroschenfinale (13, 793 = 2, 432: aus dem 1. Dreigroschenfinale, dort mit erheblich anderem Text des 1. Verses; für den Roman hat Brecht die »gängige« Form des »geflügelten Worts« gewählt; vgl. die Wirkung der *Dreigroschenoper;* BH 1, 63 f.),
Ballade von der Hanna Cash (13, 816 = 8, 230: es handelt sich um die 4. und 5. Strophe der gleichnamigen Ballade aus der *Hauspostille*),
Die Moritat von Mackie Messer (13, 862 = 2, 395: aus dem *Vorspiel* der *Dreigroschenoper;* zitiert sind in der Reihenfolge der ursprünglichen Anordnung die 1., 3., 5., 6.–8. Strophe, die letzte Strophe entspricht der 2. und verstärkt das Motiv des »Verbergens«: »Mackie Messer trägt 'nen Handschuh / Drauf man keine Untat liest«; vgl. auch den auf Coax gemünzten Satz: »Er faßte auch nichts Schmutziges an; er trug immer Handschuhe«; 13, 760),
Lied von der Unzulänglichkeit menschlichen Strebens (13, 909 = 2, 465),

Träume eines Küchenmädchens (13, 945 f.) = *Die Seeräuber Jenny* aus der *Dreigroschenoper* (2, 415–417, mit einigen Modifikationen),
Lied des Polizeichefs (13, 980) entspricht einer Strophe des in der *Beule* Brown zugedachten Lieds beim »Tünchen« (*Texte für Filme* II, 335; vgl. 8, 338 f.).

Weitere wichtige Selbstzitate sind die Wiederaufnahme der berühmten Schlußwendung der *Dreigroschenoper* mit den Fragen »Was ist ein Dietrich gegen eine Aktie? Was ist ein Einbruch in eine Bank gegen die Gründung einer Bank? Was mein lieber Grooch, ist die Ermordung eines Mannes gegen die Anstellung eines Mannes?« (13, 998 = 2, 482; über die Entstehung dieser Passage in der *Oper* vgl. BH 1, S. 84 im Zusammenhang mit Elisabeth Hauptmanns Stück *Happy End;* die Passage war auch für *Die Beule* vorgesehen; vgl. *Texte für Filme* II, 337 f.), dann die Ausrüstung der Bettler nach (pseudo-)behavioristischen Prinzipien, die auf künstliche Weise »natürliche« Effekte provozieren (13, 747 = 2, 400 f), sowie Peachums Bezeichnung als »Bettlers Freund« (13, 745 = 2, 398, da Firmenname) und die Übernahme des Texts der Projektionstafel, der sowohl die *Oper* als auch – nach dem Prolog – den Roman eröffnet (13, 745 = 2, 397).

Das bürgerliche Prinzip, die Taten der »Untergebenen«, Angestellten etc. als die eigenen, persönlichen Verdienste zu reklamieren, geht ebenfalls über ein modifiziertes Selbstzitat aus der *Oper* in den *Roman* ein. In der *Oper* besteht Macheath, sogar die von ihm verurteilte Brandstiftung eines Kinderhospitals sich selbst zurechnen zu lassen, und er wählt dabei einen sehr typischen Vergleich, wenn er fragt: »Hat man je gehört, daß ein Oxfordprofessor seine wissenschaftlichen Irrtümer von irgendeinem Assistenten zeichnen läßt? Er zeichnet selbst.« (2, 437; vgl. BH 1, S. 59). Im *Roman* heißt es deutlicher: »Die Grausamkeit, Unerbittlichkeit und Schlauheit, mit der der betreffende Mann fremde Verbrecher zwang, den Ruhm ihrer Taten ihm abzutreten, war vielleicht beträchtlicher als die jener ihren Opfern gegenüber. Sie stand der, mit welcher unsere Universitätsprofessoren unter die Arbeiten ihrer Assistenten ihre Namen setzen, nur wenig nach« (13, 865).

Nicht um ein ausgesprochenes Zitat, sondern um eine *Anspielung* handelt es sich z. B. beim 1. Motto des Romans (= Prolog): *Aus ›Herrn Aigihns Untergang‹. Alte irische Ballade* (13, 731), wenn man weiß, daß »Aigihn« die augsburgsche Aussprache für »Eugen« ist und Brecht von seinem Vater so gerufen wurde (vgl. z. B. Münsterer, 18: dort Schreibung »Aigin; vgl. auch die eindeutig auf Brecht bezogene *Ballade von Herrn Aigihn;* 8, 422); ebenfalls sind die »Mahagonnytische« (13, 873, 965), die allerdings in der *Werkausgabe* (da »Mahagonitische«) nicht mehr erkennbar sind (vgl. dagegen die Erstausgabe von 1934, 164, 266), Anspielung auf die Oper *Aufstieg und Fall der Stadt Mahagonny* (vgl. zur Bedeutung des Namens BH 1, 65 f.).

Die Rolle der Selbstzitate ist einmal als ironisierte Fortsetzung des, mit dem Streit um die angeblichen Plagiate in der *Dreigroschenoper* zusammenhängenden, Prinzips der »grundsätzlichen Laxheit in Fragen geistigen Eigentums« (18, 100) zu sehen. Brecht wendet es hier auf sich selbst an und gibt sich damit die klassische Weihe (Nennung neben Goethe, Shakespeare »und so weiter«; vgl. 18, 79). Zum anderen ist sie Ausdruck dafür, daß Brecht die Rolle des »Originellen« für die moderne Zeit neu bestimmt sehen wollte, und zwar ganz entsprechend der realen Rolle, die das Individuum in ihr hat: nicht mehr »Schöpfung aus sich heraus«, »Ausdruck seiner selbst«, sondern die Kenntnisnahme und Übernahme der Tradition (Geschichte; Erfahrungen, das, was zur Verfügung steht bzw. stehen soll), ihre Umwandlung zu neuem, zeitangemessenem »Ausdruck« und neuer ästhetischer Bedeutung. Originalität besteht dann nicht im »Ausgefallenen«, Nie-Dagewesenen«, sondern im Verfügen über die Tradition und in ihrer Verbindung mit den neuen Fragen der Zeit; während der erste Begriff weitgehend mit »unbewußter Schöpfung« des Dichters rechnet, setzt der zweite Begriff den bewußten Künstler voraus. Darüber hinaus erhalten die Zitate im neuen Kontext einen neuen Stellenwert: in der *Oper* hatten sie die »Verfremdungs-Effekte« zu gewährleisten (vgl. die konkrete Beschreibung in BH 1, 61 f.), da vor allem war das Bewußtsein zu vermitteln, daß das Spiel auf der Bühne nicht Nachahmung von Realität, sondern gespieltes Spiel ist, das auf die Realität zeigt; im *Roman* erhalten die Zitate überwiegend kommentierende und verallgemeinernde Funktion. Wichtig dabei ist vor allem, daß die Zitate aus der *Oper* dem *Roman* weitgehend fremde Personen und Umgebungen einfügen, die in der *Oper* sich aus der Handlung entwickeln bzw. im Rollenspiel realisiert sind. Dadurch läßt sich das Verhältnis *Oper–Roman* genauer bestimmen: der *Roman* wiederholt nicht den Stoff der *Oper,* er hebt diese vielmehr in sich »auf« (im doppelten Wortsinn) und fügt sie sich auf diese Weise als weitere Ebene (zu Geschichte, Wirtschaft, Literatur etc.) hinzu. Deutlich etwa wird dies an der ehemaligen Hauptfigur der *Oper,* die ja als Identifikationsfigur gewirkt hat, im *Roman* aber prinzipiell gewandelt ist. In der *Oper* war Macheath der Held, der Frauenverführer, der Mann mit der Ausstrahlungskraft des Räubers, der auf seine Siege zurückblicken kann; im *Roman* dagegen ist der Räuber nur noch »Zitat«: was von ihm bekannt ist, ist buchstäblich Legende, der reale Macheath ist dagegen häßlich, mit pickeliger Haut, gedrungen, mit Rettichkopf ausgestattet, und wirkt auf Polly alles andere als anziehend (vgl. vor allem 13, 756). Das entspricht exakt der Wandlung, die die *Oper* am Ende nur in Aussicht stellt, im *Roman* aber Voraussetzung ist: die Zeit des individuellen Räubertums, der stehenden »Messer« ist vorbei, die Räubereien sind verwickelter geworden, die Segelschiffahrt, wie der Vergleich heißt, von der Dampfschiffahrt abgelöst (vgl. 13, 1129). Es kommt nicht mehr auf die äußeren Wirkungen und »Sichtbarkeiten« an, es sind die »inneren«, »verborgenen« Qualitäten, die zählen. Mit dem Zitat aber der *Oper* ist die vergangene Welt des verklärten Räubers ständig gegenwärtig, gegenwärtig auch deshalb, weil die Künste der Zeit, vor allem die Kolportage und Unterhaltungsbranche, an ihr festhalten (woran sich ja bis heute wenig geändert hat) und objektiv apolegetisch wirken.

Die Anspielung des 1. Mottos auf »Herrn Aigihns Untergang« ist vieldeutig. Die Ballade existiert als »alte irische« realiter nicht; der »Untergang« ist doppeldeutig und anspielungsreich, da Brecht nicht zuerst an den pejorativen Sinn von »Vernichtung« denkt, sondern an ein Hinuntergehen (zu den Arbeitern, zu den Armen) (vgl. die entsprechende Verwendung des Worts »Abstieg« bei Brecht in den *Svendborger Gedichten* oder *Abstieg der Weigel in den Ruhm; Über Lyrik,* 74; 16, 607–610). Die Verbindungslinie zu Brechts »eigener Tradition« stellt sich – wie übrigens auch über den Einbau des griechischen Mythos – über *Die Heilige Johanna der Schlachthöfe* her. Johanna geht dort dreimal »in die Tiefe«, das heißt: zu den Arbeitern mit dem Vorsatz, ihnen zu helfen und es dann doch nicht zu können. Brecht hatte den Gang in die Tiefe in der *Versuche*-Ausgabe des Stücks (1932) mit der »Entwicklungsstufe des faustischen Menschen« zusammengebracht (vgl. BH 1, 112), wodurch sich denn – wie auch beim Schluß der Johanna – der Bezug zu Goethe und seinem *Faust* deutlich herstellt, nämlich die Umdeutung des »Gangs zu den Müttern« und des damit verbundenen Mythos des »Ewig-Weiblichen« (Faust II, Verse 6211 ff.) bzw. des »Lebendigen« überhaupt zur eigentlich »produktiven Kraft«, den Arbeitern nämlich. – Ob sich durch den Hinweis auf die »alte irische Ballade« in diesem Motto auch noch eine Anspielung auf Ossian, den von James Macpherson (1736–1796) erfundenen alten keltischen Volkssänger und Barden (Erstausgabe 1760–1763: *Fragments of Ancient Poetry, collected in the Highlands*), versteckt, bleibt zu klären. Indizien dafür stellen sich über Goethe her, der im *Werther* »Ossian« ausführlich zitiert, aber auch über die Plagiatsfrage, insofern es sich hier um eine der berühmtesten literarischen Fälschungen der Weltliteratur handelt, freilich mit umgekehrtem Vorzeichen: der moderne Dichter gibt seine eigenen Dichtungen als uralte, damit geadelte Volkspoesie aus. Der Stempel der Klassizität wäre demnach auch noch durch die Stilisierung des Neuen als des schon geweihten Alten gesichert (das gilt zumindest für den Gedicht-»Ausschnitt« selbst). – Überdies enthält das Motto eine Anspielung auf die eigene Exilsituation, die auf Svendborg verweist (das »Obdach«, das gefunden wird; Brecht schreibt vom dänischen »Strohdach«, unter das er geflüchtet sei; vgl. 9, 832). Da sich das Gedicht zugleich auf Fewkoombey bezieht, der sog. »Obdach« bei Peachum findet, ergibt sich eine weitere Ebene des zeitgeschichtlichen Bezugs.

Zeitgenössische Bezüge

Ökonomie

Wichtiger als die Verarbeitung historischer Quellen aller Art sind die zeitgenössischen Bezüge auf die faschistische Politik, die *auch* mit Hilfe der historischen Quellen hergestellt werden. Die historischen Quellen haben die Funktion, historisch verbürgte Erfahrungen in der eigentlichen Geschichte des Romans zu spiegeln, ihr damit zusätzliche Dimensionen zu geben, aber auch die Vergangenheit zu dokumentieren, über die bereits zu verfügen wäre, wenn man aus ihr hätte lernen wollen. Da dieses Lernen ausgeblieben ist, verfügen die »Macher« aller Art über sie, nicht aber, um die schlechten Erfahrungen der Historie zu meiden, sondern sie in ihrem Sinn neu und wiederholt zu nutzen. Dadurch daß die Geschichte des Romans über die historischen »Zitate« hinaus auch Bezüge zur zeitgenössischen Politik herstellt, erhalten die historischen Erfahrungen zusätzlich »prophezeienden«, besser: warnenden Charakter. Es spricht alles dafür, daß die Fortsetzung der geschäftlichen Kämpfe, die Kämpfe der Ausbeutung sind und auf Kosten der Armen ausgefochten werden, in einen erneuten Krieg umschlägt, der freilich mit allen rhetorischen Mitteln unter der angeblichen Friedensliebe verdeckt wird. Der Roman zeichnet sich dadurch aus, daß er die wirtschaftlichen und politischen Kämpfe (im Kapitalismus) bereits als inneren Krieg vorführt, der nur bedingt offener Klassenkampf (»Schlacht bei den Westindiadocks«; 13, 1079–1088) werden kann, weil die offizielle liberalistische (und pluralistische) Ideologie und die ihr zur Verfügung stehenden materiellen Mittel (vor allem die Abhängigkeit geschäftlicher Art, die gar keine Konkurrenz zuläßt) das entsprechende Klassenbewußtsein verhindern; dies herzustellen, ist eins der vornehmsten Ziele des Romans.

Weniger in den Personen als in den Geschäfts-Handlungen des Romans sind die zeitgenössischen Bezüge angelegt. Brecht hat es, obwohl er besonders in Macheath Züge Hitlers nachbildete, vermieden, die »Gangster«-Handlung der Entwicklung Hitlers folgen zu lassen, und statt dessen für eine selbständige Geschichte gesorgt. Dies liegt auch in der ästhetischen Konsequenz des Romans: er personalisiert gerade nicht – das tut die Ideologie –, er führt vielmehr das vielfältige und nuancenreiche Zusammen- und vor allem Gegeneinanderwirken der über das Vermögen (und die Talente) verfügenden »Führergestalten« (Macheath, Peachum, Coax, Chreston, die Bank-Bosse, Aaron, O'Hara) vor.

Obwohl die entsprechenden wirtschaftspolitischen Arbeiten inzwischen vorliegen, hat die Brecht-Forschung die ökonomische Handlung des Romans noch nicht genauer im Hinblick auf die zeitgenössischen Verhältnisse, und das heißt vor allem: auf die der Weimarer Republik und ihrem Ende, untersucht, und dies, obwohl mit den B-Läden eine bestimmte Schicht der Kleinbürger und Mittelständler angesprochen ist, die für den Aufstieg des Faschismus in Deutschland maßgeblich geworden ist.

Wenn die Forschung Hinweise auf zeitgenössische Verkaufsorganisationen gibt, dann in erster Linie auf das sog. »Bata-System« aus der Tschechoslowakei (vgl. Fischetti, 144; Schlenstedt 1968, 76). Bei »Bata« (nach dem Firmengründer Thomas Bata, 1876–1932) handelt es sich zunächst um eine Schuhfabrik, die schon früh (1904) in Europa Serienproduktion praktizierte und sich – durch die Produktion von Militärschuhen – im 1. Weltkrieg außerordentlich auszubreiten verstand; ebenfalls für europäische Verhältnisse früh erfolgte die Einführung des von den Ford-Werken (Automobile; USA) zuerst verwendeten und damals noch sog. »laufenden Bandes« (Fließbandes) ab 1927, verbunden auch mit sonstiger weitgehender »Rationalisierung«. Bata führte – zur Steigerung der Produktion – die Gewinnbeteiligung von Angestellten und Arbeitern ein, und zwar nach dem Prinzip der Selbstverwaltung der einzelnen »Werkstätten« (= Fabriken). Entscheidend für die Parallele zu den B-Läden wird die Verkaufsorganisation von »Bata« angesehen, nämlich die Gründung eigener Verkaufsstellen in aller Welt (Anfang der 30er Jahre 1960 Filialen) nach einheitlichem Muster (Bau durch werkseigene Bauabteilung), die ebenfalls mit Gewinnbteiligung arbeiteten, aber als *Angestellte* der Firma.

Die Parallele zu »Bata« hat Brecht (bzw. seine Mitarbeiterin Steffin) selbst hergestellt, indem er in einer Notiz zum Roman die geplante Hochzeitsreise von Mac und Polly nach Liverpool (im Entwurf noch: Southampton) mit der Eröffnung weiterer B-Läden nach dem »system bata« verbinden will (BBA 294/36 = Nr. 11350, Bd. 3, S. 11), was im ausgeführten Roman dann *nicht* geschieht (da sehen sich Polly und Mac lediglich zwei Läden an; 13, 833–836). Übereinstimmungen zu »Bata« mit dem bürgerlich-ökonomischen Teil der Unternehmungen des Macheath ergeben sich 1. durch die feste Bindung der Läden an nur einen Lieferanten (d. h. genauer: Produzenten) und 2. durch die Ausschaltung des Zwischenhandels mit entsprechender Verbilligung der Waren (bei Macheath entspricht die sonst übliche Hehlerei dem Zwischenhandel; vgl. 13, 868).

Bedeutende Unterschiede zum »Bata-System« ergeben sich jedoch in folgenden Punkten: 1. die B-Läden bei Macheath sind »selbständig«, sie arbeiten mit eigener Buchführung und auf eigene Kasse, 2. haben sie in der Regel ein differenziertes (oft chaotisches) Sortiment (entsprechend Kaufhäusern), 3. basieren sie auf der Arbeit der gesamten Familie, vor allem auch dann, wenn den Läden Heimwerkstätten zugeordnet sind; dagegen verkaufen die Bata-Läden serienmäßig produzierte Fabrikware, haben lediglich ein spezielles Sortiment und werden von Angestellten betrieben. Kurz: der entscheidende Unterschied liegt darin, daß es sich bei den B-Läden Brechts um ein *selbständiges* Einzelhandelsunternehmen, bei den Bata-Läden dagegen um ein zum Konzern gehöriges unselbständiges Verkaufsunternehmen handelt, folglich die Inhaber der Brechtschen B-Läden zum selbständigen Mittelstand gehören, die Verkäufer der Bata-Läden dagegen zur Masse der Angestellten.

Dieser selbständige (genauer muß es heißen: sich selbständig dünkende) Mittelstand aber ist es, der die offenkundige Parallele zum Mittelstand der Weimarer Republik herstellt, und vor allem auch dadurch, daß seine Selbständigkeit lediglich auf Illusion beruhte, dennoch aber (oder besser: gerade dadurch) mit allen ideologischen Mitteln verteidigt wurde. Brechts System der B-Läden vermag dies auf handgreifliche Weise zu zeigen, wenn es auch keineswegs ein naturalistisches »Abbild« darstellt: zu diesem nämlich gehörte ja die Suggestion von Selbständigkeit, Unabhängigkeit, Wahlfreiheit, die die wahren und realen Verhältnisse verschleiert. Indem aber die Verbrecherorganisation des Macheath – und da geht der Roman erheblich weiter als die Oper – von vornherein von ihrer unternehmerischen Seite vorgeführt wird, kann eins der wesentlichen Funktionsgesetze der kapitalistischen Wirtschaft, das dem Faschismus den Steigbügel bot, aufgedeckt werden. Diese Möglichkeit ergibt sich problemlos und ganz im Zusammenhang der »eigentlichen Romanhandlung« aus den Verteilerschwierigkeiten, die gestohlene Waren nun einmal mit sich bringen: sie sind – auch realiter – bereits nicht mehr primär Fragen des Verbrechens, sondern Fragen der Ökonomie. Das B-Laden-System löst sie, und zwar auf legale Weise und dabei auch noch unter Ausschaltung des gut verdienenden Zwischenhandels der Hehlerei. Die B-Laden-Besitzer auf der anderen Seite sind nicht nur ganz legale Geschäftsleute (die auch von nichts wissen), sie erhalten überdies den Eindruck, als arbeiteten sie ganz selbständig und unabhängig, da ihre Bindung an den Lieferanten ja einzig und allein in der Warenzufuhr besteht, also unpersönlich, ganz versachlicht ist. Aus dieser – gesellschaftlich bevorzugten – Stellung resultiert eine entschiedene Abgrenzung gegen die Fabrikarbeiter, die denn auch hämisch als »Fabrikler« abqualifiziert werden (13, 1072), und entsprechend ein ausgeprägtes Selbstbewußtsein, ja es ist auch von Stolz die Rede (13, 942), Eigenschaften, die sich außerordentlich staatserhaltend ausnehmen. Brecht zeigt dagegen an nicht wenigen Stellen, daß dem Selbstbewußtsein und dem Stolz keine Realität entspricht, im Gegenteil ist die Lage der Kleingewerbetreibenden noch schlechter als die der Arbeiter (und sogar der Bettler, die bei Peachum ja als Angestellte arbeiten). Die Ideologie ist frühzeitig zusammengefaßt in folgender Passage: »Macheath hatte erkannt, daß es vielen kleinen Leuten hauptsächlich um die Selbständigkeit zu tun war. Sie hatten eine Abneigung dagegen, ihre Arbeitskraft in Bausch und Bogen zu vermieten wie gewöhnliche Arbeiter oder Angestellte, sondern wollten auf eigene Tüchtigkeit gestellt sein. Sie wollten keine öde Gleichmacherei« (13, 778f.).

Das entspricht nun ziemlich exakt der tatsächlichen Lage der Kleingewerbetreibenden in der Weimarer Republik bis zu deren Ende. Der selbständige Mittelstand hatte bereits durch Krieg und Inflation seinen ehemaligen (geringen) Wohlstand verloren; in der Zeit des »Aufschwungs« – auch bekannt als die »Goldenen Zwanziger« – geriet der kleine Einzelhandel in die scharfe Konkurrenz von Warenhaus und Kettenläden, die nicht nur durch massenhafte Umsätze, sondern auch durch Rationalisierung viel besser wirtschaften und vor allem viel preiswerter ihre Waren anzubieten vermochten. Dennoch nahm der Kleinhandel, wie Theodor Geiger schon 1932 bemerkte, auf eine merkwürdig »unmotivierte« Weise zu: »Diese Inflation der kleinen Selbständigen ist bekanntlich dadurch gefördert, daß einen Laden zu eröffnen und sich als Kaufmann zu bezeichnen, keinerlei Fachkenntnis voraussetzt. Es gibt hier eine Gruppe der Selbständigen, die durchaus den ungelernten Gelegenheitsarbeitern unter den Abhängigen vergleichbar ist« (Geiger bei Leppert-Fögen, 273). Die liberalistische Wirtschaftsgeschichtsschreibung führt die auf die Wirtschaftskrise von 1929 folgende Handelskrise unter dem Stichwort »Selbstzerfleischung des Handels« (Uhlig, 41 und ff.), das heißt: der »Wettbewerb« habe infolge von Massenarbeitslosigkeit, Zusammenbrüchen, Preiskämpfen etc. »zwangsläufig immer schärfere Formen« angenommen, ohne danach zu fragen, von wem die Händler eigentlich die Waren bezogen und wer sich gleichzeitig am »friedlichen Wettbewerb« wirklich (Uhlig, 42) bereicherte. Für den selbständigen Mittelstand jedenfalls bedeutete der »Konkurrenzkampf« eine zunehmende Proletarisierung, so daß die ökonomische Selbständigkeit immer mehr zum Schein wurde. »Der Stachel der zur politischen Radikalisierung des Mittelstands führte, wäre demnach nicht primär in einer absoluten Verschlechterung des Lebensstandards von Kleingewerbetreibenden und Kleinkaufleuten zu suchen, sondern in der Tatsache, daß selbst in Perioden relativer Prosperität die Abgrenzung vom Proletariat sich ökonomisch immer weniger darstellen ließ, ökonomische ›Selbständigkeit‹ ihre Entschädigung immer weniger materiell, durch ein vom lohnabhängigen Facharbeiter signifikant unterschiedenes Einkommen, sondern nur noch ideologisch erhielt« (Leppert-Fögen, 274). Eben diese Diskrepanz zwischen Sein und Schein, die zur einfachen Erklärung, weshalb der Mittelstand für die nationalsozialistischen Parolen anfällig wurde, auch noch die ideologische hinzufügt, ist das entscheidende Demonstrandum der B-Läden und ihrer Besitzer.

Dem entsprechen wiederum recht deutlich die »sozialistischen« Sprüche der Unternehmerseite, wie sie die – mit manchen nationalsozialistischen Anklängen ausgestatteten – Reden des Macheath vor seinen Kleingewerbetreibenden belegen. Zunächst wird der Unterschied zwischen den Großkonzernen und den Kleinunternehmern gewaltig herausgestrichen: »die Konkurrenz der großen Kettenläden [sei] eine unsittliche [...], da dieselben fremde Arbeitskräfte ausbeuteten und zusammen mit den jüdischen Banken die Warenpreise ruinierten. Er beruhigte ihn [den Kleinhändler] aber über die großen Geschäfte, indem er anführte, daß in den prunkvollen Läden, etwa bei I. Aaron, keineswegs alles so glänzend stehe, wie es den Anschein habe. Sie seien innerlich durch und durch verfault, wenn sie auch äußerlich glänzten. Es handle sich gerade darum, den Kampf mit diesen Aarons und wie sie alle hießen, mit rücksichtsloser Energie aufzunehmen. Darin dürfe es keine Schonung geben« (13, 834). Unschwer ist in dieser Kampfansage zum einen die die Weimarer Republik beherrschende Auseinandersetzung zwischen Mittelstand und organisiertem Handel (Warenhaus, Kettenläden), den der Mittelstand mit Vehemenz gegen die ohnehin siegreiche Konkurrenz vor allem ideologisch führte, zum anderen aber besonders auch die nationalsozialistische Wirtschaftspolitik zu erkennen, die es verstand, den proletarisierten Mittelstand mit sozialistischen Scheinparolen, nämlich gegen Warenhauskonzerne und Kettenläden, zu mobilisieren (vgl. Programm der NSDAP vom 24.3.1920, Artikel 16: »Wir fordern die Schaffung eines gesunden Mittelstandes und seine Erhaltung, sofortige Kommunalisierung der Groß-Warenhäuser [...]«; dann das »Wirtschaftliche Sofortprogramm« der NSDAP von 1932 für die Wahl vom 31. Juli 1932, L. 2 und 3, oder den »Kampfbund des gewerblichen Mittelstandes« u.v.a.; vgl. Uhlig, 71–75). Für die nationalsozialistische Propaganda spielte es dabei eine große Rolle, daß einzelne Warenhäuser in »jüdischem Besitz« waren, so daß sich die gesamte Branche mit den »Juden« identifizieren ließ (vgl. Uhlig, 15). Tatsächlich hat Brecht dem Kettenladen-Besitzer Aaron Züge gegeben, die dem nazistischen Zerrbild vom Juden ganz folgt (13, 895: »ein fetter Herr von sehr jüdischem Aussehen«; 13, 806: »ohne Moral«; 13, 1131: mit »fleischigen Händen«). *Es handelt sich bei diesem »Sozialismus« um den von Arthur Schweitzer so benannten »Mittelstandssozialismus«, der auf der ideologischen Basis des Kleinbürgertums gegen Banken, Warenhäuser und Kettenläden zu Felde zog – nach dem angeblichen Prinzip des »Gemeinnutzes« – und »antikapitalistisch« schien, in Wahrheit aber sowohl ideologisch als auch tatsächlich die Eigentumsverhältnisse unangetastet ließ und das Prinzip des Privateigentums vom Kapitalismus uneingeschränkt übernahm.*

Auch diesen Schein-Sozialismus stellt Brechts Roman deutlich dar, wenn Macheath in einer späteren Rede die Verbindung mit Aaron, dem gescholtenen, rechtfertigen muß. Dies geschieht wieder unter Einsatz ausgiebiger Rhetorik, die den geschäftlichen Betrug als grandiosen Sieg des B-Laden-Prinzips über den Aaronkonzern feiert: die Idee der Billigläden nehme *»den sauer erarbeiteten Groschen des Arbeiters«* ernst und diene dadurch dem sozialen Fortschritt; die Achtung *»vor der zähen, ausdauernden und opferfreudigen Arbeit«* der Läden gelte es zu heben, und: *»der unabhängige Kleinhandel ist der Nerv des Handels überhaupt und außerdem eine Goldgrube!«* (13, 904 f.). Da finden sich alle depravierten »Ideen« von Sozialismus gepaart mit der ständig geforderten Opferbereitschaft, denen in Wahrheit eine Zusammenarbeit (und im Fall der Juden Enteignung und »Übernahme«) mit den Geschmähten entsprach. Tatsächlich blieb die vor der »Machtübernahme« so vehement geforderte Liquidation der inkriminierten Unternehmen nach ihr aus (vgl. Uhlig, 111–118 u.ö.).

Macheath' Idee der »Einheitspreisläden« bedeutet eine Abkehr von der ursprünglichen Konzeption seiner B-Laden-Kette; statt dessen beginnt mit ihr die Eingliederung der B-Läden, die formal noch Kleingewerbeläden bzw. -betriebe sind, in einen (monopolisierten) Konzern, der den letzten Rest des »friedlichen Wettbewerbs«, der ohnehin nur den Schritt zur Monopolisierung hin zu leisten hatte, beseitigt. Das »Einheitspreisgeschäft« ist ebenfalls eine zeitgenössische Handelsform, die ab 1926 in Deutschland durch die Firmen »Ehape« (Leonhard Tietz) und »Epa« (R. Karstadt) eingeführt worden ist. Es handelte sich um Kleinwarenhäuser, die im Gegensatz zu den Palästen der traditionellen Warenhausform meist nur aus einem Raum im Erdgeschoß bestanden, über ein vergleichsweise kleines Sortiment, das auf gängige Massenware beschränkt war, verfügten und sich durch geringe, festgestaffelte Preise auszeichneten. Der Erfolg dieser Kettenläden (die sich später

z. T. zum Warenhaus weiterentwickelten, vgl. Karstadt) beruhte auf der Vergabe von Großaufträgen bei Direktbezug (ohne Großhandel) und auf den einheitlich gestaffelten Preisgruppen, die ausgiebig mit dem Trick der 9er-Endzahl arbeiteten (statt: 2,00 = 1,99 M, um zu suggerieren, das Produkt von 2 M koste lediglich eine M) und die vor allem auch dadurch erreicht zu werden pflegten, daß man Waren verschiedenster Art zu »Paketen« zusammenfügte. Amerikanisches Vorbild für diese Läden war der »Woolworth«-Konzern, dessen Name in der sog. »freiwilligen« Kette von »Wohlwert« auch in Deutschland nachgeahmt wurde; »Wohlwert« war die Antwort der bis dahin selbständigen Klein-Einzelhändler auf die Konzern-Kettenläden. Auf »Woolworth« bzw. »Wohlwert« spielt der Diebstahl bei »Worth« an, wo Bully mit dem guten Geschmack (um Abteilungsleiter bei Worth zu werden) Kostüme für die Hochzeitsfeier besorgt (13, 822). Macheath' Ausführung über die Einheitspreisläden nennt all die entscheidenden Maßnahmen, die die Einheitspreisläden auch tatsächlich verwendet haben, um die »Kauflust» des Kunden zu wecken (bes. 13, 874f.). Sie enthalten zugleich eine Theorie des Konsums, die Brecht bereits in *Mann ist Mann* (1926) nach Henry Ford (»Fordismus«) verarbeitet hatte (vgl. BH 1, 49). Brecht interessierten dabei weniger die Produktionsprinzipien bei Ford, die Einführung der Arbeitsteilung (am Fließband) gegen das Taylor-System, das die persönliche Arbeitsleistung des Arbeiters »rationalisierte«, sondern ihre Übertragung auf den Bereich des Konsums. Ford nämlich erkannte, daß nur über die Erhöhung der Kaufkraft auch die Produktion von – ehemals als ausgesprochene Luxusgüter geltenden – Waren, hier das Auto, anzukurbeln war, und er deutete den Konsum in die »eigentliche Produktivkraft« der Wirtschaft um. Statt die Löhne weiter zu senken, ließ er sie erhöhen (mit sozialem Anstrich), zugleich aber sich durch gesteigerten Kaufanreiz (behavioristische Werbemethoden) wieder zugute kommen. Die entscheidende Idee war, das an Lohn mehr ausgegebene Geld über den Verkauf der Waren wieder hereinzubekommen. *Was sozial schien – und öffentlich auch entsprechend aufgemacht wurde* – und den »Wohlstand« der »Massen« suggerierte, *war die veredelte Form der bis dahin praktizierten direkten Ausbeutung der Arbeiter;* in den Krisen (ab 1929) erst zeigte sich, was der allgemeine Wohlstand wirklich wert war: nichts.

Es muß noch angedeutet werden, daß Brecht begrifflich nicht wie die neuere Wirtschaftswissenschaft zwischen Warenhaus und Kettenläden unterscheidet, sondern prinzipiell von Kettenläden spricht, wobei er auch nicht zwischen der organisierten Form der Kettenläden (von einer Firma aus) und dem »freiwilligen Zusammenschluß« »selbständiger« Einzelhändler differenziert. Ohne Zweifel aber gehören die Attribute, die Brecht dem Aaron-Konzern gibt, zur Form der Warenhäuser (prächtige, »orientalische« Bauten; vgl. z.B. 13, 834: »prunkvolle Läden«), während die Chreston-Ladenkette zum Typus der »Kleinwarenhäuser«, zu den »Einheitspreisgeschäften«, zu zählen ist; Chreston ist es ja dann auch, der Macheath' Idee stiehlt (13, 878) und zuerst realisiert.

Die ausführliche Darstellung der ökonomischen Hintergründe ist notwendig, um die realen, heute nicht mehr bekannten zeitgenössischen Bezüge des Romans zu vergegenwärtigen, sie sind aber auch notwendig, weil der Roman mit der Devise, die Brecht auf dem Schriftstellerkongreß von 1935 vorträgt: »Kameraden, sprechen wir von den Eigentumsverhältnissen!« (18, 246), bereits ernst gemacht hatte, und zwar nicht, um der Kultur in schweren Zeiten ihr Recht zu bestreiten, sondern um die »Kultur zu retten« (der Kongreß vom Juni 1935 tagte unter dem Motto »Rettet die Kultur«). Daß Brecht von der Wirtschaft, von den Eigentumsverhältnissen auf poetische Weise zu sprechen vermag, das wird die Analyse zeigen.

Politik

Die erzählte historische Zeit des Romans – er spielt im Jahr 1902 – hat nicht primär historische Bedeutung. Sie ist weder dazu da, historisches Kolorit für ein von der Zeit unabhängiges allgemein-menschliches Verhalten zu liefern, noch spiegelt sie in historisch entfernten Ereignissen aktuelle Themen, wie dies im Geschichtsroman des Exils im allgemeinen der Fall gewesen ist. Entscheidend ist für den *Dreigroschenroman,* daß das Geschichtliche, das er darstellt, durchaus noch nicht als Geschichtliches erscheint, daß es vielmehr *ein Bild der aktuellen Ungleichzeitigkeit des Faschismus und der weltgeschichtlichen Entwicklung zu den Möglichkeiten bzw. Wirklichkeiten sozialistischer Alternativen herstellt* (letztere sind im Traum Browns vom »lautlosen Marsch« der Massen bzw. im Gericht des Epilogs zumindest angedeutet; 13, 1110f. und 1149ff.); Bild der Ungleichzeitigkeit deshalb, weil – nach Brechts Überzeugung – der Faschismus in

Deutschland nicht eine prinzipiell neue Entwicklung einleitete, sondern – noch einmal – und diesmal in brutalster und menschenverachtender Form die Prinzipien des Kapitalismus (anachronistisch) wiederholte und damit erneut zu behaupten suchte. Die Zeit um die Jahrhundertwende bot sich deshalb an, weil sie die Zeit des konsolidierten, tendenziell monopolisierten Kapitalismus nach innen und entsprechend des Imperialismus nach außen (mit den entsprechenden Verteilungskämpfen der »Restwelt«, in die ja auch das zurückgebliebene Deutschland einzugreifen beginnt) gewesen ist (vgl. auch die »Krüger-Depesche«, auf die Brecht anspielt, und die bezeichnender Ausdruck für deutsche imperialistische Interessen geworden ist; Wilhelm II. beglückwünschte den Präsidenten von Transvaal »Ohm« Krüger mit ihr zum erfolgreichen Rückschlag der Engländer, was diese als Einmischung in »innere« Angelegenheiten empfanden und mit entsprechend frostiger Politik beantworteten, geschehen am 3. 1. 1896; 13, 916). Es ist wahrscheinlich, daß die Wahl dieser Zeit nicht zuletzt auf Lenins Schrift *Der Imperialismus als höchstes Stadium des Kapitalismus* (1917) zurückgeht (vgl. z. B. Müller, 136), die folgende entscheidende Merkmale für die Wende vom 19. zum 20. Jahrhundert (vor der proletarischen Revolution) genannt hat: 1. die *Konzentration von Produktion und Kapital* ist so weit fortgeschritten, daß Monopole für die Wirtschaft (und damit auch Politik) entscheidend geworden sind (dieses Stadium ist am Ende des Romans erreicht). 2. *Bank- und Industriekapital verschmelzen miteinander*, so daß eine neue Finanzoligarchie entsteht, die den Markt beherrscht und ihm die Preise diktiert (diese Verbindung ist ebenfalls am Ende des Romans, indem sich die neuen Bosse der Wirtschaft mit den alten der Banken vereinen und Macheath ins Bankgeschäft überwechselt, Tatsache geworden); 3. *die Märkte werden erweitert*, und zwar – da im »Inneren« alles abgegrast ist – nach außen (Aufteilung der übrigen Welt unter die neuen Monopole; hierfür steht im Roman die britische Kolonie und die damit verbundenen »nationalen« Interessen); 4. die Expansion der »nationalen« Interessen nach außen führt zu *Konflikten mit den Interessen anderer kapitalistischer Staaten*, die schließlich in den Krieg münden (im Roman deutet er sich mit den bewaffneten Auseinandersetzungen im Burenkrieg an, der als ein Schritt zum 1. Weltkrieg – als unausgesprochenem Endpunkt des Prozesses – steht). Die Geschäfts-Handlungen des Romans führen – was Lenin als Ergebnis der kapitalistischen Entwicklung beschreibt – in konzentrierter, sozusagen im Zeitraffer erfaßter und an vergleichsweise übersichtlichen Prozessen demonstrierter Form aus. Zusammengefaßt ist dies metaphorisch in der Gegenüberstellung von Segel- und Dampfschiffahrt bzw. von individuellem Räubertum (der »alte« Macheath der *Oper*) und neuer, kollektiver Geschäftspraktik, die den »einzelnen« gerade aus der Verantwortung nimmt (vgl. etwa den Selbstmord der Mary Swayer, den Macheath ja tatsächlich »auf dem Gewissen hat«, für den er aber gerichtlich nicht zu belangen ist).

Die anachronistische Ungleichzeitigkeit dieser historischen Handlungs-Zeit und der zeitgenössischen Aktualität des Hitler-Faschismus stellt sich relativ deutlich schon durch Hitler selbst her, der in seinen, von Brecht genau verfolgten Reden, die »große« Zeit Englands als (notwendiges) Vorbild seiner Politik gern beschwor. So hat Hitler am 27. 1. 1932 vor dem Industrieclub in Düsseldorf das »geniale« England gelobt, »das sich immer neue Märkte erschloß und sie sofort politisch verankerte«. England habe sich bei der Kolonialgründung, »in der großen Periode der Weltverteilung« ganz kühl und nüchtern gezeigt und bei der »Ausübung eines außerordentlich brutalen Herrenrechts« keine falsche Nachsicht geübt; »das Charakteristische der englischen Politik [ist] diese wunderbare Vermählung von wirtschaftlichen Erwerbungen und politischer Machtbefestigung, und umgekehrt der politischen Machterweiterung mit sofortiger wirtschaftlicher Inbesitznahme« (Domarus, 75 f.). Deutschland dagegen – und damit will Hitler endlich aufräumen, d. h. er verspricht den Wirtschaftsbossen gute Geschäfte – sei zu Beginn seiner Kolonialzeit schon weitgehend »romantischen Vorstellungen« gefolgt, als es in erster Linie geglaubt habe, der Welt »deutsche Kultur« vermitteln zu müssen (Domarus, 76). Es ist typisch, daß in dieser Rede auch der von Brecht verwendete Clausewitz-Ausspruch, der Krieg sei die Fortsetzung der Politik mit anderen Mitteln, fällt (Domarus, 69 f.), und Hitler unmißverständlich sagt, er werde mit seiner Politik an die des genialen England – mit Rücksichtslosigkeit und bar jeglicher Romantik – anknüpfen: der deutsche zweite verspätete Imperialismus zeigte seine Haifischzähne, die nicht gesehen werden wollten. »Während der Ausgang des Ersten Weltkriegs den Kolonialbesitz der übrigen Länder gefestigt, wenn nicht erweitert hatte, war Deutschland als Verlierer dieses Krieges von Kolonien und damit von den imperialistischen Methoden der Regelung ökonomischer und sozialer Konflikte nicht nur ausgeschlossen, sondern umgekehrt durch den Versailler Vertrag mit Reparationszahlungen belastet. Die Wiederherstellung der Verwertungsbedingungen des Kapitals war in Deutschland also nur durch die Expansionspolitik sowie andererseits binnenwirtschaftlich, durch radikale Niederhaltung der Löhne realisierbar« (Leppert-Fögen, 301).

Es gibt neben den ja eindeutigen Hinweisen auf die nationalistische Übersteigerung, die historisches England und zeitgenössisches Deutschland miteinander verbinden, oder den kaum verhüllten Anspielungen auf den Reichstagsbrand von Februar 1933 (13, 950) noch ein wichtiges Indiz, das den Burenkrieg nicht primär als historisch, sondern als noch aktuell ausweist. Der Burenkrieg von 1899–1902 errang sich u. a. auch deshalb eine traurige Berühmtheit, weil er der historische Ort ist, an dem eine westlich-»zivilisierte« Macht erstmals Konzentrationslager einrichtete. Daß dies 1933 den Bewußten bewußt gewesen ist, beweist etwa eine Tagebucheintragung Viktor Klemperers vom 29. 10. 1933: »Ich habe das Wort [Konzentrationslager] nur als Junge gehört, und damals hatte es einen durchaus exotisch-kolonialen und ganz undeutschen Klang für mich: während des Burenkriegs war viel die Rede von den Compounds oder Konzentrationslagern, in denen die gefangenen Buren von den Engländern bewacht wurden« (Klemperer, 48). Das heißt: der Burenkrieg hat – und so ist sein Sinn im Roman zu sehen – eine über die historische Fixierung im kolonialen Imperialismus hinausgehende Bedeutung, nämlich ein neues Prinzip der »inneren Kriegsführung« eingeführt und verhängnisvoll vorbildgebend gewirkt zu haben. Die hitlerschen KZs stellten den Anachronismus menschenverachtenden Vorgehens als zeitgenössische Realität wieder her. Brecht erfaßt *ihre* Aktualität *und* zugleich schlechte Tradition im Zeitbild der Jahrhundertwende. Die Geschichte ist nicht erledigt, sie wiederholt ihre miesen Vorbilder auf brutalere Weise. – Es ist möglich, daß durch die nachgewiesene Lektüre von Hitlers *Mein Kampf* Brecht auch von daher den Burenkrieg als historische Überständigkeit, mit der die aktuellen Bedrohungen im historischen Nachweis zu zeigen waren, nahegelegt wurde. Hitler feiert den Burenkrieg als »ein Wetterleuchten«, das in eine Zeit gefallen sei, die für ihn nur »Ruhe und Ordnung«, und zwar als »unverdiente Niedertracht des Schicksals«, bedeutet habe. Dem »faulen Siechtum« in kriegsfreien Zeiten folgte dann (endlich) der Aufbruch in den 1. Weltkrieg (Hitler, 173).

Über die Sprache stellen sich weitere zeitgenössische politische Züge her, durch die Tatsache nämlich, daß im *Dreigroschenroman* immer wieder Reden gehalten werden, selbst dann, wenn die Erzählung Gespräche nahezulegen meint. Neben den ohnehin an Hitler gemahnenden Reden (s. o.; z. B. 13, 904 f.) sind Ansprachen wie die von Brown gegen Macheath bezeichnend, die weitgreifende Entscheidungen – wie der berühmte Entscheidungsmonolog im klassichen Drama – mit sich bringen, durch ein Gespräch vorbereitet scheinen, aber ohne jegliche Rationalität und Besinnung ablaufen: sie sind Anruf, Anrede, formuliertes »tiefes Anliegen«, das stumm akzeptiert wird in höherem Einverständnis, das kein Nachdenken mehr braucht. So macht Brown dem Freund klar – obwohl Brown später von Macheath als ganz beschränkter Polizeibeamter eingeordnet wird –, daß ein Kaufmann nun einmal nicht einzubrechen habe: »Arbeite mit den Banken, wie alle andern Geschäftsleute!« (13, 886). Macheath zeigt sich nach Browns Ansprache »tief erschüttert«, spricht nurmehr mit »würgender Stimme« und geht dann schließlich »wortlos«: »Als Männer, die in den Stürmen des Lebens gestanden hatten, konnten sie ihren Gefühlen nicht leicht Ausdruck verleihen«, aber Mac hat »Tränen in den Augen« (13, 886 f.). Diese überzogene und völlig unangemessene Reaktion der beiden »kampfgestählten« Männer, die gerade perfide Geschäfte aushecken, zeichnet ein Psychogramm des Faschismus in nuce, da die »erschütternde Rede«, in ebensolcher Funktion eingesetzt, nicht nur über die real verbrecherischen Entscheidungen hinwegging, sondern sie auch noch mit Gefühlen belegte, die Anteilnahme provozierten, wo Abscheu und Distanz empfohlen gewesen wären. Es zeichnet Brechts Roman aus, daß er – in übrigens durchaus ironisch-distanzierter, z. T. recht komischer Weise – die hintergründigen Entsprechungen und nicht die vordergründigen »Zitate« sucht; daß sie nicht später aufgesetzt sind, beweist die Rezeption der Zeit, die solche Bezüge nachweislich realisiert hat.

Schließlich sind noch zwei politisch-religiöse Themen zu nennen, die der Roman aus der Zeit verarbeitet. Da ist erstens der § 218, der für die Abtreibungs-Geschichte der Polly Peachum sozusagen verantwortlich zeichnet: die Illegalität des

Versuchs, das Kind zu entfernen, die Propaganda für das »Leben«, in die der Arzt zweimal ausbricht, um am Ende der Litanei seinen Preis zu nennen (13, 800f., 1047), schließlich die Inhaltswiedergabe des kitschigen Stummfilms, der auf Polly (scheinbar) so viel Eindruck macht, daß sie ihr Kind nicht mehr »opfern« will (13, 1047–1050). Der § 218, der für Abtreibung Zuchthaus bis zu 5 Jahren androht, war bereits in der Weimarer Republik heftig umstritten, weil der Strafandrohung und auch den tatsächlichen Verurteilungen, und das waren nicht wenige, die Tatsache gegenüberstand, daß Ärzte und Quacksalber aus dem Paragraphen ein einträgliches Geschäft zu machen verstanden und daß die wirklichen Folgen von den sozial Schwächsten getragen werden mußten, die oft nicht mehr in der Lage waren – aus körperlichen *und* sozialen Gründen –, noch mehr Kinder aufzuziehen. Wie Rühle ausführt, lief der Paragraph auf eine Kriminalisierung von sonst unbescholtenen Frauen hinaus, die überdies in der großen Überzahl auch arm waren (Rühle, 57, 60f.; Rühle weist auch darauf hin, daß in der Weimarer Republik die tatsächliche Strafverfolgung entschieden verstärkt wurde; so standen – abgesehen von der hohen Zahl der Dunkelziffern – 167 Verurteilungen nach § 218 im Jahr 1883 jetzt 7193 im Jahr 1925 gegenüber). Die Diskussion um den Paragraphen wurde am Ende der Weimarer Republik, vor allem in den Jahren 1929 bis 1931, in der Krisenzeit, verschärft diskutiert, weil die zunehmende Not der Bevölkerung jeden weiteren »Kindersegen« in Frage stellte. In dieser Zeit entstanden auch die Dramen *Cyankali* (1929) von Friedrich Wolf, der als Arzt praktizierte, und *§ 218. Gequälte Menschen* von Paul Credé (1930), ein Stück, das von Piscator inszeniert und nach eigenen Angaben über 300mal aufgeführt worden ist. Brecht hat sich in einer Rundfrage von 1931 zum Paragraphen sehr deutlich geäußert: »So wie der Staat es in seiner Justiz macht – er bestraft den Mord, sichert sich aber das Monopol darauf –, so macht er es eben überhaupt: Er verbietet uns, unsere Nachkommen am Leben zu verhindern – er wünscht dies selber zu tun. Er behält sich vor, selber abzutreiben, und zwar erwachsene, arbeitsfähige Menschen« (20, 42; die dortige Datierung muß auf den 28.2.1931 verbessert werden). Im Roman zeigt Brecht sozusagen die andere Seite, indem er die Möglichkeiten der Begüterten, über den Paragraphen nach Belieben zu verfügen (ihn also zu umgehen), offenlegt und zugleich die reale Verlogenheit der offiziellen Begründung des Paragraphen in den Litaneien des Arztes sinnfällig werden läßt; oder anders gesagt: der Paragraph ist im Roman, entsprechend auch unter der Überschrift *15 Pfund* angekündigt, keine Frage der Moral, sondern lediglich eine des Geldes.

Der § 218 gehört zweitens in den Zusammenhang der Ideologie bürgerlicher Familienpolitik, die die Familie als »Keimzelle des Staats«, als »Hort der Moral« und Voraussetzung menschlich geordneten Zusammenlebens auch dann ideologisch verteidigt (bzw. vor allem dann), wenn die maßgeblichen, vom Bürgertum selbst getragenen und verantworteten gesellschaftlichen Prozesse die Familie auflösen. Brecht hat die Auflösung bereits in früheren Dramen deutlich herausgearbeitet, besonders im *Dickicht der Städte* (vgl. die Ausführungen über die dort dargestellte Familie in BH 1, 36–38). Brecht thematisiert die Familienideologie auf zweierlei Weise. In der Familie Peachum dreht sich angeblich »alles um das Kind«, in Wahrheit jedoch dient die Tochter der Sicherung des Besitzes und seiner zukünftigen Tradierung, während das Familienleben längst zerstört ist (Mutter Peachum säuft, Vater Peachum kümmert sich nur ums Geschäft, Tochter Peachum um ihre Sinnlichkeit): der Zusammenhalt ergibt sich lediglich über äußere (verdinglichte) Beziehungen, die aber ideologisch als *persönliche* verbrämt werden. – Deutlicher noch und somit auch brutaler stellt der Roman – scheinbar paradox – den Zerfall der Familie gerade dort dar, wo die Familie durch engste Zusammengehörigkeit ausgezeichnet ist: in den B-Läden nämlich, den Familienbetrieben, die gegen die *moderne* Entwicklung die kleinbürgerliche Produktionsweise in der Familie aufrecht erhalten und also noch als ursprüngliche (intakte) Produktionsgemeinschaft erscheinen gegenüber der entfremdeten, die Familie auflösenden Arbeit in der Fabrik, wo der Vater außer Haus ist und die Gemeinsamkeit sich nurmehr über die Konsumtion herstellt. *Da die B-Läden-Familien aber in übelster Weise ausgebeutet werden und die häusliche Enge alles Leben erstickt, läßt gerade die Produktionsgemeinschaft keine familiäre Gemeinsamkeit mehr zu:* diese ist lediglich Ideologie jener und der anachronistische Zustand lediglich dazu da, falsches Bewußtsein zu erzeugen, das sich politisch-ökonomisch ausschlachten läßt. – Brecht zielte damit nicht nur auf den »Mittelstandssozialismus« des Faschismus, der mit sozialistischen Scheinparolen auf überholte ökonomische Strukturen setzte, sondern auch auf die im *Tui-Roman* verarbeitete Enzyklika *Quadrigesimo anno* (»Im 40. Jahr«) des Papstes Pius XI. vom 15. 5. 1931, in der Brecht eine ideologische Unterstützung des aufkommenden Faschismus gesehen hat (im *Tui-Roman* ist der dort auftretende Buddha = Papst derjenige, der mit der »umwörterung« die schlechten gesellschaftlichen Zustände verbal einfach beseitigt; vgl. BBA 811/42 = Nr. 11709, Bd. 3, S. 39; nach Jeske kann es als sicher gelten, daß Brecht die Enzyklika auch zum *Dreigroschenroman* herangezogen hat). Diese Enzyklika, die zu wirtschaftlichen und sozialen Fragen Stellung bezog, schloß gutes Christentum und »Sozialismus« (gemeint: Kommunismus) als miteinander unvereinbar aus, erinnerte an »Volksgemeinschaft« und Familie als Voraussetzung für die Staatswohlfahrt und führte die bestehenden sozialen Unterschiede auf die »gottgesetzte Ordnung« zurück, in der jeder seinen »natürlichen« Platz zugewiesen erhalten habe, auf dem er sich bewähren müsse. Dieser letzte Gesichtspunkt findet seinen Niederschlag ebenfalls in der Predigt des Bischofs aus Anlaß der »nationalen Katastrophe« (13, 1142f.), in der die reale Ungleichheit der Menschen als eigentliche Gleichheit vor Gott »umgewortet« wird.

Auf eine subtile Anspielung hat Walter E. Schäfer hingewiesen, der in der Schilderung der von verirrtem Patriotismus vorwärtsgetriebenen Demonstration der Bettler gegen den Streik der Werftarbeiter ein Zitat entdeckt hat, das auf die Rolle der Schlägertruppe der SA in den Straßenkämpfen vor 1933 hinweist. Im ungewöhnlichen Zug der Bettler und Kriegsversehrten in Uniformen findet sich nämlich ein Trupp, der nicht dazu paßt: »Unter den Uniformierten [d. s. die Bettler und Kriegsversehrten] marschierten, in gleichem Schritt und Tritt, Zivilisten, größtenteils junge Herrchen, adrett angezogen, die es sich nicht nehmen ließen« (13, 1063); was sie sich nicht nehmen ließen, wird später klar: »Sie verfuhren mit den streikenden Arbeitern so, daß sogar die Polizisten zusammenschraken. Sie zeigten ausgesprochenen Ordnungssinn, brachen alle Knochen, derer sie habhaft werden konnten, und schlugen in jedes Gesicht, das hungrig aussah« (13, 1085). Die Formel »in gleichem Schritt und Tritt« hat Brecht in der 4. Strophe des 1932 entstandenen *Lieds vom SA-Mann* (9, 434) verwendet, wie er zugleich Horst Wessel, den von den Nazis zum Märtyrer stilisierten Zuhälter (1907–1930; ab 1929 SA-Trupp-Führer in Berlin), als jemand beschreibt, der außerordentlichen Wert auf seine Kleidung legt und der als Zuhälter geeignet sei, das politische Zuhältertum des Nationalsozialismus offenzulegen (vgl. 20, 215f.). »Die parabolischen Bezüge der Romanhandlung werden sichtbar. Es wird plötzlich deutlich, daß der Schauplatz der berichteten Klassenkämpfe ebensogut die Große Frankfurter Straße in Berlin sein kann, wo Horst Wessel seinen SA-Sturm zusammenstellte, wie die Docks im Osten Londons, der Zug der Demonstranten ebensogut die aus ehemaligen Frontsoldaten und jungen Wichtigtuern gemischte SA vor der ›Machtergreifung‹ wie die Kriegskrüppel des Burenfeldzugs zu Beginn des Jahrhunderts« (Schäfer, 263). –

Zur Ökonomie: Jürgen *Wernicke*: Der Mittelstand und seine wirtschaftliche Lage. Leipzig 1909. – Eugen *Erdély*: Bata. Ein Schuster erobert die Welt. Leipzig 1932. – Heinrich *Uhlig*: Die Warenhäuser im Dritten Reich. Köln, Opladen 1956. – Artur *Schweitzer*: Die Nazifizierung des Mittelstandes. Stuttgart 1970. – Annette *Leppert-Fögen*: Die deklassierte Klasse. Studien zur Geschichte und Ideologie des Kleinbürgertums. Frankfurt a. M. 1974.

Zu Hitler, seiner Rhetorik, seinen Zielen: Adolf *Hitler*: Mein Kampf. Zwei Bände in einem Band. Ungekürzte Ausgabe. 74. Aufl. München 1933. – Max *Domarus* (Hg.): Hitler. Reden und Proklamationen. 1932–1945. Kommentiert von einem deutschen Zeitgenossen. 2 Bände. Würzburg 1962/63. – Victor *Klemperer*: LTI [= Lingua Tertii Imperii = Sprache des 3. Reichs]. Notizbuch eines Philologen. Leipzig 1970 (zuerst 1946). – Lutz *Winckler*: Studie zur gesellschaftlichen Funktion faschistischer Sprache. Frankfurt a. M. 1970.

Zum Paragraph 218: Otto *Rühle*: Illustrierte Kultur- und Sittengeschichte des Proletariats. 2. Band. Lahn-Gießen 1977 (S. 3–63).

Peter *Witzmann*: Antike Tradition im Werk Bertolt Brechts. Berlin 1964 (S. 113–116). – Dieter *Schlenstedt*: Satirisches Modell im »Dreigroschenroman«. In: Weimarer Beiträge. Brecht-Sonderheft 1968. S. 74–100. – Renate *Fischetti* (s. o.). – Franco *Buono*: Zur Prosa Brechts. Aufsätze. Frankfurt a. M. 1973 (»Eine ›Inquiry‹ Brechts: Der Dreigroschenroman«, S. 7–60) (zuerst 1971). – Walter E. *Schäfer*: Pieter Brueghel der Ältere und Bertolt Brecht. Notizen zum Dreigroschenroman. In: Arcadia 7, 1972, S. 278–284. – Helfried W. *Seliger*: Das Amerikabild Bertolt Brechts. Bonn 1974 (S. 197–199). – James K. *Lyon*: Bertolt Brecht und Rudyard Kipling. Frankfurt a. M. 1976 (S. 78f., 151). – Dieter *Schlenstedt*: Das Demonstrandum des Dreigroschenromans. In: Brechts Tui-Kritik. Argument-Sonderbände AS 11, hg. v. Wolfgang Fritz *Haug*. Karlsruhe 1976. S. 150–174. – Kirsten *Boie-Grotz*: Brecht – der unbekannte Erzähler. Die Prosa 1913–1934. Stuttgart 1978 (S. 168–207). – Klaus-Detlef *Müller* (s. o.; S. 134–139). – Wolfgang *Jeske* (s. o.; S. 109–160).

Aufbau / Handlungsübersicht

	DIE BLEIBE (»Einleitungskapitel«)	wa 13 731–741	Nach vergeblichem Versuch, ein Geschäft zu führen, verschwindet der invalide Soldat Fewkoombey im Bettler-Betrieb des Herrn Peachum. »Weh! Was habt ihr mit mir vor?!«
	ERSTES BUCH LIEBE UND HEIRAT DER POLLY PEACHUM	743	Der Aufstieg Peachums vom Gebrauchtwarenhändler zum Bettelmonopolisten erscheint als typischer Aufstieg und Karriere in der kapitalistischen Gesellschaft. »Unermüdlich war er bestrebt, seine Leute zu qualifizieren«. (Vorgeschichte Peachums)
	[Lied der Polly Peachum]	743 f.	
	I	745	Polly wächst als behütete Bürgertochter auf (Baden im Nachthemd) und gilt als gute Geschäftsinvestition, wenn sie unter der Obhut der Familie bleibt; sie lernt aber Herrn Smiles (gutaussehend) und Herrn Beckett (Macheath) kennen. Da sie von Smiles ein Kind erwartet, dem Erzeuger aber das Geld mangelt, beschließt sie, Beckett zu heiraten. »Deine Tochter ist ein Haufen Sinnlichkeit, nichts sonst!«
1a	Bettlers Freund	745–747	
1b	Pfirsichblüte	747–758	
	II	759	Der Makler Coax startet sein Schiffegeschäft und sucht sich die Leute, die sich hereinlegen lassen (Peachum gehört dazu). Dazu gründet er mit seinen sogenannten Partnern die TSV. »Unter Brüdern wird nicht gehandelt«.
	(Kriegslied)	759	
2a	Ein Wunsch der Regierung Ihrer Majestät	759–765	
2b	Sorgen, von denen sich der Alltagsmensch nichts träumen läßt	765–771	Die Besichtigung der Schiffe, die »der Ansicht trotzten, daß alles einmal vergehe«, findet, wie geplant, ohne Coax statt. Da (von Coax) ein weiteres Angebot für die Schiffe vorliegt, unterzeichnen die TSV-Mitglieder den Kaufvertrag, obwohl sie wissen, daß die Schiffe unbrauchbar sind. »Es gibt kein Geschäft, das so gemein wäre, daß nicht sofort ein anderer es macht, wenn man verzichtet«.
2c	Alles für das Kind	771–776	Peachum übernimmt nach dem ersten auch noch den zweiten Anteil an der TSV und beschließt, Coax für die Familie zu gewinnen, als er merkt, daß seine Abhängigkeiten von ihm womöglich größer sind, als er befürchtet hatte. »Polly zeigte sich von der besten Seite«.
	III	777	Macs B-Läden brauchen dringend eine Finanzspritze, weil der Einkauf doch recht ungeordnet ist. Folglich verschärft Mac seine Bemühungen um Polly, erfährt aber zugleich von seinem Nebenbuhler Coax. »Trotzdem war er nicht glücklich, denn sie hatte die Hauptsache nicht gestattet und unter ihrem Kleid fast nichts angehabt«.
	(Dreigroschenfinale)	777	
3a	Die B.-Läden	777–784	
3b	Die Bombe	785–792	Coax läßt – wie geplant – das (erste) Geschäft platzen und offeriert die bereits optierten neuen Schiffe. Peachum sehnt sich zu seinem angestammten Bettelgeschäft zurück. »Er reichte ihm die behandschuhte Hand«.
	IV	793	Peachum versucht verzweifelt, das Bettelgeschäft nochmals zu rationalisieren, um alles herauszuholen. »Wenn die Arbeitsstunden vorbei sind, läuft der Dienst weiter«.
	(Dreigroschenfinale: Über die Unsicherheit menschlicher Verhältnisse)	793	
4a	Ernste Besprechungen	793–797	Polly erfährt, daß eine Abtreibung 15 Pfund kostet – einschließlich der ärztlichen Moralpredigt, die Abtreibung verbietet – und versucht vergeblich, das Geld zu beschaffen. Unterdessen erfährt Peachum, daß Polly mit Mac liiert ist und wütet. »Sie war viel zu sinnlich«.
4b	15 Pfund	797–815	
	V	816	Mac heiratet Polly, um sich die notwendige Seriosität zuzulegen, die er braucht, um mit der NDBank der anderthalb Jahrhunderte – es ist Peachums Bank – ins Geschäft zu kommen. Peachum besichtigt mit Coax die neuen Schiffe in Southampton und lernt den präsumptiven Schwiegersohn als sexuellen Wüstling kennen. »Dieser platte Materialismus ist unerträglich«.
	(Ballade von der Hanna Cash)	816	
5	Ein kleines, aber gut fundiertes Unternehmen	816–838	
	VI	839	Coax präsentiert der TSV die Rechnung. Peachum setzt weiterhin auf seine Tochter, die jedoch des Maklers Begierden bereits kostenlos befriedigt hat; »ihr eigener Leichtsinn, der vom Romanlesen kommt, haben sie zu dem gemacht, was sie heute ist«.
	(Das Buch Hiob)	839	
6	Schwitzbäder	839–859	

	ZWEITES BUCH DIE ERMORDUNG DER KLEINGEWERBETREIBENDEN MARY SWAYER (Die Moritat von Mackie Messer) VII »Caelum, non animum mutant / qui trans mare currunt.«	861 862 863	Macs Vorgeschichte wird als bürgerliche Gangsterlegende nachgetragen – mit vielen dunklen Stellen. Seine gegenwärtige Situation ist dadurch gekennzeichnet, daß sich die B-Läden wegen der unregelmäßigen Warenbeschaffung in der Krise befinden. Die Konkurrenzkämpfe nehmen zu, die Opfer auch. »Bekanntlich glaubt das Volk nicht an den Tod seiner Helden«. Mac verhandelt mit der NDB wegen eines Kredits und plaudert dabei seine Idee von den Einheitspreisläden aus. Miller von der NDB gibt die Idee an Chreston, den er finanziert, weiter. »Verkäufer sein, ist: Lehrer sein«.
7a 7b 7c	Herr Macheath Ein Fehlschlag Eines Freundes Hand	863–869 869–879 879–891	Mary Swayer, von Mac in einen B-Laden abgeschoben, meldet alte Ansprüche – als abgelegte Geliebte – an. Mac meint, seine Warenbeschaffung über den Diebstahl von Einbruchswerkzeug aufmöbeln zu müssen. Sein Freund Brown, der Polizeichef, jedoch reicht ihm seine hilfreiche Hand und rät ihm dringend zum legalen Weg. »Ich will nicht, daß du auf die schiefe Bahn gerätst, wie irgendein dummer Kleinbürger«.
   8	VIII »On s'engage et puis on voit.« (Napoléon) (Lied der Pioniere) Napoleonische Pläne	 892–908	Mac organisiert sein Geschäftssystem neu und gründet die (scheinbar) unabhängige ZEG (zum Waren»einkauf«). Mit dem adeligen Aushängeschild Lord Bloomsbury gelingt ihm der Einstieg in die Commercial Bank (CB). Als Geldgeber des Ladenkonzerns Aaron (»jüdisch«) und Gegner Chrestons übernimmt die CB die Finanzierung der ZEG, die sowohl an Aaron als auch die B-Läden liefert. Die Inhaber der CB, die Gebrüder Opper, setzen auf das griechische Vorbild des »Wettkampfs« und organisieren die geschäftliche Entscheidungsschlacht als Olympiade. »Der jüngere Opper sah noch vor dem Einschlafen Aarons Verkäufer die erschlagenen Kunden zur Kassa schleifen, wie Achilles den Hektor«.
  9a 9b 9c 9d 9e	IX (Lied von der Unzulänglichkeit menschlichen Strebens) Kämpfe ringsum Ausverkauf Eine historische Sitzung Liebesgaben Herr X	 909 909–920 920–931 931–936 936–939 940–944	Peachum beginnt Coax' Doppelgeschäft allmählich zu durchschauen und leidet. Immer noch aber scheint ihm der Einsatz der Tochter als rettender Ausweg. »Die Hauptsache ist, plump denken lernen. Plumpes Denken, das ist das Denken der Großen«. Der Konkurrenzkampf – die »Olympiade« – läuft auf vollen Touren; das Publikum kauft wie nie. O'Hara, Lieferant der ZEG, nützt die Gelegenheit und verlangt Selbständigkeit von Mac. Mac akzeptiert – im Besitz der Produktionsmittel. »Der Wettkampf blühte«. Mac spielt auf der »historischen Sitzung« der ZEG den Geschlagenen und stoppt die Lieferungen an Aaron und an seine B-Läden, wodurch sein Zusammenbruch seriös aussieht. »Viel schlimmer trifft mich die menschliche Seite der Sache«. Das Vaterland arbeitet hart für die »nationalen Angelegenheiten« in Afrika (Burenkrieg). Polly engagiert sich in den Hilfskomitees. »Das Wort O p f e r gewann einen neuen Klang«. Als Herr X beklagt sich Mac über die Treulosigkeit des ZEG-Inhabers Bloomsbury; die B-Läden-Inhaber sind ruiniert und versuchen sich im Bettel. Mac wird verhaftet wegen Mords an Mary Swayer. »Sie benötigten noch mindestens zwei Monate, bis ihr S t o l z vergangen war«.
  10a 10b 10c	X (Träume eines Küchenmädchens) Noch einmal der 20. September Herr Peachum sieht einen Ausweg Herr Macheath wünscht London nicht zu verlassen	 945 f. 946–956 956–958 958–979	Mary Swayer versucht vergeblich, als der Konkurrenzkampf sie zerbricht, ihr Wissen von Mac zu vermarkten. Fewkoombey wird von Peachum auf sie angesetzt. Mac erklärt sich zu einem Treffen mit Mary bereit, versäumt jedoch den Termin; Mary geht ins Wasser. »Jedermann weiß, daß die Verbrechen der Besitzenden durch nichts so geschützt sind, wie durch ihre Unwahrscheinlichkeit«. Peachum, der sich über Fewkoombey in den Besitz des Zettels bringt, der Mac belastet, läßt diesen wegen Mordes anklagen. »Unumstößliche Gewißheit, daß Macheath wirklich nichts mit dem Tod der Swayer zu schaffen hatte, war nötig«.

			Mac lehnt eine Flucht ab und zieht es vor – nach Ordnung der familiären und geschäftlichen Belange (in Tunnbridge, seinem Freudenhauszuhause) –, sich ins Gefängnis zurückzuziehen. »Es war die besondere Annehmlichkeit des Hauses, daß man hier gleichzeitig seine Korrespondenz erledigen konnte«.
  11a 11b 11c	XI (Lied des Polizeichefs) Die Blätter werden gelb Der Gedanke ist frei Chrestons Werbewoche	 980 980–983 984–1001 1001–1005	Peachum versucht, Mac zur Scheidung zu bewegen, als der »Pfirsich«– als Ehefrau verwaist – ins Elternhaus zurückkehrt. Er setzt immer noch auf Coax. »Nur seine verabscheuungswürdige Lüsternheit konnte ihn vielleicht dazu verleiten«. Mac hat Sorgen wegen seines Alibis (Sitzung der ZEG). Er schickt Polly zur NDB, dort ihre Mitgift einzufordern. Da die NDB jedoch wegen der Finanzierung Chrestons nicht liquide ist, hat Mac die NDB in der Hand und wird ihr Direktor. »Arbeitskraft oder Leben. Man muß legal arbeiten. Es ist ebenso guter Sport!« Chrestons Werbewoche animiert Mac zu neuen Leistungen; er läßt durch seine Leute alle Waren aufkaufen und gelangt so zu guten Belegen für die Waren. Gestört wird er freilich durch O'Hara, der die ZEG-Waren, statt sie zu vernichten, auf eigene Rechnung an Chreston verkauft hat. »Das waren keine natürlichen Käufer, die lange wählten, bevor sie sich ewig banden«.
   12	XII »Wo ein Fohlen ersoffen ist, da war Wasser« (Altes Sprichwort) Hat Herr Macheath Mary Swayer auf dem Gewissen?	 1006 1006–1027	Herr Macheath hat Mary Swayer nicht auf dem Gewissen, weil er kein Gewissen hat. Die Vorverhandlung seines Falls bringt wenig; jedoch darf das Alibi noch nicht preisgegeben werden. »Mary Swayer, meine Herren, brauchte keinen Mörder«.
       13a 13b	DRITTES BUCH NUR WER IM WOHLSTAND LEBT, LEBT ANGENEHM! (Ballade vom angenehmen Leben) XIII »Ultima ratio regis« (Inschrift auf preußischen Kanonen) Schwerwiegende Entscheidungen Der kranke Mann stirbt	1029 1030 1031–1060 1060–1068	Peachum, den Ruin vor Augen, verwandelt sich in einen Tiger und nimmt die Erledigung der TSV in die Hand. Mac erkennt – als Geschäftsführer der NDB – sein Interesse an Peachums Wohlergehen. Auch Polly entscheidet sich für die »ultima ratio« gegen Coax, der als Zeuge vor Gericht erscheinen soll. »Wenn die Geschäftsleute am Rand ihrer Weisheit sind, kommt der Soldat dran«. Drei Mörder machen sich auf den Weg; zwei haben gemeinsam »Erfolg«. Das Haupthindernis ist beseitigt. »Die Auswahl der Tüchtigsten! Die Auslese der Überragenden!«
 14a 14b 14c 14d 14e	XIV Der starke Mann ficht Die Schlacht bei den Westindiadocks (»Seemannslos«) Eine nationale Katastrophe (»Seemannslos«) Säuberungsaktion Unruhige Tage »Arbeiten und nicht verzweifeln.« (Carlyle)	1069 1069–1079 1079–1088 1079 1088–1093 1088 1094–1099 1100–1114 1100	Peachum hat nun kein Interesse mehr an Macs Verurteilung und sorgt für Entlastung. Als neuer »Mörder« Marys wird Fewkoombey bestimmt. »Für ihn gibt es nicht den offenen alle Kräfte weckenden Wettbewerb, den Zug nach oben«. Peachum erledigt »für« Coax's Schwester die Papiere des Verblichenen und entdeckt ein gigantisches Geschäft, das er sich zu eigen macht. Ein Streik der Dockarbeiter wird von O'Haras Leuten brutal zusammengeschlagen. »Sie verfuhren mit den streikenden Arbeitern so, daß sogar die Polizisten erschraken. Sie zeigten ausgesprochenen Ordnungssinn«. Die alten Schiffe, von der Regierung zum »nationalen Zweck« abgenommen, laufen aus, und der »Optimist« säuft ab. Peachum erreichen unangenehme Nachfragen der Polizei. »Das sind Naturkräfte, zerstörerische Elemente«. Mac säubert die Bande und kann dabei zugleich die Privatrechnung mit O'Hara begleichen: »in gewissen Büros wird geliebt, wie man sich die Hände wäscht, hauptsächlich, um uns Unternehmer um die Arbeitszeit zu betrügen«. Die »nationale Katastrophe« führt zum erwarteten patriotischen Aufschwung. Mac rät Brown, Peachum aus der Sache zu lassen. Pünktlich zur Trauerfeier sind die wahren Täter gefunden: sozialistisch verhetzte Dockarbeiter. »Wer die menschliche Natur kennt, weiß, daß alles Stückwerk sein muß«.

	XV (»Dreigroschenfilm«)	1115	Der Prozeß gegen Mac endet wegen mangelnden Interesses an seiner Verurteilung mit Freispruch. Das Alibi kann gelüftet werden, und der große Aaron erkennt seine Niederlage. »Es hieß immer: die Leute um ihn herum sind schlecht; er selber weiß von nichts«.
15a	Das Alibi	1115–1124	
15b	Der Sieg der Vernunft	1125–1127	O'Hara, der meint, Mac mit Enthüllungen schaden zu können, muß mit Nachdruck zur Vernunft gebracht werden. »Für die Sache«.
15c	Nebel	1128–1148	Das geschäftliche Happy Ending gestaltet sich im Sitzungszimmer der NDB: Peachum und Mac treffen erstmals persönlich zusammen und machen Familienbande geltend. Aaron streicht die Segel und fügt seine Läden in das ABC-Syndikat ein, für das Mac »eine starke Verantwortung« übernimmt. Nur die Oppers wollen sich der neuen Zeit entziehen und bei der Segelschiffahrt bleiben. Im privaten Kreis erkennt auch das Ehepaar Macheath, »daß die wahre Liebe auch ganz gut ausgehen kann«.
	DAS PFUND DER ARMEN [»Schlußkapitel«]	1149	Der Soldat Fewkoombey träumt vom »Jüngsten Gericht«, das aber nicht am Ende, sondern am Beginn aller Tage steht (stehen müßte). Die Armen klagen Christus an, das Gleichnis vom »wuchernden Pfund« zur Apologie von Ausbeutung erfunden und angewendet zu haben. »Der Mensch ist des Menschen Pfund«. Er verurteilt den Schöpfer des Gleichnisses, aber auch seine Nachredner und die, die sich mit ihm beruhigen ließen, zum Tode. – Wieder in der Realität wird Fewkoombey verhaftet und wegen Mords an Mary Swayer hingerichtet. Er hatte nichts verstanden. »Die Geschichtsbücher und Biographien genügen nicht! Wo sind die Lohnlisten?«
	(Kinderlied)	1150	
	Der Traum des Soldaten Fewkoombey	1151–1165	

Die Geschäftshandlungen

Im folgenden wird eine Übersicht über die beiden entscheidenden Geschäfts-Handlungen des Romans gegeben, deren Ablauf dem aufs Persönliche fixierten, traditionell geschulten Romanleser im allgemeinen verborgen bleibt: er hält sie, wie im bürgerlichen Roman üblich, für nebensächlich oder auch vor allem für langweilig und pflegt dies dem Romanschreiber anzulasten, wie es die Rezeption des *Dreigroschenromans* vielfältig bezeugt. Dabei resultieren Spannung und sarkastischer Witz des Romans aus den ständigen Umschlägen der Geschäfts-Handlung, auf die die Hauptakteure sich je neu einzustellen haben: und dies tun sie auf grandiose Weise. Es ist zu unterscheiden zwischen der Geschäfts-Handlung, die sich auf Macheath bezieht, und der Geschäfts-Handlung, die sich an Peachum orientiert. Beide Handlungen laufen am Ende zusammen, wobei die Kontrahenten sich auch dann erst *persönlich* kennenlernen, ein Indiz auch dafür, daß die Verhältnisse in der modernen Gesellschaft verwickelter geworden sind, als daß sie sich noch auf das persönliche und unmittelbare »Duell« der Kontrahenten konzentriert darstellen ließen; diese sind vielmehr auf vielfältige Weise »vermittelt«. Der Unterschied ist der – wie im Roman angesprochen – zwischen Segelschiffahrt und Dampfschiffahrt oder der zwischen Droschke und Auto, wobei es, wie Brecht im Hinblick auf Thomas Mann formuliert hat, »bestimmt die Droschke sein wird, die den Unterschied geringfügig findet« (18, 43; vgl. 13, 1129). Die folgenden Übersichten sind auf die Hauptsache konzentriert; sie sollen dem Leser die Orientierung erleichtern.

Die Geschäfte des Herrn Macheath

Herr Macheath, aller Wahrscheinlichkeit nach »Das Messer« (Mackie Messer), auf alle Fälle aber den »Ruhm« des legendären »Helden« nutzend, baut eine Bande auf, die sich nach Morden und Raubüberfällen allmählich auf das einträglichere und weniger auffällige Geschäft des Einbruchs verlegt und dieses durch ein bürgerliches Handelsunternehmen tarnt. Um die Hehler auszuschalten, gründet Mac die B-Läden und setzt für seine »Lager«-Firma O'Hara als Geschäftsführer (offiziell: selbständig) ein. Diese »Vorgeschichte«, die in der *Dreigroschenoper* weitgehend handlungsbestimmend ist, wird im Roman nachgetragen, wobei die wahre Identität von Macheath unsicher bleibt (13, 863–869). Die Handlung im Roman konzentriert sich ganz auf die *geschäftlichen*, nicht die räuberischen Unternehmungen des »Helden«, die freilich nicht weniger räuberisch sind.

Da die Warenzufuhr aufgrund ihrer Beschaffungsweise recht chaotisch ausfällt, Unverkäufliches ebenso wie Wiedererkennbares sich häuft, beschließt Macheath, Verkauf und Beschaffung der Waren planmäßig zu organisieren: die Läden sollen durch Heimarbeit das Aussehen der gelieferten Waren verändern und dadurch zu »Bestellern« avancieren; die Beschaffung der Waren soll sich gezielt nach dem Bedarf richten. Dazu sind Investitionen nötig, die Herr Macheath über die Heirat von Polly Peachum (und das heißt: ihre Mitgift) einzusetzen gesonnen ist. Dies ist der Ausgangspunkt des Romans, als sich Mac unter dem Namen Jimmy Beckett dem Fräulein Polly als gediegener Holzhändler nähert; dem Leser bleibt vorerst unklar, daß da geschäftliche Gründe maßgeblich sind (vgl. 13, 869 und 750). Macs Pläne gehen zunächst überhaupt nicht auf, denn Polly ist – gegenüber dem durchaus nicht dem Idealbild des erfolgreichen Gangsters entsprechenden »Rettichkopf« – einem gewissen Herrn Smiles viel mehr zugetan, der freilich über den Nachteil verfügt, über nichts zu verfügen. Erst als Polly von Smiles schwanger wird, hält sie es für tunlich, die bessere Partie zu wählen und Herrn Beckett zu heiraten. Dies muß freilich heimlich geschehen, weil Vater Peachum, der in die finanzielle Anhängigkeit des Maklers Coax geraten ist, diesen bereits zum Ehegatten erwählt hat. – Aber auch die Geschäfte Macs laufen zunächst gar nicht gut: die Mitgift ist ihm verschlossen und der Versuch, mit der National Deposite Bank ins Geschäft, das heißt: zu einem Kredit, zu kommen, schlägt fehl. Dafür aber hat Mac seine Idee von den Einheitspreisläden ausgeplaudert, die sich die Chreston-Ladenkette, Kunde bei der ND-Bank, zunutze macht.

Am Punkt, an dem er endgültig am Ende scheint, beginnt Mac erst richtig, sein Organisationstalent einzusetzen. Wenn die eine Seite nicht will, dann wird der Versuch mit der anderen Seite gemacht, mit der Commercial Bank, deren Hauptkunde der Aaronkonzern ist. Macheath gibt vor, am Ende zu sein und auf Rache an Chreston zu sinnen; die honorigen Bankleute, Macs niedriger Herkunft eingedenk, vermuten auch niedrige Gesinnung und hoffen auf ein gutes Geschäft, als Mac ihnen anbietet, die Aaron-Läden mit Billigwaren zu beliefern und so Chreston zuvorzukommen und niederzukonkurrieren. Dazu erscheint es Mac nötig, eine Zentrale Einkaufsgesellschaft zu gründen und mit einem honorigen Adligen, Lord Bloomsbury, an der Spitze auszurüsten, einem Herren, der von Geschäften keine Ahnung, dafür aber immer Geldsorgen hat. Es versteht sich, daß auch diese Gesellschaft völlig »unabhängig« von Macheath ist und folglich von Aaron und der C-Bank als seriös anerkannt werden kann. Der Kampf um den Markt, seine Beherrschung, kann beginnen.

Aaronketten und B-Läden nun von einer Gesellschaft beliefert, verkaufen ihre Waren prächtig und sehr billig, Macheath aber läßt allmählich, als sich der Verkauf eingespielt hat und die Aaron-Läden von der Lieferung abhängig geworden sind, die Warenzufuhr stoppen und schließlich ganz versiegen. Da auch die B-Läden in den Warenstopp einbezogen sind und alle Schuld der Einkaufsgesellschaft (ZEG) zugeschoben werden kann, mit der Mac, wie gesagt, nichts zu tun hat, stellt sich die Angelegenheit als äußerst bedrohlich dar. Chrestons Sieg bei letztem Einsatz sieht wie ein endgültiger aus.

Freilich: Macheath hat inzwischen seine Frau zur NC-Bank geschickt, die dort ihre Mitgift einzufordern annonciert. Die Kalkulation trifft zu: die Bank hat, um Chrestons Konkurrenzkampf gegen Aaron und B-Läden zu finanzieren, die Reserven aufgebraucht und ist nicht mehr liquide. Mac beschließt, ins Bankfach zu wechseln und der NC-Bank durch den Direktorenposten wieder auf die Sprünge zu helfen. Chrestons Sieg sieht schon blasser aus.

Die napoleonischen Pläne scheinen noch einmal ins Wanken zu geraten, als O'Hara (als verantwortlicher Leiter der Einkaufsgenossenschaft) nicht wie vereinbart die Waren, die es ja nicht geben darf, vernichtet, sondern gewinnbringend auf eigene Rechnung an Chreston verkauft, der damit in die Lage kommt, mit einer Billig-Werbewoche, dem Gegner endgültig den Garaus zu bereiten. Doch Mac weiß auch hier Rat: er läßt von seiner Bande sämtliche Waren Chrestons auf legalem Weg aufkaufen, indem diese die Läden stürmen und andere Käufer hindern, ihrerseits die Billigwaren zu erstehen. Der entschiedene Vorteil dieses – freilich etwas kostspieligen – Unternehmens ist der, daß Mac nun über die Quittungen

Chrestons verfügt, während dieser für dieselben Waren leider keine aufzuweisen hat, was denn Macheath den noch lächelnden Schein-Sieger wissen läßt, worauf diesem das Lachen endgültig vergeht. Auch O'Hara wird angehalten, seinen Gewinn wieder der Firma zuzuführen, und durch den ergebeneren Grooch ausgewechselt.

Der Rest ist eine reine Formalität. Aaron ist durch die Einkaufsorganisation gefangen, Chreston hat keine guten Belege für seine Waren, die ND-Bank einen neuen Chef. Da man unter Ehrenmännern ist, steht einer Einigung nichts mehr im Weg, zumal es auch noch geraten schien, den Schwiegervater aus dem – natürlich grundlosen – Verdacht zu verhelfen, der Untergang des »Optimisten« habe etwas mit der mangelhaften Ausrüstung des Schiffs durch die Verkäufer zu tun, und man statt dessen den wahren Grund findet, daß da einmal mehr kommunistische Umtriebe am Werk gewesen sein müssen. Unter Macheath' Führung wird das ABC-Laden-Syndikat gegründet, dem Peachum – in Erwartung weiterer gewissenhaft auszuführender – Regierungsaufträge als Gesellschafter beitritt. Nur die Herren von der CD-Bank, die dem griechischen Wettkampf huldigen und die Olympiade fortzusetzen gedachten, setzen weiterhin auf Segelschiffe.

Das Happy-End verweist noch einmal auf den Sinn des Konkurrenzkampfes: er wurde geführt, den geschäftlichen Gegner auszuschalten; die billigen Waren gab es für den Käufer lediglich zu einem überschaubaren, relativ kurzen Zeitraum; denn der vorübergehende Verzicht auf Gewinn oder gar die Verluste durch Investitionen waren nur gerechtfertigt durch die Aussicht auf später um so höhere Gewinne. So bedeutet das Happy-End unter den Unternehmern das Ende des Konkurrenzkampfes, und das heißt: für die B-Lädenbesitzer die Steigerung ihres »Opferwillens« und für den Käufer das Ende der Billigpreise. Als Monopolbetrieb kann das Syndikat nun seine Preise diktieren und das große Geschäft machen.

Das Schiffegeschäft des Peachum

Peachum wird geschildert als der typische Aufsteiger, der (zunächst) nicht mit verbrecherischen Mitteln vorgeht, sondern es lernt, sein Geschäft nutzbringend und gewinnbringend auszuweiten. Brecht stattet Peachum sogleich mit einer gewissen Identität aus, die dann im Gegensatz zur unsicheren Herkunft des Macheath ihrerseits im Laufe der Handlung unsicher wird, da sich Peachum als höchst wandelbar erweist, was die ursprüngliche Identität wieder auflöst (vgl. vor allem 13, 1032). Peachum führt zunächst einen Gebrauchtwaren-Handel, dessen »natürliche« Kunden Bettler sind: sie erstehen bei ihm gebrauchte Sachen, vor allem auch Musikinstrumente, für die Bettelei. Er versteht es dann, aus seinen Käufern »Klienten« zu machen, indem er seine Waren nicht mehr verkauft, sondern gegen Beteiligung am Bettelerlös »vermietet« (Verfügung über die Produktionsmittel). Es ist dann nur ein konsequenter weiterer Schritt, die zur »Bettelarbeit« notwendigen »Werkzeuge« selbst herzustellen, und zwar in einer illegalen Fabrik, die sich – vor allem als Schneiderwerkstätte – den Gegebenheiten als äußerst anpassungsfähig erweist und geführt wird wie ein Arbeitslager (Beery als Aufpasser und Einpeitscher; vgl. vor allem 13, 794f., 796f.). Peachum hat mit der Verfügungsgewalt über die »Produktionsmittel« (alias Ausstattung) der Bettler diese in der Hand und setzt sie (wie Angestellte) an bestimmten Arbeitsplätzen ein; ihren Erlös haben sie abzuliefern, um dann entlohnt zu werden. Im Moment, als die Romanhandlung einsetzt, verfügt Peachum bereits über das Bettel-Monopol in London, was z. B. Fewkoombey handgreiflich zu spüren bekommt, als er »wild« um Almosen bittet; selbst im depraviertesten Zustand – im Bettel – finden sich die Menschen in der Abhängigkeit vom Markt wieder; Nicht-Anpassung wird mit Existenzverlust bestraft. – Daß Peachums Geschäftsunternehmen illegal ist, darauf weist Brecht an zwei Passagen unmißverständlich hin. Einmal setzt Peachum seine – noch unmündige – Tochter ein (»ein Haufen Sinnlichkeit«; 13, 749), die Polizei, sobald sie sich näher für das Geschäft interessiert, »abzulenken«, eine Funktion, die die Polly der *Oper* bereits zu erfüllen hatte (13, 748: sie gibt sich Mühe, »gegen den dicken Mitchgins nett zu sein«, natürlich nur mit »winzigen Gefälligkeiten« bei zugleich bürgerlich-wohlanständiger Erziehung, z. B. Baden im Nachthemd; Peachum setzt also mit typisch bürgerlicher Doppelmoral seine Tochter bewußt als Sexualobjekt ein, um ihr dann vorzuwerfen, daß sie sich bei anderen Gelegenheiten ebenso verhält). Zum anderen ist es die erst an wesentlich späterer Stelle erzählte »Legalisierung« des Geschäfts durch die Polizei: als das Geschäft trotz Polly hochzugehen droht, droht

Peachum seinerseits, beim Besuch der Königin, der u. a. durch das sorgfältig hergerichtete und von allen elend aussehenden Menschen befreite Hafenviertel führen soll, seine künstlich verunstalteten Bettler als Zug des Elends auftreten zu lassen. Nach der »Generalprobe« am Vortag des Besuchs und der Inspektion des Premiers resigniert Polizeichef Brown und konstatiert lapidar: »Wir stellten Herrn Peachum seine Konzession aus. Wir wollten mit ihm nichts zu tun haben« (13, 977).

Mit dem Bettel-Monopol ist die weitere Vergrößerung des Peachumschen Geschäfts jedenfalls in bemerkenswerten Dimensionen ausgeschlossen, und Peachum verlegt sich auf ein »fremdes«, aber sicher erscheinendes Geschäft: sicher nämlich, weil es ein Regierungsgeschäft ist, und die Regierung sich *nicht* wie ein Geschäftsmann zu verhalten pflegt. Der Makler Coax bereitet das Schiffegeschäft vor, indem er drei möglichst alte Schiffe ausfindig macht (aus den Tagen Nelsons; 13, 767) und zugleich noch eine Option in Southampton auf drei weitere, intakte Schiffe erwirbt. So ausgestattet gibt er auf Grund des »Wunsches der Regierung Ihrer Majestät« (13, 759) vor, daß dringend Frachtraum für Entsatz im Burenkrieg benötigt werde und aus Sorge um das Vaterland Schiffe bereitzustellen wären. Außer Coax finden sich sieben Herren ein (Herr von Clive, Baronet; Finney, Textilfabrikant; Eastman, Hausbesitzer; Moon, Inhaber eines Wettbüros; Crowl, Restaurateur; ein unbenannter Schafszüchter und Peachum), ihre vaterländische Pflicht zu erfüllen (Gründung der »Gesellschaft für Verwertung von Transportschiffen«, TSV). Coax offeriert die schlechten Schiffe zu gutem Preis (8200 Pfund bei einem Regierungsangebot von 49 000 Pfund abzüglich Schmiergeldern und Provisionen). Nach harten Verhandlungen sichert sich Coax 25 Prozent Vermittlungsprovision (immerhin 12 250 Pfund), die das Geschäft als äußerst seriös erscheinen läßt, den in Aussicht stehenden Gewinn der anderen allerdings erheblich schmälert. Coax sichert sich weiterhin ab dadurch, daß er der Firma, der die Schiffe abgekauft werden sollen, heimlich ein weiteres, höheres Angebot macht, falls die TSV nicht kaufen wollte (die Schiffe sind in einem erbärmlichen Zustand); zugleich spiegelt er Eastman vor, kein Geld liquide für seinen Anteil zu haben und tritt ihn großzügig ab. Als der Besichtigungstermin mit Abschluß des Kaufvertrags in Aussicht steht, fehlt Coax, während die übrigen sieben trotz klarer Sachlage, daß die Schiffe unbrauchbar sind, den Kaufvertrag unterzeichnen. Coax liefert der TSV erst 5000, dann insgesamt 8000 Pfund als Vorauszahlung der Regierung aus, von denen 2000 an den Staatssekretär Hale als »Vermittlungsgebühr« gehen. Dann kann er zum Angriff übergehen: er wirft der TSV vor, die unbrauchbaren Schiffe erworben zu haben, was nur auf einen Betrug der Regierung hinauslaufen könne; entweder den Kadi – oder: die drei Schiffe, auf die Coax bereits in Southampton optiert hat; sie sollen, während die alten Kähne scheinbar hergerichtet werden, heimlich gegen sie ausgetauscht und dann der Regierung übergeben werden. Aus dem versprochenen Geschäft ist ein großes Verlustunternehmen geworden; denn die neuen Schiffe sollen 38 500 Pfund kosten, was mit Coax' Provision schon weit mehr ist, als der Regierungsbetrag einbringt; hinzu kommen neue Provisionen für die Übertragung der Namen von den alten auf die neuen Schiffe (7500 Pfund). Peachum versucht vergeblich, aus dem Geschäft auszusteigen: er sehnt sich zum angestammten Bettelgeschäft zurück. Ein Versuch, bei der National Deposite Bank einen Kredit zu erhalten, schlägt fehl, und Peachum scheint völlig erledigt zu sein, als er endlich Coax' Plan durchschaut, wonach dieser durchaus nicht bereit ist, die Schiffe auszutauschen, sondern heimlich ein doppeltes Geschäft machen will. Die einzige Chance scheint zu sein, den bei einem sexuellen Fehltritt ertappten, sinnlichen Coax an den erblühten Pfirsich, also an die »Familie«, zu binden. Da dieser jedoch mit Macheath verheiratet ist (was Coax – zunächst – nicht weiß), muß Mac ausgeschaltet werden; daher die Anklage wegen Mordes an Mary Swayer, und zwar erst dann, als Peachum sich davon überzeugt hat, daß Macheath *nicht der Mörder sein kann* (sonst hätte er ein stichfestes Alibi; 13, 958). Außerdem läßt sich Peachum von den entnervten Kompagnons die Generalabrechnung (das Wort ist doppeldeutig; 13, 1032) übertragen, als ein Erpressungsmanöver gegen Hale mit Coax' schmierigem Tagebuch die Sache noch mehr kompliziert: die Wandlung des Herrn Peachum in einen Tiger beginnt (13, 1032). Coax hat Peachums Bemühungen, die familiären Bande zu knüpfen, nicht erwidert, und zwar aus zwei Gründen: der Pfirsich hatte sich ihm schon ohne Entgelt »hingegeben«, womit sich der Besitztrieb des Mannes – so jedenfalls Coax' »männliche« Selbstrechtfertigung – bereits gestillt sah, und außerdem färbte die schlechte finanzielle Situation des Vaters unwillkürlich auf die Begehrlichkeit der Tochter ab (13, 1037). Damit ist Coax' Schicksal besiegelt: dem wackeren Geschäftsmann bleibt nur der Mord, den er Fewkoombey überträgt und den dieser auch ausführt. Mit der Beseitigung des Coax ist ein schlechter Ausgang des Prozesses gegen Macheath nicht mehr nötig (statt dessen wird Fewkoombey »geopfert«), wie nun auch die geschäftlichen Dinge eine gute Wende nehmen: bei der Durchsicht der Papiere des Verblichenen (»für Fräulein Coax«; 13, 1081 f.) kommt Peachum in den Besitz aller Unterlagen und Verträge, dabei auch eines 2. Regierungsvertrags über die neuen Schiffe (Gewinn 120000 Pfund). Mit leiser Nachhilfe bei Hale werden die Verträge auf Peachum übertragen, und das heißt auch: ihr Gewinn, der nur noch einmal gefährdet ist, als »Der Optimist« erwartungsgemäß bei Nebel absäuft und die Schuldigen von Presse und Polizei gesucht werden. Macheath jedoch – inzwischen seinerseits die Familienbande bemühend (die mit gutem finanziellen Polster versehen sind) – appelliert bei Brown, dem Polizeichef, an die »Vernunft«: die patriotische Welle, die mit dem Untergang des Schiffs mit den Soldaten ausgebrochen sei, könnte merklichen Schaden erleiden, wohingegen ihre Wogen noch höher schwappten, wenn sich herausstellte, daß wieder einmal die Kommunisten ihre böse Hand angelegt hätten. Und so steht denn dem Beitritt Peachums zum ABC-Laden-Syndikat kein Hindernis mehr entgegen; Ende gut, alles gut.

Peachums Gewinn ist im Roman selbst folgendermaßen ausgewiesen: aus dem ersten Schiffegeschäft zieht er »zirka 29000 Pfund« (13, 1082), das zweite Schiffegeschäft wird mit weiteren 120000 Pfund annonciert (13, 1081). Die Summe des 2. Gewinns läßt sich relativ schnell belegen, da – wie es an früherer Stelle heißt – die Gewinne bei Regierungsgeschäften zwischen 300 und 450 Prozent zu veranschlagen sind (13, 841), das heißt, in diesem Fall sind 400 Prozent (bei Kaufsumme von 30000 Pfund) veranschlagt, ein gutes Geschäft also. Dagegen bleibt die 1. Gewinnsumme einigermaßen rätselhaft; Müller, der einzige Interpret, der sich bisher den Zahlen gestellt hat, führt sie gar nicht an, er berechnet vielmehr einen nur geringen Gewinn von 1160 Pfund, der sich aus den anderen, im Roman angegebenen Zahlen ergibt. Da Müller leider mit z.T. (wohl aus Versehen) falschen Zahlen rechnet und außerdem die doppelte Buchführung ungenügend berücksichtigt, führe ich hier die Rechnungen noch einmal auf. Dies zu tun, rechtfertigt sich daraus, daß auch Brecht an den »richtigen Zahlen« sehr gelegen war und sich im Archiv immerhin einige Zahlenaufstellungen finden (vgl. z.B.: BBA 294/01 = Nr. 11317 oder BBA 294/121 = Nr. 11420, Bd. 3, S. 9 bzw. 17).

Ankauf der (alten) Schiffe		8200	(13, 844)
Reparaturen		5000	(13, 844)
Provision für Coax		12250	(13, 844)
Schmiergelder für Hale			
a. für die alten Schiffe		5000	(13, 844)
b. für die neuen Schiffe		7500	(13, 844)
1. Rate	4000		(13, 913)
2. Rate	3500		
Ankauf der neuen Schiffe		38500	(13, 844)
Erpressungssumme Tagebuch Coax/Hale		1000	(13, 913)
Gesamtsumme:		77450	(13, 1082)

Erläuterung: Die Gesamtsumme, die Brecht auch selbst nennt, und zwar mit den ganz exakten Zahlen, ergibt sich aus den Summen, die offen gehandelt und für die Abrechnung zugrunde gelegt werden; sie stimmen freilich nicht mit den wirklichen Zahlen überein, für die eine gesonderte Rechnung aufzumachen ist. Müller hat bei seiner Rechnung (Müller, 169) leider die Provision (25 Prozent von 49000) falsch berechnet (12500 Pfund – also von 50000 berechnet) und die Erpressungssumme vergessen, die Coax auch noch der TSV »übereignet« (13, 913 f.). Unter Berücksichtigung aller Zahlungen also ergibt sich zwischen der ersten Rechnung, die im 6. Kapitel aufgemacht wird, und der zweiten, die Peachum nach Coax' Ermordung im 14. Kapitel durchgeht, keine Diskrepanz, die Müllers Berechnungen aufweisen (vgl. Müller, 169 und 171, wobei die angegebenen 74450 offenbar einen Schreibfehler darstellen, der freilich in die Rechnung eingegangen ist).
Die wahre Rechnung sieht allerdings so aus:

Ankauf der (alten) Schiffe	8200
Reparaturen	5000
Schmiergelder für Hale	9000
Ankauf der neuen Schiffe	30000
Erpressungssumme Tagebuch	1000
tatsächliche Gesamtsumme	53200

Erläuterung: Die voranstehende Berechnung berücksichtigt nur die tatsächlich geleisteten Zahlungen, die Peachum in Coax' Nachlaß vorfindet. Daher kommt es, daß – das Schiffegeschäft ist ja noch nicht getätigt, als Coax' ermordet wird – die Provision an Coax noch nicht gezahlt ist (sie stellt Peachum seiner Schwester für die Einsicht in den Nachlaß in Aussicht; 13, 1081); auch die Schmiergeldzahlungen an Hale sind noch nicht in der vollen Höhe geleistet (13, 913), und schließlich haben die neuen Schiffe nicht – wie in Rechnung gestellt – 38500 Pfund, sondern nur 30000 Pfund gekostet (13, 1082), so daß sich eine Differenz von über 24000 Pfund zwischen beiden Rechnungen ergibt, die Summe, die sich Coax – neben dem 2. Schiffegeschäft – als Provision einzustecken gedachte.

Das Raffinierte an der Diskrepanz zwischen beiden Rechnungen ist, daß Peachum, wenn er mit seinen Partnern »abrechnet«, die offiziellen Zahlen verwendet und also wesentlich höhere Anteile einziehen kann, als tatsächlich zu zahlen wären, sowie darüber hinaus auch noch über Coax' Anteile verfügt, was die anderen nicht wissen. Die weitere Berechnung also hat so vorzugehen, daß aus der offiziellen Gesamtsumme abzüglich der Kaufsumme der Regierung und der Abschreibung für die alten Schiffe die Verlustanteile der TSV-Mitglieder berechnet werden: 77450 abzüglich 49000 (Kaufsumme der Regierung) und 2100 (Abschreibung für die alten Schiffe), so daß ein nomineller Verlust von 26350 Pfund für die TSV entstanden ist; aufgeteilt in sieben Teile, von denen Peachum selbst zwei besitzt, ergibt dies ca. 3760 Pfund pro Anteil. Peachum erhält von den Anteilseignern vier Anteile ausbezahlt sowie 4/5 der Summe des Anteils von Crowl, der Selbstmord begangen hat (13, 1082), so daß er ca. 18050 Pfund als »Liquiditeur« der Gesellschaft erhalten hat. Die Diskrepanzsumme zwischen offizieller und tatsächlicher Abrechnung belief sich auf 24250, die sich mit den Verlustanteilen auf 42300 Pfund erhöht, so daß sich – abzüglich der »Provision« für Coax' Schwester – tatsächlich ein weiterer Gewinn von – nach dieser Rechnung – 30050 Pfund ergibt, der den »zirka 29000 Pfund«, die Brecht nennt (13, 1082), ziemlich nahe kommt. – Es versteht sich, daß dieser Gewinn nur den Gewinn aus dem 1. Schiffegeschäft meint, zu dem die 120000 Pfund aus dem 2. Geschäft noch hinzuzurechnen sind. Es hat sich also »gelohnt«. – Die Dimension dieser Summe läßt sich in etwa abschätzen, wenn man bedenkt, daß die NDB für das Creston-Geschäft die Depotgelder Peachums über 10000 Pfund angreift und sich dadurch erpreßbar macht; das heißt, die Geldreserven dieser Bank belaufen sich normalerweise in der maximalen Höhe von solchen Summen. Es geht also um heutige Millionenbeträge (zumindest in der Fiktion des Romans).

Insgesamt ist Peachums Geschäft so zu bewerten: er, der »Branchenfremde« eignet sich allmählich, den Geschäftspartner Coax als Gegenspieler durchschauend, dessen Methoden und schließlich auch Anteile an, um dann mit seinen Partnern eben das Geschäft zu machen, das mit ihm gemacht werden sollte. Mit dem Mord an Coax hat er dessen gesellschaftliche Stellung übernommen, und er ist damit auf neuen Gefilden – über den Bettel hinaus – geschäftsfähig geworden. Daß dieses Geschäft nicht nur über die Leiche des Coax, sondern auch über die Crowls (Selbstmord) gegangen ist, die eine Hälfte der TSV-Mitglieder total ruiniert hat, während die anderen die Verluste an die »Kleinen« abgegeben haben, sollte noch gesagt sein.

Die Person des Coax, eine der intensivsten und zugleich abstoßendsten Figuren des Romans, spielt insofern eine besondere Rolle, als sich auf sie und ihre Beseitigung hin die beiden Geschäfts-Handlungen und auch noch die »Liebeshandlung« (Pollys Fehltritte) schürzen. Wenn auch Fewkoombey der tatsächliche Mörder Coax' ist, so haben sich doch drei Mörder gleichzeitig auf den Weg gemacht, wobei außer Fewkoombey noch Giles, von O'Hara (im Namen Pollys) beauftragt, Hand anlegt, was notwendig ist, damit der Invalide überhaupt zuschlagen kann. Polly will die Beseitigung von Coax, da dieser bereit ist, über ihren Ehebruch auszusagen; Macheath als Bankdirektor braucht den toten Coax, weil die National Deposite Bank durch Coax die Einlagen Peachums und damit ihre Liquidität bedroht sieht (Auftrag an Ready; 13, 1060), und Peachum schließlich aus den bekannten Gründen. Es ist also durchaus nicht so, daß die Geschäfte im bürgerlichen Rahmen irgendwie »feiner«, »humaner«, weniger schmutzig geworden wären, daß der bürgerlichen Veredlung subtilere Mittel entsprächen; der Mord wird vielmehr immer dann notwendig, wenn diese Mittel versagen oder nicht ausreichen, er gehört also als letzte Konsequenz auch zum bürgerlichen Geschäft, wie Brecht es schildert. Die Parallele zur Zeit, zum Ende der Weimarer Republik, stellt sich so erneut her: auch der Faschismus ist die letzte Konsequenz des Kapitalismus und nicht etwa sein Gegenteil.

Klaus-Detlef *Müller* (s.o.; S. 162–173). – Klaus *Kocks*: Brechts literarische Evolution. Untersuchungen zum ästhetisch-ideologischen Bruch in den Dreigroschen-Bearbeitungen. München 1981 (S. 160–186).

Romantheorie

Vorbemerkung

Auf den ersten Blick scheint es bei Brecht überhaupt keine Romantheorie zu geben. Er hat jedoch – und so weit wird dies im Rahmen des *Dreigroschenromans* darzustellen sein – im Zusammenhang mit dem *Dreigroschenprozeß* (1931) theoretische Überlegungen fixiert, die sich im *Roman* niederschlagen. Es gehört dabei zu Brechts Eigenarten, daß die Romantheorie nicht innerhalb der Gattung Roman entwickelt wird, sondern im scheinbar fremden »Medium«, dem Film nämlich. Da dem Film ein gesondertes Kapitel vorbehalten ist, werden hier nur die Aspekte genannt, die Brecht auf den Roman überträgt.

Der Film

»Die alten Formen der Übermittlung nämlich bleiben durch neu auftauchende nicht unverändert und nicht neben ihnen bestehen. Der Filmesehende liest Erzählungen anders. Aber auch der Erzählungen schreibt, ist seinerseits Filmesehender. Die Technifizierung der literarischen Produktion ist nicht mehr rückgängig zu machen« (18, 156). Die 1931 im *Dreigroschenprozeß* fixierte Einsicht hat bis heute nichts von ihrer Aktualität verloren; die Frage nämlich, ob die neuen »Künste« die alten, anerkannten Kunstübungen verändern und neu bestimmen oder ob die alte Kunst neben allen Neuerungen unberührt und in ihrer Eigenart bewahrt bleibt. Brechts Antwort ist eindeutig; die Beweisführung wird am Roman, jedenfalls weitgehend, getätigt: er ist die literarische Gattung, die traditionell den größten »Realitätsanteil« aufweist, sich insofern – bei aller Kunst – schon traditionell »zeitverhafteter« gezeigt hat als die (scheinbar) ewigen literarischen Gattungen von Lyrik und Dramatik. Der Roman teilt mit dem Film die Schwierigkeiten, überhaupt als Kunst anerkannt zu werden, weil er – wie der Film – von Wirklichkeiten zu berichten pflegte, die nicht als kunstwürdig anerkannt waren, und da beide es auf eine Weise tun, die den Ruch des Unpoetischen lange trug und teilweise noch heute trägt; beim Roman ist es die ungebundene Sprache der Prosa, beim Film seine nicht-literarische Vermittlungsform, die als Trivialität und für den Beschauer als Bequemlichkeit eingeschätzt zu werden pflegte. Noch heute trägt der Film als Gattung die negativen Merkmale seiner frühen Einschätzung (das Kino galt noch bis in die Zeiten der Bundesrepublik hinein als »Lasterhöhle«, als Schule der Sinnenfreude etc.). Schließlich teilen Film und Roman noch eins: sie stehen – trotz aller Hindernisse – in der Publikumsgunst vor allen anderen Künsten; sie sind, wie immer dies auch eingeschätzt werden mag, offenbar die Künste, die für die bürgerliche Gesellschaft typisch sind und folglich ihren Charakter am deutlichsten zeigen.

Der Film zeichnet sich gegenüber den traditionellen Künsten aller Art vornehmlich durch drei entscheidende neue Eigenarten aus, die weitgehend idealtypisch erfaßt sein sollen, damit Abgrenzungen und Übertragungsmöglichkeiten auf den Roman deutlich werden:

1. Der Film ist Wirklichkeitsabbildung; er hat wesentlich dokumentarischen Charakter, indem er die Realität, so wie man sie mit Augen sieht, unmittelbar wiedergibt.

Diese, von der strengen Filmtheorie vorgetragene Einschätzung (z. B. Kracauer, 69) bedarf sogleich der Einschränkung: Hans Richter z. B. hat in seinen Überlegungen zum Film anhand von historisch dokumentierten Rezeptionshaltungen darauf hingewiesen, daß die filmische Wiedergabe von Realität außerordentlich »abstrakt« gewesen ist und noch ist, als daß seine Realitätsvermittlung »direkt«, »unmittelbar«, als reine Wiedergabe von Realität erscheinen könnte. Dies wird deutlich, wenn man bedenkt, daß die Kamera »einäugig« ist, also ein begrenzteres Sichtfeld als die Augen des Menschen hat (ein Blick ins Objektiv zeigt dies deutlich; die neuen Objektive erweitern jetzt zwar den Blick: er ist aber nicht mehr »natürlich«); hinzu kommt, daß der Film – so tiefenscharf er auch sein mag, immer eine Projektion in die Fläche ist, also die Realität um eine Dimension verkürzt. – Diesen wichtigsten »objektiven« Einschränkungen des Films stehen subjektive gegenüber, nämlich die Perspektiven, die der Filmemachende auswählt, um etwas zu zeigen, oder eben auch die vielen Möglichkeiten des Films – durch Überblendung z. B., durch Schnitt, durch Einblendungen, durch Zeitlupe –, Realitäten zu zeigen, die es als solche gar nicht gibt, die also durch das schöpferische Subjekt überhaupt erst hergestellt werden.

Trotz der Einschränkungen der idealtypischen Definition zeichnet der Film sich dadurch aus, daß das, was er zeigt, in irgendeiner Weise auch unabhängig vom Film, von seiner Kunst, existiert: der Film verwandelt nicht irgendwelches Material in die Kunst selbst, sein Material bleibt auch unabhängig von ihm als solches bestehen. Der Marmor des Bildhauers »wird« das Kunstprodukt selbst (das heißt: der Marmor »als solcher« ist nicht mehr »da«); der Marmor, der im Filmbild erscheint, bleibt dagegen vom Film selbst unberührt. Das ist der neue Realitätsbezug der neuen Kunst des Films: die Verwandlung von Realität, ihre »Aufhebung« bleibt aus, Kunst und Realität verharren in entschiedener Differenz.

2. Der Film ist prinzipiell nicht mehr durch den einzelnen herstellbar; er ist nicht mehr und kann nicht mehr sein »Ausdruck der Persönlichkeit«, er muß vielmehr »das Werk eines Kollektivs sein« (18, 172; vgl. 18, 179).

Auch diese Aussage ist idealtypisch und durchaus realiter zu spezifizieren. Wenn auch zur Herstellung eines Films arbeitsteilige Produktion absolut üblich ist, so pflegt doch gleichzeitig der Regisseur im Film seine Sicht zu realisieren, also durchaus eine persönliche, keine kollektive Auffassung durchzusetzen, weshalb es noch bis heute üblich ist, die jeweiligen Filme mit ihren Regisseuren zu identifizieren. Das Kollektiv existiert nur insofern, als es die persönliche Ansicht des Regisseurs »realisiert«; es ist ihm funktional zugeordnet und unterworfen.

Diese Spezifikation berührt jedoch nicht prinzipiell die Tatsache, daß der Film ein Kollektivprodukt ist: er ist es nämlich schon deshalb, weil zu seiner Anfertigung Apparate nötig sind (wie auch für seine Wiedergabe), die als technische Produkte, als Maschine bereits – ohnehin auch Kollektiv-Produkt (vgl. z. B. den *Ozeanflug*) – den »Ausdruck der Persönlichkeit« *vermitteln*. Die Person vermag sich nicht direkt, sondern nur über den Apparat und da eben in der Regel auch nur mit Hilfe anderer »auszudrücken«. Das heißt: zwischen das Kunstwerk und die Person, die sich durch es »ausdrückt«, sind Mittel geschaltet, die bei noch so entschiedener und individueller Beherrschung die Persönlichkeit *nur mittelbar zum Ausdruck kommen* lassen. – Außerdem, das ist nicht zu vergessen, hat auch die Tatsache Bedeutung, daß der Film durch technische Apparate hergestellt wird, die ihrerseits gesellschaftlichen Produktionsbedingungen unterliegen, welche die Verfügbarkeit des einzelnen über sie zumindest einschränken (im *Dreigroschenprozeß* hat Brecht gezeigt, daß die Filmapparate als künstlerische Produktionsmittel ganz wesentlich das Produkt beeinflussen, ja geradezu den individuellen Ausdruck radikal zu beseitigen drohen, und zwar deshalb, weil in der Regel nicht der Künstler sie besitzt, sondern dieser seine Kunst den Besitzern der Produktionsmittel zu unterwerfen hat).

3. Die »Seinsweise« des Films ist die der *Kopie*. Wichtige Aspekte davon hat Walter Benjamin in seinem Aufsatz unter dem Titel *Das Kunstwerk im Zeitalter seiner technischen Reproduzierbarkeit* erfaßt. So gibt es den Film nicht als diesen besonderen Gegenstand, wie z. B. das Gemälde, die Skulptur, die dann freilich auch an bestimmte Orte gebunden sind, zu denen sich der Betrachter in der Regel begeben muß (oft sehr weit entfernt; vgl. die Kunstreisen). Die »Aura«, wie Benjamin sie nannte, das Originale, Persönliche, Unwiederholbare des traditionellen Kunstwerks, fehlt dem Film ganz, da er als Kopie seinen Sinn und seine Bestimmung überhaupt erst in der Reproduktion erfährt. Als »Gegenstand« dagegen ist der Film bloß ein Stück Zelluloid, das seine Bestimmung erst durch die vergrößernden Reproduktionsapparate freigibt, also sich nur mit dem Gerät zu realisieren vermag, wobei denn noch zusätzlich das, was gezeigt wird, sich nicht wie das traditionelle ortsgebundene Kunstwerk »festhalten« läßt: als laufende Bilder kann der Film nicht einfach betrachtet werden, sondern auch seine Rezeption ist dem Wiederholungsprinzip, also der Reproduktion, unterworfen (man muß den Film noch einmal sehen, »an sich« ist er nicht zu betrachten, womit sich der Betrachter erneut dem Ablauf unterwerfen muß). Die Ortsunabhängigkeit, die den Film auszeichnet, hat ihr Pendant in der Abhängigkeit vom Wiedergabe-Gerät, ohne das der Film sinnlos bliebe: seine Mobilität bestimmt die des Films (mit dem Fernseher ist sie praktisch uneingeschränkt geworden).

Diese Rezeption hat auch ihre Besonderheiten, die das »Aufnehmen von Kunst« in neuer Weise ermöglichen. Der Film ist – in viel entschiedenerem Maß als die traditionelle Kunst – Ware, und er tut auch von vornherein gar nicht so, etwas anderes zu sein: die relativ hohen Produktionskosten sind nur dann gut eingesetzt, wenn der Film möglichst viele Rezipienten erreicht, und insofern preist er sich auch wie andere Konsumprodukte durch Werbung an; dem Film mangelt von vornherein die Exklusivität. Damit bettet er sich in die Alltäglichkeit ein, verliert also auch da die Aura der traditionellen Kunst; sein Besuch ist mit keinem Ritual (Umkleiden etc.) verbunden, und er erweist sich insofern auch als wesentlich zeitgebundener und auch realitätsnäher als die traditionellen Künste.

4. Der Film ist im wesentlichen Produkt der Montage; sie ist die bestimmende Technik der Filmherstellung, nämlich durch den sog. »Schnitt«. Die verschiedensten Einstellungen, Totale, Nah- oder Großaufnahme, die verschiedensten Perspektiven, ihr abrupter oder allmählicher Wechsel, das Zusammenfügen disparater »Realitäten«, die Verbindung von divergierenden Motiven pflegen den Film als Fertigprodukt auszuzeichnen. Die Montage schränkt nicht nur den unter 1. benannten Charakter der »Wirklichkeitsabbildung« weiterhin erheblich ein, indem die Beachtung des Filmschnitts als wesentlicher Bestandteil der Herstellung eines Films den Eindruck negiert, als sähe man im Film durch das »Auge der Kamera« direkt auf die Realität, die Montage betont auch noch einmal, daß die Abbildung des Films dem Abgebildeten »Sinn« unterlegt bzw. durch die Zusammenstellung auch Zusammenhänge herstellt, die sich in der Realität »selbst« so nicht zeigen. Ein bestimm-

tes Realitätsdetail z. B. im Kriminalfilm erhält durch den Zusammenschnitt mit einem Vorgang bestimmte »sprechende« Bedeutung, z. B. als Indiz der Wiedererkennung des Täters o. Ä. Das Detail selbst hat diese Bedeutung keineswegs »von sich aus«.

Neubestimmung der Künste durch den Film

Brecht überträgt die idealtypisch in Abgrenzung gegen die traditionelle Kunst beschriebenen Merkmale auf die Kunst selbst, und das heißt, er erkennt die oben beschriebenen Unterschiede für die moderne Zeit, für das sog. »Wissenschaftliche Zeitalter« nicht an: daß der Film zum adäquaten Kunstwerk der Zeit werden kann, ist ebensowenig zufällig, wie der Film, besser und richtiger gesagt, die Art seiner Produktion und Rezeption (Verbreitung), die traditionelle Kunst nicht unberührt läßt. Im Gegenteil: am neuen Kunstwerk Film wird gesellschaftlich offenbar, was an den traditionellen Künsten verborgen oder verschleiert ist, nämlich der Reproduktions- und Warencharakter *aller* Kunst. Auch das noch so persönlichste, mit individuellstem Produktionsmittel geschriebene Gedicht ist nicht mehr nur »Ausdruck der Persönlichkeit«. In ihm wirken, und sei es noch so originell, immer auch sprachliche Muster, formale Traditionen, Mitteilbarkeiten, die auch anderen zur Verfügung stehen, und will es rezipiert werden, so muß es sich auf den Weg der Waren begeben: schon der Druck eines Gedichts unterwirft es der industriellen Produktion und damit ihrem Vertrieb. Und das heißt: die neuen Künste der technischen Zeit und ihrer sich ausweitenden Reproduktion, die das Original zu vertreiben beginnt, lassen erst am traditionellen Kunstwerk, das weitgehend »persönlich« bestimmt scheint, seine Kollektivität – die sehr wohl einmal anderer Art gewesen ist – und die eingeschränkte Autonomie der individuellen Schöpfung erkennbar werden.

Eine zweite, wichtigere Überlegung betrifft die Realitäts-»Abbildung« durch die Kunst in der technischen Zeit. Daß der Film gleichsam prinzipiell dokumentarisch sei, war bereits als Fehleinschätzung der objektiven und subjektiven Eingriffe in die Realitätswiedergabe zurückgewiesen worden; dennoch aber liegt mit dem Film eine Kunst vor, die eine Realität, die ihr Gegenstand ist, auch unabhängig von ihr existent sein läßt und somit auch Vergleiche ermöglicht. Während die Dichtung der Tradition und ihre entsprechenden Theorien die »Welt« der Dichtung aus dem »dichterischen Wort« entstehen lassen und ihr keinerlei »äußere« Realität beimessen, bewahrt der Film eine äußere Welt, die er lediglich *zeigt* (wie subjektiv auch immer), aber als solche unverändert bestehen läßt. Traditionell wird, so führt Brecht aus, im Roman also »eine Welt entworfen«, die bei strenger autonomer Kunstauffassung selbst dann nur im Roman selbst und nur *in der Sprache* existiert, wenn es zu ihr reale Entsprechungen geben sollte. Die Sprache kann die Welt ohnehin nicht wiedergeben, wie sie ist, folglich wird, wenn schon auf äußere Dinge verwiesen wird, das äußere Ding *sprachlich verwandelt.* Dieser Verwandlungsprozeß, der eine völlig neue Welt in der Kunst entwirft, hat den Anspruch, daß die Kunst so rezipiert wird, *als ob sie selbst Realität wäre,* als ob der Leser sich ganz in sie versenken und folglich als eigengesetzliche Welt für sich nehmen könnte. Jedes Detail der so entworfenen Welt befindet sich in ihrem Zusammenhang und bezieht von ihr auch ihren spezifischen Sinn. Der Verwandlungsprozeß betrifft also – ganz analog zum traditionellen, naturalistischen Theater – die Produktion wie die Rezeption: es entsteht eine geschlossene Welt mit dem Anspruch auf Autonomie – und als solche ist sie gänzlich von aller äußeren Realität geschieden und ausgegrenzt. – Überdies erweist sich diese Autonomie an die Persönlichkeit des Autors, seinen »Ausdruck«, gebunden, und zwar als subjektiver Entwurf, der nur in der »Verwandlung« sich objektiviert und »Realität« beanspruchen kann. Die Literaturgeschichte hat diesen eingeschränkten »Sinn« von Literatur dadurch bestätigt, daß sie ihre »Geschichte« an die der Autoren, an die Biographie also, gebunden hat.

Der Film aber stellt nun eine solche »autonome Realität« der Kunst prinzipiell in Frage: das ist sein entscheidend neuer Beitrag zur Realitätsdarstellung. Er kann sich noch so sehr autonom und »weltentwerfend« geben, es bleibt immer ein Rest. Dieser Rest aber zeigt auf eine neue, andere Möglichkeit der »Abbildung« von Realität: wenn die Kunst die äußere Realität nicht (vollständig) verwandeln kann, dann bleibt die künstlerische Darstellung gegenüber der »Welt«, der äußeren Welt, defizitär. Es ist immer mehr da, als ins »Abbild« eingehen kann, und das heißt: der Primat der äußeren Welt bleibt erhalten, und die Kunst vermag lediglich Ausschnitte, Einblicke in sie zu zeigen. Wenn dieser neue Vorgang zum künstlerisch bewußten Prinzip gewendet wird, dann ergibt sich ein neuer Charakter der Abbildung, der nicht mehr auf Geschlossenheit, nicht mehr auf Verwandlung, nicht mehr auf Beseitigung der äußeren Realität setzt, sondern ihren Gewinn gerade daraus zieht, daß er die Kunst an die äußere Realität bindet. Der Vorteil ist ein doppelter: die Unterscheidung von Kunst und Realität bleibt gewahrt. Der Kunst stehen statt nur einer Welt plötzlich *zwei Welten* zur Verfügung. Die äußere Realität bleibt nicht ausgespart, sie ist jetzt vielmehr vielfältig einsetzbar und nutzbar für die Kunst geworden, so daß sie in der Lage ist, Realitäten zu verarbeiten und zugleich auf künstlerische Weise dem Rezipienten Einblikke in *seine Realität* zu vermitteln. Der Rezipient begibt sich nicht mehr künstlich in eine »Welt-Als-Ob«, er sieht sich vielmehr durch die Kunst immer *auch* auf seine Realität verwiesen. – Diese Realitätsdarstellung freilich ist nur eine *Möglichkeit*; sie wird in der Regel – das sei betont – noch nicht einmal vom Film genutzt; im Gegenteil pflegt er gerade mit der Suggestion autonomer Filmwelten zu arbeiten und daraus einen Großteil seiner Wirkungen zu beziehen. Dies aber ist eine Frage der modernen Bewußtseinsindustrie, deren Sinn es ist, von der gesellschaftlichen Realität gerade abzulenken und – in der »Freizeit« – Ersatzwelten für ungelebtes Leben bereitzustellen. Brecht nannte diese Praxis bereits 1935 – lange vor seinen Hollywood-Erfahrungen – einen »der blühenden Zweige des internationalen Rauschgifthandels« (15, 482); daß dies nicht nur Metapher ist, wissen wir inzwischen.

Es geht aber bei den neuen modernen Künsten nicht nur um die *Übertragbarkeit* ihrer Techniken auf die traditionellen »Formen« bzw. um die Entdeckung von Abhängigkeiten, die erst durch die neue Zeit sichtbar geworden sind, es geht vielmehr auch um die (sozusagen unbewußte) *Veränderung* aller Kunstproduktion und Kunstrezeption durch die neuen Medien, deren Technik der Film, inzwischen teilweise ja auch das Fernsehen, künstlerisch nützt. Diese Veränderung hat zwei wichtige Aspekte:

1. Daß die moderne Kunst durch Apparate und mit Arbeitsteilung produziert wird, stellt die (neue) gesellschaftliche Realität und damit vor allem die Menschen in ganz neue Vermittlungszusammenhänge, die die alte *Unmittelbarkeit* einschränken, tendenziell zumindest auflösen, wenn nicht ganz beseitigen. Die individuelle Arbeit weicht der an der Maschine; mit der Maschine werden immer mehr auch Maschinen für den Alltag herstellbar, die einerseits die Arbeit entlasten, andererseits eben auch zwischen die Realität und den Menschen die Mittel schieben, mit dem er sich der Realität nähert (die Menschen fahren mit dem Auto durch die Gegend, verlieren so den unmittelbaren Kontakt zu ihr; sie wischen nicht mehr mit der Hand den Staub, sondern mit dem Staubsauger, erfahren so die Realität nur noch über das Mittel etc.). Das heißt: der Prozeß führt von der Entfernung der »natürlichen Realität« hin zur »vermittelten« Realität. Sie ist gesellschaftlich wichtiger und bestimmender geworden als die »ursprünglich« natürliche Realität, oder mit Brecht gesagt: »Die Lage wird dadurch so kompliziert, daß weniger denn je eine einfache ›Wiedergabe der Realität‹ etwas über die Realität aussagt. Eine Photographie der Kruppwerke oder der AEG ergibt beinahe nichts über diese Institute. Die eigentliche Realität ist in die Funktionale gerutscht. Die Verdinglichung der menschlichen Beziehungen, also etwa die Fabrik, gibt die letzteren nicht mehr heraus« (18, 161 f.). Da die gesellschaftliche Realität gegenüber der natürlichen die primär bestimmende, die Beziehungen der Menschen regelnde Wirklichkeit geworden ist, diese aber nicht mehr durch Unmittelbarkeit, »Begegnung« sich kennzeichnet, sind die Funktionen wichtiger geworden als das, was sich »von selbst« darbietet. Das Bild einer Fabrik sagt deshalb nichts, weil ihr äußeres Erscheinungsbild nichts über die Bestimmung in ihr, nämlich auf bestimmte Weise zu produzieren, mehr sagt. Die menschlichen Beziehungen in einer Fabrik sind in vielfältiger Weise über Apparate, Funktionen, Zuteilungen (zur Maschine) geregelt, aber nicht mehr primär durch den Kontakt von »Mensch zu Mensch«. Was der Mensch ist, zeigt sich immer mehr und entschiedener nicht mehr in der persönlichen Leistung, sondern durch den Apparat, das Ding, das er bedient, dem die menschliche Arbeit zugeteilt ist (»Verdinglichung«). Das heißt für die Kunst: sie kann sich, wenn sie die moderne Realität auch darstellen will, nicht mehr mit dem einfachen, sichtbaren Abbild der Realität begnügen – das ist nur Reproduktion der Oberfläche –, sondern sie muß künstlerische Mittel entwikkeln und auch Mittel nutzen, um die bestimmenden Funktionen, die Verdinglichungen sichtbar zu machen. Jedes Abbild ist demnach zugleich auch ein »Eingriff« in das Abgebildete, die Notwendigkeit, bestimmte Vorrichtungen zu treffen, um die »hinter der Oberfläche« verborgene gesellschaftliche Realität sichtbar zu machen. Der Eingriff aber

»verändert« die Realität nicht schon selbst (»Subjektivierung«), der Eingriff hat lediglich den Sinn, die objektiven und auch subjektiven Verschleierungen von der Realität abzureißen bzw. die verdinglichten Gewohnheiten, die zur 2. Natur geworden sind, also wie natürliche aufgefaßt werden, überhaupt erst bewußt zu machen. Es handelt sich dabei – um auch dies zu betonen – nicht um die alte »Erscheinung«-»Wesen«-Beziehung, wonach durch die Erscheinung hindurch das Wesen sichtbar zu machen ist, sondern darum, den *Schein* der »Erscheinung« aufzudecken und dabei die gesellschaftliche Realität (als solche, nicht als »hinter der Erscheinung eigentliches Wesen«) zum Vorschein zu bringen. »Wesen« und »Erscheinung« bleiben bei der Vorstellung stehen, als habe die Erscheinung direkten Kontakt zum Wesen, als sei sie ihr adäquater »Ausdruck«; diese alte Beziehung wird der modernen Produktions- und Warenwelt insofern nicht gerecht, als in ihr ein großer Teil der Erscheinungen nichts mehr mit dem »eigentlichen Wesen« zu tun hat (z.B. die Verpackung einer Ware, ihr Äußeres) und oft sogar auch als das »Wesen« selbst ausgegeben wird (z.B. das Auto als Statussymbol oder seine »Notwendigkeit«, die erst durch das Auto geschaffen worden ist, etc.). Oder anders gesagt: die »Erscheinung« eines »Wesens« ist heute wesentlich komplexer geworden, weil die Erscheinung einmal lediglich der »umgehängte Schleier« sein kann (losgelöst vom »Wesen«), dann weil die Erscheinung in der Regel nur bedingt mit dem »Wesen« zusammenhängt (z.B., wenn man im Wohnungsbau darauf achtet, alles Funktionale zu verdecken, es gerade nicht zu zeigen, obwohl ein Haus ohne Licht, ohne Ab- und Zuwasser etc. heute als unbewohnbar gilt: das aber wird möglichst nicht gezeigt), weil schließlich zwischen »Erscheinung« und »Wesen« heute all die Mittel geschaltet sind, die ihre unmittelbare Beziehung auflösen. – Die Kunst, will sie Realität sichtbar machen, bedarf also entschiedener Anstrengung und Arbeit, nicht zuletzt aber auch gesellschaftlicher Einsicht, wenn sie wirklich etwas über ihre Zeit »aussagen« will. Die Persönlichkeit allein reicht jedenfalls dazu nicht mehr aus.

2. Es haben sich mit der Gewöhnung an die neue »verdinglichte«, »funktionale« Realität beim Publikum, bei den Rezipienten wie beim Produzenten von *aller* Kunst, neue Aufnahme-, Sehgewohnheiten ausgebildet. Auch hier – wie es z.B. Hans Richter beschrieben hat – gibt der Film die entscheidenden Hinweise. Richter führt aus, daß die einfachsten Bewegungen, das Gehen von Leuten, das Heben und Senken der Hosenbeine, das nichtbeachtete Spiel der Muskeln eines Pferdes beim Galopp oder gar die Bewegungen der neuen Maschinen, also die gesamte Alltäglichkeit, mit dem Film überhaupt erst sichtbar geworden ist. Erst der Film zeigte, welche Bewegtheit im Alltag steckt, was alles vor sich geht, wenn sich Normalität »abspielt« (daher auch die Faszination der Straßenaufnahme im frühen Film). »Es war, als entdeckte man erst jetzt die Bewegung der Dinge, – der Umwelt, – die eigene. Das Stück Leinwand am anderen Ende des Saales gab die Ebene ab, auf der man die Dinge, wie von einem anderen Planeten aus betrachten konnte und sich selbst wie ein fremdes Wesen« (Richter, 27). – Weiterhin hat Richter gezeigt, daß alle Natürlichkeit im Film, wie sie sich dem Betrachter darbietet, das Resultat ausgeklügelter Künstlichkeit ist. Die Aufnahme durch den Apparat, seine besondere Optik, bedarf künstlicher Anstrengungen, um Natürlichkeit zu suggerieren: »Die Technik der Darstellung mußte sich wohl oder übel der Technik des Films anpassen; also der Kamera, der Optik, der Empfindlichkeit des Negativmaterials, den Beleuchtungsmöglichkeiten, den Dekors, etc.« (Richter, 53). Deutlich wird dies besonders in der Gegenüberstellung des Theaters und des Films. Was auf der Bühne »natürlich« wirkt, weil sie immer ein Gesamtbild zeigt, mehr als nur die Person, die auf der Bühne ist etc., wird im Film künstlich, z.T., wenn es sich um Darstellung von Gefühlen u.Ä. handelt, auch lächerlich. – Schließlich ergibt sich daraus noch eine, weitgehend wenig beachtete Konsequenz: die Gewöhnung an die Möglichkeit des neuen, vermittelten Sehens, die Gewöhnung an die Bewegtheit, die vielfältigen »Sensationen« im Wortsinn, die neue visuelle Kommunikation, die die Sprache und ihre Rolle weit zurückgedrängt hat, führt dazu, daß alles, was gesehen, was rezipiert wird – aber auch produziert wird – in der gewohnten, zur 2. Natur gewordenen medialen Sehweise aufgenommen wird, werden muß. Es ist nicht nur ein Witz, wenn der Betrachter eines realen Fußballspiels bei einem Tor darauf wartet, es in Wiederholung durch Zeitlupe noch einmal zu sehen (und dies unwillkürlich: der Usus des Fernsehens überträgt sich erwartungsgemäß auf die »natürliche Sehweise«), oder wenn die Bundesbahn damit wirbt, daß sie »Fernsehen life« biete, dann nämlich, wenn der Fahrgast durch das, wie ein Fernsehschirm sich

darbietende Zugfenster auf die »Natur« draußen schaut, in bewegten Bildern. Diese Reklame kehrt das »ursprüngliche Sehen« diametral um und verweist so auf die neuen, zur 2. Natur gewordenen Gewohnheiten des heutigen Betrachters. Wenn Brecht also feststellt, daß der Filmesehende sowohl anders schreibe, als auch anders lese, dann stecken hinter solch einfachen Feststellungen komplexe gesellschaftliche Sachverhalte, die erst zu klären waren, ehe verdeutlicht werden kann, welche Auswirkungen sie haben, wenn sie bewußt in die Literatur, den Roman, übertragen werden.

Friedrich *Springorum*: Der Gegenstand der Photographie. Eine philosophische Betrachtung. München 1930 (von Brecht benutzt). – Hans *Richter*: Der Kampf um den Film. Für einen gesellschaftlich verantwortlichen Film. Hg. v. Jürgen *Römhild*. München 1976 (geschrieben 1939). – Siegfried *Kracauer*: Theorie des Film. Die Errettung der äußeren Wirklichkeit. Frankfurt 1973 (zuerst amerikanisch 1960).

Günter *Hartung*: Bertolt Brecht und Thomas Mann. Über Alternativen in Kunst und Politik. In: Weimarer Beiträge 12, 1966, S. 407 bis 435. – Wolfgang *Gersch*: Film bei Brecht. Brechts praktische und theoretische Auseinandersetzung mit dem Film. München 1975 (S. 85–97) – Wolfgang *Jeske* (s. o.; S. 40–54; 196–204).

Der »filmische Roman«

Die grundsätzliche Veränderung der Literatur durch die Technik, deren adäquates Kunstprodukt der Film ist, löst den Brechtschen Roman aus der bloß literarischen Tradition und den literarischen Gebundenheiten. Es ist ein Defizit der Brecht-Forschung, daß sie – obwohl der *Dreigroschenprozeß* es eigentlich hätte nahelegen müssen – immer wieder nur die literarischen Einflüsse gesucht und gefunden hat, wobei vor allem der Kriminalroman eine große Rolle spielt (vgl. z.B. Müller, 153–162), von dem Brecht sicherlich eine Reihe von Momenten und Merkmalen übernommen hat, wobei es sich aber mit ebensolcher Sicherheit um Momente und Merkmale handelt, die primär aus der außerliterarischen, der filmischen »Tradition« stammen; denn der Kriminalroman ist die Form des Romans, die sich am meisten den technifizierten Produktionsbedingungen angepaßt und sie auf die Darstellung übertragen hat. Brechts Vorliebe für diese Sorte *trivialer Literatur* ist gerade auch darin zu sehen.

Die Übertragung der »filmischen Sehweisen« in den Roman, die Prosa überhaupt, bedeutet nicht, im Roman vom Film zu handeln, wie es der *Dreigroschenroman* mit der Wiedergabe des stummen Kitschfilms *Mutter, dein Kind ruft!* (13, 1047–1049) ja auch tut; es geht vielmehr um die »Technifizierung« der Form des Romans und die Möglichkeiten der Prosa, die nun in die Lage gesetzt werden sollen, *auf sprachliche Weise* zu zeigen, was der Film mit seinen Mitteln zu zeigen vermag (wenn er entsprechend eingesetzt wird, also: nicht narkotisch). Oder anders mit einer Notiz Brechts von 1920 gesagt: »Filme als Bücher schreiben!« (BBA 1504/26 = Nr. 16268, Bd. 3, S. 505; Mitteilung Jeske). Die »Technifizierung« der Literatur ist keineswegs ohne literarische Tradition, auch wenn diese der Literaturwissenschaft nur sehr bedingt überhaupt bekannt ist. Ihr Beginn – darauf weist auch Brechts frühe Notiz zurück – liegt im sog. Expressionismus, der erstmals bewußt außerliterarische Techniken in die Literatur einbrachte, Techniken, die – z.B. anhand von Döblins frühem Roman *Wang-lun* – mit den geeigneten Metaphern, z.B. »Der Wortfilm rollt« (Joseph Adler im *Sturm* 1913), erfaßt worden sind (auch Brecht lobt in seinen frühen Tagebuchaufzeichnungen die dynamisierende Sprache von Döblins Prosa; *Tagebücher*, 65 f.). Döblin selbst schrieb Ende der zwanziger Jahre aus Anlaß der Lektüre von James Joyce's *Ulysses*:

> In den Rayon [= Bezirk; auch Warenhausbereich] der Literatur ist das Kino eingedrungen, die Zeitungen sind groß geworden, sind das wichtigste, verbreitetste Schriftzeugnis, sind das tägliche Brot aller Menschen. Zum Erlebnisbild der heutigen Menschen gehören ferner die Straßen, die sekündlich wechselnden Szenen auf der Straße, die Firmenschilder, der Wagenverkehr. Das Heroische, überhaupt die Wichtigkeit des Isolierten und der Einzelperson, ist stark zurückgetreten, überschattet von den Faktoren des Staates, der Parteien, der ökonomischen Gebilde. Manches davon war schon früher, aber jetzt ist wirklich ein Mann nicht größer als die Welle, die ihn trägt. In das Bild von heute gehört die Zusammenhanglosigkeit seines Tuns, des Daseins überhaupt, das Flatternde, Rastlose. (Zit. nach Knopf, Žmegač, S. 421)

Ähnliche Bemerkungen hat Brecht bereits 1925 zu Robert Louis Stevenson notiert und dabei schon früh das mögliche Mißverständnis ausgeräumt, daß erst der Film selbst die »filmische Optik« im Roman ermögliche. Vielmehr gilt, daß der Film aufgrund der Entwicklung der Technik und der veränderten Produktionsbedingungen möglich geworden war, und mit *seiner Möglichkeit* hatte sich auch die filmische Optik entwickelt, auch unabhängig vom Film, der lediglich im neuen »Medium« realisiert hat, was die Technik aufgrund der fortgeschrittenen Produktivkräfte in sich trug. »Interessant ist auch«, schreibt Brecht, »daß, wie man aus den Stevensonschen Erzählungen genau sieht, die filmische Optik auf diesem Kontinent [Amerika mit seinen großen Städten] vor dem Film da war. Nicht nur aus diesem Grunde ist es lächerlich zu behaupten, daß die Technik durch den Film eine neue Optik in die Literatur gebracht hat. *Rein sprachlich genommen hat die Umgruppierung nach dem optischen Gesichtspunkt hin in Europa schon lange begonnen.* Rimbaud zum Beispiel ist schon rein optisch eingestellt. Aber bei Stevenson sind schon ganze Vorgänge visuell angeordnet« (18, 24f.).

Technifizierung der Prosa (filmische Mittel)

Kollektivität der Produktion; Quelleneinbau

Bereits die im Abschnitt über die Entstehung des *Dreigroschenromans* dargestellte kollektive Arbeitsweise gehört zur neuen Technik des Romans: sie bringt auf diese Weise mehrere Sehweisen in das Gefüge ein, verläßt sich also weder auf den subjektiven Entwurf des einzelnen, noch auf den nur *einen* möglichen Blick. – Eben diese »Kollektivität« haben auch die eingearbeiteten Quellen, die deutlich auf eine Realität außerhalb der Romanwelt verweisen und unabhängig von ihr »existent« bleiben. Ihr Einbau bedeutet also die Montierung von Wirklichkeitselementen in den Roman, am deutlichsten da, wo sie tatsächlich zitiert sind (z.B. Zeitungsartikel), und nur indirekt da, wo es sich um Anspielungen und Verweise handelt, die dem Kontext des Romans stärker unterworfen sind.

Der Einbau äußerer Realitäten bedeutet einerseits eine Erweiterung der »kollektiven« Tendenzen des Romans, indem zu den verschiedenen Verfassern noch weitere »Verfasser« (besonders deutlich da, wo es sich um bereits Formuliertes, Sprachliches handelt) hinzukommen und so das Spektrum der Romanwelt erweitern. Zum anderen brechen die äußeren Realitäten die (ehemals als autonom und bloß sprachlich gedachte) Romanwelt auf, durchlöchern sie und ihre »Fiktion« durch vom Roman unabhängige Dinge, wie sie umgekehrt durch den Einbau in den Roman zusätzlichen Sinn erhalten, den sie aus der »Welt des Romans« beziehen. Der Effekt ist ein doppelter: die Romanwelt wird erheblich erweitert, wie sie zugleich neue Sehmöglichkeiten für die Realität eröffnet – der Einbau äußerer Realität in den Roman schlägt sozusagen nutzbringend auf sie zurück.

Handlungsort: Straße

Während das Theater vornehmlich in Räumen spielt – vor allem das bürgerliche (der Zuschauer sieht »intimen« Szenen zu) –, ist einer der wichtigsten Orte des Films die Straße; Kracauer spricht von »seiner unwandelbaren Hinneigung zur ›Straße‹ « (Kracauer, 98), womit vor allem die Großstadtstraße, ihre Bewegtheit, ihre Öffentlichkeit sowie die mit ihr verbundenen Menschenmassen gemeint sind. Brecht überträgt diese Öffentlichkeit durchgängig in seinen Roman. Auffällig vor allem in der »Begegnung« von Polly und Macheath bzw. von Polly und Herrn Smiles. Beide finden in der Öffentlichkeit statt, im Garten nämlich eines Gasthauses, wobei die Herren dann der Dame in der Straße zu folgen pflegen, um sie scheinbar zufällig zu treffen (13, 750–752 vor allem). Diese Öffentlichkeit der Frau hat inhaltlichen Sinn, insofern die Frau als »öffentliche Sache« betrachtet wird, die man in den »Griff« zu bekommen hat: »Auf dem Rückwege tauchte mitunter Herr Smiles auf. Er drängte das Mädchen in Häusernischen und sprach mit ihr, beide Arme rechts und links von ihr ausgestreckt, die Handflächen an der Mauer« (13, 750). In ähnlicher Weise, diesmal aber auf Macheath beschränkt, hat Brecht das Kennenlernen von Polly und Macheath im *Dreigroschenfilm* realisieren wollen: Macheath sieht Polly, und zwar lediglich von hinten, mit dem Entschluß, »diesen entzückenden Hintern wird er heiraten« (Texte für Filme II, 329). Die Inbesitznahme der Frau geschieht dann mit dem »Griff über den Nacken«, der den schmalen Hals mit Daumen und Mittelfinger umfaßt; »Liebe auf den ersten Griff«.

Mit dem Film teilt der *Dreigroschenroman* die Zufälligkeit, die sich mit den Straßenszenen zu verbinden pflegt. Man trifft sich – zumal am Beginn – auf der Straße nicht planmäßig, sondern ganz zufällig: ein bestimmter Blick durch viele Menschen hindurch, ein plötzlich auffälliges, scheinbar unbedeutendes Merkmal, die Liebe »auf den ersten Blick« etc. Brecht spielt bewußt mit dieser Erwartung, da Macheath' erste »Begegnung« mit Polly ganz zufällig erscheint, sich dann aber erst allmählich als geplant, als inszenierter Zufall, entpuppt. Daraus ergibt sich gleich zu Beginn ein Handlungsspezifikum des Romans, der prinzipiell so erzählt, als ob es sich um normal Erwartetes handelte, das sich dann als präzis und perfid geplant erweist.

Es ist auffällig, daß im Roman auch da, wo

der private Raum als Handlungsort naheläge, immer die Öffentlichkeit vorgezogen wird. Der erste sexuelle Kontakt zwischen Polly und Macheath findet auf der Straße in der Kutsche statt, nachdem man Mama Peachum mit dem heißgeliebten Likör gefüllt hat (13, 752; vgl. 13, 753); mit Herrn Smiles drückt sich Polly auf den Parkbänken der Anlagen herum (13, 753; immerhin mit weitreichenden Folgen). Die Häuslichkeit wiederum, die Macheath
gen). Die Häuslichkeit wiederum, die Macheath
seiner sexuellen Gewohnheit widmet, ist das öffentliche Haus in Tunnbridge, also wieder kein privater Raum. So finden auch die Geschäfte der Transportschiffegesellschaft durchgängig entweder im Restaurant oder im »Massagesalon«, der beileibe keine Erfindung unserer Zeit ist, statt, und das heißt wiederum: im Puff. Auch die Heirat von Polly und Macheath ist nicht »häuslich«, da das Haus dazu lediglich »gemietet« ist – wie es im ganzen keine privaten Zufluchtsorte gibt, es sei denn den, an dem man sich nicht wohlfühlt, wie bei den Peachums, die sich nicht mehr ausstehen können (Frau Peachum pflegt deshalb auch den Keller mit dem Likör aufzusuchen).

Privatheit, Familie, Liebe, menschliche Beziehungen und menschliches Zusammenleben haben damit schon vom Handlungsort her prinzipiell öffentlichen Charakter, entbehren also gerade jener Geborgenheit, die die traditionelle Unmittelbarkeit menschlicher Begegnung, die die Öffentlichkeit ausblenden, voraussetzt, und das heißt: der öffentliche Handlungsraum des Romans, den er mit dem Film teilt, hat auch inhaltliche Bedeutung.

Der »öffentlichen Privatheit« korrespondieren die ausgesprochenen Massenszenen, die wie im Film in der Straße spielen. Da ist nicht nur die überschaubare Bettler-Handlung, die auf Öffentlichkeit ja angewiesen ist, da sind auch die Demonstrationen, der Streik der Werftarbeiter, der Bericht des Polizeipräsidenten vom Besuch der Königin (im Elendsviertel, das ansehnlich hergerichtet wird) und schließlich die martialische »Schlacht bei den Westindiandocks«. – Der Mensch *in* der Straße: das ist das Bild des schon weitgehend entfremdeten, unbehausten modernen Menschen, der trotz seiner »Massenhaftigkeit« vereinzelt bleibt, ausgesetzt und ohne Übersicht, ja auch ohne Schutz, obwohl er doch unter Menschen zu sein scheint. Daß sich auch die Ermordung des Coax auf der Straße abspielt – wie ebenfalls Mary Swayers Selbstmord ein Rendezvous auf der Straße vorausgeht –, diese Tatsache wird sprechendes Symptom: an Coax' Mord sind zwei Mörder, die sich nicht kennen, beteiligt, und ein dritter noch befindet sich ebenfalls auf dem Weg. Coax sind umgekehrt seine Mörder gänzlich unbekannt, er kann also, zumal in der Öffentlichkeit, gar keine direkte Bedrohung erkennen, er ahnt lediglich eine anonyme Gefährdung, ohne ihr wirksam entgegnen zu können – wie andererseits für die Mörder die Anonymität und auch die Öffentlichkeit zum Schutz werden. – Diese sehr genauen Bilder Brechts, die in der Sprache nachvollziehen, was der Film durch Bilder direkt zeigt, bringen damit in den Roman die moderne Anonymität eindringlich zum Ausdruck, ohne von ihr zu reden, nicht begrifflich, sondern in Handlung und Bildern, genauer bewegten Bildern, da sich die Menschen in diesem Roman vornehmlich Verfolgungen ausgesetzt sehen.

Schnittechniken (Montagen)

Während der traditionelle Roman des 19. Jahrhunderts sich durch »Entwicklung« auszeichnet, die sich erzählerisch dadurch realisiert, daß die Handlung (vornehmlich) chronologisch hintereinander, als bestimmte Folge von Ereignissen, die in sinnvolle Zusammenhänge treten, abläuft, werden im modernen Roman diese Entwicklungszusammenhänge durch »simultane Verweisungszusammenhänge« (Schramke, 137) abgelöst; die Zeit verliert ihren bestimmenden Charakter, ihre verändernde Qualität, so daß dann auch die Erzählung nicht mehr »hintereinander«, sondern nebeneinander und »übereinander« sich lagernd, realisiert wird. Diese Verschiebung hängt im modernen Roman in erster Linie mit dem zunehmenden Zerfall der Innenwelt des Individuums zusammen (es wird sich seines Selbstseins unsicher; Schlagwort mit Musils Roman-Titel *Mann ohne Eigenschaften*), dem wiederum der Zerfall der äußeren Welt, ihrer Erkennbarkeit, ihres Zusammenhangs entspricht. Diese – hier nur schlagwortartig nach Schramke zusammengefaßten Merkmale des modernen bürgerlichen Romans gelten für Brechts Roman (beinahe ausschließlich) nicht, auch wenn es Zusammenhänge gibt.

Qualität der Zeit: Wenn Brecht seinen Roman auch keineswegs mehr chronologisch und »entwicklungsmäßig« im alten Stil erzählt, so tendiert er gar nicht dazu, die Zeitqualität aufzulösen, die Geschichte sozusagen zum Stillstand wie im modernen Roman zu bringen. Dem wirken entschiedene zeitliche Verweise, die die verändernde Qualität der Zeit dem Leser bewußt halten, ebenso entgegen wie die Zielgerichtetheit der Geschäftshandlungen, die sich sehr wohl »entwickeln«, wenn auch nicht im Sinn der »Vollendung des Individuums«, seines »Lebensausdrucks«. Z.B. finden sich ausdrückliche Zeitverweise gleich zu Beginn, im »Vorspiel«, das einen zeitlichen Spannungsbogen herstellt: »Im großen und ganzen aber lebte der frühere Soldat das halbe Jahr, das ihm noch vergönnt war, unter den Hunden. Dann sollte er auf eine eigentümliche Art dieses spärlich gewordene Leben verlieren, einen Strick um den Hals, unter dem Beifall einer großen Volksmenge« (13, 741). Zwar handelt es sich nicht um eine Spannung, die auf das unbekannte Ende hin ausgerichtet ist, die Zeit aber – gerade auch in ihrer Konzentration (für einen Roman mit diesen geschäftlichen Dimensionen) – ist qualitativ thematisiert durch die Art und Weise, wie die vielfältigen Veränderungen eintreten werden. Die Überschriften, die direkt oder indirekt Zeit thematisieren, sind relativ häufig und auffällig, so die »Pfirsichblüte« – es ist Frühling, und Polly Peachum wacht sexuell auf (13, 747) –, »Eine historische Sitzung«, ein Titel, der zugleich Verbindungen des geschäftlichen Geschehens zum historischen herstellt, wobei denn auch die »napoleonischen Pläne« zeitlichen Charakter erhalten (13, 931), dann die Überschrift »Noch einmal der 20. September« (13, 946), die in Wiederholung Ereignisse eines bestimmten Tags, nämlich den der »Ermordung der Kleingewerbetreibenden Mary Swayer«, wieder aufnimmt; wenn dann der Titel »Die Blätter werden gelb« (13, 980) auftaucht, wird rückblickend auch ein Titel wie »Schwitzbäder« zeitlich thematisiert: während die Gesellschaft sich im Massagesalon der Hitze aussetzt, ist es Sommer (13, 839); von einem halben Jahr war zu Beginn die Rede; daß es dann noch einige »Unruhige Tage« gibt, und sich schließlich alles im Novembernebel verhüllt (13, 1100 und 1128) hat sprechende Qualität. – Hinzu kommen des öfteren Verweise auf Veränderungen und Umschläge, Vorausweisungen und Andeutungen, die das Bewußtsein von Zeit und ihrer veränderlichen Qualität aufrecht erhalten, dennoch aber die modernen Mittel nicht ausschließen (vgl. z.B. 13, 1027). – Schließlich weist dann auch noch der Epilog – trotz seiner »Zeitentrücktheit« im Traum – zeitliche Qualitäten auf, indem er der Endzeiterwartung des Christentums (und damit seiner geschichtlichen Zeitlosigkeit) die historische Zeit entgegensetzt, die in ihrer schnellen Nutzung, im zeitlichen »Gericht« ihren Sinn findet.

Über die inhaltlichen Thematisierungen der Zeit gibt es auch noch eine »strukturelle«, die der Roman mit dem Kriminalroman bzw. -film teilt, nämlich die allmähliche, in der Zeit sich vollziehende Aufdeckung von Zusammenhängen und Abhängigkeiten, die dem Leser oder auch dem mitgestalteten Personal vollständig oder teilweise verborgen sind: der analytische Charakter des Romans hat ebenfalls zeitliche Qualität (z.B. die allmähliche Entdeckung des Coax'schen Schwindelgeschäfts, oder die allmähliche Zusammenfügung der napoleonischen Pläne des Macheath zum glücklichen Ende).

Wiederholungen: Die Ermordung des Coax wird im selben Kapitel zweimal erzählt (»Der kranke Mann stirbt«; 13, 1060–1068), und zwar einmal aus der Perspektive des Opfers und zum anderen aus der Perspektive des (einen) Mörders. Abgesehen davon, daß der Mord ebenfalls in der Öffentlichkeit geschieht, durchbricht die Wiederholung – zunächst im chronologischen Sinn – die Sukzession des Dargestellten und ist damit ein weiteres Indiz für die Veränderung der Zeit-Qualität. Weiterhin gestaltet die Wiederholung die Darstellung komplexer, indem sie durch den mit ihr verbundenen Perspektiven-Wechsel den Vorgang aus zwei verschiedenen Blickwinkeln sieht, zuerst die für Coax völlig anonym bleibende Bedrohung von »innen« her gestaltet, dann von »außen« das Vorgehen der Mörder beschreibt, die keinerlei persönlichen Bezug zum Opfer haben und auch in diesem Sinn völlig unbeteiligt bleiben. Die zweite Perspektive realisiert erzählerisch, was Coax' letzte Reflexion zum Inhalt hat, daß nämlich das Menschenleben in den Armen-Vierteln keinerlei Wert besitzt, eine Tatsache, die auch für Geschäftsleute gilt, die ihre Konkurrenten mit dem Ruin bedrohen. Die doppelte Perspektive hat bei Brecht keinen »relativistischen« Charakter wie sonst im modernen Roman, der die perspektivischen Brechungen einsetzt, um zu zeigen, daß es keine verbindliche »Ansicht« mehr einer »Sache« gibt (vgl. in der Malerei etwa den »Kubismus«). Brecht gelingt vielmehr mit dieser Technik nicht nur eine eindringliche Beschreibung des öffentlichen Schauplatzes, er vermag auch episch zu vermitteln, was das »Aufgehen eines Menschen in der Masse« realiter bedeutet und wie es die Beziehungen zwischen den Menschen gestaltet, nämlich ohne jegliche menschliche Anteilnahme. Die zweite Perspektive aus der Sicht des Mörders degradiert das Opfer schon zur Unperson, bevor der Mord ausgeführt ist.

Einstellungswechsel: Neben der Wiederholung strukturiert den Roman ein durchgängiger Wechsel der »Einstellungen«. In der Großstruktur handelt es sich um die verschiedenen Handlungen des *Dreigroschenromans*, die nebeneinander herlaufen und erst am Ende zusammenkommen. Die beiden Hauptpersonen Peachum und Macheath lernen sich erst am Schluß persönlich kennen, dennoch sind sie durch ihre Geschäfte bereits miteinander verbunden, wie auch über die zwischen beiden Handlungen hin und her pendelnde Polly. Es ist kennzeichnend, daß Brecht die beiden Handlungen nicht nacheinander, sondern ineinander verwoben erzählt und damit auch ästhetisch die Verknüpfung der Vorgänge realisiert. Der Einstellungswechsel bestimmt auch einzelne Kapitel in der Kleinstruktur, indem die Handlung unvermittelt von einer Person auf die andere übergeht (vgl. z.B. 13, 833). Dem Rezipienten wird es so nicht möglich, sich in einer Handlung »einzurichten« bzw. sich in eine Person »einzuleben«, sich mit ihr »vertraut« zu machen. Der abrupte Neueinsatz fügt nicht nur das Disparate zusammen, er distanziert notwendigerweise auch immer wieder den Leser von der gerade verfolgten Handlung und nötigt ihn, sich auf die neue Handlung einzustellen.

Rückblende: Vor allem für die »Vorgeschichten« der beiden Hauptpersonen verwendet der Roman die Technik der Rückblende. Der Abstand zum traditionellen Entwicklungsroman markiert sich auch darin. Besonders an der unsicheren und legendenhaften Vorgeschichte Macs (7. Kapitel; 13, 863 ff.) wird deutlich, wie wenig die Personen durch eine eindeutige, entwicklungsgeschichtliche Identität bestimmt sind. Mac hat sich eine Vergangenheit zugelegt, die ihm – als Organisator der Bande – Respekt und Ansehen verschafft, ob sie ihm wirklich auch gehört, das läßt die Erzählung durchaus im Zweifel. Im Gegensatz dazu erscheint die Vorgeschichte Peachums, die ebenfalls nachgetragen wird, durchaus im Stil der üblichen Biographien (großer Männer bzw. Geschäftsleute), freilich in ironischer Brechung, so daß die Biographie nicht direkt, sondern sozusagen als Zitat (mit der ganzen Ideologie) berichtet erscheint; ihr ist damit der übliche Ernst und die übliche Verbindlichkeit genommen. Was persönliches Verdienst scheint, ist in Wirklichkeit Resultat rücksichtsloser Ausbeutung (vgl. auch den Titel »Bettlers Freund«; 13, 745 und ff.). Auch die Rückblende durchbricht das zeitliche Kontinuum und bereichert den Roman um weitere »Brechungen«.

Einblendungen: Die Kursiv-Druck-Einschübe, auf deren graphische Auffälligkeit Brecht beim Druck außerordentlichen Wert gelegt hat, lassen sich am besten mit der filmischen Einblendung erklären, wobei freilich die Simultaneität von laufender Handlung und eingeblendeter Sequenz des Films (Erinnerung, gedankliche Vorstellung, Gegenstände etc.) im Roman weitgehend in ein Nacheinander aufgelöst wird; jedoch dadurch, daß sich ein graphisches Bild der Seite ergibt, kommt die angestrebte Simultaneität auch direkt sichtbar zum Ausdruck. Walter Benjamin sprach in seiner Rezension von »Illustrationen«, mit denen der Kursiv-Druck vergleichbar wäre: »Die Stellen unterbrechen den Text; sie sind [...] eine Einladung an den Leser, hin und wieder auf die Illusion zu verzichten« (Benjamin, 59 f.). Mit dieser Deutung der Kursivierungen als »Verfremdung« stellten sich in erster Linie Verbindungen zum Theater her, und Schlenstedt hat sie denn auch mit der Funktion der Songs in den Stücken verglichen (Schlenstedt, 1968, 98). Müller hat – mehr vom Erzählerischen ausgehend – einen bewußten Stilbruch konstatiert, der es ermögliche, Erzählerkommentare einzufügen, ohne eine explizite Erzählerfigur einführen zu müssen (Müller, 184 f.). Unter Aspekten des Films jedoch wird noch plausibler, weshalb die Kursivierungen sehr oft die Bewußtseins-Ebene der Figuren verlassen und ihnen etwas »ins Hirn schieben«, wozu sie aus persönlichen oder auch äußeren Gründen gar nicht zu denken in der Lage sind (vgl. z.B. Peachums »Oedipus«-Reflexion; 13, 831 f., oder Fewkoombeys »15-Pfund«-Gedanken; 13, 804 f.). Es handelt sich also keineswegs um »innere« Mitteilungen, um die Darstellung von Gefühlen, geheimen Gedanken, Ahnungen, Assoziationen. Brecht selbst spricht vom »Zitatcharakter« der Kursivstellen (Briefe, Nr. 225, S. 220) und vergleicht sie mit der Pointe eines Witzes. Das bedeutet, daß die Kursivstellen anders als die wörtlich wiedergegebenen Äußerungen der Personen gerade nicht deren innere, eigene Meinung wiedergeben, sondern »objektiverer« Art sind, also zur Verfügung stehende Ansichten, Ideologeme, Meinungs-Muster, Plädoyers. Die Künstlichkeit der filmischen Einblendung hat wahrscheinlich dafür das Vorbild geliefert; der Charakter der Montage wird an ihr besonders deutlich auch da, wo wirklich »Inneres« gezeigt wird, und zugleich stellt sie prinzipiell den Versuch einer »Objektivation« von Unsichtbarem dar, wobei im Film meist unklar bleibt, wer – als »Erzähler« – für solche Objektivationen »verantwortlich« zeichnet; es ist sozusagen die Technik, die sich da selbständig macht. Für den Roman gilt dann, daß der Kursiv-Druck für Stellen einsteht, die normalerweise einem »auktorialen« (allwissenden) Erzähler zukommen, sich hier aber »wie von selbst« einstellen. Brecht erreicht damit, die überpersonalen, z.T. auch »unbewußten« (im psychoanalytischen Sinn) Abhängigkeiten, Zwänge und Eingebundenheiten unmittelbar ästhetisch umzusetzen, nach Walter Benjamin ein Verfahren, das »allein« dem Werk seine Dauer sichern würde (Benjamin, 59).

Nahaufnahme und Totale: Die von Kracauer so benannten »gewöhnlich unsichtbaren Dinge« (Kracauer, 77) sichtbar zu machen, ist eine spezifische Besonderheit des Films, die Brecht in seinem Roman nutzt. Eine derartige Herausstellung eines – zunächst ganz unscheinbar anmutenden – Details wendet Brecht an, wenn er die Tatsache, daß Coax stets Handschuhe zu tragen pflegt, mit dem Hinweis anführt, Coax fasse »auch nichts Schmutziges an«. Die Nennung der Handschuhe fügt sich ein in eine der üblichen, im Roman üblichen Beschreibung des Äußeren einer Person, die bei Coax entsprechend skurril ausfällt; die Handschuhe jedoch sind zusätzlich mit Bedeutung aufgeladen, »sprechend« geworden (13, 760). Ohne jegliche weitere Ausführung des Details kann es dann an späterer Stelle seine Wirkung entfalten: »Als Peachum hinzutrat, tat Coax, als habe es zwischen ihm und Peachum nie die leiseste Entfremdung gegeben. Er reichte ihm die behandschuhte Hand, klopfte ihn mit der anderen kameradschaftlich auf die Schulter und verabschiedete sich schnell« (13, 787). Durch die dem Film verwandte »Nah«- oder »Großaufnahme« des Details, das so mit Sinn aufgeladen wird, erhält die scheinbar freundschaftliche Geste Coax' etwas überaus Brutales, Abstoßendes, insofern sie jetzt den ganzen Abgrund an Doppeldeutigkeit trägt: Peachum gehört für Coax bereits zum Schmutz, den dieser grundsätzlich nicht anfaßt. – Eine Nahaufnahme ganz anderer Art stellt die Szene des »Ei-Essens« dar, eine in sich geschlossene Passage, die in der Art, wie Macheath das Ei ißt, zugleich seine Geschäftspraktiken spiegelt (13, 1117–1119). Der Nahblick des Lesers wird hier mit dem Pollys, die zusieht, geführt: »Er sagte eine Menge weiser Dinge, aber Polly sah hauptsächlich zu, wie er das Ei behandelte. Sie hatte viel zu lernen, und das meiste von dem, was sie in Zukunft als Geschäftsfrau konnte – und sie konnte etwas – lernte sie in diesen paar Minuten, wo sie zusah, wie ihr Mann das Ei aß« (13, 1118). Eine unscheinbare, alltägliche Verrichtung – demonstriert an einem unscheinbaren Detail – erhält sprechende Bedeutung dadurch, daß der Leser mit Pollys Augen im Kopfabschlagen des Eis und in seiner allmählichen »Ausnahme« (mit abschließendem Wegwurf) die Behandlung der »Geschäftspartner« mitsieht, obwohl die Parallele überhaupt nicht ausgeführt ist. Die einläßliche Beschreibung des Details aber läßt alles, was Mac dabei tut, doppeldeutig und abgründig werden. – Ähnlich verhält es sich mit der – das Muster der Verfolgungsjagden im Film aufnehmenden – Kutschenfahrt im Nebel, wobei alle vier Kutschen unfreiwillig an Endstationen landen, die für ihre Insassen »sprechend« werden (vgl. 13, 1137 ff.). – Die Totale wählt der Film, um Menschenmassen und ihre Bewegungen einzufangen, wobei es darauf ankommt, »daß der Zuschauer in eine Bewegung einbezogen wird, die es ihm ermöglicht, die Straßendemonstration, oder was sonst ihn durch riesige Proportionen zu überwältigen droht, wirklich zu erfassen« (Kracauer, 84). Zur Totale hat Brecht an verschiedenen Stellen gegriffen, am nachhaltigsten jedoch bei der Darstellung des von Peachum organisierten Aufmarschs der Bettler, zu denen sich dann wirkliche Kriegsinvaliden gesellen, und in der »Schlacht bei den Westindiadocks«. In die Demonstration hat Brecht raffiniert die Verfolgung des Coax durch seine Mörder hineinverwoben, so daß sich Totale und Naheinstellung immer wieder abwechseln. Dadurch, daß Brecht in den wunderlichen Marsch der Bettler auch noch die Mannen O'Haras sich einordnen läßt, die unmißverständlich wie die SA marschieren, »in gleichem Schritt und Tritt« (13, 1063), zitiert Brecht hier die vielfältig in den Nazi-Medien verbreiteten Nazi-Aufmärsche; in der »Schlacht bei den Westindiadocks« gehen die Mitmarschierer dann auch entsprechend gegen die streikenden Arbeiter vor: »Sie zeigten ausgesprochenen Ordnungssinn, brachen alle Knochen, derer sie habhaft werden konnten, und schlugen in jedes Gesicht, das hungrig aussah« (13, 1085). Brechts Verfahren – Heinrich Mann übrigens geht ihm hier am entschiedensten voran (z.B. im *Untertan*) – Totale,

Nahaufnahme, Totale etc. aufeinander folgen zu lassen, gilt im Film als eine der grundlegenden Montage-Sequenzen (vgl. Kracauer, 84). Mit ihr werden unsichtbare Zusammenhänge – hier Masse, einzelne bzw. Gruppen – innerhalb großer Menschenansammlungen sichtbar gemacht. Statt der bloß individuellen, persönlichen Sicht kommen die großen intersubjektiven Verbindungen zum Vorschein, die bei einer bloß personalen Sehweise im Dunkel bleiben müßten.

Zeitraffer: Eine merkwürdig »grotesk« erscheinende Passage findet sich z.B. in folgender Beschreibung Millers, der sich gerade über seinen geschäftlichen Ruin bewußt wird:

> Miller war aufgestanden, Hawthorne [sein Partner in der NDB] betrachtete ihn von unten her. Miller warf einen kurzen verwunderten Blick auf ihn, aber er blieb nach wie vor sitzen. Das änderte viel für Miller. Er begann zu altern. Sein Rücken krümmte sich, seine Zähne fielen aus, sein Haar wurde schütter, seine Weisheit nahm zu. (13, 993)

Dieser Alterungsprozeß ist alles andere als »realistisch« im vordergründigen Sinn, zumal die ironische Brechung mit der Zunahme an »Weisheit« der Beschreibung sowieso den Ernst nimmt. Plausibel jedoch wird die Passage, wenn man sie sich als Übertragung einer Montage im Film denkt, wo dieser Alterungsprozeß durch – komisch wirkende – Zeitraffung direkt sichtbar gemacht werden kann. In der Tat ist Miller mit Macheath' Eröffnung, den Bankbetrug durch seinen »Einstieg« in die Bank zu erledigen, selbst erledigt und sozusagen aufs »Altenteil« gesetzt. Millers körperliche Reaktion, die so ja nicht vorkommt, erfaßt den Vorgang im anschaulichen Bild, folgt da also auf literarische Weise den Möglichkeiten des Films, der vorzugsweise mit dem Bild arbeitet. Miller altert, wie die Formel sprachlich lautet, »zusehends«.

Außenschau (Von-Außen-Sehen)

Zu den vom Film übertragenen technischen Mitteln gehört auch die Außenschau (vgl. Müller, 178). Sie wird unmittelbar einleuchtend, wenn man sich der frühen Gangsterfilme erinnert, z.B. an den wahrscheinlich von Brecht bereits für das Stück *Der aufhaltsame Aufstieg des Arturo Ui* verwendeten Film *Scarface (Narbengesicht*, 1932) von Howard Hawks, oder an die berühmt gewordene Darstellungsweise Humphrey Bogarts, die von aller Innerlichkeit, menschlicher Teilnahme frei ist, seine Wirkungen vielmehr aus der (scheinbaren) Unbeteiligtheit, Unerschütterlichkeit und alles Gefühl abstoßenden Kälte (»poker-face«) bezieht (die Wirkungen Bogarts sind dermaßen nachhaltig, daß sich im Englischen das Verb »to bogart someone« im Sinn von »jemand mit abgründig-unerschütterlicher Haltung und Miene bedrohend begegnen« ausgebildet hat). Die Filme, die Brecht nachweislich oder vermutlich kannte (vgl. Gersch, 143 ff.; BH 1, S. 228), arbeiten durchweg mit der »Außenschau«, dem »Von-Außen-Sehen«, das die Personen, ihren »Charakter« und Anteilnahmen, Gefühle, prinzipiell aus den Handlungen gestisch entwickelt, nicht aber durch gefühlige Ausbrüche der Personen selbst »ausdrückt«. Die personale Identität der Figuren ergibt sich erst im Lauf des Films aus dem, was sie tut, wobei der Blick des Zuschauers stets in Distanz gehalten, nie personal gebunden geführt wird; dadurch verliert der Betrachter auch die sonst übliche Vertrautheit mit den Figuren, pflegt sie oft in neuen Situationen, Handlungen auch völlig neu zu sehen und erst allmählich ein – synthetisch-montagehaft zusammengefügtes – Gesamtbild zu erhalten. Das Genre des (amerikanischen) Gangster-Films, das den Gangster wohl zeigen, aber nicht zum vertraulich-sympathischen Zeitgenossen verbrämen konnte, bot sich für die Außenschau geradezu an. In ihr freilich objektiviert sich der für die Massengesellschaft üblich gewordene beobachtende Blick auf die Menschen in der Öffentlichkeit, in der die beteiligten Personen bestimmte Rollen und bestimmte Verhaltensweisen anzunehmen pflegen, die durchaus nicht mit ihrer personalen Identität übereinstimmen müssen. Diese Seherfahrung anzuwenden und zugleich bewußt zu machen, ist u.a. eine der wesentlichen Leistungen der Außenschau in Brechts Roman.

Außenschau auf Macheath: Macs Identität bleibt am Beginn für den Leser ebenso im Dunkel wie für die Personen, die mit ihm als Herrn Beckett Umgang haben. Dagegen führt Brecht sehr früh ein typisches (bürgerliches) Idealbild vom erfolgreichen Verbrecher ein, wenn er den Holzhändler Beckett und Polly über den gesuchten Mörder, das »Messer«, plaudern läßt; es heißt:

> Polly wußte genau, wie er aussah, und beschrieb ihn dem Holzhändler.
> Er war blond und schlank wie eine Wespe und so elegant, daß man ihn auch in den Anzügen der Dockarbeiter für einen verkleideten Gentleman hielt. Er hatte grünliche Augen. Zu Frauen war er gütig. (13, 756)

Das verfügbare Trivialbild des Verbrechers kollidiert mit dem wirklichen Aussehen des »Messers«, wenn Mac es überhaupt ist, beträchtlich. Mac ist ein »untersetzter, stämmiger Vierziger mit einem Kopf wie ein Rettich« (13, 750, 1129 u.ö.), er hat Pickel und eine ungesunde Gesichtsfarbe (vgl. 13, 750), pflegt pedantisch bürgerliche Gewohnheiten bis ins Sexualleben hinein (seinen »geschlechtlichen Bedarf deckte Macheath nach einigen jugendlichen Verwirrungen am liebsten da, wo er damit gewisse Annehmlichkeiten häuslicher oder geschäftlicher Art vereinen konnte«; 13, 969), und er zeigt sich auch in seinem angestammten »Beruf« nur in mäßiger Form (13, 867). Polly fühlt sich mit also zureichenden Gründen mehr dem 2. Bewerber, Herrn Smiles, »der viel jünger war und die gesunde Hautfarbe junger Leute zeigte« (13, 750) hingezogen. Smiles freilich hat den Nachteil des Geldmangels, so daß sich denn doch die »Liebe« zu Mac »entwickeln« kann. Die Diskrepanz zwischen Trivialbild und Realbild ist im Hinblick auf die *Dreigroschenoper* eine bewußte, ironisch distanzierende Zurücknahme der dortigen »Messer«-Figur. Hinzu kommt im Roman, daß die Vergangenheit Macs ins Dunkel gehüllt wird, das »die Biographien unserer großen Geschäftsleute auf vielen Seiten so stoffarm macht« (13, 848). Bei Macheath in doppelter Weise: aller Wahrscheinlichkeit nach hat sich der mittelmäßige Verbrecher und Einbrecher mit dem großen Organisationstalent die Biographie des »Messers« einfach als eigene zugelegt und alle Zeugen einer anderen Vergangenheit ausgeschaltet: »Die Grausamkeit, Unerbittlichkeit und Schlauheit, mit der der betreffende Mann fremde Verbrecher zwang, den Ruhm ihrer Taten ihm abzutreten, war vielleicht beträchtlicher als die jener ihren Opfern gegenüber. Sie stand der, mit welcher unsere Universitätsprofessoren unter die Arbeiten ihrer Assistenten ihre Namen setzen, nur wenig nach« (13, 865). Brecht geht mit der eigenen Stoffvorgabe durch die *Oper* »literarisch« um, indem er sie selbst »literarisiert«, als bloß angeeignetes »Zitat« ausweist. Die nahegelegte Frage, ob Macheath nun das »Messer« wirklich ist oder nicht, beantwortet der Roman selbst nicht, legt aber auch bewußt keinen Wert auf ihre Beantwortung; denn es geht nicht mehr darum, einen »Charakter« wie im traditionellen bürgerlichen Roman zu kreieren, sondern zu zeigen, wie normalerweise »Charaktere« zustandekommen, die die Geschäftsbiographien berühmter Leute – seien sie »wirkliche« Geschäftsleute (vgl. das Buch von Myers), seien sie Verbrecher – nach dem Muster des bürgerlichen Romans auszuzeichnen pflegen: die »eigenen« Taten sind usurpierte Taten anderer, der Charakter bloß die Charaktermaske, die der Öffentlichkeit vorgehalten wird. Eine solche Aufdeckung der realen Zusammenhänge, das wird deutlich, könnte eine traditionelle, eine Persönlichkeit ent-wickelnde Erzählweise nicht leisten; der filmische Außenblick, der die Person beobachtet, in ihren Handlungen vorführt, erst kann sie offenlegen. – Damit wird es auch möglich, das durchaus komplexe Gewebe von – durch die »Hauptpersonen« initiierten – Taten und äußeren Einflüssen, denen sie unterworfen sind, realistisch und in den entsprechenden Wechselzügen auf-zu-zeigen, im wörtlichen Sinn. Es ist durchaus nicht so, daß alles, was im Roman geschieht, nun nach der mehr oder minder planen Logik der Vorkehrungen und Handlungen der Hauptpersonen abläuft; im Gegenteil pflegen sie oft nur – am Rande des völligen Ruins – reagieren zu können auf Handlungen, die ihnen durch die anderen aufgezwungen sind. Mac macht da alle Höhen und Tiefen durch, und es ist keineswegs so, daß er seine »napoleonischen Pläne« so einfach – wie es die Historiographie noch heute (falsch) suggeriert – wie Napoleon »umsetzt« nach dem üblichen Schema, daß der »Held« sich irgend etwas (»Geniales« womöglich) in den Kopf setzt und dann ausführt. Macheath ist mehrmals kurz vor dem Ende, wegen des Swayer-Todes, wegen O'Haras »Verrat«, Coax' Rolle, der Weitergabe der »Idee« an Creston: er ist in diesen Situationen alles andere als der große Täter, der große Planer; aber er versteht es, in den Niederlagen richtig zu reagieren, wobei er durchaus auch Glück hat (z. B. daß die ND Bank tatsächlich die Gelder Peachums veruntreut hat und Polly bereit ist, den Trick mitzuspielen). Das »persönliche« Geschick Macs besteht also darin, aus den Niederlagen, die vielfältig sind, Siege zu machen, weil er in der Lage ist, noch einen Schritt weiterzugehen als die anderen, die sich auf ihren Siegen ausruhen (am deutlichsten vielleicht im »Wettbewerb« mit Creston, als dieser plötzlich mit den Waren von O'Hara ausgestattet ist und damit Macs Trick, die Waren ausgehen zu lassen, völlig unwirksam werden läßt; Mac läßt von seinen Leuten alle Waren aufkaufen und verfügt so über Quittungen für das gestohlene Gut von Creston; damit hat sich dieser ans Messer geliefert; 13, 1001 ff.).

Außenschau auf Peachum: Bei Peachum wendet Brecht die Außenschau in ganz anderer Weise an. Er wird zunächst ganz im Stil der üblichen (»vollständigen«) Biographie der Geschäftsleute dem Leser vorgestellt – freilich nach einem bezeichnenden »filmischen« Erstauftritt im Einleitungskapitel, wo er zunächst ganz in der »Anonymität« der Geschäftswelt in der Massengesellschaft auftaucht, als der »kleine Mann«, »dürr« und gemein (13, 737), der seine Rolle zu spielen beginnt und dann auch eine Identität zugewiesen erhält: für Fewkoombey, mit dessen Blick der Leser auf Peachum geführt ist, wird diese »Begegnung« das »Schicksal« sein. Diese Identität aber erweist sich, je mehr der Leser von Peachum erfährt, nicht als »fest«, als sich fixierende Persönlichkeit, als wiedererkennbarer Charakter, sondern als wandelbar, chamäleonhaft. Die entscheidende Passage kennzeichnet Peachums Äußeres, das seinem »inneren Zustand« zu entsprechen pflegt, mit den Vokabeln des Konsums:

> Er war ein kleiner, dürrer Mann von kümmerlichem Aussehen: selbst das war aber sozusagen nicht endgültig. Bei einer Geschäftslage, die für kleine, dürre Männer mit kümmerlichem Aussehen keine Aussicht mehr gelassen hätte, hätte man Herrn Peachum sicher in tiefe Gedanken versinken sehen können, wie er sich in einen mittelgroßen, wohlgenährten und optimistischen Mann verwandeln könnte. Seine Kleinheit, Dürrheit und Kümmerlichkeit war nämlich nur ein Vorschlag von ihm, ein unverbindliches Angebot, das jederzeit zurückgenommen werden konnte. Darin lag etwas Jämmerliches, aber zugleich machte es auch seinen ganzen, nicht unbeträchtlichen Erfolg aus. (13, 1031 f.)

Diese »Charakteristik« – die traditionelle Personenbeschreibung negierend – findet sich im Roman erst ziemlich spät, und sie bringt auf den Nenner, was der Leser schon vorher hat beobachten können, daß nämlich alle geschäftlichen Vorgänge auf Peachums Aussehen tiefgreifenden Einfluß nehmen, bis zu diesem Zeitpunkt übrigens weitgehend in negativer Weise. Die Geschäfte, ihr Erfolg, ihr Mißerfolg, spiegeln sich in der Person, ihrem Aussehen, fixieren sich damit in der Person, kommen da »zum Ausdruck«. Zugleich aber bedeutet Peachums »Charakter« als bloßes Angebot, das zurückgenommen werden kann, daß die Geschäfte jeglichen Charakter verbieten: mit ihm wäre sonst buchstäblich zu rechnen. Entsprechend verwandelt sich Peachum, als ihm das Wasser bis zum Hals steht (Coax' Gaunereien liegen offen), »in wenigen Wochen in einen Tiger, auch äußerlich. In den Tagen, wo er für Coax die Angelegenheiten der TSV zum Abschluß brachte, hatte er ein fleischiges und brutales Aussehen« (13, 1032). – Auch diese Darstellungsweise verdankt sich dem Film, der – in konsequenter Außenschau – durch veränderte Kameraeinstellungen, Umschminken, Schattenspiel, Nahaufnahmen die Personen »umstellen«, neu sehen lassen kann, ein Verfahren, das gern in Kriminalfilmen verwendet wird, wenn es darum geht, den Zuschauer über die Identität eines Mörders z. B. zunächst im unklaren zu lassen (angewendet etwa in Alfred Hitchcocks »Psycho«).

Zu den Filmtechniken: Siegfried *Kracauer* (s. o.; S. 71–112; 384–389). – Klaus-Detlef *Müller* (s. o.; S. 177–179 »Außenschau«).

Zu den theoretischen Aspekten (filmischer Roman): Siegfried *Kracauer* (s. o.; 307–322). – Jan *Knopf*, Viktor *Žmegač*: Expressionismus als Dominante. In: Geschichte der deutschen Literatur vom 18. Jahrhundert bis zur Gegenwart. Hg. v. Viktor *Žmegač*. Band 2. Königstein/Ts. 1980. S. 413–500 (bes. S. 419–424). – Wolfgang *Jeske* (s. o.; S. 11–39).

Versagen der traditionellen Erzähltheorien

Das Vorherrschen von idealtypischen Erzähltheorien in der Germanistik, die jetzt durch sog. »strukturalistische« Ansätze ergänzt worden sind, hat dazu geführt, daß für die sich im Zuge der neuen Technik, der Medien, der Massenkultur entwikkelnden Erzählweisen kaum Begriffe zur Verfügung stehen. Wenn man immer noch davon ausgeht, daß es *in* der Literatur selbst das sog. Arsenal von erzählerischen »Möglichkeiten« gäbe, zu dem der Autor es vielfältig variierend, »greife« und es so »realisiere«, ist es unmöglich, die neuen Erzählhaltungen angemessen zu erfassen. Urteile der Forschung, daß Brecht im *Dreigroschenroman* keine Personen habe schaffen können, daß die Figuren folglich bloß schematisch, »blutleer«, nicht »rund« wären, daß die Handlung langwierig und unpoetisch, die Spannung gleich null, die Prosa überhaupt nur Nebenwerk wäre, all diese Urteile lassen sich darauf zurückführen, daß der Roman mit einer traditionell geschulten Leseerwartung aufgenommen und folglich in seiner Besonderheit nicht erfaßt wird. Wer die »Bauformen« des Erzählens (Lämmert) sucht, wird ebenso wenig Erfolg haben, wie derjenige, der mit den Begriffen »auktorialer«, »personaler« Erzähler (Stanzel) die Erzählhaltung des Romans erfassen will: der Roman ist weder auktorial, noch personal erzählt, er zeichnet sich vielmehr dadurch aus, daß der auktoriale (allwissende) Erzähler sich sehr oft recht uninformiert zeigt und daß er zugleich auch immer mal wieder in eine der Personen »schlüpft« und mit ständig wechselndem Blick auf das Geschehen sieht. Ein prinzipieller Unterschied zu den Erzähltheorien zeigt sich hier. Diese gehen davon aus, daß ein (geschaffener) Erzähler »Welt« gestaltet; erhalten bleibt die Autonomie der Literatur, ihrer »eigenen Welt«, die sich aus den »Formen« und den »Erzählhaltungen« eben »aufbaut«, wie die Metaphern lauten. Brecht dagegen entwirft epische Spielräume, die nicht als »Welt« für sich stehen, sondern sich sowohl aus – auch außerhalb des Romans vorhandenen – Realitäten (Einbau der historischen, zeitgenössischen Dokumente, die Bezüge, die Anspielungen etc.) speisen, als auch die zur Verfügung stehenden medialen und literarischen Formen zitieren und insofern auch als *diese Formen* bewußt machen. Brechts Roman verschweigt nie, daß er Literatur, künstlich geschaffen, ist, zugleich aber die Bezüge zur Realität (des Lesers) sucht, nicht indem er sie »abbildet«, sondern indem er sie in den Spielraum seiner Epik in der beschriebenen Weise aufnimmt. Der epische Spielraum schließt sich nicht als eigene (quasi-reale) Welt ab, er öffnet sich vielmehr der gesellschaftlichen Realität, so ihre Vielfalt, Komplexität, Unwägbarkeiten, Legenden, Formen und Techniken bewahrend und zitierend.

Kriminalroman

Brechts bekannte Vorliebe für Kriminalromane aufnehmend – er besaß eine fast unrühmlich große Anzahl solcher Schmöker (zu sehen in der Wohnung, Chausseestraße 125) –, hat Klaus-Detlef Müller den *Dreigroschenroman* als besondere Spezies der Gattung ausführlich beschrieben (Müller, 153–162). Es handle sich »um einen umgekehrten Kriminalroman, der das Verbrecherische der bürgerlichen Rechtsordnung verdeutlicht, indem er den verbrecherischen Charakter der Verkehrsform der kapitalistischen Gesellschaft, der Geschäfte, aufdeckt« und, insofern »er den Weg in die Legalität schildert, die Anpassung an die Rechtsordnung, nicht deren Verletzung und Wiederherstellung« (Müller, 154, 155). Den fehlenden Detektiv – obwohl er beim Kriminalroman nicht unbedingt erforderlich ist im Gegensatz zum Detektivroman – erklärt Müller »romanimmanent«, daß nämlich die Verbrecher selbst sich gegenseitig auf den Spuren ihrer Verbrechen detektivisch verfolgten und zugleich der Leser – der diese wiederum verfolgt – in die Rolle des Detektivs gesetzt werde. »Das logische Denken wird angesprochen, die Entdekkung des Kausalnexus zur Aufgabe gemacht, wie die Romanfiguren selbst, die sich wechselseitig belauern [...], wird der Leser gedrängt, die Vorgänge und Hintergründe zu durchschauen« (Müller, 161).

Wenn zweifellos der Kriminalroman – freilich in der Form des Verbrechens-Romans (ohne Detektiv!) – auch für den *Dreigroschenroman* Pate gestanden hat, so kann der Vorschlag, in erster Linie doch lieber den Film dieses Genres als Vorbild zu sehen, die angesprochenen Bezüge erheblich erweitern und zugleich darauf verweisen, daß mit diesem Genre nur *ein* traditionelles Muster der Unterhaltungsbranche in Brechts Roman eingegangen ist. Diese Erweiterung der Aspekte ist deshalb wichtig, weil der Kriminalroman das Blickfeld auf die alte Gleichung, die schon die *Dreigroschenoper* vorgeführt hat, des Bürgers als Verbrechers einengt und damit den ganzen Komplex »Faschismus«, der als Konsequenz der Bürgerlichkeit erscheint, übergeht. Überdies suggeriert das Muster des Kriminalromans – als das entscheidend zugrundeliegende (negativ gewendete) Modell – eine Logik und Überschaubarkeit der dargestellten Verhältnisse, die *so* – im Sinn der Detektion, die der Leser vollzieht – gerade nicht gegeben ist. Die zunehmende Unüberschaubarkeit der Geschäfte, die Subtilitäten moderner Ausbeutung (über den Konsum und seine Verkaufspsychologie = Behaviorismus) und die undurchschaubar werdenden persönlichen Beziehungen sind gerade eins der entscheidenden Themen des Romans, die sich nicht durch den Einsatz eines Leser-Detektivs wieder auflösen lassen. Die rationale Konstruktion des Detektivromans, Ausdruck der totalen Beherrschbarkeit der Welt durch »Aufklärung«, gilt für den *Dreigroschenroman* gerade nicht. Die Irrationalität der tatsächlichen bürgerlichen Geschäfte vielmehr sind sein Ausgangspunkt mit allen Folgen auf die Menschen, die sie tätigen – bis hinein in ihre intimsten Beziehungen (vgl. Herrn Coax' sexuelle »Ausschweifungen«, über die er – wie über seine Geschäfte – gewissenhaft Buch führt). Der Versuch, diese Irrationalitäten durchschaubar zu machen, liegt auf einer ganz anderen Ebene, als der Detektivroman sie bereitstellen könnte, der mit der Aufklärung des Verbrechens befriedigt die Welt wieder im angestammten »Lot« findet. Das hieße auch die Figur des Fewkoombey zu unterschätzen, der als Beobachter und Beteiligter des Geschehens die Verbrechen seiner »Brotgeber« nicht nur toleriert, sondern auch unterstützt und ausführt, um am Ende mit der ganzen Unerbittlichkeit, zu der die Außenschau des Erzählens bei Brecht fähig ist, »verabschiedet« zu werden: er hatte nichts verstanden, nichts verstehen wollen, und Brecht wußte, von wem er sprach, vom deutschen Kleinbürger nämlich, der das Opfer seiner selbstgewählten Herrscher (Schlächter) geworden war. Brechts Roman zielt auf eine aktive Veränderung der korrupten Realitäten: sie aber gehört nicht mehr zum Roman, seiner »Welt«.

Satire

Neben der Übernahme der filmischen Techniken kennzeichnet den Roman erzählerisch vor allem die Überlagerung der verschiedensten literarischen Muster, zu denen der Kriminalroman – wie gesagt – nur als *ein* Muster gehört. Zusammenfassen läßt sich diese Musterung wohl am besten mit dem schon früh von Dieter Schlenstedt für den Roman verwendeten Begriff der Satire, der freilich wesentlich komplexer zu fassen ist, als es gemeinhin mit dieser Gattung geschieht (als überzeichnende, witzige Darstellung und Entlarvung von bestimmten Zuständen, Geschehnissen). Klaus Kocks hat neuerdings darauf hingewiesen, daß sich im *Dreigroschenroman* die verschiedensten »Handlungskonzepte«, wie er die vorgegebenen Muster nennt, überlagern. Beginnt man mit dem Kriminalroman, so muß man zugleich an die typischen Kaufmanns- und Fabrikantenromane auch denken, die der Roman, wenn er von den Biographien »unserer großen Geschäftsleute« spricht, selbst nennt (13, 848). Hierbei aber dürfte wiederum weniger die literarische als vielmehr die filmische Gattung vorbildgebend gewirkt haben, zumal in Brechts Verarbeitung des »Ui«-Stoffs (Hitleraufstieg) in der Geschäftshandlung die Kriminalhandlung (nicht umgekehrt) gespiegelt wird und also ein vergleichbarer Fall vorliegt. Brecht sah in den Kriminalfilmen primär nicht das »Crimen«, sondern das bürgerliche Geschäft gestaltet, oder anders gesagt: die Geschichten des »Little Cesar« oder des Al Capone erschienen ihm als (unfreiwillige) Objektivationen der Methoden, mit denen die Geschäftsleute in Wahrheit ihre Geschäfte betrieben, die in ideologisch verbrämter Form – im Auftrag geschrieben – in der literarischen Gattung des Fabrikanten- und Kaufmannsromans ihr Pendant fanden (»auf vielen Seiten so stoffarm«; 13, 848). Es ist nicht nur ein – entschuldigender – Witz, wenn, wie Eisler überliefert, er und Brecht ihre späteren Gänge in die amerikanischen Kinos unter der Formulierung, sie betrieben »soziale Studien«, rechtfertigten (Hans Bunge: Fragen Sie mehr über Brecht. Hanns Eisler im Gespräch. München 1970. S. 233). Das heißt: nicht Brecht stellt über das Genre des Krimis den Bezug her, er findet ihn vielmehr in den Unterhaltungskünsten der Massen bereits vor; er wendet damit die vorgefundenen Formen und Mittel gegen ihre Hersteller und Auftraggeber selbst.

Als weiteres, sich überlagerndes Muster kommt der Liebesroman trivialer Sorte hinzu, nach dessen Muster die »Liebesgeschichte« zwischen Mac und Polly erzählt wird. Auch dieses Muster thematisiert der Roman selbst, wenn er Polly nach dem Vorbild der Romanheldin Elvira ihre eigene Lage überdenken läßt (auch hier könnte wiederum der Film Pate gestanden haben, der als weitere vorgegebene Form mit dem Film *Mutter, dein Kind ruft* im Roman selbst vorkommt) (vgl. 13, 753f., 1047ff.). Obwohl ja das, was zwischen Mac und Polly stattfindet, alles andere als eine Liebesgeschichte ist, erzählt der Roman sie dennoch so, als ob sie eine wäre. Auch hier wieder gestaltet Brecht im vorgegebenen Muster die gesellschaftliche Realität, die das Genre realiter hat, aber so gern vergessen macht, daß nämlich die Liebesbeziehungen in der kapitalistischen Gesellschaft unter Geschäftsleuten nur wenig mit Neigung, sehr viel aber mit geschäftlichem Kalkül zu tun haben. Auch dies findet Brecht vor. Mit dem Liebesroman als Muster sind zugleich auch der bürgerliche Familienroman zu nennen, der die Geschichte der Peachums prägt, und der pornographische Roman, der für die (private) Coax-Geschichte einsteht. Daß die Peachums »alles für das Kind« tun (13, 771) und den Schein ihrer Ehe nach außen aufrechterhalten, gehört ebenso zu den vorgegebenen Inhalten dieser Produkte wie die Lüsternheit des Coax, dessen Auftritt in Southampton Brecht wiederum Anlaß ist, seinen Roman als Literatur bewußt zu halten und zugleich auf das Muster zu verweisen: »Ohne Mühe fand sie für ihn [die Hure für Coax] Vergleiche, die diesem Buch, wenn sie wiedergegeben werden könnten, durch ihre poetische Kraft eine fast unbegrenzte Dauer verleihen würden« (13, 829). Die Satire macht auch vor dem eigenen Produkt nicht halt.

Eine letzte Schicht ist bestimmt von den Reden, die im *Dreigroschenroman* ständig gehalten werden, Reden, die sich weitgehend, wenn sie die Geschäfte betreffen, an die Rhetorik der Zeit, das heißt, des Faschismus halten. Als Paradebeispiel ist für die Hitlersche Rhetorik Macs Rede vor den B-Läden-Besitzern anzuführen, in der er an den Stolz der »Besitzer«, ihren Aufopferungssinn appelliert und zugleich – sozialdarwinistisch – den Kampf aller gegen alle mit dem unerbittlichen Sieg der Stärkeren rechtfertigt (13, 904). Es ist durchgängig zu beobachten, daß der Roman auch da, wo es sich scheinbar um Dialoge handelt, immer wieder in Reden ausbricht (vgl. z.B. 13, 886f.). Das Gespräch ist also nicht der Ort der Auseinandersetzung, der Diskussion; es geht weder um (gedanklichen) Austausch, noch um argumentierende Überzeugung. Die Reden vielmehr bläuen ein, gefallen sich in Gefühlsappellen und Überredungen, und sie stellen insofern eine Satire des nazistischen Sprach- und Redegebrauchs dar.

Diese Überlagerung der zur Verfügung stehenden literarischen Muster ist zusammengehalten nicht mehr vom »Erzähler«, traditionellen Zuschnitts, sondern vom *Medium*, das sie montierend ineinander fügt. Das Medium tut sich – der Zeit angemessen – nicht mehr (oder in seltenen Fällen mal als »wir«) personal kund, sondern »anonym«, als »funktionierende Technik« selbst. Das Springen von einem Muster zum anderen, der Wechsel der Sehperspektiven, die Möglichkeiten als quasi-objektive Instanz in den Köpfen der Figuren zu »denken« (die selbst dazu nicht fähig sind), der Verzicht auf Psychologisierung (aber nicht auf »Psychologie«!), die Vielfalt und Komplexität der Handlung, all diese Merkmale sind objektive Merkmale des medialen Charakters dieses Romans, der sich weigert, weiterhin aus subjektiver Anschauung und subjektivem »Ausdruck« eine »Welt« – als »Sinnkosmos« – zu entwerfen. Erzählformen wie Inhalte verdanken sich der Realität der Zeit, die angemessen zum Vorschein, zur Sprache und zur Erkennbarkeit kommen soll, nicht aber indem sich Handlungen und Figuren mit »echten«, realen verwechseln lassen, sondern dadurch, daß sie auf spielerisch-künstliche Weise auf die komplexere und aber auch undurchschaubarere Realität der Zeit *zeigen*, auf ihre Ideologien, ihre Rechtfertigungen, Musterungen (Konventionen), Widersprüche und nicht zuletzt Verbrechen; sie werden im buchstäblichen Sinn »vor-geführt«, d.h., der Lächerlichkeit preisgegeben und begreifbar gemacht.

Das Medium verhindert auch konsequent jegliche »Moral«, jegliches Moralisieren gegen das, was da gezeigt wird. Für Brecht wäre die moralische Verurteilung ohnehin nur eine Bestätigung des bürgerlichen Standpunkts gewesen, den er gerade bekämpft hat (moralisiert wird beim Arzt z.B., ehe er seine Geldvorstellungen entwickelt). Moral ließe alles beim alten, appellierte an die einzelne Person, ihr »Gewissen« (das sie meist nicht hat), ihre »Anständigkeit« etc. Brecht aber zeigt umgekehrt, daß die Geschäfte zu einem Verhalten zwingen, das nicht nur unmoralisch, sondern verbrecherisch ist. Selbst die »guten Eigenschaften«, z. B. die ins Bankgeschäft eingeführte »Ehrlichkeit« (vgl. 13, 950, 973), gelten nur der Verfeinerung der Gaunereien, ändern also im Prinzip nichts, nur die »Formen«. Andererseits erfaßt Brecht aber auch das Bedürfnis der »kleinen Leute« nach hohen sittlichen Standpunkten satirisch: »Die kleinen Leute lieben es, ihren Zusammenbruch von hoher Warte aus zu betrachten« (13, 1007). Die fehlende Moral belegt noch einmal von anderer Sicht aus die Ergiebigkeit des medialen Erzählens. Es spricht nicht aus, wogegen es angeht, es be- und verurteilt nicht, es sucht nicht den wie immer gewählten subjektiven Blickwinkel; es geht Brecht vielmehr darum, die montierten Realitäten in objektiver Weise einander zu konfrontieren und damit kollidieren zu lassen. Wenn die Figuren sich rechtfertigen, wenn sie ihre Ideologie einsetzen, dann weiß der Leser, indem er die geschilderte Handlung und die Rechtfertigung notwendig aufeinander bezieht, daß da etwas nicht stimmt, daß da ein Schein aufgebaut wird, der als Realität gelten soll, in Wahrheit aber total korrupt ist. Die Erzählweise vermag so Hinweise auf das reale politische »Theater«, das der Nazifaschismus den »kleinen Leuten« vorgemacht hat, zu geben, auf ästhetische Weise, angetan dazu, das Theater der Wirklichkeit, das alle Grausamkeit bedeutet, durchschauen zu lernen. Darauf kam es Brecht vor allem an.

Der Roman produziert also den (falschen) Schein, den er unterlaufen will, ständig mit; er thematisiert ihn überdies ästhetisch, indem er die mediale Erzählweise so einsetzt, daß jedes Ereignis, jeder Entschluß, jede Handlung in (zumindest) doppelter Weise zum Ausdruck kommen, als die jeweilige Schilderung durch Außenschau und als Spiegelung im Bewußtsein (Kursivierungen) der Figuren, in ihren Rechtfertigungs-Reden, ihren Anschauungen. Der »dialektische« Widerspruch zwischen den »Verdoppelungen« ist damit zum ästhetischen Prinzip des Erzählens geworden. Das Ergebnis ist keine *Literatur*-Satire, trotz der vielen Zitate, sondern eine Satire, die ihre Formen aus der Realität bezieht, nicht aus der Ästhetik, auch nicht der des Realismus.

Traditionelle Erzähltheorien: Eberhard *Lämmert*: Bauformen des Erzählens. Stuttgart 1955. – Frank. K. *Stanzel*: Typische Formen des Romans. Göttingen 1964. – Jürgen *Schramke*: Zur Theorie des modernen Romans. München 1974 (eingehende, weiterweisende Kritik der traditionellen Erzähltheorien).

Zu Kriminalroman und -film: Ulrich *Schulz-Buschhaus*: Formen und Ideologien des Kriminalromans. Ein gattungsgeschichtlicher Essay. Frankfurt a. M. 1975. – Klaus-Detlef *Müller* (s. o.). – John *Gabree*: Der klassische Gangster-Film. München 1981 (zuerst amerikanisch 1975) (S. 36–74). – Klaus *Kocks* (s. o.; S. 187–197).

Zur Satire: Dieter *Schlenstedt* (s. o.).

Hinweise auf die frühe Rezeption

Im Gegensatz zur literaturwissenschaftlichen Mißachtung des Romanciers Brecht und insbesondere seines *Dreigroschenromans* reagierte die zeitgenössische Kritik bei Erscheinen nicht nur positiv, sondern teilweise auch enthusiastisch. Die erste Reaktion von Wilhelm Stefan empfiehlt den Roman den »Unterrichtsanstalten als Lehrbuch, und er meint weiter: »Es ist kein Zufall, daß Brechts Roman der bestgeschriebene und zugleich der im wahren Wortsinn radikalste in der deutschen sozialistischen Literatur ist«; Brecht habe einen »sozialistischen Roman geschrieben, der diese Zeit überdauern wird, [...] die erste künstlerische Bewältigung des Bilds, das der Sozialismus von der kapitalistischen Welt empfängt und wiederzugeben hat«. Gelungen sei »der Bericht über den Kulturgehalt einer Epoche: was ja ungefähr die Definition der Kunstgattung ›Roman‹ ist. Der Kulturgehalt unsrer Epoche ist eben in den Banktresoren und in den Gefängnissen eingesperrt, tatsachenmäßig als Gegenstand der Nationalökonomie und der Kriminalistik«.

Alfred Kantorowicz besprach ebenfalls noch 1934 den Roman unter der Rubrik »Bücher des Monats«; er betont im Gegensatz zu Stefan, der die Selbständigkeit des Romans erkennt und die verschiedenen Formungen des »Stoffs« als »Gesamtkunstwerk« neuer Art feiert, den Zusammenhang mit der *Dreigroschenoper*, deren Unterhaltsamkeit jetzt ganz als Mittel zum Zweck eingesetzt sei, nämlich für die Pädagogik: »Die ihn für einen *Zyniker* halten, werden jetzt merken, daß er ein *Moralist* ist; immerhin ein Moralist mit revolutionären Konsequenzen«. Diesem Zweck folge auch die Erzählweise, die die Leser nicht in die Personen hineinversetze, sondern sie »ihnen als Betrachter *gegenüber*« stelle.

Bodo Uhse reiht den Roman »den großen klassischen Prosaleistungen der deutschen Literatur ebenbürtig an«, und er sieht Brechts Sprache »neben der Sprache Luthers, Kleists, Büchners« stehen. Nicht weniger deutlich sieht Paul Haland den Roman als Beweis dafür an, »daß Brecht, dessen außerordentliche Qualitäten als Lyriker und Dramatiker sogar seine Feinde zugestehen mußten, ein Erzähler von Rang ist«. Haland stuft den Roman als Satire ein und erkennt als wesentliches Kennzeichen die Vermeidung »emotionaler Erschütterung«, meint aber, daß sie dennoch erreicht werde: »Daß sie ihm trotzdem gelingt, ist auf seine große Begabung zurückzuführen, die sich gegen seine Kunsttheorie durchsetzt«. Haland allerdings bemängelt, daß Brecht seine Kenntnis vom Proletariat nicht eingebracht und also den Gegensatz Kapitalismus–Sozialismus sträflich vernachlässigt habe; ebenfalls seien die Lehren nicht eindeutig genug, so daß sie an Wert verlören.

Peter Merin stellt Mitte 1935 Brechts Roman in der *Internationalen Literatur* der Exilwelt ausführlich vor; er gibt einen Handlungsabriß und arbeitet in ihn Ausführungen zu Brechts Literaturtheorie ein. Auch er betont das primär »pädagogische« Ziel des Romans, wobei die Methode darin bestehe, das individuelle Bewußtsein mit dem gesellschaftlichen Sein abrupt zu konfrontieren. In Parallele zu Brechts Theater, das die traditionelle Form des zeitgenössischen Theaters gesprengt habe, formuliert er zusammenfassend: »Brechts Roman erscheint als eine die Form des Romans durchbrechende didaktische Satire auf das Spätbürgertum und den Faschismus« (S. 96).

A. M. Frey spricht lakonisch von »Brechts Hauptwerk«, und dies nach den nachhaltigen Theatererfolgen; ihm erscheint der Roman als »ausgebaute« Oper, wobei der Ausbau zugleich als Steigerung der Kunst gilt. Brecht erzähle »langsam und eindringlich, in einer epischen Ruhe, die unter der Haut seltsam und heftig vibriert«; es gelinge ihm dabei, das scheinbar Harmlose in seiner hintergründigen Verderbtheit wirkungsvoll bloßzulegen. »In einer vertrackten Weise erläutern und verteidigen die rhetorisch begabten Untäter durch Gespräche und Selbstgespräche ihre Handlungen, sie reinigen sich – und stehen um so beschmutzter da. Brecht hat die unheimliche Fähigkeit, den dicken Mantel der biederen Worte, der trefflichen Argumente, des, ach, so uneigennützigen Wollens transparent zu machen. [...] Brecht hat die Fähigkeit, schneidende Formulierungen zu geben; sie schaffen eine Eiseskälte – gewollte Kälte, die dein Hirn wach ruft«.

Walter Benjamins berühmte Kritik, um 1935 geschrieben, aber bis 1960 ungedruckt geblieben, liefert schon beinahe eine umfassende Analyse des *Dreigroschenromans*, den er »einen satirischen Roman großen Formats« (S. 84) nennt. Die Satire, »die immer eine materialistische Kunst war«, sei bei Brecht nun »auch eine dialektische« geworden. »Marx steht im Hintergrund seines Romans – ungefähr so wie Konfuzius und Zoroaster für die Mandarine und Schahs, die in den Satiren der Aufklärung unter den Franzosen sich umsehen. Marx bestimmt hier die Weite des Abstandes, den der große Schriftsteller überhaupt, besonders aber der große Satiriker seinem Objekt gegenüber einnimmt. Es war immer dieser Abstand, den die Nachwelt sich zu eigen gemacht hat, wenn sie einen Schriftsteller klassisch nannte. Vermutlich wird sie sich im Dreigroschenroman ziemlich leicht zurechtfinden« (S. 94), ein Urteil, dem die Nachwelt weitgehend noch nicht gefolgt ist.

Benjamin betont darüber hinaus – wie die anderen Reaktionen ebenfalls – den aufgedeckten Zusammenhang zwischen Bürgertum und Faschismus, und er erkennt in Macheath deutlich die »Führernatur« gestaltet, die als Retter des Kapitals und zugleich als Edelmensch verlangt worden sei: »will er Verantwortung tragen, so danken ihm die Kleinbürger mit dem Versprechen, keinerlei Rechenschaft von ihm zu verlangen. Das ist der Grund, aus dem ein Typ wie Macheath in diesen Zeiten unschätzbar ist« (S. 89).

Wilhelm *Stefan*: Brechts Lehrbuch der Gegenwart. In: Europäische Hefte (Prag), I, 30, vom 8. 11. 1934, S. 526–529. – Alfred *Kantorowicz*: Bücher des Monats. Brechts »Dreigroschenroman«. In: Unsere Zeit (Paris, Basel, Prag), 7, 1934, Heft 12, S. 61 f. – Bodo *Uhse*: Zu Brechts »Dreigroschenroman«. In: ebd. 8, 1935, H. 2/3, S. 65 f. – Paul *Haland*: [Brechts »Dreigroschenroman«]. In: ebd., S. 66 f. – Peter *Merin*: Das Werk des Bert Brecht. In: Internationale Literatur 5, 1935, H. 7, S. 79–97. – A. M. *Frey*: Brechts Hauptwerk. In: Neue deutsche Blätter, II, 3. Jan. 1935. – Werner *Türk*: Der Dreigroschenroman. In: Die neue Weltbühne, III, 12, vom 21. 3. 1935. – Walter *Benjamin*: Brechts Dreigroschenroman. In: W'B': Versuche über Brecht. Hg. v. Rolf *Tiedemann*. Frankfurt a. M. 1966. S. 84–94.

Die Geschäfte des Herrn Julius Caesar (Fragment)

Entstehung

Der *Caesar*-Roman ist Fragment geblieben. Er steht in einer Reihe mit zahlreichen Plänen Brechts, die historische Person Cäsars, die er als »Vorbild aller Diktatoren« ansah (Briefe, Nr. 354; vom 25. 3. 1938), literarisch zu verarbeiten. Brecht jedoch hat von den Plänen lediglich ausgeführt die zweimalige Fassung des *Salomon-Songs* in der *Dreigroschenoper* (2, 468) und in *Mutter Courage und ihre Kinder* (4, 1425 f.) sowie die nach dem Roman-Fragment – zunächst als Filmexposé – entworfene Erzählung *Cäsar und sein Legionär*, die 1949 in die *Kalendergeschichten* eingegangen ist. Darüber hinaus ist die Cäsar betreffende Frage des lesenden Arbeiters im gleichnamigen Gedicht als »geflügeltes Wort« bekannt: »Cäsar schlug die Gallier. / Hatte er nicht wenigstens einen Koch bei sich?« (9, 656). Vor dem Roman aber liegen weitgehend unbekannt gebliebene dramatische Projekte, die zur Vorgeschichte der eigentlichen Entstehung des Romans gehören.

Vorgeschichte: 1922 entwirft Brecht das »lustspiel: cäsar unter den seeräubern« (BBA 1086/20 = Nr. 3296, Bd. 1, S. 290), das offenbar zu weiteren Projekten gehört, die sich »großen Männern der Geschichte« widmen (Hannibal, Antonius, Alexander; vgl. die entsprechenden Stückentwürfe; BBA, Bd. 1, S. 290–293). Vermutlich steht bei dieser Thematik die »volkstümliche« Überlieferung der Schaubudenkunst, die Brecht auf dem Augsburger Plärrer genossen hat, als Quelle Pate. Die Seeräuberanekdote, die im Roman mit ihren zwei Fassungen eine wichtige Rolle einnimmt, ist u.a. in der Literatur des alten Volkskalenders nachweisbar, die (natürlich) die heroische Version erzählt (vgl. die Geschichte »Das redlich gehaltene Wort« in Jan Knopf: *Alltages-Ordnung*. Tübingen 1983, S. 175 f.). – 1928/29 planen Fritz Sternberg, Erwin Piscator und Brecht eine Inszenierung von Shakespeares *Julius Caesar*, die »soziologisch« ausfallen und die Tatsache des Bruchs – daß nämlich Cäsar bereits im 3. Akt stirbt – politisch deuten sollte: Brutus, so die Deutung, glaube mit Cäsar bereits auch die Diktatur beseitigt zu haben und muß sich dann mit ihrem noch sehr lebendigen Erbe auseinandersetzen. Da jedoch nicht geringe Teile der Shakespeareschen Tragödie dieser Deutung entgegenstehen, schlägt Sternberg Brecht vor, eine Bearbeitung herzustellen, die das soziologische Konzept trägt. Der Plan jedoch scheitert (Jeske, 235; dort auch weitere Einzelheiten). – Zur unmittelbaren Vorgeschichte des Romans gehört dann der Plan zu einem gleichnamigen Stück, von dem immerhin ca. 80 Seiten vorliegen (BBA, Bd. 1, S. 369–373). Die Entwürfe lassen sich auf Ende 1937 mit einem Brief Brechts genauer datieren; dieser Brief, an Martin Domke geschrieben, enthält einen ausführlichen Entwurf des gesamten Dramas, das fünf Akte umfassen sollte und mit dem Überschreiten des Rubikons endet (Briefe, Nr. 345; vom 19.11.1937). Brecht bezeichnet dort sein Vorhaben als »politisch«: »Hochkommen der Diktaturen zwischen sich heftig bekämpfenden Klassen. Als Zünglein an der Waage«. In weiteren Briefen an Lion Feuchtwanger (Nr. 346; Ende Nov. 1937) und Karl Korsch (Nr. 347; Nov. 1937) dokumentiert Brecht sein offenbar schon weit fortgeschrittenes Quellenstudium sowie sein Konzept, das Stück nicht wie in der gleichzeitigen Exilliteratur (vor allem im Roman) üblich als Anspielungs-Dichtung anzulegen. Die Verhältnisse lägen in der Antike ganz anders und außerdem bedeutete Cäsar historisch durchaus einen Fortschritt; »die Anführungszeichen zu Fortschritt sind riesig schwer zu dramatisieren« (an Korsch). Ihn interessiert das historische Vorbild an Cäsar, nicht die vordergründige Parallelität, die sich durch das Thema ohnehin aufdränge. Brecht sah Aufführungsmöglichkeiten in Paris, die sich dann aber durch den Gang der Ereignisse schnell zerschlagen haben. Ob freilich die schwindenden Chancen für eine Aufführung den Grund dafür abgaben, daß Brecht den Stoff dann doch für ein episches Werk verwendet – so lautet die übliche Erklärung –, muß dahingestellt bleiben. Brechts umfangreiche Dramenproduktion im Exil (auch ohne Aufführungsmöglichkeit) läßt an dieser einfachen Erklärung Zweifel aufkommen. Da die ersten Entwürfe des Romans unmittelbar in die Zeit der Stück-Entwürfe fallen, kann der entscheidende Grund im Material selbst vermutet werden: es legte eine andere literarische »Gattung« nahe.

Entstehung des Roman-Materials: Erstes Zeugnis von der Arbeit am Roman ist ein Brief Margarete Steffins an Walter Benjamin vom 1.2.1938, in dem sie mitteilt, daß Brecht bereits angefangen habe, einen »kleinen Roman« aus dem Cäsar-Stoff zu entwerfen (Text bei Schumacher, 381 f.). In einem Brief an Martin Andersen-

Nexö, der eigentlich der Übersetzung von Nexös Autobiographie gilt, merkt Brecht an, mit dem Roman schnell fertig sein zu müssen (Briefe, Nr. 354; vom 25.3.1938): der Grund, es steht ihm damit ein Stipendium der »American Guild for German Cultural Freedom« in Aussicht. Jedoch steckt Brecht im Mai des Jahres noch in der ersten Hälfte, so daß der Roman »langsamer [wuchs] als Hitlers Aufrüstung« (Briefe, Nr. 357; April 1938). Ende Mai dürften dann die ersten drei Bücher (entsprechend dem Druck 14, 1169–1347) abgeschlossen gewesen sein. Dabei bleibt es vorerst, obwohl sich Brecht weiterhin mit dem Thema befaßt (vgl. AJ 9; vom 20.7.1938 und AJ 32; vom 25.9.1938). Inzwischen aber beginnt Brecht seinen *Galilei*, der den *Caesar*-Roman bis 1939 verdrängt. Brecht liest Hegels *Philosophie der Geschichte*, um wieder in »Form« zu kommen, schreibt dann aber, nachdem er die Nexö-Übersetzung im Februar mit Margarete Steffin abgeschlossen hat, am *Guten Menschen* und muß sich damit begnügen, die fertigen drei Bücher zur Prüfung ihrer Wirkung per Rundbrief zu verschicken (an Korsch, an Hanns Eisler u.a.). Da die entsprechenden aufmunternden Resonanzen ausbleiben, dauert es bis Ende 1939, bis Brecht das 4. Buch angeht. Im Dezember 1939 entsteht dann das 4. Buch des Romans, das heißt: das, was davon vorliegt. Die Ermutigung dafür kam übrigens durch einige proletarische Leser in Stockholm, die offenbar Anlage und Art der Ausführung genauer und besser verstanden als die »gelehrten« Leser, die an der üblichen Historiographie (Männer machen Geschichte) orientiert blieben (vgl. AJ 71 f.; vom 7.12.1939). Im Januar 1940 schreibt Brecht an Fredrik Martner, daß er die Arbeit am Roman wieder aufgenommen habe; seine Mitteilungen jedoch stimmen mit denen des *Arbeitsjournals* vom Dezember so sehr überein, daß kaum von einer neuen, entscheidenden Arbeitsphase gesprochen werden kann (Briefe, Nr. 400; »anfangs Januar«), zumal sich Brecht klar war, daß die Fertigstellung »noch geraume Zeit brauchen werde«. Damit dürfte die Entstehungsgeschichte des Roman-Fragments nach den heutigen Erkenntnissen abgeschlossen sein. Es gibt zwar im Jahr 1940 (AJ 151; vom 19.8.) eine Notiz, die die Wiederaufnahme vorsieht, aber zugunsten des *Guten Menschen* zurückstellt, und auch 1941 erwähnt Brecht das Projekt noch mehrmals (AJ 241, 294, 299), aber von einer ernsthaften Weiterführung ist nicht mehr die Rede. Überdies stirbt im Juni 1941 auf der Flucht die wichtigste Mitarbeiterin Brechts – vor allem in der Prosa – Margarete Steffin: sie war es, die das Projekt von Anfang an mitgetragen und wahrscheinlich auch mitgeschrieben hat. – Vermutungen, daß der Vorabdruck des 2. Buchs im Sonderheft von *Sinn und Form* (1949), das eine baldige Buchausgabe des *Caesar*-Romans in Aussicht stellt, auf einen (auch nur vagen) Plan einer Vollendung des Fragments schließen lassen, haben sich nicht bestätigt (vgl. Jeske, 233).

Filmprojekte: Im Zusammenhang mit dem Roman-Fragment steht das Filmexposé *Der Gallische Krieg oder Die Geschäfte des Herrn J. Cäsar* (Texte für Filme II, 369–371); es ist vermutlich 1938/39 entstanden, und es setzt dort ein, wo der Roman abbricht, bei der Konsulatswahl und der anschließenden Statthalterschaft in Gallien (Frankreich), deren mögliche Aktualität Brecht durchaus erwogen hat (vgl. den Brief an Karl Korsch vom November 1937; Briefe, Nr. 347, S. 348: »Für Frankreich hat die Sache eine pikante Note«; damals allerdings noch bezogen auf den Stück-Entwurf, der in Frankreich realisiert werden sollte). – Der Filmstoff *Cäsars letzte Tage* (vgl. AJ 407; vom 8.4.1942) ist ohne Zusammenhang mit dem Roman-Projekt (das Cäsars Ermordung nicht vorsah). Dieses Projekt steht vielmehr mit Brechts Exil in Hollywood in Zusammenhang, als der Regisseur William Dieterle Brecht den Auftrag gab, es dann aber doch nicht realisieren konnte (Texte für Filme II, 372–400). Der Film sollte aus zwei sich kontrastierenden Perspektiven den letzten Tag des Diktators vorführen, aus der Perspektive Cäsars und aus der seines Legionärs, wodurch vor allem die übliche Helden Perspektive relativiert und zugleich die Folgen der Diktatur für den »kleinen Mann« verdeutlicht werden sollten. Da der Filmplan (immerhin fast dreißig Druckseiten) keine Aussicht hatte, schrieb Brecht noch im selben Jahr das Exposé zu der Geschichte *Cäsar und sein Legionär* um (11, 344–362); diese erschien 1949 in der Sammlung der *Kalendergeschichten*.

Texte: wa 9, 573–575 (drei Gedichte aus dem *Cäsar*-Stück; Texte zum Roman s.u.).

Ernst *Schumacher*: Drama und Geschichte. Bertolt Brechts »Leben des Galilei« und andere Stücke. Berlin 1965. S. 15 f., 381 f. – Klaus-Detlef *Müller*: Brecht-Kommentar zur erzählenden Prosa. München 1980. S. 236–238. – Wolfgang *Jeske*: Bertolt Brechts Poetik des Romans. Arbeitsweisen und Realitätsdarstellung. Karlsruhe 1981 (Masch.) (S. 224–245).

Texte des Fragments

Das Nachlaß-Material des Bertolt-Brecht-Archivs umfaßt knapp 1400 Manu-bzw. Typoskript-Blätter, die von Brecht oder von Margarete Steffin geschrieben worden sind. Es lassen sich sechs Text-Stufen differenzieren. Die 1. Stufe ist mit der ersten Fassung des ersten Buchs markiert; es handelt sich um ein Typoskript von Brechts Hand (BBA 186/1–21 = Nr. 11718, Bd. 3, S. 40). Als 2. Stufe schließen sich die *Aufzeichnungen des Rarus* (das 2. Buch) an, die zu größeren Teilen bereits von Steffin geschrieben sind. Obwohl sie den gesamten späteren Zeitraum umfassen, weist der Text noch größere Unterschiede zum publizierten Text auf; zu dieser Stufe gehören außerdem viele Bruchstükke, die in einer Archiv-Mappe zusammengestellt sind (BBA 359/1–83 = Nr. 11720, Bd. 3, S. 40; die »Aufzeichnungen« BBA 358/1–114 = Nr. 11718, ebd.). Die 3. Stufe faßt die beiden ersten vorliegenden Bücher in einer Abschrift Steffins zusammen mit den entsprechenden Änderungen und Zusätzen, die sich ohnehin immer wieder einzustellen pflegten. Auf einer 4. Stufe findet sich erneut eine weitere (die dritte) Fassung des 2. Buchs und darüber hinaus die erste Fassung des dritten Buchs in weitgehend endgültiger Form. Die Typoskripte sind fast durchweg von Steffin geschrieben und mit ihren und Brechts handschriftlichen Korrekturen ergänzt. Die 5. Stufe faßt die drei vorliegenden Bücher in weitgehend dem späteren Druck entsprechender Form zusammen (BBA 137/1–163 = Nr. 11715, Bd. 3, S. 40). Hiermit ist die erste Hälfte des Romans (um Mai/Juni 1938) markiert, und es handelt sich bei dieser Zusammenfassung um die Textstufe, die Brecht an Freunde und an Stockholmer Arbeiter zum Lesen verschickt bzw. gegeben hat. Die abschließende 6. Stufe gilt dem 4. Buch, das Ende 1939 (vielleicht noch Anfang 1940) formuliert wird. Es gibt zwei Typoskripte, eins von Brecht mit handschriftlichen Anmerkungen, ein weiteres von Steffin, eine Abschrift des verbesserten Typoskripts von Brechts Hand (BBA 185/1–29 bzw. 30–52 = Nr. 11722f., Bd. 3,S.40).

Darüber hinaus gibt es zahlreiche Textentwürfe, Pläne, Vorstudien, Exzerpte und Dokumente, die Rückschlüsse auf die Gesamtanlage des Romans zulassen, vor allem auf die Anlage von sechs Büchern, die schon frühzeitig festgelegt sind. Außerdem geht aus dem Material hervor, daß der Roman das historische Geschehen von 691 bis 706 (nach der römischen Zeitrechnung »ab urbe condita« = Gründung der Stadt Rom; entsprechend 63 bis 48 v. Chr.). Zu allen drei weiteren geplanten Büchern liegen Textentwürfe vor, die inzwischen durch Herbert Claas publiziert sind, allerdings – wie Wolfgang Jeske im einzelnen nachgewiesen hat – durchaus unvollständig und fehlerhaft (Claas, 187–212). Sie ergeben aber dennoch einen ersten brauchbaren Überblick zusammen mit Claas' Inhaltsangabe (181–184). Claas hat außerdem Proben von Entwürfen und Textteilen zu den Büchern 1–3, »Vorstudien« sowie die noch weitgehend von der Quellenlektüre bestimmten »Reflexionen über Geschichtsschreibung« aus dem Nachlaß-Material publiziert (Claas, 213–234).

Von Wolfgang Jeske liegt die bisher eingehendste Beschreibung des Nachlaß-Materials sowie eine Abschrift der unpublizierten Materialien vor, auf die hier nur verwiesen sein kann, weil eine genauere Darstellung einer eingehenden Erörterung bedürfte (Jeske plant einen bzw. mehrere Materialienbände zur Prosa Brechts). Die folgende Darstellung des Fragments greift stillschweigend auf die Materialsammlung Jeskes sowie auf Jeskes Darstellung (in diesem Fall mit Nachweisen der maschinenschriftlichen Fassung) zurück.

Texte: Die Geschäfte des Herrn Julius Cäsar. Zweites Buch. In: Sinn und Form, Sonderheft Bertolt Brecht, Berlin 1949, S. 181–258. – Die Geschäfte des Herrn Julius Cäsar. Drittes Buch. In: Sinn und Form. Zweites Sonderheft Bertolt Brecht, Berlin 1957, S. 391–418. – Die Geschäfte des Herrn Julius Caesar. Romanfragment. Berlin 1957. – Prosa, Band 4, Berlin [,Frankfurt a.M.] 1965. – wa 14, 1167–1379. – Herbert *Claas*: Die politische Ästhetik Bertolt Brechts vom Baal zum Caesar. Frankfurt a.M. 1977 (S. 179–234).

Wolfgang *Jeske* (s.o.; S. 246–253, 471–477).

Quellen

Anders als beim *Dreigroschenroman*, dessen (Geschäfts-)Handlungen weitgehend erfunden waren, mußte Brecht bei der erklärten Absicht, insgesamt den historischen Tatsachen zu folgen und nicht vordergründig zu aktualisieren, die historischen Quellen und die historiographischen Werke ausgiebig konsultieren. Dabei gilt – da Brecht sich bei der »Gründung der Diktatur« mehr für die geschäftliche, weniger für die persönlich-heroische Seite interessierte –, daß Quellen und wissenschaftliche Forschung weitgehend »gegen den Strich« gelesen werden mußten, da sie gerade die Informationen verschwiegen, die Brecht thematisiert wissen wollte. Die früh geäußerte Vermutung von Peter Witzmann, daß eine fortlaufende philologisch-historische Kommentierung des Romans die Fülle des verarbeiteten Quellenmaterials womöglich stringent aufweisen könnte, müßte gerade das »Zwischen-den-Zeilen-Lesen« Brechts berücksichtigen, um nicht zu falschen Schlußfolgerungen zu gelangen, etwa, daß der Roman eine bloße Zitaten-Collage wäre (Witzmann, 68). Überdies verwandelt die satirische Anlage des Romans auch jedes wortwörtliche Zitat im neuen Kontext beträchtlich, und es bedarf sorgfältiger Abwägung der vermuteten Abhängigkeiten.

Brecht selbst sprach von »umfangreichen Studien, die römische Geschichte betreffend«, und von einem »Haufen historischer Wälzer«, die in vier Sprachen verfaßt seien und durch Übersetzungen aus zwei antiken Sprachen ergänzt würden (19, 299 f.; die Sprachen sind: Englisch, Französich, Dänisch und Deutsch sowie Latein und Griechisch). Die neue Forschung hat – nach Einsicht in die Publikation der Nachlaßmaterialien (durch Claas, jetzt auch Jeske) – die oft vagen, dennoch aber als gesicherte Erkenntnisse vorgetragenen Quellennutzungen inzwischen erheblich differenzierter darstellen und entscheiden können. Die folgende Aufstellung versucht eine Zusammenfassung, die ganz der ausgiebigen Darstellung Jeskes verpflichtet ist.

Quellenübersicht

Vorbemerkung: Die Übersicht erfolgt in zwei Abteilungen – antike Quellen, historiographische Darstellungen – jeweils alphabetisch; soweit genauere Angaben zu machen sind, ist auf die jeweilige Stelle im *Caesar*-Roman verwiesen; danach erfolgen durch Namen- und Seitennennung die Angaben zur Brecht-Forschung, das heißt die Verweise auf diejenigen Forscher, die die Benutzung der Quellen behaupten; durch die Forschung falsifizierte Angaben werden vermerkt.

1. Antike Quellen

Appian [Appianos von Alexandrien; 2. Jh. n. Chr.]: Erwähnt BBA 187/86 = Nr. 11774, Bd. 3, S. 44; als Quelle vermutet von Witzmann, 65; Dahlke, 125; Claas, 268; Müller, 244; nach Jeske, 256 f., kannte Brecht Appian nur über Meyer (s.d.).

Cäsar, Caius Julius [102 oder 100–44 v. Chr.]: Obwohl Cäsars Schriften im Roman erwähnt sind (vgl. 14, 1171, 1189), sind sie als Quellen schon des behandelten Zeitraums wegen auszuscheiden; auch der »Gallische Krieg« (»Bellum Gallicum«) wäre, wie Entwürfe zeigen, ohne interessierende Informationen gewesen (BBA 187/52; zitiert bei Claas, 202). Jeske, 257 f.

Cato, Marcus Porcius [234–249 v. Chr.]: Von Witzmann als Quelle für die Darstellungen der landwirtschaftlichen Sklavenarbeit (Spicers Musterfarm) vermutet (»De agricultura«) (Witzmann, 65); nach Jeske, 258, sind die Kenntnisse über Weber (s.d.) vermittelt; vgl. Dahlke, 125.

Cicero, Marcus Tullius [106–43 v. Chr.]: 1. Briefe, Ausgaben Leipzig o.J. und Leipzig 1930 (Hg. Carl Bardt); aus beiden Ausgaben hat Brecht die Anhänge mit den Anmerkungen herausgetrennt, so daß nicht die Briefe selbst, sondern nur die beigegebenen Informationen verwendet wurden (Witzmann, 65; Müller, 243 gegen Jeske, 259). – 2. Reden. Erwähnt 14, 1255 f., 1289 f., BBA 190/30a und 31 = Nr. 11895, Bd. 3, S. 53, BBA 187/43–45, 46, 34–36, 99–100 = Nr. 11750, Bd. 3, S. 42). Witzmann, 67; Jeske, 259 f.; dagegen (aber falsch) Dahlke, 125.

Columella, Lucius Iunius [1. Jh. n. Chr.]: Wie Cato über Weber vermittelt (zum gleichen Thema); Witzmann, 65; Dahlke, 125; falsifiziert von Jeske, 260.

Dio, Cassius Cocceianus [um 155–um 235]: Als Quelle erwähnt in Briefe, Nr. 347; vom Nov. 1937 (an Karl Korsch), aber bezogen auf den Stückplan (dort auch weitere Angaben (BBA 188/72 = Nr. 4257, Bd. 1, S. 373). Benutzt wurde das 37. Buch der »Römischen Geschichte« (Ausgabe Stuttgart 1831, übers. v. Leonhard Tafel) zum Thema: Cäsar in Spanien. Dahlke, 225 (vgl. 130). Jeske, 261, hat zusätzlich das 38. Buch der Geschichte Dios als Quelle für die Ansiedlung der lusitanischen Bergbevölkerung nachgewiesen (14, 1343 ff.).

Diodor [Diodorus Siculus; 1. Jh. n. Chr.]: Erwähnt in BBA 187/47, zitiert bei Claas, 208. Jeske, 261. (Die Quelle ist höchstwahrscheinlich sekundär übermittelt und ohne weitere Bedeutung).

Gellius, Aulus [um 130– nach 170]: Nach ihm soll das Gracchus-Zitat (14, 1202) sein; Witzmann, 66; nach Dahlke zitiert Brecht Brandes (s.d.); Dahlke, 132, 225.

Livius, Titus [59 v. Chr. – 17 n. Chr.]: Die Verweise der Forschung sind inzwischen weitgehend falsifiziert: Claas, 268; Müller, 244; dagegen Jeske, 262.

Nepos, Cornelius [um 100– um 25 v. Chr.]: Nach Jeske kann mit dem Historiker (14, 1345) eben dieser Nepos gemeint sein, der Kurzbiographien (u.a. über Atticus) verfaßt hat; die Quelle ist aber sicherlich sekundär übermittelt; Jeske, 262.

Plutarch [um 46– nach 120]: Brecht nennt ihn als Quelle im Brief an Korsch (Briefe, Nr. 347; vom Nov. 1937). Brecht benutzte zwei Ausgaben der »Lebensbeschreibungen«, und zwar die 12-bändige Reclam-Ausgabe (1. Aufl. ab 1888, berichtigte Auflage 1920 ff.) und die 6-bändige Ausgabe bei Georg Müller (Leipzig, München 1913. Beide Ausgaben finden sich – allerdings beide unvollständig – im Nachlaß; beide enthalten Anstreichungen und sind nach Seitenzahlen im Material vermerkt. Die Biographien Plutarchs sind im folgenden einzeln verzeichnet – mit Plutarch ist eine der Hauptquellen des Romans markiert.

»Solon«: Der Ich-Erzähler des Romans hat einen »Solon« verfaßt (14, 1172); ob diese Tatsache womöglich ein Verweis Brechts sowohl auf eine seiner Quellen als auch auf eine literarische Gestaltung des (historischen) Plutarch in der Gestalt des Biographen sein könnte, hat die Forschung bisher nicht erwogen. Jeske, 263.

»Cäsar«: Nachgewiesen sind Anspielungen bzw. Zitate

folgender Stellen: BBA 159/50 = Nr. 11724, Bd. 3, S. 40 (entspricht »Cäsar« 11, Reclam-Ausgabe, Bd. 9, S. 118); BBA 188/42 = Nr. 4240, Bd. 1, S. 372 (entspricht Müller-Ausgabe, Bd. 5, S. 18) sowie BBA 188/55 und 38, ebd. (entsprechen Müller-Ausgabe, Bd. 5, S. 13 und 18); von daher dürfte auch der Name Cäbios stammen (14, 121). Brecht selbst gibt den »Cäsar« Plutarchs auch neben Sueton als Quelle für die Seeräuberanekdote an (BBA 465/11–12; zitiert bei Claas, 224 ff., entspricht Reclam-Ausgabe, Bd. 9, S. 106 f.) Weitere mögliche Übernahmen nennt Dahlke, 145 bzw. 226 (bezogen u.a. auf 14, 1351 ff. – Verzicht Cäsars auf den Triumph –, entspricht »Cäsar« 13, Reclam-Ausgabe, Bd. 9, S. 118 f.). Jeske, 264.
»Pompejus«: Diese Biographie ist in vielfacher Hinsicht für den Stückentwurf herangezogen worden (auf den Blättern finden sich vielfach Verweise auf die Müller-Ausgabe, Bd. 4, und zwar auf das 42., 47., 49. Kapitel = BBA 188/71 = Nr. 4257, Bd. 1, S. 373, ein Plan zum Stück). Dahlke nennt weitere Übereinstimmungen zwischen 14, 1192 f. und Kapitel 25–26 = Reclam-Ausgabe, Bd. 8, S. 158–161. Dahlke, 144 f.; Jeske, 265.
»Cicero«: Witzmann, 66, führt den Spitznamen von Lentulus, »Wade« (14, 1254 f.), auf Plutarch zurück (Müller-Ausgabe, Bd. 5, S. 461; übersetzt für lateinisch »sura«). Brecht nennt die Quelle ausdrücklich BBA 190/30a = Nr. 11895, Bd. 3, S. 53 (entsprechend Müller-Ausgabe, Bd. 5, S. 458, 14., 15. Kapitel); Jeske, 265. Dahlke, 144, 226, führt die »meisten Einzelheiten« der Verschwörung Catilinas auf Plutarch zurück.
»Cato«: Dahlke, 144, 226, führt 14, 1299 f. (entsprechend Reclam-Ausgabe, Bd. 12, S. 191 f.), 14, 1351 ff., 1371 (entsprechend ebd., S. 200 f.), 14, 1304 ff. (entsprechend ebd., S. 193–198) auf Plutarch zurück. Jeske, 265.
»Brutus«: Dahlke, 144, nennt die Quelle für den Brief (14, 1299 f.), entsprechend Reclam-Ausgabe, Bd. 12, S. 64.
»Crassus«: Witzmann, 66, Dahlke, 145 sehen die Crassus-Charakteristik (14, 1221 ff.) hier vorgebildet (entsprechend Reclam-Ausgabe, Bd. 7, S. 159–161). Jeske, 266.
Weitere Hinweise auf Plutarch-Biographien gibt Dahlke, 145; da Dahlke jedoch keine Einsicht in die Archiv-Materialien genommen hat, muß ihre genauere Bestimmung vorbehalten bleiben.

Sallust [Caius Sallustius Crispus; 86–35 v. Chr.]: Seine »Verschwörung des Catilina« galt lange als Hauptquelle – neben Plutarch und Sueton. Die Nachweise dafür jedoch stehen weitgehend aus. Genannt ist sein Name 14, 1329 f.: Vastius Alder weist da eine mögliche Mittäterschaft Cäsars mit Verweis auf Sallusts Darstellung der Catilina-Revolte zurück. Witzmann sieht die Quelle 14, 1255 f. (entsprechend 31. Kapitel bei Sallust) verarbeitet (Witzmann, 67), ebenfalls 14, 1289 f. (entsprechend 44. Kapitel). Dahlke, 134–136, führt 14, 1293 (Reise nach Pistoria) und 1318 (Belohnung für Anzeige) auf Sallust zurück (entsprechend 56–61. und 30. Kapitel bei Sallust). Insgesamt jedoch bleiben die Belege gering (und vage). Jeske, 268, vermutet, daß Brecht über die historiographischen Arbeiten seines Sohns Stefan erst wieder auf Sallust als mögliche Quelle aufmerksam wurde (vgl. Dahlke, 136). Die Vermutung Högels, 75, Brecht habe ganze Abschnitte aus Sallust übernommen, beruht auf einem Mißverständnis (Jeske, 266). Insgesamt ist die Bedeutung dieser Quelle gering zu veranschlagen.

Sueton [Caius Suetonius Tranquillus, um 70–140]: Neben Plutarchs Biographien sind die »Zwölf Cäsaren« Suetons Brechts antike Hauptquelle. Genannt ist Sueton im Brief an Korsch (Briefe, Nr. 347; vom Nov. 1937), auch in den Archiv-Materialien zum Stück-Entwurf ist mehrfach direkt auf die Ausgabe des Propyläen-Verlags (Berlin 1922; Übersetzung von Adolf Stahr; hier 2. Aufl.) Bezug genommen (BBA 188/38, 40, 42, 55; s. Bd. 1, S. 372 f.). Als Quelle für die Seeräuberanekdote nennt Brecht den Namen Suetons (neben Plutarch) ausdrücklich (BBA 465/11–12; zitiert bei Claas, 224–226). Sueton hat Brecht die Augen über den Zusammenhang von hohen Kornpreisen und Pompejus' Truppenzusammenziehung geöffnet (BBA 188/41; zitiert bei Claas, 228 f.). Witzmann, 66, führt die Darstellung von Cäsars Affären auf das 50. Kapitel der »Cäsar-Biographie« zurück, ebenfalls den Hercules (14, 1244 f.), entsprechend dem 56. Kapitel, die Treue gegen Cornelia (14, 1184 f.) entspricht danach dem 1. Kapitel derselben Biographie, und der Ausspruch des Oppius (14, 1378) verdankt sich dem 20. Kapitel. Dahlke, 145, sieht weitere Entsprechungen zu 14, 1316 f. (= Propyläen-Ausgabe, S. 36), 14, 1318–1320 (= S. 36 f.), 14, 1336 (Prozesse gegen Clodius = S. 74), 14, 1185 (Cäsars homosexuelle Neigungen = S. 76–78), 14, 1211 (Cäsars Wohnungen = S. 58 f. bei Sueton). Jeske, 270, macht auf die vielen Anstreichungen in Brechts Ausgabe ergänzend zu weiteren Hinweisen aufmerksam.

Tacitus, P. Cornelius [55–120]: Tacitus ist allgemeiner (bei Mayer, 116) als stilistisches Vorbild (klare, knappe und prägnante Prosa) für Brechts Schreibweise reklamiert worden. Als nähere Quelle zum *Caesar* scheidet er jedoch – abgesehen von der folgenden Ausnahme – aus: 14, 1344 (die weggeschwemmten Soldaten) geht auf die »Annalen« (70. Kapitel) zurück. Brecht benutzte die Reclam-Ausgabe von 1890 (= RUB 2642–45; übersetzt von Wilhelm Böttícher). Jeske, 270 f.

Varro, Terentius Marcus (116–27 v. Chr.): Varros auf Griechisch geschriebene Satire über die Herrschaft der Triumvirn (Cäsar, Pompeius, Crassus) *Das dreiköpfige Ungeheuer* ist wegen des gleichnamigen Titels von Brechts 4. Buch (14, 1349) als direkte Quelle vermutet worden (Witzmann, 66). Es ist jedoch wahrscheinlicher, daß Brecht der Titel durch die historiographische Literatur vermittelt worden ist (Mommsen, Meyer, Ferrero; s.d.); Jeske, 271.

Vellius Paterculus, Caius (1. Jh. n. Chr.): Vellius ist als direkte Quelle für die »Catulus«-Anekdote (Witzmann, 66) vermutet worden. Jeske hat jedoch nachweisen können, daß die Anekdote auf Plutarchs Pompejus-Biographie zurückgeht, die auch die Einzelheit des abstürzenden Raben (14, 1193) enthält (Müller-Ausgabe, Band 4, S. 286). Dahlkes Erwägungen (125, 224) sind falsch.

2. Historiographische Quellen

Bardt, Carl [Hg.]: Ausgewählte Briefe aus ciceronischer Zeit [Leipzig: Teubner 1930]: Brecht benutzte nicht die Briefe selbst, sondern lediglich den (kommentierenden) Anhang, der aus dem Band herausgetrennt und dem Material zum *Caesar* zugeordnet worden ist (BBA 188/95–139 = Nr. 20255, Bd. 4, S. 198); er besteht aus Zeittafel, chronologischer Übersicht (von 63–43), Verzeichnis der Cognomina (Beinamen) und einem Namenverzeichnis (Personennamen mit Erläuterungen sowie Ortsnamen). Nach Claas (152) ist die historische Genauigkeit der Brechtschen Datierungen auf die ausgiebige Benutzung des Bardtschen

Anhangs zurückzuführen (nicht auf Mommsen oder Sallust; vgl. Jeske, 272 f.).

Brandes, Georg: Cajus Julius Caesar. 2 Bände [Dänisch] [Kobenhavn og Kristina: Gyldendalske Boghandel 1921]: Brandes gilt als eine der Hauptquellen zum Roman, vor allem für die Darstellung der spanischen Statthalterschaft, für die der Frauen und für nicht wenige Einzelheiten der ökonomischen Zusammenhänge. Jeske hat inzwischen nachgewiesen, daß Brandes in den Materialien merkwürdig wenig verarbeitet ist, zumal im Nachlaß auch nur die dänische Ausgabe vorliegt. Jeske erwägt zwar, daß »Brecht mit der Sprache seines ersten Exillandes nach rund drei Jahren zumindest einigermaßen vertraut war« (Jeske, 273), dem steht jedoch Brechts briefliche Aussage an Nexö gegenüber, die eindeutig besagt, daß er, »wie jedermann weiß, ja nicht Dänisch« verstünde (Briefe, Nr. 355; vom 3.4.1938). Brecht wollte deshalb auch nicht als »Übersetzer« der *Erinnerungen* Nexös an erster Stelle genannt sein. Das bedeutet: Brandes kann Brecht nur über Margarete Steffin, die auch die *Erinnerungen* übersetzt hat, zugänglich geworden sein. Wenn aber keine schriftlichen Übersetzungen Steffins vorliegen, kann die Verarbeitung der Quelle nur recht gering veranschlagt werden, es sei denn – was bei Brechts Teamwork ja durchaus möglich ist –, man müßte mit einem erheblichen Anteil selbständiger Ausarbeitungen durch Margarete Steffin (auch) bei diesem Roman rechnen. Das jedoch kann erst – wenn überhaupt – durch eine historisch-kritische Ausgabe des Romans entschieden werden. Nach der vorliegenden Quellenlage aber muß der »Brandes« (und da weitgehend auch nur der erste Band) für den *Caesar* gering eingeschätzt werden. Die ausgiebigen »Nachweise« durch Witzmann und Dahlke (Witzmann, 56, 65; Dahlke, 132, 225; ihnen folgend Müller, 244) sind zumindest voreilig. Jeske hat darauf verwiesen, daß nahezu alle Informationen auch durch die anderen historiographischen Schriften zu haben waren (Jeske, 274). – Brandes ist scherzhaft in der römischen »Form« ›Brandus‹ in den Roman eingearbeitet worden: »Die Historiker sind sich uneinig, an was er [Cäsar] eigentlich verdient hat. Brandus meint, er habe überhaupt nur Geld genommen, da es ihm daran lag, Beweise der begeisterten Dankbarkeit der Spanier für seine Uneigennützigkeit in die Hand zu bekommen. Er betont, C. habe ausschließlich freiwillige Spenden akzeptiert« (14, 1345).

Ferrero, Guglielmo: Größe und Niedergang Roms. 6 Bände [Stuttgart: Julius Hoffmann 1908 ff.]: Ferrero ist eine der historiographischen Hauptquellen des Romans; ausgiebig benutzt wurde vor allem der Band 3 (»Das Ende des alten Freistaats«; 1921), weniger der 1. Band (»Wie Rom Weltreich wurde«; 1908; 2. Aufl. 1913); der Band, der Cäsar selbst gewidmet ist, weist keine Anstreichungen auf. Wie Ferrero verwendet wurde, darüber gibt ein Nachlaß-Bruchstück Auskunft: »so sind die bodenspekulationen C.s nirgens [sic!] bezeugt, jedoch weist *Ferrero* auf die aktien der asiatischen steuergesellschaft hin, die C. (nach *Cicero*) für die herabsetzung der pachtbeträge erhielt« (BBA 187/34; zit. nach Claas, 232). Dahlke (132 f.) führt auf Ferrero zurück die Angaben über Sklavenhaltung und -handel, über das Eintreten des Volks für Pompejus in der Seeräuberfrage und über Crassus' Feuerwehr (14, 1188 f. entsprechend Ferrero, Band 1, S. 128–154 = 6. Kapitel; 14, 1192 f. entsprechend Ferrero, Band 1, S. 236 ff. = 11. Kapitel und 14, 1222 entsprechend Ferrero, Band 1., S. 221 f. = 10. Kapitel); weiterhin macht die Beschreibung des Pompejischen Triumphzugs Anleihen bei Ferrero (14, 1354–56 entsprechend Band 1, S. 331–333 = 17. Kapitel). Auf den 1. Band Ferreros (S. 331) wird auch die Überschrift zum 4. Buch bei Brecht *Das dreiköpfige Ungeheuer* zurückgeführt (Titel einer Satire Varros, s.d.); er kann aber ebenso von Mommsen oder Meyer (s.d.) vermittelt sein. Jeske, 275–277.

Fowler, William Warde: Social Life at Rome in the Age of Cicero [London: Macmillan 1908]: Brecht nennt im Brief an Karl Korsch (Briefe, Nr. 347; vom Nov. 1937) den Namen Fowler ausdrücklich als Quelle für sein – damals noch geplantes – *Caesar*-Stück, und zwar mit dem Vermerk »Oxfordprofessor, sehr schwach«. Die Benutzung eines Buchs von Fowler ist im Material zum Stück nachgewiesen (BBA 188/65 = Nr. 4257, Bd. 1, S. 373). Jeske, der einzige, der auf diese Quelle aufmerksam gemacht hat, vermutet Fowlers Cicero-Buch hinter der Seitenangabe (»ste 89«). Das Kapitel handelt von den Geschäftsleuten und ihren Methoden; er nennt auch die Schulden des jungen Cäsar (S. 62), die er mit einem zeitgenössischen Äquivalent von ca. 280 000 englischen Pfund beziffert, eine immense Summe also. Jeske, 277.

Frank, Tenney: An Economic History of Rome [London: Jonathan Cape 1927]: Die Bedeutung Franks als »Fundgrube für Angaben über die Staatsfinanzen und die Lage der Arbeiter« u.a. (Claas, 268) ist erst von der jüngeren Forschung entdeckt worden, während die ältere vermutet hatte, daß Frank »wohl kaum verwertet« worden sei (Dahlke, 133). Jeske geht davon aus, daß Brecht lediglich ein Bibliotheksexemplar zur Verfügung gestanden hat, so daß er zu ausgiebigeren Exzerpten gezwungen wurde, die im Nachlaß liegen: so die Notizen über Pachtsysteme (BBA 189/88 = Nr. 11877, Bd. 3, S. 51; Entsprechung Frank nicht ermittelt), über den Bergbau in Spanien (BBA 190/22 = Nr. 11892, ebd., entsprechend Frank S. 199 ff. = Kapitel »Public Finances«; dort auch mit Umrechnungsschlüssel die Angabe des Gewinns der City aus den spanischen Silberminen: 45 Millionen; vgl. 14, 1345), über die Ernährung der Arbeiter, über Getreidepreise und Mieten (BBA 190/22–24, ebd., entsprechend Frank, S. 339 f. = Kapitel »The Laborer«), über die Auseinandersetzungen Cäsars und Pompejus' (BBA 190/24–26, ebd., entsprechend Frank, S. 347 f.), über die Sklavenfrage (BBA 190/26, ebd., entsprechend Frank, S. 351) und über Grundbesitzverhältnisse sowie Landverteilungen (BBA 190/27, ebd., entsprechend Frank, S. 355 = alles Kapitel »The First Decade of the Empire«). Jeske (278) führt außerdem, auch wenn da der Name Franks nicht ausdrücklich fällt, die Notizen über Zahlenangaben (BBA 190/21) ebenso auf Frank zurück wie die Angaben über Realien, Namen, Kleidung (BBA 190/34–36) und über Löhne (190/48) wie Besoldung (190–34), auch wenn sie keine Seitenangabe von Brecht aufweisen. Weitere Einzelheiten sind bei Jeske (278 f.) angegeben. Zu erwähnen ist noch, daß Brecht unter der Überschrift *Entdeckungen* (BBA 188/22; zit. bei Claas, 277 f.) Frank zitiert hat: die »Sterbekassenvereine« (»burial societies«) verdanken sich danach der Information Franks (dort S. 342 = Kapitel »The Laborer«), vgl. Claas, 268.

Kroll, Wilhelm: Die Kultur der ciceronischen Zeit, 2 Bände [Leipzig: Dieterichs 1933]: Brecht benutzte offensichtlich ein Bibliotheksexemplar; nach seinen Auswertungen im Nachlaßmaterial auch nur den ersten Band »(Politik und

Wirtschaft).« Brecht entnimmt Kroll Informationen über Cäsars Stellung zu den Klubs (BBA 187/27 = Nr. 11746, Bd. 3, S. 42 entsprechend Kroll, Band 1, S. 53), über die »private Geldwirtschaft« (so auch eine Kapitelüberschrift bei Kroll), d.h. Angaben über die Höhe der Privatvermögen, sowie über den Zinsfuß und seine Schwankungen (BBA 465/88 = Nr. 12000, Bd. 3, S. 60 entsprechend Kroll, Band 1, S. 147 und 93). Vgl. Claas, 268 (mit z.T. falschen Verweisen); Jeske, 279–281.

Lafargue, Paul: Die Entwicklung des Eigenthums [A. d. Franz v. E. Bernstein. Berlin: Berliner Volksblatt 1893]: Lafargue ist als Quelle des geplanten 5. Buchs (Gallischer Krieg) von Brecht selbst genannt (BBA 187/33; zit. bei Claas, 201 f.): »lafargue behauptet, *Caesar* sei der geist der gleichheit unter den germanen aufgefallen. sie hatten güterteilung. was mit den galliern?«. Welche Rolle die Quelle bei der Ausarbeitung gespielt hätte, ist kaum zu sagen. Jeske, 281.

Machiavelli, Nicolo: Der Fürst. Vom Staate [Sämtliche Werke in 8 Bänden. Übers. v. J. Ziegler. Karlsruhe: Groos 1832–1841. 1. Band: Vom Staate oder Betrachtungen über die ersten zehn Bücher des Tit. Livius. 1832. / 2. Band: Der Fürst, [und] die kleinern politischen Schriften und Gesandtschaft bei dem Herzog von Valentinois. 1833]: Die Quelle ist von Claas (152, 267) im Nachlaß entdeckt worden; unberücksichtigt ließ Claas dabei die inzwischen von Jeske (501) mitgeteilte Notiz Brechts in acht kürzeren Abschnitten (BBA 188/37 = Nr. 11804, Bd. 3, S. 46). Es handelt sich offenbar um in Brechts Sprache gefaßte Kern-»Zitate« Machiavells. Der Wert der Quelle für den Roman ist konkret schwer zu bestimmen. Da Machiavell zu den Klassikern der Geschichtsphilosophie und -schreibung gehört, dürfte er vor allem allgemeinere Bedeutung – im Hinblick auf Historiographie und Weltanschauung – haben. Die AJ-Notiz (AJ 299; vom 8. 10. 1941), die Machiavell neben Mommsen als Übermittler bestimmter, zeitabhängiger Cäsar-Bilder nennt (»kondottiere«), liegt als Beweismittel für das Roman-Fragment bereits zu spät, um aus ihm genauere Schlüsse ziehen zu dürfen. Jeske, 281 f.

Meyer, Eduard: Caesars Monarchie und das Principat des Pompejus. Innere Geschichte Roms von 66 bis 44 v.Chr. [Stuttgart und Berlin: Cotta 1918; 2., verb. Auflage 1919]: Brecht besaß die 2. Auflage des Werks, das stärkere Gebrauchsspuren aufweist. Bei Werken, die Brecht besaß, pflegte er entschieden weniger zu exzerpieren als bei Bibliotheksexemplaren (was ja naheliegt). Die Lektüre ist außerdem dokumentiert in BBA 187/22 (= Nr. 11744, Bd. 3, S. 42) entsprechend Meyer, S. 223 ff., in BBA 187/28 (= Nr. 11747), ebd.) entsprechend Meyer, S. 63–66 – es handelt sich dabei um Teile der späteren Bücher (Gallien, Rubikon) sowie um zwei »Anekdoten« zu »Caesars Monarchie«; weiterhin konsultiert Brecht Meyer zum Thema Geld (BBA 190–47) und für Auskünfte über die Lage des Proletariats (BBA 188/22; Text bei Claas, 227 f., entsprechend Meyer, S. 417 ff.). Jeske (285) legt weitere Anleihen bei Meyer nahe: Darstellung der catilinarischen Verschwörung (Meyer, S. 11 ff.), die Verbindung von Oppius und Balbus zu Cäsar (Meyer, S. 430 f.) sowie Meyers »Forschungsbericht«, in dem er zu den Cäsar-Darstellungen Mommsens, Ferreros u.a. Stellung nimmt (Meyer, S. 321 ff.). Die Entdeckung Meyers ist ein Verdienst der jüngeren Forschung (Claas, Jeske); Witzmanns und Dahlkes (64 bzw. 124, 224) Einlassungen sind überholt. Jeske, 282–285.

Mommsen, Theodor: Römische Geschichte [Bände 1–3, 5. Berlin: Weidmannsche Buchhandlung 1854 ff. Band 1: Bis zur Schlacht bei Pydna. 1854; 2. Aufl. 1856. Band 2: Von der Schlacht bei Pydna bis auf Sullas Tod. 1855; 2. Aufl. 1857. Band 3: Von Sullas Tod bis zur Schlacht bei Thapsus. 1856; 2. Aufl. 1857. Band 5: Die Provinzen von Caesar bis Diocletian. 1885; 2. Aufl. 1885. – Der Band 4 erschien nicht]: Mit Mommsen ist traditionell die Quelle bezeichnet, zu der Brechts Roman der »Gegenentwurf« (Witzmann, 62, 64 u.ö.) sei, nach dem Motto: was bei Mommsen der Glorifizierung der großen Männer der Geschichte diene, habe Brecht als deren Geschäfte »umgekehrt« und entlarvt. Die neuere Forschung (Jeske) hat das Urteil relativiert und plädiert bei Mommsen dafür, ihn lediglich als eine Quelle unter anderen zu bewerten. – Wahrscheinlich hat Brecht Mommsen zunächst in einem fremden Exemplar benutzt (so daß zu Beginn häufiger Exzerpte vorliegen). Später hat Brecht beide Auflagen in eigenen Exemplaren nebeneinander benutzt (s. die Angaben oben; vgl. Claas, 152, 267, 244; Jeske, 285 f.). Fruchtbar erwies sich für Brecht vor allem das 9. Kapitel des 3. Bandes »Die alte Republik und die neue Monarchie« (Mommsen, 1856, S. 428–525). Brechts Exzerpte beziehen sich u.a. auf die »Aufwärmung« catilinarischer Pläne (BBA 190/49–50 = Nr. 11904, Bd. 3, S. 54 entsprechend Mommsen, Band 3, 1856, S. 438), auf die Parteien (ebd., entsprechend S. 442), die Purpurkleidung (ebd., entsprechend S. 450), die Wahlen (ebd., entsprechend S. 452) usw. mit verschiedensten Einzelheiten (entsprechend Mommsen, S. 493). Mommsen war bereits Quelle für das *Cäsar*-Stück, dessen Fabel im Brief an Martin Domke (Briefe, Nr. 345; vom 19. 11. 1937) ausführlich enthalten ist mit Verweis auf Mommsen (Briefe, S. 345), entsprechend den Darstellungen des 7. Kapitels im 5. Buch »Die Unterwerfung des Westens.« Im Zusammenhang mit seiner Stoffsammlung beschimpft Brecht Mommsen als »liberalen Bismarckfresser« (BBA 188/22; Text bei Claas, 228) und rügt an ihm, daß viel über Cäsars Eigenschaften, aber »nicht eine zeile über sein einkommen« zu lesen sei (BBA 187/43; Text bei Claas, 221). Er greift dann aber dennoch auf einige Zahlenangaben Mommsens zurück: BBA 190/49–55 (weitere Angaben s.o.) nennt die 25 Mill. Sesterzien Schulden (Mommsen, Band 3, 1856, S. 486), die 100 Mill. Ersparnisse (ebd., S. 472) und den Verdienst der Tagelöhner (ebd., S. 471) nach dem abgeurteilten Informanten. Jeske macht überdies darauf aufmerksam, daß Brechts lobende Erwähnung Mommsens innerhalb seiner Ausführungen zum »V-Effekt« (15, 364 f.) nicht auf seinen Roman anwendbar ist, weil er gerade vermieden habe, was er an Mommsen hervorhebt, nämlich einen modernen Begriff – z.B. statt Prätor »Staatsanwalt« – an die Stelle des historischen zu setzen. Brecht hat solche »Verfremdungen« erwogen (z.B. »racket« für geschäftliche »Vereinbarungen«), sie aber aus dem Roman weitgehend wieder getilgt (vgl. BBA 187/82; Text bei Claas, 190). Jeske, 285–289.

Rostovtzeff, Michael: Gesellschaft und Wirtschaft im römischen Kaiserreich. 2 Bände [Übers. v. L. Wickert. Leipzig: Quelle & Meyer 1930]: Das »klassische« ökonomische Werk zur römischen Antike ist als Quelle im Nachlaß notiert (BBA 426/74 = Nr. 20256, Bd. 4, S. 199), ihre Benutzung jedoch ist konkret nicht nachgewiesen. Wahrscheinlich hat sich bei einer Überprüfung des Werks seine

Unergiebigkeit ergeben (es beginnt erst mit Augustus und erwähnt Cäsar nur am Ende seiner »Laufbahn«; Tod vor allem).

Waltzing, J.-P.: Étude Historique sur les Corporations Professionelles chez les Romains depuis les origines jusqu'a la chute de l'Empire d'Occident. 4 Bände [Louvain: Charles Peeters 1895–1900]: Es gibt nur einen einzigen Hinweis im Material auf Waltzing (bloße Namensnennung mit Buchtitel in Kurzform im Zusammenhang der »Klubs« und Krolls Darstellung; BBA 187/27 = Nr. 11746, Bd. 3, S. 42). Claas hat die Quellenangabe entdeckt und die Bedeutung Waltzings für Brecht betont: Brecht habe mit den interessegeleiteten Augen des lesenden Arbeiters die Literatur durchforscht und sei dabei vor allem auf Waltzings Buch über die Berufsgenossenschaft gestoßen. Waltzing gebe »einen Überblick über die Geschichte und vor allem die breite Interessenvielfalt des römischen Vereinswesens« (Claas, 153 und f.). Jeske setzt dagegen die Bedeutung dieser Quelle für sehr gering an; er bezweifelt – da keinerlei Exzerpte oder Notizen zu ihr vorliegen –, daß Brecht sie überhaupt in der Hand gehabt hat, und er fragt dann auch, warum Brecht – wenn er Waltzing wirklich gelesen haben sollte – weitere wichtige Informationen von ihm einfach übergangen hat. Es handelt sich immerhin um das gewichtige Standardwerk über das römische »Vereinswesen«. Jeske, 290f.

Weber, Max: Die römische Agrargeschichte in ihrer Bedeutung für das Staats- und Privatrecht [Stuttgart: Ferdinand Enke 1891]: Webers Buch ist als Quelle im Brief an Karl Korsch genannt (Briefe, Nr. 347; vom Nov. 1937) sowie von Brecht – sicherlich absichtlich – verballhornend »bibliographiert«: »Römische Augurgeschichte v. Max Weber. Stuttgart 1891« (BBA 465/79 = Nr. 11991, Bd. 3, S. 59). Weber ist vor allem Informant für das Thema Sklaven, und sicherlich ist er auch die Übermittler der Texte von Cato (s. d.) und Columella (s. d.), die Brecht höchstwahrscheinlich nicht direkt benutzt hat. Vgl. Claas 154; Jeske, 291f.

Weber, Max: Agrarverhältnisse im Altertum [In: Handwörterbuch der Staatswissenschaften. Hg. v. J. Conrad. 3. Aufl. Jena: Gustav Fischer 1909. S. 52–187]: Es gibt – wie bei Rostovtzeff – nur einen bibliographischen Hinweis im Nachlaß (BBA 426/74–75 = Nr. 20256, Bd. 4, S. 199). Die Benutzung ist sehr fraglich. Jeske, 292f.

So detailliert die voranstehenden Angaben zu den antiken Quellen und zur historiographischen Literatur auch erscheinen mögen, sie können lediglich einen ersten Hinweis geben und eine (geringe) Ahnung davon vermitteln, welche Probleme die Brecht-Forschung haben wird, in einer historisch-kritischen Ausgabe Umfang und Art der Quellenverarbeitung »sicherzustellen«.

Prinzipiell sollte noch auf einige Aspekte hingewiesen sein. Da es sich beim *Caesar* um einen historischen Stoff handelt, der Brecht aus der Schule und aller möglichen späteren Lektüre und Information nicht unbekannt war, geht in den Roman eine Menge an »Vorwissen« ein, die nicht mehr quellenmäßig aufschlüsselbar sein dürfte. Darüber hinaus würde wahrscheinlich – könnte er Rechenschaft geben – der Autor selbst nicht genau sagen können, was er nun benutzt hat, was nicht (es handelt sich ja nicht um eine wissenschaftliche Abhandlung mit ausufernden Fußnoten, die »alles« festhalten). Weiterhin ist zu beachten, daß gehäufte Nachlaß-Dokumente für eine Quelle noch nicht deren außergewöhnliche Bedeutung anzeigen, weil Brecht und seine Mitarbeiter (voran Margarete Steffin) die eigenen Exemplare offenbar »direkt« verwertet haben, so daß zu ihnen oft nur wenig anderweitige Zeugnisse vorliegen. Dann ist zu beachten, daß die Quellen nicht mit wissenschaftlichem Auge und ihrem historiographischen Wert entsprechend gelesen wurden: Brecht las vielmehr »zwischen den Zeilen«, »gegen den Strich« und entnahm ihnen so oft Informationen oder auch nur Anregungen dazu, die in völlig anderem Zusammenhang und »Sinn« als denen der Quelle stehen. Und schließlich ist nicht wenigen Notizen zu entnehmen, daß sie produktiv rezipiert worden sind. Das heißt: schon während des Lesens oder »Zitierens« entstehen Zusätze, Kritik, Fortführungen etc., so daß selten »richtige« Zitate nachweisbar sind. Oft stellt sich das Exzerpt bereits in der Form einer – dem Romanduktus schon sehr nahestehenden – »Anekdote« vor (z. B. bei Meyer, s. d.; die »Geschichten« finden sich BBA 187/28 = Nr. 11747, Bd. 3, S. 42).

Max *Högel*: Bertolt Brecht. Ein Portrait. Augsburg 1962 (S. 75ff.) – Peter *Witzmann*: Antike Tradition im Werk Bertolt Brechts. Berlin (DDR) 1964 (S. 61–69). – Hans *Dahlke*: Cäsar bei Brecht. Eine vergleichende Betrachtung. Berlin und Weimar 1968 (S. 120–153). – Hans *Mayer*: Brecht in der Geschichte. Frankfurt a. M. 1971 (S. 115–123). – Herbert *Claas* (s. o.; S. 151–156; und die entsprechenden Text- bzw. Materialanhänge). – Klaus-Detlef *Müller* (s. o.; S. 242–249; da Müller weitgehend Claas folgt, konnte auf Einzelnachweise oft verzichtet werden). – Wolfgang *Jeske* (s. o.; 254–293).

Zeitgenössische Bezüge

Bereits bei der Konzeption des *Caesar*-Stücks hat Brecht betont, daß er »nicht ein Anspielungsstück« machen wolle: »die Verhältnisse liegen so sehr anders in der Antike« (Brief an Karl Korsch; Briefe, Nr. 347; vom Nov. 1937). In einer Notiz zum Roman führt Brecht nochmals genauer aus:

einige leute, denen ich von C.s geschäften erzählte, bezweifelten die 8stöckigen Häuser, die steuerpachtgesellschaften mit ihren aktien und direktoren, die sterbekassenvereine der plebs usw. usw., alles war »so modern wirkt« [sic!] und hielten das für erfindung. sie dachten, ich hüllte zeitereignisse in »antikes gewand«. wenn ich das gewollt hätte, hätte ich natürlich die antike nicht so benützt, wie sie war, oder wie wir

wenigstens nach der überlieferung annehmen müssen, daß sie war, sondern so wie sie von unsern volksschulen und romanciers geschildert wird (mit marmorhallen und politischem ehrgeiz). aber ich habe nicht die geschäfte des herrn *Mussolini* beschrieben und mir dazu ein antikes gewand aus dem maskengeschäft der gymnasialbildung ausgeliehen.
(BBA 187/34; zit nach Claas, 232 f.)

Anders als im typischen Geschichtsroman des Exils, z. B. Feuchtwangers *Falschen Nero* (1936) oder Alfred Neumanns *Neuen Caesar* (1934), der die gegenwärtigen (zeitgenössischen) Ereignisse im historischen Gewand spiegelte und sich weitgehend nicht an historische Tatsachen hielt, besteht Brecht auf der Überlieferung dessen, »was war«, und auf der historischen Differenz zwischen der zeitgenössischen Politik und dem historischen Fall. Dennoch schließt dies zeitgenössische Bezüge nicht aus, was freilich ein bestimmtes Geschichtsbild zur Voraussetzung hat, das einmal der Geschichte – der »Vergangenheit« – in bezug auf die Gegenwart eine besondere, durchaus nicht beliebige Bedeutung zuschreibt und zum anderen davon überzeugt ist, daß es trotz allem – trotz allen möglichen »erkenntnistheoretischen« oder auch durch die Überlieferung bedingten Verschiebungen, Lücken, Verschleierungen – möglich ist, ein Bild des historischen Falls – hier des Aufstiegs von Julius Cäsar – selbst zu ermitteln (daß dies nicht der historistischen Ansicht entspricht, die Vergangenheit unmittelbar in ihrer »Eigentlichkeit« bei Ausschaltung aller »späteren« Kenntnisse »einfühlend« erfassen zu wollen, wird unten präzisiert).

Die Anknüpfungspunkte zwischen historischem Fall und zeitgenössischer Entwicklung ergeben sich aus den vergleichbaren wirtschaftlichen Verhältnissen im alten Rom und im Deutschland der Weimarer Republik, dadurch nämlich, daß sich die römische Gesellschaft im Übergang vom Handelskapitalismus zum Industriekapitalismus befindet und dabei die historisch überständige Feudalität allmählich ausgeschaltet wird. Die alte Feudalität ist vertreten durch den Senat, der neue Kapitalismus durch die City, die sich dem Volk gegenüber als »demokratisch« verkauft. Die Gesetze des Handels – und das entspricht durchaus den historischen Tatsachen – und zunehmend die Gesetze der Ausbeutung der Bevölkerung, indem man ihr Arbeit in Produktionsstätten gibt, die ihr nicht gehören (Cäsars »Erfindung« in Spanien), bestimmen Politik und Geschäft im alten Rom. Dadurch daß, wenn auch konkret in völlig anderer Weise, ähnliche Gesetze für Politik und Geschäfte in der Weimarer Republik maßgeblich sind, gibt es Möglichkeiten zum Vergleich, das heißt Möglichkeiten, bestimmte historische Verfahrensweisen, Fälle, Erfahrungen auf die zeitgenössischen Ereignisse zu übertragen (mehr nicht – und um es noch einmal zu betonen: der römische Kapitalismus ist nicht mit dem des 20. Jahrhunderts gleichzusetzen, in ihm aber lassen sich historische Vor-Gänge finden, die *auch* Verweischarakter auf zeitgenössische Vorgänge haben). Anknüpfungspunkte ergeben sich weiterhin darin, daß Brecht mit Cäsar den Übergang einer (im ganzen scheinbaren, aber »funktionierenden«) demokratischen Gesellschaft zur Diktatur erfaßt, also das »Hochkommen der Diktaturen zwischen sich heftig bekämpfenden Klassen« im historischen Fall beschreibt (Brief an Martin Domke; Briefe, Nr. 345; vom 19. 11. 37), wobei ihn besonders interessiert, wie sich der Diktator als das »Zünglein an der Waage« die Kämpfe der Klassen zunutze macht und im Lavieren zwischen den Interessen allmählich seine (scheinbare) Unentbehrlichkeit politisch durchzusetzen vermag. Auch da gibt es Vergleichbares zwischen Cäsar und Hitler (womöglich auch Mussolini), ohne daß der eine mit dem anderen zu identifizieren wäre.

Schwerwiegender als die historischen Vergleichbarkeiten ist der Aspekt, der Brechts materialistisches Geschichtsbild prägt, daß die Geschichte nicht beliebig ist, und vor allem, daß die in ihr dokumentierten Erfahrungen notwendig von den jeweils nachfolgenden Generationen »aufgearbeitet« und »erledigt« sein müssen, wenn (historische) »Wiederholungen« vermieden sein sollen. Alles, was nicht in den Erfahrungsschatz der Menschen eingegangen ist, trägt die Gefahr in sich, noch einmal unmittelbar erlebt und erfahren werden zu müssen. Entsprechend formuliert Brecht, wenn er den Vorwurf entkräftet, daß vieles in seinem Roman zu »modern« wirke: man sei »bei der beurteilung geschichtlicher epochen darauf angewiesen dass unsere epoche gewisse phänomene reproduziert« (BBA 187/34; zit. nach Claas, 233). Der »Aufstieg« Hitlers und seines »Barbarismus« hat für Brecht nicht nur eine solche – extreme – Reproduktion von historischen »Vor-Gängen« bedeutet, vielmehr hat er vor allem auch gezeigt, was alles versäumt worden war durch die Demokratie und ihre Erziehung, um diese Diktatur zu verhindern: aus der Geschichte hätte man wissen können, unter welchen Voraussetzungen die »großen Männer« möglich werden. Diese Voraussetzungen am historischen Beispiel offenzulegen und dadurch anzuhalten, die zeitgenössischen Voraussetzungen, die zu Hitler führten, vergleichend, aber auch angemessen zu überprüfen, dazu konnte auch ein Roman beitragen, der die historischen Ereignisse nicht auf die zeitgenössischen hin »frisiert« und aktualisiert.

Noch ein letzter wichtiger Gesichtspunkt ist – vor der Auflistung der zeitgenössischen Bezüge – zu beachten. Brecht nimmt einen scheinbar naiven Standpunkt ein, wenn er darauf besteht, die Antike so wiedergegeben zu haben, »wie sie war« (bzw. wie »wir wenigstens nach der Überlieferung annehmen müssen«). Heute käme sogleich der »hermeneutische« Vorbehalt, daß keine Epoche je – aufgrund ihres eben nicht ausschaltbaren »Vorwissens« (bzw. »Zuwissens« müßte man genauer sagen) – die vorausgegangenen Epochen mit »je anderen Augen« nicht nur sieht, sondern sehen muß; das jeweils vorgegebene (übrigens übersubjektive) »Erkenntnisinteresse« prägt die »Wiedergabe« der vergangenen Ereignisse und läßt sie also als »solche«, »selbst« gar nicht zu. Oder mit Wilhelm Diltheys bereits geflügeltem Wort gesagt: »daß der, welcher die Geschichte *erforscht*, derselbe ist, der die Geschichte *macht*«. Brecht kannte diesen Vorbehalt freilich sehr genau; er hat ihn Ende 1941 – also relativ kurze Zeit nach den Ausarbeitungen zum Roman – polemisch festgehalten (daß er über diese Einsicht bereits zur Zeit der Ausarbeitung des Romans verfügt hat, darf sicher angenommen werden):

> mit feuchtwanger über die omnipotenz der geschichtsschreiber gestritten. er sagt, mit einem gemisch von staunen und triumph, er finde es merkwürdig, wie die beschreiber über die geschichte triumphieren, wie horaz den augustus ›gemacht‹ habe, die propheten der bibel die könige ›aufgebaut‹ hätten. das braucht er, um zu der vorstellung zu gelangen, *er* werde ›am ende‹ die meinung der nachwelt über hitler bestimmen. ausgehen wir von dem nachruhm caesars. wenn ich das portrait machiavellis mit dem mommsens konfrontiere, sieht er lediglich schriftsteller, individuen, geschmäcker am werk. die ›qualität‹ ihrer formulierung entscheidet dann. daß machiavelli den kondottiere sieht, mommsen den aufgeklärten monarchen, der mit dem bürgerstand geht usw, interessiert f wenig, da es dem tui die allmacht nimmt.
>
> (AJ 299; vom 8. 10. 41)

Es scheint, als übernähme Brecht die Position Diltheys und der ihm nachfolgenden »Hermeneutik«, insofern er das bloß subjektive Wollen der jeweiligen Geschichtsschreiber (als den »Geschichtemachern«) zurückweist und ihre Bilder auf objektive Vorgaben zurückführt: Machivell gibt Cäsar die Züge des herrschenden Fürsten seiner Zeit, wie Mommsen Cäsar als Monarchen zeichnet, wie er ihn in Napoleon III. (1852–1870) oder Friedrich Wilhelm IV. (von Preußen, 1840–1861) verkörpert zu sehen meinte. Brecht aber will gerade diese – zeitgeprägten – Geschichtsbilder durchstoßen. Feuchtwanger erklärt er zum »Tui«, weil dieser die »hermeneutische« Position am Umschlag zur angemaßten subjektiven Willkür, sich nämlich die Geschichte so zurechtzubiegen, wie man sie haben möchte, repräsentiert: so wird Geschichte endgültig zur Beliebigkeit der sie Beschreibenden. Gegen diese Willkür, aber auch gegen die je zeitgeprägten »Geschichtsbilder« setzt Brecht die »Macht des Faktischen«. Er liest seine Quellen »gegen den Strich« und »zwischen den Zeilen«, um ihnen zu entnehmen, was diese aus bewußter Parteilichkeit oder objektiv zeitgemäßer »Vorgabe«, aus »Vorwissen«, am historisch tatsächlichen Geschehen und an den faktischen Zusammenhängen verdekken oder verschweigen. Dieses – als materialistisch zu bezeichnende – Vorgehen rechtfertigt sich dadurch, daß es das »Abhängigkeitsgefüge« umgekehrt (vom Kopf auf die Füße stellt): das »hermeneutische Vorwissen« besagt, daß diejenigen, die Geschichte schreiben, ihre zeitgeprägten Vorstellungen über die »eigentlichen« Fakten notwendig stülpten und ihnen so ihr »So-Sein« nahmen, Brecht setzt dagegen, daß dieses »Vor-Wissen« aus den historischen Vor-Gängen selbst stammt, also nicht »aus« den Geschichtsschreibern, sondern aus der Geschichte. Daß die Geschichtsschreiber »so« auf die Geschichte »sehen«, liegt an der Geschichte, die sie »so« macht, so daß sich also durchaus – unter der Einschränkung, daß man ohnehin nicht zu den reinen Fakten selbst zurückkann (das hieße ja, die Geschichte selbst zu wiederholen) – die Frage nach dem historisch Faktischen stellen läßt. Dieses stellt sich immer nur in den Möglichkeiten »selbst« dar, wie es die jeweilige Zeit zuläßt, sie aber sind historisch geprägt und nicht von außen, vom Betrachter, Schreiber, an die Fakten herangebracht. Das nimmt ihnen die Beliebigkeit und das rechtfertigt auch, von historischen Erfahrungen zu sprechen, die »erledigt« sein müssen, damit man sie nicht noch einmal – natürlich unter anderen Bedingungen – erlebt. Brecht glaubte damals noch, daß der Nationalsozialismus die brutalste »Schule« für diese Einsicht sein müßte. Aber der Tuismus – der die Fakten »wegerklärt« – erwies noch einmal seinen nachhaltigen Denkeinfluß.

Es versteht sich, daß eine »Geschichts«-

Dichtung – das war bei den vorangegangenen Erörterungen ausgeklammert – nicht Historiographie ist, also nicht in ihrem Sinn »historisch exakt« zu sein hat. Für Brechts Roman aber stellt sich der Zusammenhang anders dar: wenn es ihm darum geht, zu zeigen, »wie es war«, dann ist sein Anspruch durchaus der, historiographischer Wahrheit nahezukommen, besser gesagt: historiographisch »wahrer« zu sein, als die – von Brecht verwendete und verwendbare – Historiographie selbst; denn ihr warf er ja vor, die wahren Zusammenhänge gerade nicht dargestellt zu haben. Für den Roman bedeutet dies: seine Figuren, Ereignisse können durchaus fiktiv sein, selbst der Cäsar-Figur können Ereignisse »hinzugedichtet« werden, die historisch nicht beglaubigt sind, aber alle Figuren und Ereignisse haben dazu beigetragen, gegen die übliche – bloß die »Kabinette« und Kriege beschreibende – Historiographie die wirklich bestimmenden Kräfte der historischen Prozesse aufzudecken und ihre Funktionsweisen zu erfassen, also die Geschäfte (wobei der Krieg als weitergeführtes Geschäft erkannt wird) und die Kämpfe zwischen den Klassen (wobei die »äußeren« Kriege in den Zusammenhang der »inneren« Kriege gestellt werden).

Aufstieg Hitlers: Vergleichbare Bezüge zwischen dem Aufstieg Cäsars in die Diktatur – bei Ausschaltung der Demokratie – ergeben sich bedingt zum Aufstieg Hitlers, und zwar im (historisch differierenden) »gemeinsamen« Nenner des Lavierens zwischen den »Klassen«. Bei Cäsar zwischen Senat, dessen Angehöriger er »abstammungsmäßig« ist, zwischen bürgerlichem Besitzstand (City), dessen Parteigänger er wird, und zwischen dem »Volk«, das er – in der vorübergehenden Beteiligung an der Vorbereitung des catilinarischen Aufstands – für sich einzusetzen sucht. Entsprechungen finden sich im sog. »Sozialismus« Hitlers, der sich dem »Volk (genauer den Arbeitern) als »antikapitalistisch« anbiederte, im »Nationalismus«, der dem mittelständischen Bürgertum imponieren und seine »Interessen« sichern sollte, und in den – weitgehend hinter den Kulissen agierten – Annäherungen an die Industrie, die dann den Ausschlag geben sollten. In der »großen Rede« Cäsars vor den Distriktsobleuten der Wahlkomittees (17. 7. 694) findet sich die im Nationalsozialismus »reproduzierte« Verbindung von »Nationalismus« und »Sozialismus«:

»Römer, es gibt einige Römer, denen es zu viele Römer in Rom gibt.[...] Diese Leute sind der Meinung, es genügten einige Römer für Rom, und Rom reichte eben aus für einige Römer. Der Rest müsse eben auswandern. [...] Es gibt 200 Römer, meinen diese 200, und es gibt dann noch den Rest der Römer, und der Rest soll weg aus Rom und aufhören, römisch zu sein. [...] Der Krieg reichte aus, ihnen Gewinne zu veschaffen. Sie reichten aus, die Kriegsbestellungen auszuführen. Der Rest, ihr, hungerte. Und durch die Schlachten und Siege vermehrten sich zwar nicht die Wohnstätten für euch, den Rest der Römer, aber ihr, der Rest, verminderte sich. Römer, die Bodenfrage muß nicht im Osten oder im Westen gelöst werden, sondern auf dieser Halbinsel, hier in Rom. Tatsächlich wohnen einige Räuber in den Palästen und Gärten, und der Rest wohnt zusammengepfercht in den Mietshäusern. Tatsächlich schlagen sich einige Römer den Bauch voll mit allen Leckerbissen Asiens, und der Rest steht um Gratiskorn an. [...] Ich und meine demokratischen Freunde, das ist der Friede, das ist der Boden. [...] der Rest der Römer, wählt Caesar!« (14, 1374f.)

Natürlich reicht es nicht, für »römisch« »deutsch« einzusetzen, um den historischen Fall auf die zeitgenössischen Vorgänge zu übertragen; die Unterschiede bleiben dennoch sehr deutlich. Aber der Appell an die nationale Zugehörigkeit und das damit verbundene »Bewußtsein«, die scheinbare Kritik an den wenigen »Ausbeutern«, die sich anmaßen, »Rom selbst zu sein«, und das scheinheilige Versprechen, den »Boden« für das »ganze« (eigentliche) Volk zu bereiten, geben für den Leser zur Zeit des Hitlerfaschismus genügend Ansatzpunkte, Vergleiche zu Hitlers Versprechungen und wahren Absichten zu ziehen. Für »Boden« »Grundbesitz« zu sagen, empfahl Brecht z. B., um die Wahrheit gegen ihre verbalen Verbrämungen wiederherzustellen (18, 231): die »Bodenfrage«, die Cäsar dem »Rest« als seine nationale Sache anbietet, ist in Wahrheit sein Geschäft – wie die Kritik an den »Reichen« nur Anbiederung ist (er würde auf seine Privilegien nie verzichten) und die »nationale Demokratie« nur leeres Versprechen bedeutet. Auf diese Weise aber – und insofern zeigt der historische Fall ein Beispiel des Funktionierens von öffentlicher Anpreisung und »Vorführung« – lassen sich die wirklichen Interessen der (sog.) Politik offenlegen. – In diesen Zusammenhang gehört weiterhin die Darstellung der »Schutztruppen« Ciceros, die ohne große Anstrengungen an die SA, die Hitlerschen »Sturmabteilungen«, denken lassen, die ebenfalls Armbinden trugen und die »Ordnung«, die sie versprachen, »sicherten« (»[...] zogen [...] Trupps junger Leute mit weißen Armbinden. Das ist die in den letzten paar Tagen hastig aus dem ›Kaufmannsstande‹ gebildete Bürgergarde des Herrn Cicero.

Die Bevölkerung sah sich die Abteilungen neugierig und schweigend an. [...] Herr Cicero schützt seine Republik«; 14, 1245; vgl. 14, 1298f.). – Überdies gibt es einen unscheinbaren Verweis auf den Reichstagsbrand; eine riesige Menschenmenge, heißt es, habe erfahren, »daß man in Cethegus' Haus Werg und Schwefel vorgefunden habe, nebst genauen Brandplänen. Rom sollte an zwölf Ecken angezündet werden« (14, 1296); wenn der Plan auch nicht zur Ausführung kommt, ist seine »Aufdeckung« nur dazu da, den politischen Gegner zu denunzieren, also in der Funktion ähnlich wie die Nazi-»Erklärung«, daß die Kommunisten den Reichstag angezündet hätten, um so ihre Verfolgung zu rechtfertigen; und es gibt den »Börsensturz« parallel zum »schwarzen Freitag« am 29. 10. 1929, der eine der wirtschaftlichen »Voraussetzungen« für den Aufstieg der Nazis darstellte: »Schwarzer Tag an der Börse. Ungeheurer Sturz aller Aktien. Besonderer Verfall asiatischer Wertpapiere« (14, 1305). – Dadurch, daß Brecht viele vergleichbare »Momente« mit Cicero (und nicht mit Cäsar verbindet), wird noch einmal deutlich, daß rein identifizierende Bezugnahme ausscheidet, aber auch daß es nicht um personale Identität geht (Cäsar ist die historische Person, nicht Hitler).

Handel als Krieg (Wirtschaftspolitik): Der prinzipielle Verdacht, daß im Kapitalismus die wirtschaftlichen Schwierigkeiten, wenn es »not tut«, durch Kriege »gelöst« werden, schlägt sich bei Brecht so nieder, daß er bereits den Handel als Krieg (mit scheinbar humanem Angesicht) beschreibt. Der Jurist Afrianus Carbo führt u.a. aus:

Sieht man das Heroische nur im Krieg? Wenn ja, ist Handel kein Krieg? Wörter wie ›friedlicher Handel‹ mögen strebsame junge Kaufleute begeistern. Sie haben keinen Platz in der Geschichte. Der Handel ist nie friedlich. Grenzen, welche die Waren nicht überschreiten können, werden von den Heeren überschritten. Zum Handwerkszeug des Wollspinners gehört nicht nur der Webstuhl, sondern auch das Katapult. Und darüber hinaus hat der Handel noch seinen eigenen Krieg. Einen unblutigen Krieg, ja, aber nichtsdestoweniger einen tödlichen, meine ich. Dieser unblutige Krieg tobt in jeder Ladenstraße während der Geschäftszeit. (14, 1201)

Nach einer Nachlaß-Notiz geht die von Carbo geäußerte Anschauung auf den US-Außenminister Cordell Hull (1871–1955) zurück, der 1933 bis 1944, also gerade in der entsprechenden Zeit, der Regierung Roosevelt angehörte (Jeske, 303f., 518). Dort heißt es:

nach der Aussage des herrn hull gehen eben die truppen über die grenzen, welche die waren nicht frei passieren lassen und das macht es schwierig zu entscheiden, ob die truppen oder die waren mehr verwüstungen anrichten. hätte caesar seine geschäftlichen unternehmungen nicht in einem politischen rahmen getätigt, so wäre er kaum zu ruhm gekommen [...].
(BBA 187/35; zit. nach Claas, 226; vgl. AJ 40; vom 19. 2. 1939)

Brecht erfaßt in diesen Übereinstimmungen die weitgehend gleichgebliebenen Prinzipien des »Handels« (Gewinnstreben), die freilich mit gänzlich veränderten und verfeinerten – im Faschismus dann aber auch mit barbarisch »vergröberten« – Mitteln eingesetzt werden.

Uneinigkeit der Ausgebeuteten: Bisher wurde nicht erwogen, ob der tiefe ideologische Graben, der Sklaven und römische Plebs im *Caesar*-Roman trennt, Bezüge zu den – historisch verheerenden – Streitigkeiten zwischen KPD und SPD vor der »Machtergreifung« herstellt. In der Liebesgeschichte des Romans zwischen Rarus und Caebio – aber nicht nur da – entlarvt sich die »freie Bürgerschaft« Roms als ideologische Schimäre: der arbeitslose Freie ist total unfrei, während der (auch durch Spekulationen) recht gut verdienende Sklave (Rarus nämlich) sich nicht nur eine Menge Freiheiten leisten, sondern auch sich regelrecht seine Liebschaft »halten« kann. Wie die Liebesgeschichte »tragisch« endet – der »freie Bürger« sucht sein Heil bei Catilina –, so endet auch der Versuch, die Rechte des Volkes politisch durchzusetzen, tragisch. Aufgrund entsprechender Propaganda erkennen die freien Bürger Roms nicht, daß die Sklaven ihre »naturgemäßen« Bundesgenossen wären und schwächen sich dadurch entscheidend, daß sie sie hochmütig vom »Volk« ausschließen. Brecht behauptet mit dieser Darstellung nicht, daß ein gemeinsames Vorgehen zwischen Plebs und Sklaven zum damaligen Zeitpunkt hätte erfolgreich sein können, aber er verweist auf einen entscheidenden Widerspruch: das Zugeständnis auch nur ideologischer Rechte vermag die Gruppe der Privilegierten von ihren wirklichen Interessen abzulenken und schließlich – im Zweifelsfall (siehe Catilina) – mitzuschlagen. Überdies enthält der geschichtliche Fall der späten römischen Republik bereits den politischen Widerspruch zwischen Sklaverei und Ausbeutung der Plebs, der in den kommenden Jahrhunderten geschichtlich zur allmählichen Auflösung der (offenen) Sklaverei geführt hat. Das heißt: den Sklaven mußten wenigstens die Rechte zugestanden werden, von denen die verblendeten Bürger meinten, daß sie durch diese gerade von den Sklaven unterschieden wären. – Konkret liegen die Auseinandersetzungen zwischen KPD und SPD in den letzten Jahren der Weimarer Republik völlig anders. Vergleichbar jedoch ist die nicht nur ideologische Anpassung der SPD an die bürgerliche Wirtschaftsform und an bürgerliches Verhalten, die sie daran hinderte, statt in der KPD und ihrem klassenkämpferischen Vorgehen in den Nazis den Hauptgegner zu sehen, vor allem zu durchschauen, auf welchem »legalen« Weg sich die Nazis an die Macht brachten. Umgekehrt bekämpfte die KPD die SPD als die Arbeiterverräter-Partei, mit der es keine Gemeinsamkeiten geben könnte und erfand die Legende vom »Sozialfaschismus«. Diese – wie gesagt: nicht nur – ideologischen Kämpfe von gesellschaftlichen Gruppen, die hätten zusammen vorgehen müssen, um den Nationalsozialismus am »Aufstieg« zu hindern, führten gerade zu seiner ungewollten Unterstützung.

Literarische Bezüge (Sachliteratur): Es ist üblich beim *Caesar*-Roman, auf die bereits im *Dreigroschenroman* übernommenen Anschauungen und Bezüge – z. B. vor allem zu Gustavus Myers *Geschichte der amerikanischen Vermögen* – zu verweisen (vgl. z. B. Müller, 250; Jeske, 301–303); ebenso wird für die Geschichtsbetrachtung Hegels *Philosophie der Geschichte* reklamiert, da Brecht im *Arbeitsjournal* Notizen aus seiner Lektüre niedergelegt hat (AJ 42; vom 26. 2. 1939). Bei der – in der Forschung üblichen – geistesgeschichtlichen Betrachtungsweise gewinnen diese »Bezüge« (auch »Vorbilder«) einen unangemessenen Stellenwert. Es ist klar, daß Brecht die Erkenntnisse des *Dreigroschenromans* und der dort verarbeiteten Quellen und Bezüge in den *Caesar*-Roman einbringen konnte, konkret jedoch spielt Myers für den Roman keine entscheidende Rolle mehr. Die Hegel-Lektüre, die sicher zum Umkreis des Romans gehört, kann schon deshalb nicht den Roman beeinflußt haben, weil sie erst nach der Niederschrift der wesentlichsten Teile erfolgte; außerdem strebt der Roman weder an, in Cäsar den »Geschäftsführer des Weltgeistes« zu beschreiben, noch, die Hegelsche Sicht vom gescholtenen »Kammerdiener« her zu relativieren. Das führt nur und hat geführt zu Fehldeutungen des Romans (vgl. Müller, 254 f.).

Literarische Bezüge (»Belletristik«): In ähnlicher Weise wie zu Myers erfolgt der Verweis auf Samuel Butlers Roman *Der Weg allen Fleisches* (vgl. 18, 73 ff.). Aber auch hier gilt: die konkreten Bezüge gehören einem früheren Arbeitsstadium des Brechtschen Werks an (vgl. dagegen Müller, 251). – Dagegen läßt sich in der Gestalt des Dichters Vastius Alder sehr deutlich die Gestalt des italienischen Dichter (-»Fürsten«) Gabriele d'Annunzio (1863–1938) erkennen. D'Annunzio verkörperte – wie sein antikes »Vorbild« in Brechts Roman (damals war das ja noch üblich) – in Personalunion Dichter und Politiker und Feldherr auf durchaus außergewöhnliche und absolut unzeitgemäße (das heißt: historisch überholte) Weise. Sein »historischer« Coup war – neben kriegsbegeisterten »Abenteuern« im 1. Weltkrieg –, den Friedensvertrag von St. Germain vom 10. 9. 1919 (Deutsch-Österreich und Entente) einfach nicht anzuerkennen und die Stadt Fiume mit »seinen« Soldaten zu besetzen (um den italienischen Anspruch auf sie zu unterstreichen). D'Annunzio herrscht dort wie ein Fürst der Renaissance 16 Monate lang nach einer von ihm bestimmten »Verfassung«; als 1924 die Stadt per Vertrag an Italien fällt – d'Annunzio läßt sich als nationaler Held feiern –, setzt er gleichsam »privat« sein Fürstenleben am Gardasee in einer Prunkvilla fort. Brechts Beschreibung der Pinienhaine Alders sowie seiner Erinnerungszeichen (Kriegsschiff) an die Eroberung der Stadt Acme lassen unschwer die direkten Bezüge erkennen. Aber auch hier geht es weniger um persönliche »Identifikation«, sondern um die Erfassung eines bestimmten – martialisch gestimmten – Typs von »Dichterfürsten«, die die Sprache nicht durch die Möglichkeiten, neue Realitäten mit ihr zu erfassen, sondern allein durch Erlesenheit »bereichert« haben (»Und die Schauplätze seiner militärischen Unternehmungen wählte er bestimmt nach der Möglichkeit aus, die ihm ihre nachträgliche Beschreibung für die Unterbringung seltener Wörter gab. Er hatte die lateinische Sprache um mehr Wörter bereichert als irgendein anderer vor ihm«; 14, 1327). Brecht hat damit eine – »romanimmanente« – Möglichkeit gefunden, seine realistische Schreibweise durch die Beschreibung ihres Gegenteils zu profilieren und bewußt abzugrenzen. Zu erwägen ist übrigens in diesem Zusammenhang, Alders Meinung über Cäsar, die ihn auch selbst charakterisiert, daß ein Dichter über Cäsar kaum mehr als zwei Zeilen zu Papier brächte (14, 1328), auf Karl Kraus zu beziehen, den Brecht zunächst sehr geschätzt, dann aber dem beschriebenen Typ (bedingt) zugerechnet hat. Kraus hatte das inzwischen vielfach bejubelte Wort geprägt: »Mir fällt zu Hitler nichts ein« (Karl Kraus: Die dritte Walpurgisnacht [zuerst 1933]. München 1967. S. 9), um sich dann über 300 Seiten darüber auszulassen, daß die Nazis die (edle) Sprache beleidigt hätten. Brecht wies diese aristokratische Haltung angesichts der tatsächlichen Leiden, die Hitler in hohem Maße anzutun »einfielen«, entschieden zurück (vgl. sein Gedicht *Über den schnellen Fall des guten Unwissenden*; 9, 505 f.).

Literaturtheorie (»Expressionismus-Debatte«): Die zeitlich mit der Entstehung des Roman-Fragments zusammenfallenden Aufzeichnungen Brechts zur sog. »Expressionismus-Debatte«, die in der Exil-Zeitschrift *Das Wort* (Moskau) geführt wird, stellt die Forschung in der Regel mit in die Reihe der literarischen zeitgenössischen Bezüge. Tatsächlich ist in ihnen – bedingt durch Georg Lukács' Vorliebe für Roman-Beispiele – für Brecht ungewöhnlich viel von der »bürgerlichen Epopöe« die Rede; der Charakter der Aufzeichnungen, die Brecht damals nicht publizierte, um mögliche Gemeinsamkeiten zu erhalten, jedoch ist prinzipieller, als daß sie konkret (weitgehend oder nur) auf den *Caesar* zu beziehen wären. Die für den Roman wichtigen Aspekte werden bei der Analyse berücksichtigt; die Aufzeichnungen selbst haben ihren gewichtigen Platz in Brechts Kunst- und Literaturtheorie (s. *Schriften*).

Herbert *Claas* (s.o.; S. 143–151; 157–165). – Klaus-Detlef *Müller* (s.o.; S. 249–256). – Wolfgang *Jeske* (s.o.; S. 294–305).

Komposition und Inhaltsübersicht

Zeitstruktur

Der *Caesar*-Roman erzählt nicht einfach den (unaufhaltsamen) Aufstieg Cäsars zum römischen Imperator. Ihn bestimmen vielmehr vielfache Brechungen, Perspektiven, Zeitebenen, aber auch die verschiedensten Formen der Überlieferung (Augenzeugenbericht, Tagebuch, Dialog, parteiische Interpretation). Wenn sich auch – soweit der Roman ausgearbeitet ist – »die Geschichte« Cäsars allmählich »entfaltet«, so stellt sie sich nicht linear her, sie muß vielmehr aus den unterschiedlichsten Blickwinkeln der Zeugen und aus den überlieferten (oft widersprüchlichen) Fakten regelrecht ans Licht gehoben werden. Das Ergebnis dabei kehrt die – im Roman thematisierte – ursprüngliche Gestaltungsabsicht, nämlich eine »Biographie« zu schreiben, radikal um: die Biographie kommt nicht zustande, dagegen aber ein komplexes Gebilde, das sowohl die ursprüngliche Erzählintention des literarischen Erzählers sowie ihre allmähliche Korrektur durch die Tatsachen als auch die aus den verschiedensten Zeugnissen und Meinungen zusammengefaßte Geschichte Cäsars umfaßt, die aber als Geschichte seiner Geschäfte und derjenigen, die mit ihm gemacht werden, sich realisiert. Dabei sind drei Zeitebenen der Darstellung zu unterscheiden:

1. Der gesamte Roman stellt sich als Ich-Erzählung des (fiktiven) Historikers vor, der gewillt war, eine Biographie Cäsars sozusagen vor Ort zu schreiben (vgl. 14, 1171), dann aber den Bericht über seinen Versuch und die von ihm verarbeiteten oder überlieferten Quellenzeugnisse bzw. Augenzeugenberichte vorlegt. Dieser Historiker figuriert also als Berichterstatter über sein – so muß der Schluß lauten – gescheitertes Unternehmen und als Herausgeber der Quellen (Tagebücher des Rarus); als Herausgeber ist der Historiker auch ausdrücklich im 4. Buch benannt, er hat dort nämlich die Aufzeichnungen des Rarus verkürzt (14, 1351). Wolfgang Jeske hat darauf aufmerksam gemacht, daß – immer in der Roman-Fiktion – die Abfassung des Berichts streng abzugrenzen ist von seinem Inhalt, nämlich dem Aufenthalt des Historikers auf Mummlius Spicer Muster-Sklavenfarm. Die Aufzeichnung des Berichts erfolgt nicht während dieses Aufenthalts, sondern erst neun Jahre später, konkret im Jahr 24 v. Chr. (= 730 »ab urbe condita«, nach der Gründung Roms, nach der die Angaben des Romans zählen). Der Historiker verfügt zu dieser Zeit bereits über die Einsichten und Erkenntnisse, die er sich während des Aufenthalts bei Spicer erst hart erarbeiten mußte, und das geschah im Jahre 33 v. Chr. (= 721). Der »Widerspruch« beider Datierungen, den Dahlke (149), Claas (264 f.) und Müller (263) konstatieren, besteht nicht, und es liegt kein »Versehen« Brechts vor (Müller, 263; die beiden Daten finden sich 14, 1176: Cäsar sei »eben zwanzig Jahre tot«, und 14, 1313: die Ereignisse von 691 seien »drei Jahrzehnte« her). Das Bewußtsein des Historikers über die Zeitdifferenz von Erlebnis und Aufzeichnung artikuliert sich etwa in folgender Aussage: »Ich war noch keineswegs so weit, daß ich mir von einer Behandlung größter politischer Ereignisse, eines Geschehens von welthistorischer Bedeutung vom rein geschäftlichen Standpunkt aus viel Erleuchtung versprach« (14, 1335; vgl. 14, 1172, 1342).

Das heißt: der Historiker ist erst bei der Abfassung »so weit«, den geschäftlichen Aspekten den ihn gebührenden Platz einzuräumen. Innerhalb der Romanfiktion ist er es ja auch, der den »Roman« seinen Titel gibt *Die Geschäfte des Herrn Julius Caesar.* Damit ist die *erste* Zeitebene des Romans markiert.

2. Die *zweite* Zeitebene betrifft die des »Berichts«, genauer des »Erlebnisses« des Berichts, den der Historiker ja erst später (erste Zeitebene) gibt und geben kann. Sie wird gemeinhin in der Forschung als »Rahmenhandlung« bezeichnet (vgl. Müller, 263): sie spielt im Jahr 24 v. Chr. Der Historiker (»Ich«-Erzähler) hat sich für einen Monat ein Haus gemietet und besucht Spicer, um von ihm – in Raten – die Aufzeichnungen des Rarus ausgehändigt zu bekommen und verschiedene Informationen zu beziehen. Innerhalb des ausgearbeiteten Romans umfaßt diese Zeitebene lediglich drei Tage; ob die Gesamtanlage – entsprechend der sechs Bücher, die konzipiert waren – sechs Tage auf dieser Ebene vorgesehen hatte, läßt sich nicht bestimmt sagen, ist jedoch nicht unwahrscheinlich, auch wenn das Haus, wie Spicer feststellt, für einen Monat gemietet ist (14, 1175). Klaus-Detlef Müller hat innerhalb dieser zweiten Zeitebene weiter differenziert. Der Historiker, der jung ist und Cäsar sowie seine Zeit nicht miterlebt hat, ist bereits auf dieser Zeitebene weit entfernt von den historischen Ereignissen, die er »wiedergeben« will, und prinzipiell auf die Zeugnisse anderer angewiesen. Für die Personen jedoch, mit denen er zusammentrifft (Spicer, Carbo, Alder), sind die Ereignisse »erinnerte Erfahrung« (Müller, 263) und ihr Bericht entsprechend die Wiedergabe eigener Erlebnisse. Spicer hat dabei eine besondere Rolle: »Er kommentiert nicht nur die Aufzeichnungen des Rarus, und er teilt nicht nur seine Erinnerungen an Cäsar mit, sondern füllt auch die Lücken in den Tagebüchern durch eigene Berichte« (insbesondere über Spanien; Müller, 264).

3. Die *dritte* Zeitebene ist erst die, die der »Hauptperson« des Romans gilt. Bereits durch diese zeitliche »Entfernung« – innerhalb der Zeitstruktur des Romans – schließt Brecht jegliche an der Person orientierte Darstellung und damit auch die »persönliche Erzählhaltung« der (einfühlenden) Historiographie aus. Es gibt keinerlei Unmittelbarkeit aus Cäsars »persönlicher« Sicht, keine Erzählweise, die »mit dem Helden« ginge und den Leser das historische Geschehen aus seiner persönlichen Sicht »erleben« ließe. Selbst wenn es sich um persönliche Aufzeichnungen Cäsars handelte, die direkt wiedergegeben würden, stellte sich die temporale Distanzierung gegen das »Erlebnis Cäsar« beim Leser, nämlich dadurch, daß die unmittelbaren Zeugnisse über Cäsar, die Aufzeichnungen des Rarus, von einem Sklaven stammen, der nicht nur von vielem »Persönlichen« seines Herrn ausgeschlossen ist oder aus anderer Perspektive erleben muß, sondern auch noch mit seinen eigenen Problemen beschäftigt ist, die mit Cäsar nichts oder nur indirekt zu tun haben. Diese Zeitebene umfaßt in vorliegenden vier Büchern die Zeit 691–694 von der Gründung Roms an (63–60 v. Chr.), als die neunziger Jahre bezeichnet (14, 1177). Sie stellt sich her durch die verschiedenen Berichte Spicers, die Augenzeugendarstellungen Alders und Carbos sowie vor allem durch die Aufzeichnungen des Rarus. Geplant war, den Roman mit der Überschreitung des Rubikons enden zu lassen, also 705 (bzw. 49 v. Chr.).

Die Forschung hat – leider – nicht nur durch die Auslassung der ersten Zeitebene Verwirrung gestiftet, sondern auch durch die fragwürdige Übertragung der Begriffe »Erzählzeit« und »erzählte Zeit« (Günther Müller) auf die zweite und dritte Ebene des Romans. Nach Müllers Differenzierung sind *alle* drei Zeitebenen des Romans »erzählte Zeiten«, insofern ja von ihnen – wie ausführlich auch immer – erzählt wird. Die Erzählzeit hingegen ist die Zeit, die die Rezeption des Werkes (das Lesen) beansprucht. Müllers Differenzierung ist nicht zu verwischen oder »metaphorisch« zu übertragen (Claas hat die falsche Terminologie eingeführt; Claas, 117), weil sie für die Beschreibung des modernen Romans außerordentlich wichtig ist. Der moderne Roman nämlich zeichnet sich nicht nur durch eine weitgehende Annäherung von »erzählter Zeit« und »Erzählzeit« aus, er tendiert vielmehr auch prinzipiell dazu, die Erzählzeit »aufzuheben«, ihr die temporale Qualität zu nehmen. Wie die »erzählte Zeit« nicht mehr dem linearen Progreß sich zuordnet, so macht auch die Rezeption die temporale Qualität der Erzählzeit weitgehend vergessen: statt des Prozesses steht der Verweis, statt der verlaufenden Historie die Vergegenwärtigung simultaner Eindrücke, statt der Entwicklung die Stagnation. Die Verlagerung der Zeit von außen nach innen ist für den modernen (bürgerlichen) Roman so grundsätzlich wichtig, daß der Terminologie der Forschung zu Brecht keinesfalls gefolgt werden kann.

Inhaltsübersicht
(3. Zeitebene: Cäsars Geschäfte)

Grundkonstellation: Als politisch bestimmende Kräfte stehen sich in Rom Senat und »City« gegenüber; als dritte Kraft kommt das »Volk«, die römische Plebs, hinzu, die politisch durch das »Volkstribunat« (seit den Gracchen) vertreten ist. Politisch rechtlos und als Menschen entweder nicht oder nur aufgrund herausragender persönlicher Fähigkeiten anerkannt ist die Masse der Sklaven, die den Großteil der Bevölkerung stellt, aber – weitgehend wie Vieh gehalten – keinen politischen Einfluß gewinnen kann und als billige Arbeitskraft regelrecht verbraucht wird. Der Senat wird gebildet aus den 300 grundbesitzenden römischen Adelsfamilien, die ursprünglich alle Ämter unter sich verteilt und die Politik geführt haben; die Senatsmitglieder heißen Patres (Väter). Ihre Herrschaftsform ist feudalistisch; ihre Einkünfte beziehen sie aus den von Sklaven bewirtschafteten ländlichen Großgrundbesitzungen. Ihre Kriege gelten prinzipiell der Plünderung der besiegten Gegner (das Plündergut wird in pompösen Triumphzügen durch Rom getragen und »privat« verwertet). – Die von Brecht so benannte »City« rekrutiert sich aus den »equites«, den »Rittern«, die sich aufgrund ihrer Handelsgeschäfte (Kauffahrtei, Reederei), die den patres verboten sind, allmählich zur ökonomischen Macht ausbilden. Während der Senat daran festhält, die römische Gesellschaft als Gesellschaft von Grundbesitzern zu definieren, beginnen die equites sie in eine kapitalistische Gesellschaft zu verwandeln, ein Prozeß, der lange Zeit ohne Konflikte bleibt, weil der Senat fast ausschließlich die politischen Ämter führt und die »City« sich mit ihren Geschäften begnügt, also fast rein ökonomisch orientiert bleibt. Das ändert sich aber entscheidend mit der »Reform« der Gracchen, die den Rittern politische Rechte zugestehen (123 v. Chr.), zunächst zwar scheitern, aber nachhaltige Wirkungen zeitigen. Überdies beginnt das »Volk«, die Plebs (die römischen Bürger mit Bürgerrecht) politischen Einfluß insofern zu gewinnen, weil aus ihm die »equites« aufsteigen und das Volkstribunat als politische Kontrollinstanz aus den Reihen des Volkes gestellt wird. Freilich ist die politische Macht sehr begrenzt, aber als Faktor ist das Volk da, und es muß, um bei Laune gehalten zu werden und bei den Ämterwahlen »richtig« zu entscheiden, mit Wahlgeschenken – in der Regel Kornspenden – bestochen werden. – Der Roman erfaßt diese Konstellation zu einem Zeitpunkt, an dem sie endgültig in die Krise kommt. Die feudalen Großgrundbesitzer bereichern sich an den ausgiebigen römischen Eroberungen im Osten, vor allem auch durch die als Sklaven abgekarrten Bürger der eroberten Gebiete, die sie auf ihren Gütern (anstatt Maschinen) billigst einsetzen können. Die City macht zwar durch die ihr per Gesetz zugebilligte Eintreibung der Zoll- und Steuerpachten in den »Provinzen« und durch Handel gute Gewinne, sie stößt aber auf die Grenzen ihrer ökonomischen Expansion, weil die Eroberungen kaum neue Märkte erschließen (die Gegner werden wirtschaftlich ruiniert, die Bevölkerung versklavt nach Rom geschleppt) und zugleich das einträgliche Sklavengeschäft in den Händen des Senats ist. Die römische Plebs, zum Wehrdienst verpflichtet, durch die Sklaven, die die Arbeitsplätze besetzen, vertrieben, sammelt sich als Lumpenproletariat in Rom und beginnt zu einer Bedrohung für die Republik zu werden.

1. Buch: Die City versucht die für sie ungünstige Ausgangskonstellation zu verändern, indem sie sich durch Korruption den Oberbefehl über die römische Flotte für ihren Mann Pompejus besorgt, der aber nicht das nationale Interesse – das stets vorgegeben wird – vertreten, sondern die sog. Seeräuberei im Mittelmeer ausrotten soll, damit sich die City des Sklavengeschäfts bemächtigen kann. Dabei ist zu beachten, daß die City nicht den Sklavenhandel abschaffen, sondern allein selbst betreiben will, um damit die Großgrundbesitzer zu zwingen, die Sklaven bei der City zu kaufen (durch künstliche »Verknappung« des Angebots könnten dann hohe Gewinne erzielt werden). Leidtragender bliebe bei dieser »Lösung« allein wieder das römische Volk. Das heißt: der innere Gegensatz zwischen Senat und City wird nach außen getragen, wobei die City dem Senat lediglich das Geschäft rauben will (bloße Umkehrung der bisherigen Gewinne). – Cäsar spielt bei dieser Ausgangslage noch kaum eine Rolle. Er gehört – als Mitglied einer der ältesten römischen Familien – zum Senat, hält es aber, weil er verarmt ist, mit der demokratischen Partei und läßt sich von der City – gegen Entgeld – dazu einspannen, zweifelhafte Prozesse gegen Senatsangehörige zu führen (übrigens ohne Erfolge). Daß er bereits im Rahmen der üblichen Ämterlaufbahn in Rom das Ädilat (Polizeigewalt) und die Quästur (Finanzgewalt) bekleidet hat, gehört zu seiner Eigenschaft als Adliger, der auf »guten Namen« zurückgreifen kann. Zu Beginn der eigentlichen Handlung auf der dritten Ebene der erzählten Zeit ist Cäsar – wiederum demokratisch finanziert – Oberpriester. Wahlgeschenke und aufwendige Lebensführung haben Cäsar um 25 Millionen Sesterzien verschulden lassen (»Man hatte so ziemlich den Eindruck, daß man bei ihm aufs falsche Pferd gesetzt hatte. Man belästigte ihn nicht mit der großen Politik«; 14, 1206).

2. Buch: Mit dem 2. Buch beginnt die »eigentliche« Geschichte der Cäsarischen Geschäfte. Sie ist aber insofern doppelgleisig, weil sie durch den (fiktiven) Abdruck der Tagebuch-Aufzeichnungen des Sklaven Rarus wiedergegeben wird, der zugleich auch seine (Liebes-) Geschichte festhält (traditionell »intime« Seite des Tagebuchs). Des Rarus Geschichte, die zugleich auch die seines Geliebten Caebio ist, hindert von vornherein, die Geschichte Cäsars bloß in »welthistorischen« Dimensionen zu sehen. Die Auswirkungen der Politik – mit der Cäsar umgeht und die ihn bestimmt – auf den sog. »kleinen Mann« sind mit der Geschichte des »Großen« unmittelbar verknüpft. In der unglücklichen Liebe des Rarus spiegelt sich die Hoffnung, die das verarmte römische Proletariat mit Catilina verknüpft. Diese »Doppelung« ist stets zu beachten, wenn in der weiteren Inhaltsübersicht die Cäsarischen Geschäfte referiert werden: sie stehen nicht »für sich«. – Pompejus herrscht im Osten ziemlich willkürlich und läßt sich erst durch weitgehende Zugeständnisse der City dazu bewegen, ihre Interessen gegen den Senat zu vertreten (im Jahr 691 = 63 v. Chr.). Ziel der City ist es, Pompejus als Diktator nach Rom zu führen und so den Senat ganz auszuschalten. Um dafür den Boden in Rom zu bereiten, benützt die City den – wie Cäsar – heruntergekommenen Patrizier Catilina, der bisher erfolglos versucht hat, das höchste Staatsamt (Konsulat) legal zu erwerben. Durch Inflation und »Kapitalentnahme« schafft die City in Rom eine katastrophale Geschäftssituation, die zusammentrifft mit der grassierenden Arbeitslosigkeit des städtischen Proletariats, das durch die Siege der römischen »Adler« »draußen« in Rom »besiegt« wird (Sklaven, Korruption bei der Beuteverteilung). Den erfolglosen Cäsar setzt die City als Mittelsmann zu Catilina ein, der u. a. die Plebejer zugunsten Catilinas zu mobilisieren und in »Stimmung« zu versetzen hat. Mit Catilina will die City einmal den Senat unter Druck setzen, Pompejus als »Retter des Vaterlands« nach Rom zu berufen, andererseits aber zugleich Pompejus ein Gegengewicht entgegensetzen, damit dieser auch die Interessen der City vertritt und sich nicht etwa selbständig macht. Die Volksbewegung jedoch – hier spielt die Geschichte Caebios als »Spiegelgeschichte« wesentlich herein – macht sich selbständig und gleitet damit der City aus den Händen. Sie muß Catilina fallenlassen (Streichung der Wahlgelder). Die mangelhaft ausgerüstete »Volks«-Bewegung, die es ablehnt, mit den ebenfalls aufbegehrenden Sklaven gemeinsame Sache zu machen, kann dann vom Senat leicht geschlagen und ausgeschaltet werden. Cäsars Verluste sind groß. Er hat sich als Mittelsmann Catilinas nicht nur politisch korrumpiert (es sei denn, es gelingt ihm, seine Verbindungen »ungeschehen« werden zu lassen: davon handelt das 3. Buch), er hat auch falsch spekuliert. Die City, die sich durch die Verselbständigung Catilinas politisch ausgebootet hat, hatte zur Rückführung von Pompejus' Soldaten ein Siedlungsprogramm vereinbart, das nun, als der Senat wieder die Macht kontrolliert, zu scheitern droht: der von Cäsar massenhaft aufgekaufte italische »Boden« wird unverkäuflich. Der einzige Ausweg, der bleibt, ist, ins nächste Staatsamt zu flüchten, in die Prätur (das Stadtrichteramt). Crassus, der sich mit Cäsar gemeinsam ins »catilinarische Geschäft« verstrickt hat, finanziert Cäsar die notwendigen Wahlgelder. Vorerst blieben beide verschont, weil sie zu viele Gläubiger im Senat haben: diese fürchten um ihr Geld und beziehen Cäsar und Crassus nicht in die Strafverfolgung der Catilinarier ein.

3. Buch: Als Prätor ermittelt Cäsar sogleich gegen die Catilinarischen Verschwörer und sorgt auf diese Weise dafür, daß Crassus und er gereinigt aus der Affäre hervorgehen. Dabei gelingt es ihm, die Bedrohung des Staats genügend zu unterstreichen, damit der Senat bewogen wird, Pompejus nach Rom zurückzuberufen: Cäsar hofft immer noch, auf diese Weise sein Grundstücksgeschäft zu machen (30 Millionen Sesterzien Schulden ohne die Anleihen auf die Grundstückskäufe). Das Geschäft jedoch zerschlägt sich endgültig, als Pompejus ohne Truppen (sich selbst zugunsten des Senats entmachtend) zurückkehrt. Ohne des Pompejus Diktatur muß Cäsar nach Ablauf seiner Prätur mit »normalen« Zuständen, und das heißt mit der nochmaligen Aufrollung des Catilina-Falls rechnen. Geschickt manövriert Cäsar dabei Crassus durch eine Erpressung aus: dieser hatte ihn bei den Grundstücksspekulationen »kalt auflaufen« lassen, Cäsar zwingt ihn nun – als Prätor im Besitz der

Unterlagen über Crassus' Beteiligung bei Catilina –, eine Bürgschaft für seine Schulden zu übernehmen. Diese Bürgschaft ist Voraussetzung für den Antritt der üblichen Proprätur in der Provinz. Cäsar macht sich nach Spanien aus dem Staub der römischen Affären. Dort gelingt ihm – als »klassische Verwaltung einer Provinz« bezeichnet – der entscheidende Fortschritt (der »Fortschritt«, von dem Brecht meinte, daß die Anführungszeichen zu ihm so schlecht zu gestalten seien; Briefe, Nr. 347 an Karl Korsch; vom Nov. 1937, dort noch bezogen auf das Drama). Cäsar raubt nicht mehr die Provinz aus, indem er alle ihre Schätze zusammenrafft, er organisiert vielmehr die Wirtschaft des Landes im »klassischen System« der Ausbeutung. Die Bevölkerung der Provinz wird nicht mehr als Sklaven nach Rom geschleppt, sondern im eigenen Land zur Ausbeutung der Bodenschätze (Silber) gezwungen. Ausgebeutet wird so nicht nur das Land, sondern zugleich auch die Arbeitskraft der Einwohner. Die Gewinne sind so hoch wie nie: 35 Millionen Sesterzien in einem Jahr. Dem rückschrittlichen Rom muß, nachdem die notwendigen Zahlungen an die City geleistet sind, der wirtschaftliche Erfolg als kriegerische Eroberung verkauft werden.

4. Buch: Waren die spanischen Ereignisse von Spicer, der als Bankier sich Cäsar angeschlossen und entsprechend gut verdient hatte, von ihm selbst dem Biographen übermittelt worden, so setzen im 4. Buch wiederum die Aufzeichnungen des Rarus den Bericht fort. Cäsar benötigt den Triumph, weil die Ciceronische Partei ausstreut, Cäsar habe gar nicht den Feind besiegt, sondern nur Geschäfte gemacht. Cäsar muß also im Triumphzug »nachweisen«, daß seine »Gewinne« kriegerischer Natur sind. Dazu bedarf es wieder einmal hoher Bestechungsgelder, und zwar um so mehr, als er sich zugleich ums Konsulat bewerben will. Da es römisches Gesetz jedoch verbietet, vor dem Triumphzug Rom zu betreten, die Kandidatur aber ums Konsulat in Rom persönlich angemeldet werden muß, gelingt es Cato, Cäsar zum Verzicht auf den Triumph zu zwingen, um seine Kandidatur zu betreiben. Das in Spanien erworbene Geld ist zerronnen: »Politik ist kein Geschäft mehr« (14, 1371). Cäsar verkauft sich dem Wahl-Volk als Friedensbringer. Um aber seine Wahl zu sichern, bedarf es eines politischen Tricks: um den schärfsten Konkurrenten – Lucceius nämlich – auszuschalten, schließen sich Cäsar, Pompejus und Crassus, der mit Pompejus erst zu »versöhnen« war, zum »Triumvirat« zusammen, das Brecht – in Übernahme parteilicher Bewertung der römischen Zeitgenossen – als »dreiköpfiges Ungeheuer« bezeichnet. Ihm sollte das weitere 4. Buch gelten, es bricht jedoch mitten im Bericht der Wahlkämpfe – vor Absprache des Triumvirats – ab.

Plan zur Weiterführung: Dadurch daß Brecht den Inhalt der unfertig gebliebenen drei Bücher schriftlich fixiert hat (Text bei Claas, 181–184) kann ihre geplante Weiterführung angedeutet werden. Zusammengefaßt sollte der 2. Teil des Romans »Julius Caesars Flucht vor dem Gerichtsvollzieher in die Diktatur« zum Inhalt haben (BBA 188/13; zit. nach Claas, 181). Cäsar benutzt danach das Konsulat (gewährleistet durch das »Triumvirat«), mit der »lex julia« endlich die »Bodenfrage« zu lösen, die politischen »Mitstreiter« an sich zu binden (Verheiratung des Pompejus mit Cäsars Tochter) und unter Vorgabe, die demokratischen Rechte zu verteidigen, die Geschäfte im legalen Rahmen zu tätigen: »Die Republik gebiert fast ohne Geburtswehen die Diktatur« (zit. nach Claas, 182). Die Darstellung des Wegs in die Diktatur sollte offenbar so erfolgen, daß Cäsars geschäftliche Mißerfolge – »trotz genialstem Amtsmißbrauch« (zit. nach Claas, 181) – ihn zunehmend zwingen, »aus all seinen politischen Unternehmungen Münze zu schlagen. Jedoch hat seine Politik nun schon den großen und allgemeinen Charakter, welchen die Betreuung der Interessen der Herrschenden eben hat« (ebd.).

Plan zum (fortgesetzten) 4. Buch: Fortgeführt werden sollten die Aufzeichnungen des Rarus, dessen Geschichte mit der Cäsars weitergesponnen wird: Caebio ist tot, er besorgt sich einen neuen Freund, Faebula, der hofft, durch die »lex julia« zu Siedlungsland zu kommen; er wird jedoch Legionär und zieht mit Cäsar nach Gallien. Wie für Faebula bringt auch dem übrigen römischen Volk die Lösung der »Bodenfrage« nichts: die Verlumpung des römischen Proletariats nimmt so beängstigende Formen an, daß Cäsar und seinen Mit-Triumvirn nur der Ausweg in die nationale Frage bleibt. Er schürt das Gerücht vom Einfall gallischer Stämme (traditionelle »Gallierfurcht der Römer«) und läßt sich durch Bestechung und Mord die Statthalterschaft übertragen (wiederum die Flucht in die Provinz).

Plan zum 5. Buch: Dieses Buch wäre wieder durch Spicer – der abermals Cäsar als Geschäftsmann begleitet – erzählt worden. Das gallische

Unternehmen ist durch die »Gallische Handelsgesellschaft« (Sitz Rom) bestens vorbereitet, so daß die spanischen Erfahrungen gewinnbringend anzuwenden und weiterzuführen sind. Cäsar führt brav alle notwendigen Gewinne an die ihn unterstützende City in Rom über seine Firma ab, nutzt dabei aber die Schwankungen des Preises aus, wickelt die Kriegslieferungen über die Firma ab (die so an jedem Nachschub und jedem Soldat verdient) und zwingt zugleich die gallischen Fürsten, Anleihen der Gesellschaft zu erwerben, damit sie ihren Tributpflichten nachkommen können. Gezeigt werden sollte die inzwischen den früheren Handelskapitalismus der City weit übertreffende kapitalistische Organisation bei der Ausbeutung fremder Länder, die »Zusammenarbeit« der »Kriegsgegner« auf geschäftlicher »Basis« (Cäsar – gallische Fürsten) und zugleich die gemeinsame Ausbeutung der Völker durch die Herrschenden: das römische Volk muß die Rekruten stellen, das gallische Volk für den Tribut der eigenen Fürsten schuften. Dazu gehört es auch, daß der Krieg, den Cäsar auf gallischem Boden gegen die Germanen führt (bei »Nichtintervention« der Gallier), in dem Moment durch Römer und gallische Fürsten gemeinsam liquidiert wird, als er zu einer »Volkserhebung« zu werden droht.

Plan zum 6. Buch: Cäsars Siege in Gallien machen den Ruin des römischen Volks vollständig, nachdem des Pompejus Siege in Asien ihn nachhaltig zur Tagesordnung erhoben haben. Jedoch zwingen die Veränderungen der römischen Politik – Pompejus nämlich ist zum Senat übergegangen – Cäsar zum Handeln, genauer: sollten ihn dazu zwingen. Durch die Machtstärkung des Senats und Cäsars rücksichtsloser Auspowerung des Volks ist die City politisch und wirtschaftlich ruiniert (die Ausgaben, das Volk zu beruhigen und sich als »demokratisch« zu verkaufen, haben die Möglichkeiten überschritten). Die City fleht Cäsar an, in Rom ihre Macht mit Gewalt wiederherzustellen. Cäsar, um sich persönlich zu sichern – total verschuldet und aller möglichen Verbrechen bezichtigt, müßte als »Privatmann« (ohne offizielles Amt) um sein Leben fürchten –, handelt mit den Banken die zukünftige Staatsform aus. »Nach einem totalen Nervenzusammenbruch wird er endlich in halb bewußtlosem Zustand über den Rubikon getragen« (zit. nach Claas, 185). Das überlieferte strahlende »veni, vidi, vici« (ich kam, sah und siegte) bei der Überschreitung des Flusses Rubikon, die den Beginn des römischen Bürgerkriegs markiert hat, sollte bei Brechts Darstellung offenbar »umgedreht« und unter geschäftlichen Aspekten »konkretisiert« werden: Cäsar lieferte sich völlig der – wahrlich unwahrscheinlichen – Gunst der kommenden Ereignisse aus. Freilich bedeutete sein Sieg, und er scheint lediglich in der offenen Konstellation am Schluß des Romans angedeutet zu werden, daß die City, die sich von Cäsar die Herrschaft über die Sklaven sichern lassen wollte, bei einer Diktatur nun selbst versklavt würde: »Die Aufrechterhaltung der Sklaverei als Grundlage der Wirtschaft wird zu einer Versklavung allgemeinster Art, d.h. aller Schichten der Gesellschaft, führen« (zit. nach Claas, 184).

Analyse

Die Geschäfte (Ökonomie)

Cäsar ist – obwohl Patrizier – ein Mann der »City«, wie Brecht die handelskapitalistischen Geschäftskreise nennt (Wort seit dem 19. Jahrhundert auch auf »Deutsch« üblich, stammt vom lateinischen »civitas«), und zugleich Parteigänger der »Demokraten«, also derjenigen, die sowohl den Handelskapitalismus stützen, dessen politisches Pendant die Republik ist, als auch gegen die alten Ansprüche des auf Raub und Vorrechte bestehenden Senats und seiner Großgrundwirtschaft angehen. Aufgrund des Kampfes zwischen Senat und »City« hat die Forschung gesagt: »Der geschichtliche Vorgang, in dessen Verlauf Cäsar zum Diktator aufsteigt, ist die Ablösung der alten Feudalherrschaft des römischen Stadtstaates durch den Handelskapitalismus des römischen Imperiums. Die Phasen dieses Prozesses werden im Roman als Machtkampf geschildert, dessen Etappen den Inhalt der einzelnen Bücher bilden« (Müller, 269). Dem ist, obwohl Klaus-Detlef Müller lediglich die offenbar unverbrüchliche Meinung der gesamten Forschung zum Roman zusammenfaßt, differenzierend zu widersprechen. Wie der Begriff City nur ein halber Anachronismus ist, insofern sich das Wort aus dem Lateinischen ableitet und Brecht eben mit ihm die geschäftliche Seite der »Bürgerschaft« betont, hat auch der Begriff des »Kapitalismus« für die römische Gesellschaft ihren historischen Stellenwert, das heißt: auch die bürgerli-

Schema zur epischen Technik

Bücher des Romans	1. Buch	2. Buch	3. Buch	4. Buch
Erzählte Zeit (erste Ebene)	vor 679 – 691 (= 75) – (= 63)	11.8.691 – Jahresende	1.1.692 – 19.6.692 (= 62) + 691–694 (= 60)	12.2.694 – 27.7.694 (= 60)
Erzählte Historie: Cäsar	*Vorgeschichte* *Rom:* Punische Kriege (1181 f.), Gracchen (1202–04), Sulla (1203), Pompejus (1192 f.) *Cäsar:* Anwalt (1179 f., 1183 f.), »Seeräuber« (1187–1190), Ämter (1205)	*Catilina »Affäre«* Cäsar als Verbindungsmann zwischen City und Catilina; Oberpriesteramt	*Catilinas Ende* *Spanien* Cäsar untersucht als Prätor die Catilina-Affäre; geht nach Spanien als Proprätor (»klassische Verwaltung« = Ausbeutung)	*Triumph/Konsulat* Vorbereitungen zum Triumph (Geschäft als Krieg ausstellen); nach Scheitern: Wahlkampf
Erzählte Historie: Rarus		Liebesverhältnis zu Caebio, der arbeitslos wird und zu Catilina geht	Suche nach Caebio, fährt nach Pistoria, Schlachtfeld der geschlagenen Catilinarier	Erlebt Triumph des Pompejus; beginnt neues Liebesverhältnis zu Faevula
1. Übermittlungsebene: Aufzeichnungen des Rarus (A)		Dokumentation: 1211–1310 (A 1)	Dokumentation: 1315–1327 (A 2)	Dokumentation: 1351–1379 (A 3)
2. Übermittlungsebene: Spicer (als Kommentator u. Augenzeuge) (mündlich)	Spicer kommentiert A u. gibt Überblick über Vorgeschichte (1177–94, 1204–1207)		Bericht Spicers (1332–1347)	
3. Übermittlungsebene: Augenzeugenberichte (mündlich)	Legionär berichtet über Gallien (1195–98), Carbo beurteilt C. (1199–1204)		Alder beurteilt C. (1327–1331)	
4. Übermittlungsebene: Historiker	Trifft Spicer, besucht Cäsars Legionär, trifft Carbo bei Spicer	Liest Aufzeichnungen des Rarus	Trifft Spicer, liest Aufz. des Rarus, besucht Alder, hört Bericht Spicers	Liest Aufzeichnungen des Rarus
Erzählte Zeit (zweite Ebene) (Erlebnisse des Historikers)	33 v. Chr. 1. Tag–2. Tag Ankunft/Spicers Großbetrieb, Kleinbetrieb	33. v. Chr. Nacht	33 v. Chr. 3. Tag Sklavenhaltung/ Flucht eines Sklaven	33 v. Chr. Nacht
5. Übermittlungsebene: Niederschrift der »Geschäfte« durch den Historiker (3. Zeitebene)	24 v. Chr. Anmerkung (1177) Buch noch nicht geschrieben (1204) C. »eben zwanzig Jahre tot« (1176)	24 v. Chr.	24 v. Chr. »Ich war noch keineswegs so weit, daß...« (1335)	24 v. Chr. Herausgeberschaft (1351)
Erzählzeit (Rezeption) (Leser)	ab 1957 (erste Buchausgabe)	ab 1949 (Teilabdruck)	ab 1957 (Teilabdruck) + Gesamtdruck	ab 1957 (erste Buchausg.)

Anmerkung: alle Zahlen in Klammern beziehen sich auf wa 14 (*Caesar*-Roman); das Schema ist angeregt durch Claas, 236 (Erläuterung 235), von mir allerdings erheblich modifiziert und erweitert worden.

che, sogar konservative Historiographie verwendet den Begriff zur Beschreibung der Verhältnisse im antiken Rom, freilich ihn nicht einfach mit dem des 19. und 20. Jahrhunderts verwechselnd oder identifizierend. Die Historiographie aber verbindet den Begriff eindeutig mit dem Aufstieg der »equites« (der Ritter), denen es gelingt – zunächst unter Verzicht auf jegliche politische Macht –, abseits von den Geschäften des Senats eine eigene ökonomische Kraft zu werden, die dann auch politisch anerkannt werden mußte (vgl. Heuß, 132–134). Liegt die Entstehung des römischen Kapitalismus bereits im 3. Jahrhundert v. Chr. (Punische Kriege), so beginnt der politische Einfluß der »equites« (= »City«) endgültig mit der »Reform« (oft auch als Revolution bezeichnet) der Gracchen, so daß es durchaus den historischen Tatsachen entspricht, wenn Brecht den Juristen Carbo ausführen läßt: »Die City war eine Schöpfung der Gracchen. Sie waren es, die dem Handel die Steuer- und Zollpachten der beiden Asien aushändigten. Die Ideen der Gracchen waren es, die Caius Julius aufnahm. Die Frucht war: das Imperium.« (14, 1204) Asien war damals die reichste Provinz des römischen Reiches, und die Tatsache, daß die »City« das alleinige Ausbeutungsrecht bekam, stärkte ihre Macht ungeheuer; hinzu kam, daß die Gracchen der City das Geschworenenamt zuschanzten, das es den Rittern ermöglichte, über das Finanzgebaren der Senatoren zu Gericht zu sitzen und sie an ihrer empfindlichsten Stelle zu treffen (Beginn des politischen Einflusses der Ritter; vgl. Heuß, 152 f.). Das aber war schon zwei Generationen zuvor, ehe die erzählte Zeit des Romans beginnt. Die politische Macht der City ist längst etabliert, wenn auch nach heftigsten Auseinandersetzungen und Rückschlägen, und die Gesellschaft ist längst kapitalistisch geworden. Zwar gehen die politischen Auseinandersetzungen zwischen Senat und City weiter (Bürgerkriege), insofern hat der Begriff der »Ablösung« (des alten Feudalstaats) eine gewisse Berechtigung, aber Rom ist längst nicht mehr nur die »Stadt«, und auch die Feudalherren arbeiten – genauer: lassen arbeiten – nach kapitalistischen Prinzipien. Das eben wird deutlich an der Sklavenfrage: die Sklaven stehen als das »billige Material« ausreichend zur Verfügung und werden massenhaft auf den Gütern eingesetzt, dabei den Kleinbauern allmählich die Existenzgrundlage entziehend und »proletarisierend« (Landflucht). Die Sklaven haben im Roman eine wichtige Bedeutung, indem sie als Beute (im Auftrag des Senats) nach Rom verfrachtet und sowohl in der Landwirtschaft als auch im Handwerk billig eingesetzt werden. Die Siege des römischen Imperiums besiegen die Römer daheim: »Der Bauer [...], den man von seinem Acker geholt hat, damit er die Punier, die Spanier und die Syrier besiegt, wird, zurückgekehrt, von den Sklaven besiegt, in die er die Feinde verwandelt hat. Sein Acker fällt an die großen Grundbesitzer, und er läuft in die Hauptstadt in der eitlen Hoffnung, daß man ihm als Almosen sizilisches Korn in sein Säcklein schütte« (14, 1223). Längst also handelt es sich nicht mehr um den (feudalen) Stadtstaat, sondern um das Imperium Rom, dessen Außenpolitik die inneren Verhältnisse – auf dem Land und in der Stadt – grundlegend verändert hat. Das aber ist nur der eine Gesichtspunkt. Der andere ist der, daß die Sklaven bei der Landbewirtschaftung wegen ihrer »Massenhaftigkeit« und »Billigkeit« die »Maschinen« ersetzen. Sie garantieren nämlich eine nach kapitalistischen, nicht mehr feudalistischen Prinzipien organisierte Landwirtschaft. Diese Zusammenhänge hat Brecht in einem Schreibstadium des Romans (Juli 1938) in Frageform angedeutet: »die suche nach den gründen für alles geschehene macht die geschichtsschreiber zu fatalisten. überdies war die sklaverei in dieser epoche bereits ein hemmschuh für den weiteren ›fortschritt‹. all dies gerede davon, daß man sklaven brauchte, weil man keine maschinen hatte, ist ja so oberflächlich und unbegrenzt! man bekam schließlich auch keine maschinerie, weil man sklaven hatte. und wer ist ›man‹? brauchten die sklaven die sklaverei, weil sie keine maschinen hatten? sie machten zwei drittel der bevölkerung italiens aus« (AJ 11; vom 23.7.38). Die Ausführungen und weiteren Pläne des Romans zeigen, daß Brecht den Zusammenhang herstellte bzw. herstellen wollte, nämlich den zwischen Sklavenwirtschaft und Kapitalismus. Dazu dient die gesamte »Rahmenhandlung«, die am Beispiel der Musterfarm von Mummlius Spicer die »humanisierte« Form des Sklaveneinsatzes vorführt. Das zeigt aber entschiedener noch der Unterschied, den der Roman zwischen Cäsars ökonomischen Handlungsweisen und dem Verhalten sowie den Interessen der City markiert. Vereinfacht gesagt, geht es der City nur darum, das einträgliche Sklavengeschäft unter eigene Kontrolle zu bekommen: sie erkennt nicht, welche ökonomische und dann auch politische Rolle die Sklaven für Rom und sein Imperium spielen. Kurz: die City hält am Sklavenhandel fest, und folglich gelingt es ihr nicht, zu wirklichem Fortschritt zu kommen. Eben diese mangelnden ökonomischen Einsichten gelten auch für den Senat: politisch ist er sozusagen »feudal« geblieben, ökonomisch arbeitet er nach kapitalistischen Prinzipien, aber eben mit Sklaven, das heißt: die Maschinen, die die Sklavenarbeit übernehmen könnten, werden nicht gebaut und entsprechend der Ruin der römischen Bürger nicht verhindert.

Cäsars »klassische Provinzverwaltung« weist auf den möglichen, aber gesellschaftlich nicht umgesetzten »Fortschritt« (wie gesagt in Anführungszeichen) hin. Statt die besiegte Bevölkerung als Sklaven nach Rom zu verfrachten und dort – gegen die eigenen Bürger – einzusetzen, läßt man sie im eigenen Land als »Freie« arbeiten und sahnt nur den Gewinn ab. So wäre nicht nur die Sklaverei abzuschaffen gewesen, so hätte man auch das römische Imperium sanieren und festigen können; und nicht zuletzt hätten die Römer, und das heißt vorerst die City, dann aber durch die notwendig werdende Mechanisierung der Arbeitsvorgänge die Plebejer einsetzen können (im Krieg übrigens wendeten die Römer bereits recht komplizierte Maschinen an, die sie »friedlich« – der Sklaven wegen – nicht benötigten). Aus den Plänen wird ersichtlich, daß auch Cäsars Provinzverwaltung in Gallien ähnlich fortschrittlich kapitalistisch gefaßt sein sollte, wobei auch da wieder die Gewinne immens sind. Ihre Wirkung aber verpufft, muß verpuffen, weil die kapitalistische Klasse Roms – eben die City – an der eigentlich historisch überholten Sklaverei festhält und so eine gesellschaftliche wie ökonomische Grundlage wählt, die die notwendige Entfaltung der Produktivkräfte hindert und die gesellschaftlichen Widersprüche zementiert. Brecht wollte denn – erklärtermaßen – in seinem Roman ein Bild davon entwerfen, »wie die aufrechterhaltung der sklaverei zu einer versklavung allgemeinster art, d.h. aller klassen der gesellschaft, führt« (BBA 348/07; zit. nach Claas, 232).

Da der Roman die »Geschäfte« nicht als »Ausdruck« der Politik, sondern die Politik als notwendige Reaktion auf die geschäftlichen Interessen entfaltet, vollzieht sich der (aufhaltsame) Aufstieg Cäsars also nicht im »Umbruch« zwischen Feudalismus und Kapitalismus, sondern innerhalb einer tiefgreifenden Krise des kapitalistischen Roms, das auch noch eine – alte feudalistische Vorrechte beanspruchende, sie aber bereits mit kapitalistischen Mitteln betreibende – mächtige feudale Partei hat (vergleichbar etwa mit den preußischen Junkern (in Kaiserreich und Weimarer Republik).

Handel als Krieg

Das Bild vom Handel als eines – nach außen hin – humanisierten Kriegs entwirft programmatisch der Jurist, Staatsrechtler und Geschäftsmann Afrianus Carbo. Brecht läßt damit – auch wenn die historischen Differenzen sehr groß sein mögen – eins der wichtigsten und immer wieder übersehenen Kennzeichen kapitalistischer Gesellschaften formulieren: wo scheinbarer Frieden herrscht, ist der Krieg zwischen den Klassen bereits an der Tagesordnung, und die äußeren Kriege pflegen dabei nur die Konsequenzen der inneren Kriege zu sein. Dabei ist es Kennzeichen beider »Kriegsformen«, daß sie sich wesentlich gegen das eigene Volk richten; im »friedlichen« Handel wird das Volk ebenso ausgebeutet, wie es im Krieg nicht nur – durch Wehrpflicht – den eigenen Kopf hinhalten, sondern auch zusehen muß, daß die Ausbeuter im Zweifelsfall gemeinsame Sache mit denen der Gegner machen (so wären die späteren »Gallien«-Bücher ausgeführt worden). Insofern sollte der Roman den verborgenen, gesellschaftlich »unsichtbaren« Krieg gegen die übliche Überlieferung der Historiographie gestalten und die Zusammenhänge verdeutlichen, vor allem auch im Hinblick darauf, daß hinter den »politischen« Entscheidungen und Verhaltensweisen oft (weitgehend nur) geschäftliche Interessen stehen (vgl. bes. die »Seeräuberanekdote«; 14, 1187–1190).

Dazu gehört auch, daß sich Cäsars politisches Verhalten ganz wesentlich von den Geschäften bestimmt zeigt, genauer gesagt: von den geschäftlichen Mißerfolgen (zumindest in den ausgeführten Büchern). Daß er überhaupt solche Geschäfte mit riesigen Spekulationsbeträgen ausführen kann, erklärt sich aus seiner vornehmen Herkunft: als Angehöriger einer alten und angesehenen Familie ist der »junge Mann« kreditwürdig. Hat er dann durch Verschwendungssucht (Bauten) und Fehlspekulationen seine mangelnde Kreditwürdigkeit unter Beweis gestellt, können ihn seine Geldgeber nicht mehr fallen lassen, weil sie dann ja die mögliche Zurückzahlung der Gelder gefährdeten. Das kapitalistische Gesetz, nach dem der Schuldner seine Schulden wert ist, beginnt zu wirken. Cäsars Schulden sind so immens, daß man notwendigerweise dafür sorgen muß, daß er große

Geschäfte machen kann, und das heißt, daß man ihm hohe Ämter zuschanzen muß. »In der Politik ist es wie im eigentlichen Geschäftsleben. Kleine Schulden sind keine Empfehlung, große Schulden, das ändert den Aspekt. Ein Mann, der wirklich viel schuldet, genießt Ansehen. Für seinen Kredit zittert nicht mehr nur er selber, sondern auch der Gläubiger. Es müssen ihm große Geschäfte zugeschoben werden, sonst verzweifelt er und läßt alles seinen Lauf nehmen. Man kann auch nicht seinen Umgang meiden, da man ihn ja ständig mahnen muß. Kurz, er ist eine Macht« (14, 1332). Der Romantitel, der die Zentralperson in den abhängigen Genetiv stellt, bringt die Doppeldeutigkeit des geschichtlichen Geschäftemachers angemessen zum Ausdruck. Der Genetiv ist als »subjectivus« und als »objektivus« zu lesen, also die Geschäfte, die Cäsar macht, aber auch die mit ihm gemacht werden, sind Gegenstand des Romans. Oder anders formuliert: viele Ereignisse und »geniale Entscheidungen«, die die Historiographie üblicherweise auf die *Person* Cäsars zurückführt, sind nicht nur weitgehend geschäftlich orientiert und nach ökonomischen Interessen getätigt, sie sind vielmehr oft auch von außen aufgezwungen, zugeschanzt oder aus der Not des Zwangs, ein Geschäft machen zu müssen, entstanden. Auch hier erscheint der siegreiche Feldherr Cäsar weniger als der übliche erfolgreiche Krieger, sondern als derjenige, der seine Geschäfte betreiben muß, weil seine Schulden so hoch sind und dazu – merkwürdig genug – einen *persönlichen* Wert darstellen. Die historische Persönlichkeit ist weitgehend Produkt der Geschäfte und ihrer Kriege geworden.

Brecht hat der Thematik noch einen zusätzlichen, geschichtlich legitimierten satirischen Aspekt abgewonnen, der der Darstellung der »Geschäfte« im beschriebenen Sinn ihre möglicherweise unterstellte »ideologische« Prägung und Einseitigkeit nimmt. Cäsar muß, nicht nur um sich nicht lächerlich zu machen, sondern auch die Gerüchte abzuwehren, er wäre seiner militärischen Aufgabe in Spanien nicht gerecht geworden, seine »klassische Verwaltung einer Provinz« nachträglich als Kriegszug ausweisen. Die Stadt will Heldentaten sehen, besiegte (exotische) Barbaren bestaunen und Schätze bewundern. So geschieht es bei Pompejus. Cäsar hat dagegen in Spanien »nicht elfenbeinerne Nachtstühle, sondern Bleigrubenkonzessionen erbeutet. Anstatt den Tempeln ihre goldenen Götter wegzuführen, hat er sie ihnen gelassen und ist jetzt an den Einnahmen beteiligt. Was wir nicht an massiven und brutalen Objekten haben, müssen wir also durch Geist ersetzen« (14, 1356 f.).

Humanisierung der Ausbeutung

Brecht wußte, daß Cäsar historisch einen Fortschritt bedeutet hat, daß also eine auch kritische Darstellung, die die persönlichen Heroisierungen kritisiert und die Geschäfte als die wesentlich bestimmenden Motivationen herausarbeitet, die zukunftsweisenden Aspekte nicht ignorieren durfte. Da Brecht nicht die spätere Diktatur, sondern Cäsars Aufstieg zu ihr beschreibt, thematisiert sich der »Fortschritt« in Cäsars Kunstförderung (vgl. 14, 1252) und vor allem in der »klassischen Verwaltung« Spaniens. Er führt dort – ganz unter dem Aspekt des maximalen Profits – den »humanen« Kapitalismus ein. Die spanische Bevölkerung wird nicht mehr in Rom, sondern im eigenen Land versklavt, und zwar nicht offen, sondern in der Verpflichtung zur Arbeit in den Silbergruben des Landes. Die Mittel, die Völker auszubeuten, verfeinern sich entschieden, und der Profit steigt. Die Fesseln, mit denen man die Besiegten knebelt, sind nicht mehr so offensichtlich, wie sich auch das Ergebnis als »Kultivierung« der Barbarei verkaufen läßt (vgl. 14, 1343 f.). Der Handel hat »einen gewissen humanen Zug in die menschlichen Beziehungen« gebracht. »Es muß im Gehirn des Händlers gewesen sein, daß der erste friedliche Gedanke auftauchte, die Idee von der Nützlichkeit eines milden Vorgehens. Sie verstehen, die Idee, daß man sich eben auf unblutigem Wege größere Vorteile verschaffen könnte als auf blutigem. In der Tat ist eine Verurteilung zum Hungertod etwas Milderes als die Verurteilung zum Tod durch das Schwert. Wie auch das Los einer Milchkuh ein freundlicheres ist als das eines Mastschweins. Ein Händler muß auf den Gedanken gekommen sein, daß man aus einem Menschen mehr herausholen kann als nur die Gedärme« (14, 1201), so belehrt Afrianus Carbo den jungen Historiker, und eben dies hat Cäsar konsequent in Spanien angewendet. Ideologisch ließ sich das Ganze als zivilisatorische Tat darstellen, in Wahrheit aber hatte sich nichts geändert, aber der Kapitalismus erhielt ein neues, menschlicheres Gesicht unter der »großen humanen Parole« »leben und leben lassen« (14, 1201).

Da die römische City die neue Qualität der klassischen Verwaltung aber nicht erkennt und auch Cäsar nichts gegen die falsche Einschätzung seiner unkriegerischen Handelseroberungen unternimmt, kann dieser »Fortschritt« kein gesamtgesellschaftlicher Fortschritt werden. Die Sklaverei, wenn auch verfeinert, bleibt bestehen, und die allgemeine Versklavung Roms nimmt zu – bis der Diktator gebraucht wird.

Die »Humanisierung« der Ausbeutung ist ein wichtiges Thema des Romans, das sich einer Aktualisierung bzw. einem zeitgenössischen Bezug nicht beugt. Der Faschismus hob das humane Außengesicht des Kapitalismus gerade wieder auf und wendete sich – nicht ohne »Stolz«, den Feinden »offen« zu begegnen – regelrecht ausgestellter Brutalität zu. »Den Hinweis darauf, daß er roh sei, beantwortet der Faschismus mit dem fanatischen Lob der Rohheit. Angeklagt, er sei fanatisch, antwortet er mit dem Lob des Fanatismus. Bezichtigt, er verletze die Vernunft, schreitet er wohlgemut zu einer Verurteilung der Vernunft« (18, 243).

Thematisierung der Historiographie

Auch der *Caesar*-Roman Brechts ist ein satirischer Roman, insofern er unter den beschönigten Darstellungen der gängigen Historiographie die wirklichen Zusammenhänge – bei gleichzeitiger Übernahme ihrer ideologischen Verbrämungen – hervorzieht und in manchmal zugespitzter, manchmal aber auch nur auf der Folie des Üblichen zugespitzt wirkender Weise die Wahrheit aus heiterer Distanz offenlegt. Gegenüber dem *Dreigroschenroman* und dem *Tui-Projekt* ergeben sich für die satirische Schreibweise jedoch kaum neue Gesichtspunkte, so daß auf die dortige Analyse verwiesen sein kann.

Neu ist hier, daß Brecht nicht nur Geschichte »gegen den Strich« und aus den Zwischenräumen der Zeilen heraus liest, sondern zugleich auch beim Schreiben vom Historischen das Schreiben selbst darstellt und thematisiert. Brecht erzählt nicht einfach noch einmal »die« Geschichte Cäsars, er erzählt vielmehr, wie ein Historiker sich die Geschichte überliefern läßt, und zwar mit dem paradoxen Ergebnis, daß, je mehr er an Auskünften erhält, sich die gesuchte Geschichte entzieht. Oder anders gesagt: die Fakten lassen die Biographie, die der Historiker eigentlich schreiben will, nicht mehr zu. In der erzählerischen Fiktion gibt sich der »Roman«, den der Historiker dann ja doch noch aufzeichnet, als die »gescheiterte« Biographie.

Dieses »Scheitern« hat auch seine positive Seite. Indem der Historiker trotz seiner ausgiebig formulierten Kritik an der unheroischen Darstellung seiner Informanten endlich doch den Fakten folgt, stellt er unter Beweis, daß er nicht dem Primat seiner Idee, seinen Vorstellungen sich und das, was er darzustellen hat, unterwirft, sondern sein Schreiben an der historischen Wirklichkeit ausrichtet, es anpaßt. Er wendet eine Schreibweise an, die ihre Darstellung aus der Realität selbst bezieht, und nicht umgekehrt, wie der Dichter Alder, die »Realität« so auswählt, daß sie mit möglichst vielen erlesenen Wörtern zu beschreiben ist. Kurz, er schreibt materialistisch in Brechts Sinn.

Man hat bei den bisherigen Analysen zu wenig beachtet, daß der Roman, indem er die scheiternde Biographie konkret in ihrem Scheitern miterzählt, insgesamt als literarisches Gegenprogramm zur Historiographie zu lesen ist, und zwar eben nicht nur in dem, was er beschreibt, sondern vor allem auch in seinen formalen Lösungen, im »Wie« des Erzählens. Das ist wahrscheinlich deshalb unbeachtet geblieben, weil die erst von Wolfgang Jeske entdeckte Differenz zwischen der Aufzeichnung bzw. Herausgabe des Berichts und seiner Recherchierung nicht gesehen worden ist. Nimmt man nämlich die »Rahmenerzählung« (falsch) als »Erzählzeit«, so fallen in der Tat das unmittelbare Erleben der Recherche und ihre schriftliche Niederschrift zusammen. Wieder einmal rollte dann die Historie vom Erlebnis her ab, zwar nicht vom Erlebnis Cäsars, dafür aber von dem des beteiligten Historikers her (man sähe alles aus seiner Sicht, erlebte mit ihm quasi nach, *wie* er die Tagebücher des Rarus liest, und teilte seine, für ihn ja zunächst enttäuschend ausfallenden Informationen). Soll zwar der Leser mit dem Historiker zusammen den Lernprozeß durchmachen, der ganz konkret am Material selbst entwickelt ist, so soll er doch nicht mit ihm das Lernen »erleben«. Beachtet man nämlich die zeitliche Differenz zwischen Aufzeichnung und Erlebnis, dann entspricht die schließlich überlieferte »Form« (soweit sie vorliegt) dem fiktiven Gestaltungswillen seines fiktiven Autors, des Historikers. Er verzichtet danach nicht nur sehr bewußt auf seine geplante Biographie, er wählt auch Formen der Überlieferung, die doch offenbar ganz dem angemessen sind, was er überliefern möchte.

Dabei wird es nun wichtig, daß Geschichte nicht mehr direkt erzählt wird. Nach der schematischen Übersicht gibt es nicht weniger als 5 Übermittlungsebenen, wobei zugleich auch noch die dem Historischen nächste Ebene aus der Sicht eines Sklaven geschrieben ist, der neben Cäsars Geschichte auch noch die eigene Geschichte mit einbringt. Das bedeutet, daß sich Geschichte angemessen »nicht mehr selbst erzählen« kann. Hätte der Historiker die Geschichte Cäsars selbst bei Beihaltung des »geschäftlichen Aspekts« allein erzählt, fehlte auf der historischen Ebene schon der entscheidende historische Widerspruch der Zeit; es fehlte die »andere« Seite. Von daher wird auch einsichtig, warum die 2. Übermittlungsebene nicht fehlen kann, Spicer nämlich, der die notwendigen Erläuterungen zu den dokumentierten Tagebüchern des Rarus geben muß, zugleich aber den Gesichtspunkt einbringt, der bei einer auf Cäsar fixierten Darstellung nicht genügend zum Tragen käme: der geschäftliche Zusammenhang. Cäsar selbst ist nämlich damit beschäftigt, seine Geschäfte politisch zu verkaufen, so daß nur der Bankier angemessen davon handeln kann: die Fixierung auf eine Person reicht nicht mehr aus, weil die Zusammenhänge, in denen Personen und Geschäfte stehen, die Erfassung verschiedenster Blickwinkel benötigen.

Die dritte Übermittlungsebene kommt hinzu, um parteiliche Beurteilungen der »gesuchten« historischen Person formulieren und gleichzeitig mit einer bestimmten Lebensweise konfrontieren zu können (der Legionär, der nichts gewonnen hat, Carbo, der zynisch »durchblickt«, Alder, der aus hoher »geistiger« Warte suffisant urteilt und verurteilt). Zu diesen Übermittlungen gehört als vierte Stufe dann das allmählich erst bewußt werdende eigene Erleben des Historikers auf Spicers Musterbetrieb hinzu. In dem Maße, wie er beginnt, Geschichte anders und richtiger zu begreifen, in dem Maße nimmt er auch seine eigene Umwelt wahr, lernt sie zu durchschauen (Spicers Bestehen auf dem Geschäftlichen, Weiterführung der Sklavenwirtschaft etc.). Und auf der 5. Ebene schließlich ist der Historiker so weit, seine historischen und seine persönlichen Erfahrungen angemessen umzusetzen.

Es gibt also im Roman keinerlei »Unmittelbarkeit«; alles wird vielmehr »über«-, besser »*ver*mittelt«, selbst das historische Dokument (Rarus' Tagebücher, die der konkrete Leser mit dem Historiker, vorbereitet durch Spicers Erläuterungen, mitliest). Geschichte ist in Vermittlungszusammenhänge gestellt; sie steht nicht »für sich«, sie hat Bedeutung für diejenigen, die sie schreiben. Mit der übermittelten Geschichte wird die Möglichkeit ihrer richtigen Wiedergabe problematisiert und ebenfalls »vermittelt«. Der Roman ist zugleich Roman des Romans.

Das Ergebnis entspricht ganz denen der neueren Forschung zum modernen Roman. Man denke dabei vor allem an Robert Musil, an Alfred Döblin oder auch Thomas Mann, der programmatisch zu seinem *Doktor Faustus* noch den *Roman des Romans (Entstehung des Doktor Faustus)* verfaßt hat. Für den modernen Roman gilt: einfaches Erzählen ist ihm deshalb verlorengegangen, weil angesichts des zunehmenden Verlusts der äußeren Realität (Mißtrauen in die Fähigkeit, sie »wiedergeben« zu können, Verlust des Überblicks, der Zusammenhänge etc.) die Darstellung selbst problematisch geworden ist und also ihre Möglichkeiten im Roman mitgestaltet werden. »Im modernen Roman gibt es keine verläßliche, konsistente Wirklichkeit mehr, weil den Autoren die primäre Realität selbst fragmentarisch, unerfahrbar und letztlich unerkennbar zu sein scheint. [...] Der Grundgedanke ist [...], daß nicht das Beobachtete allein, sondern auch der Akt des Beobachtens,- oder konkreter: daß neben dem Darstellungsgegenstand auch die Darstellungstechnik zum Inhalt der Darstellung werden müsse. [...] Die ›story‹ erscheint weniger als Lebensgeschichte der Romanfiguren denn als Genesis des Romans selbst, oder die ›Biographie‹ des Helden erweist sich bei näherem Hinsehen als verborgene Autobiographie des entstehenden Werkes. Der moderne Roman wird tendenziell zum Roman des Romans« (Schramke, 157,162,164). Dies festzustellen, heißt aber auch, die Unterschiede zu markieren. Während der moderne, das heißt aus den vielfältigen Krisen der bürgerlichen Gesellschaften hervorgehende, Roman den Verlust der Abbildbarkeit subjektiv faßt, ist er bei Brecht Ergebnis objektiven Tatbestands. Der »moderne Roman« leugnet die Möglichkeit, die primäre Realität überhaupt erfassen zu können und lehnt deshalb die Suche nach »Abbildbarkeit« ab. Der Mensch, so die Argumentation könne gar nicht »die« Realität beschreiben, weil jede Beschreibung unter (sprachlichen) Musterungen steht, vom jeweiligen »Vorwissen« der Darsteller abhängig ist, weil auszuwählen ist, weil Standpunkte eingenommen werden müssen etc. In dem Stadium, in dem dieser Verlust an »Realität« als schmerzliche Erfahrung einzubringen war, begann sich die Darstellung dieser Erfahrung und ihr Niederschlag auf das Schreiben in den Vordergrund zu schieben und die Romane, die doch »Welt« und den Menschen in ihr beschreiben wollten, zur Darstellung der Schreibschwierigkeiten der Autoren umzuwerten. Entscheidend dafür ist dann eben die Verlagerung der Darstellung von äußerer Realität zu der von innerer Realität, sowohl der Figuren als auch des – mit den Schwierigkeiten ringenden – Autors.

Bei Brecht kehrt sich das Verhältnis doch merklich um. Er problematisiert die Darstellungen (der Geschichte) nicht deshalb, weil er meint, die historische Realität sei ohnehin nicht zu erfahren, sondern weil er ihnen zutraut, aus den verschiedensten, nachweisbaren Gründen falsch oder »nicht alles« zur Darstellung gebracht zu haben. Bei ihm setzen sich die »Fakten«, setzt sich die äußere Realität durch. Die Darstellungsschwierigkeiten sind demnach keine des schreibenden Subjekts und folglich ihre Darstellung kein Rückzug ins Innere des Autors; hier geht es einzig darum, für das Darzustellende die angemessene Sprache der Darstellung zu gewinnen. Indem der Roman diesen Prozeß beschreibt, erfaßt er für den Leser nachvollziehbar die sich allmähliche Durchsetzung der äußeren Realität – als »die« Geschichte – gegen die vielfältigen Versuche, sie entweder als »notwendig« zu rechtfertigen, sie als Abfolge von »notwendigen« Kriegen und Heldentaten zu legitimieren oder auch als *persönliche* Daten einzelner großer »Männer«, ihrer Gedanken, ihrer Einfälle, ihrer Aktionen und ihrer Leiden vorzuführen. Die so sichtbar gemachte Geschichte aber zeigt die »Notwendigkeiten« in völlig neuen Zusammenhängen, denen der Klassenkämpfe und der Geschäfte. Ihre Rechtfertigung fällt schwer.

Kollektive »Biographie«

Der moderne bürgerliche Roman beruft sich bei der Rechtfertigung seines »Realitätsverlusts« ebenso wie Bertolt Brecht auch auf die moderne Mikrophysik. Danach gilt für den Mikrokosmos, daß die dort stattfindenden Vorgänge sich jeder Abbildbarkeit entziehen, weil das Beobachten Einfluß auf das Beobachtete nimmt und folglich nur zu erkennen ist, was der Beobachter »vorher« so »konstituiert« hat. Übertragen auf den Roman heißt dies, der Erzähler steht nicht mehr »über« den Dingen, die er darstellt, er ist selbst im Beobachteten darin und kann dementsprechend nur sehr begrenzt wahrnehmen und lediglich eine von vielen möglichen Perspektiven realisieren; es geht »um bewußtes Hervorkehren der Relativität, Beschränktheit und Ungewißheit aller Wirklichkeitserfassung. Der moderne Roman liefert sozusagen die Illustration zu Nietzsches Begriff des ›Perspektivismus‹, nachdem einerseits jedes Erkennen eine lebensnotwendige optische Täuschung darstellt, und andererseits die so konstruierte perspektivische Erscheinungswelt doch schlechthin die Wirklichkeit ausmacht« (Schramke, 158). Das Leben in der Täuschung, auf Wirklichkeit angewiesen im Unwirklichen zu leben, ist, was der moderne Roman des Bürgertums schildert und als Konsequenz des modernen Erkenntniszweifels als neue Form anbietet: die vielfach gebrochene »Realität«, geschildert aus den verschiedensten Perspektiven, formuliert im Bewußtsein des ständigen Scheiterns an der Realität, geschrieben in einer Sprache, die nicht mehr Reales trifft, sondern Reales setzt. Auf diese Weise versichert sich das bürgerliche Subjekt noch einmal, der eigentliche Schöpfer von Realität zu sein – weil es keine andere gibt.

Brecht deutet die Analogie zur modernen Mikrophysik völlig anders. Für ihn ist die Tatsache, daß ein Vorgang im Mikrokosmos nicht mehr direkt beobachtbar, also – wie die Physiker sagen - »unscharf« ausfällt, kein Beweis dafür, daß der Beobachter sozusagen nichts mehr sieht als das von ihm Hinzugebrachte, sondern Beweis dafür, daß »Einzelnes« sich offenbar der direkten Abbildung entzieht, weil es in Zusammenhängen steht, die sich *einfacher* Abbildung entziehen. Brechts Aufzeichnungen dieses Zusammenhangs stammen aus einer Zeit, die den Niederschlag der Erfahrungen mit dem *Caesar*-Roman nahelegen. Brecht notiert, als sein Sohn Stefan einen Aufsatz über die englische Revolution im 17. Jahrhundert schreibt und sich dabei vom *Caesar*-Roman des Vaters leiten läßt:

> das einzelne individuum folgt höchst unscharf (nur mit statistischer kurve versehbar) der bewegung seiner massenhaften formation. es fällt steff immerhin auf, daß er den könig dann als masse behandeln muß (wenn er mit klassen verhandelt, kämpft usw). [...] so stößt er auf die erfahrung, daß die dialektische methode es immer mit massen zu tun hat, alles in massen auflöst, das individuum nur als massenteil behandelt, wenn es dasselbe nicht ebenfalls in eine masse zerlegt.
> (AJ 241; vom 4.2.41)

Brecht überträgt die Unschärfe des Einzelteilchens in der Mikrophysik auf die Darstellung des Individuums in der Gesellschaft, genauer: in der kapitalistischen Massengesellschaft. Dabei ergibt sich, daß das Individuum, das nach außen hin als Einheit – als das Unteilbare – auftritt, nurmehr als eine

»mehr oder minder kampfdurchtobte Vielheit« darzustellen ist, und entsprechend wird das große Individuum nur verstehbar, »wenn es mit großen Bewegungen großer Klassen verknüpft werden kann« (20, 62).

Genau dies geschieht im *Caesar*-Roman. Cäsar ist Parteigänger der City, des aufstrebenden kapitalistischen Standes der Ritter. Er benötigt für seine Geschäfte die City, wie sie ihn für die ihren benötigt, wobei sich die Verhältnisse im Fall von Cäsar noch etwas komplizierter darstellen, als er ja seinem ursprünglichen Stand, Angehöriger einer alten Familie zu sein (Cäsar hat sich ja bis auf Äneas »zurückgeführt«, so daß seine Familie – Venus – auch noch in »göttliche Ursprünge« geriet), seine günstigen »Startpositionen« (zum Schuldenmachen) verdankt. Zwischen den Klassen lavierend, ihre Möglichkeiten nutzend, wird Cäsar als Politiker immer nur in dem Maße faßbar, in dem er seine Geschäfte betreibt bzw. mit ihm Geschäfte betrieben werden. Obwohl Cäsar durchaus auch als »Versager« von Brecht gezeichnet wird, spricht er ihm – was ja bei solcher Betrachtungsweise so nahe zu liegen scheint – keineswegs seine Individualität ab. Cäsars Fähigkeiten, die Gunst der Stunde zu nutzen, sind im Gegenteil immer herausgearbeitet, wenn sie sich zeigen. Wie er als Prätor die Senatoren regelrecht »vorführt«, um sich selbst »herauszuhalten«, schildert Rarus als Meisterleistung; nicht weniger ruhmvoll ist es, in Spanien das übliche System der Auspowerung des Landes zu verlassen und an größere Möglichkeiten des Gewinnemachens zu denken, oder wie er Crassus hereinlegt, wie er in Gallien die Klassengegensätze erkennt und nutzt – immer wird auch Cäsar sichtbar, seine Person, seine Möglichkeiten. Aber: die Person entsteht nicht »von innen« heraus, sie erscheint nicht als der »Macher« all dieser »großen Taten«, er agiert vielmehr innerhalb der Gegebenheiten, die ihm »von außen« her zur Verfügung stehen. Er nutzt die Möglichkeiten, die sich ihm – ohne oder auch gegen sein Verdienst und Vermögen – bieten, und erweist sich damit als ein guter Kenner der Realität seiner Zeit: nur wer sie so wie Cäsar kennt, kann auch mit ihr so umgehen, daß ihm trotz aller Widrigkeiten nichts Entscheidendes schiefgeht, zunächst jedenfalls nicht.

»Das Individuum Cäsar, das in der bürgerlichen Historiographie als der große Geschichtsmacher auftritt [...], objektiviert sich nach Brecht allein in seinen Geschäften: nur in der Teilbarkeit, in der Dividualität, manifestiert sich die Individualität des großen Caius Julius; er setzt [wie es Alder ausführt; 14, 1328] keine Patina an, seine Biographie kommt nur als kollektive zustande.

Die der Forschung bekannte Wendung Brechts gegen die bürgerliche Historiographie, die das historische Geschehen, ihren eigenen Prämissen folgend, als Taten großer Männer, die Geschichte machen, beschreibt, erhält [...] eine ergänzende naturwissenschaftliche Begründung: das Individuum als vorausgesetzte ›Einheit‹ zeigt sich als das Unbestimmte und Unbestimmbare, und das heißt: Geschichte wird nur aus den überindividuellen, intersubjektiven, massenhaften Bewegungen deutbar und beschreibbar; Historiographie dagegen, die sich an die Unteilbarkeit des Individuums heftet, liefert sich dem Zufall und der Sinnlosigkeit aus. Für Brecht kommt die neue Möglichkeit der Historiographie nicht von ungefähr: seit Mitte des 19. Jahrhunderts beginnt die ›Masse‹ – im soziologischen Sinn – eine geschichtliche Macht zu werden, die zu einer neuen und erweiterten Sicht auf die Geschichte zwingt, zwingen sollte [...].

Überdies hat der *Caesar*-Roman eine poetologische Konsequenz: indem Brecht die Roman-Form wählt, die bürgerliche Epopöe, stellt er dem modernen Roman, der das Individuum noch einmal rettet, indem er es als den einzigen Garanten für Realität im Angesicht der zerfallenden Objektwelt vorführt, den realistischen Typus gegenüber, der das Zentrum des alten Romans auflöst, das Individuum, indem er es in der Außenwelt, in der Darstellung der gesellschaftlichen Vorgänge und Geschäfte objektiviert, so die Grenze zwischen Außen- und Innenwelt von der Objektseite her aufhebend. So gesehen, kann der *Caesar*-Roman einen [...] Hinweis auf eine Alternative geben, die der Literatur der ›Moderne‹, die unter dem Vorzeichen des subjektiven Idealismus angetreten ist, entgegenzustellen wäre« (Knopf, 181).

Alfred *Heuss*: Römische Geschichte. Braunschweig 1964 (2., verb. Aufl.).

Jürgen *Schramke*: Zur Theorie des modernen Romans. München 1974.

Herbert *Claas* (s. o.; S. 165–176). – Klaus-Detlef *Müller* (s. o.; S. 256–262, 276–283). – Jan *Knopf*: Bertolt Brecht und die Naturwissenschaften. In: Brechts »Leben des Galilei«. Hg. v. Werner *Hecht*. Frankfurt a. M. 1981. S. 163–188 (bes. S. 179–181). – Wolfgang *Jeske* (s. o.; S. 313–335).

Deutungen

Im Gegensatz zum übrigen Romanwerk Brechts liegen zum *Caesar* schon früh und insgesamt (im Verhältnis) zahlreich Untersuchungen vor. Der Tatbestand hängt damit zusammen, daß der Roman in den Zusammenhang des »römischen Brecht« (Hans Mayer, 87 und ff.) gehört. Hans Mayer war zuerst Brechts bewußte Hinwendung zur römischen Tradition aufgefallen, »weil sie nicht ohne polemische Schärfe der klassischen deutschen Synthese aus *Deutschtum und Griechentum* entgegengestellt wird« (Mayer, 88). Mayer verweist auf die Zusammenhänge, die sich zu Brechts »Anti-Aristoteles« ergeben, zu seiner Horaz-Lektüre, zu Stücken wie *Coriolan, Lukullus, Horatier und Kuriatier,* zu Gedichten (*Fragen eines lesenden Arbeiters*) etc. Mayer betont bereits, daß es Brecht nicht darauf ankomme, »Heldengestalten anzukratzen, sondern die Aktion des Helden in das Gesamtbild der gesellschaftlichen und vor allem wirtschaftlichen Verhältnisse einzuordnen« (Mayer, 91).

Peter Witzmann hat mit seiner Arbeit über die *Antike Tradition* erstmals das vielfältige Material des Archivs aufgearbeitet und damit die Quellen – nicht nur zum *Caesar*-Roman – zugänglich gemacht. Witzmann stellt sein Kapitel unter die Überschrift *Der Held und der Kammerdiener* und betont dabei vor allem die durch die Tagebücher des Rarus vermittelte Sicht »von unten«. Rarus' Urteil über Cäsar versteht er dabei zugleich als Brechts Urteil über seine Gestalt: »Eines jedenfalls hat dieses halbe Jahr bewiesen: ein Politiker großen Formats ist C. nicht und wird es nie sein. [...] Er hat weder den Charakter dazu noch die Idee. Er macht Politik, weil ihm sonst nichts übrigbleibt. Er ist aber keine Führernatur« (14, 1309). Entsprechend entwickelt Witzmann seine These: »Für Brecht ist C. also nicht ein politisches Genie, das das römische Weltreich nach seinem Willen formte, für ihn ist er ein durchschnittlicher, freilich allmählich immer geschickter, immer raffinierter agierender Politiker, der seine Chance im Wechselspiel der Machtkämpfe zu nutzen lernt, der in der Politik Erfolg hat, weil er in den Geschäften Erfolg hat. Seine politische Größe beruht nicht auf der Größe seiner Ideen, sondern auf der Größe seiner Geschäfte« (Witzmann, 71).

Hans Dahlke hat der Cäsar-Figur bei Brecht eine gesonderte Monographie gewidmet. Im Zentrum steht, schon seiner Länge und Bedeutung wegen der *Caesar*-Roman. Dahlke stellt vor allem die Bedeutung des Tagebuchs von Rarus heraus, in der er die entscheidende künstlerische Leistung des Fragments sieht: »Die Schwierigkeit und die besondere Kunst des Tagebuches bestand darin, ein wirklichkeitsgetreues Bild der Lage der Unteren durch einen Berichterstatter entwerfen zu lassen, der zwar klassenmäßig zu den Unteren zu zählen wäre, aber nicht nach seiner Gesinnung. Der korrumpierte Sklave als glaubwürdiger Zeuge für das heiße Aufbegehren der Ärmsten und für den großen Betrug an ihnen, das war das große künstlerische Problem der Rarus-Erinnerungen« (Dahlke, 189). Damit hat Dahlke Witzmanns These von der Kammerdienerperspektive erheblich modifiziert und genauer beschrieben, und er kann darauf aufbauend den Roman insgesamt in seiner satirischen Anlage erkennen, abgehandelt unter dem aus Brechts Dramentheorie entnommenen Begriff der »Verfremdung«: »Das Verhalten der im Roman beschriebenen Menschen steht im Widerspruch zu dem, was sie selbst oder was die bisherigen Geschichtsbücher über ihre Motive sagen. Der Roman vermittelt uns ein anderes Wissen über die Menschen der damaligen Gesellschaft, als ihren eigenen Aussagen im Romangeschehen entspricht. Wir werden als Leser in die Lage versetzt, es besser zu wissen als sie« (Dahlke, 204). Das entscheidende Moment Brechtscher Satire, nämlich der Zusammenstoß von ideologischer Verbrämung, deren Sprache ja gesprochen wird, und historischer Tatsächlichkeit ist von Dahlke damit frühzeitig am *Caesar*-Roman entwickelt worden.

Klaus-Detlef Müller hat in seiner 1967 erstmals erschienenen Studie zur *Funktion der Geschichte im Werk Bertolt Brechts* den Zusammenhang von Geschichtskritik und Kritik der Geschichtsschreibung herausgearbeitet und die doppelte Zeitebene (Historie – »Biograph«) sowie die damit verdoppelte Perspektive betont: »Die wechselseitige Historisierung hebt den Widerspruch der beiden Deutungen zur Kontinuität auf. Es ist also nicht die Kammerdienerperspektive, die das neue Caesar-Bild begründet, sondern die Einsicht in Art und Wesen der historischen Veränderung, die mit Caesars Namen bezeichnet ist« (Müller, 108). Paradigmatisch ist Müller die zweifach erzählte Seeräuberanekdote, die als Modell »auf alles übrige zu übertragen« sei (Müller, 117). Obwohl Müller die Zurücknahme der »Individualität« der Hauptfigur bespricht und erkennt, bleibt er dennoch auf Individualität fixiert, insofern er aus Cäsars »Unberechenbarkeit« – als persönlicher Charaktereigenschaft – die Möglichkeiten zu seinem politischen Aufstieg erklärt (vgl. Müller, 133). Eben dies aber leitet den ja durchaus aufhaltsamen Aufstieg Cäsars wiederum aus der Person und nicht aus den »Geschäften« (die für mehr stehen) ab.

In meinem Aufsatz *Ohnmacht der Macht oder Buchhaltung ohne Geschäftsführer* habe ich die Gegenthese zu Müller auf der anderen Seite überzogen, so daß von Cäsars Person und Individualität überhaupt nichts mehr übrigbleibt. Die objektive Seite wird überbewertet, die Möglichkeit des Subjekts, sich bestimmte Konstellationen zunutze zu machen, unterbewertet, so daß Cäsar schließlich im Sinn von August Thalheimer als »ordinäre Blechfigur« erscheint, die von den Strömungen der Zeit nach oben gespült wird (vgl. Knopf, 30).

Hans Vilmar Geppert stellt Brechts Roman in die Reihe (bürgerlich) moderner Romane, deren Tendenz ja die »Subjektivierung« (u. v. a.) ist. Der Zusammenfall von Fiktion und Geschichte mache auch diesen Roman konsequent zum »Vehikel hermeneutischer Probleme und Prozesse: er schiebt sich ganz unmittelbar zwischen die verschiedenen Geschichtserzählungen und ihren Gegenstand und setzt so die Frage nach einer ›richtigen Geschichte‹ in Gang« (Geppert, 64). Diese Geschichte aber ist, da ist Geppert konsequent, nicht vorgegeben, sondern sie wird erst nachträglich »konstituiert«: »Erst von der Zukunft des Autors wie des Lesers aus ist auch die Vergangenheit einer Cäsar-Zeit adäquat zu erzählen« (Geppert, 64 f.). In völliger Umkehrung dessen, was Brecht angestrebt hat, nämlich die Fakten »sprechen« zu lassen – gegen ihre bewußte oder unbewußte Verbrämung oder gar Unterdrückung, besteht Geppert auf der »nachträglichen« – hermeneutischen – Konstitution der Fakten durch den »richtigen« Erzähler.

Herbert Claas hat in seinem Buch *Die politische Ästhetik Bertolt Brechts vom Baal zum Caesar*, dessen im Titel genannter Zusammenhang ziemlich dunkel bleibt, ein Großteil des Nachlaß-Materials publiziert und mit ihm weitergehende Schlüsse im Hinblick auf die »Geschichtskonstruktion« ziehen können. Diese Konstruktion kollidiere nämlich weitgehend mit dem Versuch, sie zum herrschenden Faschismus in Parallele zu setzen. Darin sieht Claas denn auch das endliche Scheitern der weiterführenden Arbeitspläne: »Im Verlauf der Arbeiten treten die Zwecke der Faschismusdeutung und die Darstellungsprobleme des historischen Gegenstandes so weit auseinander, daß Brecht den Roman zugunsten anderer Arbeiten liegen läßt« (Claas, 175). Dennoch aber liege mit dem Fragment eine »virtuose und zugleich funktionale Ausschöpfung epischer Formen« vor (ebd.). – Claas hat erstmals auf die zentrale Rolle, die das Geld im Roman-Fragment spielt, als da ständig »Kuverts« ausgetauscht werden, wenn politische Entscheidungen zu beeinflussen sind. Während die Inhaber von Produktionsstätten jeweils mit der Nennung ihrer Ware aufträten (Celer, Häute und Leder z. B.), hätten sich die Militärs, Bankiers und Händler schon von der Sphäre der materiellen Produktion und Reproduktion entfernt, und das Kuvert werde folglich ihr »Markenzeichen«. In diesem Zusammenhang erörtert Claas auch die Liebesgeschichte, die in keinem ordentlichen Roman zu fehlen habe, hier aber als Liebesgeschichte zwischen Männern realisiert ist: auch sie ist vom Geld bestimmt, insofern der Sklave Rarus seinem Herrn zur Unzeit finanziell aus der Patsche hilft, dafür aber kein Geld mehr hat, um Caebio angemessen zu unterstützen; und der hat sich inzwischen anderen Geldgebern zugewendet. Aus der »Bewegung des Geldes« – sowohl in Cäsars als auch in Rarus' Geschichte – entwickelt sich nach Claas auch die Perspektive (bzw. Perspektiven) des Romans: »Eine inhaltliche und eine formale Traditionslinie schießen in Brechts ungewöhnlichem Romanfragment zusammen – inhaltlich die Bewegung von Geld und formal die epische Spiegelungstechnik. (Deutlicher kann kaum eine Form diejenige ihres Inhalts sein: Geld verweist seinem Begriff nach auf ein Anderes, das sich in ihm spiegelt; das allgemeine Äquivalent repräsentiert eine von ihm qualitativ verschiedene Ware gleich großen Werts.)« (Claas, 133).

Klaus-Detlef Müllers zusammenfassende Darstellung von 1980, die die vorliegende Forschung aufarbeitet, hebt noch einen Gesichtspunkt hervor, der in den bisherigen Untersuchungen eine zu geringe oder gar keine Rolle gespielt hat, nämlich die Aufbrechung der Geschichtsbetrachtung im Hinblick auf die Rechtfertigung dessen, was Faktum geworden ist. Daß hier ein grundsätzliches Problem vorliegt, das gerade für materialistische Ansätze kaum zu überschätzen ist, kann nur gesagt sein: das, was Faktum geworden ist, hat – wie immer – historisch gewirkt und sich durchgesetzt, insofern hat es sich damit auch »gerechtfertigt«. Brecht jedoch hat, wie Müller zeigt, verschiedene Versuche unternommen, die »Macht des Faktischen« zu relativieren und in der Ausbreitung des historischen Falls auch seine möglichen Alternativen mitzuzeichnen. Dem scheint nun grundsätzlich zu widersprechen, daß – wie die Analyse behauptet – sich die Fakten gegen die »Ideologien« im Roman durchsetzen. Das ist jedoch hier nicht gemeint, gemeint ist vielmehr, die bekannten Fakten zu schnell in einen logischen und damit Notwendigkeit suggerierenden Zusammenhang zu stellen. Es geht also nicht um die Fakten selbst, sondern ihre Bewertung, ihre Rechtfertigung dadurch, daß man sie zum Beispiel als notwendige Voraussetzungen zu Cäsars Aufstieg würdigt, damit aber möglicherweise vorhandene andere Wege verschweigt, zudeckt oder ignoriert. Der marxistische »Historiker« Brecht rechnet durchaus mit dem Zufall oder auch der spontanen (geschichtsmächtigen) Entscheidung des einzelnen. Aber er tut dies auf der Grundlage dessen, was Faktum geworden ist, und er erfaßt *vor* der persönlichen Tat die intersubjektiven Zusammenhänge, die sie so ermöglichen. Im Rahmen aber der übergreifenden Zusammenhänge gibt es Alternativen, und jeder Aufstieg zur Diktatur ist durchaus nicht unaufhaltsam. Die Gefahr der Historiographie besteht darin, die Geschichte zur fatalistischen Notwendigkeit umzudeuten.

Wolfgang Jeske hat 1981 die eingehendste Untersuchung zum *Caesar*-Roman vorgelegt. Sie hat die zugänglichen Materialien im einzelnen überprüft und in vielen Fällen bisher vermutete Abhängigkeiten richtigstellen oder modifizieren können. Das geht bis in (scheinbare) Einzelheiten hinein, eine Vorgehensweise, die sich gerade für die Einschätzung von Brechts »Arbeitsweisen und Realitätsdarstellung«, wie es sich zeigt, immer notwendiger erweisen. Denn gerade bei Brecht ist es wichtig, nicht auf dem bisherigen – recht einfachen – geistesgeschichtlichen Weg Bezüge, »Abhängigkeiten«, Traditionen herzustellen. Im Gegenteil zwingen Brechts Werke, insbesondere die Romane, dazu, sich sowohl den dargestellten als auch den jeweils »aktualisierten« Realitäten der Zeit zu stellen: »Die Abbildungen müssen nämlich zurücktreten vor dem Abgebildeten« (16, 700; vgl. Jeske, 313 und ff.).

Hans *Mayer*: Brecht und die Tradition. Pfullingen 1961 (2. Aufl. 1964, München) (S. 87–93). – Peter *Witzmann*: Antike Tradition im Werk Bertolt Brechts. Berlin 1964, 2. Aufl. 1965 (S. 52–74). – Hans *Dahlke*: Cäsar bei Brecht. Eine vergleichende Betrachtung. Berlin 1968 (abgeschlossen 1966) (S. 80–218). – Klaus-Detlef *Müller*: Die Funktion der Geschichte im Werk Bertolt Brechts. Tübingen 1967, 2. Aufl. 1972 (S. 96–145). – Jan *Knopf*: Ohnmacht der Macht oder Buchhaltung ohne Geschäftsführer. Historiographie in Brechts Cäsar-Roman. In: Der Deutschunterricht 27, 1975, Heft 3, S. 18–32. – Hans Vilmar *Geppert*: Der »andere« historische Roman. Theorie und Strukturen einer diskontinuierlichen Gattung. Tübingen 1976 (S. 61–65, 131–135, 255–259). – Herbert *Claas* (s. o.). – Klaus-Detlef *Müller*: Brecht-Kommentar (s. o.). – Wolfgang *Jeske* (s. o.; dort auch weitere Literatur).

Verfilmung

1972 hat Jean-Marie Straub den *Caesar*-Roman zu einer freien filmischen Bearbeitung unter dem Titel *Geschichtsunterricht* (BRD) umgearbeitet. Diese Verfilmung ist von Brechts Filmplan *Cäsars letzte Tage* (s. Texte für Filme II, 372–400) zu unterscheiden, der die 1942 entstandene Geschichte *Cäsar und sein Legionär* verfilmen sollte. Straubs Film benutzt lediglich Textmaterial des Romans, von Laiendarstellern gesprochen, nicht filmisch umgesetzt, indem er den Fall Cäsar zu einem Stück Gegenwartskunde über Kolonialismus, Kapitalexport und Monopolisierung verarbeitet: ein zeitgenössischer parteilicher Frager sitzt den »historischen« Gestalten – Bankier, Bauer, Anwalt, Dichter – gegenüber und läßt sich von ihnen über Cäsars Geschäfte und damit auch über die Geschäfte seiner Zeit informieren. Rom kommt nicht als das geschniegelte, klassisch gereinigte antike Rom ins Bild, sondern als die moderne Stadt von heute, die einmal nicht von ihrer touristischen Seite aufgenommen wird, sondern die heutigen Gegensätze von Herrschern und Beherrschten zeigt. Wolfgang Gersch schätzt Straubs Film nicht als eigentliche Brecht-Verfilmung ein, weil er sich zu weit von der Vorlage entfernt und keine Bilder zum Erzählten sucht.

Wolfgang *Gersch*: Film bei Brecht. München 1975 (S. 298 f.).

Der Tui-Roman (Fragment)

Entstehung

Die Entstehungs-Geschichte des fragmentarisch gebliebenen *Tui-Romans* umfaßt den Zeitraum von 1930–1942; aus dieser Zeit jedenfalls datieren die Materialien zum Projekt. Das Thema selbst hat Brecht, nachdem er darauf gestoßen war, bis zuletzt beschäftigt. In *Turandot oder der Kongreß der Weißwäscher*, das in der Entstehung zum Teil direkt parallel zum *Roman* läuft, hat Brecht den

»Tuismus« dramatisch behandelt (1953/54; seit 1930). Das Stück sollte mit dem *Tui-Roman* zusammen einen großen Komplex bilden. Es lassen sich vier wichtigere Arbeitsphasen ansetzen, und zwar die 1. um 1930/31, die 2. in der ersten Zeit der Emigration 1933–34, die 3. um 1935/36, als Brecht die schlechten Erfahrungen beim Versuch einer faschistischen Einheitsfront gemacht hatte, und die 4. im amerikanischen Exil 1941/42. Die beiden ersten Phasen laufen mit den Arbeiten am *Turandot*-Stück weitgehend kongruent, so daß sich ein Teil des Materials nicht eindeutig beziehen läßt.

1. Phase: Aus ihr stammt eine nicht näher spezifizierte »Geschichte Borchardts von seinem Vater und dem vorgetäuschten Bankerott« (BBA 351/20 = Nr. 11689, Bd. 3, S. 37; vgl. BH 1, 328), die dem *Tui-Roman* archivarisch zugeordnet ist, jedoch wohl zum *Turandot*-Stück gehört, insofern sich die Brecht mündlich überlieferte Geschichte eines (wohl vorgetäuschten) Bankrotts im Stück (chinesischer Kaiser) erzählen läßt (gemeint ist Hans Hermann Borchardt, Mitarbeiter an der *Heiligen Johanna,* 1881–1951). Außerdem gehört der »Denkismus«, die Geschichte des 1924 überführten schlesischen Massenmörders, in die frühe Phase. Hier formuliert sich bereits deutlich die satirische Ausrichtung des Stoffs und sein »deutscher« Bezug, wenn er Karl Denke die Romanvornamen Johann Gottlieb (wie der deutscheste Philosoph Fichte, 1762–1814) gibt.

2. Phase: Während Brecht den *Dreigroschenroman,* Sommer und Herbst 1933, ausarbeitet, notiert er Einfälle zum *Tui-Roman* und sammelt Zeitungsausschnitte, die sich auf die Zeitgeschichte, besonders auf die Weimarer Republik, beziehen. Es gilt als wahrscheinlich, daß in diese Zeit die Ausarbeitung des Komplexes um die Revolution 1918/19 und die Geschichte der Weimarer Republik fällt, also ein Großteil des vorliegenden Materials entsteht. 1934 notiert Walter Benjamin, der Brechts Gast im dänischen Svendborg ist, daß Brechts Planungen weiter ausgreifen würden und Prosaentwürfe warteten: »Der Tui-Roman ist bestimmt, einen enzyklopädischen Überblick über die Torheiten der Tellektuall-Ins zu geben (der Intellektuellen); er wird, wie es scheint, zumindest zum Teil in China spielen. Ein kleines Modell für dieses Werk ist fertig« Walter Benjamin: Versuche über Brecht. Hg. v. Rolf Tiedemann. Frankfurt a. M. 1971. S. 125).

3. Phase: Die 3. Phase ist durch zwei wesentliche Erfahrungen geprägt, die auch auf die Konzeption des *Tui*-Projekts Einfluß haben. Die Hoffnungen auf eine schnelle Beseitigung des Nationalsozialismus durch die Zusammenfassung aller antifaschistischen Kräfte zerschlagen sich schnell, das Exil – so zeichnet es sich ab – wird von größerer Dauer sein, und auf den Schriftstellerkongressen von 1935 und 1936 erfährt Brecht eine neue Art des Tuismus, nämlich vor allem und, sei es unter großen Opfern, die »Kultur zu retten«, und folglich nicht von den materiellen Grundlagen der Kultur zu reden: von den Eigentumsverhältnissen. An Karl Korsch z. B. schreibt Brecht: »Ich selbst war auf dem Schriftstellerkongreß [Paris 1935] und konnte viel für meinen ›Tui-Roman‹ buchen« (Briefe, Nr. 259; vom Juni/Juli 1935). Seine Kritik gilt jetzt z. T. Kollegen, die er sonst sehr schätzte (Heinrich Mann, später auch Lion Feuchtwanger, Johannes R. Becher u. v. a.) und die, wie z. B. auch Brechts spätere Zurückhaltung gegenüber Georg Lukács in der sog. »Expressionismus-Debatte« belegt, er nicht öffentlich auszutragen gedachte, so lange jedenfalls, als es nötig war, gemeinsam gegen den Faschismus Front zu machen. Auch thematisch zeichnete sich – wie durch die Exil-Situation insgesamt – die (vorläufige) Nicht-Publikation des Materials ab. Um so radikaler freilich konnte die satirische »Abrechnung«, die *auch* eine kritische Selbstreflexion einschließen mußte, ausfallen. In dieser Phase entstehen die vielen Skizzen, Traktate, Geschichten, Anekdoten und auch die für das *Tui-Epos* gedachten Gedichte. Vieles, was Brecht da aufzeichnet, weist große Ähnlichkeiten zum *Me-ti,* zum *Arbeitsjournal* (formal und inhaltlich) sowie zu den *Flüchtlingsgesprächen* (inhaltlich) auf. Gedacht war, die *Tui-Geschichten* (womöglich auch das *Epos*) auf nach antikem Vorbild ausgerichtete Weise von einem Erzähler vortragen zu lassen; vorgesehen war dafür »Ker-fi-er« (Friedrich Kraus, der als Vermittler zwischen deutscher und sowjetischer Wissenschaft bekannt gewordene Berliner Internist). Im Entwurf heißt es: »der erzähler der tui-geschichten der arzt ker-fi-er (friedrich kraus), ein geräuschvoller siebziger, skeptiker, sokratiker, vitaliker. sein freund len [Lenin] hört ihm zu, die hände gefaltet, das eine auge zu winkend, den kopf zurückgelehnt, oft lachend« (BBA 560/17 = Nr. 11497, Bd. 3, S. 22; zitiert nach Thiele, 365). In dieser Phase beginnt Brecht auch, einen 2. Kongreß einzuplanen, der vom 1. Kongreß, zu dem sich der Zug des Taschi Lama bewegt (Konzil genannt), zu unterscheiden ist. Auch sprengt das neue Tui-Thema die in der 2.

Phase geplanten Grenzen des *Tui*-Komplexes; ging es da um die Weimarer Republik und ihr Ende (die Tuis erreichen ihr Ziel, den Kongreß erst, als die Republik bereits vorbei ist), so greift das jetzt entstehende Material darüber hinaus.

4. Phase: Nachdem Brecht sich anderen Projekten zugewendet hat, so dem *Caesar*-Roman als Auseinandersetzung mit der bürgerlichen Historiographie (auch ein Tui-Thema) oder mit dem *Aufhaltsamen Aufstieg des Arturo Ui* (der Name »Ui« verweist auf den »depravierten Tui«), lernt Brecht im amerikanischen Exil eine weitere Variante des Tuismus kennen, der zugleich aber auch die entlarvend-satirische Anlage des Projekts massiv gefährdet. Brecht macht die Erfahrung, daß der Verkauf der Meinungen, die Warenform des Intellekts, anders als in Deutschland offen gehandelt, also in ganz unverbrämter Weise zugegeben wird. »dieses land zerschlägt mir meinen TUI-ROMAN. hier kann man den verkauf der meinungen nicht enthüllen. er geht nackt herum« (AJ 418; vom 18. 4. 42). Andererseits gewinnt Brecht durch den Kontakt mit den Mitgliedern des Frankfurter Instituts neuen Stoff. »Tuistisch« erscheinen Brecht die geistig-revolutionären Anstrengungen auf gesicherter bürgerlicher Finanzgrundlage, die nicht mit in die Analysen einbezogen wird. Dieser neue Themenkomplex ist, durch entsprechende Aussagen von Hanns Eisler unterstützt, vielfach mit dem *Tui*-Komplex insgesamt identifiziert worden, zu Unrecht. Aus dieser Phase stammen die deutlich auf die »Frankfurtisten« bezogen, zum Teil nicht in den Ausgaben publizierten Aufzeichnungen sowie diejenigen Traktate und Geschichten, die Hollywood zum Thema haben.

Ab 1943 gibt es keine Aufzeichnungen zum *Tui*-Komplex mehr. Was jetzt zum Tuismus notiert wird, geschieht direkt, und das heißt im *Arbeitsjournal* (vgl. z. B. die Aufzeichnung vom 18. 12. 44, AJ 711, die sich mit den Frankfurtern auseinandersetzt). Die »chimesische« Einkleidung fehlt. Warum der Komplex scheitert, bleibt ungewiß. Als Gründe werden angegeben: Schwierigkeiten bei der Fabelfindung, zu großes und verzweigtes Thema, Grenzen der Parabelgestaltung, Versagen der satirisch-entlarvenden Perspektive angesichts der offenbaren Zustände in den USA.

Hans *Bunge*: Fragen Sie mehr über Brecht. Hanns Eisler im Gespräch. Nachwort von Stephan *Hermlin*. München 1970 (S. 13–15, 186–190). – Klaus-Detlef *Müller*: Brecht-Kommentar zur erzählenden Prosa. München 1980 (S. 350–355). – Gunnar *Müller-Waldeck*: Vom »Tui«-Roman zu »Turandot«. Berlin 1981 (S. 35–60).

Text

Elisabeth Hauptmann hat für den 14. Band der Ausgabe der *Stücke* den gesamten *Tui*-Komplex zusammengestellt, und zwar unter Berufung auf Brechts Notiz *Turandot und die Intellektuellen:*

> Das Stück »Turandot oder Der Kongreß der Weißwäscher« gehört zu einem umfangreichen literarischen Komplex, der zum größten Teil noch in Plänen und Skizzen besteht. Zu ihm gehören ein Roman »Der Untergang der Tuis«, ein Band Erzählungen »Tuigeschichten«, eine Folge kleiner Stücke »Tuischwänke« und ein Bändchen von Traktaten »Die Kunst der Speichelleckerei und andre Künste«.
>
> Alle diese Arbeiten, die den Verfasser seit Jahrzehnten beschäftigen, behandeln den Mißbrauch des Intellekts.
>
> (Stücke 14, S. 7 f.)

Der Band enthält entsprechend, und zwar entgegen dem sonst gehandhabten Prinzip der Gattungs-Trennung, sowohl das *Turandot*-Stück als auch unter dem Oberbegriff *Tui-Roman* gesammelte, aus dem Nachlaß zusammengestellte Notizen, Pläne, Entwürfe, Geschichten, fragmentarische Texte, Traktate, Gedichte). Wie das Archiv-Material, das inzwischen bei Thiele publiziert worden ist, zeigt, hat Elisabeth Hauptmann keineswegs alle Texte des Nachlasses berücksichtigt. Hauptmann hat folgende Anordnung des Materials gewählt (angegeben sind nur die Einteilungsprinzipien):

Große Linien, Gesichtswinkel, Pläne	S. 137–148 (12, 589–594)
Vier Reisen	S. 149–173 (12, 595–609)
Tuis und Tuischule	S. 175–192 (12, 611–621)
Das goldene Zeitalter der Tuis	S. 193–229 (12, 623–646)
Weitere Beiträge zur Geschichte der Tui-Republik	S. 231–265 (12, 647–667)
Untergang und Ende der Tuis	S. 267–278 (12, 669–675)
Tui-Traktate	S. 279–290 (12, 677–683)
Tui-Geschichten	S. 291–352 (12, 685–723)
Zwei Gedichte aus dem Tui-Komplex	S. 353–360 (12, 724–727)

Der Text der *Stücke* ist – abgesehen vom *Turandot*-Stück, das den Dramen zugeordnet worden ist (5, 2193–2269) – in der alten Anordnung und auch sonst unverändert in die *Werkausgabe*, dort in den 2. Band der *Prosa*, eingegangen (die Seitenzahlen sind in Klammern angefügt).

Wenn die Zusammenfügung des *Tui*-Komplexes im 14. Band der *Stücke* auch eine sinnvolle und Brechts Intentionen zumindest andeutende

Entscheidung gewesen ist, so bleibt die Anordnung selbst jedoch – notwendigerweise – vorläufig, z. T. aber auch mißverständlich, insofern es z. B. im Kapitel *Untergang und Ende der Tuis* die verschiedenen Entstehungsphasen des Materials nicht berücksichtigt. Die Tuis untergehen zu lassen, sah die 2. Phase vor, die den *Tui-Roman* auf die Weimarer Republik beschränken wollte; wenn dagegen jetzt die Hollywood-Geschichten u. a. unter dieser Überschrift stehen, so stellt sich zu ihr kein sinnvoller Bezug mehr her. – Auch die Gattungsbezeichnungen geben im Hinblick auf den Gesamtnamen des Komplexes zu Zweifeln Anlaß. Brecht spricht zwar in seinen Aufzeichnungen fast immer vom *Tui-Roman*, stellt dann aber in seiner späten Äußerung von 1954 den *Roman* selbst als nur einen Teil des »literarischen Komplexes« dar, zu dem neben *Turandot* noch weitere (kleine) Stükke und verschiedene Prosaformen treten sollten. Insofern stellt sich die Frage, ob die Gattungsbezeichnung *Tui-Roman* für den gesamten Komplex überhaupt gerechtfertigt ist (da er sich eingebürgert hat, ist er auch hier beibehalten).

Die Anordnung des Materials selbst muß zweifelhaft bleiben, da außer zu den *Tui-Geschichten* keine Zusammenstellungen vorliegen. Unklar bleibt so auch, ob die verschiedenen literarischen Formen ineinander montiert werden oder – wie es notgedrungen für die Ausgabe des Materials geschah – in verschiedenen Komplexen nebeneinander stehen sollten. Hinweise auf die Montage-Absicht, die als (lectio difficilior) nach bewährten textkritischen Prinzipien anzunehmen wäre, finden sich z. B. in den Plänen, wenn es heißt: »VI. Die Geschichte Chimas im Zeitalter der Tuis/ Fortlaufend eingestreut in den eigentlichen Roman. In Versalien gedruckt« (12, 594). Das Verfahren, Montagen durch andere Drucktype zu kennzeichnen, hatte Brecht im *Dreigroschenroman* bereits erfolgreich verwendet.

Auf alle Fälle gilt für den Gesamtkomplex, daß er keinesfalls die üblichen Grenzen und Konventionen des bürgerlichen Romans (als Gattung) wahren wollte. Das beweisen Notizen von ca. 1938:

Über den zweiten Roman [der erste ist der *Caesar*-Roman], an dem ich schon lange arbeite, wage ich kaum zu sprechen, so kompliziert sind da die Probleme und so primitiv ist da das Vokabular, das mir die Ästhetik des Realismus, wie sie jetzt ist, liefert. Die formalen Schwierigkeiten sind außerordentlich, ich habe ständig Modelle zu bauen; wer mich bei der Arbeit sähe, würde mich für nur an Formfragen interessiert halten. Ich mache diese Modelle, weil ich die Wirklichkeit darstellen möchte. (19, 300)

Wenn Brecht später den *Josephs*-Roman von Thomas Mann verächtlich die »enzyklopädie des bildungsspießers« nannte (AJ 694; vom 19. 10. 44), so galt Brechts enzyklopädischer Anspruch offenbar einem Gesamtpanorama der bürgerlichen Gesellschaft, das sich weder auf die sehr beschränkte Perspektive eines »Mittelpunktshelden« stützen noch die bisherige – noch am alten Totalitätsideal des 19. Jahrhunderts orientierte – Romanform (des Realismus) zurückgreifen. Die projektierten verschiedenen Formen sollten viele Perspektiven einbringen, die Darstellung sowohl verschiedenster Personen und Personengruppen sowie ihre gesellschaftlichen Zusammenhänge ermöglichen als auch verschiedene Schreibhaltungen realisieren (Traktate als wissenschaftliche Abhandlungen, fiktionale und Schlüssel-Geschichten, Historiographisches neben »Mythischem«, Dramatisches neben Epischem etc.). Darüber hinaus hätte die Formenvielfalt gewährleistet, daß keine künstliche Totalität – wie im realistischen Roman des 19. Jahrhunderts – zustandegekommen wäre, sondern eine realistische, d. h. eine, die auf die Zusammenhänge der gesellschaftlichen Realität verwiesen, nicht sie aber ersetzt hätte. Der Zusammenhalt der disparaten Teile wäre durch die realistisch-satirische Schreibweise gegeben gewesen. – Vergleichbar mit dem *Tui*-Komplex scheint mir nach geplanter Größe, nach Umfang und Intention lediglich die poetische Theatertheorie des *Messingkaufs* zu sein.

Weitere Texte aus dem Nachlaß, z. T. mit einer gewissen Geschlossenheit, sind jetzt durch Thiele (361–371) zugänglich geworden. Dort findet sich auch das Konzept, die *Tui-Geschichten* von dem Arzt Ker-fi-er (Friedrich Kraus) erzählen zu lassen, und zwar mit Lenin als Zuhörer; das läßt vermuten, daß die Geschichten und vielleicht auch das nach antikem Muster verfaßte (Hexameter-Anklänge) *Tui-Epos* an geeigneten Stellen in die montierte Romanhandlung eingebracht werden sollten.

Stücke 14. Frankfurt a. M. 1967 (S. 135–360). – wa 12, 587–727. – Texte zum »Tui-Roman«. In: Dieter *Thiele*: Bertolt Brecht. Selbstverständnis, Tui-Kritik und politische Ästhetik. Frankfurt a. M., Bern 1981 (S. 361–371). – Weitere Texte (normalisierte Schreibung) auch in: Jan *Knopf*: Brecht-Journal. Frankfurt a. M. 1983 (S. 41–73; dort auch Vorlage zu Denke).

Tui-Begriff

Der Begriff »Tui« ist ein Kunstwort Brechts, gebildet aus der Umstellung des Begriffs »intellektuel« in »Tellekt-Uell-In«, abgekürzt: Tui. »Tui« meint danach personalisiert den Intellektuellen, den »Kopfarbeiter (vgl. 12, 626), »Tuismus« sozusagen die »Philosophie« der Intellektuellen, als deren Grundüberzeugung »Das Bewußtsein bestimmt das Sein« (12, 611) angegeben wird. Damit freilich sind nur die verbalen Bezüge hergestellt. Die komplexe Bedeutungsvielfalt ist eingehender zu entwickeln. Erste Hinweise dazu geben Brechts »Definitionen«:

Definition
Der TUI ist der Intellektuelle dieser Zeit der Märkte und der Waren.
Der Vermieter des Intellekts. (12, 611)

Als Motto hatte Brecht für diese Definition vorgesehen: »TUI ist, wer den augen den kopf reicht« (nach Thiele, 405). Wie aus dem *Turandot*-Stück und aus den Beschreibungen der Tui-Schule (Hörsäle als Verkaufsstände) hervorgeht, geht es Brecht mit dieser Definition darum, die materiellen Bezüge des Tuismus zu markieren.

»Tui« steht demnach für die Intellektuellen, die ihr Denken den ökonomischen Gesetzen der kapitalistischen Gesellschaft unterwerfen, es nach dem »Markt« ausrichten und ihm Warenform geben. Solches Denken ist nicht mehr »frei«, sondern durch die Vermietung des Intellekts, wie Brecht es ausdrückt, an die Auftraggeber gebunden, und dadurch kann es auch – Brecht hat dies im *Turandot*-Stück durch die Brotkorb-Szene verdeutlicht – den Bauch füllen, also das Einkommen sichern. Freilich: dazu ist es nötig, nur das Denken zu lehren und die Argumente zu gebrauchen, die das Einkommen auch sichern. Daraus resultiert zweierlei: 1. Das Denken geschieht im Auftrag, und das heißt, es hat die Ansicht des Auftraggebers zu bestätigen und zu verteidigen, so daß es in einer anderen Definition heißen kann:

Tuis wurden in Chima [...] die Angehörigen der Kaste der Tellekt-uell-ins, der Kopfarbeiter, genannt. Sie waren in großer Anzahl über das Land verbreitet und zwar als Beamte, Schriftsteller, Ärzte, Techniker und Gelehrte vieler Fächer, auch als Priester und Schauspieler. In den großen Tuischulen erzogen, verfügten sie über das gesamte Wissen ihrer Epoche. Sie hatten als Weißwäscher, Ausredner und Kopflanger des Kaisers an der seelischen Haltung des Volkes während des Krieges gearbeitet, und so war es natürlich, daß sie auch die Berufenen waren, den Frieden zu schließen. (12, 626)

»Weißwäscher« und »Kopflanger« sind zwei adäquate materialistische Übersetzungen für den spezifischen Intellektualismus, den Brecht anspricht: wie der Handlanger dem Auftraggeber »zuarbeitet«, als Abhängiger (nicht nur des Lohns), so geben die Tuis ihren Kopf hin, damit sich die Auftraggeber seiner bedienen und der Tui dafür seinen Lohn erhält. Und dies bedeutet zugleich – da die Tuis eigentlich gerade dann ihre Funktion nur sinnvoll ausfüllen –, daß sie in der Regel dann eingesetzt werden, wenn etwas intellektuell zu rechtfertigen ist, als »Weißwäsche«, also als Rechtfertigung von Unrecht. Bezogen auf die Gesellschaft, die Bezugsfeld ist, rechtfertigen die Tuis sowohl die bestehenden Eigentumsverhältnisse, die ihre Stellung garantieren und ihnen Brot geben, als auch die Klassengesellschaft und ihre Abhängigkeiten und ihre Entwicklungen (besonders auch die zum Faschismus, die Thema des Romans ist). – 2. Das Denken ist darauf gerichtet, die – jeweils gesellschaftlichen und natürlichen – Realitäten zu verdecken (Weißwaschen als »Anstreichen«, Übertünchen), es ist, auf den Begriff gebracht, »wirklichkeitsvernichtend«. Und zwar auf doppelte Weise, einmal, indem tuistisches Denken und Argumentieren den Blick auf die Realitäten möglichst verschleiern und zugunsten des Auftrags »ausrichten« wollen, dann aber auch in der Überzeugung, daß das Denken »eigentlich« überhaupt erst das, was man Realität nennt, konstituiert, herstellt, ein also idealistischer Denkansatz, der sich nach Brecht mit der – von ihm entlarvten realen – gesellschaftlichen Tätigkeit des Tuis einstellen muß, als er ja an die Richtigkeit seines Denkens »glaubt«. So ist es denn auch kein Wunder, wenn sich tuistisches Denken als »frei« oder gar Wirklichkeit schaffend wähnt; das kennzeichnet nur die Kehrseite des Auftragsdenkens.

Deutlich wird daraus, daß Brecht mit Tui nicht »den« Intellektuellen meint, sondern einen bestimmten Kreis. Weiterhin lassen die Definitionen deutlich erkennen, daß es nicht darum geht, mit einzelnen Intellektuellen abzurechnen oder die tuistische Haltung als Frage der Moral oder der subjektiven Überzeugung zu formulieren; ja selbst die »Klassenzugehörigkeit« ist mit dem Tuismus nicht festgelegt, wie sich überhaupt gewisse objektive Hindernisse für denjenigen ergeben, der sich – mit intellektueller Arbeit – gegen den Tuismus wendet, wenn er in der bürgerlichen Gesellschaft leben muß. Brecht z.B. hat in Hollywood die Erfahrung machen müssen, daß auch er in gewisser Weise sich der Vermietung des Intellekts unterwerfen muß, wenn er in dieser Gesellschaft überleben will (vgl. die *Hollywood-Elegien*; 10, 849 f.); das bedeutet: in der bürgerlichen Gesellschaft kann der »nicht-tuistische« Intellektuelle in die objektive Rolle eines Tuis gezwungen werden. – Umgekehrt aber feit die Parteinahme für das Proletariat, die bewußte Anti-Bürgerlichkeit, noch keineswegs vor dem Tuismus. Deutlich wird dies in Brechts Auseinandersetzung mit Georg Lukács, dem ungarischen Philosophen, der vehement die proletarische Sache vertrat, von Brecht aber dennoch als Tui – wenn auch nicht öffentlich – bekämpft wurde (»Expressionismus-Debatte«). Der Tuismus ist also nicht prinzipiell mit »bürgerlich« gleichzusetzen (vgl. Müller-Waldeck, 72 f.). Der objektive Begriff des Tuismus enthält vielmehr die realen Widersprüchlichkeiten, die sich sowohl aus der *bürgerlichen* Gesellschaft, auf die Brecht in erster Linie seine Kritik gemünzt hatte, als auch im Sozialismus ergeben: seine Tui-Kritik galt z.B. dem sowjetischen Regisseur Konstantin Stanislawski (vgl. BH 1, 464 f.), dessen »orden« er 1938 als »ein sammelbecken für alles pfäffische in der theaterkunst« bezeichnete (AJ 31; vom 12.9.38), oder der Kulturpolitik in der DDR (um 1953), auf die *Turandot* deutlich genug anspielt (vgl. BH 1, 334 f.).

Zum »objektiven« Tui-Begriff hat der »subjektive« zu treten, wobei subjektiv – wie gesagt – nicht moralische Haltung meint oder sich auf bestimmte einzelne bezieht. Mit dem subjektiven Tui-Begriff ist vielmehr die idealistische »Erkenntnistheorie« gemeint, die intentional auch »marxistisch« oder gar »materialistisch« (wie bei Lukács oder Karl Korsch) im Selbstverständnis aufgefaßt sein mag, für Brecht aber auch dann tuistisch ist, wenn sie den Primat des Geistes bzw. der Kultur – vor der äußeren Wirklichkeit (Natur und gesellschaftliche Gegebenheiten) oder den Eigentumsverhältnissen – behauptet. Dazu zunächst einige Beispiele.

Im *Arbeitsjournal* setzt sich Brecht kritisch mit seinem älteren Kollegen, Mitarbeiter, Freund Lion Feuchtwanger auseinander:

> mit feuchtwanger über die omnipotenz der geschichtsschreiber gestritten. er sagt, mit einem gemisch von staunen und triumph, er finde es merkwürdig, wie die beschreiber über die geschichte triumphieren, wie horaz den augustus ›gemacht‹ habe, die propheten der bibel die könige ›aufgebaut‹ hätten. das braucht er, um zu der vorstellung zu gelangen, *er* werde ›am ende‹ die meinung der nachwelt über hitler bestimmen. [...] daß machiavelli den kondottiere sieht, mommsen den aufgeklärten monarchen, der mit dem bürgerstand geht usw, interessiert f wenig, da es dem tui die allmacht nimmt.
>
> (AJ 299; vom 8.10.41)

Auf Feuchtwangers Überzeugung läßt sich unmittelbar die »hermeneutische Maxime«, daß derjenige, der die Geschichte schreibt, auch die Geschichte macht, beziehen (Wilhelm Dilthey). Die realen geschichtlichen Ereignisse und Personen erscheinen danach in ihrer »eigentlichen Realität« als Produkte der sie Beschreibenden, womit sich Brechts Überzeugung, daß die Darstellung nämlich hinter das Dargestellte zurückzutreten habe (vgl. 16, 700), umkehrt. Das Beispiel macht deutlich, was Brecht meint: die realen Ereignisse und ihre (oft brutale) Faktizität tritt hinter ihre »geistige« Erfassung zurück. Das geistige »Bilden« erscheint als der eigentlich wirklichkeitskonstituierende Akt und befindet – es handelt sich um die Zeit des Faschismus – nicht nur die vielen Opfer als »zu leicht«. Vergessen bleibt überdies, daß die Historiographen – Brecht nennt Theodor Mommsen (*Römische Geschichte*, 1854–1885) und Niccolo Machiavell (*Geschichte Florenz'*, 1532) – ihre eigene Zeitgenossenschaft in die Geschichte projizieren, sich dadurch also für Brecht materialistisch den objektiven Voraussetzungen der Zeit unterworfen zeigen. Die geistige Macht über das Materielle kennzeichnet den subjektiven Tuismus.

Ein anderes Beispiel ist mit Brechts Erfahrungen auf dem I. Internationalen Schriftstellerkongreß (Paris 1935) zu belegen, auf dem er vergeblich gefordert hat, nicht mehr von Kultur zu sprechen, sondern von den Eigentumsverhältnissen. An Michail Kolzow z.B. schreibt er: »Zu Paris meine ich, daß man versuchen sollte, die Leute in Arbeit zu verwickeln: den Schriftsteller interessiert vor allem das Schriftstellern. (Auch gegen den Weltuntergang hätte er nichts einzuwenden, wenn er nur sicher wäre, daß sein Buch darüber noch herauskommen kann)« (Briefe, Nr. 255, S. 251). Oder an George Grosz: »Wir haben soeben die Kultur gerettet. Es hat 4 (vier) Tage in Anspruch genommen, und wir haben beschlossen, lieber alles zu opfern als die Kultur untergehen zu lassen. Nötigen Falls wollen wir 10–20 Millionen Menschen dafür opfern. Gott sei Dank haben sich genügend gefunden, die bereit waren, die Verantwortung dafür zu übernehmen« (Briefe, Nr. 263, S. 258). Das ist ganz der sarkastisch-entlarvende Ton des *Tui-Romans*, und es zeigt sich einmal mehr, daß die (scheinbar bloß »erkenntnistheoretische«) Vorentscheidung viele wirksame Konsequenzen hat. Der Kongreß von 1935 zeigte dies in besonderer Weise, als Brecht meinte, daß zur Zeit des sich konsolidierenden Faschismus nicht mehr über Kultur, sondern nur noch über Politik, und das heißt hier: über die gesellschaftlichen und ökonomischen Grundlagen, die den Faschismus ermöglicht hatten, zu reden war (vgl. z.B. auch das Gedicht *Gleichnis des Buddha vom brennenden Haus*; 9,664–666), daß, wenn es sein mußte, eben die Kultur zu opfern war. Die »Kultur zu retten«, hieß dagegen, die politisch wirksamen Faktoren nicht zu benennen, sich über bloß sekundäre »Phänomene« zu verständigen, vor allem aber auch den Faschismus zu verharmlosen (der »unnötige« Grausamkeiten produziere; etc.). Wie recht Brecht mit seiner Einschätzung gehabt hat, ist historisch belegt, z.B. durch das Erschrecken der westlichen Demokratien, die sich »solche Grausamkeiten« nicht »vorstellen« konnten, oder auch durch die Entschuldigung vieler Deutscher, »davon« nichts gewußt zu haben. Die Haltung der Intellektuellen, die sich um ihre Geistesprodukte kümmerten, hat solchem »Wegsehen« Vorschub geleistet oder hat es bestätigt. Die historische Rolle des Tuismus – und sie ist Thema des gesamten *Tui*-Komplexes – besteht in der Rechtfertigung oder im (»schlichten«) Übersehen der gesellschaftlichen Tendenzen, die den Faschismus ermöglicht haben: die erste deutsche Demokratie mit ihrer vielgerühmten freien Verfassung ermöglichte Hitler nicht nur den legalen Machtantritt, sie stellte ihm auch die Eigentumsverhältnisse bereit, den 2. Weltkrieg zu planen und durchzuführen. Die Rolle der wirklichkeitsfremden Tuis war die, nach den geistigen Unzulänglichkeiten des »Anstreichers« zu fahnden und sie zu brandmarken; in der Satire heißt dies:

> Die Tuis machen sich lustig über den unwissenden Hu-ih. Sein Werdegang [»Mein Kampf«]. Seine 53 000 Sprachschnitzer in seinem Buch »Wie ich es schaftete«. Inzwischen siegt er draußen. (12,663)

Klaus-Detlef *Müller* (s.o.; S. 355-360). – Gunnar *Müller-Waldeck* (s.o.; S. 61–74). – Dieter *Thiele* (s.o.; S. 118–122; vgl. auch S. 405–407).

Handlungsübersicht

Einen geschlossenen Handlungsverlauf hätte – aller Wahrscheinlichkeit nach – auch der fertiggestellte *Tui-Roman* nicht aufgewiesen; die vorliegenden Fragmente lassen noch weniger Übersichtlichkeit und Zusammenhänge zu, zumal die Zusammenstellung des Materials nicht vollständig ist und außer bei den *Tui-Geschichten* nicht auf Brecht zurückgeht.

Erkennbar ist, daß Brecht offenbar eine fiktive – nenne ich sie so – Individualhandlung, die Geschichte von Kwan und Hung, mit fiktiven und satirisch-realistischen Kollektivhandlungen (auf Historisches bezugnehmende Handlungen) konfrontieren wollte: Vorbereitung der Revolution durch Lenin, Zug des Taschi Lama mit seinen Intellektuellen (satirisches Bild der wirklichkeitsfremden geistigen »Abenteuer« der Weimarer Intellektuellen, konkretisiert in der Geschichte des Hang Tse; 12, 703 ff.), Aufstieg des Faschismus unter Hitler einschließlich Kriegsvorbereitung. Zu diesen durchgängigen Handlungslinien tritt als weitere durchgängige »Geschichte« die z.T. ausgearbeitete Geschichte der Weimarer Republik und der ihr »dienenden« Intellektuellen, die Hitler den legalen Weg bereiten und die kapitalistischen Verhältnisse auch dann nicht bekämpfen, wenn sie sich verbal gegen sie erklären: das Volk, das schon teuer genug die tuistischen Fresser (vgl. 12, 601) zu versorgen hatte, »verreckt« (12, 591). Dazu – wahrscheinlich einmontiert – kommen die verschiedenen »Geschichten«, die einzelne Personen oder einzelne Ereignisse exemplarisch beschreiben und wohl als selbständige »Einheiten« gedacht waren, wie z.B. *Furcht und Elend des Dritten Reiches* die verschiedensten Szenen dramatisch gereiht und dadurch ein (neues) Ganzes erstellt hat. Sie ermöglichen ein breites Spektrum für die Darstellung des Tuismus und zugleich auch die poetische Realisierung der verschiedenen Tuismen. – Spielen sollte dies alles in einem »Chima«, dem »Land der Mitte, das auf keiner Karte verzeichnet ist« (12, 623). »Chima« steht bei Brecht für das verfremdete, nach chinesischem Muster gebaute Deutschland, beansprucht aber durchaus – auch wenn die nachweisbaren Bezüge beabsichtigt sind – eine gewisse poetische und modellhafte Selbständigkeit. Von einem bloßen »Schlüsselroman« zu sprechen, verkürzt sowohl die Handlungsvielfalt als auch den spezifischen Realismus Brechts, der sich nicht in der (wenn auch satirischen) Widerspiegelung realer Geschehnisse erschöpfen sollte. Brecht selbst hat auf Cervantes, Rabelais, Aristophanes, Lafontaine und Swift als Vorbilder verwiesen, alles Autoren von weltliterarischem Rang, die »unrealistische« Parabeln und fiktive Geschichten verwendet haben, um ihre Zeit damit zu erfassen; bei diesen Schriftstellern pflegt die Rezeption nicht nach kurzatmigen »Entsprechungen« und Verschlüsselungen zu suchen, zumal der historische Abstand viele unmöglich werden ließ), sondern die Geschichten »für sich« zu nehmen (vgl. BBA 325/71 = Nr. 16097, Bd. 3, S. 486). Überdies würde ein bloßer Schlüsselroman die Auseinandersetzung mit dem Tuismus auf eine bloße »Abrechnung« mit einzelnen Personen degradieren, die Brecht gerade nicht wollte.

Die Individualhandlung weist gewisse Parallelen mit dem *Turandot*-Stück auf, und sie geht – wie da – auf eine Anregung von Aristophanes zurück (vgl. die kurze Inhaltsangabe von *Die Wolken*, 19, 458; vgl. auch BH 1, 332). Die Figuren von Kwan und Hung sind gegensätzlich angelegt: Kwan ist das Arbeiterkind, das vom Vater unter großen Entbehrungen auf die Tui-Schule geschickt wird (und dann, als der Vater die Schädlichkeit der Ausbildung erkennt, zu »seiner Klasse« zurückkehrt), Hung ist der reiche Bürgersohn, der bereits über die tuistische Haltung verfügt und sicherlich die Schule mit Erfolg absolviert. Die Materialien lassen erkennen, daß Kwan sich Len (Lenin) anschließen sollte, während Hung – darüber liegen keine Zeugnisse vor – wohl auf dem Konzil gelandet wäre. Dadurch daß Kwan die tuistischen Haltungen erst erlernen muß – und zwar entgegen seinen sonstigen Erfahrungen –, hat Brecht die Möglichkeit, das Unnatürliche und Wirklichkeitsfremde des Tuismus in Kwans Beobachtungen genau zu markieren (vgl. z.B. 12, 602 f.).

Die Kollektiv-Handlungen sind in der folgenden Zeittafel so weit als möglich auf die zeitgenössischen Ereignisse bezogen. Ihre Selbständigkeit ist angesichts des fragmentarischen Charakters noch so wenig ausgeprägt, daß eine genauere Erfassung über die abgedruckten Pläne und »großen Linien« hinaus kaum angebracht ist. Anzusprechen ist die merkwürdige chronologische Verschiebung der Lenin-Handlung, die ganz offensichtlich parallel zum Untergang der Tuis und zum Aufstieg des Faschismus verlaufen sollte. Der Grund ist wohl darin zu finden, daß es einmal mehr Brecht nicht um abbildhafte Entsprechungen ging, zugleich aber auch dadurch die nicht realisierte proletarische Revolution in Deutschland als historische Möglichkeit und Hoffnung gestaltet werden konnte. Geht man von Brechts Überzeugung aus, daß die Abbildung gegenüber dem Abgebildeten zurückzutreten hätte, dann wäre der realistische Grund für das Scheitern des *Tui-Romans* das Ausbleiben dieser Hoffnung: ohne überwindendes Pendant legitimierte sich womöglich die satirische Darstellung des Tuismus – als bereits Abgelebtes, Überwundenes (vgl. Cervantes' *Don Quichote* dagegen) – nicht mehr genügend realistisch.

Klaus-Detlef *Müller* (s.o.; S. 360–379).

Zeittafel

In der folgenden Zeittafel werden nur die Daten und Ereignisse berücksichtigt, auf die der »Tui«-Komplex Bezug nimmt; die jeweiligen Stellennachweise sind geführt.

1914
4. August

Die Reichstagsfraktion der Sozialdemokratischen Partei Deutschlands beschließt bei 96 gegen 14 Stimmen, die für den Eintritt des Deutschen Reichs in den Krieg notwendigen Kredite zu bewilligen; aufgrund des Fraktionszwangs stimmt im Reichstag die SPD geschlossen für die Kriegskredite (auch Karl Liebknecht). Damit ist der lange Prozeß der SPD von einer revolutionären Arbeiterpartei zur staatstragenden »Volkspartei« abgeschlossen. Hugo Haase, der in der Fraktion gegen die Kredite gestimmt hat, bekennt vor der Öffentlichkeit: »Wir lassen das Vaterland in der Stunde der Gefahr nicht im Stich«. – Wilhelm II., der Kaiser, verkündet vom Balkon des Potsdamer Schlosses der begeisterten Menge: »Ich kenne keine Parteien mehr, ich kenne nur noch Deutsche«.
–12, 593: »Die Sozialdemokratie macht zu ungunsten des Proletariats den imperialistischen Krieg mit«; 12, 725–727: Der Tui »Ka-uki« [= Karl Kautsky, 1854–1938] verteidigt die Teilnahme am Krieg; »es schlug mit der Faust auf den Tisch der alte Ka-uki / So daß die morsche ihm aus dem Gelenk fiel«.–

1914
August

Beginn des Ersten Weltkriegs; Eintritt Deutschlands durch Kriegserklärung an Rußland (1.8.) und Frankreich (3.8.). Die deutschen Vorstöße basieren auf dem sog. »Schlieffen-Plan« (Alfred von Schlieffen entwickelte ihn bereits 1905), wonach im Osten zunächst nur defensiv unter Einsatz weniger Truppen, im Westen dagegen mit massierten Einsätzen offensiv eine schnelle Entscheidung erzwungen werden sollte, um dann die Truppen im Osten massiert einsetzen zu können (der Plan sah übrigens von vornherein vor, neutrale Länder – Luxemburg, Belgien, Holland – einzubeziehen, d.h. zu überfallen; und er ging, wie selbstverständlich, von einem deutschen Sieg aus). Der ursprüngliche Schlieffenplan wurde jedoch im 1. Weltkrieg »modifiziert« (Schwächung des rechten Flügels, erweiterter Einsatz von Truppen an der »Ostfront«); die deutschen Verantwortlichen führen den »Mißerfolg« auf diese Verschiebungen zurück.
–12, 653: »Zu Beginn des Krieges hatten sie [die preußischen Junker], als der große militärische Aufmarsch

bereits in vollem Schwung war, noch rechtzeitig einen schrecklichen Fehler des von ihnen selbst verfaßten Kriegsplanes entdeckt«; 12, 671: »Was zur militärischen Niederlage schon im vierten Monat des Krieges geführt hatte, war im Volk niemals bekannt geworden«.–

Ende 1914 — Der Krieg im Westen geht vom sog. »Bewegungskrieg« in den »Stellungskrieg« über, das heißt: die Fronten kommen zum Stehen, und es beginnt ein fürchterliches Abschlachten auf beiden Seiten ohne »Gewinn«; es ist später verbrämt und euphemistisch als »Materialschlachten« in die Historiographie eingegangen: der Begriff sollte den Einsatz der Technik benennen. Der menschenverachtende Einsatz der Kriegsmaschinerie markiert das endgültige Ende allen »ritterlichen« Kampfes und unterwirft – wie in der kapitalistischen Produktion – die Menschen dem »Material«.
–12, 670: »Der Krieg war schon nach den ersten drei Monaten verloren gewesen, aber von den Generälen noch vier Jahre lang fortgesetzt worden, weil kein Anlaß vorlag, ihn zu beenden«.–

1917 — Seit 1916 beginnt in Deutschland der endgültige Stimmungsumschwung auch der zunächst kriegsbegeisterten Teile der Bevölkerung; vom »Siegfrieden« tönen nur noch unverantwortlich die Generäle und der zur Staffage-Figur avancierte Monarch, Wilhelm II. Ludendorff führt – unter der nominellen »Führung« des Chefs der »Obersten Heeresleitung« (OHL) – eine Militärdiktatur, um die zunehmend aufmurrende Bevölkerung in Schach halten zu können. Die Desillusionierung aller »Versprechen«, die zunehmende Mangelernährung (ab 1916: »Kohlrübenwinter«), die Kälte etc., dazu die radikale Umstellung der Wirtschaft auf die Produktion von Kriegsmaterial, bewirken zunehmend Streiks und Antikriegs-Demonstrationen. (Hunger und Kälte töten bis zum Kriegsende Hunderttausende von Menschen in Deutschland). – Rosa Luxemburg (1870–1919) und Karl Liebknecht (1871–1919) beginnen seit 1916 ihren aktiven Widerstandskampf gegen die Militärdiktatur und den Krieg; Liebknecht wird 1916 wegen »Kritik« aus der SPD ausgeschlossen, am 1.5.1916 wegen »Hochverrats« zu vier Jahren Zuchthaus verurteilt; Rosa Luxemburg hält zu Liebknecht die Verbindung; sie schreiben ab 1916 die »Spartakusbriefe« (Luxemburg war schon vor Kriegsbeginn – als SPD-Mitglied – wegen Friedenshetzerei inhaftiert worden). – Erich Ludendorff (1865–1937) war preußischer Offizier, stieg – durch planmäßiges Eintreten für Kriegsrüstung – kontinuierlich auf und avancierte zur OHL, deren »Generalquartiermeister« er zu Kriegsbeginn war; verschlagener, gerissener und auch gescheiter als sein nomineller Vorgesetzter Hindenburg übernimmt er, die Politiker ausschaltend, das Gesamtregiment ab 1916. Paul von Beneckendorff und Hindenburg (1847–1934) hat seine kriegerische Karriere im preußischen Heer schon hinter sich, als er im November 1914 zum Oberbefehlshaber im Osten ernannt wird und durch die Siege bei Tannenberg und an den Masurischen Seen geradezu mythische (propagandistische) Bedeutung gewinnt, die ihm ab 1916 die Leitung der OHL als Generalfeldmarschall einbringt. 1925 wird der greise Mythos gar Reichspräsident der Weimarer Republik. Er beruft 1933 Hitler zum Reichskanzler.
–12, 594–609: Brecht läßt – mit den »vier Reisen« – sein Projekt im Jahr 1917 beginnen. Im Gegensatz zu der an den deutschen Daten orientierten bürgerlichen Historiographie ist dies für Brecht das entscheidende Umbruchsjahr, nämlich das Jahr der proletarischen Revolution in Rußland als des wichtigsten Ergebnisses des Ersten Weltkriegs. – Wenn auch nicht den historischen Ereignissen folgend spielt doch die erste Reise der fünf Männer auf Lenins Reise durch Deutschland April 1917 und die Vorbereitung der Revolution in der Illegalität an; interessant ist bei Brechts Darstellung, daß sie Deutschland und Rußland nicht differenziert, so die Internationalität der revolutionären Arbeit betonend; vgl. auch 12, 608 f. – Der Zug des Taschi Lama, des tibetanischen Papstes, der »lebenden Buddhas« etc. könnte auf die päpstliche Friedensnote von 1917 und das Angebot, als Friedensvermittler tätig zu werden (ebenfalls April), anspielen, wobei zugleich die tatsächliche Verquickung von Klerus und Politik (sowie die Segnungen aller Kirchen des Kriegs) deutlich werden sollte; der Zug allerdings, so sieht es ein Entwurf vor (BBA 560/15 = Nr. 11495, Bd. 3, S. 22), wäre »beinahe« ins Stocken gekommen, weil der Krieg verloren, der Kaiser verjagt ist; tatsächlich gelingt es ihm auch nicht vor Ablauf der Republik ans Ziel zu gelangen. – Die 3. Reise, nämlich die von Kwan und Hung hat keinen geschichtlichen Bezug; Hung sollte wahrscheinlich Figur für eine bürgerliche, Kwan Figur für eine proletarische Entscheidung und Lebensweise werden; Entwürfe sehen vor, daß Kwan »den berüchtigten, blutdürstigen len« [Lenin] kennenlernt (BBA 560/17 = Nr. 11497, Bd. 3, S. 22; zit. bei Thiele, 365). – Die 4. Reise spielt auf die Auseinandersetzungen zwischen Hindenburg und Ludendorff (als Marschall Fank Wi Heng und Stabschef Hiu Fu) im OHL und auf ihre Memoirentätigkeit nach dem Krieg an. Ludendorffs *Kriegführung und Politik* begründet u.a. die »Dolchstoßlegende« auf vorsätzliche Weise. –

1918 September/Oktober — Ludendorff fordert ultimativ den »Waffenstillstand« von den Politikern; um sich selbst aus der Verantwortung zu flüchten, ordnet er eine Staatsumbildung an: das Deutsche Reich wird »parlamentarische Monarchie« aufgrund einer »Revolution von oben« (Staatssekretär von Hintze); dieser Vorgang, der zum Sturz des amtierenden Reichskanzlers Graf Hertling, zum Einsatz des Prinzen Max von Baden als neuen Reichskanzlers und zum Eintritt der SPD (Mehrheitssozialisten seit 1917, Gründung der Unabhängigen Sozialdemokratischen Partei, USPD) in die Regierung (Scheidemann) führt, bleibt bis in die sechziger Jahre der BRD in den Akten verborgen. Dadurch konnte der falsche Eindruck entstehen – das deutsche Heer stand grundsätzlich noch in »Feindesland« –, als hätte es noch eine militärische Siegchance gegeben, wenn nicht die »Politik« zum Waffenstillstand gedrängt und die Revolution dem Heer in den »Rücken gefallen wäre« (Dolchstoßlegende). Die SPD-Führer durchschauen den verbrecherischen Coup nicht. Im Gegenteil: Friedrich Ebert (1871–1925), seit 1913 Parteivorsitzender, beruhigt Widerstände in der Partei mit dem Argument, der SPD dürfe nicht der Vorwurf zu machen sein, sie habe beim Zusammenbruch des Vaterlands ihre Mitwirkung versagt: »Wir müssen

uns im Gegenteil in die Bresche werfen«. – Um den Entschluß zur »Revolution von oben« demütig entgegenzunehmen, fuhr am 29.9.1918 eine Regierungsdelegation der alten Regierung unter Reichskanzler Hertling ins Quartier der OHL nach Spa (Belgien). – Prinz Max von Baden kam am 1. Oktober nach Berlin und wurde am 3.10. als neuer Reichskanzler eingesetzt, Philipp Scheidemann (1865–1939), 2. Mann in der SPD, wird Staatssekretär; die Gesuche um Waffenstillstand haben erst im November Erfolg, währenddessen der Unmut in Heer und Bevölkerung wächst und Ende Oktober zu offenem Ausbruch kommt.
–12, 623–625: »Als Chima, das Land der Mitte, [...] vier Jahre lang mit 37 Völkern im Krieg verharrt hatte, zeigte es zum Schrecken seiner Regierung Zeichen von Entmutigung« (12, 623). »Als die Front ins Wanken geriet, setzten sich einige der Tuis der revolutionären Partei in den Zug und fuhren in das Quartier der Generäle« (12, 625). »Zu ihrer Überraschung fand sie [die revolutionäre Partei] [...] noch einen Prinzen, einen nahen Verwandten des Kaisers, der sich eben in jenen Tagen als Revolutionär entpuppte« (12, 625).

1918 Oktober/ November

Als die Offiziere der deutschen Hochseeflotte in Kiel ohne Befehl der Regierung (die inzwischen eine parlamentarische geworden war) die Flotte zu kriegerischen Handlungen auslaufen lassen wollen, »meutern« die Matrosen. Der Vorgang, der eigentlich zu Kriegsgerichtsverfahren gegen die Offiziere hätte führen müssen, galt den Regierenden als »Aufruhr« der Truppe; er markierte zugleich den Beginn der »Revolution« in Deutschland, die – im November jedenfalls – vor allem darum ging, den von oben verordneten Parlamentarismus auch von »unten« durchzusetzen und zu legitimieren. Die Regierung setzt am 29.10. den SPD-Mann Gustav Noske (1868–1946) ein, die »Unruhen« wieder der Ordnung zuzuführen. Er telefoniert am 30.10. zu den Genossen nach Berlin: er habe nur eine Hoffnung, »freiwillige Rückkehr zur Ordnung unter sozialdemokratischer Führung; dann wird die Rebellion in sich zusammensinken [...]. Allenthalben spüre ich unter Arbeitern und Matrosen, wie das dem Deutschen eingeborene Bedürfnis nach Ordnung wieder erwacht«. – Auch wenn Noske in Kiel »Erfolg« hat (die Meuterer, nicht die Offiziere werden zur »Verantwortung« gezogen), breitet sich die »wunderlichste aller Revolutionen« (Arthur Rosenberg) in ganz Deutschland entschieden aus. In Berlin, als die revolutionären Unruhen zunehmen, kommt es am 9.11. zur Entscheidung. Die SPD setzt sich an die Spitze »der Revolution«, »um Schlimmstes zu vermeiden«. Max von Baden verkündet Wilhelms Thronverzicht – in Absprache mit Ebert, und zwar um mit diesem Schritt die Monarchie in Deutschland zu retten. Ebert übernimmt, »damit Ruhe und Ordnung gewahrt bleiben«, von Max die Reichskanzlerschaft (als kaiserlicher Kanzler!). Sein erster Aufruf beginnt: »Mitbürger! Ich bitte euch alle dringend: Verlaßt die Straßen! Sorgt für Ruhe und Ordnung!«. – Als Ebert und Scheidemann – an getrennten Tischen – im Reichstag mittags ihre Wassersuppe löffeln, kommt es zu folgendem Vorgang, den Scheidemann so beschrieben hat:

> »Am 9. November 1918 glich der Reichstag schon in den frühen Morgenstunden einem großen Heerlager. Arbeiter und Soldaten gingen ein und aus. [...] Mit Ebert [...] und anderen Freunden saß ich hungrig im Speisesaal. [...] Da stürmte ein Haufen von Arbeitern und Soldaten in den Saal, gerade auf unseren Tisch zu. Fünfzig Menschen schrien zugleich: ›Scheidemann, kommen Sie gleich mit‹, ›Philipp, du mußt rauskommen und reden‹. [...] [Nach Ausrufen der Republik und Rückkehr in den Speisesaal:] Ebert war vor Zorn dunkelrot im Gesicht geworden, als er von meinem Verhalten hörte und schrie mich an ›Ist das wahr?‹ Als ich ihm antwortete, daß ›es‹ nicht nur wahr, sondern selbstverständlich gewesen sei, machte er mir eine Szene, bei der ich wie vor einem Rätsel stand.« (Philipp Scheidemann: Memoiren. Dresden 1928. Bd. 2. S. 309 f, 313).

Wilhelm II., auch er alle Verantwortung scheuend, flieht am 10.11., nachdem er sich vorher schon vorsichtshalber nach Spa abgesetzt hatte, ins holländische »Exil«. – Am 11.11. werden die Waffenstillstandsvereinbarungen unterzeichnet.
–12, 623 f., 625 f.: »Das Volk war eines der geduldigsten, über das je eine Regierung verfügt hatte, und auch sein Aufruhr war noch sanftmütig. Er entstand aus Ordnungsliebe« (12, 623). »der e-weh [Ebert] setzte sich an die spitze der revolution wie der korken an die spitze der flasche« (BBA = 560/22 = Nr. 11501, Bd. 3, S. 22; zit. nach Thiele, S. 366). –12, 628–630: »Da er [Scheidemann = Schi-meh] auch eine angenehme, weittragende Stimme besaß, hielt er kleine Reden über dies und das. Dabei passierte das Unglück«. –

1919 Januar 5.–12.

Da die November-Revolution nicht die Ergebnisse gebracht hat, die sich die Arbeiter (vor allem Berlins) wünschten, kommt es im Januar zu neuen Aufständen in Berlin: die Arbeiter wollen den feudal-bürgerlichen Staat abschaffen und einen Arbeiterstaat – bei Einigung aller sozialistischen Parteien (SPD, USPD, KPD, die am 30.12.1918 gegründet worden ist) – errichten. Spätere Propaganda hat aus dem »Spartakus-Aufstand« eine kommunistisch »gesteuerte« Putschbewegung halluziniert, obwohl Rosa Luxemburg und Karl Liebknecht sich gegen den Aufstand (die Zeit sei noch nicht »reif«) gewendet haben und die aufständischen »Massen« ohne »Führung ließen«. Der spontane Aufstand der Berliner Arbeiter, der am 11.1. in der Schlacht um das »Vorwärts«-Gebäude (SPD-Zentralorgan) innerhalb des Zeitungsviertels (Scherl, Ullstein, Mosse etc.) seinen Höhepunkt findet, wird auf Befehl von Friedrich Ebert durch Gustav Noske und seine Freicorps (Kaisertreue) zusammengeschossen (»Einer muß der Bluthund sein«).
–12, 631: »In der Reichshauptstadt kam es zu bitteren Kämpfen. Das Volk besetzte das Haus, in dem das ›Volksblatt‹, die Zeitung der Partei des gleichberechtigten Volkes, gedruckt wurde. [...] Es bestand die Gefahr, daß die Besitzenden das Vertrauen in die Partei des gleichberechtigten Volkes verloren [...].« –

1919

Rosa Luxemburg und Karl Liebknecht werden von der Garde-Kavallerie-Schützendivision verfolgt und am 15.

Januar 15.

1. von verschiedenen Angehörigen (Offiziere) ermordet; Luxemburgs Leiche wird in den Landwehrkanal geworfen.
– 12, 632: »Einige Offiziere entführten Li-keh und Ro [...]. So beklagenswert es erscheint, so kann man doch erst von diesem Ereignis an die Herrschaft der Tuis datieren«. –

1919 Januar 18.

Die Friedenskonferenz beginnt im Spiegelsaal von Versailles ohne deutsche Beteiligung; die USA werden durch ihren Präsidenten Thomas Woodrow Wilson (1856–1924), England wird von Premierminister David Lloyd George (1863–1945) und Frankreich durch Ministerpräsident Georges Benjamin Clemenceau (1841–1929) vertreten. Clemenceau vor allem setzt – aus verständlichem Sicherheitsbedürfnis – die harte Linie gegen das besiegte Deutsche Reich durch.
– 12, 627f.: »Die Verhandlungen für die Feinde wurden von drei Greisen geführt [...]. Wenn sie ihre Forderungen diktierten, schlugen sie mit den weißen, blutlosen Fäusten so stark auf den Tisch, daß ihnen die Knochen aus den morschen Gelenken fielen«. –

1919 Januar 20.

Hugo Preuß (1860–1925) legt dem »Rat der Volksbeauftragten« seinen Verfassungsentwurf vor; Preuß, ehemaliger Stadtrat der (liberalen) »Fortschrittlichen Volkspartei« vertrat die Lehre von der »organischen Persönlichkeit« des Staats und setzte auf die Selbstverwaltung von Kommunen und Ländern. Preuß' Entwurf wird von einem durch die Nationalversammlung (ab 6.2.) berufenen Verfassungsausschuß noch erheblich abgeändert, behält jedoch seine liberalistische Grundtendenz, die Brecht vor allem thematisiert (Vorlage in der Nationalversammlung im Juli, am 11. 8. verkündet, am 14. 8. in Kraft getreten). – Brecht zitiert bzw. spielt an auf folgende Paragraphen der Verfassung: Präambel (12, 634), Art. 158 (12, 636), Art. 163 (12, 637), Art. 1 (12, 638), Art. 115 (12, 640), Art. 114 (12, 640), Art. 118 (12, 640f.), Art. 111 (12, 641), Art. 130 (12, 641), Art. 142 (12, 641), Art. 21 (12, 642), Art. 102 (12, 643), Art. 123 (12, 643), Art. 126 (12, 644), Art. 154 (12, 644), Art. 153 (12, 644), Art. 148 (12, 645) und Art. 140 (12, 645f.). – Die Auswahl erfolgt vor allem im Hinblick auf das »Tui« Thema, nämlich die Diskrepanz zwischen liberaler Ideologie der Verfassung und unangetasteter Wirtschaftsordnung, die die Armen – ihre Zahl sollte durch die Inflation 1923 noch erheblich steigen – vom »Genuß« der freiheitlichen Prinzipien von vornherein ausschließt. Daher kommt es auch, daß Brecht den Ermächtigungsparagraphen 48, mit dem Hitler sich legal an die Macht bringt, nicht mit anführt: er gehört in den Zusammenhang Kapitalismus – Faschismus, der an späterer Stelle des Tui-Projekts genauer ausgearbeitet werden sollte. – Eine wörtliche Gegenüberstellung der Texte von Brecht und der Weimarer Verfassung findet sich bei Müller (372–377).
– 12, 630–646: »Ungehindert konnten die Tuis nun dem Volk eine neue Verfassung geben. Es sollte die freieste der Welt werden« (12, 632). »Die Abgeordneten zeigten sich so, im Sinne des 21. Artikels, als nur ihrem Gewissen unterworfen und an Aufträge nicht gebunden« (12, 646). –

1919 April bis Mai

Da in Bayern (bis zum 8. 11. 1918 Königreich) die parlamentarische Demokratie versagt – »Alles wie sonst. In den Betrieben schuften und fronen die Proletarier nach wie vor zugunsten des Kapitals« (Eugen Leviné) –, vertreiben die Arbeiter die sozialdemokratische Regierung Johannes Hoffmann und rufen die »Räterepublik Baiern« aus (im Gegensatz zur Repräsentativ-Demokratie im Landtag sollte nun eine Basis-Demokratie – direkte Wahl der Abgeordneten – etabliert werden). Maßgeblich – nämlich im Zentralrat – sind an der z. T. von Brecht direkt erlebten Räterepublik Literaten beteiligt, und zwar Erich Mühsam (1878–1934), Ernst Toller (1893–1939) und Gustav Landauer (1870–1919). Die am 7. April ausgerufene Räterepublik, die nur zögernd zur Bewaffnung der Arbeiter überging und auch sonst wenig änderte, erhält eine gewisse Radikalisierung durch Eugen Leviné, der am 13. 4. die »Kommunistische Räterepublik« ausruft und den alten Zentralrat absetzt (Toller wird Chef der »Roten Armee«). Aber auch Leviné gelingt es nicht mehr, seine Vorstellungen vom Sozialismus durchzusetzen, da sich längst Freicorps gebildet haben und die alte Regierung Hoffmann von Bamberg aus zum Gegenangriff übergeht. Freicorps und Regierung setzen ihr traditionelles Organisationstalent (mit Geld) ein, über das die literarischen Revolutionäre nicht verfügen; sie bestehen bis zuletzt auf Gewaltlosigkeit. »Ich haßte die Gewalt und hatte mir geschworen, Gewalt eher zu leiden als zu tun« (Toller: Eine Jugend in Deutschland. Reinbek bei Hamburg 1963. S. 96). Das Ende folgt mit Gewalt im Mai.
– 12, 689f.: »Während des Bürgerkriegs bemächtigen sich einige Tuis der Verwaltung in der Stadt To-Schau. [...], niemand protestierte, außer den Kaffeehausbesitzern, deren Kaffeehäuser sich leerten [...]«. –

1919 Mai/Juni

Die neue parlamentarische Demokratie erhält die Friedensbedingungen und unterzeichnet den Friedensvertrag von Versailles am 28. 6. Der Vertrag sieht u.v.a. erhebliche Gebietsverluste sowie Reparationszahlungen von knapp 300 Milliarden Goldmark vor.
– 12, 628: »Aber die Verluste durch den Friedensvertrag waren doch recht bedeutend, und es war ein Triumph der Tuis als Tuis, daß die Länderfetzen [...] sowie die Geldsummen [...] auf so rein geistige Art gewonnen wurden«. –

1919 März

In Moskau wird die Kommunistische Internationale (Komintern) durch Delegierte kommunistischer und sozialistischer Parteien gegründet.
– 12, 661: »Das Proletariat kann innerhalb der Nation die der andern Klassen und seine eigenen nicht ordnen«. –

1920

Walter Gropius gründet in Weimar die »Hochschule für Bau und Gestaltung« (»Bauhaus«): hier entwickelt sich der funktionale und technisch-geometrische Stil der »Neuen Sachlichkeit«.
– 12, 657f.: »Die Tuis von Mu-sin waren große Baumeister. [...] Sie hatten dabei ein Ohr für alles Neue und Fortschrittliche, wie das die Zeit verlangte. So entdeckten sie als erste die Schönheit der Maschine«. –

1923/ 1924	Als im Sommer 1923 sich herausstellt, daß die deutschen Reparationszahlungen nicht aufgebracht werden können, beginnt 1924 der Zustrom von vor allem US-Kapital nach Deutschland (kurzfristige Kredite). Die Londoner Konferenz der Alliierten beschließt mit dem Dawes-Plan eine neue Regelung der Reparationen über eine Sanierung der deutschen Wirtschaft und Finanzen. Deutschland erhält eine Anleihe von 800 Millionen Goldmark (Reichshaushalt z. T. unter alliierter Kontrolle); die Industrie erhält 5 Millionen Reichsmark als verzinsliche Hypothek. Die jährliche Rate der Reparationen wird dafür von einer auf 2,5 Milliarden erhöht. – 12, 665: »Die Kriegsentschädigung wird niemals bezahlt. Im Gegenteil pumpen die Fabrikanten Millionen von den Feinden, um die Wirtschaft aufzubauen«; vgl. 12, 667: »Der Krieg wird vorbereitet von den alten und zukünftigen Gegnern dadurch, daß sie ihr Kapital ins Land pumpen, um es hoch zu verzinsen. So bauen sie eine potente Wirtschaft auf, die dann den Krieg braucht (und ermöglicht)«. –
seit 1923	Die »Liga der Menschenrechte für Sozialismus und Menschenversöhnung« wird gegründet. – 12, 659: »Der Verein der Lügner für Menschenrechte«. Vgl. BBA 560/66, Abdruck bei Thiele, 366 f. –
1924	Kurt Hielscher (1881–1948) veröffentlicht seinen poetischen Fotoband »Deutschland«. – 12, 649: »Ein gewöhnlicher Feuchtigkeitsfleck in einer Kellerwohnung [...] gab dem Fotografen Hi-ko Gelegenheit zu einem unvergänglichen Meisterwerk«. – Ende des Jahres wird der schlesische Massenmörder Karl Denke dingfest gemacht, der seit 1913 – offenbar aus Hunger – mit einer langen Mordserie begonnen und das Fleisch seiner Opfer verwertet hat; er pökelte es ein, aß selbst davon und verkaufte es als »Ziegenfleisch«. Brecht nahm den im »8 Uhr Abendblatt« erscheinenden Fortsetzungsartikel vom 27.–31. Dezember zur Kenntnis (s. BBA 464/43–48 = Nr. 20241, Bd. 4, S. 197). – 12, 613 f.: »Diesem seltenen Manne zu einiger Anerkennung zu verhelfen, sein Bild dem Gedächtnis der *Jugend* einzuverleiben, ist der bescheidene Zweck dieses Büchleins [›In gleicher Ausstattung ›Krupp‹, ›Richard Wagner‹ und ›Graf Zeppelin‹]«. –
1925	Adolf Hitlers »Mein Kampf« erscheint erstmals (bis 1933 eine Auflage von 2 Millionen, 1943 knapp 10), wird aber wegen konfuser Darstellungsweise und angeblich übesteigerten Zielen nicht ernst genommen. – 12, 663: »Die Tuis machen sich lustig über den unwissenden Hu-ih. Sein Werdegang. Seine 53 000 Sprachschnitzer in seinem Buch ›Wie ich es schaftete‹«. –
1926– 1929	Zeit der rapiden Rationalisierung der deutschen Wirtschaft, die möglich wird durch neue Technologien (z. B. seit 1926 im Berliner Klingenberg-Kraftwerk Dampfturbinen mit 270 000 kW Leistung, Fließband seit 1927, Erfindung eines neuen Hartmetalls ermöglicht Höchstleistungsmaschinen in der Metallbearbeitung, 1926, Leistungssteigerungen bei Dampfmaschinen 1928 etc.). – 12, 660: »Er erfindet einen Riesenwebstuhl. Als er erfährt, daß von 30 Arbeitern 28 arbeitslos werden [...], erklärt er sich für wahnsinnig«. –
1928	Joseph Goebbels (1897–1945), späterer Propagandaminister Hitlers, und Hermann Göring (1893–1946) kehren nach Deutschland zurück und beginnen in der NSDAP ihre unheilvollen Aktivitäten. – 12, 662: »Das schmutzige Trifolium besteht aus dem Armeespitzel Hu-ih [Hitler], dem verkrachten Pfaffen Gogher Gog [hier: Goebbels] und dem früheren Feldwebel Hu-ihs [Anspielung auf den Hitlerputsch 8./9. 11. 1923], dem furchtbaren Angerlan [Göring]«. – Die eigentliche »Osthilfe« (vorher: »Ostpreußenhilfe«) beginnt: sie unterstützt vor allem die preußischen Großgrundbesitzer (Junker) und führt zu zahlreichen Korruptionen und unrechtmäßigen Bereicherungen der konservativsten »Republikaner«. – 12, 666. – Das »Kaiser-Wilhelm-Institut für Züchtungsforschung« wird in Müncheberg gegründet. – 12, 661: »22 Ärzte versuchen die Verdauungstrakte von 500 Reichen so zu verbessern, daß sie pro Person täglich 5 Rinder und 1 Waggon Getreide verzehren können. Dies ist die Lösung der Krise!« –
1929	Nach seinem Wahlsieg mit der Labour-Party nimmt James Ramsey MacDonald (1866–1937) die abgebrochenen diplomatischen Beziehungen zur Sowjetunion wieder auf; seine Politik ist betont pazifistisch und ausgleichend, jedoch ohne einschlagende Veränderungen im Innern. – 12, 659: »Die Pazifisten. Kriege verursachend«. – Edwin Powell Hubble (1889–1953), nordamerikanischer Astronom entdeckt die sog. »Rotverschiebung des Lichts« bei größeren Wellenlängen (»Hubble-Effekt«); danach müssen sich – so die physikalische Erklärung – alle Sternsysteme von der Milchstraße entfernen (»Fluchtbewegung«). Mit dem Hubble-Effekt schien die allgemeine Relativitätstheorie Albert Einsteins (1915 aufgestellt) eine Erklärung gefunden zu haben; nach ihr stellt das »Weltall« einen gekrümmten Raum (ohne Grenzen) aber mit endlichem Volumen dar. – Die von Brecht (12, 691) genannten Mathematiker von »Schen« könnten sich möglicherweise auf den sowjetischen Mathematiker Alexander A. Friedmann beziehen, der aus den Einsteinschen Theorien mathematische Gleichungen herleitete, die noch heute als aktuell gelten (Homogenität des Weltalls und Isotropie – Gleichrangigkeit). – Das später als »Schmidt-Spiegelteleskop« in die Wissenschaftsgeschichte eingegangene Super-Fernrohr mit großem Gesichtsfeld konstruiert der Hamburger Optiker Bernhard Schmidt 1929 und baut es 1930. – Sir James Hopwood Jeans (1877–1946), englischer Physiker und Astronom, publiziert 1931 sein Buch »Sterne, Welten, Atome« (engl. 1929) auf Deutsch; wie auch seine späteren Werke (z. B. »Der Weltraum und seine Rätsel«, 1930, deutsch 1937) verbindet die Darstellung Wissenschaft und Spekulation; wenn auch Brecht

(12, 694) mit dem Tui Je-an Heidegger und dessen »Sein und Zeit« (1927) zu referieren scheint, dürfte doch wohl in erster Linie – auch im Zusammenhang – der englische Astronom gemeint sein. – 12, 691–694: »Die Tuis von Wak waren große Astronomen. [...] Sie fanden, daß gewisse Lichtnebel [...] sich mit rasender Eile von unserer Erde entfernten. [...] Das ganze kam einer gesellschaftlichen Bloßstellung gleich« (12, 691). »Je-an [...] kam zum Schluß, die Wissenschaft kenne keine Entwicklung als die des Alterns und keinen Fortschritt als den zum Grabe. [...] Schon im Moment der Geburt besteht die einzige Tätigkeit des Kindes im Absterben« (12, 694). –

1929/ 1930 — Im Juni 1929 halten die deutschen Kommunisten ihren 12. Parteitag ab, der sich – neben den Warnungen vor dem aufkommenden Faschismus und der drohenden Kriegsgefahr durch ihn – vor allem mit der Rolle der Sozialdemokratie auseinandersetzt; in den Resolutionen des Parteitags fällt auch der Begriff »Sozialfaschismus«, um die arbeiterfeindliche Rolle der SPD und ihre z. T. brutale Zurückweisung sich offen artikulierender Arbeiterinteressen (Blutmai 1929) anzuprangern. Die »Sozialfaschismus«-These eröffnet ungute Auseinandersetzungen zwischen den sozialistischen Parteien und schwächt ein gemeinsames Zusammengehen gegen den Faschismus (freilich muß angemerkt werden, daß die KPD sich ab 1930 entschieden dem antifaschistischen Kampf widmet, die SPD dagegen dazu neigt, die Gefahr zu unterschätzen: der Parteitag im Mai 1931 geht davon aus, daß die NSDAP in die Defensive gedrängt sei).
– 12, 658 f., 667. –

1931 — Papst Pius XI. verkündet die soziale Enzyklika »Quadrigesimo anno« aus Anlaß des 40. Jahrestages der Enzyklika »Rerum novarum« des Papstes Leo XIII. Sie möchte in ihrem 1. Teil einen »Anstoß zum zeitgemäßen Ausbau einer Gesellschafts- und Wirtschaftslehre nach katholischen Grundsätzen geben«, im 2. Teil formuliert sie die »sozialen Probleme der Gegenwart« und im 3. schließlich behandelt sie Kapitalismus und Marxismus als »Abirrung von der rechten gesellschaftlichen Ordnung«. Auf dem Höhepunkt der Weltwirtschaftskrise findet Pius XI. das »Hauptübel des heutigen Zustands« in der »ungeordneten Begierlichkeit« des Menschen und im »Verderben der Seelen« begründet.
– 12, 598–602 (Zug des Taschi Lama), vgl. 12, 590. »Ein großes Aufatmen geht durch den Sitzungssaal, als der Taschi Lama seinen *Grund der Verwirrung* bekannt gibt. (Die Unordnung der Wörter!)«. 12, 669: »Alle Faschismen. Der Klerikofaschismus (Taschi Lama) zusammen mit den Metaphysikern aller Richtungen«.–

1933 — 30. 1. sog. »Machtergreifung« Hitlers (nach Rücktritt der Regierung Schleicher beauftragt Hindenburg Hitler mit der Regierungsbildung); 27. 2. Reichstagsbrand (muß als »Begründung« herhalten, Antifaschisten und Kommunisten offen und terroristisch verfolgen zu können); 10. 5. Bücherverbrennungen (»Ausmerzung des undeutschen Geistes«) etc. etc.
– 12, 672: »Im fünften Jahre der Krise besetzte der Marschall [Hindenburg] die Landeshauptstadt mit Truppen, jagte den großen Rat auseinander [etc.; daß hier nicht Hitler, sondern Hindenburg genannt ist, verweist auf die »Legalität«, Art. 48 der Weimarer Verfassung, und auf die Interessen der hinter Hindenburg stehenden Konservativen und Wirtschaftskreise]. [...] Die Tuis wanderten in die Gefängnisse und formulierten geraume Zeit nur noch Fäkalien«. –
[Ausschnitt aus einem Zeitungsbericht über die »Machtergreifung«, der sich bei den Materialien des *Tui*-Komplexes befindet:

> Die bürgerlichen Rechtsparteien eiferten mit Grund gegen Parlamentarismus und Demokratie. In immer kürzeren Abständen aber forderten sie trotzdem die Wähler auf, für sie an die demokratische Urne zu treten. Wurden sie zur Mitregierung berufen, so stimmten sie im Fraktionszimmer ›namentlich‹ über den Ministerkandidaten ab. *Die staatsmännische Chance, daß dieses parlamentarische System die unwahrscheinliche Möglichkeit enthielt, selbst die Mittel zu einer Vernichtung und Ausrottung zu bieten*, erkannten sie nicht.

Dr. F. K. in: Deutsche Allgemeine Zeitung, Reichs-Ausgabe, 72. Jg., Nr. 189/190, 25. 4. 1933 = BBA 560/08 = Nr. 11488, Bd. 3, S. 21; zit. nach Thiele, 407 f., die Unterstreichungen stammen von Brecht.]

1935 — Im Pariser Theatersaal Mutualité findet der I. Internationale Schriftstellerkongreß zur Verteidigung der Kultur statt (21.–29. Juni); es beteiligten sich Schriftsteller aus 37 Ländern, Brecht hielt eine Rede (abgedruckt 18, 241–246), in der er forderte: »Kameraden, sprechen wir von den Eigentumsverhältnissen!« (18, 246), das heißt: Brecht weigerte sich in einer Zeit, in der es ums körperliche Überleben ging, von Kultur zu reden bzw. über Kultur *nicht* auf der Grundlage ihrer realen ökonomischen Abhängigkeiten zu debattieren.
– 12, 670: »In dem zunehmenden Kampf zwischen Kultur und Eigentum nehmen arrivierte Tuis Partei zur Kultur«. – Die ursprünglichen Pläne des *Tui*-Komplexes sehen vor, die Handlung mit der Machtergreifung enden zu lassen: die Tuis gelangen zum – vom Kaiser einberufenen – Konzil erst nach dem Ende der »Tui«-Republik und können nur noch ihrer Liquidation zustimmen. Nach den Erfahrungen der Schriftstellerkongresse (der 2. findet während der Spanien-Kämpfe 1937 statt), sehen weitere Entwürfe *zwei* Kongresse vor; der 2. sollte sich ganz offenbar auf den Schriftstellerkongreß 1935 beziehen (vgl. BBA 808/15 = Nr. 11698, Bd. 3, S. 38: »Tui – Der Kongreß, der redekampf barbusse – gide«; gemeint sind Henri Barbusse, 1873–1935, und André Gide, 1869–1951, die sich – in für Brecht nebensächlichen kulturellen Fragen – auf dem Kongreß heftig auseinandergesetzt haben; Brecht hat sich über den Vorgang öfters lustig gemacht).

1941 22. Juni — Hitlerdeutschland überfällt ohne Kriegserklärung die Sowjetunion, mit der formal ein »Nichtangriffs-Pakt« besteht (sog. »Rußlandfeldzug«). Hitler sagt u. a. in einer Besprechung vom 16. 7. 1941: »Wir werden also wieder betonen, daß wir gezwungen waren ein Gebiet zu besetzen, zu ordnen und zu sichern [...]. Wir betonen,

daß wir die Bringer der Freiheit wären« (nach Reinhard Kühnl: Der deutsche Faschismus in Quellen und Dokumenten. Köln 1977. S. 325f. = Dokument 221).
– 12, 703–722. –

1941 ab Juli — Brecht kommt während seiner Exiljahre nach Santa Monica, Stadtteil von Hollywood (= Stechpalmenwald); im August lernt er dort die Mitglieder des ebenfalls emigrierten Frankfurter Instituts für Sozialforschung kennen, das – in einer späteren Phase – in den *Tui*-Komplex einbezogen wird. – 12, 673 f. –

Die historischen Daten und Aussprüche sind historiographischen Handbüchern und allgemeinen Darstellungen entnommen und außer in Einzelfällen nicht nachgewiesen; bei Aussprüchen von Politikern wurde prinzipiell darauf geachtet, daß sie symptomatisch sind und in auch populären Darstellungen über die deutsche Revolution 1918/19 und die Weimarer Republik zitiert werden.

Klaus-Detlef *Müller* (s. o.; S. 367–385). – Dieter *Thiele* (s. o.; 361–371).

Anspielungen auf »Geistigkeiten« der Zeit

Vorbemerkung

Das *Tui*-Material enthält eine Fülle von Anspielungen auf geistige Strömungen der Zeit, auf einzelne Personen, auf technische, ökonomische und wissenschaftliche Entwicklungen, auf Strategien, Rechtfertigungen etc., die keineswegs alle zu entschlüsseln sind, zumal eine historisch-kritische Ausgabe des Komplexes aussteht. Durch Parallelen z.B. vor allem zum *Me-ti. Buch der Wendungen* bzw. durch offensichtliche Bezüge oder auch gekennzeichnete Übertragungen sind eine Reihe der Namen, die unter dem »chimesischen« Gewand im *Tui*-Komplex auftauchen, entschlüsselt; nicht wenige jedoch sind entweder unbekannt geblieben oder auch umstritten. Im folgenden sind die – sicher entschlüsselten – wichtigsten und interessantesten Anspielungen referiert und konkretisiert, soweit sie nicht in die historiographischen Bezüge fallen, die in der *Zeittafel* berücksichtigt sind.

Das Frankfurter Institut für Sozialforschung

Nach Klaus Völker pflegt der grundlegende Abschnitt aus den *Tui-Geschichten Die Erkenntnistheorie oder Der Fluß Mis-ef* auf das Frankfurter Institut für Sozialforschung bezogen zu werden, deren einzelne Vertreter Brecht bereits während der Weimarer Republik kritisch beobachtet hatte und zu denen er in seiner Hollywood-Zeit direkten Kontakt fand. Das Institut war 1923 durch eine Anfangsfinanzierung des Getreidegroßkaufmanns Hermann Weil gegründet worden und sollte den Mitgliedern ermöglichen, aus den Beschränkungen der deutschen Universitäten (ein Fach) herauszukommen und umfassendere wissenschaftliche Arbeiten zu ermöglichen. Zum »Kern« des frühen Instituts gehörten neben Weils Sohn Felix J. Weil vor allem Friedrich Pollock und Max Horkheimer, weiterhin Theodor W. Adorno, Walter Benjamin, Herbert Marcuse, Karl August Wittfogel u.a. Nachdem das Institut nach der »Machtergreifung« 1933 sich zunächst nach Genf retten konnte, etablierte es Horkheimer 1934 an der Columbia-Universität (Los Angeles). Brecht traf des öfteren mit Mitgliedern des Instituts und auch anderen ihm nahestehenden bzw. von Brecht als nahestehend erachteten Wissenschaftlern, z.B. mit dem Physiker Hans Reichenbach (vgl. AJ 305; vom 26.10.41), im amerikanischen Exil zusammen. Der in den Ausgaben publizierte Text des *Tui-Romans* enthält nur wenige Bezüge auf die »Frankfurtisten«, der Bezug, der dafür reklamiert zu werden pflegt, nämlich die genannte *Tui-Geschichte* über Erkenntnistheorie, weist keinerlei inhaltliche Parallelen zur »Frankfurter Schule« auf; sie behandelt vielmehr die wichtigsten philosophischen »Grund«-Anschauungen (vgl. dagegen z.B. Völker, 405; Müller, 385; Müller-Waldeck, 58; die genauen Bezüge werden unten besprochen). Den *Tui-Roman* auf einen bloßen Schlüsselroman mit dem »Kern: Frankfurter Institut« einzuengen, hieße Sinn des gesamten Komplexes völlig zu verkennen; die Frankfurter kamen lediglich später (ab 1941) als weitere »Belege« hinzu. Hanns Eislers grundsätzliche Aussage ist entschieden zu relativieren (auf sie stützt sich z.B. Klaus Völker, 406):

> Ein reicher alter Mann (der Weizenspekulant Weill [muß heißen: Weil] stirbt, beunruhigt über das Elend auf der Welt. Er stiftet in seinem Testament eine große Summe für die Errichtung eines Instituts, das die Quelle des Elends erforschen soll. Die Tätigkeit des Instituts fällt in eine Zeit, wo auch der Kaiser die Quelle der Übel genannt haben will, da die Empörung des Volkes steigt. Das Institut nimmt am Konzil teil (Hanns Eisler im Gespräch. In: Hans Bunge: Fragen Sie mehr über Brecht. München 1970. S. 186).

Als Hauptquelle des Übels – so der Witz – stelle sich dann der Getreidespekulant selbst heraus.

Das Archiv-Material bestätigt Eislers Darstellung nicht, zumal sie ohnehin sehr stark an der äußeren Handlung des *Turandot*-Stücks orientiert ist.

Beziehbar, wenn überhaupt: auch nur sehr mittelbar sind Brechts Verweise auf die Tuis von Frud, die über »Minderwertigkeitskomplexe, Fetischglauben, Urinstinkte, Verbot der Uniformen« handeln. Die Integration der Psychoanalyse in die Soziologie wurde vor allem durch Erich Fromm (in den dreißiger Jahren) und Herbert Marcuse (in den dreißiger und vierziger Jahren) betrieben; möglicherweise ist hier auf die »Sozialpsychologie« Erich Fromms angespielt (12, 666).

Objektiv nicht auf die Frankfurter Schule, eventuell aber subjektiv von Brecht mit ihr identifiziert sind die Anspielungen auf die »Tui-Logiker« (12, 660 f., 662), wo es heißt »Der Bau jeden Unsinn ausschließender Sätze« oder der Tui-Logiker »Bo-en-reich« wolle die »Verwirrung der Begriffe« ebenso wie der Papst lösen, nämlich durch ihre »Entwirrung« (12, 662). Diese Passagen beziehen sich auf Rudolf Carnap (1891–1970), den führenden Vertreter der positivistisch-logistischen Philosophie, der 1928 ein Buch mit dem Titel *Der logische Aufbau der Welt. Versuch einer Konstitutionstheorie der Begriffe* publiziert hat. Hinter »Bo-en-reich« versteckt sich Hans Reichenbach (1891–1953), der philosophierende Physiker, der ebenfalls zum Neopositivismus gehört und ein eifriger Gegner aller windigen, uneindeutigen Dialektik gewesen ist; möglicherweise hat Brecht die 1932 erschienene *Wahrscheinlichkeitslogik* gekannt. Nachweislich jedoch kannte Brecht den 1. Band von *Erkenntnis*, den Rudolf Carnap und Hans Reichenbach in der Reihe der *Annalen der Philosophie* im Auftrag der »Gesellschaft für empirische Philosophie Berlin« herausgegeben haben (Leipzig 1931). Darin befindet sich ein Aufsatz von Carnap *Die alte und die neue Logik* (S. 12–26). Er bestimmt die Logik als die Methode des Philosophierens und besteht darauf, in der Logik nur eine Begriffsableitung zu sehen, die die »metaphysisch-materialistische These von der Realität des Physischen [...] völlig« ausschaltet (24). Brecht pflegte sich über die konstruierten Beispielsätze der Logiker, wie sie auch Carnap anführt, lustig zu machen – eben wegen ihrer Wirklichkeitsferne und Konstruiertheit, z.B. »Wird uns ein zusammengesetzter Satz mitgeteilt, z.B. ›es regnet (jetzt hier) oder es schneit‹, so erfahren wir durch ihn etwas über die Wirklichkeit, da er aus den einschlägigen Sachverhalten gewisse ausschließt und die übrigen offenläßt. In dem Beispiel gibt es vier Möglichkeiten: 1. es regnet und es schneit, 2. es regnet, schneit aber nicht« (etc., 23; der Nachweis ist zu führen über BBA 324/35 = Nr. 16329, Bd. 3, S. 512). – Der Logische Positivismus hat, das sei noch einmal betont, mit der »Frankfurter Schule« und der in ihr entwickelten »Kritischen Theorie« wenig Gemeinsamkeiten, sieht man einmal von der, die Brecht unterstellt, ab: sich nämlich von der Realität zu entfernen bzw. sie geistig bewältigen zu wollen. Im Gegenteil hat die »Kritische Theorie« den Positivismus in zunehmendem Maße heftig bekämpft und als typisch für den westlichen Industriekapitalismus beschrieben (Reduktion der Sprache, Anpassung an technisches Denken etc.).

Ausdrückliche Bezüge zu den »Frankfurtisten« – neben den einschlägigen Passagen des *Arbeitsjournals* – gibt es im Archiv-Material zum *Tui*-Komplex, das bei Thiele inzwischen zu größeren Teilen publiziert worden ist (Thiele, 361–371). Da heißt es:

pollok [sic] schafft felix die weiber, die dieser heiratet.
dann nimmt er seinen zehnten.
das institut spekuliert; es muß leben.
die versöhnung hos, wenn er dem gast die kaffeehäuser der niedren tuis zeigt.
das institut muß immerfort finanziell gerettet werden. es ist die basis, ohne welche revolutionäre arbeit unmöglich ist.
(Thiele, 369; BBA 560/176 = 11594, Bd. 3, S. 29)

Genannt sind Friedrich Pollock, der wissenschaftlich nur in der früheren Zeit des Instituts eine Rolle spielte und dann vor allem – als gelernter Ökonom – die wirtschaftliche Verwaltung leitete, dann Felix Weil, der Sohn des Geldgebers, ebenfalls Ökonom mit allerdings wenig Breitenwirkung, und Max Horkheimer (Ho) (1895–1973) neben Adorno und später Herbert Marcuse, der sich allerdings immer mehr – als »Linker« – von der Instituts-Linie entfernte, die bestimmende Person des Instituts. Er suchte Soziologie und Philosophie als prinzipielle Kulturkritik zu vereinigen (am bekanntesten wurde das mit Adorno zusammen verfaßte Buch *Dialektik der Aufklärung*, Amsterdam 1947). Ob mit dem Gast Brecht selbst gemeint ist, bleibt zu klären. – Der Abschnitt zeigt, daß Brecht die wirtschaftlich solide Grundlage des Instituts (Hermann Weil hatte sein Vermögen testamentarisch dem Institut vermacht; 1934) als einen Grund für die zunehmende Entfernung von der gesellschaftlichen Realität ansah, und zwar weil das Geld – so Brecht – nur zur Produktion von Geistesprodukten verwendet worden sei, nicht aber um wirklichen Einfluß zu gewinnen. Man vertraute darauf, daß sich die revolutionären Ideen von selbst durchsetzten.

Weitere Notizen gelten Karl August Wittfogel, dem Politologen des Instituts, dem das Recht verliehen werden soll auf Anwendung des Begriffs »Dialektik« (offenbar als Affront gegen den Begriffs-Fetischismus von Wittfogel; BBA 560/144 = Nr. 11577, Bd. 3, S. 28). Außerdem war daran gedacht, Zitate des »Untergangsphilosophen« Oswald Spengler (1880–1936) einzubauen, dessen Philosophie sich für Brecht immer mehr mit dem Nationalsozialismus identifizierte. Möglicherweise dachte Brecht daran, die bei Horkheimer, aber auch bei Adorno sich mitteilende pessimistische Grundhaltung, die auf den Lehrer Horkheimers Hans Cornelius zurückgeht, mit Rückverweisen auf Spengler zu kritisieren.

Philosophie allgemein

Eine der philosophischen Kernpassagen des *Tui*-Komplexes ist die *Tui-Geschichte Die Erkenntnistheorie oder Der Fluß Mis-ef* (die Namensverschlüsselung ist noch nicht aufgelöst). Sie stellt die drei wichtigsten philosophischen Grundanschauungen in folgender Reihenfolge dar: 1. Idealismus, 2. Phänomenologie, 3. Materialismus (12, 695 f.).

Idealismus: Brecht beschreibt den Idealismus weitgehend mit dem Platonismus, also mit der von Platon (griechischer Philosoph, 427–347 vor Chr.) entwickelten Ideenlehre. Danach stellt – Brecht wählt das Beispiel des Fadens – die Idee »Faden«, also das Immaterielle und allen realen Fäden abstrakte Gemeinsame das *eigentlich Reale* dar, und es ist dadurch gekennzeichnet, daß es im Gegensatz zu den realen Erscheinungen unwandelbar und ohne einschränkende Bestimmungen (Attribute) ist. Plato versinnbildlichte seine Ideenlehre am Höhlengleichnis. Nach ihm ist der Mensch in einer Höhle eingeschlossen, und zwar so, daß er mit dem Rücken zum Höhlenausgang sitzt und folglich die Dinge (= Ideen), die sich vor der Höhle abspielen, nicht selbst, sondern nur ihre unvollkommenen Schatten auf der Höhlenwand sehen kann. Wenn der Mensch meint, in den Schatten die Wirklichkeit zu haben, so beruht dies auf der Täuschung: er hat nur eine höchst unvollkommene Erscheinung von ihr. Die Philosophie dagegen lehrt, daß nicht die Erscheinung, sondern die Idee das »Wahre« und damit die »eigentliche Realität« ist, deren Abbild der Mensch – dieser Anschauung eingedenk – im Begriff erhalten kann, und dies eben gerade in dem von allen konkreten, »erscheinungsmäßigen« Bestimmungen gereinigten Begriff (Brecht nennt dies an seinem Beispiel das »Fadenartige, durch und durch Fadige«; 12, 695). Der Platonismus stellt eine der extremsten idealistischen Anschauungen dar, die die materielle Wirklichkeit des Menschen für bloße Erscheinungen – also Nicht-Materielles – erklären und in den menschlichen Ideen, die in den sprachlichen Begriffen zum Ausdruck (bzw. Abbild) kommen, die wahre Realität bzw. die wahre Welt sehen, die sich vor oder hinter den Erscheinungen verbirgt und durch das Denken zum Vorschein kommt. – Zum Platonismus ordnen sich alle die Stellen des *Tui*-Komplexes, die die tuistische Hauptlehre »Das Bewußtsein bestimmt das Sein« (12, 611) ansprechen. In diesem Fall – anders als im *Me-ti*, in dem er eine andere, dem Marxismus vorausgehende Rolle spielt – gehört auch Georg Wilhelm Friedrich Hegel (1770–1831) zu den idealistischen Philosophen, was auch seiner historischen Stellung entspricht. Hegels »Philosophie des Geistes« erklärt die den Menschen umgebende materielle Wirklichkeit als »Gestalten des Bewußtseins«, setzt also auch das Bewußtsein, nicht das Sein primär und läßt folglich die Wirklichkeit überhaupt erst durch das Bewußtsein entstehen. Auf den Kern ist der Hegelsche Idealismus, der von Johann Gottlieb Fichte (1762–1814) noch radikalisiert worden ist, mit Brechts folgender satirischen Persiflage gebracht: »Bevor es den Kopf gab, gab es den Gedanken. Der Gedanke brauchte, um hervorgebracht zu werden, nur noch den Kopf. Der Kopf fügte sich dieser Notwendigkeit und entstand« (12, 650; die Hegel-Passage steht 12, 649 f.; vgl. z.B. auch: »In ihnen hat sich die Überzeugung festgesetzt, daß der Geist die Materie bestimmt. Dieser Geist scheint ihnen frei«; 12, 589). – Idealistisch sind dann auch all die Versuche, die Brecht satirisch anführt, den »Grund der Verwirrung« (vgl. 12, 590, 602, 662) in der »Unordnung der Wörter« zu finden und also zu meinen, daß die Wirklichkeit dadurch gebessert werden könnte, wenn man die Begriffe wieder in Ordnung bringt. In dieser Hinsicht waren dann für Brecht auch die »Frankfurtisten« und die Neopositivisten (Carnap, Reichenbach) idealistisch.

Phänomenologie: Obwohl der »Schlachtruf« der Phänomenologie »Zu den Sachen selbst« lautet, stellt auch sie für Brecht eine tuistische Variante des philosophischen Idealismus dar, der mit der »anderen Schule«, die sich zunächst an den gewöhnlichen Faden halte, um dann aber durch tiefsinniges Betrachten das Wesen aus ihm herauszulesen, angesprochen ist. Gemeint ist die von Edmund Husserl (1859–1938) entwickelte »Wesensschau«, die darin besteht, daß der reale Gegenstand – das »Gegen-Über« – durch ein inneres, geistiges Ansprechen, Versenken in ihn in seiner »eigentlichen Realität« entsteht bzw. »konstituiert« wird. Die »Was-heit«, also das Reale des Gegenstands ist nicht materiell vorgegeben, sondern sie wird intentional (durch das – heute sogenannte »Erkenntnisinteresse«) erst durch das – die Wesensschau betreibende – Subjekt hergestellt. Obwohl in der Phänomenologie die Gegebenheit des Gegenstands (damit also Wirklichkeit) im Gegensatz zum platonischen Idealismus nicht geleugnet wird, ist er in seiner »Wesenheit« bzw. Objektivität von der Konstituierung des Subjekts abhängig, wird also wiederum vom Bewußtsein bestimmt und nicht umgekehrt; insofern ist die Phänomenologie trotz ihrer Wendung zu den »Sachen selbst« idealistisch: das Bewußtsein bestimmt das Sein. – Ideengeschichtlich hängt mit der Phänomenologie der im Zusammenhang mit den »Tuis von Wak« (12, 691–694) beschriebene *Existentialismus* des bedeutenden Geistes Je-an zusammen, insofern er die erkenntnistheoretischen Grundlagen der Phänomenologie teilt, nun aber auf den Menschen, sein Dasein, überträgt. Die idealistische Komponente kommt beim Existentialismus dadurch ins Spiel, daß der Mensch als derjenige gilt, der seine Existenz entwirft, wobei mit Existenz immer die je individuelle, nie die »gesellschaftliche« Existenz des Menschen gemeint ist (das »Gesellschaftliche« figuriert dabei als das verächtlich sog. »Man«, in dem der Mensch gerade nicht bei *seinem* Dasein ist). Brecht zitiert an der genannten Stelle (12, 694) die Heideggersche Variante des Existentialismus, die als existentielles »Grunderlebnis« die Erfahrung des Todes voraussetzt, eine Erfahrung, die – so Heideggers Argumentation – im allgemeinen und im »Man« verdrängt und vergessen werde. Martin Heidegger (1889–1976), ein Schüler Husserls, beschrieb 1927 in seinem Hauptwerk *Sein und Zeit*, das also ganz zur Weimarer Republik gehört, das Dasein als ein »Sein zum Tode«, das wesentlich durch die Angst vor dem Nichts geprägt sei: »Daß das je eigene Dasein faktisch immer schon stirbt, das heißt in seinem Sein zu seinem Ende ist, dieses Faktum verbirgt es sich dadurch, daß es den Tod zum alltäglich vorkommenden Todesfall des anderen umprägt, der allenfalls uns noch deutlicher versichert, daß ›man selbst‹ ja noch ›lebt‹« (Martin Heidegger: Sein und Zeit. 11., unveränderte Auflage, Tübingen 1967, S. 254). Bei Brecht heißt es: »Schon im Moment der Geburt besteht die einzige Tätigkeit des Kindes im Absterben« (12, 694). In der Zeittafel ist bereits darauf hingewiesen, daß mit Je-an auch der zu heideggerschen Philosophemen neigende englische Astronom Jeans gemeint sein könnte. Die »Sein-zum-Tode-Philosophie« hat aber bei Heidegger auf alle Fälle ihren ursprünglichen Ort.

Materialismus: Die satirische Perspektive, aus der der gesamte *Tui*-Komplex geschrieben ist, ist materialistisch, so daß die Stellen, an denen der Materialismus thematisiert ist als solcher, relativ selten bleiben. Auch die hier angesprochene Passage (12, 696 f.) ist nicht besonders deutlich und wahrscheinlich als *Tui-Geschichte* fragmentarisch. Materialistisch meint: im Gegensatz zur Überzeugung, daß das Bewußtsein das Sein bestimmt, gilt hier die Umkehrung, daß das »Sein das Bewußtsein« bestimmt: »Das Bewußtsein kann nie etwas andres sein als das bewußte Sein, und das Sein der Menschen ist ihr wirklicher Lebensprozeß« (Marx/Engels: Die deutsche Ideologie, MEW 3, S. 26). Im Gegensatz zur idealistischen Auffassung unterscheidet sich der Materialismus diametral dadurch, daß er eine – vom Menschen und seinem Bewußtsein unabhängige – Realität voraussetzt. Für den Materialismus ist die erkenntnistheoretische Frage, die alle idealistischen Philosophien immer wieder neu beschäftigt, prinzipiell entschieden: dem Menschen kann immer nur das »Sein«, die Realität, zu Bewußtsein kommen, das geschichtlich wirksam ist, wobei sich die historisch späteren Epochen gegenüber den früheren dadurch unterscheiden, daß sie über alle vorangehenden Epochen und ihr Wissen verfügen können. Insofern ist in der materialistischen Grundentscheidung auch der Zuwachs an Realitätskenntnis und damit die Möglichkeit für Fortschritt mit enthalten. Entscheidend ist: was das jeweilige Subjekt (als Bewußtsein) vermag, ist objektiv vorgegeben. Es läßt sich seine Möglichkeiten von der Realität – als der äußeren Natur und als gesellschaft-geschichtliches Produkt – geben, konstituiert also nicht Realität, sondern wird durch die Realität »konstituiert«. – Brecht verfährt im angesprochenen Abschnitt auf diese Weise materialistisch, wenn er die erkenntnistheoretischen Probleme der anderen Philosophen auf wirtschaftliche Unsicherheiten zurückführt, die sie mit erkenntnistheoretischen »Erhebungen« kompensieren (Heideggers »Seins«-Analyse läßt sich ohne weiteres auf die gesellschaftliche Situation der Zeit beziehen, als im ganzen unbewußter Ausdruck von gesellschaftlichen Entwicklungen, die zum Niedergang führen mußten: sie erscheinen »gereinigt« von Historie als prinzipielle Erkenntnistheorie und als »Existential *des* Menschen«). – Darüber hinaus verweist Brecht auf die Kapitalismus-Analysen von Karl Marx (1818–1883). Angesprochen ist der Tauschhandel auf der Grundlage der Geldwirtschaft, wonach jedes Produkt, dessen »Wesen« die Phänomenologen »erschauen« zu können glauben, ständig eine andere »Gestalt« annimmt. Brecht macht dabei die gesellschaftliche Praxis geltend, die das »Wesen« eines Dings in seinem Ge- und Verbrauch erkennt, jedenfalls für *diese* Gesellschaft. Das – von Brecht vehement vertretene – Prinzip der Veränderung und der Veränderbarkeit kommt implizit zum Ausdruck; ob der zweite Teil der Überschrift *Der Fluß Mis-ef* darauf anspielt, kann aus dem Text nicht unmittelbar geschlossen werden, ist jedoch wahrscheinlich, da bereits die übernächste *Tui-Geschichte* vom Fluß Kao-ho spricht, der über die Ufer tritt und hier (vgl. auch die Assonanz zu Kai Ho = Marx in *Turandot*; vgl. BH 1, 336) offenbar auf die revolutionären Ereignisse in Deutschland 1918/19 anspielt. – Als Philosoph der Veränderung, der Praxis und der Revolution, die dann von Lenin durchgeführt wird, ist Marx auch in *Der Satz von der heimlichen Herrschaft der Kesselschmiede* (12, 651 f.) genannt. Lenin erscheint als der Exekutor der marxschen Analysen im *Tui*-Komplex. Über seine Rolle wird in der inhaltlichen Analyse gehandelt.

Francis Bacon

Wie Hegel so erscheint auch Francis Bacon (1561–1626), der theoretische Begründer der neuzeitlichen Wissenschaften, im *Tui*-Komplex negativ. Wiederum geht es Brecht nicht um eine *historische* Würdigung der produktiven Leistungen Bacons, die er an anderen Stellen z. B. im Hinblick auf seine Realitätsauffassung vorbildhaft betont (vgl. z. B. 12, 494; 19, 368), sondern darum, was aus den ursprünglich emanzipativ und realistisch gemeinten Maximen in der bürgerlichen Gesellschaft *geworden* ist. Daß Brecht die Maxime »Wissen ist Macht«, die Bacon in seinen *Essays* 1597 aufgestellt hat, mit Einzelheiten aus Bacons Leben selbst belegt, das soll ebensowenig eine moralische Abrechnung mit Bacons zwielichtiger politischer Karriere sein (die Brecht hier im wesentlichen historisch richtig wiedergibt), noch soll es das für die Wissenschaften gültige Prinzip der »induktiven Logik« treffen. »Wissen (selbst) ist Macht« meinte die aus der Beobachtung und Erfahrung gewonnene Möglichkeit naturwissenschaftliche Voraussagen aufgrund logischer Schlüsse zu machen, ein Prinzip, das Bacon erstmals entwickelt hat. Induktiv ist diese Logik deshalb, weil sie nur gelten läßt, was aus vergangener und gegenwärtiger Erfahrung so weit erhärtet ist, daß es als empirische Grundlage in das logische Schlußverfahren eingehen kann. Dies nun meint Brecht nicht. – Im Gegenteil: gemäß dem materialistisch-satirischen Verfahren seines Projekts läßt er Bacon seine Maxime nicht aus der Natur-Beobachtung finden, sondern stellt sie als Resultat seiner gesellschaftlichen Erfahrungen dar. Weil Bacon aufgrund seiner Staatsämter und seinen damit verbundenen Korruptionen so viel wußte, daß die anderen erpreßbar wurden, konnte er sein Wissen als Macht für sich anwenden (12, 615–617). Damit hat er sozusagen einen historischen Beweis schon beim Begründer der Wissens-Maxime für die Haltung der Tuis, die ihr Wissen nicht mehr produktiv und für das Gemeinwohl einsetzen, sondern als Vorrecht für ihr Wohlleben horten und als unverzichtbaren Schatz für die Elite und Kultur, als deren Träger sie sich wähnen, ausstellen. Hier wird Wissen falsche gesellschaftliche Macht, und da die Tuis als Speichellecker es zur Verfügung stellen, wird es für die Mächtigen verfügbar: als Mittel der Unterdrückung.

Historiographie

Die 10 Prüfungen, denen der »linke Historiker von Jü-nan« ausgesetzt wird (12, 654–656), spielen auf die 1926 erschienene Romanbiographie *Wilhelm II.* von Emil Ludwig (1881–1948) an. Ludwig hat da tatsächlich, vorgebend moderne psychologische Methoden anzuwenden, Wilhelms großspuriges Auftreten auf den kurzen Arm zurückgeführt, der denn auch als die eigentliche Ursache seines Imperialismus zu gelten habe. Diese verkürzende, personalisierende Darstellungsweise, die die Techniken des bürgerlichen Romans nun auch für die

Darstellung historischer Ereignisse verwendet, stellt einen Beleg dafür dar, daß Brecht danach suchte, neue literarische Verfahren für die komplexen Zusammenhänge zu entwickeln, ohne dabei die historischen Personen zu gering zu veranschlagen. Die Namensgebung »von Jü-nan« verweist darauf, daß Ludwig subjektiv sich kritisch und »aufklärend« wähnt, wenn er den Kaiser Jü so beschreibt, objektiv jedoch für Brecht personalisierende Hofberichterstattung betreibt (vgl. auch AJ 366; vom 24.1.1942).

Sexologie

Der *Tui-Traktat Über die Kunst des Beischlafs* spielt auf den Roman *Lady Chatterley's Lover* (1928, deutsch 1930) von David Herbert Lawrence (1885–1930) und auf das Aufklärungsbuch *Die vollkommene Ehe* (1928) von Theodor Henrik van de Velde an, beides »Klassiker« auf ihrem Gebiet, Lawrences Roman als bürgerlicher »Porno«, van de Veldes Schrift als sexueller Eheberater, wobei, versteht sich, die ehelichen Grenzen streng gewahrt bleiben. Im Zusammenhang mit van de Velde nennt Brecht darüber hinaus Immanuel Kants berühmte Ehedefinition, die Brecht auch an anderen Stellen seines Werks verwendet hat (vgl. BH 1, 295 f.). Sie stammt aus *Die Metaphysik der Sitten* (1797) und regelt den »lebenslänglichen gegenseitigen Gebrauch der Geschlechtsorgane« (Paragraph 25).

Namensübersicht

Mit wenigen Ausnahmen hat Brecht die Namen im *Tui*-Komplex verschlüsselt, und zwar nach »chimesischer« Manier. Die Verschlüsselungen sollten jedoch nicht zur Annahme führen, daß alle Figuren und Ereignisse des Komplexes für authentische Personen und Ereignisse einzustehen hätten. Es ist vielmehr wahrscheinlich, daß Brecht – die »chimesische Verfremdung« nutzend – auch fiktive Geschichten, die freilich »sprechend« sein sollten, einbauen wollte. Viele der auftauchenden Namen wie zum Beispiel Kaiser Mo, Fu, Ko (12, 682) oder Mi-Wei (12, 697) oder Hang Tse (12, 703–722) dürften wohl keine realen Vorbilder haben, nach Brechts Namensgebung also »chinesisch«, nicht »chimesisch« sein. Dafür spricht z.B. auch, daß Brecht eine der entscheidenden Tui-Erkenntnisse, nämlich den Grund der realen »Unordnung« in der Unordnung der Wörter zu finden, bei seinen chinesischen Studien bereits bei Konfutse gefunden und als historisches Vorbild aufgeschrieben hat: »K. schreibt den verfall der sitten der verwirrung der begriffe zu und beschliesst das verhalten der menschen zueinander zu qualifizieren. die verfeinerung der manieren verfeinert die ausbeutung« (BBA 164/55 = Nr. 4326, Bd. 1, S. 380; zitiert nach Tatlow, 391; vgl. BH 1, 362).

Im folgenden sind die identifizierten Namen – es handelt sich um eine notwendig »offene« Liste – im Überblick zusammengestellt.

Gogher Gog (12, 589, 591–594, 654, 663, 665, 688)	Adolf Hitler
auch: Hu-ih, Ti-feh, Feh	
Ausnahmen: Gogher Gog (12, 662)	Josef Goebbels
Hu ih (12, 666)	nicht identifiziert
Angerlan (in der 1. Fassung von »Die Rundköpfe und die Spitzköpfe« Name für Hitler; vgl. BH 1, 129)	Hermann Göring (Müller, 380, setzt Ernst Röhm; der Bezug ist 12, 662)
Kaiser Wi (12, 641, 652)	Wilhelm I.
Kaiser Jü (12, 654 f.)	Wilhelm II.
Kaiser Lü Tsiang (12, 656)	steht für alle »Nachfolger« der Kaiser = Kontinuität
Fank Wi Heng (12, 592, 593, 607, 671 f., 680)	Paul von Hindenburg
auch: Marschall	
Hui Fu (12, 607)	Erich Ludendorff nicht identifiziert. Name
Ausnahme: Hui Fu (12, 704–722) (Bezug: »Rußlandfeldzug«; Unternehmen »Barbarossa«)	steht wahrscheinlich für Kontinuität in der Generalität
Taschi Lama (12, 590, 595, 598–602, 669, 688)	Historische »Lamas« von Tibet sowie die
auch: Buddha, Pander Lobsam Rhei, Papst	römischen Päpste (Pius XI. und XII.)
Wei-wei (12, 628–630, 633, 634, 645, 648 f.)	Friedrich Ebert
auch: Wei-wi	
Schi-meh (12, 628–630)	Philipp Scheidemann
Nauk (12, 628, 630)	Gustav Noske
Sa-u-pröh (12, 633–646)	Hugo Preuß
Ro (12, 630–632)	Rosa Luxemburg
Li-keh (12, 630–632)	Karl Liebknecht

Len (12, 596–598, 649, 652) auch: Li Tse, Ni-en-leh	W.I.Lenin
Ka-Meh (12, 651f., 696) auch: der Philosoph	Karl Marx
Le–geh (12, 649f.)	G. W. F. Hegel
Ka-ah (12, 678)	Immanuel Kant
Go-teh (12, 608, 680)	J. W. Goethe
Si-jen (12, 608)	Friedrich Schiller (?)
Kin-jeh (12, 679)	Bertolt Brecht
O-leh (12, 680, 682)	Napoleon I. und III.
Ple-ker (12, 681)	Johannes Kepler
Wi-ho (12, 682)	Viktor Hugo
Lo-reh (12, 677)	D. H. Lawrence
Van-eh-weh (12, 677–679)	Th.H. van de Velde
Bo-en-reich (12, 662)	Hans Reichenbach
Hi-ko (12, 649)	Kurt Hielscher
Tui von Jü-nan (12, 654–656)	Emil Ludwig
Je-an (12, 694)	J. H. Jeans (auch: Martin Heidegger)
Ka-uki (12, 725-727)	Karl Kautsky
Gruppierungen:	
Junk-ki (12, 653, 665)	Preußische Junker (Großgrundbesitzer)
Fe-esch (12, 662, 665, 669)	Faschisten
Partei des gleichberechtigten Volkes (12, 593, 624, 658, 659f.) auch: Se-pe-deh	SPD
Bund der Eigentumslosen (12, 651, 667) auch: Revtuis	KPD
Tuis von Frud (12, 666)	Freudianer (wahrscheinlich auch: Frankfurter Schule)
Tuis von Na-meh (12, 692 f.)	Katholische Geistlichkeit
Tuis von Wak (12, 691–694)	Sammelname für moderne Astronomie (Hubble, Einstein)

Vgl. die Namensübersicht bei Klaus-Detlef *Müller* (s.o.; S. 380f.).

Der »Denkismus« zum Beispiel

Der Fall des schlesischen Massenmörders Karl Denke (1870–1924), den Brecht in der Zeitung verfolgt hat, stellte den Bezug zum Thema einmal über seinen satirisch verwendbaren Namen her, zum anderen verwies er Brecht auf das von ihm hochgeschätzte literarische Vorbild Jonathan Swift (1667–1745). Swift publizierte Ende 1729 eine Schrift mit dem Titel *Ein bescheidener Vorschlag wie man verhindern kann, daß die Kinder der Armen ihren Eltern oder dem Lande zur Last fallen (A modest proposal for preventing the children of poor people from being a burthen to their parents or the country and for making them beneficial to the publick*). In hinterhältig biedermännischem Ton empfiehlt Swift als »Wohltat für die Öffentlichkeit« die Kinder der Armen zur Schlachtung freizugeben und aufzuessen. Auf diese Weise würde sowohl die hohe Kinderzahl der Armen zu regeln sein, wie ihnen auch die Möglichkeit gegeben würde, durch den Verkauf des Fleisches ihren Unterhalt aufzubessern. Swift schreibt:

> Mir ist von einem sehr unterrichteten Amerikaner aus meiner Bekanntschaft in London versichert worden, daß ein junges, gesundes, gutgenährtes einjähriges Kind eine sehr wohlschmeckende, nahrhafte und bekömmliche Speise ist, einerlei, ob man es dämpft, brät, bäckt oder kocht, und ich zweifle nicht, daß es auch in einem Frikassee oder einem Ragout in gleicher Weise seinen Dienst tun wird.
>
> Ich unterbreite also der öffentlichen Erwägung demütigst den Vorschlag, daß von den hundertundzwanzigtausend bereits berechneten Kindern zwanzigtausend für die Zucht zurückbehalten werden [...]. Die übrigen hunderttausend mögen, wenn sie ein Jahr alt sind, im ganzen Königreich vornehmen und reichen Leuten zum Kauf angeboten werden; dabei mag man der Mutter raten, die Kinder im letzten Monat reichlich zu säugen, damit sie für eine gute Tafel rund und fett werden. Ein Kind wird bei einem Essen für Freunde zwei Gänge ergeben, und wenn die Familie allein speist, so wird das Vorder- oder Hinterviertel ganz ausreichen; mit ein wenig Pfeffer oder Salz gewürzt, wird es gekocht noch am vierten Tage ganz ausgezeichnet schmecken, besonders im Winter.
>
> (Swift, 55 f.)

Brecht hatte damit das klassische bürgerliche Vorbild, das die vielleicht auf den ersten Blick so erscheinende Kühnheit des satirischen Vergleichs »sanktionieren« kann: Swift zielte sowohl auf die krassen sozialen Gegensätze seiner Zeit als auch auf den »Menschenverschleiß«, den die ausbeuterischen Verhältnisse mit sich brachten (so schreibt er z. B., daß die reichen Gutsleute, die schon die

Eltern »verschlungen« hätten, nun auch gleich ihren Anspruch auf die Kinder geltend machen könnten: Swift nahm die gängigen Metaphern beim Wort; Swift, 56). Die Satire also sollte in bewußter Übertreibung die realen (aber verdeckten und verbrämten) Zustände der Menschenverachtung und damit auch der scheinbaren gewaltlosen Tötung von Menschen durch soziales Elend, Kinderreichtum etc. sichtbar machen.

Karl Denke, so geht es aus dem Zeitungsbericht des »8 Uhr Abendblattes« hervor, den Brecht gelesen hat, war ein typischer braver Kleinbürger. Die Mitbewohner des Hauses beschreiben ihn als ordentlich, etwas geistig behindert, aber harmlos, er pflegte bei Prozessionen als braver Katholik das Kreuz zu tragen, und er galt überhaupt als unauffällig. Ungestört konnte er über zehn Jahre lang seine Opfer innerhalb seiner Wohnung ermorden, schlachten, pökeln oder auch zu Hosenträgern und Schuhriemen verwerten; was er nicht selbst aufaß, verkaufte er als »Ziegenfleisch«. Die Polizei zählte mindestens 13 Opfer. Entdeckt wurde er durch einen mißglückten Mordversuch; als er festgenommen wurde, erhängte er sich in der Zelle.

Was dem Bürgertum als »Auswuchs«, »krankhaft« etc. gilt, Brecht nimmt es als Symptom, das in einem Fall sichtbar werden läßt, was »normalerweise unter der Oberfläche der Wohlanständigkeit verborgen ist. Unzweifelhaft – und dies bereits 1930/31 – meint Brecht mit dem »Denkismus« den sich auf dem Marsch befindlichen Faschismus: »Aber vielleicht mehr als einen anderen Deutschen kann man ihn [Denke] einen kühnen *Vorfahr* jener Männer bezeichnen, die heute unserm armen Volke wieder eine *Idee* gebracht haben!« (12, 613) Daß die nicht ausformulierte Satire dann von der Wirklichkeit um Dimensionen übertroffen werden sollte, hat Brecht wahrscheinlich nicht geahnt. Aber die Möglichkeit dazu hat er immerhin zeigen wollen.

Im Nachlaß-Material, das auf 1931 datiert ist, hat Brecht die Vergleiche zu »normalem« bürgerlichen Verhalten andeutungsweise ausgeführt. Es heißt u. a.:

> heute wo bis zu einem gewissen grade gedanken und denkesches fühlen unserm volke in fleisch und blut gegangen sind ist es nicht leicht sich von der grösse seines grundeinfalls ein bild zu machen. es war die alte geschichte vom ei des kolumbus. heute könnte man glauben dass die schlachtung von 2 millionen menschen [bezogen auf den 1. Weltkrieg] natürlich zu dem vernünftigen zweck der nahrungsmittelfürsorge unternommen worden wäre. denn welch anderen zweck könnte man ihr unterschieben? [...] tatsache ist jedenfalls dass der ungeheure gedanke des weltkriegs nur von einem einzigen mann unter ungünstigsten umständen in nur ganz kleinem masstabe [!] zu ende gedacht wurde: eben von denke. er erkannte den sinn des ganzen. er baute auf wo die anderen einrissen! es bedurfte seines kindlichen und tapferen sinnes. und doch litten in dieser zeit tausende den bittersten hunger dadurch dass ihre ernährer an den grenzen kämpften und fielen und doch lagen diese ernährer zu tausenden gerade zu diesem zeitpunkt eben dort bereit sie zu ernähren – im essbarsten zustand:
>
> (BBA 427/57 = Nr. 11684, Bd. 3, S. 37)
> (zitiert nach Thiele, 369 f.)

In einem weiteren Fragment zu Denke (BBA 464/65 = Nr. 11683, Bd. 3, S. 37) behandelt der fiktive Verfasser der Tui-Schrift über den »Denkismus« die Frage der Moral, die *zunächst* einen beträchtlichen Unterschied zwischen Denke und seinen bürgerlichen Zeitgenossen markiere; diese legten auf die Moral einen »fast krankhaften wert«, aber in Wirklichkeit hätten sie denn doch »keine rechten argumente gegen ihn«, denn sie könnten ihm keine Handlungsweisen vorwerfen, die sich von den ihren nicht wesentlich unterschieden: »im grossen repressentierte [!] er durchaus den herrschenden typus des damaligen deutschen bürgers. auch jenen merkwürdigen zug der divergenz zwischen ansichten und handlungsweisen der ihnen allen eigen war findet man bei ihm« (nach Thiele, 370 f.).

Der »Denkismus« bezeichnet also die – im normalen biedermännisch vorgetragene – Aufdeckung des bürgerlichen Widerspruchs zwischen Ideologie (Sonntagsmoral, Christentum etc.) und realem »Konkurrenzverhalten«, das notfalls »über Leichen geht«, und zwar so vorgetragen, daß die scheinbare Ungeheuerlichkeit als die reine Normalität akzeptierbar wird. Im satirischen Verfahren wird der Widerspruch aufgedeckt, um ihn offen zu beseitigen, indem man dem realen Verhalten zur scheinbar vernünftigen Sanktion verhilft. Der Zusammenhang mit dem Tuismus ist dadurch gegeben, als Denke – als der Nicht-Denker – den Tuis als deutsches Vorbild offeriert wird, an der Beseitigung der moralischen Skrupel, die der offenen (faschistischen) Brutalität noch im Wege stehen, mitzuhelfen. In perverser Umkehr erscheint die faktische Brutalität Denkes als vorbildlicher »deutscher Geist«, der die rechte »Idee« *verwirklicht* hat. Schärfer wohl war die satirische Bloßstellung bürgerlichen Gebarens kaum zu treiben.

Gewidmet »dem Volk der Dichter und Denkes« sollte die Ehrenrettung des »nationalen Helden«, angefertigt als Dissertation eines tuistischen Lehrers, der seine Schüler auf faschistisches Verhalten »geistig« vorbereitet, in weitere »Büchlein« »gleicher Ausstattung« über deutsche Denkes in den *Tui-Roman* eingehen. Brecht nennt Krupp, Richard Wagner und Graf Zeppelin (vgl. 12, 613). Was Brecht vorhatte, läßt sich ahnen. Mit Krupp ist das Zentrum der deutschen Schwer- und Stahlindustrie benannt (Alfred Krupp, 1812–1887, der Gründer des Konzerns in Essen, 1810, Gustav Krupp von Bohlen und Halbach, 1870–1950, der angeheiratete adlige Nachfolger); der 2. Krupp war seit 1931 Vorsitzender des deutschen Reichsverbandes der Industrie und zeichnete sich durch nachhaltige »Zusammenarbeit« mit Hitler aus. Richard Wagner, Hitlers Lieblingskomponist, lieferte mit seinen »Bühnenweihfestspielen« (Name erst für »Parsifal«) die deutsche, martialische Tradition *(Der Ring des Nibelungen)*, auf die sich auch der Nationalsozialismus berief. Und Graf Ferdinand Zeppelin (1838–1917) verkörperte (womöglich) für Brecht den Typus des kriegerischen Konstrukteurs: Zeppelin war Generalleutnant und setzte seinen ganzen Ehrgeiz daran, das von ihm entworfene »Luftschiff« kriegsverwendungsfähig zu machen. 1908 ermöglichte eine »Volksspende« von 6 Millionen Mark die Gründung der Luftschiffbau Zeppelin GmbH, die sich alle Mühe gab, den deutschen Höhenflügen durch Schlachtluftschiffe aufzuhelfen. Der »Denkismus« ist als offene und brutale Variante des »Tuismus« zu markieren: er kennzeichnet den Unterschied zwischen Kapitalismus und Faschismus, den Brecht nie als prinzipiellen, sondern nur als graduellen aufgefaßt wissen wollte. Was im Kapitalismus in scheinbarer Freiheit und Demokratie weitgehend in »humaner Form« vor sich geht und vom Tuismus entsprechend verteidigt wird, schlägt mit dem Faschismus in offene, auf Humanität und »demokratische Spielregeln« keine Rücksicht mehr nehmende Brutalität um: ihre rechtfertigende Ideologie ist der »Denkismus«; er schafft den »Tuismus« ab: mit ihm bliebe ein Rest des Nachdenkens.

Jonathan *Swift*: Ein bescheidener Vorschlag, wie man verhindern kann, daß die Kinder der Armen ihren Eltern oder dem Lande zur Last fallen und andere Satiren. Mit einem Essay von Martin *Walser*. Frankfurt a. M. 1965 (S. 53–64).
Dieter *Thiele* (s. o.)

Satirische Erzählweise

Die »Satire« als literarische Form pflegt mit der klassischen Definition Friedrich Schillers beschrieben zu werden: »In der Satire wird die Wirklichkeit als Mangel dem Ideal als der höchsten Realität gegenübergestellt. Es ist übrigens gar nicht nötig, daß das letztere ausgesprochen werde, wenn der Dichter es nur im Gemüt zu erwecken weiß« (Friedrich Schiller: Über naive und sentimentalische Dichtung. In: Sämtliche Werke. Hg. v. G. Fricke und H. G. Göpfert. München 1963. Bd. 5. S. 722). Gegenübergestellt sind schlechte Realität und das bessere Ideal als die eigentliche Realität, auf die die Satire immer zu zielen hat; impliziert sind in dieser Definition sowohl der moralische Anspruch der Satire (Bessern durch die Beschreibung schlechter Zustände *im Hinblick auf das Ideale*) als auch die geforderte emotionale Anteilnahme (Erweckung des Gemüts).

Bei Brecht sucht man das Ideale ebenso vergeblich wie moralische Haltung und Gemütserweckung. Sein satirisches Verfahren rekurriert im Gegenteil immer auf Reales, und zwar auf Reales, dessen Ungeheuerlichkeiten in der »normalen« (quasi naturalistisch erzählenden) Form nicht zum Vorschein kämen. Darauf aber vor allem zielt Brecht ab.

Zum Beispiel die Darstellung der Weimarer Republik: Brecht negiert mit seiner Erzählweise, und zwar ohne moralische Kommentare, die mit der Etablierung der Weimarer Republik nicht nur in der bürgerlichen Historiographie stets verbundenen Veränderungen. Und sie scheinen ja in der Tat groß zu sein: statt autoritärer Monarchie nun eine bürgerlich-parlamentarische Republik (einschließlich freier Wahlen etc.), statt monarchisch-klassenspezifischer Verfassung nun eine demokratische Verfassung mit gleichen Rechten für alle etc. Dazu die Sozialdemokratie in der Regierungsverantwortung, also die Partei, die nicht lange zuvor als nicht-akzeptabel für die Regierungsgeschäfte, ja traditionell noch als die Partei der »vaterlandslosen Gesellen« galt. Es wäre noch vieles mehr anzuführen. Diese Veränderungen jedoch stellen sich für Brecht nur als »Form«-Veränderungen dar, als die guten, akzeptablen Fassaden, hinter denen eine Wirklichkeit verborgen ist, die eben keine wesentlichen Veränderungen aufweist. Unverändert blieben: die Eigentumsverhältnisse, die den traditionell besitzenden Schichten ihren Reichtum auch da beließen, wo sie ihn gegen das eigene Volk eingesetzt hatten (Gewinne der Industrie durch den Krieg etc.); bestehen bleibt – wenn dann auch auf ungesetzliche Weise – das kaiserliche Heer, das als sog. »Freicorps« mit Duldung und direkter Unterstützung der SPD-Verantwortlichen agieren durfte (Ermordung Liebknechts, Luxemburgs, Pakt zwischen Ebert und General Groener etc.); es blieben auch die alten Beamten, es blieben die alten Lehrer, und, da die Inflation zusätzlich auch noch die deutschen Mittelschichten ruinierte, verschärften sich die sozialen Gegensätze, anstatt sich zu verbessern und »auszugleichen«.

Brecht satirisches Verfahren stellt nun diese (weitgehend verborgenen) Wirklichkeiten in erster Linie dar, aber nicht so, daß es sie nun in ihrer wie immer realistischen Kraßheit selbst beschriebe, sondern immer so, daß er die Ideologie, die sie gerade *nicht* zum Vorschein kommen läßt bzw. lassen will, mitformuliert – eben als den Tuismus. Er erzählt die ausgiebigen Bemühungen z. B. des Sa-u-pröh um die »freieste Verfassung der Welt« mit der unbeteiligten Distanz des Chronisten; das geschieht reportagehaft, unaufdringlich und so, daß die Anstrengungen des Protagonisten ganz objektiv wiedergegeben zu sein scheinen. Dieser Schein jedoch kollidiert ständig mit den Realitäten, mit denen sich hier Sa-u-pröh auseinanderzusetzen hat und die zeigen, daß er den Verfassungsentwurf nicht nur gänzlich unfrei und verborgen erarbeitet, sondern auch mit geradezu grotesker Unkenntnis des »Pulverfasses«, auf dem er sitzt. Unbehelligt von den Realitäten der Zeit entsteht das »demokratische Gebäude«, das dann zur Rechtfertigung der prinzipiellen Wandlung der Zustände herzuhalten hat.

Nicht wenig anders ist es z. B. mit der Ausrufung der »Tui«-Republik, die sich ziemlich eng an die Darstellung Scheidemanns in seinen Memoiren hält und die dieser dort – wie er selbst sagt – verschwiegen hätte, wäre nicht sein Parteigenosse Friedrich Ebert so geschwätzig gewesen. Die Änderung der Staatsform, der später immer wieder heroisch beschriebene Akt der Ausrufung der Republik, ist realiter die Farce gewesen, als die sie Brecht dann genauer markiert, indem er die Ehefrauen hinzuerfindet und so die Diskrepanz von häuslicher Unfreiheit der Staatsleute und öffentlicher Wichtigtuerei im bürgerlichen Widerspruch erfaßt. Daß die SPD-Führung mit einer parlamentarischen Verfassung ohne Republik (also mit einem neuen Kaiser) zufrieden gewesen wäre, ist historisch vielfach belegt. Brechts satirisches Verfahren aber beläßt dies nicht in der persönlichen Einstellung der SPD-Oberen, sondern er markiert zugleich die allgemeine historische Bedeutung dieser antirevolutionären und von Ordnungsdenken diktierten Handlungsweisen. In ihnen liegt der Kern für die spätere Entwicklung zum Faschismus, wobei es nicht darum geht, auf moralische Weise *persönliche* Schuld einzuklagen, sondern die historisch wirksamen Zusammenhänge zum Vorschein zu bringen. Daß die Handlungsweisen der frühen Tuis subjektiv ehrlich gemeint und von »hohen Zielen« bestimmt sind, das eben verdeutlicht die satirische Erzählweise. In der Darstellung der historischen Ereignisse der Weimarer Republik zielt sie darauf, die personalisierende Historiographie des Bürgertums zu überwinden und die komplexen Zusammenhänge zu zeigen, die es ermöglicht haben, daß sich ein Hitler sie zunutze machen konnte.

Die Rolle der Tuis ist dabei nicht nur inhaltlich thematisiert. Brecht gedachte offenbar, sie auch ästhetisch zu markieren, insofern er die verschiedensten »Formen« tuistischer Formulierungskünste vorgesehen hatte, die Traktate, die »Dissertationen« (Denke, Krupp etc.), die Historiographie und das »Epos«; eine Sonderrolle sollten wohl die *Tui-Geschichten* spielen, die als Erzähler den arbeiterfreundlichen Friedrich Kraus und als Zuhörer Lenin vorsahen. Das satirische Verfahren kehrt die tuistischen Formulierungen materialistisch um und macht sie durchschaubar. An verschiedenen Stellen spricht Brecht über die Kunst, angemessen zu formulieren:

> Die Speichelleckerei als Kunst betrieben, schafft originelle, charakteristische, tief empfundene Formulierungen: sie gestaltet. Der vollendete Künstler ist plastisch, vielseitig, immer überraschend. Man studiere (es lohnt der Mühe), wie der große Go-teh [Goethe] den O-leh [Napoleon I.] lobte: widerstrebend. Ein solches Lob hat hohen Wert [gemeint ist wahrscheinlich Goethes *Festspiel* von 1814 *Des Epimenides Erwachen*, das Napoleon als Dämon der Unterdrückung allegorisiert]. Ebenso ingeniös ist es, das Lob in einen Tadel zu kleiden. Man tadelt einen Heerführer wegen seiner persönlichen Tapferkeit, die ihn seinem Heer entreißen könnte. Zu Beginn des großen Krieges dankten die Tuis dem Kaiser [Wilhelm II.] mit ehrfurchtsvollem Mitgefühl, daß er seinen hohen Ruhm als Friedenskaiser dem Wunsch der Nation, den Krieg zu führen, aufopferte. Als der Marschall Fank Wi Heng [Hindenburg] den Krieg verloren hatte, rühmten sie die hohe Gleichgültigkeit, die der Marschall diesem Unglück entgegenbrachte.
>
> Das ist nicht mehr Dilettantismus, das ist schon Kunst.
>
> Die Kunst der Speichelleckerei gehört übrigens zu den wenigen nicht brotlosen Künsten. Die Speichelleckerei nährt ihren Mann. (12, 680)

Die Formulierungskunst trifft sich mit den idealistischen Überzeugungen der Tuis: sie »gestaltet«, sie gibt durch Worte und entsprechende »Logik«

dem, was sie »wiedergibt«, überhaupt erst seine Gestalt, stellt es in diesem Sinn her, »konstituiert« es. Das heißt, daß sprachliche Darstellung und Dargestelltes auseinanderklaffen, daß letzteres durch die Sprache bis zur Unkenntlichkeit »weggestaltet« wird, damit die »Wahrheit« entsteht, die den Auftraggebern paßt und wofür sie – das ist das Brot dieser Kunst – dann auch gern bezahlen.

Brechts satirisches Verfahren der »Materialisierung« der Formulierungskünste kommt ohne historische Realität nicht aus: sie ist es, die »richtigstellt«. Da die Leser – jedenfalls nach Brechts Vorstellungen – über die Kenntnis der angespielten historischen Ereignisse und vielleicht auch über ihre Darstellungsweise in der bürgerlichen Geschichtsschreibung verfügen, ergänzen sie, satirisch darauf verwiesen, die tatsächlichen Befindlichkeiten zur tuistischen Formulierungsversion. Anders als Swift setzt Brecht nicht auf den »gesunden Menschenverstand« oder den »Geschmack«, wenn er die Schlachtung der Armen-Kinder empfiehlt, Brecht zeichnet vielmehr zeitgenössische bzw. nur kurz zurückliegende historische Ereignisse nach, die den Widerspruch herausfordern. Indem Brecht die tuistischen Künste lobt, sich in Scheinargumentationen tuistischer Art einläßt oder auch nur ihre Ergebnisse referiert, Geschichten von Tuis erzählt, die schmählich enden etc., fordert er den Leser heraus, die Darstellung mit dem Dargestellten zu vergleichen und dadurch die Darstellung richtigzustellen.

Dabei vermag der Leser auch das tuistische Verfahren der Formulierung durchschauen zu lernen, das sich als »Umkehr der Verfremdung« beschreiben läßt. Zielt »Verfremdung« darauf ab, die bekannten, aber nicht erkannten Vorgänge als »fremde« so darzustellen, daß sie für den Leser oder Betrachter auffällig erscheinen und damit für ihn überhaupt erst erkennbar werden, so wählt die »umgekehrte Verfremdung« möglichst Vertrautes, Bekanntes, Unreflektiertes, um das Unbekannte wie selbstverständlich in den Rahmen des Vertrauten einzubeziehen. Brecht beschreibt das tuistische Verfahren beispielhaft in den Vergleichen der Tuis von Wak (Astronomie), die das martialische Denken der Zeit in das All übertragen und damit die scheinbare Natürlichkeit kriegerischen Gebarens perpetuieren:

Wak faßte seine Anschauung zusammen in den Vergleich des Universums mit einer platzenden Granate. Das ist ein einfaches, plastisches, in unserer Zeit jedermann geläufiges Bild. Zu einem Bild dieser Art würde sozusagen jeder Säugling bei uns greifen. So würde ja auch jeder unserer Säuglinge, wenn er uns etwa zu beschreiben hätte, wie die Milch aus der Mutterbrust kommt, unbedingt zu dem Bild einer jener Flammenspritzen greifen, die unsere Soldaten zum Inbrandsetzen von Gebäuden verwenden. Solche Bilder aus unserem Alltag machen uns die Dinge vertraut, die wir noch nicht kennen.
(12, 691 f.)

Die Formulierungskünste finden ihr Ende da, wenn sich der oben beschriebene »Denkismus« so etabliert hat, daß er jegliche Opposition gewalttätig unterdrücken kann. Der »Tuismus«, der die »Freiheit des Geistes« zur Grundlage hat, wird dann durch seine geistigen Ideale schädlich, wenn die Gewalt offen auftritt: »Die Tuis wanderten in die Gefängnisse und formulierten geraume Zeit nur noch Fäkalien aus dem spärlichen Wasser und Brot, das man ihnen ließ – braune wäßrige Haufen, die man erst abholte, nachdem sie die Zellen der Unglücklichen verpestet hatten« (12, 672). Ihre Wirklichkeitsfremdheit freilich setzt sich fort – und da gerät auch Brechts satirisches Verfahren an seine Grenze –, als die Tuis auch im Faschismus lediglich der geistigen Freiheit ein Ende bereitet sehen. Unverkennbar ist, daß der witzig-satirische Duktus Brechts in Sarkasmus umschlägt (vgl. bes. 12, 672–674): selbst die Erfahrungen brutalster Wirklichkeit vermögen es nicht, die Rede von den beendeten geistigen Freiheiten ihrerseits zu beenden. Wenn dem so ist, dann hat auch die Satire keine Chance mehr. Wie gesagt: der mögliche Grund für das Scheitern des *Tui*-Komplexes scheint da zu finden zu sein.

Anhang: Texte für Filme

Vorbemerkung

Die zwei Bände *Texte für Filme*, die Wolfgang Gersch und Werner Hecht aus dem Nachlaß zusammengestellt haben, gehören zweifellos zu Brechts Prosa, auch wenn ihnen einmal eine andere mediale Bestimmung zugedacht war. Als Handlungsskizzen, Fabelentwürfe, Notate von Einfällen bzw. Dokumentarischem präsentieren sie sich als meist kurze, bis kürzeste Erzählungen, die teilweise auch szenischen Charakter aufweisen und schon unterm Eindruck der filmischen Umsetzung geschrieben sind. Als – mehr oder weniger – ausgearbeitete Drehbücher zeigen sich lediglich die frühen Filmentwürfe *Drei im Turm* (I, 9–48), *Der Brillantenfresser* (I, 49–76) und *Das Mysterium der*

Jamaika-Bar. Film in sechs Akten (I, 77–115) und das späte, bis zur Drehreife gediehene Drehbuch von *Mutter Courage und ihre Kinder* (I, 183–293), an dem Brecht mit Emil Burri und dem vorgesehenen Regisseur Wolfgang Staudte gearbeitet hat und das am 28. 6. 1955 abgeschlossen worden ist. Prinzipielle Einwendungen Brechts gegen die Produktionsbedingungen und gegen Staudtes Regie sowie ästhetische Differenzen führten, nachdem die Dreharbeiten bereits begonnen wurden, zum Abbruch des Projekts (vgl. I, 303; Anmerkungen). Der 1960 gedrehte DEFA-Film (DDR) *Mutter Courage und ihre Kinder* hat mit diesem Drehbuch nichts zu tun. Er stellt eine Verfilmung der Theater-Aufführung des Berliner Ensembles dar. Die frühen Filmdrehbücher stammen sämtlich aus dem Jahr 1921, und zwar aus dem Zeitraum von März bis Juli. Es ist die Zeit der Auseinandersetzungen um Marianne Zoff und ihren (bisexuellen) Liebhaber Richard Recht. Brecht schreibt die Filme, um zu versuchen, »ihr ein Dach zu machen« (Tagebücher, 96; vom 23. März 1921). Wenig später ist davon die Rede, daß Marianne Zoff ein Kind von Brecht erwarte; es kommt zu heftigen Auseinandersetzungen mit Recht (vgl. Tagebücher, 100f.). Brecht entwirft geradezu Unmengen an Filmen, sieht sich als Dramatiker durch sie verdorben und fabuliert von gigantischen Summen, die er zu verdienen gedenkt. Nach den *Tagebüchern* stehen die Filme in der *Werkausgabe* nicht in der chronologischen Folge. Zuerst beginnt Brecht das *Mysterium der Jamaika-Bar* (als *Geheimnis der Weinstube*), und zwar Februar 1921, schließt dann aber zuerst den *Brillantenfresser* ab (21. 3. 21), offenbar in wenigen Tagen geschrieben, und erst im April (12. 4. 21) folgt das *Mysterium*. Das Drehbuch *Drei im Turm* folgt im Juli 1921 und soll mit Caspar Neher zusammen in drei Tagen geschrieben worden sein (vgl. I, 297, Anmerkungen). Das Drehbuch zu *Kuhle Wampe*, den der erste Band *Texte für Filme* ebenfalls noch enthält (I, 117–182), ist lediglich ein Protokoll, angefertigt nach dem Film, dem einzigen, der wirklich realisiert worden ist und an dem Brecht sowohl am Drehbuch wie auch an der Inszenierung mitgearbeitet hat. Das Protokoll läßt sich – da das Drehbuch verschwunden ist – nur sehr bedingt als Brecht-Text einstufen, es gibt aber alle Sprechpartien des Films wieder, so daß zumindest ihnen ein Brecht-Text zugrundeliegt.

Diese Drehbücher haben zweifellos anderen Charakter als die Exposés und Szenarien, die der 2. Band *Texte für Filme* zusammenstellt. Insofern verkörpern die Drehbücher, über deren »filmische« Vollständigkeit nichts gesagt werden kann, eine eigene Gattung, stellen jedoch dennoch keine »Filme« dar (nur der *Kuhle-Wampe*-Film läßt sich damit in einem gesonderten Zusammenhang behandeln; s. das gesonderte Kapitel im *Brecht-Handbuch*).

Bei den Exposés und Szenarien (um die Titel des 2. Bandes der *Werkausgabe* aufzunehmen) gibt es direkte Überschneidungen zur Prosa, zur erzählenden Kurzprosa, die die Problematik der Gattungszuordnung bewußt machen können. Z. B. ist die später in die *Kalendergeschichten* eingegangene Erzählung *Die zwei Söhne* (11, 363–366) eigentlich eine Filmgeschichte. Inwieweit eine poetische Überarbeitung extra für die *Kalendergeschichten* erfolgte oder ob Brecht den Filmentwurf direkt für sie übernahm, kann wahrscheinlich nicht einmal eine historisch-kritische Ausgabe entscheiden. Zur Kalendergeschichte *Cäsar und sein Legionär* gibt es ebenfalls ein Pendant als Filmgeschichte, hier allerdings auch zwei verschiedene, aber sehr ähnliche Texte (11, 344–362 bzw. II, 372–400: *Cäsars letzte Tage*), so daß eine Überarbeitung des Filmexposés für die *Kalendergeschichten*-Sammlung erfolgt sein müßte. Die *Eulenspiegel-Geschichten*, die in der Prosa eingeordnet sind, sind wiederum reine Filmgeschichten und waren nicht als Erzählungen gedacht (11, 367–372; vgl. II, 632–635). Ähnliches gilt für *Safety first* (11, 210–223), die wahrscheinlich so, wie sie vorliegt, eine Filmgeschichte ist, wobei der Eingang (Männergespräch, aus dem heraus die Geschichte erzählt wird) kein Gegenbeweis ist, wie Kirsten Boie-Grotz vermutet hat (»originäre Prosaarbeit«; 158); denn der Film kennt die Rückblende und den »Erzähler« (die Geschichte beginnt episch und geht dann in die filmische Handung über – z. B. durch Überblendung als Beginn der Rückblende). Bei Brechts epischen Interessen besagt die Einleitungspassage nichts über den »Charakter« dieser Prosaarbeit. Und so könnte es sich noch für manch andere Erzählung Brechts verhalten.

Diese Überschneidungen bzw. die Schwierigkeiten, Prosaerzählungen und Filmgeschichten zu differenzieren, hat auch »innere« Gründe. Sie liegen in Brechts »Stil«, seiner objektivierenden Erzählhaltung. Denn Brecht war sich schon früh über die »filmische Optik« in der Erzählkunst der Modernen, die er schätzte (Stevenson, Döblin u. a.), im klaren. In den *Tagebüchern* finden sich viele

Belege, die die Besonderheiten der »filmischen Prosa« festhalten, ihre – erzwungene – Oberflächlichkeit aber auch beklagen. Besonders interessant dafür ist die Eintragung vom 22. 3. 1921: »Mitunter habe ich Appetit auf Sätze, die hinausgeschleudert werden, auf die verrückten Genüsse des Wortfleisches und die raffinierte Andeutung der Bühne, ich, verheert vom Film« (Tagebücher, 96). Die filmische Schreibweise, die Brecht mit den Sachbüchern von 1921 sich sehr bewußt aneignet, zwingt zu eindeutigen Gesten, zu verhaltener (fleischloser) Sprache und Verzicht auf Ausschmückung, Sprach-Kraft (den Tonfilm, der die gesprochene Sprache »realistisch« einsetzen konnte, gab es erst ab 1922; die erste Aufführung fand am 17. 9. 1922 in den Berliner Alhambra-Lichtspielen statt). Zu fixieren waren »sprechende« Handlungen, verschiedene Perspektiven, Gesten, möglichst bewegte Bilder (dynamisierende Verben) in der »Außenschau«. Alles mußte in die Sichtbarkeit gerückt werden, auch das »Innerliche«, Psychische, jede Mimik, jede Geste mußte »sitzen«, sollte sie in ihrem Hinweischarakter vom Leser/Zuschauer erkannt werden. In den Drehbüchern liegt folglich der Beginn von Brechts technifizierter Prosa, die später aus anderen Gründen weiter ausgebildet wurde – besonders im *Dreigroschenroman.* Da sich die Sujets der frühen Geschichten (Abenteuer-, Gauner-, Flibustiergeschichten) wie auch ihre Erzählhaltung (Vonaußensehen) weitgehend mit den Drehbüchern und Filmentwürfen überschneiden, sind die Zusammenhänge noch größer, als es die äußeren Fakten nahelegen.

Detlef Ignasiak hat vorgeschlagen, den »Grad der epischen Ausführung« (143) darüber entscheiden zu lassen, ob eine Filmgeschichte der erzählenden Prosa zugeschlagen wird oder nicht, ein sicherlich bedenkenswerter Vorschlag, der allerdings da auf seine Grenzen stößt, wo Brecht eine »Erzählung« eindeutig als »Film« gekennzeichnet hat, wie z. B. bei der sehr nachdrücklichen, vollendeten Filmerzählung zu *Der Mantel* (nach einer Novelle von Gogol; II, 598–616). Hier stellen sich noch Probleme für die künftigen Brecht-Ausgaben. Sie zu lösen, ist hier nicht der Ort – aber genannt müssen sie sein.

Die folgende Darstellung gibt lediglich einen Überblick und berücksichtigt einige wenige Filmgeschichten gesondert, dann nämlich, wenn die vorliegende Forschung sie stärker beachtet hat und sie zugleich wichtige Symptome für Brechts Werk belegen. Das Filmexposé *Die Beule* (II, 329–345) und den Film *Kuhle Wampe* bespreche ich im Anhang. Bei der *Beule* handelt es sich um Brechts *Dreigroschenfilm,* der im Zusammenhang mit dem *Dreigroschenprozeß,* Brechts filmtheoretischer Schrift, eine Rolle spielt; *Kuhle Wampe* ist als Film gesondert zu würdigen.

Texte: Texte für Filme I. Drehbücher, Protokoll »Kuhle Wampe«. Frankfurt a. M. 1969 *(Werkausgabe,* Supplementband; zitiert: I, Seite). – Texte für Filme II. Exposés, Szenarien. Frankfurt a. M. 1969 *(Werkausgabe,*, Supplementband; zitiert: II, Seite) (Redaktion beider Bände: Wolfgang *Gersch* und Werner *Hecht).*

Wolfgang Gersch: Film bei Brecht. Bertolt Brechts praktische und theoretische Auseinandersetzung mit dem Film. München 1975. – Kirsten *Boie-Grotz:* Brecht – der unbekannte Erzähler. Die Prosa 1913–1934. Stuttgart 1978 (S. 158–161). – Detlef *Ignasiak:* Bertolt Brechts »Kalendergeschichten«. Kurzprosa 1935–1956. Berlin 1982 (S. 142–160).

Überblick

Brechts Interesse am Film ist früh nachweisbar. Er erkennt, daß die neue Filmkunst »den Boden wegzieht« (vgl. Tagebücher, 68; vom 24.9.20) und die Entwicklung »unaufhaltsam« zum Film hinläuft (15, 35). Daß Brecht die Kommerzialisierung der Kunst, die mit dem Film verbunden war, bewußt gewesen ist, beweisen seine Vorstellungen, mit dem Film Geld zu verdienen, aber auch seine Kritik an der »Ware« Film (vgl. seine Kritik *Aus dem Theaterleben,* die die »Schweinereien« der sog. Aufklärungsfilme aufs Korn nimmt, hier die Filme von Richard Oswald *Es werde Licht,* 1917, und *Prostitution,* 1919; vgl. 15, 6 f.). Die ersten drei Drehbücher für Stummfilme unterwerfen sich ganz den gängigen Filmgenres, wilde, reißerische Handlungen, abenteuerlich, mit Kriminalstory-Einschlag und handfesten Liebesgeschichten. Freilich bildet das nur das Fundament; Brechts Interesse liegt am Schock und am Schockieren, was umgekehrt bedeutet, daß er alle übliche Melodramatik vermeidet. Symptomatisch wohl der Schluß von *Drei im Turm.* Der Film ist ganz melodramatisch angelegt und hat August Strindbergs Ehedramen zur Grundlage. Er spielt in einem abgelegenen einsamen Wachtturm und entwickelt eine Dreiecksgeschichte. Der Kapitän des Wachtturms bemerkt die Liebe seiner Frau zum jungen Leutnant, wird damit nicht fertig, erschießt sich, versteckt sich aber sterbend im Schrank. Der Kapitän, auf geheimnisvolle Weise verschwunden, spukt denn als Vision in den Köpfen der beiden durchs turbulente Zwischengeschehen. Am Ende endlich fällt ihnen bei der zufälligen Öffnung des Schranks der schon halb verweste Leichnam des Kapitäns entgegen. Der Leutnant sieht nun endlich den Weg frei und vergewaltigt die Frau neben der aufs Bett gelegten Leiche des Mannes. Alles Grauen und alle Sentimentalität sind am Ende weggefegt; die Gestalten zerbrechen nicht mehr am »Schicksal« wie bei Strindberg im *Totentanz*.

Das 2. Filmdrehbuch *Der Brillantenfresser* ist eine abenteuerliche Gangstergeschichte. Ein Brillant wird von der »Latte«-Gang gestohlen, der Besitzer umgebracht. Um den Brillanten vor der Polizei zu verstecken, stecken sie ihn in eine Orange und müssen dann, nachdem die Orangen durcheinander geraten sind, Unmengen an Orangen vertilgen, um wieder an ihn heranzukommen. Dabei verschluckt der stärkste Bursche der Gang den Diamanten, um ihn für sich zu sichern. Aber Latte bringt seinen Kumpanen um und schlitzt ihn auf. Mit dem Diamanten auf der Flucht gelingt es Latte, einem jungen bürgerlichen Mann noch die Geliebte »abzunehmen« und sich die Schiffsbillette ihres Liebhabers zu sichern; per Schiff machen sich beide glücklich aus dem Staub. Brecht liegt viel am Tempo und an rascher Szenenfolge. Mit diesem Film verlegt er auch erstmals die Handlung konsequent vor allem an öffentliche Schauplätze (Straße), was die filmischen Mittel besonders stark forderte und einsetzte.

Das 3. Filmdrehbuch setzt die Tendenz des 2. fort, entwirft nun aber eine ausschweifende und komplizierte Detektivstory, die mit vielen technischen Details und Krimimustern arbeitet sowie viele bewegte Einstellungen (Autos) einsetzt. Natürlich narrt wiederum der Gangster die Polizei, steht die »bürgerliche Welt« am Ende Kopf. Die Happy-Endings sind in beiden Filmen bodenlos: da der brutale Gangster, der die bürgerliche Geliebte abschleppt, dort die »ehrenwerte« Gesellschaft, die ihre Rettung im Wintergarten feiert, wohingegen die Polizei unverrichteter Dinge abtrottet.

Wolfgang Gersch hat an den frühen Drehbüchern die optische Ausdruckskraft hervorgehoben sowie die eindrucksvolle Bildkomposition, vor allem von *Drei im Turm*, beschrieben, letztere wohl nicht unwesentlich beeinflußt von Caspar Neher, dem Maler (Gersch, 30–36). Die Filme spielten mehr als üblich damals »Draußen«, pflegten aber trotz ihres reichen Detailmaterials nicht den »dokumentarischen Stil«. »Das gerühmte ›Helldunkel‹ des deutschen Filmexpressionismus hat Brecht in *Drei im Turm* mehrfach benutzt« (Gersch, 32). Nach Erich Engels wäre *Drei im Turm*, »kongenial verfilmt, [...] einer der optisch bedeutendsten deutschen Stummfilme geworden« (Gersch, 32).

Außer dem Entwurf *Robinsonade auf Assuncion* (II, 307–312), die gesondert besprochen wird, gibt es aus der frühen Zeit lediglich eine ganze Menge, oft nur dem Titel nach oder in wenigen Zeilen bekannte, Entwürfe. Die Filmarbeit stockt so rasch, wie sie in den Jahren 1919 bis 1921 intensiv war. Die Gründe dafür, daß keiner der Filme trotz konkreter Verhandlungen mit der Stuart-Webbs-Film-Company gedreht wurde, sind nicht bekannt. Immerhin hatte Brecht das *Mysterium* nach dem Muster der Stuart-Webbs-Filme (Abenteuerfilme mit dem gleichnamigen Detektiv) angelegt und seinem Helden auch, der vornehmlich als Frau verkleidet ist, Webbs genannt. Wahrscheinlich waren sie trotz ihrer Kolportage nicht eng genug am Vorbild und unterliefen sie bürgerliche Gerechtigkeitsvorstellungen gar zu sehr.

Einige Filmpläne und -entwürfe sind aus den Jahren 1926/7 bekannt, meist nach Zeitungsberichten entworfen, sind aber ohne größeres Interesse. Ein Filmentwurf für *Happy-End* nach dem Stück von Elisabeth Hauptmann folgt 1930 (II, 320–328), aber auch er dürfte mehr von Hauptmann stammen (wie das Stück, das lange als Brecht-Stück galt; vgl. BH 1, 81–88) und geht kaum übers Drama hinaus. Wichtig wird dann der *Dreigroschenfilm Die Beule* (1930), der die Gerichte beschäftigt und Brecht zum *Dreigroschenprozeß*, einem *Soziologischen Experiment*, bewegt hat. *Die Beule* enthält filmische Mittel, die im großen Film *Kuhle Wampe* (1931–32) realisiert werden. Dann ist es wieder vorbei mit dem Film. *Kuhle Wampe* passierte die Zensur ohnehin nur knapp und mit manchen Auflagen, der aufkommende Faschismus vereitelte jegliche Weiterarbeit mit diesem Medium. Auch die ersten Exiljahre waren dem Film in keiner Weise entgegenkommend. Zwei Entwürfe, die einigermaßen ausformuliert sind, entstehen 1934 und 1939, ein *Semmelweis*-Film (Leben des berühmten österreichischen Geburtshelfers Ignaz Philipp Semmelweis, 1818–1865) und eine Kindergeschichte über das Fliegen *Wir wollen fliegen* (II, 348–352 bzw. 356–365; letztere Filmgeschichte ist bloß eine Übersetzung des schwedischen Originals von Henry Peter Matthis).

Erst Hollywood bringt – notwendigerweise –

wieder einen Film-Boom. Die meisten der großen deutschen Dichter im Exil (Heinrich Mann, Alfred Döblin, Walter Mehring u. v. a.) mußten sich als Filmscript-Schreiber in Hollywood verdingen, um sich ihren Lebensunterhalt sichern zu können. Der »European Film Fund«, aus dem die Schreiber bezahlt wurden, war jedoch von vornherein mehr als eine Art Stipendium für notleidende deutsche, europäische Exilschriftsteller gedacht, denn als ernstzunehmende »Film«-Arbeit. Brecht nannte die Arbeit »Lügen-Verkaufen« (vgl. das Gedicht *Hollywood*; 10, 848). Brechts Filmarbeiten für Hollywood sind eine Geschichte der Niederlagen und Auseinandersetzungen, die sogar zur Mär geführt haben, Brecht sei kein »Film«-Schriftsteller gewesen, habe keine Fähigkeiten zu ihm gehabt und sein Beitrag zur Filmgeschichte sei deshalb gering zu schätzen. Nach dem jetzt vorliegenden Material ist Walter Hincks Urteil zu folgen, daß Brecht mit seinen Plänen vor allem das nötige Quentchen »Glück« versagt war, das ihn hätte Fuß fassen lassen (ganz abgesehen davon, daß *Kuhle Wampe* als einer der bedeutendsten Filme der Weimarer Republik für den Nachweis hoher Filmkunst auch ausgereicht hätte). Der Markt in Hollywood vereitelte jeglichen Einsatz der ästhetischen Mittel, auf denen Brecht bestehen mußte. In subversiven Einsatz konnten sie deshalb nicht gebracht werden, weil es keine ideologischen Verbrämungen der Arbeit und der »Realitätsdarstellungen« gab: die Lügen wurden offen gehandelt, und da Wahrheiten auf kein Interesse stießen, war eine Kollision mit der Filmindustrie vorprogrammiert. Immerhin kam es ja mit *Hangmen Also Die* zu einer Realisation einer – leider verschwundenen – Brechtschen Filmgeschichte, aber Fritz Langs Filmsprache war Brecht viel weniger vertraut, als er gemeint hatte (er hatte in Langs Filmen mehr gesehen, als diesem gemacht zu haben überhaupt bewußt war), und die Anpassung an die Hollywood Ästhetik (vor allem das Bestehen auf der Individualgeschichte, die mangelnde Profilierung der Massen und ihrer politischen Haltung zugunsten von sensationsgebundenen Effekten u. a.) war bei Fritz Lang schon so ausgeprägt, daß Brecht die wichtigsten ästhetischen Mittel, die er angewendet sehen wollte, hätte aufgeben müssen, wäre er weiterhin dabei geblieben. Hanns Eisler hat, ohne daß Lang dies merkte, noch einige Musikzitate eingeschmuggelt, die aus der Brecht-Eislerschen Konzeption des Films stammten, Brecht aber wollte sich mit der Rolle nicht begnügen, zumal Lang sich auch nicht an Vereinbarungen hielt (vgl. dazu vor allem die *Arbeitsjournal*-Notiz vom 17.12.1942; AJ 558). Der Film, von Brecht noch *Trust The People* geheißen, entstand dann ohne ihn (1942/1943). Das Resultat ist immer noch sehr beachtlich und auch heute noch vorzeigbar. Der Abstand Brechts zur bürgerlichen Kunstproduktion, selbst wo sie sich als »links« verstand, war schon sehr groß geworden. Brechts Eintrag »lang merkt nichts« (AJ 558), nämlich was er *wirklich* macht, ist typisch. Man war zu den bereitwilligen und überzeugten Bedienern des Apparats geworden.

Weitere Versuche Brechts, in Hollywood mit Filmgeschichten zu »landen«, lassen sich in zwei Gruppen zusammenfassen. Die eine Gruppe bilden die zeitgeschichtlichen Genres, so *Silent Witness* (*Der stumme Zeuge*) und *The Goddess of Victory* (*Die Siegesgöttin*), beides amerikanisch geschriebene Skripte (von Mitarbeitern übersetzt, keine deutschen Originale; II, 538–597 bzw. 476–537), die anderen die Film-Biographien, eine Gattung, die in Hollywood besonders gefragt war. Zu ihnen ordnen sich die wiederum in Brecht-Texten vorliegenden Filmgeschichten *Der Gallische Krieg oder die Geschäfte des Herrn J. Cäsar* (II, 369–371), ein unmittelbar mit dem *Cäsarroman* zusammenhängender Entwurf, der dann aber – weil das Ende Cäsars hollywood-gemäßer war – zum Entwurf *Cäsars letzte Tage* (II, 372–400) führte (1942), weiterhin die Geschichte des Begründers des Roten Kreuzes *Die seltsame Krankheit des Herrn Henri Dunant* (II, 406–413) (ebenfalls 1942) und *Die Fliege* (undatiert, um 1942/43) (II, 414–429), eine Filmerzählung, die die positive Arbeit eines amerikanischen Forscherteams um Herrn Walter Reed zum Inhalt hat: die Arbeiten am Panama-Kanal sind eingestellt, weil die »Gelbe Fliege« grassiert und die Menschen hinwegrafft. Abhilfe scheint aussichtslos, aber das Reed-Team setzt sich gegen alles und alle durch (vor allem gegen Vorurteile, Mißtrauen und mangelnde Hilfsbereitschaft; die soziale Thematik herrscht vor). Reed freilich persönlich ist nach seiner Arbeit am Ende: »So kommt es, daß bei seiner Ankunft in New York, wo er als Besieger des Gelben Fiebers begrüßt wird, eine Krankenschwester hinter ihm geht« (II, 429) – so sollte das Ende sein. Diese Geschichte scheint als Gegenentwurf zum *Galilei*-Drama geschrieben zu sein: da einer, der sich verkauft, um sich selbst zu retten, hier einer, der sein Leben aufs Spiel setzt, um dem abzuhelfen, was alle bereits aufgegeben haben (immerhin war ja die ganze Panamagesellschaft geplatzt und Riesensummen verlorengegangen, womit der Film auch einsetzt).

Eine weitere, letzte Gruppe von Filmtexten bilden die »Literaturverfilmungen«, das heißt, Filmgeschichten, die fremde und eigene Werke Brechts für die Verfilmung aufbereiten. Die Gruppe beginnt mit *All Our Yesterdays* (*Alle unsre Gestern*; II, 438–475), ein Film, der zur Gruppe der amerikanischen Filmskripte im Jahr 1945 gehört, nicht in Brechtscher Fassung vorliegt und weitgehend von Mitarbeitern verfaßt ist. Er sollte Shakespeares *Macbeth* in zeitgenössisches amerikanisches Milieu transponieren (»John Machacek, ein leicht abergläubischer Fleischhauer, der nie auch nur ein Baseballtoto gewonnen hat, macht sich ...«; II, 439). Eine schöne, in sich geschlossene Filmerzählung ist die 1947 noch für Hollywood geschriebene Geschichte *Der Mantel* (II, 598–616) nach Nikolaj Gogol (1809–1852), die als soziale und politische Geschichte erzählt wird und sich trotz der Erhaltung der Gogolschen Stimmung und des russischen Kolorits weit vom Original entfernt. Der Erwerb des Mantels spielt eine größere Rolle als bei Gogol, der Verlust geschieht gleichsam vorprogrammiert. Akakijewitsch wird, weil er in einer politischen Affäre zufälligerweise einen »Rat« erteilt hat, zu einem Sektgelage eingeladen, auf dem einer der hohen Herrn, ziemlich betrunken, einfach den schwer erworbenen Mantel mitnimmt, den Garderobier zur Seite schiebend, »unaufhaltsam von Natur« (II, 611). »In seinen Schlitten steigend, beschwert er sich [der dicke Ölmann], daß er zu dick wird, der Mantel passe ihm schon nicht mehr«. Das ist die Pointe Brechts. Was für Akakij Akakijewitsch »alles« ist, ist für den Ölmagnaten bloß irgendwas. Er hat es gar nicht nötig, sich um solche Kleinigkeiten zu bemühen. – Ihm folgt der noch in Hollywood begonnene, in der Schweiz (wohl erst) ausgeführte Filmentwurf, der wiederum einen Shakespeare adaptierte: *Der große Clown Emaël* (1947/48; II, 617–627) nach *Richard III.* Mit ihm bediente Brecht aber bereits wieder seine Theaterinteressen: »Ein Nebenzweck besteht darin, daß der Verfasser zeigen möchte, wie nach seiner Auffassung Shakespeare gespielt werden sollte« (II, 617). – Die Reihe der fremden Adaptionen schließen *Offenbachs »Hoffmanns Erzählungen« in einer neuen Version (II, 628–631)* und der *Eulenspiegel*-Filmplan (II, 632–635) (um 1948). An *Hoffmanns Erzählungen* (Oper von Jacques Offenbach) interessierte Brecht die epische Anlage. Das Hauptmotiv kehrt er um: die Wunderbrille, die Hoffmann erhält, verklärt nicht wie in der romantischen Oper die Wirklichkeit, sondern zeigt ihm die Wahrheit (»Brille der Wahrheit«): »Das gewohnheitsmäßige Bild der Welt verändert sich, wenn Hoffmann die Brille aufsetzt. Dieser Mechanismus macht eine verfremdende Darstellung deutlicher, als es sonst möglich und üblich ist« (Gersch, 245). Diese Doppeldeutigkeit macht auch den dialektischen Witz des Entwurfs aus, dem große Bedeutung zugemessen wird. – Die *Eulenspiegel*-Geschichten sind im Rahmen der Kurzprosa besprochen, ebenso wie der Filmentwurf *Die zwei Söhne* (1946).

Wolfgang *Gersch:* Film bei Brecht. München 1975 [Gerschs Buch, das Standard-Werk zum Film bei Brecht, hat Handbuch-Charakter und ist überdies gut geschrieben; es enthält die bisher zugänglichen Daten und listet eine *Brecht-Filmographie* am Ende auf; 379–386; auf sie sei hier grundsätzlich verwiesen].

Walter *Hinck:* Die Kamera als »Soziologe«. Bertolt Brechts Texte für Filme. In: Brecht heute – Brecht today, 1971, Band 1, S. 68–79.

Robinsonade auf Assuncion (1922)

Die Bedeutung des Texts liegt einmal darin, daß er am 26.11.1922 als selbständige Filmgeschichte im *Berliner Börsen-Courier* publiziert worden ist; als Autoren zeichnen Arnolt Bronnen und Brecht. Brecht war mit Bronnen (1895–1959) seit Dezember 1921 bekannt und befreundet (er schreibt seitdem seinen Vornamen mit einem »harten t«), beiden war der erste Preis in einem Exposéwettbewerb in Aussicht gestellt worden, falls sie sich beteiligten. Tatsächlich bekamen sie auch die 100000 Papiermark, und es entstand nach dem Exposé auch ein Film *SOS. Insel der Tränen,* der allerdings nur »die bis zur Unkenntlichkeit verstümmelten Leichenteile jener Filmidee« enthielt (Bronnen nach Gersch, 22; der Film entstand in der Maxim-Filmgesellschaft, für das Drehbuch zeichnen Bronnen und Ruth Goetz, aber nicht mehr Brecht, Regie führte Lothar Mendes, unter den Darstellern waren Paul Wegener und Rudolf Forster, 1923). Dadurch, daß Brecht als Verfasser des Filmdrehbuchs nicht mehr auftaucht, hat man geschlossen, daß Brechts Anteil am Exposé ohnehin nur dürftig gewesen wäre, aber er hätte seinen Namen sicherlich nicht unter etwas gesetzt, was er nicht gebilligt hätte. Sicher ist, daß Bronnen sozusagen die Schlußredaktion übernahm (Abtippen; vgl. Briefe, Nr. 64; vom Mai 1922). – Zum anderen stellt der Film ein nicht unwichtiges Dokument für Brechts Einstellung zur Neuen Sachlichkeit dar. Die Robinsonade spielt nicht in der Wildnis der Natur, sondern im Dschungel der Technik. Es gibt sicherlich Verbindungen zum *Dickicht,* einer Vorstufe zum Stück *Im Dickicht der Städte.* Eine reiche, mit allen Schikanen der modernen Technik ausgerüstete Insel wird durch einen Vulkanausbruch mit Sturmflut (*Die 2. Sintflut* war ein erwogener Titel) völlig menschenleer. Nur drei Bewohner der Insel überleben, weil sie zufällig nach einer rauschenden Party sich auf ein Schiff begeben haben (Beginn einer Dreiecksgeschichte), der Gouverneur der Insel De Nava, ein Weißer und Techniker, seine Frau Angela und der schwarze Schotte Mac O'Keen, ein kräftiger Naturbursche. Sie kehren nach dem Unglück in die Stadt zurück und versuchen dort zu überleben. Die riesigen technischen Anlagen, die weitgehend erhalten geblieben sind, werden von De Nava wieder in Gang gebracht, dienen jetzt aber nur den drei Menschen, und zwar vor allem dazu, um die Tiger von der Stadt fernzuhalten (die erste Natur bedroht die zweite, die technische Natur der Menschen). Im Überlebenskampf entspinnt sich dann zwischen beiden Männern der Kampf um die Frau. Während zunächst Mac O'Keen der Sieger zu sein scheint und Angela in seine Burg, die er im Urwald gebaut hat, bringen kann, vermag De Nava, der mit seiner Technik die Tiger ausrottet, sie wieder zurückzuholen. De Nava besteht darauf, den Kampf zu Ende zu führen, der dann schließlich mit dem Tod beider Männer endet: De Nava, indem er noch einmal die Technik einsetzt, O'Keen durch rohe Kraft, indem er dem tauchenden De Nava das Luftkabel durchschneidet. Bronnen und Brecht bezeichnen die Robinsonade als eine »technische«. Es geht um die Kämpfe des Hirns »mit der modernen Natur« (II, 311 f.). Je mehr die Menschen von der Technik abhängig werden, desto brutaler und leidenschaftlicher werden ihre »natürlichen« Kämpfe. Indem gewaltige Maschinen lediglich dazu da sind, »die kleinsten Bedürfnisse« zu bedienen (vgl. II, 310), entsteht ein groteskes Mißverhältnis zwischen Aufwand und Nutzen. Der Film sollte es zeigen, indem er drei Menschen die Technik einer ganzen Stadt zur Verfügung stellt; mit ihr kämpfen sie ihre menschlichen Kämpfe bis zum Ende aus. Die technische Robinsonade endet nicht mit dem Bau einer neuen Welt, auch nicht mit der Zivilisierung der Natur, sondern mit der Zerstörung der Menschen. Die technische Natur vernichtet immer mehr die erste Natur. Die Kämpfe werden brutaler und zugleich sachlicher (berechnender), weil sie nicht mehr direkt, sondern über den Einsatz der Technik geführt werden: De Nava kann O'Keen deshalb umbringen, weil er sterbend die elektrische Tigerfalle, auf die O'Keen tritt, noch betätigen kann. Dabei ist eine Pointe schon am Beginn gesetzt: als O'Keen sich mit De Navas Frau von der Party, die eine Maskenparty ist, entfernt, glaubt er unter der Maske nicht Angela, sondern deren Schwester Adrienne »abgeschleppt« zu haben. Der Kampf um Angela beginnt folglich mit einem Mißverständnis!

Der Filmentwurf, so wie er publiziert wurde, hat überhaupt nichts mit Technik-Verehrung oder Technik-Kult zu tun, wie es Helmut Lethen, allerdings noch auf den Bronnen-Text angewiesen, darstellt. Es handelt sich vielmehr um den Versuch, die Auswirkungen der Technik auf den Menschen, seine »Natur«, in drastischen Bildern zu erfassen. Der Entwurf hat zweifellos große Kraft und Intensität, und er fordert beim Leser starke Bilder heraus. Besonders eindrücklich ist das Bild mit der sich bewegenden Schaufensterpuppe. Die Verfilmung der Szene war so vorgesehen, daß eine zufällig erhaltene Modepuppe wie von selbst »dahinwandelt« (II 309), also der künstliche Mensch in Bewegung gezeigt wird, gleichsam als bewegte er sich von selbst, als sei er als neuer Mensch lebendig geworden. Erst später stellt sich heraus, daß ein Tiger sie im Gebiß trägt. Die Versachlichung der menschlichen Beziehungen, der Eindruck, als handelten da »technische Menschen« – die Autoren sprechen von »drei hochwertigen Typen« (II, 312), ist nicht Ausdruck der »Neuen Sachlichkeit« der Verfasser, sondern Auswirkung der »Neuen Sachlichkeit« auf das Verhalten der »Typen« selbst. Die Filmgeschichte endet übrigens durchaus pessimistisch. Auf die Dauer haben die Menschen keine Chance, der neuen Technik-Welt nicht zu unterliegen. Aber der Kampf ist *noch* möglich; im *Dickicht der Städte* ist es auch mit ihm vorbei.

Texte: Arnolt *Bronnen:* Arnolt Bronnen gibt zu Protokoll. Hamburg 1954 (S. 115; Bronnen erzählt rückblickend eine andere Geschichte, als der Filmentwurf enthält). – II, 307–312.

Helmut *Lethen:* Neue Sachlichkeit 1924–1932. Studien zur Literatur des »Weißen Sozialismus«. Stuttgart 1970 (S. 65–67). – Wolfgang *Gersch:* Film bei Brecht. München 1975 (S. 19–24, 29 f.).

Die seltsame Krankheit des Herrn Henri Dunant 1942

Die Filmgeschichte war zunächst als Theaterstück geplant. Der Stoff wurde Brecht von Oskar Homolka übermittelt, der wahrscheinlich das Buch von Martin Gumpert *Dunant. Der Roman des Roten Kreuzes* (Stockholm 1938) gelesen hatte. Gumperts Buch darf auch als Quelle – ob direkt oder indirekt, ist nicht geklärt – für Brechts Prosaentwurf gewertet werden. Sie hält sich somit auch relativ eng an die Fakten, gibt ihnen aber eine eindeutige, in gewisser Weise satirische Tendenz. Freilich war der satirische Grundzug zunächst viel stärker geplant. Dunant sollte eine Art Heiligen Antonius darstellen, »der vergebens versucht, sich der verführung durch die wollüstige caritas zu erwehren, sie vampt ihn, hält ihn ab von seinen geschäften, ruiniert ihn« (AJ 429; vom 2.5.42). Die Filmgeschichte, so jedenfalls von Wolfgang Gersch eingeordnet, nimmt diese drastische Komik jedoch zurück, erhält aber den satirischen Grundzug, indem sie Dunants Geschichte (1828–1910; 1901 Friedensnobelpreis) als Krankheits-Geschichte beschreibt. Henri Dunant gerät zufällig, als er eigentlich Geschäfte für seine Bank zu tätigen hat, aufs Schlachtfeld von Solferino und lernt dort die brutalen Leiden der Soldaten kennen (1859). Verwundete werden nur behandelt, wenn sie in der Lage sind, sich ins schlecht eingerichtete Lazarett zu schleppen und »selbstverständlich« behandeln die Ärzte nur die »eigenen« Soldaten. Dunant kann durchsetzen, daß alle Verwundeten behandelt werden und schreibt dann über seine Erfahrungen ein Buch *(Un souvenir de Solferino,* 1862). Das Buch veranlaßt die Genfer Konferenz und die dort beschlossene Konvention (1864), mit dem Roten Kreuz wenigstens »etwas Menschlichkeit« in die menschlichen Schlächtereien zu bringen. Brecht interessiert jedoch weniger diese »offizielle« Seite der Geschichte, sondern ihre menschlichen Folgen. Dunant nämlich stößt bei seiner Familie mit seinen humanitären Eskapaden auf entschiedenen Widerstand (vgl. II, 408). Henri versucht seine »Krankheit« entschieden zu unterdrücken und widmet sich der Humanität nur mit schlechtem Gewissen. Darüber zerbricht seine Verlobung, und schließlich ruiniert er auch die väterliche Bank. Sein ehemaliger Freund, der seine Geliebte geheiratet hat, erschießt sich, als die Bank, die auch viele andere ruiniert, zusammenbricht. Vor der ehemaligen Geliebten steht er als Verbrecher da. »Der große Menschenfreund konnte seinen Mitmenschen nicht mehr in die Augen sehen...« (II, 411). Als Verarmten kann sich nun auch das Rote Kreuz Henri Dunant als Aushängeschild nicht mehr leisten, »und man trennte sich von ihm«. Er verschwindet, endet im Armenhaus, ein »Opfer der zerstörenden Leidenschaft, die *Güte* genannt wird« (II, 413).

Die Geschichte ist gegen den Strich erzählt. Nicht als Geschichte eines Helden, sondern eines Opfers, belastet mit einem Laster, das ihn vor seinen Mitmenschen verdächtig macht und ihn schließlich ruiniert. Die Erfahrung seines Lebens ist, daß man sich in Gefahr bringt, wenn man den Menschen helfen will. Die Güte und Menschenfreundschaft, die sich Philanthropie nennt, sind keine Tugenden, sondern »seltsame« Krankheiten. Ohne es auszusprechen, zeigt die Geschichte, daß die menschliche Gesellschaft nicht zu verbessern ist, wenn man nicht an die Wurzeln der Unmenschlichkeit packt. Dunants Krankheit ist in Wahrheit nicht seine, sondern die Krankheit der Gesellschaft, die Güte und Menschlichkeit für unsinnig hält, weil sie nicht dem eigenen Vorteil dienen. Trotz der wiederum angewendeten erzählerischen Außenschau beschreibt Brecht Dunants »Krankheit« mit viel Anteilnahme: »Man kann sich ihn gut vorstellen, wie er in aller Heimlichkeit, sozusagen hinter seinem eigenen Rücken, seinen dünnen Abendtee einem kranken Mitinsassen des Armenhauses auf den Nachttisch schmuggelte, sich scheu umblickend, ob ihn auch niemand entdeckte, mit dem schuldbewußten Benehmen, das sonst nur Diebe haben...« (II, 413).

Text: II, 406–413.

Wolfgang *Gersch:* Film bei Brecht. München 1975 (S. 226–228). – Detlef *Ignasiak:* Bertolt Brechts »Kalendergeschichten«. Kurzprosa 1935–1956. Berlin 1982 (S. 142–152).

Cäsars letzte Tage 1942

Als Kalendergeschichte galt die ehemalige Filmgeschichte *Cäsar und sein Legionär* der Forschung als »Zentrum« der Sammlung (Jürgen C. Thöming; vgl. das Referat bei Rohner, 394 f.). Da die Geschichte doppelperspektivisch angelegt ist, denselben Zeitraum auf zwei völlig verschiedenen Ebenen erzählt, schien sie auch das ideologische Zentrum der Sammlung zu bilden. Der geschichtliche Täter und sein Opfer stehen sich gegenüber, einander weitgehend fremd, aber »schicksalhaft« miteinander verbunden. Der Tod des Täters reißt –

von fremder Hand gezogen – auch das Opfer mit in den Abgrund. Erzählerisch bildet die Kalendergeschichte tatsächlich eine Besonderheit, denn die durch zwei spiegelbildlich angeordnete Perspektiven erzählte Geschichte bleibt in dieser Deutlichkeit bei Brecht vereinzelt. Angewendet hatte er freilich die Technik bereits wesentlich komplexer als hier im *Cäsar*-Roman, mit dem die Filmgeschichte entstehungsgeschichtlich *nicht* zusammenhängt.

Die Geschichte, die später in den *Kalendergeschichten* erscheint, ist jedoch ein Kompromiß. Brecht hatte nämlich die beiden Geschichten zunächst gesondert erzählt, um aus den beiden Einzelgeschichten eine Montage herzustellen. Von ihr liegt leider nur ein Beginn vor (II, 391–400). Beide Geschichten sollten sich schneiden (erzählerische Anwendung der filmischen Schnittechnik). In der ersten Szene sollte gezeigt werden, wie Scaper auf Rom zufährt und die Wertbestände Cäsars sieht: er kommt gerade recht, um an Cäsars Krieg seinen Schnitt zu machen. Als Spiegelszene sollte sich unmittelbar eine Unterredung zwischen Cäsar und Brutus, des Entwurfs der Kriegsrede geltend, anschließen. Leser / wie geplante Zuschauer sehen die durch den Schnitt zusammengefügten Szenen sozusagen »überblendet«, da sich unwillkürlich die vorangegangene Szene in der folgenden spiegelt, in ihr mitgesehen wird. Die Technik des Schnitts wird in der Rezeption zur Überschneidung. Die Doppelperspektive, die gegenseitige Verfremdung der »beiden Geschichten« realisiert sich nicht im Nacheinander, sondern im Ineinander. Als Film wäre die Geschichte sicherlich ein interessantes Experiment geworden; die Filmgeschichte läßt eine Ahnung davon zu.

Texte: Cäsars letzte Tage [Die beiden Geschichten des Films; Filmexposé]; II, 372–400. Cäsar und sein Legionär: 11, 344–362.

Wolfgang *Gersch:* Film bei Brecht. München 1975 (S. 219–225; mit ausführlicher Interpretation). – Detlef *Ignasiak:* Bertolt Brechts »Kalendergeschichten«. Kurzprosa 1935–1956. Berlin 1982 (S. 142–150).

Schriften

Vorbemerkung

Im Zentrum des *Brecht-Handbuchs* steht der Dichter Brecht, der Dramatiker, Lyriker *und* Prosaist. Der Darstellung von Brechts vielfältigen theoretischen Beiträgen – häufig im Zusammenhang mit künstlerischen formuliert und in ihnen realisiert, stellen sich einige Hindernisse entgegen, die gravierender sind als bei den theoretischen Schriften zum Drama. Während es dort häufiger Ansätze zu größeren, zusammenhängenderen Arbeiten gab und vieles in direktem Zusammenhang mit den Dramen stand, handelt es sich bei den Schriften zur Literatur und Kunst sowie zur Politik und Gesellschaft (so die in den Ausgaben geläufigen Bezeichnungen) größtenteils um Einzelstücke, häufig Fragmente, auf alle Fälle Unzusammenhängendes, ein Arsenal von Überlegungen und Gedanken, ungeordnet und doch oft eindringlich, wichtig, überzeugend. Vieles davon ist publiziert, vieles aber auch nicht. Häufig ist die Chronologie nicht gesichert (und wird sich auch nicht mehr sichern lassen). Der Stellenwert einer einzelnen Notiz kann ungerechte und überzogene Dimensionen bekommen, wenn er gegenüber anderen herausgezogen, womöglich durch den Interpreten mit besonderer Bedeutung belastet wird. Hinzu kommt, daß es zum Theoretiker Brecht kaum Forschungsbeiträge gibt, abgesehen vom Theater-Theoretiker (versteht sich). Zwar gibt es immer wieder Brücksichtigungen des Theoretikers, fast ausschließlich aber im Zusammenhang mit der literarischen Praxis. Geht es andererseits dann einmal um den »Denker« Brecht, dann sucht die Forschung ihn weitgehend im poetischen Werk auf, wie zuletzt die Arbeiten zu Brecht und Nietzsche (von Grimm) oder über »die Philosophie« Brechts.

Im Hinblick auf Brechts »Philosophie« jedoch hat sich in letzter Zeit einiges getan. 1975 hat Werner Mittenzwei Brechts *Me-ti* ediert und das *Buch der Wendungen* als philosophische Schrift deklariert. Unabhängig davon, habe ich 1976 in meinem Marburger Vortrag dafür plädiert, von Brechts »philosophischen Schriften« zu sprechen und dazu *Me-ti*, einen Teil der *Schriften zur Politik und Gesellschaft* sowie auch einige kunsttheoretische Schriften zu zählen. Auf die zentrale Bedeutung der Philosophie bei Brecht – unabhängig von der literarischen Praxis – aufmerksam gemacht zu haben, ist übrigens Manfred Riedels Verdienst (1971). Brechts Bedeutung als »Philosoph« hat sich praktisch dadurch erwiesen, daß er für die marxistische »Linke« in der Bundesrepublik während und nach der »Studentenrevolte« einer der maßgeblichen Theorie-Lieferanten war (was sich u.a. an der an anderer Stelle besprochenen »Korsch«-Debatte objektiviert hat). Sein »eingreifendes Denken« ist längst Schlagwort. In der DDR war der »Philosoph« insofern indirekt stets mitbedacht, als Brechts Werk vor allem auch unter weltanschaulichen Gesichtspunkten betrachtet worden ist. Der letzte Brecht-Dialog von 1983, der unter dem Thema stand, »Brecht und der Marxismus«, hat das noch einmal bestätigt – wobei übrigens auch das Wort fiel, Brecht gehöre zu den »drei größten Marxisten dieses Jahrhunderts« (Hermann Klenner; vgl. Notate 2, März 1983, S. 9). Freilich warnte man auch davor, aus den theoretischen Schriften Brechts eine »Philosophie« zu entwerfen, die das wichtigere dichterische Werk überwuchert oder gar ideologisch deformiert. Brecht war in erster Linie Künstler, seine theoretischen Schriften stehen weitgehend in künstlerischen Zusammenhängen, und auch das philosophische Hauptwerk *Me-ti* läßt sich in mancher Hinsicht als poetische Prosa erfassen, einmal ganz abgesehen davon, daß es ohnehin nur als Torso überliefert ist. »Brecht ist, selbst wenn er theoretisiert, kein purer Theoretiker. Man muß das Philosophische in der Poesie sehen... Poesie hat bei der Weltanschauungsbildung eine bestimmte Position, und die Weltanschuung kann sich nicht auf die Theorie reduzieren. Sie ist ein Komplex des Verhaltens« (Wolfgang Heise, Notate 2, März 1983, S. 8). Da auch die Poesie für Brecht keinen Selbstzweck hatte, sondern »nützliche Schönheit« haben sollte und stets auf die Wirklichkeit verwies, die sie in poetischen Bildern zur Anschauung und »Einsicht« brachte, gab sie sich gegenüber dem Dargestellten ohnehin sekundär. Das nimmt der Theorie noch weiterhin das Gewicht, zumal Brechts Kunst auch auf (theoretische) Reflexion zielte, wie sie praktische Wirksamkeit zu entfalten sucht: »Argumente wirkten auf mich begeisternder als Appelle an mein Gefühlsleben, und Experimente beschwingten mich mehr als Erlebnisse« (20, 96).

Noch ein Gesichtspunkt ist Brechts zielstrebig angepeilte Vermischung der (üblichen) Gattungsaufteilungen, was es sehr schwer macht, die Texte eindeutig zu rubrizieren. Z. B. ließe sich der *Messingkauf* ohne weiteres zu den philosophischen Schriften zählen. Ihn bestimmt der dialektische Diskurs (Aufnahme der sokratischen Dialog-Form, freilich nicht in der Form der Hebammenkunst, der Mäeutik), ein Philosoph steht in seinem Mittelpunkt, und die Fragen bleiben keineswegs nur bei Theatertheorie. Dennoch aber hat der *Messingkauf* seinen richtigen Ort in der Theatertheorie, weil er primär davon handelt – in freilich bereits weitergehender »praktischer« Weise, nämlich auf dem Theater, im Diskurs. Genausogut gehören die *Flüchtlingsgespräche* zur Prosa, auch wenn sie inhaltlich viel Philosophisches enthalten und ebenfalls »philosophische Schriften« sein könnten. Der Grund liegt hier im fortlaufenden epischen Handlungsrahmen und in den »Geschichten«, die beide Gesprächspartner allmählich erhalten bzw. sich – autobiographisch – geben. Damit überwiegen die Kennzeichen der erzählenden Prosa. – Wenn in den letzten Diskussionen von Brechts »Philosophie« die Rede war, dann überwiegend unter dem Thema des *Tuismus* (Intellektuellen-Frage), so daß der *Tui-Roman* direkt oder indirekt zur heimlichen philosophischen Hauptschrift Brechts erhoben worden ist. Ich habe das *Tui*-Projekt mit Überlegung bei der Prosa belassen. Anders als im *Me-ti*, wo es sich fast ausschließlich um – von erzählender Prosa (es sei denn als Parabel) befreiter – theoretisch-aphoristische Texte handelt, sollte der *Tui*-Roman eine »Geschichte« erhalten, zu der sich dann weitere – kleinere – Spiegelgeschichten – und ev. auch noch das *Turandot*-Stück – gruppieren sollten. Auch wenn viel philosophisch »Relevantes« im *Tui-Roman* vorhanden ist, hauptsächlich ist er episch realisiert, und deshalb gehört der *Tui-Roman* zur Prosa. Einzig beim *Me-ti* ist das anders, weshalb ich diese Schrift nun in die philosophischen Schriften eingeordnet habe, zusammen mit Teilen aus den *Schriften zur Politik und Gesellschaft* (*Werkausgabe*, Band 20), die sich vorwiegend mit »philosophischen« (nicht nur »weltanschaulichen«) Fragen befassen.

Auch wenn manche der *Schriften zur Kunst und Literatur* sich als philosophisch-ästhetische Schriften aus ihrem Zusammenhang – der ohnehin sehr locker ist – herausnehmen ließen, z. B. *Fünf Schwierigkeiten beim Schreiben der Wahrheit* oder die Aufsätze im Zusammenhang mit der »Expressionismus-Debatte«, habe ich ihren Zusammenhalt in den *Schriften* gewahrt. Nur in eklatanten Fällen, auch mit dem Ziel, die angedeutete Problematik der Rubrizierung in wenigen Fällen zu dokumentieren, habe ich die Anordnung der Ausgaben verlassen. Ein Handbuch muß zunächst dem folgen, was wirklich vorliegt und was sich auch nachweislich bewährt hat (zumal das heutige Brecht-Bild weitgehend durch die vorliegenden Ausgaben bestimmt ist). Der Vorgriff auf eine vielleicht überzeugendere Ausgabe der Werke oder gar auf die historisch-kritische Ausgabe (die immer noch nicht begonnen ist) kann und darf ein Handbuch nicht im Auge haben. Es faßt zusammen, nimmt den Bestand auf und kann auch auf Neues verweisen, die Edition von Brecht-Texten aber neu zu organisieren, kann es nicht leisten. Eine neue Ausgabe, die als maßgebliche Brecht-Edition für die nächsten Jahrzehnte (vor der kritischen Ausgabe) geplant ist, wird gewiß neue Einsichten vermitteln, die bisherige Einordnung der Werke aber wird sie *nicht* prinzipiell umwerfen (geplant sind 30 Bände mit jeweils 500–600 Seiten mit Kommentaren, herausgegeben von Werner Hecht, Klaus-Detlef Müller und mir).

Die folgende Darstellung kann – abgesehen von der eingehenden Analyse des *Me-ti* – lediglich einen Überblick bieten. Widmete man den Texten die eingehende Beachtung wie der Poesie Brechts, benötigte man einen alle sinnvollen Dimensionen sprengenden Rahmen, ganz abgesehen davon, daß die notwendigen Forschungen, ihn zu füllen, fehlen. Brecht spricht so vielfältige Zeitereignisse an, exerpiert bzw. analysiert dermaßen viele verschiedene Schriften von Philosophen, Schriftstellern, Politikern, daß allein ihre Auflistung (nach dem Vorbild etwa der Darstellung zum *Tui-Roman*) ein Vielfaches des üblichen Platzes einnähme. Dennoch, so hoffe ich, wird sich auch der Überblick als hilfreich und produktiv erweisen.

Manfred *Riedel*: Bertolt Brecht und die Philosophie. In: Neue Rundschau 82, 1971, S. 65–85. – Werner *Mittenzwei*: [Nachwort zu:] Bertolt Brecht: Me-ti. Buch der Wendungen. (= Prosa. Band 4). Berlin und Weimar 1975 (S. 235–259). – Jan *Knopf*: Eingreifendes Denken als Realdialektik. Zu Bertolt Brechts philosophischen Schriften. In: Aktualisierung Brechts. Berlin 1980. S. 57–75 (= Vortrag Marburg, 1976). – Reinhold *Grimm*: Brecht und Nietzsche oder Geständnisse eines Dichters. Fünf Essays und ein Bruchstück. Frankfurt a. M. 1979. – Christof *Šubik*: Einverständnis, Verfremdung und Produktivität. Versuche über die Philosophie Bertolt Brechts. Wien 1982.
Hinzuweisen ist auf: Karl-Heinz *Ludwig*: Bertolt Brecht. Philosophische Grundlagen und Implikationen seiner Dramaturgie. Bonn 1975. Das Buch ist stark an Brechts Dramatik orientiert, bespricht aber auch prinzipiellere Fragen, die am Ort nachgewiesen werden.

Philosophische Schriften

Marxistische Studien 1926–1939

Der Herausgeber Werner Hecht hat unter diesem Titel im 20. Band der *Werkausgabe* Texte zusammengestellt, die sich vornehmlich mit der Rolle des Intellektuellen im proletarischen Kampf, mit Fragen des Verhältnisses von Individuum und Masse – dabei auch die Rolle der persönlichen Freiheit bedenkend – und die Schwierigkeiten des Aufbaus des Sozialismus in der Sowjetunion befassen. Diese *Marxistischen Studien*, die sich immerhin über 15 Jahre erstrecken, sind in keiner Weise systematisch angelegt, noch stehen sie in einem inneren Zusammenhang; vielmehr sind sie z. T. auch fragmentarische Kommentare, Selbstverständigungen, kritische Auseinandersetzungen. Häufig merkt man gerade diesen Texten an, wie wenig sie ausgefeilt, »zu Ende« formuliert sind; z. T. ist ihr Gedankengang recht quälend und von vielen Umschlägen bestimmt, so daß man buchstäblich noch die »Anstrengungen des Begriffs« beim Lesen spürt. Die Textauswahl und -zusammenstellung ist ein Vorschlag, bei der gegenwärtigen Lage der Brecht-Edition kaum anders zu haben (was objektiv bedingt ist); es sei denn, man würde Brecht allgemein den Rang einräumen, den er *hat*. Nicht nur andere Zusammenstellungen wären denkbar (Trennung von Wissenschaft, Philosophie – traditionell, Marxismus, Politik etc.), Erweiterungen ohne weiteres möglich, zöge man Briefe hinzu (die an Karl Korsch z. B.), Erinnerungen (die von Walter Benjamin z. B.) oder Gespräche (die mit Sternberg z. B.) oder gar die massenhaft vorhandenen Bruchstücke des Nachlasses.

Eines der zentralen, sich in den ersten Jahren des Zeitraums massierenden Themen ist die Intellektuellen-Frage, und zwar hier nicht oder wenigstens nur ganz am Rande die Frage nach den bürgerlichen »Kopflangern« (Tuis), sondern derjenigen, die sich auf die Seite des Proletariats geschlagen haben. Brecht sieht und erkennt die Skepsis der Proletarier gegenüber den Intellektuellen an (20, 52): ihnen nämlich – das war auch ein Thema der *Heiligen Johanna der Schlachthöfe* – steht es im Zweifelsfall frei, sich wieder zu lösen und ins Bürgertum zurückzukehren. Sie haben objektiv andere Voraussetzungen und – selbstverständlich auch – andere Erfahrungen. Was sie dem Proletariat prinzipiell voraus haben, ist ihr (intellektuelles) Wissen. Das macht sie brauchbar, aber auch gefährlich. Brecht kritisiert die Versuche, »sich dem Proletariat zu verschmelzen«; denn »gerade dies beweist nicht, daß es verschiedene Intellektuelle gibt, zweierlei Intellektuelle, solche, die proletarisch, und solche, die bourgeois sind, sondern daß es nur eine Sorte von ihnen gibt, denn haben sie früher nicht immer versucht, sich der herrschenden Klasse zu verschmelzen« (20, 52). Es sei unsinnig zu glauben, die Intellektuellen sollten »Mittun«, indem sie sich »proletarisierten«, das sei »konterrevolutionär«, weil sie so die Ansicht verträten, daß die notwendige Revolutionierung der bürgerlichen Verhältnisse mit sturer Notwendigkeit komme – ohne das Mittun im »typisch« intellektuellen Sinn. Aufgrund ihres besseren und umfassenderen theoretischen Wissens haben sie die Aufgabe, die bürgerliche Ideologie zu »durchlöchern«, die Widersprüche also aufzudecken, die Mitläufer zu entlarven, die »Säure der materialistischen Geschichtsauffassung« in die bürgerlichen Ideen zu schütten und die nackten materiellen Interessen des Bürgertums »reinzuwaschen«. Weiterhin ist ihre Aufgabe, gerade in nichtrevolutionären Situationen die revolutionären Gedanken in Permanenz zu halten und schließlich auch die »reine Theorie« weiterzuentwickeln, gerade auch dann, wenn sich z. B. wie in der Sowjetunion Widersprüche zwischen einer »kranken Basis« (Zurückgebliebenheit der russischen Zustände) und den notwendigen Anordnungen der revolutionären Führung ergeben. Die »reine Theorie« könnte hier zur Reflexion auf diese Widersprüche anhalten und sie allgemeiner verständlich machen, so daß dann auch wieder umfassendere, von den Massen gebilligte Maßnahmen möglich würden (vgl. vor allem 20, 54).

Die objektive Rolle der (bürgerlichen) Intellektuellen während der Revolution (die auf den Akt des gewalttätigen Umsturzes nicht beschränkt, sondern ein Prozeß sei) ist die der »Führung«; freilich ist kein »Führertum« wie das Hitlers gemeint, sondern die konkrete Anwendung des theoretischen Mehrwissens auf die Praxis (Organisation, Aufdecken der historisch anstehenden, objektivierbaren Aufgaben etc.). Brecht meint, es sei schwierig in den historischen Fällen zu entscheiden, »ob diese Individuen wie Marx, Lenin und so weiter vom Proletariat eine Funktion zugewiesen erhalten haben oder ihrerseits dem Proletariat eine Funktion zuwiesen« (20, 52). Auch das wäre leicht mißverständlich, wenn man diese »Funktions-Zuweisung« als »persönlichen« Akt und »persönliche« Entscheidung der Individuen verstünde. Gemeint ist, daß die theoretische Analyse, wenn sie »richtig« ist, überhaupt erst einmal zum Verständnis der Praxis (in der die Arbeiter stecken) notwendig ist und daß sich aus dieser Analyse gewisse praktische Folgerungen ergeben, die konkret »Funktions-Zuweisungen« sind. Die Intellektuellen aber werden solche »Funktions-Zuweiser« nur, wenn sie ihrerseits ihre theoretische Arbeit als Funktions-Zuweisung des Proletariats verstehen, also dessen konkreten Interessen dienen, nicht aber irgendwelche – wie schön immer aussehende – Weltbilder entwerfen, die das Proletariat dann »verwirklichen« darf. Brecht geht auch mit den »linken« »Weltbildbauern« streng ins Gericht; denn ihre Berufung auf das Proletariat sei bloß »Service (Kundendienst)« (20, 50). Indirekt in die Reihe rückt Brecht auch »meinen Lehrer« Karl Korsch, den die westliche »linke« Brecht-Forschung in die Rolle des marxistischen Übervaters Brechts gerückt hat, zu Unrecht, wie nun endgültig und differenziert Roland Jost hat nachweisen können. In den *Marxistischen Studien* heißt es u. a.: »Mein Lehrer ist ein enttäuschter Mann. Die Dinge, an denen er Anteil nahm, sind nicht so gegangen, wie er es sich vorgestellt hatte. Jetzt beschuldigt er nicht seine Vorstellungen, sondern die Dinge, die anders gegangen sind« (20, 65). Sich nicht nach den Realitäten zu richten, zu meinen, die »Funktions-Zuweisung« des Proletariats bestünde darin, daß die intellektuellen Vorstellungen durch das Proletariat zu »realisieren« wären, macht den »Weltbildbauer« gerade aus. »Auch beim Proletariat wäre er wohl nur ein Gast. Man weiß nicht, wann er abreist. Seine Koffer stehen immer gepackt. – Mein Lehrer ist sehr ungeduldig. Er will alles oder nichts. Oft denke ich: Auf diese Forderung antwortet die Welt gerne mit: nichts« (20, 66). Für Brecht ist dies linker Idealismus: er steht der realen Umgestaltung der Verhältnisse im Weg oder macht sich, wenn seine Vorstellungen »enttäuscht« sind, aus dem Staub.

Der zweite Themenkomplex ist der von »Individuum und Masse«. Die ersten Texte stammen weitgehend aus dem Jahr 1929, der wichtige Text über *Das Individuum* und *Die Kausalität* gehört höchstwahrscheinlich ins Jahr 1938. Er trifft sich mit diversen ähnlichen Notizen im *Arbeitsjournal* (AJ 218, 241, 305, 387, 389, 393f. u. a.), die sich ebenfalls auf die moderne »Quantentheorie« berufen (20, 60–64). Die Texte sind der Versuch, das Individuum bzw. Individualität im Massenzeitalter neu zu bestimmen. Die frühen Texte verraten dabei noch die deutliche Nähe zu den *Lehrstücken* und zum dort demonstrierten Begriff des »Einverständnisses« (vgl. BH 1, 76f.). Die Person werde zertrümmert, zerfalle in Teile, fliehe »aus ihrer Ausdehnung in ihre kleinste Größe [...]; aber in ihrer kleinsten Größe erkennt sie tiefatmend ihre neue und eigentliche Unentbehrlichkeit im Ganzen« (20, 61). Erkennbar ist das »einverständige Untertauchen«, das im *Badener Lehrstück* vorgeführt wird (2, 602). Individualität heißt wortwörtlich: »Un-Teilbarkeit«. In der Entwicklung der bürgerlichen Gesellschaft spielte die Anerkennung der Unteilbarkeit (auch Unverletzlichkeit) sowie die Gleichheit und Freiheit der Person eine wichtige Rolle. Das Bürgertum definierte sein Selbstverständnis und die Rolle der Gesellschaft vom Individuum aus, und zwar gerichtet gegen das feudale Vorrecht der Geburt und der damit behaupteten »naturhaften« Ungleichheit der Menschen, aus der wiederum die Unfreiheit der meisten Menschen abgeleitet werden konnte. Wenn das Bürgertum zwar prinzipiell alle Menschen meinte, so blieb das Postulat von Freiheit, Gleichheit und Brüderlichkeit weitgehend abstrakt, das heißt beschränkt auf die mehr oder weniger besitzenden »Schichten« (ganz abgesehen von der Ausbeutung der 3. Welt, ihrer Kolonisation). Der Materialismus kommt zur Kritik des bürgerlichen Individualitäts-Begriffs aufgrund der tatsächlichen Gegebenheiten, die zeigen, daß das Individuum weitgehend nur Postulat, seine Unteilbarkeit weitgehend Illusion ist. Spätestens in der industriellen Massengesellschaft (also seit dem 19. Jahrhundert) zeigt sich in der Produktion, daß der einzelne nicht mehr die Produktion durch seine individuelle Leistung bestimmt, sondern durch die Maschine bestimmt wird. Ebenso steht es mit dem gesellschaftlichen Zusammenleben. Je mehr Technik das tägliche Leben bestimmt, je mehr Menschen auch auf kleinem Raum zusammenleben (Großstadt), um so mehr ist der einzelne vom anderen abhängig, muß er sich auf ihn einstellen, muß er mit ihm rechnen. Der Mensch, der im Auto fährt, hat sich gegenüber dem ehemaligen Fußgänger in vieler Hinsicht abhängig gemacht. Er ist z. B. als einzelner nicht in der Lage das Auto zu bauen – es ist schon als Produkt Ergebnis von Kollektivarbeit –, in der Regel kann er es auch nicht reparieren. Er braucht zum Fahren Straßen, die Geschwindigkeit ist nicht von seiner Person bestimmt, sonden von den »Pferdestärken« des Motors. Er muß auf andere

Autos achten (kann nicht dösen z. B.), weil ein Zusammenstoß lebensgefährlich ist etc. etc. Die Vorteile des Autos aber sind natürlich auch da. Vor allem die große Mobilität, die eine »Unabhängigkeit« suggeriert, die zwar gegenüber dem Fußgänger in der Überwindung von großen Strecken gegeben ist, immer da aber ihre Grenze findet, wenn das Gefährt »streikt«. Dies nur als illustrierendes Beispiel.

Die Kritik am bürgerlichen Individualitäts-Begriff will nicht die Abschaffung von Individualität und Individuen – wie vulgär stets unterstellt wird. Aus der Kritik soll sich eine Neubestimmung, und zwar eine positive ergeben: Brecht spricht vom »Aufbauen« des Individuums. Wenn das Individuum heute weitgehend fremdbestimmt ist, kann es dies als Entfremdung empfinden und bedauern. Es kann aber auch – und das versuchen Brechts Texte nahezulegen – »in das Kollektive«, in die »Masse« hineingehen und sich neu finden. Im Bürgertum ist der Begriff der »Masse« meist negativ besetzt. Die »Masse«, das sind »alle«, der »Durchschnitt«, das »Nivellierte«. Die Sehnsucht nach Exklusivität ist der (illusionäre) Versuch, der Masse zu entkommen (in der Regel muß man dazu viel Geld haben). Erkennt jedoch das Individuum seine »massenhafte« Bestimmung und erkennt es sie – als gegeben, der Wirklichkeit entsprechend – an, dann vermag es sich auch als Individuum neu zu begreifen. Anerkennen des Massenhaften heißt zu erkennen, was am Individuellen »massebestimmt« ist und was nicht. Letzteres ist dann das eigentlich Individuelle – das wirklich Ungeteilte und Unteilbare: »Wir werden einmal vom Massenhaften das Individuum suchen und somit aufbauen« (20, 60). Die Konsequenz daraus liegt soziologisch nahe: die Anerkennung des Kollektiven als Voraussetzung des Individuellen führt zur Suche von nicht-entfremdeter Kollektivität. Wo die Kollektivität – bewußt oder unbewußt – vornehmlich zu Negativ-Erfahrungen, zur Entfremdung führt, pflegen die Individuen sich dagegen zu wehren und gerade ihre Individualität zu behaupten (so wurde z. B. in der Bundesrepublik noch in den 70er Jahren die Diskussion um Geschwindigkeitsbegrenzungen auf der Autobahn unter den Stichworten Einschränkung der »individuellen Mobilität« und »verordnete Unfreiheit« gehandelt). Die Neubestimmung des Individuellen enthält die Neubestimmung des Kollektiven in sich, das heißt Schaffung von Kollektiven, in denen die individuelle Entfremdung möglichst gering ist und die Kollektivität vornehmlich als Zusammen-Arbeit erfahren wird. Tatsächlich haben Brecht und andere von der in den 20er Jahren in Deutschland eingeführten Fließbandarbeit sich diesen »Effekt« erhofft. Dadurch, daß das Fließband ein recht direktes »Bild« von Zusammenarbeit gab und nur in der Zusammenarbeit von vielen einzelnen, deren Zerstückelung das Band handgreiflich vorführte, zu realisieren war, glaubten sie, stecke das »Kollektive« sozusagen als seine »technische Natur« in ihm: »Die Fordsche Fabrik ist, technisch betrachtet, eine bolschewistische Organisation, paßt nicht zum bürgerlichen Individuum, paßt besser zur bolschewistischen Gesellschaft« (15, 152). Das ist eine typische intellektuelle Fehleinschätzung, die bloß das »Bild« sieht, nicht aber die tatsächliche Arbeit am Band kennt. Daß aber solche technisierten Arbeitsprozesse, die sich aus der fortschreitenden »Natur« der Technik ergeben haben, dem bürgerlichen Individualismus nicht nur widersprechen, sondern geradezu der Hohn auf ihn sind und zu gesteigerter Entfremdung geführt haben, bleibt daran richtig analysiert.

In späteren Jahren, angeregt durch Gespräche und Lektüre, findet Brecht die »positive« Bestimmung des Individuellen in der »Quantentheorie« bzw. in der »Unschärferelation« Heisenbergs, 1928 in Kopenhagen formuliert. Brecht sieht – übrigens mit großem Recht – einen Zusammenhang der physikalischen Entdeckungen und den damit verbundenen veränderten Methoden und Erkenntnis»formen« mit gesellschaftlichen Phänomenen. Die Entdeckung des sog. Mikrokosmos setzte Methoden und Erkenntnisformen des sog. Makrokosmos, das ist die »Normalwelt« der großen Gegenstände, außer Kraft. So läßt sich im Mikrokosmos das, was man beobachten will, nicht mehr »einfach« zur Anschauung bringen. Was in der Normalwelt des Makrokosmos durch Beleuchtung etc. direkt zu beobachten ist, entzieht sich im Mikrokosmos deshalb, weil die Beleuchtungsquellen oder die Sonden genauso groß oder größer sind als die Objekte, die man »ausleuchten« will: »›es ist unmöglich, das innere eines körpers zu sondieren,wenn die sonde größer ist als der ganze körper‹« (AJ 397; vom 26. 3. 42. Brecht zitiert Max Planck). Das hat zur Folge, daß die beobachteten »Gegenstände« auf die Beobachtung reagieren, als »solche«, das heißt als Gegenstände (= »Individuen«), gar nicht mehr sichtbar werden, sondern nun aus den ausgelösten Reaktionen »erschlossen« werden müssen. Man muß, um über das

Verhalten eines einzelnen Teilchens im Mikrokosmos viele, massenhafte Teilchen beobachten, um aus der statistischen Folge des Verhaltens vieler auf das Verhalten des einzelnen schließen zu können. Das Einzelteilchen jedoch zeigt sich als »unscharf«, weil es als »das einzelne« gar nicht mehr erfaßbar ist. Das hat zur Konsequenz, daß Individualität – überträgt man den Sachverhalt auf das Individuum in der Massengesellschaft – sich dadurch auszeichnet, gar nicht »positiv« definiert werden zu *können*. Individuelles ist als solches nicht »habhaft« zu machen, deshalb *kann* es nur über das Allgemeine erschlossen werden, und zwar als »Fehlen« des Allgemeinen. Entsprechend setzt die Kausal-Erklärung hinsichtlich des Individuellen aus, denn das Individuum kann sich mit allen möglichen »Abweichungen« verhalten. Eine Geschichtsschreibung, die vom Individuum ausgeht, macht das Zufällige, das Nicht-Kausale, damit das »Schicksalhafte« zur selbstverständlichen Voraussetzung. Wer kausale Erklärungen will, ist gezwungen, die »Quantitäten« zu beobachten und zu analysieren, und kann erst dann auf Auswirkungen und Möglichkeiten eines einzelnen Individuums schließen. Wie gesagt: das Individuum wird mit dieser Umpolung der Erklärung nicht abgeschafft, wie Brecht auch stets betont hat, Hitler als Person nicht zu unterschätzen. Daß Hitler aber zu einer Stellung in der Gesellschaft gelangen konnte, in der er als Person solche ungeheure Wirkungen auszulösen vermochte, ist, was die – so das Individuelle ins Blickfeld nehmende – »kausale« Erläuterung des Geschichtlichen erfassen will. Von der Person Hitlers aus, müßte man mit allmöglichen »dämonischen« Wirkungen der Person rechnen, das Irrationale also bereits als Kausalerklärung voraussetzen. Sieht man aber von der allgemeinen Verfassung der Gesellschaft auf die Möglichkeiten des individuellen Aufstiegs Hitlers, so werden rationale Erklärungen möglich. »Die Marxisten tragen dem Rechnung, wenn sie auch das ›große‹ Individuum erst für verstehbar erklären, wenn es mit großen Bewegungen großer Klassen verknüpft werden kann, und sie verfahren auch dann noch am glücklichsten, wenn sie ihm nicht völlig ausdeterminierte Eigenbewegungen zuerkennen, einen gewissen Spielraum. Der ›Durchschnitt‹ ist eine wirklich nur gedachte Linie, und daher ist kein einziger Mensch in Wirklichkeit ein Durchschnittsmensch. Die völlige Totheit der Type, ihre Billigkeit, Falschheit, Unlebendigkeit ist notorisch« (20, 62).

Im Zusammenhang mit dieser Neubestimmung des Individuellen, die ein Nachvollzug von marxschen, leninschen, eventuell auch hegelschen Gedanken ist, stehen Brechts Empfehlungen, bei der Darstellung »großer« Individuen anders vorzugehen, sowie die Reflexionen über den Freiheits-Begriff. Wahrscheinlich sind Brechts Hinweise, wie eine Marx-Biographie angemessen verfaßt sein sollte, an Karl Korsch gerichtet, der von Juli 1935 bis Oktober 1936 in Dänemark lebte, dort mit Brecht zusammenkam und eine Marx-Biografie konzipierte (»Svendborger Marx«). Wahrscheinlich war die Darstellung weitgehend abgeschlossen, als Korsch 1936 nach New York übersiedelte (die Monografie erschien unter dem Titel *Karl Marx* erstmals in London 1938; eine weitere deutsche Ausgabe Frankfurt a. M. 1967, herausgegeben von Götz Langkau). Brecht wendete sich gegen Darstellungen, die aus Marx einen »prächtigen Kerl, wackeren Kumpanen« oder eine »echte Kämpfernatur« machten, einen Preisringer oder Maulhelden, womöglich im Schurzfell, mit dem sich die Deutschen gern ein Bild ihres Helden Bismarck machten. Auch die Portraits, die von den »Großen« jetzt zu machen seien, müßten in den Darstellungen ihre Zeit widerspiegeln, wenn sie angemessen sein wollten (20, 74 f.). Freilich spielten diese Empfehlungen für Korsch letztlich keine Rolle, weil sein Marx keine Biographie im üblichen Sinn geworden ist, sondern eine Untersuchung der Philosophie von Karl Marx.

Über den Freiheits-Begriff handelt Brecht an verschiedenen Stellen seines Werks, theoretisch vor allem auch im *Me-ti* (vgl. z. B. 12, 438; Jost, 111–114). Brecht setzt sich in den *Marxistischen Studien* weniger mit dem bürgerlichen Freiheitsbegriff auseinander als vielmehr mit – offenbar »interner« – Kritik an der herrschenden Unfreiheit in der Sowjetunion, insbesondere mit der Diktatur Stalins. Es ist sehr wahrscheinlich, daß ein Großteil der Aufzeichnungen im Zusammenhang mit den Gesprächen mit Walter Benjamin und Karl Korsch im dänischen Exil stehen, daß die Argumente, mit denen sich Brecht auseinandersetzt, hautpsächlich von ihnen stammen (der »Dedikations«-Text, der der Stellungnahme zu den Moskauer Prozessen vorangesetzt ist, gilt mit ziemlicher Sicherheit Walter Benjamin; 20, 111). Brechts Auslassungen eröffnen insofern ein weites Feld, als sie mit vielen Einzelheiten und streng historisch argumentieren. Immerhin rechtfertigen sie auch die berüchtigten Moskauer Prozesse, mit denen

Stalin einen Großteil der alten revolutionären »Garde« ausrottete (1936–1937). Das kann im einzelnen nicht nachvollzogen werden. Nur so viel ist anzudeuten. Brecht konkretisiert den Freiheits-Begriff dadurch, daß er ihn als »Befreiung« begrifflich neu faßt. Die Frage nach »Freiheit in der Sowjetunion« enthält für Brecht bereits den bürgerlichen Freiheitsbegriff zur Voraussetzung, der in der individuellen Freiheit, die es so nicht gibt (s. Individuum in der Masse), allein Freiheit gewährleistet sieht. In der Sowjetunion herrsche »Befreiung«, und zwar eine »Befreiung der Produktivkräfte«, die alle »persönliche Freiheit« bestimmt (20, 103). Die Produktivkräfte, die vorher einzelnen zur Verfügung standen und ihre »Freiheit« garantierten, sind jetzt für alle da, insofern sie »befreit« worden sind. Erst daraus kann dann auch (persönliche) Freiheit kommen. Zur Befreiung der Produktivkräfte aber ist nicht nur Zwang gegen ihre ehemaligen »Verfüger«, sondern auch Zwang gegenüber dem einzelnen nötig, der sich durch den Einsatz der Produktivkräfte für alle, dem Prozeß ihrer Befreiung zu unterwerfen hat; er »diszipliniert« ihn. »Der einzelne erreicht, so Brecht, nur so viel Freiheit, wie seine Klasse innerhalb der objektiven historischen Bedingungen selbst erlangen kann. Für das Proletariat, so argumentiert Brecht, bedeutet ›Freiheit‹, die ›Befreiung‹ von der ökonomischen (und politischen) Herrschaft des Bürgertums einzuleiten und durchzuführen – und zwar als *organisierte* Klasse. Ein Freiheitsverständnis, das vom einzelnen *ausgeht* und sich darauf stützen kann, ›im Wirtschaftlichen frei zu sein‹, hat ›nicht begriffen, daß die Befreiung eine wirtschaftliche Arbeit ist und eine, die organisiert sein muß‹ (12, 439)« (Jost, 112). In dieser Weise rechtfertigt Brecht die persönliche Unfreiheit in der Sowjetunion, weil sie sich aus den Notwendigkeiten der revolutionären Umgestaltung eines – insgesamt rückständigen – Landes realiter ergibt. Diese Umgestaltung, deren Prozeßhaftigkeit Brecht betont, ist selbst »eine gewalttätige Sache« (20, 103) und nur über einen längeren Zeitraum hin durchführbar. Die Lage zeigt sich insofern dann noch verschärft, als der Faschismus immer mehr zur offenen kriegerischen Bedrohung der Sowjetunion wird, folglich alle »freiheitlichen« Maßnahmen, die objektiv dem Faschismus helfen könnten, zu unterdrücken sind (hier rechtfertigt Brecht auch Stalins Terrorherrschaft, freilich im historischen Sinn; vgl. 20, 104 f.).

Brecht weist also – um die Andeutungen zusammenzufassen – die Kritik an der Unfreiheit in der Sowjetunion und an der Terrorherrschaft Stalins als unrealistisch zurück. Sie gehe davon aus, als sei mit dem revolutionären Akt die Revolution bereits vollendet, erkenne nicht die ungeheuren Schwierigkeiten sowie den Fortgang der Klassenkämpfe in der Sowjetunion, übersehe die welthistorischen Zusammenhänge, in denen der sozialistische Staat steht, und mache sich illusionäre – »weltbildbauerische« – Vorstellungen über den Gang der Dinge. – Die latente Inhumanität, die in der Rechtfertigung steckt, diskutiert Brecht in den *Marxistischen Studien nicht*. Sie war ihm aber bewußt. Tendenziell jedoch gehen die Texte in die Richtung, *Notwendigkeiten* zu suggerieren, wo es möglicherweise Alternativen gegeben hätte. Freilich ist der Diskussionszusammenhang nicht zu übersehen, aber auch – die immer deutlicher werdende – Einstellung, daß der Sozialismus mit allen Mitteln zu verteidigen ist und der Faschismus nicht siegen darf. Unter dieser Perspektive argumentieren die meisten Texte.

Die Schwierigkeiten beim Aufbau des Sozialismus in der Sowjetunion bilden den dritten wesentlichen Themenkomplex innerhalb der *Marxistischen Studien*. Im Vordergrund steht der durch alle Einzelthemen – ungleiche Einkommen (20, 105–111), Beamte, Gewerkschaften (20, 121), Moskauer Prozesse (20, 111–116), Partei (20, 117 f.) – hindurchgehende Aspekt des Prozessualen: »Die Revolutionen sind nicht nur juristische Akte; es kann nicht von einem zum anderen Tage dekretiert werden, daß nunmehr Sozialismus zu herrschen habe. Der Aufbau des Sozialismus ist der Aufbau einer sozialistischen Produktion mit allen juristischen Maßnahmen wechselnder Art, die dazu nötig sind, mit einer ganzen Reihe einander abwechselnder Stadien von Besitzverhältnissen, welche diese Produktion, in ihrer Entwicklung, schafft« (20, 107). In der Betonung der Produktion verbirgt sich das »philosophische Moment« dialektischer Bewegung, die Brecht gegen die Statik der »Weltbildbauer« geltend zu machen pflegte. Sozialismus nicht als »Zustand«, Befindlichkeit, gar »Paradies« mit »Befreiung von der Produktion« bzw. vom Produzieren, sondern als prinzipiell *andere Produktion* zu verstehen. Brecht spricht – in unglücklicher Begrifflichkeit – von der »völligen Umartung der Produktion« (20, 108). Hier, wie auch bei der Bestimmung der Rolle, die der Staat zu spielen hat (20, 66), kommen immer wieder Gedanken Lenins zur Sprache, der auch direkt genannt ist (20, 52, 68, 69 f., 90, 98 f., 114), die im einzelnen nicht aufzuführen sind. Nur so viel: Lenin erscheint durchweg als »Klassiker«, stets positiv, vor allem auch als »praktischer« Philosoph, das heißt als Revolutionär, der seine Realitätskenntnis dadurch unter Beweis gestellt hat, daß er mit der Realität – sie umgestaltend, revolutionär ändernd – umzugehen wußte (Lenin ist exemplarisch innerhalb des *Me -ti*-Kapitels ausführlicher berücksichtigt). – Eine direkte Lenin-Adaption liegt im kurzen Artikel *Brechtisierung* (20, 68), in dem Brecht Leninsche Gedanken und Erfahrung in Brecht-Sprache übersetzt. Brecht wendet sich da vor allem gegen die Ansicht, daß der notwendige geschichtliche Gang schon alles »von selbst mache«, daß die historischen Notwendigkeiten für alles sorgten und folglich alles komme, wie es kommen muß. Er betont dagegen die Notwendigkeit zur Aktion und vor allem auch zur Parteinahme, die Voraussetzung der Aktion ist. Parteinahme meint in diesem Verstande aber nichts »Subjektives« oder gar ein prinzipielles Versagen des »Objektiven« (vgl. 20, 69), sondern daß nach der Aufdeckung der realen Widersprüche, für eine Seite des Widerspruchs Partei genommen werden *muß* (das heißt »für die Sache des Proletariats«), wenn man sie gegen die andere durchsetzen will. Unterläßt man dagegen die Parteinahme, unterstützt man indirekt die herrschenden (schlechten) Zustände: man nimmt sie als notwendig hin, erhofft sich illusionär »Hilfe« von außermenschlichen (= metaphysischen) Instanzen.

Texte: Schriften zur Politik und Gesellschaft. 1919–1956. Frankfurt a. M. 1968. S. 45–123. – wa 20, 45–123 [beide Ausgaben sind seitengleich].

Karl Heinz *Ludwig:* Bertolt Brecht. Philosophische Grundlagen und Implikationen seiner Dramaturgie. Bonn 1975 (S. 56–76). – Jan *Knopf:* Bertolt Brecht und die Naturwissenschaften. In: Brecht-Jahrbuch 1978, S. 13–38 [jetzt auch in: Brechts »Leben des Galilei«. Hg v. Werner *Hecht.* Frankfurt a. M. 1981. S. 163–188]. – Roland *Jost:* »Er war unser Lehrer«. Bertolt Brechts Leninrezeption. Köln 1981 (S. 130–158).

Notizen zur Philosophie 1929–1941

Die Textzusammenstellung berücksichtigt einmal kritische und erläuternde Notizen zur traditionellen Philosophie, vor allem zu Descartes und Kant, sowie Brechts eigene philosophischen Ansätze, und zwar zu seiner »Philosophie als Verhalten« (= »eingreifendes Denken«).

Die Kritiken und Erläuterungen zur traditionellen Philosophie sind durchweg »eklektizistisch«, ohne die Spuren einer systematischen Lektüre bzw. Auseinandersetzung. Die Anstreichungen in den benutzten Büchern, das Konzentrieren auf einige wenige Seiten der – wahrscheinlich nicht gelesenen – Bücher, belegen das zur Genüge, z. B. konzentriert sich die Descartes-Lektüre in den *Betrachtungen über die Grundlagen der Philosophie (Meditationes des prima Philosophia, In quibus Dei Existentia, & Animae humanae à corpore Distinctio, demonstratur,* 1641; deutsche Ausgabe, die Brecht benutzte, Leipzig 1926, Reclam) auf die S. 30. Brecht bekennt sich aber auch zum Eklektizismus als Prinzip, wenn er schreibt, daß er aus den Philosophien das herauslese, »was den eigenen Zwekken dienen kann«. »Das letztere wird man nicht so barbarisch finden, wenn man erwägt, daß die Welt gemeinhin so eklektisch verfährt und daß es doch falsch ist, eine Philosophie etwa hauptsächlich als Ausdruck eines bestimmten Kopfes zu nehmen, als eine Spielart des Geistes schlechthin (20, 141). Damit ist auch schon die Tendenz angedeutet, in die die kritisch-erläuternde Reflexion geht: nicht Rekonstruktion originärer Gedanken, sondern Befragung des »philosophischen Angebots« danach, ob es zur Erläuterung und Bewältigung der eigenen Situation und des eigenen Verhaltens nützlich sein kann. »Rein« philosophische Fragestellungen erkennt Brecht von vornherein nicht mehr an. Das Originelle seines Ansatzes ist es denn auch, die Aussagen der traditionellen Philosophie auf die Gegebenheiten ihrer Zeit zu beziehen und zugleich nach ihrem Nutzen für die heutige Zeit (d. i. Brechts Zeit) zu befragen.

Bei René Descartes (1596–1650) interessiert Brecht die berühmte »Selbstversicherung« über das Denken: »Ich denke, also bin ich« (»cogito, ergo sum« aus den *Principia Philosophiae,* 1643, I, 7), die auch in den *Meditionen* (2. Teil) ausgiebig behandelt ist. Brecht biegt die Fragestellung Descartes' schon dadurch um, daß er das »Sein« (Esse = »ich bin«) mit Existenz übersetzt und darunter die materielle Existenz, den Lebensunterhalt versteht. Die »rein philosophische« Auffassung von »Existenz« ist damit bereits negiert bzw. materialisiert. Als solche Fragestellung aber – wenn ich denke, bin ich also? – ist Descartes' Überlegung durchaus noch aktuell, denn auch Brecht verdankt seine Existenz in gewisser Weise dem Denken (insofern er als Schriftsteller ja auf »geistige Weise« schafft, geistige Produkte herstellt). »Ohne ein solches Denken glaube also auch ich nicht existieren zu können, aber kann ich es nur mit diesem Denken in der so sehr anders gewordenen Zeit? Das war es, was mich beschäftigte. Ich fand gleich ohne weiteres – und ich bemühe mich zunächst gar nicht, sehr feine Unterscheidungen zu machen –, daß ich, um zu existieren, noch mehr als nur Gedanken haben muß, nämlich auch ziemlich viele Tugenden und besondere Fähigkeiten, und zwar von all dem mehr, als Descartes brauchte« (20, 135). Die Reflexionen auf die »Existenzbedingungen« führen zu den Unterschieden, die zwischen Brechts und Descartes' Zeit bestehen. Descartes stand am Anfang des bürgerlichen Zeitalters, Brecht steht an seinem Ende. Descartes konnte reifes Alter abwarten, sich durch die Ansammlung von Vermögen sorgenfrei ausstatten, ehe er sich zum Meditieren zurückzog. Brecht schreibt und lebt angesichts des aufkommenden Faschismus (die Aufzeichnungen zu Descartes liegen 1929/1930), er ist noch jung, und von Vermögen kann keinerlei Rede sein (im Gegenteil). »Während dieser Descartes und manch einer seiner Art und seiner Zeit ihre Angelegenheiten geordnet sahen, als sie zu denken begannen, beginne ich damit oder nehme mir vor, damit zu beginnen, zu einer Zeit, wo sie ganz und gar ungeordnet sind und: um sie zu ordnen« (20, 136).

Aber auch die »inneren« Voraussetzungen stimmen nicht mehr. Descartes' Satz faßt das »Ich« als eine fixe Größe, deren man sich durch Denken existentiell versichern kann (vgl. 20, 137). Die »Reife des Alters«, mit der Descartes' meditiert, gaukelt ihm – rückblickend – ein »kontinuierliches Ich« vor. Brecht, der den großen Teil seines Lebens noch vor sich hat, kann dieses »Ich« nicht setzen (ganz abgesehen von seinen »Unbestimmtheiten«, »Unschärfen«, die er im Zusammenhang mit den *Marxistischen Studien* reflektiert hat): »Es stellt sich heraus, daß dieses ›Ich bin‹ nichts besonders Gleichbleibendes ist, das nur ein anderes kennt, nämlich das ›Ich-bin-nicht‹, sondern eine unaufhörliche Aufeinanderfolge von Mehroderwenigersein. Die so gewöhnliche Tatsache des *schlechten Lebens* kommt in die Gedankenführung hinein« (20, 171). In einer prinzipielleren Notiz *Über das Anfertigen von Bildnissen* (20, 168–170), die sich mit der *Keuner-Geschichte Wenn Herr K. einen Menschen liebte* (12, 386) und einem *Me-ti*-Aphorismus, *Liebende machen Bilder voneinander* (12, 468), trifft, entwickelt Brecht noch einmal zusammenfassend den »Entwurf«-Charakter des »Ich«. Brecht wendet sich entschieden gegen den feststehenden »Charakter«, der keine Entwicklungen und Veränderungen mehr zuläßt, er reflektiert das Ineinander von »Außen« (»Welt«-Einflüssen) und »Innen« (Subjektivität), bestimmt das Lieben als *gegenseitiges* »Bilder-Machen« sowie die gegenseitige Änderung zu diesen – unfertigen, entworfenen (guten) – Bildern hin, und er lehnt alles Gerede vom »Wesen« ab: »Immer verrät, wer vom Wesen spricht, ob er nun froh spricht oder anscheinend verzweifelt, den Wunsch, es möchte dies Wesen immer so bleiben, und klagt er auch noch so: Er gibt zu erkennen, er jedenfalls weiß kein Mittel, zu ändern, was da eben Wesen ist!« (20, 154; dieses Notat könnte sich direkt gegen Georg Lukács wenden, der als marxistischer Denker an dem idealistischen Vokabular »Wesen«-»Erscheinung« festhielt).

Die Notizen zu Immanuel Kant (1724–1804) beziehen sich vor allem auf die *Kritik der reinen Vernunft* (1781, veränderte 2. Aufl. 1787), in der Kant die Trennung von »Ding an sich« und »Erscheinung« vollzog. War philosophisches Bemühen vor Kant – um es kurz zusammenzufassen – darauf gerichtet, durch die »Erscheinung« hindurch ihr »Wesen« erkennbar werden zu lassen, wobei das »Phänomen« als die uns umgebende, reale Welt definiert, das »Noumen« (Wesen, Ding an sich) dagegen als das »hinter« den Erscheinungen stehende »eigentliche« Sein angesehen war (metaphysische Welt). Kant bezweifelte nun »kritisch«, daß es dem Menschen, der nur der Erscheinungswelt angehört und dessen Erkenntnis- bzw. Anschauungsformen auf diese Welt hin eingerichtet sind, überhaupt etwas mit Hilfe seiner Vernunft von der Wesenswelt erfassen *kann*. Diese radikale Trennung, die die Menschen und ihre Erkenntnismöglichkeiten entschieden einschränkte und vom »Eigentlichen« abschloß, empfand die Zeit als »nihilistisch« und als außerordentlich mißliche Wahrheit (vgl. das Kant-Erlebnis von Heinrich von Kleist und die damit verbundene Verzweiflung, die u.a. mit zum Entschluß des Freitodes geführt hat).

Es ist wiederum typisch für Brecht, daß er diese philosophische Fragestellung gar nicht erst erwägt, sondern nach den »immanenten« Ursachen für die Frage nach dem Ding an sich sucht: »Die Frage nach dem Ding an sich wird gestellt in einer Zeit [der Kants, Ende 18. Jahrhundert], wo auf Grund der ökonomisch-gesellschaftlichen Entwicklung die *Verwertung* aller Dinge in Angriff genommen wird. Die Frage aber zielte nicht nur ab auf die Auffindung neuer Brauchbarkeiten an den

Dingen, sondern bezeichnete auch den Widerspruch zu einer Betrachtung der Dinge nur nach Verwertbarkeit hin: Die Dinge sind nicht nur für uns, sondern auch für sich. Allerdings sind sie auch in diesem absoluten Zustand [für sich] noch verwertbar…« (20, 138). Brecht benutzt zwar Kants Vokabular, läßt sich auf seine Gedankengänge aber gar nicht mehr ein.

Die beginnende Total-Verwertung der »Dinge« durch den Kapitalismus – also die Wandlung der Dinge zur Ware – impliziert die Negation des Dings »an sich«: in der Verwertung wird das ursprüngliche »Für-Sich-Sein« der Dinge aufgehoben. Die »philosophische« Fragestellung zielt demnach – so Brechts Umdeutung – auf einen verlorengegangenen bzw. allmählich verlorengehenden Zustand und der Vergewisserung, daß den Menschen das »Ding an sich« abhanden gekommen ist – die ehemals metaphysische Fragestellung ist ganz in die »Immanenz« zurückgenommen, also wiederum materialisiert. Der Verwertungszusammenhang hebt den »substantiven Charakter« der Dinge auf (vgl. 20, 139). Umgekehrt – und das ist ein widerspruchsvoller, ineinander verwobener Prozeß – beginnen vorher »abstrakte« Verhältnisse, Beziehungen, die nicht als »Dinge« greifbar waren, Ding-Charakter anzunehmen, einen Charakter freilich, der mit einem »Ding an sich« nichts mehr zu tun hat. Brecht meint die »Verdinglichung« von Verhältnissen und Beziehungen zwischen Menschen untereinander, aber auch zwischen Menschen und Dingen. So z. B. definiert sich die bürgerliche Ehe nicht mehr als eine besondere, persönliche Beziehung zwischen zwei Individuen, die sich lieben, sondern über den Ehevertrag, der beide zu bestimmtem Verhalten und zu bestimmten Funktionen verpflichtet. Die persönliche Bindung wird zugunsten einer verdinglichten (vertragsmäßigen, einklagbaren) Beziehung aufgehoben. Der Vertrag (als »Ding« neuer Art) regelt, wie die Eheleute sich zueinander zu verhalten haben. Nicht ohne Grund stammt deshalb von Kant – Brecht mag auch beim »Ding an sich« daran gedacht haben – die berühmt-berüchtigte Ehedefinition, die die Verdinglichung bereits in ihrer »Sachlichkeit« der Formulierung enthält, wenn sie von der »rechtlichen Verpflichtung« des »lebenslänglichen gegenseitigen Gebrauchs der Geschlechtsorgane« spricht *(Metaphysik der Sitten, 1797, Paragraph 25).*

Die erkenntnistheoretischen Prinzipien, die Kants »kritische Vernunft« erkannten und erläuterten, spielen so für Brecht keinerlei Rolle mehr. Sätze, die nach erkenntnistheoretischen Definitionen klingen, sind durch die »Umdeutung« hindurch zu lesen: »Die Dinge sind für sich nicht erkennbar, weil sie für sich nicht existieren können« (20, 139). Das klingt, erkenntnistheoretisch rezipiert, als ob Brecht mit diesem Satz »objektive« Erkenntnis leugnete und den Dingen eine von den Menschen unabhängige »Existenz« abspräche. Im Zusammenhang jedoch der Kant-Erläuterungen besagt der Satz lediglich in Kurzform, daß der kapitalistische Verwertungszusammenhang die Existenz der »Dinge für sich« aufgehoben hat, sie demnach nur noch in diesem Zusammenhang (»für uns«) erkennbar sind. Das »unabhängige« Ding für sich *ist* historisch eine Illusion *geworden.* Zu behaupten, es gäbe sie doch, bedeutete, den Warencharakter der »Dinge« zu verschleiern, also »kapitalistisch« zu argumentieren.

Das hat eine Erweiterung des Erkenntnis-Begriffs zur Konsequenz. Erkenntnis meint nicht mehr bloß »Anschauung« auf »richtige« Weise (sozusagen »Bilder machen«, »Widerspiegelung«), kann gar nicht mehr bloß »geistig«, bloß »denkerisch« sein, weil die »Dinge« in Zusammenhängen stehen, die ihre »eindeutige«, abbildhafte Erfassung verhindern, sie statt dessen in bestimmten Funktionen zeigen, die erst auf ihren »Dingcharakter« zurückverweisen. Aber als »Dinghaftigkeit«, Substanzialität ist das Ding prinzipiell nicht mehr zu haben, weil es historisch als solches nicht mehr da ist: »Heute kann überhaupt kein Ding mehr genannt werden von der Art, wie Kant es behandelte: Anderes als das Kantsche Ding ist unkennbar« (20, 139). Umgekehrt muß der Erkenntnisbegriff auf die »unsichtbaren« Dinge, die Verdinglichungen, ausgedehnt werden. Der alte Erkenntnisbegriff geht noch von einer einfachen Subjekt-Objekt-Relation aus, sucht folglich nach einfachen »Abbildungen«. Wie aber das Ding an sich sich verflüchtigt hat (als Ware), so sind neue Dinge entstanden, deren Wirkungen außerordentlich prägend, nachhaltig beeinflussend, aber als »Dinge an sich« gar nicht zu erfassen sind. Die Verdinglichungen sind Verhältnisse, Beziehungen zwischen Menschen oder Dingen, sie zeigen sich nicht »konkret«, sind nicht einfach abbildbar, bestimmen aber doch nachhaltig die Realität der Menschen.

Auch der Satz »Erkenntnistheorie muß vor allem Sprachkritik sein« (20, 140), sollte nicht erkenntnistheoretisch gelesen werden. Denn dann besagte er – in Richtung der heute modischen »Nietzsche-Brecht-Übereinstimmungen« –, daß uns die Wirklichkeit »eigentlich« nur in Sprache und »metaphorisch« »vorkomme«, deshalb Erkenntnisse »Spracherkenntnisse« seien, denen man »immanent« mit »Sprachkritik« zu begegnen habe (das ist ein weites Feld, dem ich mehrmals polemisch nachgegangen bin, das hier aber nur angedeutet werden kann). Wollte man Brechts Satz noch etwas (traditionelle) Würze geben, ließe sich noch auf die fast wörtliche Übereinstimmung mit Ludwig Wittgensteins Formulierung im *Tractatus logico-philosophicus. Logisch-philosophische Untersuchungen* (1921) aufmerksam machen: »Alle Philosophie ist ›Sprachkritik‹« (= Nr. 4.0031). Schon wäre Brecht mitten im schönsten Idealismus angesiedelt, wonach Philosophie sich primär, wenn nicht überhaupt, nur mit sprachlichen Problemen herumzuschlagen hätte. Wenn Erkenntnistheorie – als alte philosophische Zentraldisziplin – *vor allem* Sprachkritik sein müsse, so verweist das vor allem darauf, daß bereits sprachkritisches Vorgehen Erkenntniskritik leisten kann, daß also bereits auf *theoretische* Weise Kritik zu üben ist. Brecht gibt das Beispiel *Über das Idealisieren als Operation* (20, 142) und empfiehlt dort, die Philosophen der Tradition weniger beim Bau ihrer idealistischen Konstruktionen zu beobachten, weil man dabei zu sehr in ihren Sog gezogen wird – von Satz zu Satz geführt, wird der Leser am Bau beteiligt, bis er bereitwillig mitbaut –, vielmehr solle er beobachten, wie die Philosophen untereinander ihre »Bauten« kritisieren: »Dann nämlich beschreiben sie dieselben als ziemlich skrupellose und voreilige Konstrukteure, nicht als Finder, sondern als Erfinder, und ein appetitmachender Slang von Werkzeug, terminus technicus, technischen Griffen macht sich breit: Man sieht Handwerker an der Arbeit. So beschreibt Hegel den Kant und Schopenhauer den Hegel rein als einen Verhaltenden, Operierenden, Machenden« (20, 142). – Ein anderes Beispiel warnt vor »substantivischer« Sprachverwendung, z. B. in der Beschreibung geschichtlicher Prozesse: »Die ›Notwendigkeit‹ des gegebenen geschichtlichen Prozesses ist eine Vorstellung, die von der Mutmaßung lebt, für jedes geschichtliche Ereignis müsse es zureichende Gründe geben, damit es zustandekommt. In Wirklichkeit gab es aber widerstreitende Tendenzen, die streitbar entschieden wurden, das ist viel weniger« (20, 156). Das Operieren mit einfachen, verdinglichten Begriffen, wie die Notwendigkeit in der Geschichte, erhebt diese zur »geheimen Gewalt, die sich nicht vollständig in den besagten beobachteten und beobachtbaren Vorstellungen und Beziehungen ausdrückt«. »Es ist die ›höhere Gewalt‹ der Religionen« (20, 156). Sprachkritik leistet auf bloß theoretische Weise, falsche »Wesenheiten« durchschauen zu lernen. Durch Substantialisierungen in der sprachlichen Form suggerieren bloße Sätze »höhere Gewalten«, die aber nur sprachlich existent sind und durch Sprachkritik entlarvt werden können.

Texte: Schriften zur Politik und Gesellschaft. Frankfurt a. M. 1967. S. 125–178. – wa 20, 125–178.
Manfred *Riedel*: Bertolt Brecht und die Philosophie. In: Neue Rundschau 82, 1971, S. 65–85. – Karl-Heinz *Ludwig*: Bertolt Brecht. Philosophische Grundlagen und Implikationen seiner Dramaturgie. Bonn 1975 (S. 88–131). – Jan *Knopf*: Kritik der Erkenntniskritik. Zur Klarstellung einiger Irrtümer: Nietzsche in der bundesdeutschen Germanistik. In: Literaturmagazin 12 [Nietzsche]. Reinbek bei Hamburg 1980. S. 373–393.

»Eingreifendes Denken«

Brechts theoretische Entwürfe eines »eingreifenden Denkens« finden sich innerhalb der gesammelten *Notizen zur Philosophie*; sie werden deshalb in einem gesonderten Kapitel besprochen, weil sie – neben dem aphoristischen Werk *Me-ti. Buch der Wendungen* – das Zentrum von Brechts »Philosophie« bilden. Der Begriff »Eingreifendes Denken« ist längst zum viel, aber auch falsch benutzten Schlagwort geworden. Vor allem hat ein Teil der bundesdeutschen »Linken«, die sich nach der Studentenrevolte ins Lager des Neo-Subjektivismus geschlagen haben, sich mit ihm »marxistisch« abzusichern geglaubt, indem sie bereits dem Denken »eingreifende Wirkung« zusprachen und so beruhigt den Gang der Dinge abwarten konnten, ohne wirklich etwas zu tun – als nur zu denken. Die Wirkung war durchschlagend: statt der Wendungen kam die Wende.

Brechts sozusagen »eigenen« philosophischen Ansatz darzulegen, dazu bedarf es einiger Differenzierungen, die bisher noch nirgends geleistet worden sind. Das folgende ist ein Versuch, um Kürze bemüht.

Brecht entwickelt das »eingreifende Denken« aus den Studien der Schriften von Hegel, Marx und Lenin. Seine Formulierungen sind nicht immer unabhängig, häufig ein – die Sachverhalte ins »Alltagsdeutsch« übertragender – Nachvollzug von Gedankengängen – was jeweils konkret als Lektüre vorlag, das zu bestimmen, muß Einzeluntersuchungen vorbehalten bleiben. Nicht immer formuliert Brecht glücklich, was zu einigen nachhaltigen Fehldeutungen in den wenigen Arbeiten, die es dazu gibt, geführt hat.

Zunächst ist zu betonen, daß das »eingreifende Denken« keineswegs »Denken als Eingreifen« meint, so als würde denkerisch ins Wirkliche eingegriffen. Formulierungen wie: »Sollten wir nicht einfach sagen, daß wir nichts erkennen können, was wir nicht verändern können, noch das, was uns nicht verändert« (20, 140) oder »Zustände und Dinge, welche durch Denken nicht zu verändern sind (nicht von uns abhängen), können nicht gedacht werden« (20, 155), klingen sehr nach idealistischer Dialektik, insofern einmal eine vom Denken, Bewußtsein des Menschen unabhängige Außenwelt geleugnet wird, zum anderen durch diese Leugnung, dem Denken bereits »eingreifende«, »verändernde« Qualität zugewiesen ist. Das wäre die rein »sprachkritische« Linie, die heute – wie oben angedeutet – mit der Philosophie Nietzsches vor allem verbunden wird.

Andererseits beschränkt sich aber »eingreifendes Denken« nicht lediglich auf den »pragmatischen« Aspekt, insofern es »denkerisch« reales Eingreifen vorbereitet. Es ist *auch theoretisch* eingreifend. Brecht erfaßt das, indem er Denken als ein »Verhalten« bestimmt (20, 166). Brecht knüpft da – wie sein »philosophisches Sprechen« insgesamt möglichst einfach, alltäglich ist – an »volkstümliche« Philosophie-Begriffe an. Man nenne, so beruft sich Brecht, auch Leute Philosophen, die sich nicht mit der »Erzeugung von ›Philosophien‹ befaßten, sondern eben nur durch ihr Verhalten diesen ›Ehrentitel‹ erwarben« (20, 127). Wie in der *Keuner-Geschichte Weise am Weisen ist die Haltung* (12, 375) meint Denken als Verhalten: indem sich das Denken in bestimmter Weise in Verhalten umsetzt, zeigt es sich realitätsnah, das heißt, von Realitätskenntnis gesättigt oder nicht (weltfremd). Dieses Denken, wenn es »eingreifend« ist, versteht sich nicht als »bloßes« Denken – auch dann nicht, wenn es »bloß« denkt. Es vergleicht nämlich nicht »das Gedachte mit Gedachtem«, sondern bezieht sein Denken stets auf die Wirklichkeit. Entsprechend ändert sich auch die Sprache. Denken, das sich auf Denken richtet, sucht Zusammenhänge zwischen *Sätzen*, wie ja Philosophie sich insgesamt (in der westlichen Welt) als »Aussage über Aussagen«, nicht aber als Aussagen »über Dinge, Sachverhalte« versteht (Disziplin »ohne Gegenstand«). Brechts »eingreifendes Denken« sucht stets den Zusammenhang von Satz und Wirklichkeit, über die der Satz etwas zu sagen meint. So vermeidet das Denken die Denkimmanenz, verhindert Zusammenhänge, Folgerungen, »Dinge«, die nur durch die aufeinanderfolgenden Sätze zustandegekommen sind, aber keine reale Entsprechung haben. Damit hat das »Eingreifen« bereits eine Doppelbestimmung theoretischer Art gewonnen. Das Denken als Verhalten bezieht sich auf etwas, was außerhalb des Denkens »da« ist, verhält sich zu ihm – was sich ganz konkret auch in der Haltung des Denkens *zeigt*. Umgekehrt aber läßt dieses Denken auch das, was es bedenkt, in das Denken eingreifen. Das Denken richtet sich nach ihm (was aber kein Abbildverhältnis, keine Widerspiegelung ist).

Diese Bestimmung, die erste, bleibt aber immer noch sehr abstrakt, sie tut so, als gäbe es bloß den Bezug zwischen dem Denkenden und der zu bedenkenden »Sache«, Realität. In Wirklichkeit benutzt der Denkende Sprache, deren Charakter nicht subjektiv, sondern intersubjektiv ist. Er benutzt also ein »Instrument« kollektiv-gesellschaftlicher Art, denkt insofern stets auch die Gedanken anderer mit, wie er auch nicht »seine« Worte allein benutzt und benutzen kann (monologische Sprache ist eine contradictio in adjecto, ein Widerspruch in sich). Und auch die Realität, zu der er sich denkerisch verhält, ist nicht »die« Realität, sondern ein höchst komplexes, widersprüchliches Gebilde, von Kämpfen bestimmt. Deshalb ist es notwendig, sich nicht nur die »kollektiven« Voraussetzungen des Denkens klarzumachen, sondern auch die Widersprüche in der Realität aufzudecken. Sie ist nicht so, wie sie sich unmittelbar präsentiert. Fürs Denken heißt dies: »Er dachte in andern Köpfen, und auch in seinem Kopf dachten andere. Das ist das richtige Denken« (20, 166, zu Lenin). Damit hat der Begriff »Eingreifen« eine weitere Dimension bekommen. Das Denken »schottet« sich nicht ab, es geht vielmehr dialogisch-dialektisch vor, auch wenn es sich bloß im eigenen Kopf abspielt: man spricht mit anderen, auch wenn man mit sich selbst spricht. Dadurch entstehen – im wörtlichen, wie im übertragenen Sinn – Wider-sprüche, und zugleich erfährt sich solches Denken als *gesellschaftliches* Verhalten. Es bezieht nämlich die denkbaren Argumente bzw. Erfahrungen bzw. Verhaltensweisen der anderen mit ins eigene Denken ein, realisiert sich so nicht »subjektiv«, individuell, sondern gesellschaftlich.

Es sind gleichsam öffentliche Gedanken, die im Kopf verhandelt werden. Sie brauchen deshalb auch die Öffentlichkeit nicht zu scheuen. Insofern greift dieses Denken durchaus gesellschaftlich ein, wie es umgekehrt das Gesellschaftliche in sich eingreifen läßt.

Der theoretische Eingriff in die Realität besteht darin, daß die geschichtliche Entwicklung dazu geführt hat, daß die »eigentlichen« Realitäten gar nicht mehr einfach zu sehen sind, daß die Widerspiegelung, Abbildung prinzipiell versagt (vgl. die Ding-an-sich-Kritik). Die »eigentliche Realität« sei in »die Funktionale gerutscht«, hat Brecht an anderer Stelle gesagt (18, 161). Die »Dinge« sind nicht mehr als Dinge greifbar, wie die Verdinglichungen nicht mehr einfach auf Dinge zurückgeführt werden können. Das Denken muß also »eingreifen«, wenn es überhaupt zur »Realität« gelangen will. Es kann nicht einfach wiedergeben, was *ist* und sagen, es habe damit die Realität begriffen. »Eingreifendes Denken« muß deshalb »verändernd« vorgehen, kritisch, aufbauend, aktiv, will es nicht bei der bloßen – unbegriffenen – Widerspiegelung von Oberflächenphänomenen, die Phänomene, d. h. Er-Scheinungen, sind, stehenbleiben. Aber auch dann kommen nicht einfache Wahrheiten zutage, sondern Widersprüche, Prozesse, Kämpfe etc. Dieses »Verändern« dessen, was man erkennen will, meint nun aber keineswegs einen »idealistischen« Eingriff, insofern das Denken die äußere Realität materialiter veränderte. Die Veränderung geschieht nur zu dem Zweck, und hat da auch ihre Grenze, die Realität, wie sie »wirklich ist«, überhaupt »sichtbar« bzw. begreifbar (auch im wörtlichen Sinn) zu machen. Mißverständlich sind daher solche Passagen wie: »In Wirklichkeit ist die Dialektik eine Denkmethode oder vielmehr eine zusammenhängende Folge intelligibler Methoden, welche es gestattet, gewisse starre Vorstellungen aufzulösen und gegen herrschende Ideologien die Praxis gelten zu lassen« (20, 152). Manfred Riedel z. B. hat die »Definition« dazu angeführt, um zwischen Brecht und den marxistischen Klassikern prinzipielle Differenzen zu behaupten: Brecht bleibe der Skeptiker, wende sich gegen alle »objektiven« Notwendigkeiten, sei gegen jedes Konstruieren von Weltbildern etc. Ganz abgesehen davon, daß auch Marx und Lenin die Dialektik nicht dazu benutzt haben, Weltbilder herzustellen, wie auch für Marx der Kommunismus kein *Zustand* war, wird Brecht unterstellt, eigentlich bloß skeptisches Denken propagiert zu haben, das man sich unmarxistisch aneignen könnte. Das Gegenteil ist der Fall.

Wenn sich Brecht gegen den Objektivismus in der KPD wendet, dann nicht deshalb, weil er ein Anhänger des Korsch-Flügels gewesen wäre und sein »eingreifendes Denken« als »geistige Aktion« verstanden hätte, wonach erst »der subjektive Faktor«, der wechselseitige Eingriff von Subjekt und Objekt Realität konstituiere. Korschs Lenin-Kritik, das hat Roland Jost im einzelnen gezeigt, teilt Brecht nicht – wie sie auch Lenin selbst nicht gerecht wird (man muß sogar sagen, daß Korsch Lenin gar nicht verstanden hat; Jost, 139–158). Der »Objektivismus« macht zwei Fehler. Er vertraut auf einen relativ naiven Realitätsbegriff durch Widerspiegelung, und er meint, daß die »Dinge« von selbst »laufen« würden, von Notwendigkeit getrieben zum Sozialismus führten.

Brecht führt dagegen einen wesentlich komplizierteren Realitätsbegriff ins Feld, und er weiß, daß das »eingreifende Denken« gegenüber der primären Realität stets defizitär und vorläufig ist: »Prozesse kommen in Wirklichkeit überhaupt nicht zum Abschluß. Es ist die Beobachtung, die Abschlüsse benötigt und legt« (20, 156). Das bedeutet aber, daß Brecht die materialistische Grundentscheidung (die als solche nicht als richtig bewiesen sein kann) teilt: es gibt eine vom Menschen unabhängige Realität und damit auch *Objektivität.* Aber diese Realität erschließt sich dem Menschen nur geschichtlich, wie umgekehrt der Mensch die Realität geschichtlich verändert. Unter dem Primat der unabhängigen, objektiven Realität verändert die Realitätserkenntnis des Menschen auch die Möglichkeiten des Menschen, Realität zu erkennen. Brecht sah z. B. direkte Zusammenhänge zwischen der »filmischen Sehweise«, die es schon *vor* dem Film gab (Stevenson; auch Goethes *Metamorphose der Pflanzen* enthält schon den filmischen Zeitraffer u. a.), und dem Stand der gesellschaftlichen Verhältnisse. Die Entdeckung des Mikrokosmos war wesentlich vom Stand der Technik beeinflußt, die in dieser Hinsicht eine Erweiterung der Beobachtungsmöglichkeiten des Menschen war, was wiederum erst durch bestimmte technische Verfahrensweisen, die sich die Menschen denkerisch aneigneten, möglich wurde etc. Das heißt: die äußere Realität greift ins Denken ein und verändert und erweitert es. »In das Denken solcher [idealistischer] Menschen greift also die Welt nur mangelhaft ein; es kann nicht überraschen, wenn ihr Denken dann nicht in die Welt eingreift. Dies bedeutet aber, daß sie dem Denken dann überhaupt kein Eingreifen zumuten: So entsteht der ›reine Geist‹, der für sich existiert, mehr oder weniger behindert durch die ›äußeren‹ Umstände« (20, 175).

Um die Komplexität des Realitätsbegriffs anzudeuten, führt Brecht den physikalischen »Feld«-Begriff ein (20, 173 u. ö.). Es handelt sich bei »Realität« nicht mehr um Dinge, unmittelbar Greifbares, sondern um Zusammenhänge zwischen verschiedenen, widersprüchlichen, im Streit liegenden »Linien«, die zu »strukturieren« sind. Die Konstruktion dieses Feldes ist kein »Realitäts«- oder Welt-Bild, sondern das vorläufige Konstrukt von – prozessual – unabgeschlossener Realität, eine Art Modell, das die wirklichen Bewegungen sichtbar macht. Im magnetischen Feld werden die Kraftlinien z. B. abgebildet. Sie ordnen das ursprünglich »chaotisch« anmutende Bild und machen wirkende Kräfte sichtbar.

Diese Realitäts-Bilder haben nun eine weitere eingreifende Verbindlichkeit, Objektivität. Sie zeigen nämlich im 20. Jahrhundert in ihren »Kraftlinien« den Hauptwiderspruch zwischen Bourgeoisie und Proletariat. Dabei ist das Merkwürdige, daß die »Denkmethode«, die ihn überhaupt erst sichtbar machte, vom Bürgertum entwickelt worden ist: die Dialektik: »Die Welt ist ins Rutschen, die Menschheit ins Schieben gekommen. Hegels Bild [die Dialektik] trägt dem Rechnung. Aber das eben angekommene Bürgertum, die Klasse, die, um ihre Revolution zu machen, eine andere Klasse, das Proletariat, benötigte und die, um ihre Herrschaft auszubauen, mehr und mehr diese andere Klasse verstärken muß, das Bürgertum ist ein schlechter, ein gehemmter Referent der Dialektik. Der bessere Referent, durch seine Lage, ist das Proletariat. Das Bürgertum, die Geschichte betrachtend, schreibt eine Geschichte von Wandlungen. Aber dieser Schreiber ist nicht in der Lage, die Prinzipien, die er in der Vergangenheit feststellte, in der Gegenwart oder gar für die Zukunft für wirksam zu erklären. Es hat eine Geschichte gegeben, es gibt jetzt keine mehr. Nun, ein anderer Schreiber schreibt weiter« (20, 151). Brecht konstatiert diese Entwicklung, hier allerdings sehr metaphorisch, als objektiven Sachverhalt, der – da zwei widerstreitende Kräfte da sind – Parteinahme erfordert, und zwar deshalb erfordert, weil *sonst* die »Hemmnisse« weiterwirken, also indirekt für sie Partei genommen wird. Die Parteilichkeit, die Brecht im Anschluß an Lenin fordert, ist keine – jedenfalls in diesem Verständnis – subjektive Parteinahme aus bloßer Vorliebe (etc.), sondern ein objektiver Sachverhalt, der sich aus der »eingreifenden« Analyse der Realität mit Notwendigkeit ergibt. Die Notwendigkeit ist aber keine »Geschichtsnotwendigkeit« – oder eine, die dafür sorgt, daß bestimmte Veränderungen mit Notwendigkeit eintreten. Gemeint ist, daß die bisherigen widersprüchlichen geschichtlichen Prozesse zu einer historischen Situation geführt haben, in der man entweder indirekt oder direkt für die (als für die meisten Menschen als schlecht, inhuman erkannten) Verhältnisse, ihre Beibehaltung, eintritt oder sich für Veränderung einsetzt. Bereits der theoretische Entschluß für die Veränderung bedeutet wiederum ein gewisses Eingreifen des Denkens in die Wirklichkeit, als es nun beginnt, die Wirklichkeit zu »organisieren«, daß Veränderungen und Veränderungsmöglichkeiten sichtbar werden (aber objektive): »Wenn du von einem Prozeß sprichst, so nimm von vornherein an, daß du als handelnder Behandelter sprichst. Sprich im Hinblick auf das Handeln! Du bist immer Partei. Organisiere sprechend die Partei, zu der du gehörst! Wenn du davon sprichst, was einen Prozeß determiniert, so vergiß nicht dich selbst als einen der determinierenden Faktoren!« (20, 70). Brecht referiert hier Lenin, das heißt, er geht von Lenin aus und formuliert, was Lenin negativ sagt, positiv um.

So gesehen, kann das Denken, Wirklichkeit wiedergebend, auf sie reagierend, gesellschaftlich verankert, in Verhalten umgesetzt, bereits sehr weitgehend »eingreifen«, und es kann bereits sehr »materiell« vor sich gehen, indem der Denkende sich in seinem Verhalten als »eingreifend Denkender« versteht, der verändernde Eingriff in die Wirklichkeit geschieht jedoch nicht durchs Denken, sondern durch die (revolutionäre) Praxis. Daß Lenin bei Brecht eine so große Rolle spielt, liegt daran, daß er nicht nur – indem er in nicht-revolutionären Zeiten – die Revolution denkerisch »in Schwung« hielt, sondern daß er dann auch aktiver Revolutionär war – übrigens weniger als Kämpfer mit der Waffe, als vielmehr als Organisator und einer, der die Analyse der jeweils neuen Situationen leistete und Vorschläge machte, die Schwierigkeiten zu überwinden – also wiederum vorwiegend als »Denkender«. Das »Eingreifende Denken« liefert die »richtige« Wirklichkeitsanalyse, zwingt den Denkenden zu einem (auch parteilichen) Verhalten zur Wirklichkeit, führt ihn – da er sich entscheiden muß – zum Entwurf von Veränderbarkeiten und bereitet so die Aktion vor. Sie selbst aber kommt nicht von selbst (objektivistischer Standpunkt). Geschichte bewegt sich nicht von selbst, sondern ist menschengemacht und vollzieht sich in (meist kämpferischen) Auseinandersetzungen. »Jene vorzügliche Methode [eingreifendes Denken] ist also jeweilig nur anzuwenden im Hinblick auf eine Tätigkeit, und zwar eine ganz bestimmte« (20, 173).

Texte: Schriften zur Politik und Gesellschaft. Frankfurt a. M. 1967. S. 146–178. – wa 20, 146–178.
Manfred *Riedel*: Bertolt Brecht und die Philosophie. In: Neue Rundschau 82, 1971, S. 65–85. – Jan *Knopf*: »Eingreifendes Denken« als »Realdialektik«. In: Aktualisierung Brechts. Berlin 1980. S. 57–75. – Zur Aktualität von Karl Korsch. Hg. von Michael *Buckmiller*. Frankfurt a. M. 1981 (S. 9–35, 137–149). – Roland *Jost*: »Er war unser Lehrer«. Bertolt Brechts Leninrezeption. Köln 1981 (S. 82–121, 137–158).

Aufsätze zum Faschismus 1933–1939

Die hier versammelten Schriften, von denen einige bereits ausgeschieden und in die künstlerische Prosa aufgenommen worden sind (s. d.), wenden die theoretischen Überlegungen, die »Philosophie«, »praktisch« an. Sie versuchen die zeitgenössische Realität beschreibend in den Griff und auf den Begriff zu bekommen, um reales Eingreifen, Handlungen zu ermöglichen. Offen oder auch nur indirekt kommen beinahe alle »Aufsätze« zum Schluß, daß alles getan werden muß, die kriegerischen Absichten noch zu verhindern, und zwar dadurch, daß man sich zunächst einmal über die wahren Absichten und das wahre Aussehen des Faschismus klar wird und die Zusammenhänge, aus denen er kommt, offenlegt. »Diejenigen unserer Freunde, welche über die Grausamkeiten des Faschismus ebenso entsetzt sind wie wir, aber die Eigentumsverhältnisse aufrechterhalten wollen oder gegen ihre Aufrechterhaltung sich gleichgültig verhalten, können den Kampf gegen die so sehr überhandnehmende Barbarei nicht kräftig und nicht lang genug führen, weil sie nicht die gesellschaftlichen Zustände angeben und herbeiführen helfen können, in denen die Barbarei überflüssig wäre. Jene aber, welche auf der Suche nach der Wurzel der Übel auf die Eigentumsverhältnisse gestoßen sind, sind tiefer und tiefer gestiegen, durch ein Inferno von tiefer und tiefer liegenden Greueln, bis sie dort angelangt sind, wo ein kleiner Teil der Menschheit seine gnadenlose Herrschaft verankert hat. Er hat sie verankert in jenem Eigentum des einzelnen, das zur Ausbeutung des Mitmenschen dient und das mit Klauen und Zähnen verteidigt wird, unter Preisgabe einer Kultur, welche sich zu seiner Verteidigung nicht mehr hergibt oder zu ihr nicht mehr geeignet ist, unter Preisgabe aller Gesetze menschlichen Zusammenlebens überhaupt, um welche die Menschheit so lang und mutig verzweifelt gekämpft hat« (20, 180). Die Philosophie Brechts ist insgesamt ein solcher »Abstieg« in die Tiefe, die als das »Niedere« verpönt ist. Sowohl sprachlich als auch »parteilich« zieht sie die Konsequenzen.

Die überwiegende Mehrzahl der »Aufsätze« zum Faschismus sind Prosasatiren bzw. Notizen zur Zeit, mit der Tendenz zur Satire. Sie sind im *Brecht-Handbuch* als satirische Prosatexte da berücksichtigt, wo sie weitergehende künstlerische Aspekte beleuchten. Als Zeitkommentare bedürfen sie ansonsten keiner über die Anmerkungen in den Ausgaben hinausgehenden Erläuterungen. Lediglich noch ein Vorschlag zum Lesen: die Trennung, die die Ausgabe in drei Teilen vornimmt – *Marxistische Studien, Notizen zur Philosophie* und *Aufsätze über den Faschismus* – sollte der Leser wieder aufheben. Die Trennung gibt zwar eine sinnvolle Orientierung, isoliert aber Texte »gattungsmäßig« voneinader, die nicht nur »ineinander« entstanden sind, sondern häufig auch sich gegenseitig kommentieren bzw. illustrieren. Gerade die Isolierung der *Notizen zur Philosophie* gibt diesen den Anschein großer Theorielastigkeit und verführt die Forschung, sie gegen ihren Text »erkenntnistheoretisch« zu lesen. Andererseits führt die Isolierung der Faschismus-Aufsätze zum evtl. Mißverständnis (sie sind weitgehend außer acht geblieben), sie wären bloße Zeitkommentare, nicht »angewandte Philosophie«. Wie virtuos und nachhaltig Brecht die Sprachkritik einsetzt und vorgefundene Sätze »eingreifend« umstellt, ist Demonstration des Denkens als Verhaltens.

Texte: Schriften zur Politik und Gesellschaft. Frankfurt a. M. 1967. S. 179–265. – wa 20, 179–265.

Me-ti. Buch der Wendungen (Fragment)

Entstehung

Die Entstehungsgeschichte der Aufzeichnungen zu *Me-ti,* die sich mit Notizen zur Zeit, Philosophie, zu den *Marxistischen Studien,* zum *Tui-Roman,* zu den *Keuner-Geschichten* und den *Flüchtlingsgesprächen* zum Teil überschneiden, ist dunkel und wird es wohl nach Lage der Zeugnisse bleiben müssen. Die Überlieferung der Aphorismen ist ungeordnet, die üblichen Anordnungspläne fehlen, die literarische Form der in sich abgeschlossenen gedanklichen, zum Teil auch erzählerischen Einheiten läßt eine Zusammen-Ordnung kaum zu (da ja auch gerade die Variation, die gelegentliche »Wiederholung« am anderen Ort Prinzip für eine sinnvolle Anordnung von Aphorismen sein kann), die wenigsten Notizen sind datiert und ihre Aufzeichnung erfolgte sporadisch, über einen langen Zeitraum verteilt.

Ein spätes Zeugnis von Hanns Eisler, das freilich nur erinnert ist, besagt auf die Frage, ob er *Me-ti* kennengelernt habe: »Die chinesische Philosophie hat ihn [Brecht] gerade in den Jahren 1929/30 sehr beeinflußt. Ich meine als Denkanregung. Me-ti hat er mir 1930 gegeben. Oder 1931?« (Bunge, 149). Diese vage Erinnerung ist das einzige Zeugnis einer Beschäftigung Brechts mit seinem, wie er es auch nannte, »Buch der Verhaltenslehren« vor 1934, dem Jahr, aus dem die ersten Texte nach Aussagen von Mitarbeitern stammen sollen. »Das« *Me-ti* in den Händen gehabt zu haben, wie Eisler angibt, ist ohnehin unwahrscheinlich, weil es das Buch nie gegeben hat; auch in späteren Äußerungen Brechts ist lediglich von »Material« die Rede (vgl. z.B. den Brief an Korsch; Briefe Nr. 304, S. 301; 1936/37). Dennoch ist es nicht unwahrscheinlich, daß Brecht bereits die Idee zu einem solchen Buch gefaßt und womöglich erste Aphorismen notiert hatte. Für unwahrscheinlich jedoch halte ich Songs Vermutung, Brecht habe bereits 1927/28 ausgiebig die Schriften Mo Tis (so die übliche Schreibung für Me-ti) studiert und womöglich auch mit der Konzeption des *Me-ti* begonnen; die Nachweise, die Song führt, sind rein geistesgeschichtlicher Art und daher nicht genügend abgesichert (vgl. auch die Darstellung über Mo Ti und den Mohismus im entsprechenden Abschnitt hier; Song, 10–12; 220–230).

Ein Indiz, daß die erste große Arbeitsphase am *Me-ti* 1935 liegt, gibt die briefliche Anfrage Brechts an Helene Weigel während seiner Moskau-Reise, ob sie schon den Me-ti geholt habe, eine Anfrage, die sich nicht auf Brechts Buch, sondern auf seine Vorlage, nämlich die Ausgabe der Schriften Mo Tis durch Alfred Forke, bezieht; Helene Weigel hatte sie offensichtlich zum Buchbinder gebracht, was auf geplante Benutzung schließen läßt. Das muß nicht heißen, daß Brecht Mo Ti erst nach seiner Rückkehr aus Moskau (Juni 1935) kennengelernt hat, eine ausgiebigere Beschäftigung aber erst von da an anzunehmen, ist jedoch nach Lage der Auskünfte naheliegend. Weiteren Aufschluß gibt der Brief an Korsch, in dem es heißt: »Ich will das in chinesischem Stil geschriebene Büchlein mit Verhaltenslehren, von dem Sie ja einiges kennen, weiterschreiben, und bei der Durchsicht des Materials fielen mir wieder beiliegende Sätze in die Hand; sie sind so sehr nützlich, daß ich Sie um eine Fortsetzung bitten möchte« (Briefe, Nr. 304, S. 301). Dieser auf den Jahreswechsel 1936/37 etwa datierbare Brief besagt auch etwas über die Arbeitsweise des *Me-ti:* Brecht fordert Karl Korsch auf, die begonnenen Sätze einfach fortzusetzen. Es könnten montierte Sätze sein, »aus dem Zusammenhang gerissen, sporadisch«, bloße Skizzen, »ohne Gewähr, verantwortungslos in wissenschaftlichem Sinn« (ebd.). Schon bei der Entstehung setzte Brecht also um, was er an Empfehlungen im Buch formulierte, nämlich *in den Köpfen der anderen* zu denken und so also richtig zu denken (vgl. 20, 166).

Eine weitere Arbeitsphase ist im schwedischen Exil zu markieren. Dort dient der Mit-Emigrant Hermann Greid als Anreger. Greid, der als Schauspieler vor 1933 sich in der Arbeiterbewegung engagiert hatte, setzte seine Sympathie-Bekundungen im Exil u. a. dadurch fort, daß er eine »marxistische Ethik« (»ein buch über dialektik und – optimismus«) schrieb, das Brecht außerordentlich herausforderte: »ins denken gefallener kleinbürger mit ethischen interessen. [...] will an ethische bedürfnisse anknüpfen. ›diesen leuten etwas geben.‹ seitenlange engels-zitate. ›wo ist das positive des marxismus?‹ es wird im ethischen gesucht. [...] für das buch der wendungen allerhand material« (AJ 51; vom 25.5.1939).

Unterm Datum vom 17.10.1940 erwähnt Brecht Lenins Gleichnis vom Besteigen hoher Berge, das er als Beispiel für eine realistische Verwendung der Parabelform lobt und eine große

Wertschätzung Lenins zeigt (vgl. auch AJ 142; vom 4.8.1940). Daß die Abschrift der Parabel fürs *Me-ti* (12, 425–428) gedacht war, ist wahrscheinlich.

Weitere Anhaltspunkte auf die Entstehungszeit geben einige der Texte selbst, so daß auch für die Jahre 1941 und 1942 weitere Aufzeichnungen gut belegbar sind. Der Aphorismus *Me-ti über das Prinzip des friedlichen Kämpfens* läßt sich auf die »Neutralitätshaltung« der Sowjetunion sowohl im fernen Osten als auch zu Beginn im Westen beziehen, wobei mit »Ma« Amerika und mit »Ta« Japan gemeint sein müßten, deren Auseinandersetzung im Dezember 1941 begonnen hat. Eindeutiger noch als diese Passage (12, 510) lassen sich die Aphorismen *Mi-en-lehs Stimme* (12, 465) und *Volk und Regime im Krieg* (12, 545 f.) auf Zeitereignisse beziehen. Im ersten Aphorismus ist vom Überfall auf die Sowjetunion durch Nazideutschland die Rede (ab 22. 6. 1941) und vom Vertrag mit den USA über Lieferung von Kriegsmaterial an die Sowjetunion, der am 30.7.1941 – für Brecht im »Geiste Lenins« – abgeschlossen worden ist. Der zweite Aphorismus verarbeitet die Ereignisse von Dünkirchen am 20.5.1940, als es den englischen und französischen Truppen mit Hilfe der Bevölkerung gelang, das Festland vor den deutschen Truppen zu verlassen, und zugleich ist der Kriegsbeginn gegen die Sowjetunion (Juni 1941) noch einmal wiederholt. Mit diesen eingebauten Zeitereignissen läßt sich relativ sicher belegen, daß Brecht Ende 1941, wahrscheinlich auch Anfang 1942 am *Me-ti* gearbeitet hat, wobei die Eintragung vom 1.2.1942 eine weitere Bestätigung gibt. Dort hat Brecht eine – an der chinesischen Lektüre geschulte – »soziale Schrift« entwickelt, die später in die *Flüchtlingsgespräche* eingehen sollte (14, 1510–1515); hier denkt er noch daran, daß »beratungen über eine schrift ein gutes kapitel« des *Me-ti* abgeben könnte (AJ 369).

Eine gewisse Sonderrolle spielen die *Geschichten von Lai-tu* (12, 570–585). Sie beziehen sich alle auf Ruth Berlau, mit der Brecht seit 1934 bekannt war. Ihre intimen Beziehungen können der Brechtschen Klatschgeschichte überlassen bleiben. Ein Teil von ihnen aber läßt sich objektivieren – wie sie insgesamt nicht privat gedacht sind – im Hinblick auf ihre Entstehungszeit: mit dem zweimal genannten Bürgerkrieg ist der spanische gemeint, an dem Ruth Berlau 1937 aktiv teilnahm und damit nicht nur Brechts tiefe Sorge herausforderte, sondern auch seinen Widerspruch aufdeckte, daß er zwar große Worte für die Teilnahme am Kampf machte, im Zweifelsfall aber lieber am Schreibtisch kämpfte (12, 576–580). Die letzte *Lai-tu-Geschichte* (*Streit mit Lai-tu*; 12, 584 f.) soll erst von 1950 stammen (vgl. Müller, 186).

Hans *Bunge*: Fragen Sie mehr über Brecht. Hanns Eisler im Gespräch. München 1972. – Yun-Yeop *Song*: Bertolt Brecht und die chinesische Philosophie. Bonn 1978. – Klaus-Detlef *Müller*: Brecht-Kommentar zur erzählenden Prosa. München 1980.

Texte, Ausgaben

Es gibt drei unterschiedliche Nachlaß-Ausgaben des *Me-ti*. Die erste Ausgabe besorgte 1965 Uwe Johnson innerhalb der Prosa-Ausgabe von Brechts Werk; die zweite stellte 1967 Klaus Völker für die *Werkausgabe* zusammen, und eine dritte Ausgabe mit völliger Neuanordnung der Aphorismen gab 1975 Werner Mittenzwei im Aufbau-Verlag heraus.

Johnsons Ausgabe (1965): Johnson hielt sich – als erster Herausgeber sinnvollerweise – an die Ordnung des Materials, die der Nachlaß aufwies. Im Zentrum stand dabei die Mappe 136 des Bertolt-Brecht-Archivs, die den maschinenschriftlichen Titel *Buch der Wendungen* aufweist und sich gegenüber den übrigen Mappen des *Me-ti*-Materials, das sind die Mappen 129–134, wie eine Abschrift verhält. Wenn ihr Inhalt auch keineswegs vollständig ist, keine Zeichen von Brechts Durchsicht aufweist, so lassen sich doch für die meisten Texte der Mappe Entsprechungen in den anderen Mappen finden (von 64 Texten 44), zum Teil auch doppelte, zum Teil geringfügig abweichende (15 weitere Entsprechungen). Sie zur Grundlage der Ausgabe zu machen, lag daher nahe, zumal sich auch das – unvollständige – Personenverzeichnis in der Mappe befindet. Johnson entschloß sich daher, die Texte der Mappe 136 (Prosa 5, S. 7–65) voranzustellen, dann die (abgeschlossenen) Texte der übrigen Mappen 129–134 anzufügen, soweit sie nicht als Abschriften der Mappe 136 schon im ersten Teil berücksichtigt sind (Ausnahmen s. Johnsons Nachwort; Prosa 5, S. 199 f.). Den Abschluß bilden Texte, die sich vereinzelt in anderen Mappen finden, aber eindeutig in den Zusammenhang des *Me-ti* gehören.

Völkers Ausgabe (1967): Für die *Werkausgabe* stellte Klaus Völker einen Teil der Texte neu zusammen, hielt sich insgesamt aber an Johnsons Vorbild. Völker begründet sein Vorgehen mit der zufälligen, nicht auf Brecht zurückführbaren Anordnung der Texte in den Archiv-Mappen. So scheidet er textkritisch die im Material vorhandenen Gedichte dann aus, wenn sie nicht eindeutig durch einen überleitenden Text (z. B. »Me-ti sagte«) mit dem *Buch der Wendungen* verbunden sind; ebenfalls eindeutig in andere Zusammenhänge gehörige Texte (*Keuner-Geschichten, Tui-Roman*) sind herausgenommen und jeweils neu zugeordnet. Überdies ist Völker der Meinung, daß die *Lai-tu-Geschichten* keinen direkten Bezug zum *Me-ti* haben und also gesondert angeordnet gehören, so daß er alle auf Ruth Berlau bezogenen Geschichten am Ende separat zusammenstellt (12, 570–585). Ansonsten aber ist Johnsons Aufteilungsprinzip beibehalten.

Mittenzweis Ausgabe (1975): Die Gründe, die Völker bewogen haben, wenigstens teilweise die Anordnung der Mappen zu verlassen und die Tatsache, daß die wichtigste Mappe (136) nur ein Drittel des gesamten Texts aufweist, veranlaßten Werner Mittenzwei zu einer völligen Neuordnung des Materials: »Eine neue Edition mußte die innere Ordnung und das kompositorische Prinzip des gesamten ›Me-ti‹-Komplexes herausarbeiten und die Denkkultur sinnfällig machen, die in diesem Buch demonstriert wird« (Nachwort, Ausgabe Mittenzwei, 236). Mittenzwei sieht sein Vorgehen dadurch gerechtfertigt, als sich zwischen »einigen« *Me-ti*-Kapiteln die Vermerke »Buch der Eigenschaften« (BBA 134/03 = Nr. 12639, Bd. 3, S. 129) und »Buch der Erfahrungen« (BBA 1334/145 = Nr. 12835, Bd. 3, S. 149; bei Mittenzwei heißt es falsch BBA 134/145; s. d. 237) gefunden hätten; sie wertet Mittenzwei als Indiz dafür, daß Brecht offenbar eine Anordnung des *Buchs der Wendungen* in weitere *Bücher* vorgehabt habe. Entsprechend ordnet er nun das vorgefundene Material in fünf »Bücher«, die die »fünf großen Stoff- und Denkkomplexe des Werkes umschreiben. Sie verdeutlichen die Denkweise des Dichters und markieren die großen weltanschaulichen Kategorien, mit denen sich Brecht seit Ende der zwanziger Jahre beschäftigte« (Mittenzwei, 237):

Die einzelnen Bücher stehen in unmittelbarem Zusammenhang. Die »Große Methode«[= 1. Buch] entwickelte sich aus den Erfahrungen und den Kämpfen der Klassengesellschaft [= 2. Buch, *Buch der Erfahrungen*]. Diese Methode wird mit dem Ziel angewandt, das System der »Unordnung« zu stürzen [= 3. Buch, *Buch über die Unordnung*]. Das »Buch der Umwälzung« [= 4. Buch] wiederum geht auf die Bedingungen und die Haltung im revolutionären Kampf ein, der die »Große Ordnung«[= 5. Buch] auf dieser Welt herbeiführen soll, die für Brecht die »Große Produktion«, die voll entfaltete Produktivität des Menschen bedeutet. (Mittenzwei, 237)

Mittenzweis Ausgabe erscheint auf den ersten Blick einleuchtend, da sie, wie Müller bemerkt, den »literarischen Charakter« des Werks betont und Strukturen sichtbar macht (Müller, 187). Zugleich aber verweist Müller auch darauf, daß eine Systematik der Anordnung entsteht, die sonst gar nicht Brechts Vorgehen entspricht, ein Argument, das sich insofern noch verschärfen läßt, als Mittenzwei durch seine Anordnung dem Werk eine sehr eindeutige, recht widerspruchslose und zu einfache »Entwicklung« und Tendenz verleiht, so als ob das Ziel schon erreicht wäre, wo doch nicht nur die Entstehungszeit auf die Schwierigkeiten, die »Große Ordnung« zu verwirklichen, verweist, sondern auch inhaltlich das Widerspruchsdenken im Vordergrund steht, und zwar auch dort, wo es um den Aufbau der »Großen Ordnung« geht. – Auch die Vielfalt der Formen, der aphoristische Charakter des Werks – sowie die Empfehlung, Zusammenhänge zu zerreißen, *nicht denkend* zu ordnen – sprechen gegen eine solche Strukturierung.

Hinzu kommt, daß der eine Beleg mit Brechts Notierung »Buch der Erfahrungen« nicht geltend zu machen ist, da er sich eindeutig auf den Gesamttitel des *Me-ti* bezieht: »Im Exil in einem halbfaschistischen Land schrieb Bertolt Brecht ein ›Buch der Erfahrungen‹[,] aus dem folgende Geschichte stammt. Sie ist zur Verhüllung der Verfasserschaft so geschrieben [,] als stamme sie von einem alten chinesischen Historiker« (zitiert nach Tatlow, 411 f.). Die verbleibende zweite Belegstelle für eine »Bücher«-Anordnung des Gesamtwerks ist dann recht schwach.

Und schließlich spricht noch gegen Mittenzweis Ausgabe – ganz abgesehen davon, daß sie allen bewährten textkritischen Prinzipien nicht folgt –, daß er mit dem vorliegenden Material so umgeht, als ob es insgesamt doch ein »Ganzes« – mit »innerer Ordnung« und »kompositorischem Prinzip« – ergäbe, was ja gerade nicht der Fall ist. Jede Neuordnung des Materials *muß* Spekulation bleiben – wie jede Übernahme der Anordnung des Archivs mit dem Bewußtsein zu geschehen hat, daß auch sie nicht auf den Autorwillen zurückführbar, also möglicherweise zufällig ist.

Texte: Me-ti. Buch der Wendungen. Fragment. In: Prosa, Band 5. Frankfurt a. M. 1965 (mit alphabetischem Register, S. 204–211). – wa 12, 417–585 (Me-ti/Buch der Wendungen). – Me-ti. Buch der Wendungen. Prosa, Band 4. Berlin und

Weimar 1975 (Nachwort von Werner *Mittenzwei*, S. 235–239).

Antony *Tatlow*: The Mask of Evil. Brecht's Response to the Poetry, Theatre and Thought of China and Japan. A Comparative and Critical Evaluation. Bern, Frankfurt a. M., Las Vegas 1977. – Klaus-Detlef *Müller* (s. o.; S. 186–189).

Die Vorlage: Schriften des Mo Ti

Brecht lernte Mo Ti durch die 1922 erschienene Übersetzung der Schriften des »Sozialethikers und seiner Schüler« von Alfred Forke kennen, der auch die für Brecht maßgeblich gewordene Schreibweise des chinesischen Namens »Mê Ti« aufweist. Wann Brecht den Band erwarb, ist unklar; überliefert ist jedoch, daß er ihn 1935 während seiner Moskau-Reise in Leder binden ließ und ihn als einen seiner bibliophilen Schätze im Exil mitführte (vgl. AJ 73; vom 8. 12. 1939).

Mo Tis Person

Die Kenntnisse über Mo Ti dürfte Brecht hauptsächlich der Darstellung Forkes in seiner Ausgabe zu verdanken haben (vgl. vor allem Forke, S. 25–39). Danach hat Mo Ti 480–400 v. Chr. ungefähr gelebt (möglicherweise auch noch bis ins 4. Jahrhundert hinein, wobei das Geburtsdatum um 20–25 Jahre später anzusetzen ist). Überliefert ist aus seinem Leben wenig, wohl aber eine Begegnung mit dem König Hui von Tschu (487–430), dem Mo Ti um 438 eine Denkschrift überreicht hat, die der König jedoch – es handelt sich offenbar um Reformvorschläge für die Staatsführung – wegen seines hohen Alters nicht annimmt. Huis Angebot, Hofphilosoph zu werden, lehnt hingegen Mo Ti ab, weil er fürchtet, so seine Vorstellungen nicht realisieren zu können. Er will nicht seine Grundsätze »wie Reis« verkaufen (vgl. Forke, 31). Am Lebensende ist weiterhin von einer Unterredung des Mo Ti mit dem Usurpator Tien Ho überliefert, dem Mo Ti gesagt habe, wer die Völker niederschlachte, der müsse auch den Fluch der Geister (Götter) auf sich nehmen.

Weiterhin ist bekannt, daß Mo Ti wohl aus der Provinz Sung gebürtig und dort eine längere Zeit Beamter gewesen ist; danach soll er vor allem in der Provinz Lu gewohnt haben und dort als Privatlehrer tätig gewesen sein. Über seine Herkunft sagt Forke wenig.

Brechts Anknüpfungspunkte mögen hauptsächlich darin gelegen haben, daß Mo Ti, der ein Menschenalter nach Konfutse lebte (551–479), einer der schärfsten Kritiker des Konfuzianismus gewesen ist, der sich als Staatsreligion durchzusetzen begann. Brechts Umgang mit Konfutse ist zwar widersprüchlich, in den späten dreißiger Jahren jedoch schält sich eine gewisse Negativ-Beurteilung Konfutses heraus, insofern er Brecht als abstrakter Sittenlehrer (Wortverdreher) erscheint (so im *Tui-Roman*; 12, 612, 682), als »Formalist« und als Lieferant der Ideologie, die der Staat gerade braucht – zu seinen Zwecken (vgl. vor allem das 1940–41 geplante Stück *Leben des Konfutse*, s. BH 1, 360–364). Mo Ti dagegen – und dies zeigt das gesamte Material – ist als positive, sozusagen »vorbildliche« Figur angelegt, wobei freilich – und dies sollte nicht unterschätzt werden – der *historische* Mo Ti nur ein Ausgangspunkt ist, Brecht ihm aber als historischer Person keineswegs gerecht wird: als solcher war Mo Ti ganz offenbar ein gerader, seine Prinzipien hartnäckig lebender Mensch, der sich auch dann nicht um die Realitäten kümmerte, wenn sie ihm und seiner Überzeugung gefährlich zu werden begannen (ganz anders beurteilt Brecht das realistische »Lavieren« Lenins). Der historische Mo Ti gewinnt für Brecht *seine Relevanz aus seinem Gegensatz zu Konfutse* und zum Konfuzianismus. Mo Ti ließ sich nicht »kaufen«, er wehrte sich gegen die naheliegende Tui-Rolle, und er vertrat Ansichten, die, wenngleich auch nicht gerade realitätsnah, sich vor allem dadurch auszeichnen, daß sie nicht vom einzelnen, sondern vom Zusammenleben, dem sozialen Verbund ausgehen. Er vertrat die gleichmäßige Verteilung der Güter – gegen überflüssigen Luxus –, richtete sich gegen transzendente Vorbestimmungen und setzte sich entschieden gegen den Krieg ein. Müller betont: »Von grundsätzlicher Bedeutung ist der unmittelbare, sozialpolitische Praxis-Bezug des Mehismus. Ethik ist hier eine praktische Verhaltenslehre, die sich auf die Verwirklichung einer gerechten Ordnung bezieht, nicht auf eine individuelle Orientierung am Sittengesetz. Tugenden (soziale Verhaltensweisen, an erster Stelle Selbstlosigkeit) hält Mo-tzu für erlernbar: das ist zugleich die Voraussetzung seiner praktischen Philosophie« (Müller, 202). Aber auch hier ergeben sich lediglich Anknüpfungspunkte, keine »Übereinstimmung« oder »geistige Abhängigkeit« – wie immer. Der Me-ti Brechts wendet sich gegen jede Ethik, weil jede Ethik, auch wenn sie sozial begründet ist, ideale Vorstellungen »verwirklichen« will, wohingegen Me-tis Bemühen darum geht, die Verhältnisse so zu ordnen, daß solche »Ideale« unnütz sind; oder anders gesagt: Brechts »Verhaltenslehre« orientiert sich an der Wirklichkeit menschlichen Zusammenlebens und nicht an wie immer gut gemeinten Vorstellungen vom menschlichen Zusammenleben. Das schließt auch aus, über die Jahrtausende hinweg, »geistige« Zusammenhänge zwischen Brecht und Mo Ti zu konstruieren. Brecht wiederholt nicht die alten Weisheiten, er verhüllt vielmehr die Verfasserschaft und gibt seinen Ausführungen das Aussehen von ehrwürdigem Alter und den Ausdruck großer Erfahrung. »Was so alt ist, wird noch lange halten« (Haug, 228).

Hinzu kommt, daß *Me-ti* ein »Zeit-Buch« ist, da es sich mit aktuellen Fragen der Zeit auseinandersetzt, also keine abstrakten, sondern konkrete, bestimmte »Verhaltenslehren« vermittelt. Mo Ti ist dabei nützlich als historischer »Beweis« für ähnliche, aber abstrakt gebliebene – womöglich gar nicht historisch so gemeinte – *praktische* Orientierung mit materialistischen Ansätzen, die als positiver, aber zu aktualisierender Ausgangs- und Bezugspunkt zu wählen waren, und zwar diesmal positiv im Gegensatz zum *Tui*-Komplex, der das negative, anpasserische Verhalten im Hinblick auf Weimarer Republik und Faschismus ebenfalls im chinesischen Gewand satirisch beschreibt. Insofern ließe sich *Me-ti* als »positiver Tui-Roman« beschreiben.

Exemplarischer Vergleich mit der Vorlage

Die von Forke unter dem Titel *Mê Ti des Sozialethikers und seiner Schüler philosophische Werke* zusammengestellten Texte, in 15 Büchern angeordnet, aufgeteilt auf 71 Kapitel, fügen Texte aus einem längeren, rund 200 Jahre umfassenden Zeitraum zusammen, die sich auf Mo Ti z.T. selbst zurückführen lassen, dann aber nicht nur auch von seinen Schülern, sondern auch von seinen späteren Anhängern, den Mohisten, stammen. Es liegt mit »Mo Ti« der übliche Fall altgeschichtlicher Überlieferung vor, daß die ohnehin auch nur unvollständig überlieferten Texte der gesamten Schule unter dem Namen des Meisters kompiliert und »personalisiert« werden (Mo Ti bzw. Mo-tzu heißt dabei nichts anderes als »Meister Mo«).

Von den 71 Kapiteln des *Mo Ti* sind lediglich 53 erhalten; Forke hat sie in 15 Bücher aufgeteilt, die vier Gruppen bilden, und zwar 1. Systematik, 2. Dialektik (Argumentationslehre), 3. Gespräche (zwischen Mo Ti und seinen Schülern) und 4. Kriegstechnik (eigentlich Verteidigungslehre). Alle Texte sind von Forke ausführlich kommentiert, wobei sowohl seine Übersetzung, als auch sein Kommentar in der neueren Forschung (Joachim Schickel) als miserabel gelten. Brechts Exemplar weist intensivere Lese- und Anstreichspuren, vor allem im 2. Abschnitt *Dialektik* (= Kapitel 40–45), auf; sicher ist, daß er auch die *Gespräche* (= Kapitel 46–51; Kapitel 51 ist nicht erhalten) konsultiert und womöglich auch – dann aber vor allem in den *Keuner-Geschichten* – übernommen hat.

Obwohl eine eingehende Studie, die *Mo Ti* und *Me-ti* systematisch vergleicht, noch fehlt, kann nach den bisherigen sporadischen, inzwischen aber sich häufenden Hinweisen der Forschung (Tatlow, Schmidt-Glinzer, Song) als erwiesen gelten, daß es nur wenige und wenn, dann nur stark veränderte Korrespondenzen zwischen beiden Werken gibt. Die »Übereinstimmungen«, die nach diesem Befund noch konstatiert werden, verdanken sich durchweg geistesgeschichtlicher Korrespondenzen, die im Fall Brechts keine Gültigkeit beanspruchen können. Das soll im folgenden an zwei Beispielen erwiesen werden.

Brecht schreibt über die »kleinste Einheit«:

> Kung [Konfutse] verwies auf die Familie. Me-ti sagte: Das mag in alter Zeit gegolten haben. Die Familien verteidigten ihr Besitztum gegeneinander. Wo ist heute solch ein Besitztum? Der Vater hatte alle Erfahrung, denn nur er entschied. Heute hat er nur die Wunden empfangen, hat also nur Narben, und die haben die Jüngeren auch. Sie werden ebenso geschlagen wie der Vater, aber an anderen Orten, denn sie arbeiten außerhalb des väterlichen Hauses. Früher wußte der Vater Abhilfe. Heute weiß er keine mehr.
>
> Me-ti lehrte von der kleinsten Einheit: Sie entsteht, wo gearbeitet wird, oder wo nach Arbeit gefragt wird. Sie legt alle Erfahrungen mit der Umwelt in einen Topf. Sie ist klüger als alle ihre Mitglieder. Der Verein besteht nicht aus Einzelnen, sondern aus kleinsten Einheiten. [...]
>
> Kung sagte: Die Familie ist nicht zufällig. Die andern Verbände sind zufällig. Me-ti sagte: Das mag für alte Zeiten gegolten haben. Ist es heute nicht zufällig, welche Frau welchen Mann wählt, um Kinder zu haben? Wenn es nicht zufällig ist, dann nur, weil es Verbände gibt, innerhalb derer die Männer und Frauen sich gesellen. [...] (12, 453)

Der Bezug zu Mo Ti ergibt sich aus folgendem, von Brecht mit der Anmerkung »gegen die Familie« versehenen Spruch Mo Tis: »Man liebt die Eltern seiner Nächsten wie die eigenen«. Forke kommentiert ihn: »Der Ausspruch ist ganz unkonfuzianisch und für Mehisten charakteristisch« (Forke, 526). Einmal ganz davon abgesehen, daß Mo Ti gar nicht gegen die Familie eingestellt war und sein konnte, weil die »Abschaffung« der Familie als »Einheit« völlig illusorisch und politisch nicht durchsetzbar gewesen wäre, ergibt sich beim Vergleich beider Texte allenfalls eine höchst vage Übereinstimmung. Aber auch Mo Tis Spruch läßt sich konkretisieren, und zwar über seinen eigenen Text, wenn er argumentiert:

Der Meister Mê-tse sagte: Wir wollen der Sache auf den Grund gehen, daß ein kindlicher Sohn auf das Wohl seiner Eltern bedacht ist. Wenn ein kindlicher Sohn auf das Wohl seiner Eltern bedacht ist, wünscht er, daß auch andere Menschen seine Eltern lieben und fördern, oder wünscht er, daß jene sie hassen und schädigen? Nach dem Gesagten zu urteilen, wünscht er jedenfalls die Liebe und Unterstützung der andern für seine Eltern. [...] Ich muß [...] mich zunächst um die Liebe und Förderung der Eltern anderer bemühen, bevor jene mir damit vergelten, daß sie auch meine Eltern lieben und unterstützen. (Forke, 262 f.)

Die Argumentation Mo Tis ist recht weitgehend, weil sie von den unmittelbaren Beziehungen und Interessen weggehen und auf die allgemeinen Zusammenhänge verweisen, wobei der Gedanke des notwendigen »Ausgleichs« von Liebe und Gegenliebe die Grundlage der Argumentation bildet: wenn man sich um die anderen bemüht, so kommt dies den eigenen Interessen entgegen und macht ihre Erfüllung auf friedliche Weise möglich. Der Primat des Allgemeinen, wobei Mo Ti stets ans Gesamtwohl des Staats, dessen soziale und politische wie ökonomische Differenzen nirgends angetastet werden, denkt, ist ein wichtiger und weiterweisender Gedanke; jedoch bleibt er ganz in der idealistischen Argumentation einer ethischen Handlungsanweisung verhaftet, und er dient ganz der Aufrechterhaltung und Pazifizierung der Familie. Die Zustände, nämlich der sich ausbreitende Familien-Egoismus, der Kampf der Geschlechter *gegeneinander*, die mangelnde »Nachbarschaftshilfe« etc. gehen in den Gedanken gerade nicht ein. Der Vergleich zwischen den »ältesten Zeiten« und heute, eine Argumentationsfigur, die Brecht ebenfalls von Mo Ti übernimmt (vgl. z. B. Forke, 180 f., 184 u. ö.), gilt nicht der historischen Differenzierung und dem Markieren historischer Veränderung: Mo Ti will den »Ausgleich«, die Wiederherstellung der alten Zustände, die als idyllisch erscheinen, unter den neuen Umständen. In bezug auf die »Einheit« der Familie heißt dies: da sie inzwischen in einem umfassenderen Verband organisiert ist (Staat), soll ihre Integration durch die »einigende Liebe« – verstanden als »allumfassende Liebe« – aller Staatsmitglieder gewährleistet sein. Diese »Einigung« als das »Prinzip der heiligen Könige« propagiert Mo Ti als die wesentliche Aufgabe der Herrscher und Edlen (Forke, 265).

Schon die Art der Argumentation bei Brecht ist völlig anders. Er postuliert nicht, er beruft auch nicht alte Zeiten (als Vorbild), er beschreibt, was ist. Es geht folglich nicht um einen Meinungsstreit, sondern um die adäquate Erfassung dessen, was wirklich gilt. Der Me-ti Brechts muß gar nicht antikonfuzianistisch sein, weil es darauf nicht ankommt; Konfutse kann sogar recht haben, aber nur für die »alten Zeiten«: seine Ansicht erweist sich als historisch überholt. Damit aber hat Brecht auch gleich die historische Differenzierung eingeführt, die es gar nicht mehr zuläßt, abstrakte Maximen wie »gegen die Familie« miteinander zu vergleichen. Brechts Me-ti ist nicht gegen die Familie, sondern die Wirklichkeit ist gegen die Familie, und zwar die *seiner* Zeit, und nur insofern ist auch Me-ti gegen die Familie (heute). Das läßt sich konkretisieren. Solange die Familie als Produktionsverband zusammengeschlossen war und eine gemeinsame Aufgabe erfüllte (»Großfamilie«), bildete sie eine sinnvolle »kleinste Einheit« und war gerechtfertigt. Die »neue« Zeit, das heißt spätestens seit Ende des 19. Jahrhunderts, ist von der »Vaterlosigkeit« ebenso geprägt wie von der »Söhnelosigkeit«, sobald sie arbeitsfähiges Alter haben. Der Grund: die Arbeit geschieht nicht mehr in der Familie, sondern außerhalb von ihr, weil die, die den Lebensunterhalt der Familie verdienen, in der Fabrik, im Betrieb etc. arbeiten (müssen). Unter den ökonomischen Bedingungen der fortgeschrittenen Industriegesellschaft löst sich die »kleinste Einheit«, die Familie, auf. Ihr Zusammenhalt ist nurmehr – weitgehend – über die Konsumtion (Reproduktion) gegeben, ein Zusammenhalt, der zunehmend lockerer und äußerlicher geworden ist (Brecht berücksichtigt an dieser Stelle noch nicht die sich seit dem 1. Weltkrieg ausbreitende Frauenarbeit, die auch noch die Mutter und die Töchter »außer Haus« führt). Bei aller relativen Abstraktheit der Formulierungen Brechts ist diese nur kurz skizzierte historische Entwicklung der Familie mit der Auflösung ihrer patriarchalischen Struktur gut erkennbar, eine Entwicklung, die nach Brecht danach drängt, zu neuen »kleinsten Einheiten« zu gelangen. Wenn die Familie durch die gesellschaftliche Entwicklung nur noch ein lockerer, weitgehend auf dem Zufall (Partnerwahl) beruhender Verband ist, ist die Suche nach den nun wirksamen Einheiten notwendig, vor allem dann, wenn es um die Wahrnehmung der Interessen geht. Dafür müssen – so Me-tis Argumentation – die verschiedensten Erfahrungen »zusammengelegt« werden, und dies habe da zu geschehen, wo gearbeitet wird: da dies primär nicht mehr die Familie ist, treten also die Interessenverbände der Produzierenden, der Arbeiter an die Stelle der »kleinsten Einheit«, die Belegschaft eines Betriebs, die »Brigade«, in der man arbeitet etc. Und diese Einheiten lassen sich dann wieder über den »Verein« organisieren, und »Verein« steht im *Me-ti* für die kommunistische Partei (in erster Linie die sowjetische), so daß also Me-tis Ausführungen erkennbare konkrete Bezüge zur Zeit und zur Organisation der Arbeiter aufweisen, die Brechts Text einen völlig anderen Charakter geben, als ihn die »Vorlage« des Mo Ti zeigt.

Ein zweites Beispiel, das noch weitergehende Übereinstimmungen zwischen Mo Ti und *Me-ti* zu haben scheint, läßt sich ebenfalls differenzieren. Ich stelle beide Texte zusammen:

Der Meister *Mê-tse* sagte: »Worte, welche sich in die Tat umsetzen lassen, mag man beständig im Munde führen, wenn sie sich aber nicht ausführen lassen, so soll man sie nicht immer wiederbringen, denn wenn man von dem, was sich nicht ausführen läßt, immer wieder redet, so ist das eitles Geschwätz.« (Forke, 544)

Schlechte Gewohnheiten
Gehen nach Orten, die durch Gehen nicht erreicht werden können, muß man sich abgewöhnen. Reden über Angelegenheiten, die durch Reden nicht entschieden werden können, muß man sich abgewöhnen. Denken über Probleme, die durch Denken nicht gelöst werden können, muß man sich abgewöhnen, sagte Me-ti. (12, 514)

Ein europäischer Leser, der den Bezug zur chinesischen Quelle nicht kennte, dächte bei Brechts Ausführungen wahrscheinlich zuerst an Ludwig Wittgensteins berühmten Schlußsatz des *Tractatus logico-philosophicus*: »Wovon man nicht sprechen kann, darüber muß man schweigen« (Nr. 7). Wittgenstein aber hat mehr mit der chinesischen Fassung des Mo Ti zu tun als mit Brecht. Beide nämlich bleiben ganz aufs Sprachliche fixiert, gehen von der Sprache und dem in Sprache Formulierbaren aus und empfehlen im Zweifelsfalle statt des Geschwätzes das Schweigen, Brecht dagegen argumentiert stets mit der »gesprochenen Sache«, die womöglich in der Sprache nicht zu bewältigen ist: das empfohlene Schweigen aber ist hier nicht das Ende, sondern nur ein Beginn, nämlich der Beginn von Aktion. Was in der Sprache nicht erledigt werden kann, das muß man – so Brechts Me-ti – eben tun. Dieser Deutung entspricht die gesamte Argumentation des *Me-ti*, die das Sprechen und Denken nur als Voraussetzung, als überwindbare und aufzuhebende Voraussetzung für die (revolutionäre) Aktion verstehen und ihren Selbstzweck leugnen. Während Wittgenstein und in ähnlicher Weise auch Mo Ti das Schweigen deshalb empfehlen, weil sie meinen, daß das, was nicht zur Sprache kommt, auch gar nicht »da« ist, versteht Brechts Me-ti die Sprache und »ihre Abbilder« als gegenüber der zu »sagenden« Wirklichkeit defizitär und sekundär. Da die Sprache die Wirklichkeit gar nicht ganz zu erfassen vermag, geraten Denken und Sprechen immer wieder an die Grenzen, wo sie sich in Aktion aufheben müssen, wenn sie »bei der Wirklichkeit bleiben« wollen. Diese Auffassung aber entspricht der marxistischen Überzeugung, daß die Philosophie nicht mehr »interpretieren« dürfe, sondern daß es darauf ankäme, die Welt zu verändern (11. These über Feuerbach; MEW 3, S. 7).

Text: Mê Ti des Sozialethikers und seiner Schüler philosophische Werke zum ersten Male vollständig übersetzt, mit ausführlicher Einleitung, erläuternden und textkritischen Erklärungen versehen von Alfred *Forke*. Berlin 1922 (= Mitteilungen des Seminars für Orientalische Sprache an der Friedrich-Wilhelms-Universität zu Berlin. Beiband zum Jahrgang 23/24). (Forkes Übersetzung ist nach wie vor die einzige vollständige Übersetzung, gilt aber weder als besonders »chinesisch« noch in ihren Kommentaren als korrekt). – *Mo Ti.* Solidarität und allgemeine Menschenliebe. Übersetzt und hrg. von Helwig *Schmidt-Glintzer.* Düsseldorf, Köln 1975 (darin: Einleitung, S. 7–55, mit ausführlicher Darstellung von Mo Tis Person, Schriften und Wirken). – *Mo Ti.* Gegen den Krieg. Übersetzt und hrg. von Helwig *Schmidt-Glintzer.* Düsseldorf Köln 1975 (darin: Helwig *Schmidt-Glintzer*: Mo Ti und Bertolt Brechts »Buch der Wendungen«, S. 154–197).

Joachim *Schickel*: Große Mauer, Große Methode. Annäherungen an China. Frankfurt a. M. 1976 (darin: Dialektik in China. Me-ti, Bertolt Brecht und die Große Methode, S. 150–162; Mo Ti. Der Spiegel und das Licht, S. 300–310).

Wolfgang Fritz *Haug*: Nützliche Lehren aus Brechts »Buch der Wendungen«. In: W'F'H': Bestimmte Negation. Frankfurt a. M. 1973, S. 70–93. – Antony *Tatlow* (s. o.; S. 410–424). – Yun-Yeop *Song* (s. o.; S. 194–230). – Klaus-Detlef *Müller* (s. o.; S. 198–204).

Vorbild des »I Ging«

Der zweite Titel des *Me-ti, Buch der Wendungen*, pflegt nicht auf Mo Ti, sondern auf das *I-Ging* (auch: *I-ching*), zu deutsch »Buch der Wandlungen«, zurückgeführt zu werden. Das *I-Ging*, das zu den wichtigsten Büchern der Weltliteratur zählt, ist das erste der fünf kanonischen Bücher des Konfuzianismus; es geht womöglich bis ins 7. vorchristliche Jahrhundert zurück, seine schriftliche Fixierung stammt aus dem 2. und 1. Jahrhundert v. Chr. Seine Besonderheit besteht darin, daß es aus »Hexagrammen« (sechs durchgehende oder gebrochene Linien mit allen möglichen Varianten der Anordnung) aufgebaut ist, die mit Erläuterungen und z. T. sehr rätselhaften Sprüchen versehen sind (64 Konfigurationen).

Brechts *Me-ti* weist keinerlei inhaltliche Korrespondenzen zum *I-Ging* auf, wie auch der Begriff »Wandlungen« – im Sinn von Gestaltwandel und -vielfalt im Chinesischen – mit dem der »Wendungen« bei Brecht – im Sinn von historischer Veränderung und Veränderbarkeit – wenig Gemeinsamkeit hat. Dennoch hat Brecht damit rechnen müssen, daß mit seinem Untertitel der bekannte alte chinesische Titel assoziiert wird, so daß auch hier wieder vor allem die Absicherung durchs Altehrwürdige und »Haltbare« im Vordergrund der Titelgebung gestanden haben dürfte. Dennoch gibt es auch eine bisher nicht mit dem *Me-ti* in Zusammenhang gebrachte Übereinstimmung zwischen *I-Ging* und Entwürfen zum *Buch der Wendungen*, und zwar durch die bereits zitierten Entwürfe zu einer Bildersprache, die dann in die *Flüchtlingsgespräche* eingegangen ist (AJ 369; vom 1.2.1942). Diese Bildersprache sollte ein Kapitel des *Me-ti* ausmachen, so daß dann – wäre der Plan verwirklicht worden – auch das *I-Ging* sich inhaltlich niedergeschlagen hätte; denn die Entwürfe einfacher Zeichen mit relativ komplexer Bedeutung, wie sie Brecht als »Ziffel- und Kalleschrift« vorgesehen hatte, gehen mit großer Sicherheit auf das Aufbau-Prinzip des *I-Ging* zurück.

Brechts *Vorrede* zum *Me-ti*, die die Verbindung zum Chinesischen herstellt, ist pseudowissenschaftlich; sie suggeriert, als stellte der Brechtsche Text lediglich eine Übersetzung eines überlieferten *Buchs der Wendungen* dar – mit einigen Anreicherungen aus neuerer Zeit (im alten Stil). Der genannte Übersetzer Charles Stephen gehört ebenfalls zur Fiktion.

I. Ging. Das Buch der Wandlungen. Übertragen und erläutert von Richard *Wilhelm*. Düsseldorf, Köln 1956 (zuerst 1924; es handelt sich um die von Brecht benutzte Übersetzung).

Lenin

Werner Mittenzwei hat das *Me-ti* als »Brechts Lenin-Poem« bezeichnet: »Lenin ist die geistig alles überspannende Gestalt dieses Werkes. Er tritt nicht nur als weitaus bevorzugte Person in Erscheinung, am Beispiel seiner Denkweise demonstriert Brecht, wie die Wirklichkeit gemeistert werden kann« (Mittenzwei, 146). Diese Charakterisierung übertreibt nicht, wie es scheinen könnte, nach dem bisherigen Anteil, den die Brecht-Forschung Lenin in Brechts Werk zugebilligt hat. Mittenzweis Beschreibung untertreibt viel eher, wenn man seine zu starke Betonung des »Denkens«, des »Geistigen« beachtet: Lenin ist nicht nur als Denkender die zentrale Gestalt des *Me-ti*, sondern vor allem auch als *Handelnder*, als Revolutionär. *Me-ti* ist Brechts »positivstes« Werk, ein Entwurf zu revolutionärem Denken *und* Handeln, und zwar nach dem Vorbild der proletarischen Revolution in Rußland und des widerspruchsvollen und durch den Faschismus stark behinderten Aufbaus des Sozialismus in der Sowjetunion. Bis heute ist die Bedeutung Lenins als entscheidende historische Person für diesen Prozeß in Brechts Werk weitgehend unbekannt geblieben. Mittenzweis Hinweise auf Lenin erfolgten im Kontext der immer noch anhängigen »Korsch«-Kontroverse (s. u.) und ließen sich daher als übersteigerte Gegenargumente gegen Korschs Bedeutung als »Lehrer Brechts« bagatellisieren. Mit Roland Josts Arbeit über die Leninrezeption Brechts aber liegt eine erste umfassendere Arbeit vor, die die Rolle Lenins in ihrem bestimmenden Umfang für Brecht wenigstens so weit systematisiert hat, daß die Konsequenzen sichtbar werden.

Hinweise zu Lenin

Traditionell gilt Lenin der Brecht-Forschung als der »Dogmatiker« der Revolution, als der Organisator des »offiziellen KP-Kurses« und in Sachen Ästhetik als der verhängnisvolle Inaugurator der »mechanistischen« *Widerspiegelungstheorie*, deren »erkenntnistheoretische« Grundlage der unmittelbare Niederschlag des »Seins« aufs »Bewußtsein« bildet: und auch dies nur, wenn er überhaupt vorkommt, was selten genug ist. Genauer ließe sich sagen, daß Lenin (außer bei Mittenzwei und Jost) immer nur dann in der Brecht-Forschung vorkommt, wenn eigentlich von Karl Korsch die Rede ist. Bei Müller heißt es z. B. über die leninische »Widerspiegelung«:

> Nach dieser Theorie sind alle gesellschaftlichen und historischen Entwicklungen durch die gesetzmäßig sich vollziehenden Veränderungen der ökonomischen Verhältnisse bedingt. Die Erkenntnis ist nur die *nachträgliche* Widerspiegelung des Seins im Bewußtsein; das Bewußtsein hat nicht selbst direkt Anteil an den gesellschaftlichen Veränderungen. Die Dialektik wird nur als Dialektik der Materie verstanden.
> (Müller, 1972, 26)

Oder Brüggemann wirft Lenin vor, den dialektischen Materialismus »als eine bloße Anwendungsform und Spezifikation des allgemeinen, mechanischen Materialismus« begriffen zu haben, so daß der auch erkenntnistheoretisch relevante Begriff der Praxis, »in dem der subjektive Anteil an Objektivität reflektiert ist«, aus einem solchen Materialismus-Konzept herausfalle (Brüggemann, 119; vgl. 118–123). Als entscheidender Beweis gilt neben Lenins »Praxis« in der Sowjetunion selbst die von Lenin 1908 geschriebene Schrift *Materialismus und Empiriokritizismus*, die als das maßgebliche Dokument der Reduktion des ursprünglich kritischen, die Praxis einbeziehenden Materialismus auf den bloßen Abbildrealismus gedeutet wird.

Diese Umdeutung von Lenins Schrift ist inzwischen nicht mehr haltbar, wie sie übrigens auch eigentlich nie eine sachliche Begründung besessen hat. Lenin war sowohl ein nun wirklich ausgewiesener und – wie dokumentiert – eingehender Hegel-Kenner, dem solche Reduktion schon aufgrund der Hegelschen Dialektik kaum hätte unterlaufen können, auch war Lenin ein an Marx (und weniger Engels) geschulter Polemiker, der seine Selbstsicherheit und Argumente aus einem allerdings konsequenten materialistischen Standpunkt und genauer historischer Kenntnisse bezog: keine der einschlägigen Schriften Lenins enthält die reduktionistische Widerspiegelungstheorie.

Was *Materialismus und Empiriokritizismus* anbetrifft: Ihr historischer Anlaß war, eine notwendige Antwort auf die empiriokritischen Theorien vor allem von Ernst Mach (1838–1916) und Richard Avenarius (1843–1896) und ihrer Anhänger zu liefern. Avenarius entwickelte den »Empiriokritizismus« als Lehre der »reinen Erfahrung«, indem man die »Empfindungen« analysierte und als Träger der eigentlichen Erfahrungen charakterisierte, so daß Realität nur als »empfundener« Wirklichkeitscharakter zugestanden wurde: eine, von den Empfindungen unabhängige Realität bzw. ein unabhängiger »Inhalt« der Empfindungen wurde geleugnet. Wenn Lenin nun in seiner Schrift von 1908 gegen diese »Philosophie« als linken Revisionismus vorgeht, liegt es nahe, die *materialistischen Prinzipien im Gegensatz zum Empiriokritizismus* besonders zu betonen. Sie als absolute Aussagen zu isolieren und mit ihnen Lenins »mechanistischen Abbildrealismus« belegen zu wollen, ein solches Verfahren sieht nicht nur von den vielfachen Belegen einer ganz anderen Darstellung des Verhältnisses von »Sein« und »Bewußtsein« ab, sondern argumentiert wiederum *erkenntnistheoretisch*. Die Frage, ob der materialistische Standpunkt oder der idealistische *richtig* ist oder nicht, *kann erkenntnistheoretisch nicht entschieden werden*: alle die Antworten, die versucht worden sind (und werden) laufen auf einen Zirkelschluß hinaus, der beweist, was er schon vorausgesetzt hat. Für den Materialisten – und dies ist in diesem Zusammenhang entscheidend – gibt es nur ein »Beweis«-Mittel, die menschliche Geschichte nämlich. Sie realisiert sozusagen den »Materialismus«, und nur an ihr ist abzulesen, inwieweit die Standpunkte richtig oder falsch sind. Das bedeutet im Hinblick auf *Materialismus und Empiriokritizismus*: all die dort auftauchenden und einseitig »vulgärmaterialistisch« erscheinenden Formulierungen betonen lediglich den Primat des Materialismus gegen alle Versuche, den »Marxismus« als kritischen dadurch zu »retten«, indem man den »subjektiven Faktor«, die Rolle des Bewußtseins betont, die im Empiriokritizismus so stark geworden ist, daß dem Bewußtsein, hier als Empfindung«, eine, die Wirklichkeit konstituierende Rolle zugewiesen worden ist. Das aber hieß für Lenin die Abkehr vom Materialismus selbst. Daß dies Lenin alles bewußt gewesen ist, zeigt die Schrift selbst:

> Freilich ist auch der Gegensatz zwischen Materie und Bewußtsein nur innerhalb sehr beschränkter Grenzen von absoluter Bedeutung: im gegebenen Fall ausschließlich in den Grenzen der erkenntnistheoretischen Grundfrage, was als primär und was als sekundär anzuerkennen ist. Außerhalb dieser Grenzen ist die Relativität dieser Entgegensetzung unbestreitbar. (Lenin, Werke 14, 142f.)

Positiv ist Lenins »Widerspiegelungstheorie« andeutend folgendermaßen zu beschreiben (eine der grundsätzlicheren Stellen dazu findet sich u.a. übrigens auch in *Materialismus und Empiriokritizismus*; vgl. Lenin, Werke 14, 262). Sie setzt den »absoluten« Primat einer vom Menschen unabhängigen, ihm im ganzen Umfang auch unbekannten Wirklichkeit als Natur und als Geschichte, die sich gesetzmäßig entwickeln, wobei auch da die Unendlichkeit der Realität eine einfache, restlose, alle Komplexitäten ausschließende »Erfassung«, »Widerspiegelung«, ausschließt. Diese Realität ist insofern primär, als durch sie und von ihr abhängig Bewußtsein sich bildet, gemäß der marxistischen Grundüberzeugung, daß das Sein das Bewußtsein bestimmt und alles Bewußtsein sich als »bewußtgewordenes Sein«darstellt. Dieser »absolut« gesetzte Primat wehrt alle Versuche ab, die Möglichkeiten von Realitätskenntnissen »subjektiv« einzuschränken, etwa durch Kants Anschauungsformen, durch Sprachkritik, nach der die Sprache als »Mittel des Bewußtseins« immer schon daran hindere, das »Sein, wie es ist«, zu erfassen, oder durch Empfindungen, die als konstitutiv für Erfahrung von Realität gesetzt werden bis hin zu allen idealistischen Ansätzen, die die Ideen in der Realität sich verwirklichen sehen. Die bloß »abbildende« Rolle des Bewußtseins bezieht sich lediglich auf diesen grundlegenden materialistischen Aspekt, insofern es eben nicht konstitutiv für die unabhängige Realität werden kann.

Was den sogenannten »subjektiven Faktor« anbetrifft, so steckt er in der leninischen »Widerspiegelungstheorie« insofern immer schon darin, als das »Sein« immer nur in dem Maß bewußtes Sein ist, als es eben Bewußtsein geworden ist. Das heißt: alle Realitätskenntnis beruht auf der langen Reihe von Realitätsaneignungen durch die Menschen, die nicht passiv, sondern aktiv als praktische und theoretische Leistung erarbeitet worden sind. Insofern ist der Begriff der »Widerspiegelung« als Begriff unglücklich: er enthält nicht die aktive Rolle des Bewußtseins bei der Erarbeitung des Seins. Entscheidend aber ist: die Aktion des Bewußtseins geschieht nicht so, daß sie das »Sein« wie immer erst macht, sondern so, daß es – ist es »richtiges« Bewußtsein – seine Möglichkeiten aus dem realen Prozeß entnimmt, zugleich dann aber auch auf ihn anwendet. Dabei stellen das Entnehmen und das Anwenden in der Regel Aktionen dar, und zwar insofern die Realität als »Ganzes« gar nicht bewußtseinsfähig ist (sie hinterläßt nur chaotische Eindrücke), aus ihr also zweckmäßig ausgewählt und von ihr isoliert sein muß, will man überhaupt etwas von ihr erfahren (in den Naturwissenschaften ist dies das Experiment; in den Gesellschaftswissenschaften die Isolierung dominanter Prozesse oder auch »Ideen«); haben sich die dermaßen ausgewählten und isolierten realen Prozesse (in der sehr wohl von Menschen geschaffenen Anordnung) bewährt, dann lassen sie sich auf die Natur und auf die Gesellschaft selbst anwenden (obwohl aus ihnen bezogen), und mit diesem Schritt ist dann die natur- und gesellschaftsverändernde Tätigkeit des Menschen angesprochen.

Diesen Aneignungs- und Anwendungsprozeß hat Lenin als einen Annäherungsprozeß an »die« Realität – ohne sie je »selbst« haben zu können – gekennzeichnet. Dieser Prozeß des »bewußtwerdenden Seins« der auch eine (z. T. rapide) Umgestaltung des »Seins« impliziert, ist *die menschliche Geschichte selbst*, die als die nach Marx »einzige Wissenschaft« (vgl. Die deutsche Ideologie, MEW 3, 18) die Geschichte der Natur *und* die Geschichte der Menschen objektiviert; denn die Natur ist den Menschen nur so weit zugänglich, bekannt und anwendbar, als sie bewußt gemacht worden ist, wie auch die Erfahrungen der menschlichen Geschichte, die als Ausbeutungsprozeß der Natur und ihre Umwandlung durch die Menschen materialistisch gekennzeichnet ist, nur insofern verfügbar sind, wenn die jeweils späteren Generationen sie sich auch angeeignet und verfügbar gemacht haben. So gesehen ist dann menschliche Geschichte weder beliebig noch prinzipiell reversibel: der Annäherungsprozeß an »die« Realität, die selbst unbekannt bleibt, bedeutet immer auch Zuwachs an Erkenntnis, Zuwachs an Möglichkeiten, die früheren Generationen noch nicht möglich waren, also Fortschritt.

Da Lenin nicht nur Theoretiker des so verstandenen Fortschritts gewesen ist, sondern auch »Praktiker« der Revolution, stellt er historisch den Fall dar, daß jemand nach der theoretischen Analyse der (damaligen) gesellschaftlichen Realität die angemessenen praktischen Konsequenzen gezogen und auch realiter angewendet hat, und zwar erfolgreich. *Insofern* kann Lenin dann für Brecht das *reale* Vorbild für revolutionäre Theorie und Praxis werden, die als historische Erfahrung aufzuarbeiten und womöglich anzuwenden war. *Me-ti* ist Brechts Zeugnis davon.

Lenin bei Brecht

Der Umfang des Themas »Lenin bei Brecht« kann hier nur angedeutet werden; ansonsten sei auf Roland Josts für das Thema grundlegende Arbeit verwiesen. Festgehalten werden kann als allgemeines Fazit der Rolle Lenins in Brechts Werk: sie ist – nach dem zugänglichen Material – ausnahmslos positiv und beispielhaft (allerdings dies nicht im verpönten idealistischen Sinn), und sie weist einen ungeahnten Umfang auf, der allein schon alle anderen »Lehrerschaften« Brechts in eine nur periphere Rolle drängt, und dies hoffentlich bald auch in der Brecht-Forschung.

Ausgiebiger bearbeitet ist durch Jost inzwischen die Bedeutung Lenins für *Die Maßnahme* (vgl. auch BH 1, 94), fürs *Me-ti* und für die *Marxistischen Studien* (Jost, 14–70, 71–129). Eine – noch nicht näher untersuchte – Rolle hat Lenins Werk für folgende Dramen gespielt: *Die Ausnahme und die Regel* (vgl. BH 1, 114), *Die Mutter, Die Geschichte der Simone Marchard* (vgl. BH 1, 238, 242), *Coriolan* (vgl. BH 1, 304) und *Turandot* (vgl. BH 1, 335), darüber hinaus zumindest indirekt (Stichwort »Sklavensprache«) der *Schweyk*. Einflüsse auf weitere Dramen sind keineswegs ausgeschlossen.

In der Lyrik ist Lenin in folgenden Gedichten (auch diese Auswahl ist vorläufig) angesprochen: *Die Bolschewiki entdecken im Sommer 1917 im Smolny, wo das Volk vertreten war: in der Küche* (8, 392f.), *Wiegenlieder I* (9, 430), *Das Loch im Stiefel Iljitschs* (9, 551), *Die Teppichweber von Kujan-Bulak ehren Lenin* (9, 666–668), *Die unbesiegliche Inschrift* (9, 668 f.), *Legende von der Entstehung des Buches Taoteking auf dem Weg des Laotse in die Emigration* (9, 660–663; hier wird subtil durch des Zöllners Frage »Doch wer wen besiegt, das intressiert auch mich« auf Lenins sprichwörtlich gewordene Fragestellung »wer wen?« angespielt; Lenin begründete damit vor allem seinen ökonomischen Kurs nach der Revolution, mit der sog. NEP = Neue Ökonomische Politik) und die *Kantate zu Lenins Todestag* (9, 689–693), in der sich auch der Satz findet: »Er war unser Lehrer« (9, 693). Alle lyrischen Äußerungen Brechts gelten dem Lob des Revolutionärs, seiner wirklichkeitsnahen Praxis sowie seiner – von Brecht immer wieder betonten – »Volksverbundenheit«, die sich auch im nachhaltigen Andenken Lenins im Volksbewußtsein niederschlagen, ein Andenken, das Brecht gefördert und propagiert hat, vor allem in der Zeit des Faschismus.

Die größte Rolle spielt nach den bisherigen Kenntnissen Lenin in der Prosa Brechts: neben dem *Me-ti*, das nur als Lenin-Projekt angemessen zu bezeichnen ist, ist Lenin auch im *Tui*-Komplex als Positiv-Figur präsent (vgl. die Ausführungen dazu im entsprechenden Kapitel). Das *Tui-Gedicht* über Karl Kautsky (12, 725–727) ist mit relativer Sicherheit darüber hinaus auf Lenins vehemente Kautsky-Polemik zurückzuführen, die Lenin 1918 unter dem Titel *Die proletarische Revolution und der Renegat Kautsky. Wie Kautsky Marx in einen Dutzendliberalen verwandelt hat* schrieb. Lenin ist weiterhin präsent in den *Flüchtlingsgesprächen* und natürlich in den theoretischen Schriften (vgl. 20, 34, 52, 68, 69f., 98f., 114, 166, 334; 18, 232, 237, 261, 272; 19, 291 f., 354, 372, 423, 441, 522; 15, 161, 276, 278, 484; 16, 644, 707, 718, 794f.; 17, 967, 975, 1033, 1095, 1129) Dazu gesellen sich Stellen aus dem *Arbeitsjournal*, wobei das unter dem Datum vom 17.10.1940 notierte Lob der leninschen Parabelform besonders schwer wiegt (AJ 191): während der Expressionismus-Debatte führt Brecht Lenin gegen Georg Lukaćs' »Formalismus« ins Feld (vgl. Müller, 192).

Brechts intensivere Beschäftigung mit Lenin setzt nach den Ergebnissen der bisherigen Forschung Anfang 1930 entschiedener ein, wahrscheinlich im Zusammenhang mit den Lehrstükken, insbesondere der *Maßnahme*; Mittenzwei hat darauf verwiesen, daß der in der Forschung so ausgiebig beachtete Einschnitt der Marx-Lektüre (Juli 1926; vgl. 20, 46) zu ergänzen ist durch die Leninrezeption. Mittenzwei beruft sich auf Aussagen von Hanns Eisler, der auf die Frage, ob Brecht Marxist gewesen sei, geantwortet hat:

> Das ist eine scholastische Frage.
> Ich werde Ihnen sagen, daß das sehr schwierig ist.
> Das wird jedermann erstaunen, denn selbstverständlich:
> im Sprachgebrauch ist Brecht ein Marxist.
> Obwohl ich eher sagen würde: ein Leninist. Denn Brecht hat mehr von Lenin gelernt [,] als man allgemein weiß.
> Keiner seiner Biographen – ich erinnere mich nicht an Ihr Buch [gemeint ist Hans Bunges, u. a., Brecht-Biographie von 1969] über Brecht – hat den ungeheuren Einfluß Lenins auf Brecht nachgewiesen, der wahrscheinlich der beste Schüler von Marx war, der aber den Vorteil hatte – für Brecht – [,] daß er Marx wieder durch die Brille Hegels las, was die Reformisten – wie Bernstein und Kautsky –, selbst der große Franz Mehring, den wir doch sehr bewundern, nicht getan haben.
> Dadurch bekam der Marxismus bei Lenin etwas neu Pulsierendes, Dialektisches, Bewegliches, Widerspruchsvolles – [,] was Brecht, das weiß ich aus meiner Jugendzeit [sic!], ungeheuer angeregt hat. (Bunge, 95)

Die entscheidende Phase von Brechts Lenin-Rezeption ist anzusetzen für das Jahrzehnt 1930–1940, wobei Brecht zunächst – vor der Etablierung des Faschismus – die leninische Polemik gegen die Revisionisten (vor allem gegen Kautsky, Plechanow, Mach sowie die Sozialdemokratie), dann – nach der »Machtergreifung« – die Sicherung der sozialistischen Anfänge und der Aufbau des Sozialismus in der Sowjetunion interessiert hat. Daß ihn dabei auch sog. »erkenntnistheoretische« bzw. theoretisch philosophische Fragestellungen in zunehmendem Maße beschäftigten – immer mit dem Ziel, das »Denken als Verhalten« zu bestimmen (vgl. 20, 166f.) –, muß nach Eislers Aussagen auch zumindest teilweise der Lenin-Lektüre zugeschrieben werden. Nicht unwahrscheinlich ist, daß Brecht auf die Bedeutung Hegels für die materialistische *Dialektik* über die Lektüre Lenins aufmerksam geworden ist: 1932 erschienen erstmals Lenins Hegel-Studien, in denen sich der inzwischen oft wiederholte Satz findet: »Man kann das ›Kapital‹ von Marx und besonders das I. Kapitel nicht vollständig begreifen, ohne die *ganze* Logik Hegels durchstudiert und begriffen zu haben. Folglich hat nach einem halben Jahrhundert nicht ein Marxist Marx begriffen!!« (Lenin, Werke 38, S. 170). In Brechts *Me-ti* spielt Hegels *Logik* eine nicht unwichtige Rolle; da sie überdies im Zusammenhang mit leninischen Maßnahmen angeführt wird (z. B. 12, 493–495), liegt die Annahme eines direkten Einflusses sehr nahe. – Hingewiesen sei überdies auf den Aufsatz von Ernst Bloch von 1938 *Ein Leninist der Schaubühne* (in: Erbschaft dieser Zeit. Gesamtausgabe in 16 Bänden. Frankfurt a. M. 1977, Band 4, S. 250–255); Bloch meint Bertolt Brecht.

Beispiele für direkte Übernahmen

Titel: Der Begriff der »Wendungen« im Untertitel des *Me-ti* kann zwar seinen Bezug zum chinesischen *I-Ging* nicht leugnen, er ist als Begriff selbst da nicht nachweisbar. Nachweisbar dagegen ist er bei Lenin im Aufsatz *Die nächsten Aufgaben der Sowjetmacht* (zuerst in: Prawda, Nr. 83, 23. 4. 1918; Werke 27, S. 225–268), in dem Lenin die Vorstellung vom »Sprung« zwischen Kapitalismus und Sozialismus erläutert, bei dem man sich auf Engels berufe. Lenin schreibt gegen diese Vorstellung: »Daß die Lehrmeister des Sozialismus [Marx, Engels] einen Umschwung unter dem Gesichtswinkel der Wendungen der Weltgeschichte als ›Sprung‹ bezeichneten und daß solche Sprünge Perioden von 10 und vielleicht noch mehr Jahren umfassen, darüber verstehen die meisten sogenannten Sozialisten nicht nachzudenken, die vom Sozialismus ›in Büchern gelesen haben‹, aber niemals ernstlich in die Sache eingedrungen sind« (Werke 27, S. 264); und am Schluß des Aufsatzes ist nochmals die Rede davon, daß der Kleinbürger bei »jeder Wendung der Ereignisse« hin und her wechsle, ohne ihren Sinn zu erfassen und den allmählichen Übergang – nach der grundlegenden Revolutionierung der Verhältnisse – zu begreifen (ebd. 268). Dieser Gedankengang Lenins findet sich im *Me-ti* immer wieder (am deutlichsten 12, 527 f.), so daß der Begriff der »Wendungen« auf Lenin rückführbar wird. »Wendungen« meint dann nicht nur die grundsätzlichen »Wandlungen« der Geschichte, sondern auch – als »dialektischer Begriff« – das notwendige Festhalten an den grundsätzlichen Veränderungen gegen die nur oberflächlichen und kurzfristigen »Wendungen« in den politischen Konstellationen, womit der Begriff erheblich an Komplexität gewinnt und zugleich die Schwierigkeiten impliziert, den revolutionären »Sprung« gegen die »Wendungen« der Zeit zu verteidigen, eines der großen Themen des *Me-ti* im Zusammenhang der »Großen Ordnung« und ihrer Verteidigung gegen den Faschismus.

Lenins Parabel vom Besteigen hoher Berge: Trotz Brechts häufiger »Plagiate« ist das wortwörtliche Zitat des leninischen Gleichnisses im *Me-ti* (12, 426–428) singulär in Brechts Werk; es erhält damit den Charakter eines der wenigen auch von Brecht »kanonisierten« Texts (freilich nicht im verpönten quasireligiösen Sinn), im Rang gleichgesetzt mit dem *Kommunistischen Manifest.* Brecht zitiert den Text einschließlich seines Druckfehlers (12, 427: »Beseitigung« statt »Besteigung«) nach *Die Internationale* (Jg. 7, Heft 6, vom 28. 4. 1924, S. 234–235). Er ist ein grundlegender Text über die oben beschriebenen »Wendungen« – im grundsätzlichen wie im vorübergehenden Sinn –, als Lenin mit dem Gleichnis die (notwendige) Dialektik von »Voranschreiten« und »Zurückweichen«, ohne das große Ziel aus den Augen zu lassen, beschreiben will. »Indem Lenin den ›Bergsteiger‹ zeigt, wie er absteigen, zurückweichen muß, verdeutlicht er mittels einer Metapher die These, daß es Aufgabe der revolutionären Bewegung sei zu lernen, Kompromisse (notwendigerweise) einzugehen, auch wenn sie einen vorübergehenden Verzicht auf revolutionäre Forderungen nach sich ziehen; diese Fähigkeit, vom anvisierten Ziel abrücken zu können – es ist schwieriger, als dorthin ›aufzusteigen‹, und erzeugt ›Minuten des Verzagens‹ (12, 427) – ist Teil des marxistischen Theorie-Praxis-Verständnisses, das denjenigen nicht bewußt ist, die mit dem Aufstieg ›bis zur gänzlichen Fertigstellung‹ (ebenda) eines ausgearbeiteten Planes warten wollen«. »Das Gleichnis will bewußtmachen, daß es falsch sei, der Wirklichkeit einen (teleologischen) Entwurf der neuen Gesellschaft ›aufsetzen‹ zu wollen, indem man die objektiven Bedingungen übersieht« (Jost, 83, 85). – In seiner schon erwähnten Notiz (AJ 191; vom 17. 10. 40) lobt Brecht überdies die »Form« dieser Parabel; sie sei »beispiel einer nicht naturalistischen, aber realistischen schilderung«: »realist wie idealist geben abbilder der wirklichkeit und gedanken. jedoch geht der idealist von einem schönheits- oder kunstideal aus, während der realist immerfort ideale an der wirklichkeit mißt und die vorstellungen von ihr immerfort korrigiert«. Die Form entspricht hier – nach Brechts ästhetischen Vorstellungen – ganz ihrem Inhalt, der die notwendigen Korrekturen der »Vorstellungen« und Gedanken auf dem Weg zum »Gipfel« vorführt. Einmal mehr zeigt sich, daß die Parabel – wie die im Theater verwendete – nicht primär unter didaktischen Gesichtspunkten als künstlerische Form von Brecht empfohlen und verwendet wird (vgl. BH 1, 407 f.). Sie geht vielmehr von der (realistischen) Einsicht aus: »Es ist die ganze Welt, die ein Bild erzeugt, aber das Bild erfaßt nicht die ganze Welt« (12, 463), so daß das »Defizit« eines jeden Bilds, und sei es noch so komplex, die notwendige Voraussetzung aller Wirklichkeitsdarstellung ist (ein Thema, das für die bürgerliche »Moderne« übrigens inzwischen zentral und bücherfüllend geworden ist). Die Parabelform versucht – vor aller »Belehrung« – zunächst und vor allem die bestimmenden Prozesse der Wirklichkeit im ästhetischen Bild zu erfassen, sichtbar zu machen, um sie dadurch dann auch beherrschbar und anwendbar werden zu lassen. Bloße subjektive Entwürfe verfehlen dagegen ebenso die Wirklichkeit wie die (falsch auf Lenin zurückgeführte) »Widerspiegelungstheorie«, die meint, durch direkte, unproduktive Wiedergabe das Bild der (ganzen) Welt oder des Weltausschnitts zu erhalten.

Über Kompromisse: Der gleichnamige Aphorismus mit dem zweiten Titel *Wein und Wasser aus zwei Gläsern trinken* zitiert Lenins gleichnamige Schrift von 1917 (Werke 25, S. 313–319) und findet zu ihr ein entsprechendes Bild (das bei Lenin offenbar nicht verwendet ist; vgl. Jost, 86–89; Jost meint, Brechts Text gehe auf den Abschnitt VIII *Keinerlei Kompromisse?* von *Der »linke« Radikalismus, die Kinderkrankheit im Kommunismus,* 1920, Werke 31, S. 1–105, zurück). Brechts Gleichnis von den beiden Gläsern, mit Wein und mit Wasser, erfaßt Lenins Plädoyer für »Kompromisse« adäquat, indem es davor warnt, das Wasser in den Wein zu schütten, womit dieser nachhaltig »verwässert«, das heißt das kommunistische Ziel verlassen würde. Statt dessen empfiehlt Brecht, Wein und Wasser, das heißt das Wasser, wenn es nötig ist, aus zwei Gläsern zu trinken: so bleiben die entscheidenden Widersprüche bestehen und dennoch lassen sie sich vorübergehend kompromißhaft zusammen verwenden. »Denn es ist viel zu schwer, dann wieder den Wein aus dem Wasser zu schütten« (12, 433).

Identifikation: Me-ti/Kin-jeh/Mi-en-leh: »Die Zentralfigur des Philosophen Me-ti hat Brechtsche Züge, der Dichter Kin-jeh ist eine Selbstprojektion. Wenn in einer Geschichte beide Figuren erscheinen, ist der Philosoph in der Regel die Lehrer-Gestalt, d. h. der Autor erkennt die Überlegenheit des dialektischen Denkers an« (Müller, 229). Mit Recht weist Müller Spekulationen, dem Namen Me-ti eine Bedeutung zu unterlegen (am Lateinischen orientiert) als »Ich – Du« (so Haug, 93) zurück, weil damit jeglichen Spekulationen auf »Bedeutung« die Tore geöffnet wären (zu erinnern wäre hier an die geradezu schwankhafte Deutung des *Kaukasischen Kreidekreises* als kritisch-karikierendes, dabei Lenin auch scharf verurteilendes »Schlüsselstück« über die russische Revolution und ihre Folgen durch Betty Nance Weber, die ein solch spekulatives Vorgehen so vorführt, daß es sich selbst ad absurdum führt; vgl. BH 1, 268). – Die weitgehende Identifikation Metis mit dem »Denker« Brecht jedoch ist zu ergänzen mit der – in der Forschung bisher nicht erwogenen – Identifikation Me-tis mit Mi-en-leh (= Lenin). Die Projektionsfigur Kin-jeh bzw. Kien-leh mit Mi-en-leh zu identifizieren bzw. beide durch Namens- (nicht Sinn-) Assonanz nahezubringen, hat Müller (234) bereits vorgeschlagen: »offenbar ein Hinweis auf die literarische Verarbeitung von Gedanken Lenins [...] durch Brecht« (bezogen auf 12, 531 f.). Es gibt aber auch genügend wichtige Indizien, die Figur des Me-ti ebenfalls mit der des Mi-en-leh zusammenzusehen, nicht im Sinn einer vollständigen Identifikation, sondern als »Verwandtschaft«, insofern der alte chinesische Denker bestimmte abstrakte Gedanken entwickelt hat, die bei Lenin ihre entscheidende konkrete »Fassung« und Praktikabilität erhalten haben; und zugleich soll mit dem Hinweis noch einmal betont sein, daß die entscheidende Figur des *Buchs der Wendungen* nicht Me-ti, sondern Mi-en-leh ist, oder anders gesagt: alles, was (auch) Me-ti sagt, ist konkretisierter Mi-en-leh. – Als Indizien sind anzuführen: 1. in nicht wenigen Aphorismen spricht Me-ti überhaupt nicht, stattdessen aber Mi-en-leh (vgl. bes. 12, 421, 426–428, 429 f., 430 f., 433, 434 u. ö.); die angeführten Beispiele zeigen die Auswechselbarkeit beider Figuren im Prinzip; 2. hat Jost (55 f.) nachgewiesen, daß der Aphorismus *Fehler verstecken* (12, 474) Me-ti Lenin zitieren läßt, also der alten Figur die »neuen« Worte in den Mund gelegt werden; 3. läßt der Aphorismus *Mi-*

en-lehs Stimme (12, 465) – durch die angespielten Ereignisse auf das Jahr 1941 sehr deutlich – Lenins »Geist«, das heißt die Lebendigkeit seines Vorbilds und seiner Erfahrungen, für spätere politische Entscheidungen in der Sowjetunion ausschlaggebend sein (von »Stimmen« in dieser Weise ist auch in Brechts Stück *Der Prozeß der Jeanne d'Arc zu Rouen 1431* nach Anna Seghers gehandelt worden; vgl. BH 1, 318): indem der tote Lenin unmittelbaren politischen Rat gibt, ist er auch da noch präsent, wo er nicht direkt zu Wort kommt.

Wladimir Iljitsch *Lenin*: Werke. Ins Deutsche übertragen nach der vierten russischen Ausgabe. Berlin 1955 ff. – (Lenins Werke, soweit sie in Brechts Besitz waren und heute im Brecht-Archiv aufbewahrt sind, verzeichnet Jost, 160 f.).

Hans *Bunge*: Fragen Sie mehr über Brecht. Hanns Eisler im Gespräch. München 1972 (S. 95–98, 100, 131, 147, 153, 156, 335).

Klaus-Detlef *Müller*: Die Funktion der Geschichte im Werk Bertolt Brechts. Studien zum Verhältnis von Marxismus und Ästhetik. 2., erw. Aufl. Tübingen 1972 (S. 26–28; vgl. XXII–XXVII). – Wolfgang Fritz *Haug* (s. o.). – Heinz *Brüggemann*: Literarische Technik und soziale Revolution. Reinbek bei Hamburg 1973 (S. 117–138). – Werner *Mittenzwei*: Der Dialektiker Brecht oder Die Kunst, »Me-ti« zu lesen. In: Brechts Tui-Kritik. Hrg. v. Wolfgang Fritz *Haug*. Karlsruhe 1976. S. 115–149 (bes. S. 146–149). – Betty Nance *Weber*: Brechts »Kreidekreis«, ein Revolutionsstück. Eine Interpretation. Frankfurt a. M. 1978 (S. 32–36; S. 50–104, verschiedentlich die Nennung Lenins, freilich alles freie Erfindungen). – Klaus-Detlef *Müller*: Brecht-Kommentar (s. o.; S. 190–192; 230 f.). – Roland *Jost*: »Er war unser Lehrer«. Bertolt Brechts Leninrezeption am Beispiel der »Maßnahme«, des »Me-ti/ Buch der Wendungen« und der »Marxistischen Studien«. Köln 1981 (S. 7–12, 71–129).

Karl Korsch

Obwohl Karl Korsch im *Me-ti* nur viermal genannt ist – und dazu durchweg kritisch (12, 424, 537, 539, 543) –, erhält Ka-osch in der zusammenfassenden Darstellung Müllers eine dominierende Rolle zugewiesen (Müller, 206–213: *›Große Methode‹, Ka-osch (Korsch) und die Geschichte von Su*). Müllers Darstellung ist insofern gerechtfertigt, als Korsch als der »wahre« Lehrer Brechts durch die Brecht-Forschung eine so zentrale Position gewonnen hat, daß der Brechtsche »Marxismus« nur noch durch den von Korsch angemessen darstellbar zu sein scheint. Was an wesentlichen positiven Daten und auch »Übereinstimmungen« anzuführen ist, habe ich im 1. Band des *Handbuchs* aufgeführt (BH 1, 413–415); diese Daten sind zu ergänzen durch die verschiedenen Mitwirkungen Korschs z. B. am *Dreigroschenroman*, die in diesem Band des *Handbuchs* aufgeführt sind.

Für die Rolle Korschs im *Me-ti* ist zusammenfassend zu sagen: In den Gesprächen über Su (12, 424 f.), die nach Brechts Anordnung direkt vor dem Lenin-Gleichnis zu stehen kommen, zeigt sich Korsch in der Rolle der schadenfrohen Stimmen der Parabel, die von weitem dem Aufstieg zusehen und kummervoll die Augen verdrehen, feststellend, sie hätten leider recht behalten (12, 427 f.). Durch ein Beispiel der geschichtlichen Realität der Sowjetunion auf ihre Fortschritte hingewiesen, leugnet der Philosoph Ko des *Me-ti* seine Richtigkeit: das Beispiel sei nur inszeniert worden. Me-ti allerdings zeigt sich mit seiner gleichnishaften Antwort als der überlegene und schlagfertigere »Denker«. – Die 2. Belegstelle ist die komplexeste für die Einschätzung Karl Korschs durch Brecht (12, 537): Korsch erscheint als Kritiker der Nachfolger Lenins, also Stalins und Trotzkis, kritisiert aber zugleich Lenin selbst, als dieser einen zu starken Staatsapparat aufgebaut habe, der – einmal zur Herbeiführung des Sozialismus gedacht – zum entscheidenden Hindernis für den Sozialismus werde. Brecht betont, Korsch habe damit bei Lenin, den er freilich im Gegensatz zu Stalin und Trotzki immer mit Hochachtung behandelt habe, die entscheidenden Schwächen der leninischen Prinzipien offengelegt. Es gibt nun aber keinen Grund, diese Stelle als Beleg für Brechts Lenin-Kritik mit Korsch anzuführen; denn Brecht führt Korschs Kritik als mit »deutlichen Schwächen« behaftet im selben Satz ein, und das *Me-ti* zeigt insgesamt, daß Lenins *Schwächen* nicht als subjektive Fehler, als falsche Vorgehensweisen, sondern als objektive Hindernisse einzuschätzen sind (vgl. z. B. *Über den Staat*; 12, 540 f.). Daß Brecht andererseits Korschs Kritik an dem Ausbau – statt des allmählichen »Absterbens« des Staats – durch Stalin teilt, legitimiert noch keineswegs eine dominierende Rolle im *Me-ti*. – Im Gegenteil zeigt die nächste Belegstelle die falsche (und zwar in Brechts Sinn objektiv falsche) Konsequenz Kos, der dennoch ein »Meister« genannt wird (12, 539 f.), sich nämlich – wegen Stalins wiederum kritisiertem Vorgehen – von der »Großen Methode« abzuwenden, wobei die Verwendung des Begriffs hier deutlich zeigt, daß es Brecht gar nicht nur um »die« Dialektik geht, sondern vor allem auch um ihre gesellschaftliche Praxis, die konsequent nur in der Sowjetunion (nach *Me-ti*) im Sinn der »Großen Methode« ausgeführt wird. – Die vierte und letzte Belegstelle schließlich kehrt das immer behauptete einseitige Lehrer-Schüler-Verhältnis Korsch – Brecht um, als

Me-ti, und zwar ganz mit leninischen Argumenten (s. u.), den Ka-osch darüber belehrt, welche Rolle die »Freiheit« – von Ka-osch im bürgerlich-demokratischen Verständnis eingeführt – beim Aufbau des Sozialismus spielen kann und welche nicht.

Als weitere, indirekte Belegstelle im *Me-ti* gilt die Passage übe die »Kritik der Naturdialektik«, die ganz Korsch verpflichtet sei:

Einige behaupten, daß die Klassiker eine Naturphilosophie begründet hätten. Das ist aber nicht der Fall. Sie haben einige Andeutungen gemacht, wie man sich dies oder das denken könnte, aber in der Hauptsache waren sie mit der Natur der Menschen beschäftigt. [...]

Meister Eh-fu [Engels] gab die Prinzipien, welche die Bürger aus ihrer Revolution für die Naturbetrachtung und die Logik gewonnen hatten, den Arbeitern weiter, und zwar für ihre Revolution. (12, 532)

Der Text der Stelle aber rechtfertigt nicht seine Lesart als »Kritik der Naturdialektik«. Zurückgewiesen wird vielmehr die Behauptung, daß die Klassiker (Marx, Engels) eine »Natur*philosophie*« begründet hätten, was nach Brechts Lesart des Begriffs heißt, eine bestimmte, »gesetzmäßige« Natur-Anschauung, wie sie im allgemeinen Friedrich Engels unterstellt worden ist, und zwar in dem Sinn, als »bewege« sich »die« Natur nach dem triadischen Schema »von selbst«, eine Anschauung, die sowohl die Kenntnis der Gesamtnatur unterstellt, als auch mit den Ergebnissen der Naturwissenschaft ständig kollidiert. Wie immer aber auch der Streit um die »Naturdialektik« Engels sein mag, Brecht denkt an dieser Stelle ganz und gar nicht daran, die übliche Einschätzung Engels zu übernehmen; im Gegenteil sagt er abschließend, daß Engels »Naturbetrachtung« eine Aneignung und Weitergabe ihrer (bewährten) Prinzipien an das Proletariat für *seine* Zwecke bedeutet hat. Der Bezug auf Korsch ist nicht zu rechtfertigen, auch nicht mit der Notiz, in der Brecht die »kleinbürgersträhne der engelsschen naturphilosophie« in bezug auf Hermann Greid anprangert (AJ 51; vom 25. 5. 1939). Sie spricht nun zwar eindeutig von Natur*philosophie* bei Engels, aber nur in *einem* Aspekt (»Strähne«) und dann noch bezogen auf die Rezeption (vgl. Brüggemann, 1981, S. 146).

Fürs *Me-ti* ergibt sich insgesamt – trotz Korschs intensiver Beteiligung an der Entstehung – eine recht eindeutige und nachhaltig negative Einschätzung, die sich dadurch besonders verstärkt, als die Beurteilungen erfolgen auf dem Boden des positiven historischen Beispiel Lenins. Korschs Abkehr von der »Großen Methode«, seine Leugnung historischer Beispiele für den erfolgreichen Aufbau des Sozialismus in der Sowjetunion, seine mangelnden, auf bürgerlichen Vorurteilen beruhenden Einsichten in die Unterdrückung *bestimmter* Freiheiten nach der Revolution weisen ihn – ganz in der Linie der leninischen Polemiken – als Revisionisten aus, der weder über ausreichende Wirklichkeitskenntnisse verfügt, noch bereit ist, das, was andere ausgeführt haben, zur Kenntnis zu nehmen (bzw. nur bedingt), und sich statt dessen in die Wünschbarkeiten eines »linken« Radikaldenkens flüchtet. Die Bedeutung Korschs fürs *Me-ti* und die dort ausgeführte »Große Methode« ist eine Erfindung der Forschung.

Dies, das versteht sich, ist keine Unterstützung der von Werner Mittenzwei vorgetragenen Argumente gegen die »Korsch-Legende« sondern zunächst eine Einschätzung der Rolle Korschs fürs *Me-ti*. Mittenzwei hat mit seiner einseitigen und Fakten vernachlässigenden Kritik an der – im Westen vertretenen – Rolle Korschs (vgl. die Zusammenfassung jetzt bei Müller, 206 f.) leider gar nicht zu einer sachlichen Einschätzung Korschs beigetragen; im Gegenteil hat er, den Befürwortern der »Korsch-These« gute Gründe und Argumente liefernd, erneut eine Gegen-Argumentation herausgefordert, die immer *noch nicht bereit ist*, Brechts »Marxismus«, der auch ein »Leninismus« ist, eingehend und am authentischen Material zu studieren. Meine teilweise, freilich die Widersprüche entschieden betonende, von den Befürwortern der (einseitigen) Korsch-These aber bis heute nicht aufgegriffene Identifikation von Korschs subjektiver Dialektik und Brechts »eingreifendem Denken« widerrufe ich hiermit – nach erneuter eingehender Auseinandersetzung mit Brechts, Lenins und Korschs Texten – ausdrücklich (eine weitere Begründung habe ich im Zusammenhang mit den *Schriften zur Philosophie* geliefert). Korschs Dialektik-Auffassung, und zwar *auch* in der Fassung, wie sie von den Befürwortern der Korsch-These vertreten wird, unterscheidet sich in der maßgeblichen *materialistischen* Entscheidung diametral von der Brechts (gelegentliche verbale Übereinstimmungen lassen sich argumentativ differenzieren). Korsch verbindet mit seiner »geistigen Aktion« – als Berücksichtigung des »subjektiven Faktors« in der Dialektik – Theorie und Praxis unmittelbar, indem er theoretische Kritik und praktische Umwälzung als »untrennbar zusammenhängende Aktionen« begreift, und zwar »beide Aktionen nicht in irgendeiner abstrakten Bedeutung des Worts, sondern als konkrete, wirkliche Veränderung der konkreten wirklichen Welt der bürgerlichen Gesellschaft« (Korsch, Marxismus und Philosophie, 133), und entsprechend stehe das Bewußtsein »der natürlichen und erst recht der geschichtlich-gesellschaftlichen Welt nicht mehr selbständig *gegenüber*, sondern als ein realer, wirklicher ›wenn auch geistig ideeller‹ Teil dieser natürlichen und geschichtlich-gesellschaftlichen Welt in dieser Welt mitten darin« (ebd., 131). Diese – als dialektisch bezeichnete – Identifikation des Bewußtseins als »Teil« mitten in der Welt darin mit der »äußeren Realität« macht die materialistische Grundposition rückgängig, das heißt: sie leugnet eine unabhängige objektive Wirklichkeit, die sich dem Bewußtsein sowohl aufprägt als auch von ihm produktiv angeeignet wird. Diese materialistische Grundposition ist im *Me-ti* (und auch sonst, von einigen diskutierbaren Stellen, die Ausnahmen bilden und erklärbar sind) nirgends von Brecht verlassen worden, im Gegenteil vertritt er sie immer wieder mit den Argumenten Lenins.

Daß die Korschsche Position für die achtziger Jahre (im Westen) aktuell ist und inzwischen auch in trivialer Form mit noch größeren Vereinfachungen verbreitet wird (Backes, 57–61), sei nur angemerkt. Ihre Aktualität ergibt sich auch daraus, daß die objektive Rolle des »subjektiven Faktors« – auch aufgrund wirklich mangelnder »klassischer« Beschreibungen – zu wenig erkannt worden ist: die theoretische Arbeit als *notwendige* und auch *produktive* Aneignung des menschlichen Wissens von der Wirklichkeit als *Voraussetzung* für sinnvolles und auch revulutionäres Handeln; oder anders gesagt: ohne den subjektiven Faktor gäbe es keine Kenntnis der Wirklichkeit.

Karl *Korsch*: Marxismus und Philosophie. Hrg. und eingeleitet von Erich *Gerlach*. Frankfurt a. M., Köln 1966.

Jan *Knopf*: Bertolt Brecht. Ein kritischer Forschungsbericht. Frankfurt a. M. 1974 (S. 149–164; dort auch eine Zusammenfassung der Korsch-These in Anm. 677, S. 196 f.). – Werner *Mittenzwei* (s. o.; S. 129–137). – Klaus-Detlef *Müller* (s. o.; S. 206–213). – Dirk *Backes*: Die erste Kunst ist die Beobachtungskunst. Brecht und der Sozialistische Realismus. Berlin 1981 (S. 53–67). – Zur Aktualität von Karl Korsch. Hrg. von Michael *Buckmiller*. Frankfurt a. M. 1981 (darin: Michael *Buckmiller*: Aspekte der internationalen Korsch-Rezeption, S. 9–35; Heinz *Brüggemann*: Überlegungen zur Diskussion über das Verhältnis von Brecht und Korsch. Eine Auseinandersetzung mit Werner Mittenzwei, S. 137–149; die genannten Beiträge des Bandes, der die Vorträge des 1980 abgehaltenen Symposiums »Krise des Marxismus« (Karl Korsch) zusammenfaßt, bringen gegenüber den früheren Beiträgen – s. Müller, Knopf – keine neuen Gesichtspunkte, und zugleich haben sie in ungenügenderweise neuere Forschungsbeiträge verarbeitet).

Verzeichnis der Namen

Im folgenden sind die im *Me-ti* vorkommenden, auf historische Personen bezogenen und bisher identifizierten Namen in – gegenüber der Ausgabe (12, 420) – erweiterter Form angeführt, und zwar mit Stellenangabe (bezogen auf die *Werkausgabe*). Die nicht bei Brecht genannten Namen sind in eckige Klammern gesetzt.

Ka-meh (12, 434, 446 f., 469, 477, 478, 482, 496, 503, 505, 507, 510, 527, 549, 555 f., 558, 562, 563, 564, 576)	Karl Marx
Eh-fu (12, 440, 494, 527, 532, 549, 562) auch: Fu-en, En-fu, Meister Eh-fu	Friedrich Engels
Hü-jeh (12, 436 f., 469, 493, 526 f., 548) auch: He-leh, Meister Hü-jeh	G. W. F. Hegel
Mi-en-leh (12, 425–428, 429–431, 433, 434, 438 f., 446, 447 f., 452, 457, 461, 464, 465, 478, 483, 484, 494, 505, 512, 515, 523, 527, 530, 536, 537, 538, 539, 555, 560, 564 f., 569, 574, 576)	W. I. Lenin
Ni-en (12, 428 f., 438 f., 457 f., 467, 491, 495, 501, 503, 522 f., 530, 535 f., 537, 538, 539 f.)	J. W. Stalin
To-tsi (12, 424, 503, 522 f., 523 f., 537, 539)	Leo Trotzki
Ko (12, 424, 537, 539, 543) auch: Ka-osch	Karl Korsch
Le-peh (12, 421, 452)	G. W. Plechanow
Hi-jeh (12, 441 f., 465, 489, 506, 508, 517, 518, 535, 545 f., 547, 551, 554, 557, 559, 574) auch: Hu-ih, Hui-jeh, Ti-hi	Adolf Hitler
Kin-jeh (12, 432, 458, 462, 472, 485, 486, 490, 498, 500, 502, 509, 514, 515, 525, 531 f., 538 f., 560, 565, 570–585) auch: Kin, Ken-jeh, Kien-leh	B. Brecht
[Kin-jehs Sohn (12, 486)	Stefan Brecht]
Sa (12, 430, 449)	Rosa Luxemburg
[Lan-kü (12, 430)	Karl Liebknecht]
Fe-hu-wang (12, 441)	Lion Feuchtwanger
Fan-tse (12, 441, 514?) auch: An-tse?	Anatole France

Lu (12, 499)	Emil Ludwig
[Yu, Meister Yu (12, 542)	Arnold Ljungdal]
[Kung (12, 453, 569)	Konfutse]
[Intin (12, 542)	Albert Einstein]
[Ju Seser (12, 548)	Julius Caesar]
[Len-ti (12, 549 f.)	Ludwig Mies van der Rohe? (Bauhausarchitekt)]
[Lai-tu (12, 570–595)	Ruth Berlau]
Su (12, 424 f., 428 f., 438 f., 457, 465, 471, 494, 508, 510, 512, 522–524, 536 f., 538 f., 545)	Sowjetunion
Tsen (12, 460)	kaiserli. Rußland
Ga (12, 465, 471, 488, 489, 551, 557, 558) auch: Ge-el, Ger	Deutschland
[I-jeh (12, 465)	USA]
[En-eng (12, 545)	Großbritannien]

Die vielen weiteren Namen sind bisher nicht identifiziert. Hinzuweisen ist auf den Namen Tu-fu (auch: Tu), ein/eine Schüler/in Me-tis, der wahrscheinlich ebenfalls auf Ruth Berlau zu beziehen ist (12, 575–577); hinter ihm verbirgt sich Brechts Auseinandersetzung mit Berlaus spanischem Engagement (Bürgerkrieg), das Brecht verhindern wollte. Der Bericht über Tus Tod wird sich entsprechend nicht auf einen realen Spanienkämpfer beziehen, sondern ein Argument Brechts wiedergeben, das er gegenüber Ruth Berlau geltend machen wollte (12, 577).

Ohne die Namen zu nennen, sind noch Immanuel Kant (12, 440, 474) und Francis Bacon (12, 494) z. T. wörtlich, z. T. sinngemäß zitiert. Kant hat mal wieder mit seiner berühmten Ehe-Definition herzuhalten (vgl. BH 1, 296), und von Bacon ist die naturwissenschaftliche Maxime zitiert (vgl. BH 1, 381).

Nicht wenige Namen bleiben auch ganz der chinesischen Vorlage des Mo Ti verpflichtet, so daß eine Suche nach deutschen bzw. westlichen Entsprechungen wohl erfolglos bleiben muß. Zu nennen sind etwa »Wei«, das den historischen Feudalstaat von Honan bezeichnet und im *Mo Ti* häufiger auftaucht (Forke, 276, 411, 544, 557, 558, 559; vgl. 12, 423, 459, 544), dann Kaiser Yü, der als Begründer der Hsia Dynastie gilt und 2205–2197 v. Chr. gelebt haben soll (Forke, 167, 174, 178, 192, 556, 572, 573 u. ö.; vgl. 12, 568) oder »Schen si«, eine chinesische Provinz (vgl. Forke, 558, 564, 579 und 12, 491 f.).

Die »Große Methode«

Der Begriff der »Großen Methode« korrespondiert dem Begriff der »Großen Ordnung«; diese, in gewisser Weise mystifizierende Namengebung geht auf das chinesische Vorbild des Mo Ti zurück, der an verschiedenen Stellen die »Große Erklärung«, ein Kapitel des Klassikers *Schuking* zitiert (s. Forke, s. o., S. 237, 329, 381, 386, 391). Gemeint sind die materialistische Dialektik (Große Methode) und der Sozialismus (Große Ordnung).

Francis Bacon (1561–1626)

Bacon (vgl. die Ausführungen in BH 1, 459) gilt Brecht als der »bürgerliche« Naturphilosoph, dessen Revolution der Naturbetrachtung Engels (Meister Eh-fu) den Arbeitern für ihre Revolution weitergegeben habe (12, 532). Bacon, der auch in formaler Hinsicht, Form des offenen, wissenschaftlichen Aphorismus, Vorbild für das *Me-ti* gewesen ist, ist von Brecht an zentraler Stelle für die »Große Methode« reklamiert:

> Viele verstehen anfänglich die *Große Methode* nicht, weil sie von den beiden Parteien Betrachter und Betrachtetem nur die eine ernst nehmen, nämlich das Betrachtete, und unserm Denken da eine Ungenauigkeit und Flüchtigkeit zuschreiben, die dem bedachten Ding fehlt. Aber diese Ungenauigkeit und Flüchtigkeit fehlt dem bedachten Ding nicht, und unser Denken ist so nicht mangelhaft, wenn es flüchtig und ungenau ist, sondern richtig, indem es gerade dadurch Aussicht hat, der Natur zu befehlen, daß es ihr gehorcht. (12, 493 f.)

Brecht zitiert Bacons Aphorismus »Natura enim non nisi parendo vincitur.« (Aphorismus III, S. 157), auf deutsch »Die Natur ist nur zu besiegen, wenn man ihr gehorcht«. Der Satz formuliert *das* Prinzip der neuzeitlichen Naturwissenschaften, die im Gegensatz zum vorhergehenden, auf Aristoteles zurückgeführten Prinzip (Altertum, Mittelalter) die Naturbeherrschung darin gewährleistet sehen, wenn man ihr »selbst« folgt. Das aristotelische Vorgehen bestand darin, die Natur zu »überlisten«, ihr gerade nicht zu folgen. »Der Natur folgen« (parendo) heißt, die »Mittel«, »Gesetze« der Naturbeherrschung der Natur selbst zu entnehmen, was nur geschehen konnte, wenn man die Natur »auf die Probe« stellte, und zwar im »Experiment«. Das »Experiment« ist dadurch gekennzeichnet, daß es natürliche Prozesse künstlich *nachbaut*, dabei eine Naturerscheinung aus dem Komplex der natürlichen Prozesse, die insgesamt vielfältiger und umfassender sind als der experimentelle Vorgang, isolierend. Der experimentelle Nachbau des Naturprozesses ist Natur-*Nachah-*

mung (»Abbild«) und *Konstrukt* (künstlicher, vom Menschen geschaffener Aufbau) *zugleich*. Gelingt das Experiment, so ist dieser eine isolierte Naturvorgang sowohl »erkannt« (ins menschliche Wissen, in die menschliche Erfahrung eingegangen) als auch technisch reproduzierbar geworden. Mit der Möglichkeit der Anwendung des experimentell Bewährten kann nun die Natur »besiegt« (vincitur), beherrscht werden. Entscheidend dabei ist, daß die Mittel der Naturbeherrschung aus der Natur selbst stammen. Bacon hat erkannt, daß die Natur sich nur ihren eigenen Mitteln unterwirft (nur als Anmerkung: die Technik – auch die heutige – steht danach nicht in diametralem Gegensatz zur Natur, sondern sie ist reproduzierte Natur; daß durch die Technik jetzt die Natur bedroht ist, liegt nicht an *der* Technik, sondern an ihrer hemmungslosen und die Natur nicht beachtenden Anwendung).

Brecht kann Bacons naturwissenschaftliche Maxime, die erstmals von Galileo Galilei systematisch angewendet worden ist, für die materialistische Dialektik aus folgenden Gründen beanspruchen. 1. Auf Bacons Maxime basiert der gesamte Erfolg der neuzeitlichen Naturwissenschaften und Techniken, und zwar bis heute, auch wenn immer wieder erkenntnistheoretische Zweifel an der Richtigkeit der Maxime geäußert worden sind: ihre Anwendung beweist das Gegenteil. 2. Bacons Maxime ist materialistisch, da sie den Primat der (äußeren) Natur setzt: die Natur bleibt sowohl das »Größere«, »Umfassendere« gegenüber den isolierenden Aneignungen durch den Menschen als auch dasjenige, das »Anpassung«, »Einverständnis« zunächst fordert, ehe es sich anwenden läßt. 3. Bacons Maxime ist selbst auch ein Beispiel für Dialektik, indem sie – scheinbar paradox – die Einheit von Gegensätzen formuliert (gehorchen – besiegen) und zugleich in der Definition menschliche Produktivität berücksichtigt: Naturbeherrschung und Naturerkenntnis sind keine »Gegebenheiten«, sondern Aneignungstätigkeiten der Menschen. 4. Der in der Korsch-Debatte herausgehobene »subjektive Faktor« ist bei Bacon in objektiver Weise berücksichtigt: das Abbild kann nur dadurch gewonnen werden, wenn der Mensch (im Experiment) einen künstlichen Versuchsaufbau erstellt. Naturerkenntnis ist nicht »den Spiegel hinhalten«, sondern menschliche Arbeit, Tätigkeit. 5. Bacons Maxime gewährleistet die Objektivität menschlicher Naturerkenntnis, insofern nur die praktisch erprobten und bewährten, also geschichtlich erfahrenen Naturerkenntnisse Geltung beanspruchen können: theoretischem Wissen müssen Realitäten entsprechen, wenn sie richtig sein wollen.

Georg Wilhelm Friedrich Hegel (1770–1831)

Hegel ist an vier Stellen des *Me-ti* zitiert (12, 469, 493, 526 f., 548) und an zwei weiteren Stellen indirekt angesprochen (12, 437, 533). Außer im Aphorismus *Über die Vergänglichkeit*, in dem die »Große Methode« allgemein beschrieben wird, und zwar als »eingreifende Veränderungslehre« (12, 469), fixiert sich Brecht auf zwei kennzeichnende Passagen aus Hegels (großem) Werk: auf das Beispiel der sich entwickelnden Pflanze aus der *Phänomenologie des Geistes* (1807) und auf die Widerlegung des logischen Grundsatzes der Identität (A = A; ein Ding kann nur mit sich selbst gleich sein) in der *Wissenschaft der Logik* (1812–1816). Der Aphorismus *Die Große Methode* (12, 493–495) faßt beide zusammen:

> Der Satz Meister Hü-jehs, daß eins nicht gleich eins sei, nicht nur gleich eines, nicht immer gleich eins, ist ein Ausgangspunkt der *Großen Methode*. Er meint, daß man diesen Satz oder einen ihm entsprechend gebauten Satz zu lange sagen kann, d. h., daß man zu einer bestimmten Zeit und in einer bestimmten Lage recht haben [kann] mit ihm, aber nach einiger Zeit, bei geänderter Lage mit ihm unrecht haben kann. Man muß sich, wenn man diese Behauptung untersucht, auf recht verwickelte Gedankengänge gefaßt machen, aber nie vergessen, daß im Grund etwas Einfaches gemeint ist. Das Denken hat Schwierigkeiten, etwa den Begriff einer Knospe festzuhalten, da das damit bezeichnete Ding in solch ungestümem Aufbruch begriffen ist, unter dem Denken weg einen solchen Drang zeigt, keine Knospe, sondern eine Blüte zu sein. So ist dem Denkenden der Begriff der Knospe schon der Begriff von etwas, was sich bestrebt, nicht das zu sein, was es ist. (12, 493)

Die entsprechenden Stellen bei Hegel lauten:

> Die Knospe verschwindet in dem Hervorbrechen der Blüte, und man könnte sagen, daß jene von dieser widerlegt wird; ebenso wird durch die Frucht die Blüte für ein falsches Dasein der Pflanze erklärt, und als ihre Wahrheit tritt jene an die Stelle von dieser. Diese Formen unterscheiden sich nicht nur, sondern verdrängen sich auch als unverträglich miteinander. (Phänomenologie, 10)

> Dieser Satz in seinem positiven Ausdrucke A = A ist zunächst nichts weiter als der Ausdruck einer leeren *Tautologie*. Es ist daher richtig bemerkt worden, daß dieses Denkgesetz *ohne Inhalt* sei und nicht weiterführe. So ist [es] die leere Identität, an welcher diejenigen festhangen bleiben, welche sie als solche für etwas Wahres nehmen und immer vorzubringen pflegen, die Identität und die Verschiedenheit seien verschieden. Sie sehen nicht, daß sie schon hierin selbst sagen, *daß die Identität ein Verschiedenes ist*; denn sie sagen, die *Identität sei verschieden* von der Verschiedenheit; indem dies zugleich als

die Natur der Identität zugegeben werden muß, so liegt darin, daß die Identität nicht äußerlich, sondern an ihr [= sich] selbst, in ihrer Natur dies sei, verschieden zu sein.
(Logik, II, 41)

Das Pflanzenbild, das in ähnlich dialektischer Form in Goethes Gedicht *Die Metamorphose der Pflanzen* entwickelt ist und Vorbild wurde für die Pflanzenmetaphorik vor allem des 19. Jahrhunderts, erfaßt den dialektischen Prozeß in einfacher und anschaulicher Weise: die Knospe ist nur ein »Übergang« zur Blüte wie diese nur ein Übergang zur Frucht; ihre Formen sind gegenseitige »Widerlegungen« und doch zugleich in der »Einheit« der Pflanze zusammengefaßt. Der Hegelsche Begriff der »Aufhebung« erfaßt in seiner Drei-Deutigkeit das Prozessuale und Widersprüchliche des Vorgangs am besten: aufheben heißt »konservieren« (bewahren, aufbewahren), »negieren« (vernichten) und »hochheben« zugleich. Am Beispiel formuliert: in der Blüte, die die Knospe negiert, ist diese dennoch aufbewahrt (als notwendige Voraussetzung der Blüte), und zugleich ist die Blüte ein »hochgehobener«, weiterentwickelter »Zustand« der Pflanze.

Das Pflanzenbild Hegels ist *nicht*, wie bei vulgärdialektischer Auffassung häufig, als Naturgesetz, als Beschreibung der Vorgänge in der Natur, ihrer Entwicklung mißzuverstehen. Es handelt sich lediglich um ein sehr einfaches, der Parabel nahestehendes *Bild* für die komplexen Vorgänge, die die Dialektik zu erfassen sucht (ähnlich etwa dem Atommodell von Rutherford, das ebenfalls kein natürliches Abbild darstellt). Das Bild erläutert lediglich die für die Dialektik bestimmenden Voraussetzungen, nämlich mit Widersprüchen zu rechnen, Prozesse, nicht Zustände (Fixes) zu erkennen, auf Entwicklungen zu achten und die Formen nicht zu isolieren, sondern auf das »Ganze«, das ein offenes, unendliches Ganzes ist, zu beziehen (»Einheit der Gegensätze«). Es handelt sich bei der Dialektik nicht um einen Denkschematismus, der auf die Dinge projiziert wird, sondern umgekehrt um ein Denken, das den »Bewegungen der Sachen selbst« folgt (ähnlich der Baconschen Maxime; s. o.).

Brechts Berufung auf Hegels *Logik*, die höchstwahrscheinlich auf Lenins Hegel-Lektüre und dessen Meinung, Marx sei nicht zu verstehen, ohne vorher Hegels *Logik* verstanden zu haben, zurückgeht, bedeutet ex negativo zugleich eine Zurückweisung des »Logischen Positivismus« der »Analytischen Philosophie«, die Brecht als typische (tuistische) Weltanschauung des entwickelten Kapitalismus galt: ihr Streben nach Eindeutigkeit, ihre Ausschaltung alles Geschichtlichen und Prozessualen wertete Brecht als eine (nicht bewußte) Apologie des Kapitalismus (im *Tui-Roman* tritt z. B. Hans Reichenbach, 12, 662, in dieser Rolle auf). Die auch heute noch übliche Logik ist im Aphorismus *Forschen nach den Grenzen der Erkenntnis* (12, 439–441) und *Behandlung von Systemen* (12, 471 f.) angesprochen. Sie versuche »eigentlich nur, einen Haufen von Wörtern in solche Reihen zu bringen, daß mit einer Art Zwangsläufigkeit, nämlich so, daß die gebrauchten Wörter ihren Sinn nicht ändern und gewisse Regeln der Folge angewendet bleiben, ausgesagt werden kann, es sei alles erkennbar oder es sei nichts erkennbar« (12, 440). Me-ti empfiehlt deshalb die Sätze solcher Systematiken aus ihrem Zusammenhang zu reißen und einzeln der Wirklichkeit gegenüberzustellen, und er gibt als Beispiel an: »Der Satz ›Der Regen fließt von unten nach oben‹ paßt zu vielen Sätzen (etwa zu dem Satz ›Die Frucht kommt vor der Blüte‹), aber nicht zum Regen« (12, 472). Gemeint ist die für »Dialektik« grundlegende Verfahrensweise, das Denken den realen Prozessen selbst anzupassen und gerade nicht nach einem logischen (eindeutigen), die Wahrheitsaussagen organisierenden System auszurichten (Logik als Denkschule, als Organisation von Denken). Der von Logikern übliche Hinweis, das die Logik keine Aussagen über etwas, sondern Aussagen über Aussagen (genauer: Aussagen über die Organisation von Aussagen) mache, also eine »Meta«-Sprache sei, trifft das dialektische Verfahren nicht. Es ist kein Schema des Denkens, sondern ein den realen Prozessen folgendes, seine »Gesetze«, Ordnungen aus ihnen beziehendes, sich mit ihnen änderndes, folglich nicht systematisierbares Denken (auch hier ist es sinnvoll wiederum an Bacons Maxime zu denken: das Denken ist Abbild der Wirklichkeit und produktives Konstrukt des Menschen zugleich, wobei beide Größen – Abbild und Konstrukt – gegenüber der Wirklichkeit defizitär und »unterlegen«, zugleich aber »offen«, sich fortentwickelnd sind; Logik bedeutete so auch nur eine *Festlegung* erreichter Denkmöglichkeiten).

Hegels *Logik* spielt für die Dialektik deshalb eine besonders zentrale Rolle, weil sie eine großangelegte Widerlegung der, sich von Aristoteles herleitenden, üblichen Logik darstellt, und zwar eine Widerlegung, die die in der Logik selbst formulierten Grundsätze auf sich selbst anwendet. Hegels

Ausführungen zum Kernsatz der Logik, zum Satz der Identität, lassen diese Widerlegung paradigmatisch verdeutlichen. Der Satz A = A soll festlegen, daß jeder Begriff im Verlauf eines zusammenhängenden Denkakts seine Bedeutung beibehält, daß er mit sich selbst identisch bleibt. Nach den Vorstellungen des »Logischen Positivismus« ist nur so Wissenschaftlichkeit, Ordnung und Eindeutigkeit gewährleistet und Beliebigkeit, Unordnung (Chaos) vermieden. Hegels Widerlegung sieht nun so aus, daß er dem »ersten Denkgesetz der aristotelischen Logik« selbst seine Eindeutigkeit bestreitet: er *verdoppelt* nämlich *tautologisch* seine Aussage, sagt also (wiederholend) von *zwei* A, daß sie nur mit sich selbst gleich seien (die »A« unterscheiden sich dadurch, daß sie an zwei Stellen stehen). Wenn die Logik aber die »Sichselbstgleichheit« nur durch die Verdoppelung der Aussage ausdrücken kann, kann sie also die Identität nur durch ihren Widerspruch (die Verschiedenheit) definieren, wie es denn auch in der verbalen Fassung der Tautologie geschieht: die Identität zeichnet sich dadurch aus, daß sie das »Andere« ausschließt. Wenn – so Hegels Schluß – sogar die »eindeutige« Logik in ihren Gesetzen den Widerspruch mitformulieren *muß*, dann ist ihren »Denkgesetzen« nicht zu trauen, ist ihre Eindeutigkeit lediglich eine widerspruchsvoll postulierte Setzung, deren Ordnungsanspruch zu bezweifeln ist, jedenfalls im abgehobenen »universellen« Sinn.

Brecht verwendet Hegels *Logik* nicht im Sinn dieser Widerlegung der aristotelischen Logik – sie ist vorausgesetzt –, sondern im Sinn einer Empfehlung, alle »Sätze« prinzipiell an der Realität zu überprüfen, also ihre historische Konkretion bzw. ihre reale Erfahrung zu suchen. Oder anders gesagt: er erinnert an den dialektischen Grundsatz, die Aussagen als Aussagen über etwas und nicht als Aussagen über Aussagen anzusehen. Isoliert man die Aussagen über Aussagen – im Sinn des tautologischen Formalismus –, so besteht die Gefahr, »Sinn« zu suggerieren, wo gar keiner ist. Er entsteht aus dem immanenten Zusammenhang der vorausgesetzten (aber womöglich falschen) Formeln.

Karl Marx (1818–1883)

Mit 21 direkten Nennungen ist Karl Marx als »Ka-meh« nach Lenin, Me-ti und Kin-jeh (Brecht), die weitgehend als eine »kollektive Figur« zu verstehen sind, die weitere beherrschende Figur des *Me-ti.* Er stellt den Klassiker (neben Friedrich Engels, 1820–1895) des materialistisch-dialektischen Denkens dar, den »eingreifend Denkenden« (12, 563, 564), dessen *praktische* Theorie die Möglichkeiten einer Wirklichkeitsanalyse bereitgestellt hat, nach denen Lenin dann hat handeln können: »Denken ist etwas, das auf Schwierigkeiten folgt und dem Handeln vorausgeht« (12, 443).

Karl Marx war derjenige, der die Dialektik Hegels materialistisch gewendet, vom »Kopf auf die Füße« gestellt hat. Hegels Dialektik bestimmte das Wirkliche als »Gestalt des Bewußtseins«, als »Entäußerung« der – dialektisch verfahrenden – Idee (vgl. z. B. Phänomenologie, 26f., 556). Marx dagegen – obwohl er Hegels prozessuales Denken übernimmt – geht nicht vom Primat des Denkens, das die Sache selbst im Denkprozeß *bildet*, sondern vom Primat der Wirklichkeit aus, die sich dem Denken, es bildend, aufprägt: »Meine dialektische Methode ist der Grundlage nach von der Hegelschen nicht nur verschieden, sondern ihr direktes Gegenteil. Für Hegel ist der Denkprozeß, den er sogar unter dem Namen Idee in ein selbständiges Subjekt verwandelt, der Demiurg [Schöpfer] des Wirklichen, das nur seine äußere Erscheinung bildet. Bei mir ist umgekehrt das Ideelle nichts anderes als das im Menschenkopf umgesetzte und übersetzte Materielle« (MEW 23, S. 27). Mit Marx wird aus der idealistischen Dialektik eine materialistische (bzw. realistische). Unter dem Primat des Materiellen, das nicht irgendeine starr vorausgesetzte, sich »entfaltende« Materie (als »Urei«) meint, wird die menschliche *Geschichte* die maßgebliche Instanz: in ihr zeigt sich – materiell wie ideell – der Umfang des dem Menschen zur Verfügung stehenden Materiellen, sei es als Wissen, als Technik, als Gesellschaftsform, als Wirtschaftsstruktur. Die Geschichte dokumentiert den materiellen Entwicklungsgang der Menschheit. »Wir kennen nur eine einige Wissenschaft, die Wissenschaft der Geschichte« (MEW 3, S. 18). Im engeren Sinn hat demnach Marx als Begründer der »Großen Methode« zu gelten; Brecht würdigt aber die Vorgänger, Bacon als Begründer der naturwissenschaftlichen Methode, Hegel als Begründer der idealistischen Dialektik, durchaus, indem er – vor allem Hegel – ihre in der materialistischen Dialektik »aufgehobenen« (in Hegels dreifachem Sinn) Prinzipien ebenfalls als »klassische« zitiert. »Klassisch« heißt dabei nicht »kanonisch«, als immergültige, so fixierte »Wahrheit«, sondern als historisch-bedeutsame Einsicht, die dem Fortschritt der Menschheit gedient und in diesem Sinn sich als richtig bewährt hat.

Die im *Me-ti* zitierten oder angespielten Marx-Texte, die im übrigen noch überhaupt nicht untersucht und verifiziert worden sind, können hier nur andeutungsweise und in ausgewählten Beispielen vorgeführt werden.

Sein bestimmt Bewußtsein: Den materialistischen Grundsatz nennt Brecht im Aphorismus *Über Ka-mehs Satz von der Abhängigkeit des Bewußtseins* (12, 434f.). Marx' klassische Formulierung findet sich in der *Deutschen Ideologie*: »Das Bewußtsein kann nie etwas Andres sein als das bewußte Sein, und das Sein der Menschen ist ihr wirklicher Lebensprozeß« (MEW 3, S. 26). Brechts Konkretisierung des Satzes, daß »das Bewußtsein abhängt von der jeweiligen Art, in der die Menschen das zum Leben Notwendige herstellen« (12, 434), verweist ebenfalls auf die *Deutsche Ideologie*, und zwar auf ihre historisch konkreten Teile (MEW 3, S. 28–36, vor allem).

Mehrwerttheorie: Eine, mit eigenen Worten formulierte Version der von Marx im *Kaptial* (Band 1; 1867) entworfenen »Mehrwerttheorie« gibt Brecht im Aphorismus *Ausbeutung der Erde und der Menschen* (12, 446f.). Brecht stellt den entscheidenden Punkt der Marxschen Theorie heraus, daß nämlich die menschliche Arbeitskraft dasjenige ist, das »verlängert«, folglich ausgebeutet werden kann. Nach Marx – in vereinfachter Form – ist der Lohn des Arbeiters nicht der »gerechte Ausgleich« der von ihm geleisteten Arbeit, und der Gewinn des Unternehmers entsprechend nicht die Spanne, die zwischen Herstellungskosten der Ware und ihrem Verkaufspreis liegt. Der Profit des Unternehmers berechnet sich vielmehr nach der von ihm gekauften Arbeitskraft des Arbeiters und den Kosten, die zu ihrer Wiederherstellung nötig sind. Die Argumentation, die den Lohn als Preis für die Arbeit angibt, tut so, als bestimme die Arbeit die Form der Ware (sie sei ihre, der Arbeit gesellschaftliche Vergegenständlichung), und suggeriert zugleich, der Preis der Ware stünde in direkter Abhängigkeit zum Lohn. Marx sah darin eine idyllisierende und apologetische Darstellung eines scheinbar gerechten, alle Leistungen »ausgleichenden« Systems,das seinen Raubcharakter verbirgt. Deshalb hat Marx den Profit der Unternehmer über die von den Arbeitern (per Lohn) gekaufte Arbeits*kraft* bestimmt, deren bloße Reproduktionskosten (Brecht: »dieses Essen, dieses Wohnen, dieses Kleiden, das der Arbeiter jeden Tag braucht, um arbeiten zu können«; 12, 447) im wesentlichen durch den Lohn abgegolten werden. Da die Arbeitskraft dem Unternehmer aber länger zur Verfügung steht, als zu ihrer Reproduktion nötig ist, arbeitet die Kraft des Arbeiters jeden Tag für Stunden »umsonst«, das heißt, sie arbeitet in diesen Stunden nur noch für den Profit des Unternehmers. Diese Ausbeutung sichtbar zu machen, darum ging es Marx, und Brecht vollzieht es nach (vgl. MEW 23, vor allem S. 531–651).

Differenzierte Bourgeoisie: Der Aphorismus *Der Widerspruch* warnt mit Marx (und Lenin) die Arbeiter, »in ihren Unterdrückern eine allzu gleichmäßige Einheit zu sehen« (12, 505). Differenzierungen innerhalb der herrschenden Bourgeoisie nimmt Marx u. a. im 1. Abschnitt des *Kommunistischen Manifests* vor, das ja direkt an die Arbeiter gerichtet ist (vgl. vor allem Frühschriften, 534–539, wo von der »Konkurrenz der Bourgeois unter sich« die Rede ist und die übrigen Klassen – neben dem Proletariat – aufgezählt sind).

Materialismus heißt nicht, Ideale verwirklichen: In zwei Aphorismen weist Brecht die falsche Anschauung zurück, als gelte die »Große Methode« dem idealen Entwurf der »Großen Ordnung«: »Hütet euch, die Diener von Idealen zu werden; sonst werdet ihr schnell die Diener von Pfaffen sein« (12, 507), und: der Sozialismus bzw. Kommunismus sei kein fertiger Plan, »den es zu verwirklichen gilt [...]. Das Neue entsteht, indem das Alte umgewälzt, fortgeführt, entwickelt wird« (12, 527). Marx geht an zwei ausgezeichneten Stellen (u. a.) auf die falsche Vorstellung von einem in die Zukunft projizierten idealen Sozialismus und Kommunismus ein, die er bereits für seine Zeit feststellt. Von ihren Vertretern sagt Marx im *Kommunistischen Manifest*: »Sie halten die alten Anschauungen der Meister fest gegenüber der geschichtlichen Fortentwicklung des Proletariats. [...] Sie träumen noch immer die versuchsweise Verwirklichung ihrer gesellschaftlichen Utopien, Stiftung einzelner Phalanstere [sozialistisches System von Charles Fourier, 1772–1837], Gründung von Home-Kolonien, Errichtung kleiner Ikarien, – Duodezausgabe des neuen Jerusalem – und zum Aufbau aller dieser spanischen Schlösser müssen sie an die Philanthropie der bürgerlichen Herzen und Geldsäcke appellieren. Allmählich fallen sie in die Kategorie der [...] reaktionären oder konservativen Sozialisten und unterscheiden sich nur noch von ihnen durch mehr systematische Pedanterie, durch den fanatischen Aberglauben an die Wunderwirkungen ihrer sozialen Wissenschaft.« (Frühschriften, 558) In der *Deutschen Ideologie* gibt es eine dem korrespondierende Passage: »Der Kommunismus ist für uns nicht ein *Zustand*, der hergestellt werden soll, ein *Ideal*, wonach die Wirklichkeit sich zu richten haben [wird]. Wir nennen Kommunismus die *wirkliche* Bewegung, welche den jetzigen Zustand aufhebt. Die Bedingungen dieser Bewegung ergeben sich aus der jetzt bestehenden Voraussetzung« (MEW 3, S. 36).

Aufgehobene Philosophie: Auf die Frage, ob Ka-meh und Fu-en (Engels) als Philosophen angesehen werden könnten, antwortet Me-ti: »Ka-meh und Fu-en forderten, die Philosophen sollten sich nicht nur das Ziel setzen, die Welt zu erklären, sondern auch das Ziel, sie zu verändern«; auf die weitere Frage: »Wird die Welt nicht schon dadurch verändert, daß sie erklärt wird?«, entgegnet Me-ti mit einem festen »Nein«, und erläutert: »Die meisten Erklärungen stellen Rechtfertigungen dar« (12, 549). Brecht zitiert sinngemäß die 11. These über Feuerbach, die in der Marxschen Fassung von 1845 lautet: »Die Philosophen haben die Welt nur verschieden *interpretiert*, es kömmt drauf an, sie zu *verändern*« (MEW 3, S. 7). Die 11. Feuerbach-These besagt nicht, daß Philosophie zu verändern habe bzw., wenn sie »richtig« ist, bereits verändere (als kritische, nicht apologetische Philosophie); sie sagt vielmehr, daß die materialistische Philosophie die ehemalige Disziplin »reinen Denkens« negiert und die theoretischen Einsichten in die »Welt« vermittelt, die notwendig sind, sie zu verändern, und das bedeutet auch, daß die Philosophie bereit ist, sich in der Wirklichkeit »aufzuheben«. Diese Philosophie versteht sich als Handlungsanleitung, sie dient der Einsicht in richtiges und realistisches gesellschaftliches Verhalten, und sie wird dann überflüssig, wenn aufgrund ihrer Erkenntnisse gesellschaftliche Praxis geübt wird. In diesem Sinn ist Lenin sowohl der klassische Erbe des dialektischen Materialismus von Marx und Engels als auch der »Aufheber« ihrer Philosophie; und eben dies ist Lenins Rolle im *Me-ti* (vgl. z.B. 12, 461 f.).

Francis *Bacon*: Novum organum, sive indicia vera de interpretatione naturae [Das Neue Organon oder wahrhaftige Anzeigung über die Naturerklärung] (1621). In: The Works of Francis *Bacon*. Hg. v. James *Speeding*, Robert Leslie *Ellis*, Douglas Denon *Heath*. Band 1. London 1858. S. 119–365. – Georg Friedrich Wilhelm *Hegel*: Phänomenologie des Geistes. Hg. v. Johannes *Hoffmeister*. Hamburg 6. Aufl. 1952. – Ders.: Wissenschaft der Logik II (= Werke 6, Theorie Werkausgabe). Frankfurt a. M. 1969. – Karl *Marx*: Die Frühschriften. Hg. v. Siegfried *Landshut*. Stuttgart 1964.

Heinz Brüggemann (s. o.; S. 250–257 zu *Bacon*). – Jan *Knopf*: Bertolt Brecht und die Naturwissenschaften. In: Brecht-Jahrbuch 1978, S. 13–38 (zu *Bacon, Hegel*). – Klaus Detlef *Müller* (s. o.; S. 206–213 unter dem Blickwinkel Korschs).

Die »Große Ordnung«

Mit »Großer Ordnung« bezeichnet Brecht den Aufbau des Sozialismus, der zum Kommunismus führen soll, und zwar am historischen Fall der Sowjetunion als des bisher (30er Jahre) einzigen sozialistischen Staats, der durch die proletarische Revolution 1917 – in einem gegenüber den westlichen Staaten vergleichsweise zurückgebliebenen und ökonomisch unterentwickelten Staat – ermöglicht worden war. Brecht betont dabei – Gedanken und Verfahrensweisen Lenins aufgreifend –, daß die Revolution selbst nur die Voraussetzungen für die »Große Ordnung« schafft, insofern nun das Proletariat die Macht übernommen hat, daß aber ihr Aufbau eine langwierige sowohl von den alten Antagonismen als auch von neu geschaffenen Antagonismen geprägte Prozedur ist, die nicht nur von den alten, durchaus noch nicht völlig machtlosen bürgerlichen Gewalten in Rußland bedroht wird, sondern in zunehmendem Maß auch von außen durch den Faschismus: »Mi-en-leh lachte über alle, die glaubten, man könne an einem einzigen Tage durch Dekrete eine tausendjährige Not beenden, und ging seinen Weg weiter« (12, 449). Und an anderer Stelle heißt es, man könne nicht erwarten, »daß die *Große Ordnung* auf einen Schlag, an einem Tag, durch einen Entschluß eingeführt werden kann. Die Einführung der *Großen Ordnung* ist, weil ihre Gegner gegen sie Gewalt anwenden, ein Akt der Gewalt, ausgeübt durch die große Mehrheit des Volkes, aber ihr Aufbau ist ein langer Prozeß und eine Produktion« (12, 528).

Der »Verein« unter Lenins Führung

Der sog. »Verein«, gemeint ist die Kommunistische Partei der Bolschewiken, stellt im *Me-ti* die revolutionäre Organisation dar, die nach der Revolution, und zwar mit scharfer Disziplin (vgl. 12, 421), den Aufbau des Sozialismus leitet und die entsprechenden Maßnahmen anordnet und überwacht. Brecht, der selbst der Partei nicht angehört hat, verteidigt im *Me-ti* die KP und ihre (auch historische) Funktion in eindeutiger Weise (womit übrigens das Argument der Forschung, Brechts »dogmatischer Marxismus« sei auf die »Phase der Lehrstücke«, 1928–1930, beschränkt gewesen, den Tatsachen nicht standhält: die *Me-ti*-Texte stammen aus der Mitte der dreißiger Jahre, evtl. noch aus späterer Zeit). Der »Verein« löst die bürgerliche Vereinzelung auf und gewährleistet sowohl Zusammenhalt als auch einen sinnvollen Einsatz der Fähigkeiten und Kräfte der einzelnen: »Nur auf seine eigene Kraft bauen, das heißt meist, auch noch und vor allem auf eine plötzlich hervorbrechende Kraft unbekannter Leute bauen. Die keinen ihnen Bekannten anerkennen, erkennen meist ihnen Unbekannte an. Ohne die Masse der Unbekannten kann nichts erreicht werden, aber der Einzelne kann mit der Masse der Unbekannten ebenfalls nichts erreichen. Der Verein, das sind die Bekannten, Erreichbaren, viele Kennenlernenden und Erreichenden in der Masse der Unbekannten« (12, 429). Brecht rechtfertigt den Verein als die einzige mögliche »ausführende Einheit«, nur sie sei in der Lage, den Aufstand durchzuführen, den Aufbau zu organisieren. Negativ bedeutet dies: die immer wieder postulierte »Einheit« des Volkes als falsche Einheit zu zeigen, und zugleich auch die Führung der Wenigen, und für Brecht ist es zunächst vor allem Lenin, zu verteidigen. Die Rolle der »Führer« erfaßt Brecht mit einem Gleichnis, das er Mi-en-leh in den Mund legt. Ein älterer Mann, der besser wohnt, besser ißt und über alle Mittel verfügt, treibt einen jüngeren Mann grob und heftig, ihm seinen Komfort vorenthaltend, von einer Leistung zur anderen. Angesprochen darauf, wie es seinem Sklaven gehe, antwortet der ältere: »Das ist doch nicht mein Sklave, sagte er erschrocken. Er ist der Champion und ich trainiere ihn für seinen größten Kampf. Er hat mich gemietet, damit ich ihn in Form bringe. Ich bin der Sklave« (12, 431). Ganz unkritisch beschreibt Brecht die Rolle der »Führer« dadurch nicht, daß er den »Älteren« immerhin erschreckt sein läßt, als er die falsche Einschätzung seiner Tätigkeit erfährt. Dennoch aber rechtfertigt das Gleichnis die Führerrolle im Bild des zu trainierenden Volks, für das die Führer allein da sind und in dessen Dienst sie tätig werden. Die Begründung für die »Trainerrolle« liefert Brecht, indem er die Wichtigkeit der »Theorie«, also das von Lenin erarbeitete theoretische Wissen von den wirklichen Gegebenheiten, besonders hervorhebt: »Mi-en-leh, der das Volk von Su befreit hat, gab an, er habe sich dabei der Philosophie bedient« (12, 461). Über dieses Wissen verfügt das Volk, der »Champion«, nicht, und es ist die Funktion der »Führer«, ihr Wissen dem Volk »handelnd« zu vermitteln: »Mi-en-lehs Praxis bewies, daß er ein großer Philosoph war. Mi-en-leh war in der Philosophie praktisch und in der Praxis philosophisch« (12, 452).

Rolle der Intellektuellen

Im Gegensatz zum *Tui-Roman* spielen die Intellektuellen, hier meist »Kopfarbeiter« genannt, im *Me-ti* nur eine untergeordnete Rolle (vgl. z. B. 12, 434, 436 f.). Wenn Brecht auf sie eingeht, dann in der Weise wie im *Tui-Roman*, als er sie als die Konstrukteure wirklichkeitsfremder Theorien und Systeme beschreibt, oder, da gibt es Unterschiede zum *Tui-Roman*, als Kritiker der »Großen Ordnung« auftreten läßt (und da gerät sogar Karl Korsch in die Reihe der Tuis; vgl. 12, 539). Wichtiger jedoch ist die Einschätzung der »Kopfarbeiter«, wenn sie im »Dienst der Großen Ordnung« stehen, und zwar nicht wie die »Führer« als Trainer des Proletariats, sondern als diejenigen, die über ein Wissen verfügen, das für den Aufbau des Sozialismus notwendig ist, zugleich aber »bürgerliches Wissen« darstellt. Auch hier nimmt Brecht eine Haltung ein, die der der KP unter Lenin entspricht:

> Als die Pflugschmiede [= Bolschewiken] mit Hilfe Mi-en-lehs die Schmiedeherren davongejagt hatten, brauchten sie einige Lehrmeister für ihre Werkstätten. Die Lehrmeister verlangten, vertrauend auf ihre Unentbehrlichkeit, großes Entgegenkommen. Mi-en-leh, der selber, obwohl krank und überarbeitet, nur wenig und karg aß, pflegte den Pflugschmieden zu raten: Schickt diesem Geschmeiß die besten Hühnchen und die frischeste Milch! Und er setzte leise hinzu und sich listig umblickend: und eure ungeduldigste Verachtung! (12, 431)

Brecht betont, man brauchte »zum Aufbau eine Menge bürgerlicher Arbeit, Wissen, das sich im Besitz des Bürgertums befand, des eigenen und auch des Bürgertums anderer Länder« (12, 523). Eine Ausschaltung der bürgerlichen Kopfarbeiter hätte eine Ausschaltung auch ihres Wissens bedeutet. Nach der materialistischen Einstellung aber war es notwendig, das geschichtlich erarbeitete und produktiv nutzbare Wissen zu übernehmen, wenn die »Aufhebung« des bürgerlichen Zustands dialektisch bewerkstelligt werden sollte. Moralische Gesichtspunkte konnten und sollten keinerlei Rolle spielen; die Frage war stets, ob die Maßnahmen den Interessen des Proletariats dienten. Wiederum ist auffällig, daß Brecht im *Me-ti* Lenins – als orthodox und dirigistisch gebranntmarkte – Auffassung ohne größere Einwände übernimmt, nämlich das bürgerliche Wissen und die bürgerlichen Kopfarbeiter zu übernehmen, sogar zu »pflegen«, aber nur mit dem Ziel, ihnen ihr Wissen zu entreißen und sie so überflüssig werden zu lassen: das Ziel ihrer Anstellung war das ihrer Beseitigung. Lenin schrieb in *Die nächsten Aufgaben der Sowjetmacht* (April 1918): »Die Sowjetrepublik muß um jeden Preis alles Wertvolle übernehmen, was Wissenschaft und Technik auf diesem Gebiet [Steigerung der Arbeitsproduktivität] errungen haben. Die Realisierbarkeit des Sozialismus hängt ab eben von unseren Erfolgen bei der Verbindung der Sowjetmacht und der sowjetischen Verwaltungsorganisation mit dem neuesten Forschritt des Kapitalismus« (Werke 27, S. 246).

Unfreiheit im Sozialismus

Auffallend häufig spricht Brecht die mangelnde Freiheit in der Sowjetunion an (vgl. 12, 421, 438, 439, 496f., 540, 536, 543). Gegen die Kritiker der herrschenden Unfreiheit empfiehlt Me-ti die Unterscheidung zwischen dem bürgerlichen Freiheits-Begriff und dem materialistischen Freiheits-Begriff. Der bürgerliche Begriff definiert Freiheit abstrakt, als prinzipielles Postulat oder, wie Brecht Me-ti sagen läßt, als »freie Freiheit« (12, 421). Der materialistische Begriff jedoch fragt konkret: Freiheit wovon und Freiheit wozu?

Die Forderung nach Konkretisierung des Freiheits-Begriffs ist zunächst – auch dies ist Thema des *Me-ti* – auf dem Hintergrund der verdeckten, unsichtbaren Gewalt in der bürgerlichen Gesellschaft zu sehen:

Einige Gewalttaten sind leicht zu erkennen. Wenn Menschen wegen der Form ihrer Nasen oder der Farbe ihrer Haare [Anspielung auf die faschistische Judenverfolgung *und* die amerikanische Rassendiskriminierung] mit Füßen getreten werden, dann ist die Gewalttat den meisten offenbar. Auch wenn Menschen in stickige Kerker eingesperrt werden, sieht man Gewalt am Werk.

Wir sehen aber allenthalben Menschen, die nicht weniger verunstaltet aussehen [= aussähen], als wenn sie mit Stahlruten geschlagen worden wären, Menschen, die im Alter von 30 Jahren wie Greise aussehen, und doch ist keine Gewalt sichtbar. Menschen wohnen in Löchern jahraus, jahrein, die nicht freundlicher sind als die Kerker, und es gibt für sie nicht mehr die Möglichkeit, aus ihnen herauszukommen als aus Kerkern. Freilich stehen keine Kerkermeister vor diesen Türen. (12, 451; vgl. 466)

Der abstrakte Freiheitsbegriff – so Brechts Kritik – rechtfertigt die beschriebene, »unsichtbare« Gewalt als Freiheit: weil keine Kerkermeister vor den Türen stehen und also die in den schlechten Wohnungen Wohnenden »die Freiheit« haben, sie zu verlassen. Anders gesagt: der bürgerliche Freiheits-Begriff verschweigt die Klassenunterschiede, die es den Nicht-Besitzenden auch ohne sichtbare Gewalt nicht erlauben, ihre schlechten Wohnungen zu verlassen. Es herrscht zwar (formale) Freiheit, aber nicht alle können sie in Anspruch nehmen.

Für die »Große Ordnung« bedeutet Freiheit – wie Brecht sie beschreibt – zunächst vor allem »Befreiung«, keinen Zustand, sondern einen produktiven Prozeß (vgl. vor allem 12, 438f.). Befreiung ist zunächst während der Revolution die Anwendung von Gewalt und Zwang gegen die ehemaligen Unterdrücker: sich von ihnen »frei« zu machen, ist für sie Gewalt, Brutalität, Tod. Nach der Revolution muß diese »Befreiung« gegen die noch vorhandenen alten Kräfte mit Gewalt und Zwang verteidigt werden, also auch hier bedeutet Freiheit für die »anderen« Gewalt. Aber auch die Befreiten – so der Argumentationsgang weiter – unterliegen einem Zwang. Entgegen dem bürgerlichen Freiheits-Begriff, der neben seiner Abstraktheit immer auf den *einzelnen* bezogen ist, ihm die Freiheit (an sich) zuweist, definiert sich der materialistische Begriff von der Allgemeinheit, vom proletarischen Kollektiv aus: »Sie wissen natürlich, daß sie, anders als die Schmiedeherren und Landherren, nicht als Einzelne wirtschaftlich frei sein können sondern nur insgesamt. Ihre Befreiung nun haben sie organisiert, und so ist Zwang entstanden«; und den Kritikern schreibt Me-ti ins Stammbuch: »Sie haben nicht begriffen, daß die Befreiung eine wirtschaftliche Arbeit ist und eine, die organisiert sein muß« (12, 438f.).

Brechts Ausführungen laufen auf eine Rechtfertigung der, als Begriff nicht verwendeten, »Diktatur des Proletariats« hinaus, in der die Freiheit des einzelnen zugunsten der Befreiung der Proletarier weitgehend beseitigt wird, wo nicht nur diktatorisch gegen die alten Mächte geherrscht, sondern auch im Proletariat die Unterordnung unter den allgemeinen Zweck verlangt wird, also Disziplin (vgl. 12, 421). Wiederum ist Lenin sehr nahe:

Die Resolution des letzten (in Moskau abgehaltenen) Sowjetkongresses [März 1918] bezeichnet als wichtigste Aufgabe des Augenblicks die Schaffung »einer gut funktionierenden Organisation« und die Hebung der Disziplin. Alle »stimmen«

jetzt bereitwillig für solche Resolutionen und »unterschreiben« sie, aber daß ihre Durchführung Zwang erfordert – und zwar Zwang gerade in der Form der Diktatur –, darüber macht man sich gewöhnlich keine Gedanken. Es wäre jedoch die größte Dummheit und der unsinnigste Utopismus, wollte man annehmen, daß der Übergang vom Kapitalismus zum Sozialismus ohne Zwang und ohne Diktatur möglich sei. [...] [...] Heute aber fordert dieselbe Revolution, eben im Interesse des Sozialismus, die *unbedingte Unterordnung* der Massen unter den *einheitlichen Willen* der Leiter des Arbeitsprozesses.
(Werke 27, 250, 257)

Aufhebung des Staates

Ziel der »Großen Ordnung« ist der allmähliche Abbau der proletarischen Diktatur, die Aufhebung des Staates (12, 500). Hierzu ordnen sich die Aphorismen, die sich (scheinbar) mit Ethik, Sittlichkeit befassen (12, 462f., 476, 477, 492, 493, 504), in Wahrheit aber die ethischen Forderungen, das »du sollst« der üblichen Ethiken kritisieren und bekämpfen (Me-ti läßt einzig das »Du sollst produzieren« gelten; 12, 499; vgl. 478, 498f.). Die Ethik wendet sich an den einzelnen, ist also bürgerlichen Geistes, als sie sich Besserung der Zustände vom besseren Verhalten der einzelnen erhofft, und sie fordern etwas, was im Selbstverständnis Me-tis selbstverständlich sein sollte (vgl. 12, 504).

Die »Verurteilung der Ethiken« besagt positiv zur Gestaltung des allmählich »absterbenden« Staates und seiner Einrichtungen, daß sie möglichst so sein sollen, daß sie vom einzelnen wenig erfordern, daß weder besondere Verantwortlichkeit nötig ist (12, 454f.), noch eine »besondere Sittlichkeit« gebraucht wird (12, 455; vgl. 469f., 485f., 518, 519, 520, 547, 569):

Etliche loben gewisse Länder, weil sie besondere Tugenden hervorbringen, wie Tapferkeit, Opfersinn, Gerechtigkeitsliebe usw. Ich selber bin solchen Ländern gegenüber mißtrauisch. Wenn ich höre, daß ein Schiff Helden als Matrosen benötigt, frage ich, ob es morsch und alt ist. Wenn jeder Mann die Arbeit von zwei Männern leisten muß, ist die Reederei entweder bankrott oder will zu schnell reich werden. Wenn der Kapitän ein Genie sein muß, sind seine Instrumente wohl unzuverlässig. (12, 518)

Dagegen empfiehlt Brecht, den Staat – und auch da greift er wieder auf Lenin zurück – so einzurichten, daß jede Köchin ihn lenken können müsse. Lenin hatte »so zugleich eine Veränderung des Staates wie der Köchin im Auge« (12, 569). Die Vorstellung des Staats als »Küche« (vgl. auch das Gedicht 8, 392f.) meint, die Reduzierung des Staats – seine »Aufhebung« – zum bloßen Versorgungsapparat für die Lebensmittel.

Die »Große Ordnung« unter Stalin

Brechts Stellung zu Stalin scheint heikel zu sein, weil sie durchaus nicht nur kritisch oder negativ ist. Im Gegenteil weist gerade das *Me-ti* dermaßen eindeutig positive und (scheinbar) unkritische Passagen über Stalins Rolle beim Aufbau der »Großen Ordnung« auf, daß sie Ausdruck direkter apologetischer Funktion zu sein scheint. Klaus Völkers Vermutung, der gewählte Name »Ni-en« sei als ein »Nein« (mit Ausrufezeichen) zu verstehen, läßt sich nach dem Wortlaut des *Me-ti* kaum belegen (Völker, 229). Stalin ist in 16 Aphorismen ausdrücklich genannt – damit ist er eine weitere »Hauptfigur« des *Me-ti*; nur drei Aphorismen davon weisen eine verhaltene Kritik auf, zwei davon wiederum im Zusammenhang der berüchtigten Moskauer Prozesse gegen die sog. Revisionisten, einer nur bezogen auf die »Große Ordnung« und Stalins Selbstherrschaft in ihr (12, 522f., 538f., 539f.). Ansonsten kommt Stalin außerordentlich gut weg. Mehrmals wird er als ausgewiesener Schüler Lenins gewürdigt (12, 457f., 537, 538). Meist geschieht die Kennzeichnung zur Abgrenzung gegen Leo Trotzki, Stalins großen Widersacher (vgl. auch 12, 495, 503); nur an einer Stelle ist Stalins legitime Schülerschaft von Brecht eingeschränkt, indem er formuliert: Stalin müsse als Lenins Schüler betrachtet werden (ein adversatives »trotzdem« schwingt da mit). Andere Stellen gehen noch weiter. Der Aphorismus über *Leben und Sterben* (12, 501) rechtfertigt sehr abstrakt Stalins »Opfer«; nicht viel anders verfährt der Aphorismus *Über Volksherrschaft*, wo es lapidar heißt, Stalin habe deswegen weniger als Lenin argumentieren und überzeugen müssen, weil er weniger Gegner hätte: »Ni en hatte weniger Gegner und befahl« (12, 530). Und auch den Gegensatz Stalin – Trotzki entscheidet Brecht eindeutig und unmißverständlich für Stalin. Es geht dabei vor allem um die Frage, ob der Sozialismus in *einem* Land (Sowjetunion) aufgebaut werden könnte, ohne den Internationalismus der kommunistischen Bewegung zu verraten und damit unwirksam zu machen. Trotzki vertrat die Ansicht, daß der Internationalismus gewahrt bleiben müsse, daß die Sowjetunion sich in zunehmendem Maße abschließe, zumal es sich um ein Land handelt, das besonders rückständig ist und also die Probleme des Übergangs nur verschärft und ihn selbst erschwert, wenn nicht unmöglich macht. Trotzki konnte sich bei dieser Argumentation auf die Verhältnisse in der Sowjetunion berufen. Der kritisch-revolutionäre Marxismus wurde immer mehr zur »positiven« Weltanschauung; der Staatsapparat, anstatt nach Lenins Vorstellung immer mehr »abzusterben«, wurde nicht nur immer mächtiger, einflußreicher und volksferner, sondern ermöglichte auch ein neues Funktionärs-Unwesen sowie eine an die faschistische Selbstherrschaft gemahnende Diktatur des »Führers«, Stalins, die an die »Diktatur des Proletariats« kaum mehr erinnerte. Brecht kennt Trotzkis Kritik durchaus, und sie kommt auch zur Darstellung, so wenn er Trotzkis und Stalins Gegnerschaft als Gegnerschaft der Extreme darstellt, die *beiden* Seiten kein Recht geben kann: »In Wirklichkeit geschah vieles, was der To-tsi wollte, und vieles, was der Ni-en nicht wollte« (12, 522 f.). Trotzdem schlägt sich der *Me-ti* Brechts auf Stalins Seite mit dem Argument: der Aufbau der »Großen Ordnung« in *einem* Land, diene in Wahrheit dem Aufbau der »Großen Ordnung« in *allen* Ländern (12, 495, 503, vgl. 522 f.). Brecht erkennt hier also den Gegensatz, den Trotzki vertritt, nicht an und unterstützt – bei aller verhaltenen Kritik – denn doch Stalins Position eindeutig.

Die im *Me-ti* geäußerte Kritik an den *Moskauer Prozessen* (1936 »Prozeß der 16«, gegen Sinowjew, Kamenew u. a., 1937 »Prozeß der 17« gegen Radek, Pjatakow u. a., 1938 »Prozeß der 21« gegen Bucharin, Rykow, Krestinski u. a.), geführt als Schauprozesse mit den berüchtigten Selbstkritiken der Angeklagten, Brechts Kritik gilt nicht den Prozessen selbst, sondern der Art ihrer Durchführung: Stalin habe vom Volk verlangt, der »Gerechtigkeit« der Prozesse zu vertrauen, anstatt ihm die Schuld der Angeklagten zu *beweisen.* »Nien mag dem Volk genützt haben durch die Entfernung seiner Feinde im Verein, er hat es jedoch nicht bewiesen. Durch den beweislosen Prozeß hat er dem Volk geschadet« (12, 538). Die Rechtfertigung der Prozesse hat Peter Bormans so erklärt: »der Faschismus hatte die Antagonismen in der Welt so sehr verschärft, daß jede, auch die begründete Kritik an Sowjetrußland – falls diese Kritik der Öffentlichkeit übergeben wurde – nur dazu führen konnte, dem Faschismus die Karten in die Hand zu spielen. Die Sowjetunion besaß damals keine Verbündeten, da sich die sogenannten ›demokratischen‹ Länder (Frankreich, England) geweigert hatten, zusammen mit der Sowjetunion eine antifaschistische Einheitsfront zu bilden« (Bormans, 60).

Der Rechtfertigung der sowjetischen Politik, Stalins und des Stalinismus mit, wie Helmut Dahmer es ausgedrückt hat, »allen erdenklichen Argumenten, oft mit schlechten« (Dahmer, 350) steht die deutliche Verurteilung derselben Sachverhalte gegenüber, wie sie Brecht in den Gesprächen mit Walter Benjamin geäußert hat. Benjamin überliefert:

> Der russischen Entwicklung folge er [Brecht]; und den Schriften von Trotzki ebenso. Sie beweisen, daß ein Verdacht besteht; ein gerechtfertigter Verdacht, der eine skeptische Betrachtung der russischen Dinge fordert. Solcher Skeptizismus sei im Sinne der Klassiker. Sollte er eines Tages erwiesen werden, so müßte man das Regime bekämpfen – und zwar *öffentlich.* Aber »leider oder Gottseidank, wie Sie wollen«, sei dieser Verdacht heute [Juli 1938] noch nicht Gewißheit. Eine Politik wie die Trotzkische aus ihm abzuleiten, sei nicht zu verantworten. »Daß auf der andern Seite, in Rußland selbst, gewisse verbrecherische Cliquen am Werke sind, darin ist kein Zweifel. Man ersieht es von Zeit zu Zeit aus ihren Untaten.« [...]
> »In Rußland herrscht eine Diktatur *über* das Proletariat. Es ist so lange zu vermeiden, sich von ihr loszusagen, als diese Diktatur noch praktische Arbeit für das Proletariat leistet – das heißt als sie zu einem Ausgleich zwischen Proletariat und Bauernschaft unter vorherrschender Wahrnehmung der proletarischen Interessen beiträgt.« (Benjamin, 131 f., 135)

An der Authentizität von Benjamins Aufzeichnungen ist nicht zu zweifeln. Die Frage ist, ob man die offensichtliche Diskrepanz der Äußerungen im *Me-ti* und in den Gesprächen mit Benjamin auf die Diskrepanz von Brechts öffentlicher und privater Rolle zurückführen will, wie es die an der Korsch-These orientierte Forschung tut: »Dem Publikum – und mitunter sich selbst als seinem Publikum – präsentierte er sich als unkritischer Freund der stalinistischen Sowjetunion [...]. Der Korsch-Schüler bewahrte sich freilich seinen Scharfblick als Privatmann, im Gespräch mit Freunden – eine reservatio mentalis« (Dahmer, 350 f.). Diese »Aufteilung« Brechts als »öffentliche Person« und als Privatmann entspreche der von Brecht selbst im *Me-ti* angeprangerten Haltung des jungen Malers, als Mensch zwar die Ziele der Kommunisten zu verfolgen, als Maler aber sich nur um die Formen der Malerei und ihre Entwicklung zu sorgen: »›Das ist, als sage einer: Als Koch vergifte ich die Speisen, aber als Mensch kaufe ich Arzneien [...]‹« (12, 484). Die Diskrepanz läßt sich besser erklären, wenn man sie nicht als subjektiven, sondern als objektiven Widerspruch beschreibt und zugleich historisch differenziert. Brecht war überzeugt – und dies ist als Voraussetzung seiner Beurteilung der Sowjetunion immer zu bedenken –, daß der Kapitalismus notwendigerweise immer wieder zum Krieg führe, und zwar aus »immanenten«

wirtschaftlichen Gründen, und daß der Faschismus keinen Gegensatz zum Kapitalismus darstelle, sondern lediglich seine undemokratische, offen brutale und depravierteste Form sei. Von daher erklärt es sich z. B., daß Brecht im *Me-ti* zwischen dem faschistischen Deutschland und den westlichen Demokratien (Frankreich, England, USA) keine Unterschiede macht: er nennt sie in einem Atemzug »Ausbeuterstaaten« (12, 428) oder »räuberische Staaten« (12, 465). Dieser Einschätzung entsprechen auch die »privaten« Äußerungen Brechts (vgl. z. B. 20, 188f.). Die beschriebene Voraussetzung bedeutet für Brecht positiv, daß auch der schlechteste Sozialismus in der Sowjetunion *zunächst und prinzipiell* der bessere und richtigere Weg ist als jede kapitalistische Alternative. Die Hauptfrage Brechts bleibt, und dies ist die Anerkennung der proletarischen Revolution von 1917 als welthistorisches Ereignis, ob die Interessen des Proletariats gewahrt bleiben oder nicht. Dienen die Maßnahmen dem Proletariat, so rechtfertigt Brecht sie, sogar den Hitler-Stalin-Pakt (vgl. 12, 428f.; ähnlich in *Mies und Meck*: 20, 360f.). Und das bedeutet auch, daß moralische Fragen – hier also die Verurteilungen der faschistischen Greueltaten – im Hintergrund zu bleiben haben (vgl. die Ausführungen gegen die Ethik im *Me-ti*). Alles kommt darauf an, die realen Umstände und Möglichkeiten richtig einzuschätzen. Der Hitler-Stalin-Pakt diente, so die Argumentation, einzig und allein dazu, der Sowjetunion Zeit zu geben, sich auf den als unvermeidlich eingeschätzten Krieg gegen den Faschismus vorbereiten zu können, nachdem die westlichen Demokratien (England, Frankreich) ein Bündnis gegen Nazideutschland (und das faschistische Italien) verweigert hatten. Stalin handelte richtig, weil er sich auf diese Weise die noch notwendige Zeit verschaffen konnte, und der Überfall im Juni 1941 kam immer noch sehr früh, schneller als erwartet und von Stalin sicherlich völlig falsch eingeschätzt.

Nimmt man diese Positionen Brechts ernst, dann ergibt sich für die Beurteilung seiner Haltung ein objektiver Widerspruch, der nicht zu lösen war angesichts der Realitäten, es sei denn, er hätte sich ins bürgerliche Lager geschlagen. Brecht mußte die dem Sozialismus geltenden Maßnahmen prinzipiell gutheißen, und dies um so mehr, je mehr der Faschismus an Einfluß gewann und je mehr der Sozialismus durch den Krieg gefährdet war. Das inhumane, brutale, freiheitsfeindliche, diktatorische Vorgehen Stalins und seines Apparats konnte angesichts der äußeren Gefährdung nur partiell und dann auch nur »privat«, auf alle Fälle nicht öffentlich angeprangert werden, eben weil alle Kritik am Sozialismus objektiv dem Faschismus nützte. Diesen objektiven Widerspruch, der Brecht den Anschein geben kann, ein Befürworter des Stalinismus gewesen zu sein, sah Brecht auch für die Sowjetunion als gültig an: durch den Hitler-Stalin-Pakt trage die Union »vor dem weltproletariat das fürchterliche stigma einer hilfeleistung an den faschismus, den wildesten und arbeiterfeindlichsten teil des kapitalismus. ich glaube nicht, daß mehr gesagt werden kann, als daß die union sich eben rettete, um den preis, das weltproletariat ohne losungen, hoffnungen und beistand zu lassen« (AJ 62; vom 9. 9. 1939).

Entsprechend der historischen Entwicklung schwankt Brechts Einschätzung. So enthusiasmiert ihn sein Moskaubesuch angesichts des sozialistischen Aufbaus (1935) in z. T. übersteigerter und unrealistischer Weise (vgl. z. B. über die »Inbesitznahme« der Moskauer Metro; 9, 673–675). Die kritischen Töne mehren sich in den folgenden Jahren, und auch sein Entschluß, *nicht* in die Sowjetunion zu emigrieren, ist auf seine negative Einschätzung der Lebens- und Arbeitsmöglichkeiten in der Sowjetunion eindeutig zurückzuführen. Positiver reagiert Brecht dann wieder, als die Sowjetunion im Krieg ist, und an seinem Wunsch, daß der sozialistische Staat siegen sollte, läßt er nie Zweifel. Dennoch nimmt seine Skepsis auf eine humane Lösung zu. Als niederdrückend notiert Brecht, um ein letztes Beispiel zu geben, seine Lektüre des Stalin-Buchs von Boris Souvarine, das mit deutlich antistalinistischer Tendenz die ganzen Greuel und die persönliche Terrorherrschaft Stalins ans Licht bringt. Brecht geht sogar so weit, den stalinistischen »Sozialismus« mit dem deutschen Faschismus zu vergleichen: »das deutsche kleinbürgertum borgt sich für seinen versuch, einen staatskapitalismus zu schaffen, gewisse institutionen (somit ideologischem material) vom russischen proletariat, das versucht, einen staatssozialismus zu schaffen. im faschismus erblickt der sozialismus sein verzerrtes spiegelbild. mit keiner seiner tugenden, aber mit allen seinen lastern« (AJ 589; vom 19. 7. 1943). Es darf, so meine ich, mit allem Recht darauf geschlossen werden, daß das *Me-ti* deshalb vor allem Fragment blieb und bleiben mußte, weil die weitgehend positive und unkritische Darstellung der »Großen Ordnung« durch den Gang der Realitäten nicht bestätigt wurde. Sowohl der Faschismus erwies sich als ausdauernder und brutaler, als Brecht es erwogen hatte, als auch der Weltkrieg keine wirklich weitergehende sozialistische Lösung des Konflikts brachte, weil der Sozialismus in den von der Sowjetunion besiegten Ländern nicht durch den Volkswillen, sondern durch die Siegermacht durchgesetzt wurde. Ein Werk, dessen erklärte Intention es war, der Wirklichkeit zu folgen, mußte an den vorhandenen Widersprüchen scheitern.

Wladimir Iljitsch *Lenin*: Werke (s. o.).

Boris *Souvarine*: Stalin. Anmerkungen zur Geschichte des Bolschewismus. München 1980 (zuerst 1935 französisch; 8., erweiterte Auflage 1940; die Neuausgabe enthält in deutscher Übersetzung den ursprünglichen Text mit einem umfangreichen Nachwort Souvarines von 1977).

Walter *Benjamin*: Versuche über Brecht. Hg. von Rolf *Tiedemann*. Frankfurt a. M. 1966.

Helmut *Dahmer*: Bertolt Brecht und der Stalinismus. In: Jahrbuch Arbeiterbewegung. Band 1: Karl Korsch. Hg. v. Claudio Pozzoli. Frankfurt a. M. 1973. S. 349–357 (mit Literatur). – Peter *Bormans*: Brecht und der Stalinismus. In: Brecht-Jahrbuch 1974. S. 53–76.

Die Form und ihr Inhalt

Aphoristik

Obwohl es richtig ist, daß »das Spektrum der formalen Möglichkeiten nicht auf ein einziges Genre« (Müller, 232) festzulegen ist, ordnet sich das *Me-ti* in die Tradition aphoristischen »Philosophierens«: kurze, formal durchaus unterschiedliche, thematisch divergierende, insgesamt zusammenhangslose, vor allem unsystematische Texte fügen sich zu einem – durchaus widersprüchlichen – »Ganzen«, wobei bei Brechts *Me-ti* das »Ganze« nur aus der überlieferten Anordnung der Mappe 136 des Bertolt-Brecht-Archivs andeutungsweise zu erahnen ist. Daß eine unsystematische Anordnung wahrscheinlich gewesen wäre, wäre das Buch zustande gekommen, ergibt sich aus seinem Inhalt. »Philosophen«, heißt es, »werden meist sehr böse, wenn man ihre Sätze aus dem Zusammenhang reißt. Me-ti empfahl es. Er sagte: Sätze von Systemen hängen aneinander wie Mitglieder von Verbrecherbanden. Einzeln überwältigt man sie leichter. Man muß sie also voneinander trennen. Man muß sie einzeln der Wirlichkeit gegenüberstellen, damit sie erkannt werden« (12, 471). Me-tis Verfahren beschreibt das Formprinzip des *Buchs der Wendungen*, dessen Untertitel auch als formaler Hinweis gelesen werden kann. Erreicht werden soll, daß durch die sprachlichen Ausführungen *keine* text- oder sprachimmanenten Zusammenhänge entstehen, daß vielmehr der Realitätsbezug ständig bewußt und gewahrt bleibt, oder wieder mit Me-ti gesagt: das Buch soll sich für die Welt interessieren und dem Leser nicht die Welt vergessen machen »über dem Buch, das sie beschreiben soll« (12, 561). Oder mit einer weiteren Passage aus dem *Me-ti* gesagt: »Die Urteile, die auf Grund der Erfahrungen gewonnen werden, verknüpfen sich im allgemeinen nicht so, wie die Vorgänge, die zu den Erfahrungen führten. Die Vereinigung der Urteile ergibt nicht das genaue Bild der unter ihnen liegenden Vorgänge. [...] Es ist besser, die Urteile an Erfahrungen zu knüpfen, als an andere Urteile, wenn die Urteile den Zweck haben sollen, die Dinge zu beherrschen« (12, 463).

Heinz Brüggemann hat dieses aphoristische Verfahren auf das Vorbild Francis Bacons zurückgeführt. Bacon habe versucht, das von ihm vertretene induktive (wissenschaftliche) Prinzip auch in seiner Schreibweise zu realisieren und habe deshalb philosophisch den Aphorismus als »offene Form« begründet: »Da endlich die Aphorismen nur einige Theile und gleichsam abgebrochene Stücke der Wißenschaften darlegen, so reizen sie an, daß auch andere etwas beyfugen und herlegen; die methodische Überlieferung aber, indem sie mit der ganzen Wißenschaft prahlt, macht die Menschen alsbald sicher, als wenn sie nun gleichsam ihr Ziel erreicht hätten« (Bacon zitiert nach Brüggemann, 255). Offen ist die Form, weil sie sich von vornherein nur als »Ausschnitt«, als unabgeschlossener Teil versteht im Hinblick auf das, was sie wiedergibt, offen ist sie auch, weil sie mit einem offenen Prozeß der Wissenschaft rechnet, insofern also vom Rezipienten aufgenommen und weiterentwickelt werden kann, wobei dann freilich die Rezeption nicht als Akt der »Erfüllung«, der »Schließung« der offenen Form gelten kann, sondern lediglich als ein weiterer Schritt, der wiederum nur einen offenen Teil bildet (Fortschritt der Wissenschaften). Wichtig aber bleibt: daß nur die Erfahrung (durch Induktion) die Beweiskraft der Urteile bilden kann; zu ihr ist das Urteil immer »offen«.

Diese Art des wissenschaftlichen Aphorismus unterscheidet sich diametral von der Aphoristik, die der »objektiven« Systematik den »subjektiven« Entwurf gegenüberstellt, eine Aphoristik, wie sie in Deutschland vor allem durch Friedrich Nietzsche (1844–1900) entwickelt worden ist. Nietzsches Aphoristik, die sich zugleich als prinzipielle Sprachkritik versteht, rechtfertigt sich dadurch, daß sie *alles* Philosophieren nicht als Ausdruck, Wiedergabe, Widerspiegelung von Wirklichkeit ausweist, sondern immer schon als subjektiv-»künstlerischen« Entwurf. Und dies deshalb, weil Nietzsche meint, daß die Sprache gar nicht etwas Objektives, Unabhängiges wiedergeben kann, sondern alles Sprechen und Denken die äußeren Dinge erst »schafft«, konstituiert: alles, was Sprache *wird*, ist nicht Bild einer äußeren Welt, sondern durch die Sprache überhaupt erst hergestellt. Die offene Form bei Nietzsche ergibt sich für den Aphorismus dadurch, daß dieser Sprach-Weltenbauende Prozeß als ein immer neues Entwerfen von Welt durch den sprachbildnerischen philosophischen Schöpfer ausgewiesen wird. Bei dieser Aphoristik gehört der gleichgeartete und gleichgesinnte Rezipient als Fortführer und »Vollender« des Aphorismus dazu. Er vollzieht den Weltentwurf durch Sprache nach und bildet ihn sprachschöpferisch in seinem Denken fort: er realisiert den Aphorismus erst eigentlich. Die (induktive) Erfahrung spielt bei dieser Art subjektiver Aphoristik keine Rolle, weil ja der Sprache jeglicher Wirklichkeitsbezug genommen ist. Folglich kann die Erfahrung auch kein Kriterium für die Richtigkeit der Urteile sein.

Sprache und Denken als Verhalten

Brecht bezeichnet – sich selbst in seinem Buch ästhetisch spiegelnd – das *Me-ti* indirekt als »Lehrbuch des Verhaltens« (12, 472). »Verhalten« ist nicht im bürgerlichen Begriff gemeint, wie sich im *Me-ti* auch keinerlei Verhaltensregeln oder pädagogische Anweisungen finden. Im Gegenteil werden ja alle »du sollst« Maximen (außer der des Produzierens) ausdrücklich verworfen. Angespielt ist auf den materialistischen Begriff, der den der »Verhältnisse« mit impliziert. Das bedeutet, daß das »Verhalten« nicht auf den einzelnen – didaktisch – bezogen ist, sondern der einzelne als Ausdruck der gesellschaftlichen Verhältnisse verstanden wird, das Individuum das »gesellschaftliche Wesen« ist; (Karl Marx: Grundrisse der Kritik der politischen Ökonomie. Berlin 1953. S. 176): »Die Gesellschaft besteht nicht aus Individuen, sondern drückt die Summe der Beziehungen, Verhältnisse aus, worin diese Individuen zueinander stehen«. Das heißt nicht, daß Individuum oder Individualität geleugnet würden, aber der Primat ist anders gestellt, indem das Individuum als »Resultat« der gesellschaftlichen Verhältnisse erscheint (das, was nicht »in ihnen aufgeht«, unteilbar ist im Wortsinn) und nicht als einzelner den gesellschaftlichen Beziehungen vorausgesetzt wird. Das Verhalten des einzelnen hat nach diesem Begriff den gesellschaftlichen Bezug von vornherein an sich, und es geht bei seiner Beschreibung nicht darum, bestimmtes Verhalten pädagogisch zu fordern, es geht vielmehr darum, im Verhalten des einzelnen seinen Bezug zur (gesellschaftlichen) Wirklichkeit sichtbar zu machen. Verhält er sich so, daß er sich der gesellschaftlichen Wirklichkeit stellt, oder ist sein Verhalten davon geprägt, den Realitäten aus dem Weg zu gehen, autonome Eigenwelten zu entwerfen, sich nicht um die herrschenden Widersprüche zu kümmern? Die Beschreibung des Verhaltens des einzelnen geschieht als Beschreibung seines Verhaltens zur gesellschaftlichen Wirklichkeit und damit auch seines Verhaltens zu den anderen in der Gesellschaft. Diese »Verhaltenslehre« beschreibt – jedenfalls vom Anspruch aus – wirkliches Verhalten, das Ausdruck gesellschaftlichen Verhaltens und der gesellschaftlichen Verhältnisse ist, zugleich aber auch ein Zueinander-Verhalten.

Sprache und Denken – und dies ist dann die ästhetisch-philosophische Dimension der Verhaltenslehre – verfahren adäquat. Auch sie werden nicht primär als Ausdrucksmittel des einzelnen anerkannt, wie sie auch – für Brecht – keinerlei Autonomie beanspruchen können, wenn sie realistisch bleiben wollen. Sprache und Denken sind gesellschaftlich vermittelt, nicht subjektiv, sondern intersubjektiv. Entscheidend aber bleibt, daß Sprechen und Denken im *Me-ti* im materialistischen Sinn immer wieder als Realitätsabbildung reflektiert werden. Der Denkakt, der sich in der Sprache formuliert, vollzieht den realen Prozeß, ihm im Sinn der Baconschen Maxime gehorchend, nach, wobei der Nachvollzug die vom Subjekt stammende (produktive) Leistung unter Verwendung des gesellschaftlich vermittelten Sprachsystems darstellt und insofern auch wieder »künstlich« ist, das heißt gegenüber dem Bild, das die »Welt« erzeugt, defizitär (unvollständig, auswählend) verfahren muß. Paradigmatisch erläutert dies der Aphorismus *Über die gestische Sprache in der Literatur* (12, 458f.):

> Er [der Dichter Kin-je] wandte eine Sprachweise an, die zugleich stilisiert und natürlich war. Dies erreichte er, indem er auf die Haltungen achtete, die den Sätzen zugrunde liegen: Er brachte nur Haltungen in Sätze und ließ durch Sätze Haltungen immer durchscheinen. Eine solche Sprache nannte er ge-

stisch, weil sie nur ein Ausdruck für die Gesten der Menschen war. Man kann seine Sätze am besten lesen, wenn man dabei gewisse körperliche Bewegungen vollführt, die dazu passen [...]. Der Dichter Kin erkannte die Sprache als ein Werkzeug des Handelns und wußte, daß einer auch dann mit andern spricht, wenn er mit sich spricht. (12,458 f.)

Was Brecht von sich als dem Dichter Kin-je beschreibt, ist das Programm einer materialisierten Sprache, und zwar nicht in dem Sinn, daß die Geste »Innerliches« in der »Gebärdensprache« nach außen bringt, sondern daß umgekehrt der Ausdruck realen Verhaltens in der Sprache erfaßt wird. Das heißt nicht, wie in der heutigen pragmatischen Linguistik, daß die Sprache selbst schon Verhalten oder gar Handeln wäre. Der Anspruch ist vielmehr, daß die Sprache so gestisch sprechend geformt wird, daß sie auf (reales gesellschaftliches) Verhalten und Handeln *verweist*, hinzeigt, nicht sich aber schon mit gesellschaftlicher Handlung verwechselt. Und ein zweiter Aspekt kommt hinzu, nämlich die Einsicht, daß die Sprache nicht monologisch ist, auch im Monolog nicht, sondern daß die Sprache intersubjektive Kommunikation bedeutet, auch da, wo man mit sich selbst spricht. Auch dieser Aspekt verschiebt die (bürgerliche) Auffassung der Sprache vom »sich-ausdrückenden« Subjekt hin zur gesellschaftlichen Kommunikation, die wiederum als »Spiegel« von intersubjektiven Verhaltensweisen verstanden wird.

Zweck dieses Sprechens und Denkens ist es – auch hier wird die Form ihres Inhalts –, sich wie die Philosophie in der Aktion, im Handeln »aufzuheben«. Die Verweigerung einer Sprachautonomie und »Sprachwelt« impliziert ein Sprachverständnis, daß aufgrund einer realistischen Erfassung der gesellschaftlichen Verhaltensweisen zu ihrer realen Beherrschung (das heißt auch: Veränderung) gelangt: »Denken ist etwas, das auf Schwierigkeiten folgt und dem Handeln vorausgeht« (12, 443). Das »Buch der Verhaltenslehren« ist dazu bestimmt, sich in der gesellschaftlichen Praxis einer (revolutionären) Veränderung der gesellschaftlichen Verhältnisse überflüssig zu machen. Seine Ästhetik besteht darin, diese gesellschaftliche Gestik sprachlich zu leisten. Es gehört zu Brechts künstlerischem Verfahren dazu, seine Inhalte zugleich in der gewählten ästhetischen »Form« zu reflektieren, eine Form, die nicht mehr den (literarischen) Formen der vergangenen Ästhetik folgt, sondern sie aus der Realität bezieht und sich ihr folglich auch unterwirft, freilich mit dem Ziel, sie zu beherrschen.

Daß Brechts ästhetische Konzeption im *Me-ti* freilich aufgegangen ist, kann mit Recht bezweifelt werden; und hier zeigen sich vor allem die Nachteile des chinesischen »Musters«. Die wiederkehrende Floskel des »er sagte« bzw. »er lehrte« gibt den Aphorismen – auch wenn sie dialogisch verfahren – ein formales Stereotyp, das nicht wenige Passagen nicht im beschriebenen Sinn »gestisch« formt, sondern didaktisch, lehrhaft. Eine Beschreibung wie die folgende hat – gegen Brechts Intention – ihre Berechtigung: »Me-ti stellt die Parallele zu den Lehrstücken in der Prosa dar. Auch hier werden dem Rezipienten nicht fertige Ergebnisse präsentiert; er wird vielmehr gezwungen, Satz für Satz die Argumentationsstruktur mitzuverfolgen. In diesem aktiven Nachvollzug erst besteht der erhoffte Lerneffekt. Eine wesentliche Rolle dabei spielt ohne Zweifel, daß es sich beim ›Me-ti‹ um eine fast 300 Kurztexte umfassende *Reihe* handelt, deren jeder ein erneutes Beispiel dialektischen Denkens bietet. Auf diese Weise werden Denkstrukturen nachvollziehend internalisiert« (Boie-Grotz, 206). Die Parallelisierung zum Lehrstück und Rezipienten (vgl. BH 1, 419–421), bedeutet für das *Me-ti*, daß die Rezeption als Realisation der (dialektischen) Denkstruktur, die der Text vorgibt, beschrieben wird. Damit aber ist der intendierte gestische Realitätsbezug gekappt, das Denken verselbständigt sich und sein Sinn, das Lernen bestimmten Denkens, geht verloren. Die Autonomie von Denken und Sprechen, die die beschriebenen Texte des *Me-ti* leugnen, werden durch die aus dem Chinesischen übernommenen didaktischen Formen zumindest teilweise zurückgenommen oder gestört. Brecht hat zu wenig bedacht, daß die chinesischen Muster die Verhaltens*lehren* vornehmlich als Verhaltensanweisungen verkünden und daß die Übernahme des formalen Mittels auf sein eigenes Verhaltensbuch zurückschlägt: die Sätze werden abstrakt, die Modelle lösen sich vom »Modellierten« und erscheinen so simplifiziert, das Historische verflüchtigt sich, und die Wirklichkeitsbeschreibung gibt sich als Künstlichkeit ohne Gestus.

Heinz *Brüggemann* (s. o.; S. 250–257). – Kirsten *Bolie-Grotz*: Brecht – der unbekannte Erzähler. Die Prosa 1913–1934. Stuttgart 1978 (S. 203–207). – Jan *Knopf*: Kleiner Grundkurs in »Dialektik«. Aphoristik in Brechts »Me-ti«. In: Der Deutschunterricht, Jg. 30, 1978, Heft 6, S. 37–52. – Klaus-Detlef *Müller* (s. o.; S. 232 f.).

Schriften zur Literatur und Kunst

Übersicht

Die *Schriften zur Literatur und Kunst* liegen in drei bzw. zwei Bänden (*Werkausgabe*) gesammelt vor. Es handelt sich durchweg um relativ kurze bis kürzeste Texte, häufig auch um Fragmente, nur in seltenen Fällen waren sie bereits von Brecht publiziert worden, sogar die umfangreicheren, weitgehend zusammenhängenden Auseinandersetzungen mit Georg Lukács im Rahmen der »Expressionismus«-Debatte (19, 287–382) blieben in der Schublade (es war Rücksicht zu nehmen und die Gemeinsamkeiten waren nicht zu gefährden). Werner Hecht hat diese Schriften aus einer großen Auswahl im Nachlaß Brechts ausgewählt und war dabei bemüht, möglichst viele Texte zu berücksichtigen – also auch offensichtliche Fragmente – und die ganze Palette der theoretischen Überlegungen Brechts auszubreiten. Gerade diese Ausgaben erfuhren z. T. hartnäckigste negative Kritik, die freilich kaum mit Kenntnissen, noch weniger mit Zeugnissen, sondern mit Verdächtigungen und Unterstellungen arbeitete. Es ist hier nur insofern darauf zu verweisen, als bis heute – bei dem umfangreichen Nachlaßmaterial – *jede* Ausgabe von Schriften Brechts nur ein vorläufiges Angebot sein kann. Solange die Schriften nicht historisch-kritisch aufgearbeitet sind, kann es weder eine vollständige noch »zuverlässige« Ausgabe geben. Die Probleme sind hier gerade besonders groß. Nichtpublizierte Texte sind bei Brecht – auch wenn sie einen abgeschlossenen Eindruck erwecken – stets als Fragmente zu qualifizieren: erst die Publikation markierte den – dann meist auch wieder nur vorläufigen – Abschluß. Die meisten Texte waren nicht geordnet, sondern bloß »abgelegt«, das heißt, ihre Chronologie ist nurmehr zu erschließen oder gar nicht mehr eindeutig feststellbar. Die Ausgaben arbeiten im Prinzip zwar chronologisch, stellen aber auch, um wenigstens eine gewisse Ordnung in die Texte zu bekommen, Themenkreise zusammen. Wo die Chronologie gesichert ist (durch Publikation, Manu- oder Typoskript-Vermerke, Briefe u. ä.), ist ein entsprechender Vermerk angegeben. Bei den übrigen Texten ist mit falschen Ein- und Zuordnungen stets zu rechnen – und natürlich hat man bereits einige Fehler gefunden (freilich nicht die Kritiker, sondern der Herausgeber bzw. die Archivare des Bertolt-Brecht-Archivs). Problematisch bei den Ausgaben der *Schriften* ist auch die Tatsache, daß Werner Hecht Texte aus den *Tagebüchern* oder den *Autobiographischen Aufzeichnungen* thematisch ausgezogen hat, so daß vor allem für die frühen Jahre Einzelnotizen zu stehen kommen, die in andere Zusammenhänge gehören (vgl. 18, 6–14 oder 20, 10–14 = Textauszüge aus den *Tagebüchern*). Auch dieses oft gerügte Vorgehen erklärt sich aus der Lage der Nachlaß-Publikationen: die *Tagebücher* (u. a.) waren noch nicht publiziert, so daß wichtige Texte zum Thema hätten außer acht bleiben müssen, wenn sich Werner Hecht nicht zu diesem Vorgehen entschlossen hätte. Beim heutigen Stand der Ausgaben ist die Aufnahme der Texte in die *Schriften* nicht mehr vonnöten. Wie sinnvoll und die Arbeit erleichternd jedoch thematische Zusammenstellungen von Brecht-Texten sein können, zeigen die Materialienbände, die thematisch geordnete Texte mit Nachlaßtexten zusammenstellen, z. B. über die *Romane und Romanprojekte* (herausgegeben von Wolfgang Jeske, Frankfurt a. M. 1984), oder die Anthologien zum Thema *Kunst und Politik* (herausgegeben von Werner Hecht, Frankfurt a. M. 1971) oder *Über die bildenden Künste* (herausgegeben von Jost Hermand, Frankfurt a. M. 1983).

Auch bei der thematischen Zusammenstellung der theoretischen Schriften gibt es Fragwürdigkeiten (im positiven Sinn). Fast alle Theorie Brechts versteht sich aus ihrer künstlerischen Praxis, stellt theoretische Schlußfolgerungen dar aus der literarischen Produktion: eine Isolierung ist schon aus dieser Tatsache stets fragwürdig, war doch der *Zusammenhang* von Theorie und Praxis gegen ihre Isolierung im bürgerlichen Kunstbetrieb durchzusetzen. Wegen ihrer Realitätsnähe sowie durch die Mißachtung, die Brecht den Gattungsgrenzen stets entgegengebracht hat, ist eine Aufteilung nach »Gattungen«, Kunstgebieten u. ä. immer problematisch und setzt Herausgeberentscheidungen voraus (Werner Hecht hat sie alle diskutiert). Diese »formalen« Schwierigkeiten sollten dem Leser der *Schriften*, die Werner Hecht als »Kommentare in eigener Sache« qualifiziert (Hecht, 258), bewußt bleiben. Die Kommentierung ihrerseits wiederum kann, wie schon mehrmals betont, nur Hinweischarakter haben. Die meisten ästhetischen Fragen sind im Zusammenhang mit den poetischen Werken bereits ausgiebig erörtert worden (über das Sachregister können die Belegstellen ohne Mühe ausfindig gemacht werden). Bestimmte theoretische Reflexionen sind ebenfalls am »poetischen Ort« eingebaut, so vor allem die Romantheorie, ohne die ein adäquates Verständnis des *Dreigroschenromans* behindert wäre. Sie findet sich denn auch dort. Drei Themenkomplexe habe ich herausgesondert, weil sie innerhalb von Brechts »Literaturtheorie« eine Sonderstellung haben, von der Rezeption in dieser Weise auch beachtet worden sind und überdies auch größeren Textanteil aufweisen, nämlich die theoretischen Texte über Lyrik (gleich aus welcher Zeit, freilich unter Beachtung der Chronologie), in deren Mittelpunkt der Aufsatz *Über reimlose Lyrik mit unregelmäßigen Rhythmen* (1939) steht, dann die Aufsätze zur »Expressionismus-Debatte«, die das Thema Realismus (damit auch das des Formalismus) behandeln, sowie die »Hörspieltheorie«, die bis heute aktuell geblieben ist (sie steht im Zusammenhang mit den *Lehrstücken*). Über diese drei Themenkomplexe hinaus findet sich auch der *Dreigroschenprozeß* innerhalb der *Schriften zur Literatur und Kunst.* Er gilt vornehmlich dem Medium Film, und er ist deshalb im Anhang (Filmkapitel) berücksichtigt.

Über die übrigen Schriften gebe ich im folgenden einen Überblick. Ihre Themen- und Formenvielfalt ist so groß, daß Einzeluntersuchungen notwendig wären, würde man auf die Texte direkt eingehen wollen. Es finden sich auch in den kleineren Notizen oft wichtige Einsichten formuliert, deren Stellenwert aber nicht überbetont werden darf und einigermaßen objektiv nur mit der Kenntnis des gesamten Nachlaßmaterials zu bestimmen wäre. Außerdem fehlen Darstellungen zur »Theorie« bei Brecht (abgesehen von der Theatertheorie).

Brechts Literatur- und Kunsttheorie ist keine Theorie apart; wie in den philosophischen Schriften die erkenntnistheoretischen Fragestellungen zwar aufgenommen, aber sogleich in historische umgedeutet werden, so bleibt auch diese »Theorie« nicht nur eng mit der literarischen Praxis verbunden, sondern stellt sich auch stets den Fragen der Zeit. Sich darüber klar zu werden, was »Realismus« jeweils heißt, ist denn auch der durchgängige rote Faden durch die gesamte Theorie. Und da ergeben sich in einem kurzen, aber ganz wesentliche historische Ereignisse durchlebten (und durchlittenen) Leben Änderungen.

Die frühen Schriften sind noch durchweg »Ich«-orientiert, was freilich auch mit ihrer *Tagebuch*-Herkunft zusammenhängt. Es ist klar, daß die bürgerliche Herkunft, die entsprechende schulische Erziehung sowie die dadurch weitgehend bestimmte Lektüre zunächst prägend sein mußten. Die »kritischen« Schülerarbeiten z. B., die im Anhang des 18. Bandes der *Werkausgabe* abgedruckt sind (18, Anmerkungen, 1–6), klingen wie bestellt, salbadern und romantisieren (sie stammen durchweg von 1914). Sie üben regelrecht den üblichen Ton ein (daß Brecht auch über einen anderen verfügte oder in den folgenden beiden Jahren zu verfügen lernte, habe ich sowohl im Lyrik- als auch im Prosakapitel besprochen). Greifbar wird Brechts kritische Einstellung ab 1919, als er seine theaterkritische Tätigkeit beginnt und kritische Notate in Notizbüchern und Tagebüchern festhält. Dabei ist festzuhalten, daß Brecht bereits 1920 sich entschieden und grundsätzlich gegen die Kunst als *Ausdruck* des Individuums wendet, eine Grundvoraussetzung für Brechts Werk und Weg zum Realismus (auch zum »sozialistischen«). Im *Aufruf an die jungen Maler!* empfiehlt Brecht recht drastisch, endlich von den alten Themen abzurükken und den »kleinen Bezirk aufzugeben, auf dem kein Halm mehr wächst, große, dumme, muhende Kälber«: »Ihr sollt unsre Gewohnheiten malen. Ihr habt jahrhundertelang die Gewohnheiten derer gemalt, die ihr maltet. Eure letzte Mode war: eure eigenen Gewohnheiten zu malen. (Die Resultate waren für den Arzt und den Masochisten ergiebig!) Ich rate euch: die Gewohnheiten derer zu malen, die eure Bilder anschauen müssen« (18, 11). Aus den *Tagebüchern* läßt sich vermuten, daß der Wechsel vom Interesse, Subjektives und subjektive Empfindungen auszudrücken, zum Interesse hin, Objektives, Gesellschaftliches zu gestalten, sich aus der Einsicht herleitet, daß man »seine eigenen Wörter« nicht hat (*Tagebücher,* 55). Die Subjektivität und Unmittelbarkeit des Ausdrucks sind nur möglich, wenn man sich gleichzeitig Ungenauigkeit, Raunen, Mythisieren etc. einhandelt, wobei die unverstandenen und unverständigen »Lücken« dann die »Tiefe« des Ausdrucks ausmachen sollen. Durch das intersubjektive »Medium« der Sprache ist die Dichtung – was ja immerhin eine allgemeinere, aber stets nicht konsequent zu Ende gedachte Erkenntnis der »Moderne« ist – von vornherein auf »Intersubjektives« verwiesen (vgl. den berühmten *Chandos-Brief* von Hugo von Hofmannsthal). Auch Brecht hatte sich die Einsicht zu erkämpfen – das belegen die *Tagebücher.* Aber der Prozeß ging offenbar recht schnell und führte auch zu greifbaren Konsequenzen und nicht zum üblichen Lamentieren über mangelnde Sprach»kräfte«. Brecht sucht sie vielmehr neu zu mobilisieren, mit Erfolg.

Die Schriften zwischen 1920 und 1926 sind vor allem *gegen* die bürgerliche Literatur gewendet, meist sehr polemisch, häufig mit gewissen zynischen Untertönen formuliert, selbstverständlich ungerecht, dennoch aber die Schwächen der »Gegner« unerbittlich und genau erfassend. Wenn Brecht Rilke unterstellt, daß sein Ausdruck, »wenn er sich mit Gott befaßt, absolut schwul« sei und er deshalb keinen Vers Rilkes mehr »ohne ein entstellendes Grinsen lesen« könnte (18, 60), so zeugt dies einerseits von Brechts »absolut« fehlendem Willen, sich überhaupt auch nur auf die spezifische Qualität und Wirkung von Rilkes Lyrik einzulassen, andererseits aber auch auf die unübersehbare Schwäche Rilkes, sich nicht nur sprachliche Entgleisungen geleistet, sondern auch häufiger die Grenze zum Kitsch überschritten zu haben (Brechts Notiz bezieht sich sicherlich auf das Gedicht *Herbsttag* mit den Versen »HERR: es ist Zeit. Der Sommer war sehr groß. / [...] / und auf den Fluren laß die Winde los« aus dem *Buch der Bilder*). Hauptgegner ist jedoch nicht die Lyrik, sondern der »deutsche Repräsentant« Thomas Mann (1875–1955). Auch die Kritik an Thomas Mann, diesmal auch in Druckform öffentlich geäußert (*Thomas Mann im Börsensaal*, erschienen am 26.4.1920 im Augsburger *Volkswillen*; 18, 23f.; *Wenn der Vater mit dem Sohne mit dem Uhu*, erschienen am 14.8.1926 im *Tagebuch*, Berlin; 18, 40–42), ist ungerecht, aber es kam Brecht auch nicht darauf an, »gerecht« zu sein. Besonders vernichtende Kritik erhalten die *Buddenbrooks* (1901), obwohl sie sicherlich das realistischste und gesellschaftsbezogenste Werk Manns sind. Brecht notiert höhnisch, daß man – lese man von Selma Lagerlöff *Jerusalem* (Roman, 1902) – sofort wüßte, daß er von einer Frau geschrieben sei, bei Manns *Buddenbrooks* jedoch *nicht* ahnte, daß er von einem *Mann* geschrieben ist. »Die Geschlechtsbestimmung des Verfassers ist in Deutschland nur durch Beilegung einer Photographie möglich« (18, 28). Überschrieben ist das Ganze mit *Zweierlei Damen.* Brechts boshafte Bemerkung legt den Finger auf Thomas Manns »fein ziselierende, zartfarbene Wortkunst«, die »erlesene Kammermusik« (18, 23), die äußerst penibel, sensitiv ausfällt und demnach eine Frau als Verfasser vermuten läßt (das ist natürlich nicht feministisch – bzw. anti – gemeint). Brecht wertet folglich die Tatsache, daß es Thomas Mann in erster Linie auf die Qualität und Erlesenheit seiner Sprache und Darstellungsweise ankam, wesentlich höher ein als die ja nun wirklich nicht zu übersehende Gesellschaftskritik. Diese hat z.B. Georg Lukács, auf Manns Werk völlig entgegengesetzt reagierend, als Zentrum des Mannschen Werks geschätzt und entsprechend beschrieben: die »feine Ziselierung« als Ausdruck spätbürgerlicher Dekadenz, Thomas Mann als derjenige, der mit großer Darstellungskunst den Untergang des Bürgertums erfaßt hat. Indirekt läßt sich da schon die Abneigung des (jungen) Brecht gegen bürgerliche Formen und den Primat der Formung des Stoffs, seiner »Aufmotzung« durch sprachliche Feingravur, ablesen. Als Mann im Börsensaal liest (Augsburg), interessiert den Rezensenten beinahe nur die Haltung und die Art des Vortrags, nicht das, was Thomas Mann vorträgt (aus dem *Zauberberg*, Roman 1924; zwischen 1912 und 1924 entstanden). Man könnte schon an die erste *Keuner-Geschichte* denken (*Weise am Weisen ist die Haltung*; 12, 375), insofern Brecht aus der mangelhaften Beachtung der Realitäten, die im großen Raum herrschen, sowie aus dem Verhalten des Vortragenden sein absolutes Desinteresse am Vorgetragenen bezieht. Thomas Mann bleibt *deshalb* für Brecht 19. Jahrhundert, typischer Vertreter des Droschkenzeitalters, das die »Technifizierung« nicht mitgemacht hat und weiterhin im alten Tempo dahintrottet: »Seine [Manns] Ansicht ist, daß der Unterschied zwischen seiner und meiner Generation ein ganz geringfügiger ist. Dazu kann ich nur sagen, daß nach meiner Ansicht in einem eventuellen Disput zwischen einer Droschke und einem Auto es bestimmt die Droschke sein wird, die den Unterschied geringfügig findet« (18, 43).

Mit in die Kritik an der bürgerlichen Literatur gehört die Empfehlung der Kriminalromane. Der erste – recht bekannt gewordene – Aufsatz »über« Kriminalromane *Kehren wir zu den Kriminalromanen zurück!* (18, 28–31; erschienen am 2.4.1926 in der Berliner *Literarischen Welt*) handelt genau genommen gar nicht vom Kriminalroman, sondern stellt eine provokante Kritik der bürgerlichen Literatur, vor allem Thomas Manns dar (»Da erfindet einer im Schweiße unseres Angesichts lauter Dinge, über die er ironisch lächeln kann«; 18, 28). Sie endet jeweils mit dem »Schluß«, lieber zu den Kriminalromanen zurückzukehren. Brecht interessiert am Kriminalroman das »Schema«, das eine Übereinkunft zwischen Leser und Schreiber voraussetzt, nämlich nicht dadurch zu überraschen, daß der Schreiber das Schema mißachtet, sondern in ihm und mit ihm neue Lösungen zu finden. Die Empfehlung der Kriminalromane kritisiert indirekt die »Ausdrucks«-Kunst, die es sich schon dadurch einfach macht, daß sie sich keine »Widerstände« (durchs Schema) geben läßt. Insofern empfiehlt Brecht nicht in erster Linie die feste »Form« (Formalismus), sondern den »besten inneren Widerstand für den Schriftsteller« (20, 32). Das »Schema« fordert heraus und läßt zugleich nicht einfach »Ausdruck« zu. In den frühen Notaten (1926) geht Brecht noch kaum auf die weiteren Vorzüge des Kriminalromans – vor allem bei der »Charakter«-Darstellung von außen (vgl. 19, 450–458) – ein. Ihn interessieren aber bereits die große Popularität des Genres sowie die damit verbundene Verachtung durch die »gehobenen« Schriftsteller. Es geht Brecht weniger darum, das Kriminalroman-Schreiben zu propagieren – tatsächlich hat Brecht ja keinen Krimi trotz beinahe beschämenden Konsums geschrieben –, als vielmehr durch seine Lektüre zu einem rationalen (Detektion) und zugleich den gesellschaftlichen Lesebedürfnissen entgegenkommenden und sie reflektierenden »Stil« zu gelangen.

Hans Mayer hat das Jahr 1926 als »einen Höhepunkt dieser Bemühungen um eine unliterarische Tradition« genannt (Mayer, 35). Er denkt dabei an die Bereiche Kriminalromane, Sport- und Technik-Kult. Dieser Höhepunkt besteht zweifellos, wie sich auch 1926 theoretische Schriften mit provokanten Ausfällen gegen die bürgerliche Literatur und gleichzeitig mit Empfehlungen für »Sachbücher«häufen (vgl. die Antwort auf eine Rundfrage nach den besten Büchern 1926; 18, 51 f. u. a.). Jedoch belegen auch die theoretischen Schriften kein eindeutiges Bekenntnis zur »Neuen Sachlichkeit« (zwischen 1924 und 1932 angesetzt). Das hieße, zu wenig und gleichzeitig zu viel literarisch zu argumentieren. Die »unliterarische Tradition« wird von Brecht nämlich vornehmlich gegen die bürgerliche Ausdruckskunst als gesellschaftlich bevorzugter und massenwirksamer Stoffe-Lieferant ausgesucht und empfohlen, und zwar nicht als Abkehr von der Literatur, sondern für sie. Wie produktiv die Stoffe waren, belegen die Dramen *Mann ist Mann, Im Dickicht der Städte* (u. a.) ebenso wie die ergiebigen Kurzgeschichten und Novellen der Zeit. So gesehen, markiert das Jahr 1926 in den theoretischen Schriften den Abschluß des Prozesses, der Brecht und seine literarischen Bemühungen zur gesellschaftlichen Realität seiner Zeit, ihrer Fragen, Herausforderungen und Möglichkeiten geführt hat, ein Prozeß, der Fragen herausforderte, auf die dann nur noch der Marxismus Antworten versprach. Wenn die Empfehlungen von Sachbüchern da überwiegen, ist es kaum eine Überraschung und durchaus nicht »neusachlich« – und sie gilt nicht der Ablehnung von Literatur, sondern zu lernen, möglichst realistische Literatur herzustellen. Die Bevorzugung des »Materialwerts« (18, 51) läuft genau in diese Richtung: es geht nicht mehr – auch theoretisch nicht –, für die Literatur aus der Literatur, sondern aus der Realität zu lernen (es sei nur angemerkt, daß in diesem Sinn die »Materialwert«-Theorie von Brecht nie aufgegeben worden ist; die Herausforderung, »die guten alten Klassiker wie alte Autos« zu behandeln, die »nach dem reinen Alteisen-Wert eingeschätzt werden«, ist noch für den *Messingkauf* als Ausgangspunkt der Diskussion aktuell, und zwar noch in den fünfziger Jahren; vgl. 18, 50).

Die folgende »Phase« in der kunsttheoretischen Auseinandersetzung läßt sich von 1926 bis 1933 ansetzen. Brecht vertieft seine »Materialwert«-Studien, sucht und findet nun auch literarische Vorbilder, die bereits literarisch realisiert haben, was Brecht vorschwebt – vor allem Samuel Butler (1835–1902, englischer satirischer Schriftsteller) spielt eine herausragende Rolle (18, 66–75) –, grenzt sich weiterhin gegen die typisch bürgerliche Literatur (Benn, Rilke, George; 18, 60–63) und Kritik ab und beginnt – auch unter Einbeziehung marxistischen Vokabulars –, seinen materialistischen Standpunkt zu markieren. Anders als in den philosophischen Schriften dominiert in den kunst- und literaturtheoretischen Schriften marxistisches Vokabular nicht. Die Notate sind durchaus marktorientiert und sprachlich meist so gehalten, daß sie in marktgängigen bürgerlichen Zeitungen hätten erscheinen können. In den gleichzeitigen Film- und Hörfunktexten jedoch, wo die Auseinandersetzungen auch wesentlich hartnäckiger ablaufen (vor Gericht), herrscht ein ganz anderer Ton, der beweist, daß Brecht über ihn verfügt und mehrere »Stile« beherrscht (je nachdem, was zur Sprache zu bringen ist).

In dem (fragmentarischen) Notat *Materie und Stil* (um 1930) formuliert Brecht bereits unmißverständlich den Primat des »Dargestellten« vor der Darstellung: sie hat sich nach ihren »Stoffen« zu richten, und ein realistischer Schriftsteller hat über die »Stile« zu verfügen, die der jeweilige

»Stoff« zu seiner angemessenen Darstellung erfordert (vgl. 18, 83 f.).

Entsprechend empfiehlt Brecht, statt an die Gefühle besser sich an die Ansichten zu halten, wie es die primäre Aufgabe von Kunst und Literatur im 20. Jahrhundert auch nicht mehr sein könne, »zu erleben« anstatt zu beobachten (18, 114). Die falsche Bestimmung von Kunst und Literatur komme vor allem auch dadurch zustande, daß die Literaten immer noch irrtümlich meinten, sie hätten – außer ihrem Kopf und dem Schreibgriffel – keine weiteren Produktionsmittel, seien sozusagen »frei« und »unabhängig« von allem, was sonst gesellschaftlich gilt. Sie arbeiten, denken immer noch – illusionär – vom autonomen Individuum her, vergessen sowohl die – tatsächlichen – gesellschaftlichen Einflüsse, die nicht so ohne weiteres zu »sehen« sind, z. B. Umstellung der »Optik« durch den Film, körperliche Einstellung auf die neuen, schnelleren Bewegungsformen, die maschinell produziert sind, etc.), als auch die Tatsache, daß zur Verbreitung ihrer Gedanken inzwischen ein ganzer Apparat benötigt wird: »Sie vergessen, daß zu ihren Produktionsmitteln nicht nur Druck- und Papiermaschinen, Presse, Theater, literarische Vereine, Buchläden und so weiter gehören, die ihrerseits lediglich Rohstoffe benötigen, eben soundsoviel Kopfarbeit, sondern auch eine bestimmte Bildung, bestimmte Informationen, eine bestimmte Gesinnung und so weiter« (18, 115). Literatur als individueller Ausdruck ist schon deshalb anachronistisch geworden, weil die Herstellung von Literatur sowohl beim Subjekt selbst, als auch bei der »kommunikativen« Umsetzung und Verbreitung einem allgemeinen, nichtindividuellen, keinen »Ausdruck« habenden Vermittlungszusammenhang ausgesetzt ist. Die subjektive Isolierung verfügt nicht über die nötigen Realitätskenntnisse, kann deshalb auch nur unbewußt und irrational etwas von sich geben, das dennoch einen gewissen, auch großen Wert haben kann. Brecht nennt etwa Kafka, dessen Werk sich dem literarischen »Strich« (Literatur als bloße Ware) durch sein Dunkelheit entzieht und die angepaßte Sprache verweigert (vgl. 18, 50, 61). Dennoch vermag solche Literatur die Realität, die sie doch auf irgendeine Weise wiedergibt, nicht in den »Griff« zu bekommen; sie bleibt ihr ausgeliefert, indem sie zwar eindrücklichste Bilder dieser Realität entwirft, ihnen zugleich aber den Charakter der Undurchschaubarkeit, des Schicksalhaften zuweist, an dem der Mensch seine Passion »erfüllt«.

Zu dieser Einsicht gehört auch, daß ein Künstler in der bürgerlichen Gesellschaft ihrer Kunstwertung als Ware und als Warenform nicht entgehen kann, auch wenn er sich dessen bewußt ist und dagegen anzugehen sucht. Kunst wird als Ware verkauft, wer partizipieren will, muß sich darauf einstellen und auch mitmachen. »Diese Art ist bestimmt durch unser kapitalistisches System, sie muß zuerst anerkannt werden und erfordert lediglich Konsequenzen« (18, 109). Eine der Konsequenzen ist es, zu versuchen, den Warencharakter von Kunst künstlerisch sichtbar zu machen – sich also auf ihn einzustellen, ihn zugleich aber zu verweigern und bloßzustellen. Darüber hinaus ist es wichtig, die »revolutionären« Momente im Kapitalismus selbst zu entdecken (vgl. z. B. 18, 108). Die frühere Forschung hat dies als Brechts Bekenntnis zum Behaviorismus mißverstanden. In Wirklichkeit empfiehlt Brecht, die »immanenten« revolutionären Entwicklungen des Kapitalismus anzuerkennen und zu nutzen. Brecht glaubte damals noch, daß die Verwandlung der Kunst in Ware dieser jeglichen Irrationalismus, jegliche »unsachliche« Bestimmung allmählich austreiben würde. Allgemeine Vermarktung, maschinelle Produktion würden die Kunst vollständig und nachhaltig von ihrer individuell-bürgerlichen »Ausdrucks«-Illusion befreien. Brecht verstand zwar, diese Einsichten für seine Erfolge zu nutzen (z. B. mit der *Dreigroschenoper*), dennoch erwies sie sich als falsche, zumindest einseitige Hoffnung. Die neuen Medien verstanden durch die »unnatürliche« Anwendung (Beseitigung des »Technischen«) neue Unmittelbarkeiten herzustellen, deren Massenwirkung ungeheuer war und die *dennoch* die individuelle, ja isolierende Rezeption förderten, das heißt also auch das Zustandekommen von üblicher Gefühligkeit.

»Nach dem Ausbruch des dritten der unheilvollen deutschen Reiche« und der mit ihm verbundenen Vertreibung (vgl. 18, 220) ändern sich die Inhalte der theoretischen Schriften: vornehmlich sind sie nun bestimmt von Politik, besser von antifaschistischer Politik. Die Kunst hat sich, was ja als Konsequenz schon im Primat des Darzustellenden vor der Darstellung beschlossen liegt, dem unterzuordnen, nämlich dem antifaschistischen Kampf und der aktiven Verhinderung des Krieges. Denn den »Sieg« des Nationalsozialismus in Deutschland sah Brecht bereits als erste Kriegshandlung: »Das erste Land, das Hitler eroberte, war Deutschland« (18, 219). Entsprechend handeln auch die literatur- und kunsttheoretischen Schriften weniger von Literatur und Kunst, sondern von den Voraussetzungen für Literatur und Kunst.

Der wichtigste Aufsatz der Zeit zwischen 1933–1938 ist eine antifaschistische Kampfschrift: *Fünf Schwierigkeiten beim Schreiben der Wahrheit.* Sie entstand 1934 zunächst als Antwort auf eine Rundfrage des *Pariser Tageblatts* (12.12.1934; da nur drei Wahrheiten), wurde Anfang 1935 erweitert und als Tarnschrift in Deutschland verbreitet (*Praktischer Wegweiser für Erste Hilfe*). In der Vorbemerkung hieß es: »Diese Schrift verfaßte Bertolt Brecht zur Verbreitung in Hitler-Deutschland. Sie wird als Sonderdruck der antifaschistischen Zeitschrift ›Unsere Zeit‹ herausgegeben vom ›Schutzverband Deutscher Schriftsteller‹« (18, Anmerkungen, 16; Text 18, 222–239). Brecht zählt fünf »Tugenden« auf, die notwendig sind, die Wahrheit zu schreiben und zu verbreiten – was in *dieser* Zeit alles andere als selbstverständlich ist, den Mut, die Wahrheit zu schreiben, die Klugheit, die Wahrheit zu erkennen, die Kunst, die Wahrheit handhabbar zu machen als Waffe, das Urteil, jene auszuwählen, in deren Händen die Wahrheit wirksam wird, und die List, die Wahrheit unter vielen zu verbreiten (so die jeweiligen Kapitelüberschriften: 18, 222, 224, 226, 229, 231). Die Schrift führt selbst »praktisch« vor, was sie »theoretisch« vertritt, wobei auch mit deutlich wird, welche Rolle die Intellektuellen im antifaschistischen Kampf zu leisten haben, weniger den Kampf mit der (realen) Waffe – da gibt es andere und bessere Kämpfer als die »abgehobenen« Intellektuellen – als vielmehr in der verbalen Aufrüttelung, man kann auch ruhig sagen: Aufhetzung derjenigen, die realiter handeln können. Sie machen gegen die großen und hohen Worte die »niedere« (materielle) Gesinnung geltend und fragen, wem die hohen Worte wirklich nützen. Besonders wichtig ist Brecht der Gesichtspunkt, den Faschismus nicht als »Barbarei«, als »Auswuchs« zu bekämpfen, sondern als Kapitalismus: »Der Faschismus ist eine historische Phase, in die der Kapitalismus eingetreten ist, insofern etwas Neues und zugleich Altes. Der Kapitalismus existiert in den faschistischen Ländern nur noch als Faschismus und der *Faschismus kann nur bekämpft werden als Kapitalismus, als nacktester, frechster, erdrückendster und betrügerischster Kapitalismus.* – [...] Laute Beschuldigungen gegen barbarische Maßnahmen mögen eine kurze Zeit wirken, solange die Zuhörer glauben, in ihren Ländern kämen solche Maßnahmen nicht in Frage. Gewisse Länder sind imstande, ihre Eigentumsverhältnisse noch mit weniger gewalttätig wirkenden Mitteln aufrechtzuerhalten als andere. Ihnen leistet die Demokratie noch die Dienste, zu welchen andere die Gewalt heranziehen müssen, nämlich die Garantie des Eigentums an Produktionsmitteln. Das Monopol auf die Fabriken, Gruben, Ländereien schafft überall barbarische Zustände; jedoch sind diese weniger sichtbar. Die Barbarei wird sichtbar, sobald das Monopol nur noch durch offene Gewalt geschützt werden kann« (18, 226 f.).

Eine wichtige Rolle spielt dabei das Sprechen der »richtigen« Sprache, was auch bedeutet, ein Bewußtsein der wirklich wirkenden Kräfte herzustellen und aufzubauen. So dürften Faschismus und Krieg nicht als »ausbrechende« Naturkatastrophen beschrieben werden, sondern »praktikable Wahrheiten« müßten hergestellt werden: dies seien Katastrophen, »die den riesigen Menschenmassen der ohne eigene Produktionsmittel Arbeitenden von den Besitzern dieser Mittel bereitet werden« (18, 229). Überdies gibt Brecht Beispiele für »Sprachkritik«, die der nazistischen Propaganda sozusagen als Gegen-Propaganda entgegenzustellen ist. Den Wörtern solle »ihre faule Mystik« genommen werden: »Das Wort *Volk* besagt eine gewisse Einheitlichkeit und deutet auf gemeinsame Interessen hin, sollte also nur benutzt werden, wenn von mehreren Völkern die Rede ist, da höchstens dann eine Gemeinsamkeit der Interessen vorstellbar ist. [...] Für das Wort *Disziplin* sollte man, wo Unterdrückung herrscht, das Wort *Gehorsam* wählen, weil Disziplin auch ohne Herrscher möglich ist und dadurch etwas Edleres an sich hat als Gehorsam. Und besser als das Wort *Ehre* ist das Wort *Menschenwürde.* Dabei verschwindet der einzelne nicht so leicht aus dem Gesichtsfeld. Weiß man doch, was für ein Gesindel sich herandrängt, die Ehre eines Volkes verteidigen zu dürfen!« (18, 231 f.).

Da Brecht der Meinung war, daß ohne die »große Wahrheit unseres Zeitalters«, nämlich daß »unser Erdteil in Barbarei versinkt, weil die Eigentumsverhältnisse an den Produktionsmitteln mit Gewalt festgehalten werden« (18, 238), kein angemessener antifaschistischer Kampf auch der Intellektuellen geführt werden könnte, wendete er sich gegen alle Bestrebungen, diesen Kampf nur als Kampf zur »Rettung der Kultur« zu führen. Er bestand darauf, angesichts des drohenden Kriegs, der in Spanien ja schon »geprobt« wurde (Spanischer Bürgerkrieg unter Einsatz deutscher Bombengeschwader; Zerstörung Guernicas am 26.4.1937 u.v.a.), noch von Kultur zu sprechen, wo endlich von den Eigentumsverhältnissen zu sprechen wäre. In seinen beiden Reden zu den »Internationalen Schriftstellerkongressen zur Verteidigung der Kultur« (Paris 1935, Madrid 1937) beschwor Brecht förmlich die Versammlung, ihre »hohen« Standpunkte aufzugeben und von den »niederen Tatsachen« zu sprechen: »Erbarmen wir uns der Kultur, aber erbarmen wir uns zuerst der Menschen! Die Kultur ist gerettet, wenn die Menschen gerettet sind. Lassen wir uns nicht zu der Behauptung fortreißen, die Menschen seien für die Kultur da, nicht die Kultur für die Menschen! Das würde allzusehr an die Praxis der großen Märkte erinnern, wo die Menschen für das Schlachtvieh da sind, nicht das Schlachtvieh für die Menschen!« (18, 245). Seiner Rede von 1935 hatte er das Motto vorangestellt: »Um Profite zu ermöglichen, werden in unserer Zeit Getreide und Schlachtvieh destruiert. Die Destruktion von Kultur hat keinen anderen Grund« (BBA 243/32). Antifaschistischer Kampf mußte für Brecht Klassenkampf sein.

Brecht wahrte nach außen hin die – ohnehin nur vage vorhandene – »Einheit«, die einmal als »Volksfront« aller antifaschistischen Kräfte gedacht war, und zwar unter Einschluß der bürgerlichen Intellektuellen. Brechts offizielle Äußerungen wendeten sich nicht gegen die bürgerliche Einschätzung der Kunst als »Kultur« und die Bemühungen um ihre (ideelle) »Rettung« bzw. Verteidigung; er machte vielmehr Vorschläge, die »materiellen« Gesichtspunkte *auch und vor allem* einzubeziehen und aufzudecken. Die Rolle der Intellektuellen wäre dann von Gewicht – und Brecht hat sie hoch eingeschätzt –, wenn sie unermüdlich von den wahren Hintergründen der faschistischen Herrschaft redeten, sie deutlich – auch in poetischen Bildern – vor Augen stellten und so die wirklichen Interessen sichtbar machten, die den in Deutschland brutal Unterdrückten *ihre* Interessen erkennen ließen. Sonst aber gab es tiefe Meinungsverschiedenheiten sowohl zu den bürgerlichen Künstlern und Literaten, die Brecht in vertraulichen Briefen mit wahrem Hohn übergoß (vgl. Briefe, Nr. 263 an George Grosz; vom Juli 1935), als auch zum offiziellen »sozialistischen Realismus«, wie er in der Expressionismus-Debatte in der Zeitschrift *Das Wort* – freilich nicht unumstritten – zum Ausdruck kam. Brecht beteiligte sich und beteiligte sich nicht, das heißt, er schrieb seine Einwände nieder, publizierte sie aber nicht (sie werden gesondert dargestellt).

Die Jahre 1938/39 lassen sich als Höhepunkt der theoretischen Arbeiten Brechts qualifizieren. Sie bringen nicht nur (bis ca. 1941 andauernd) den relativ umfangreichen Komplex der Schriften zum Realismus-Begriff (im Rahmen bzw. als Folge der Expressionismus-Debatte), sondern auch die wichtigen grundsätzlicheren Arbeiten zur Lyrik, vor allem den Aufsatz *Über reimlose Lyrik mit unregelmäßigen Rhythmen*, der ohne Übertreibung als die erste theoretische Schrift über die moderne Lyrik von Rang überhaupt qualifiziert werden kann (auch diese Schrift wird mit anderen zusammen gesondert vorgestellt). Ein Großteil der »Theorie« verlagert sich von nun an in das *Arbeitsjournal*, das Brecht ab dem 20.7.1938 (noch Dänemark) führt, zunächst relativ privat, dann aber (ab Kriegsbeginn) als Forum für Kunst und Politik eingesetzt. Viele wichtige theoretische Einsichten und Auseinandersetzungen finden sich dort. Das ist der Grund, warum für die Jahre 1939 bis 1948, den Zeitpunkt, als Brecht zurückkehrt, außer einigen wenigen Aufsätzen zur Literatur (auf die noch eingegangen wird) in erster Linie nur noch Gelegenheits-»adressen« vorliegen, Briefe, Glückwünsche, Grußadressen.

Daneben freilich nahm Brecht in gesonderten Aufsätzen oder Notaten Stellung zur zeitgenössischen Literatur. Die Werkausgabe sammelt diese Stellungnahmen unter *Aufsätze zur Literatur 1934 bis 1946* (19, 427–481). Sie gelten u.a. Lion Feuchtwanger, Karl Kraus, André Gide, Gorki, Kafka, dem Kriminalroman und vor allem Heinrich Mann, der Brecht – obwohl wegen seiner »kulturpolitischen Haltung« heftig bekämpft – literarisch von den deutschen Schriftstellern am nächsten stand. Der wichtigste Aufsatz gilt entsprechend Heinrich Manns Aufsatzsammlung *Mut* (1939). Zuvor jedoch einige Hinweise auf die übrigen Aufsätze.

Brechts längere Auseinandersetzung mit André Gides Bericht über seine Sowjetunion-Reise hätte auch den *Schriften zur Politik und Gesellschaft* zugeordnet werden können (vgl. dort 20, 661 ff.). Gides Buch erschien unter dem Titel *Retour de l'U.R.S.S.* 1936 in Paris. Ferdinand Hardekopf übersetzte es (Zürich 1937; Brecht dürfte die Übersetzung gelesen haben, so daß der Aufsatz auf 1937 zu datieren ist; vgl. dagegen 19, 438). Brecht kritisiert Gides Darstellung scharf. Gide sei losgefahren, nicht ein ihm unbekanntes Land aufzusuchen und kennenzulernen, sondern seine Vorstellungen vom Sozialismus in der UdSSR »verwirklicht« zu sehen. Da er »sein« Land nach seinen Idealvorstellungen nicht vorgefunden habe, stellt sich dann der Bericht als enttäuschte Abwendung vom Sozialismus dar. Es ist Brechts Kritik an den »linken« Weltbildbauern, die er bereits in der Person seines Lehrers Korsch gegeißelt hatte. Sie machen sich Vorstellungen, beschuldigen dann aber die Wirklichkeit, nicht die Vorstellungen, wenn sie ihre »Realisierung« nicht vorfinden.

Es ist anzunehmen, daß die wichtigen Glossen zum Kriminalroman sich auch solcher Lektüre verdanken. Brecht sieht ihn als Denkaufgabe (19, 453) und in der Nähe des naturwissenschaftlichen Experiments: »Entscheidend ist, daß nicht die Handlungen aus den Charakteren, sondern die Charaktere aus den Handlungen entwickelt werden« (19, 452). Brecht knüpft an die Glossen von 1926 an, hebt jetzt aber vor allem die enthüllenden Momente des Genres hervor. Das bürgerliche Leben werde wie selbstverständlich als Erwerbsleben und damit als kriminell (zum Kriminellen neigend und führend) erfaßt. Die Menschen sind nur grob und oberflächlich gezeichnet, weil der Verfolgte (Verbrecher) seine Charakterzüge nur ungern preisgebe (sie machen ihn »dingfest«), so daß auch hier ein wesentliches Merkmal bürgerlichen Zusammenlebens Kennzeichen des Krimis ist. Und schließlich führe der Kriminalroman vor, daß wir »unsere Erfahrungen im Leben in katastrophaler Form« machten. »Aus den Katastrophen haben wir Art und Weise, wie unser gesellschaftliches Zusammenleben funktioniert, zu erschließen«; erst hinter den offenbaren Geschehnissen sind die »*eigentlichen* Geschehnisse« zu finden (19, 457). Insofern erweist sich der Kriminalroman als eine gute Schule der bürgerlichen Verhältnisse.

Die Notizen zu Heinrich Manns *Mut* (19, 466–477) tragen das Abschlußdatum 3. März 1939 und waren sehr wahrscheinlich für die Publikation in *Das Wort* gedacht. Jedenfalls liegt ein gewisser Zusammenhang mit der Expressionismus-Debatte nahe. Brecht schildert einen anderen »parteinehmenden« Typus des bürgerlichen Schriftstellers als diejenigen »Typen«, die die Debattierenden empfahlen (Johannes R. Becher einerseits, Thomas Mann andererseits). Brecht hätte so Stellung nehmen können, ohne in eigener Sache Stellung zu nehmen. Er unterschiebt einfach Heinrich Mann – mit einigen Schlenkern und Distanzierungen – die eigene Position und propagiert sie als Heinrich Manns Ergebnisse. Er lobt den »Geist des Angriffs« und konstatiert (mit ironischem Seitenhieb), daß die Kultur entstehe, produziert werde in seinen, Manns Aufsätzen, »indem er den Faschismus angreift«(19, 467). Der Angriff aber zeige die bürgerliche Gesellschaft als Unterdrücker- und Aussauger-Gesellschaft, wobei mit dem Faschismus der Übergang vom unblutigen zum blutigen Geschäft zu beobachten sei. Er mache die Zerstörung zu seiner eigentlichen Produktion (19, 473). Anhand des *Untertans* (1918, Roman), den Brecht in die Rezension, die keine ist, hineinschmuggelt, kann er noch einmal die deutsche Misere nachzeichnen und mit ihr den »Übergang« sowie seine Ursachen habhaft machen. Es ist dabei typisch, daß Brecht die »Mittelschichten« praktisch zum alleinigen Träger des Faschismus macht und die auf den falschen Sozialismus hereingefallenen und übergelaufenen Proletarier als Mitträger verschweigt:

> Hinter dem Wirtschaftsführer (dessen Porträt im »Untertan« und dessen Milieu in den bedeutenden Werken »Zwischen den Rassen« und »Im Schlaraffenland« erschien) hatten die riesigen Mittelschichten gestanden. Der Gegensatz zwischen Klein- und Großbürgertum schien verwischt. Die Mittelschichten verdienten noch. In den Jahren nach dem Krieg übten sie eine Art Scheinherrschaft aus. Die Inflation bereitete ihre Proletarisierung vor, die Arbeitslosigkeit griff in ihre Reihen über. Aber die ungeheure wirtschaftliche Ausrüstung der rationalisierten Industrie ging hinter dem Rücken der Politik, hinter dem Rücken der Mittelschichten vor sich. Die Herren vom Militär schienen der einzige Feind, dort dominierten Großbürgertum und Feudalität, aber nur wenigen kam es zum Bewußtsein, daß hier die Kommandohöhen lagen, die den Umschlag der industriellen Aufrüstung in die militärische »garantierten«. Dann benützten Großbürgertum und Feudalität gerade den ökonomischen Niedergang der Mittelschichten, ihre zunehmende Proletarisierung als den Hebel zum Sturz der Mittelschichten. Der aus dem Produktionsprozeß geworfene, verlumpte Teil der Mittelschichten, die konkurrenzunfähigen Handwerker und kleinen Geschäftsleute, die zwischen feudalem Grundbesitz und großbürgerlicher Industrie zerriebenen Bauern lieferten sich noch einmal in der Stunde, wo der ganze deutsche Produktionsapparat in die Weltkrise eintauchte, der Großindustrie und dem Großgrundbesitz aus, die Mittelschichten bekamen eine »Mission«. (19, 472 f.)

So Brechts – nach Heinrich Manns Roman – fortgeschriebene Version, wie es zum Faschismus kam. Die Unterschlagung der mitgelaufenen Arbeiter, die den Versprechungen auf Arbeit und den sozialistischen Parolen gefolgt waren, kann sich insofern auf Heinrich Mann berufen, als sie bei ihm ebenfalls nicht vorkommen. Brechts Argumentation aber benötigt sie auch dazu, Heinrich Manns Reflexionen die Konsequenz zu unterstellen, daß die Kritik am Bürgertum zur Hinwendung zum Proletariat umschlägt. Brecht hat damit bei Heinrich Mann eine Position sichtbar gemacht, die *er* selbst in die Debatte hineintragen wollte.

Es ist kein Zufall, daß Heinrich Mann von Brecht nach dem Krieg noch einmal aufs Panier gehoben wurde, als Thomas Mann sich noch einmal anschickte, zum »Repräsentanten«, nun zu dem eines »neuen« Deutschland zu werden:

Was jetzt auf den Nürnberger Anklagebänken sitzt, entstammt der Verbrechergalerie von Industriellen, Militärs, Beamten und politischen Abenteurern, gezeichnet in seinen [Heinrich Manns] großen politischen Romanen. Er sah voraus, wie diese gewalttätigen Schichten Deutschland verwüsten würden, als andere Schriftsteller, wie etwa sein talentierter Bruder Thomas, diese Schichten noch munter repräsentierten. Heinrich Mann glaubte nicht wie sein talentierter Bruder, daß die deutsche Kultur da sei, wo er war. Heinrich Mann sah die deutsche Kultur nicht nur dadurch bedroht, daß die Nazis die Bibliotheken besetzten, sondern auch dadurch, daß sie die Gewerkschaftshäuser besetzten. Im Exil arbeitete er praktisch mit anderen Vereinigungen der großen proletarischen Parteien, in deren Macht allein die Gewähr für eine deutsche Volksherrschaft liegt. (19, 480)

Die theoretischen Schriften nach Brechts Rückkehr aus dem Exil sind unter dem Titel *Die Künste in der Umwälzung 1948 bis 1956* (19, 483–555) versammelt. Angesichts der gewandelten Realitäten und der »Mühen der Ebenen« bestimmte Brecht jetzt die allgemeine Aufgabe der Kunst als Teilnehmerin an der »Bewußtseinsbildung der Nation« sowie in der Mitarbeit »an der gründlichen Umgestaltung des Zusammenlebens der Menschen« (16, 931, 934 f.). Die kunst- und literaturtheoretischen Schriften behandeln vor allem vier Themen. Das erste Thema ist die Erhaltung des Friedens. Das Kriegsende hatte nicht die Lösung gebracht, auf die Brecht gehofft hatte. Den »ausbrechenden Antikommunismus« in den letzten Kriegsjahren in den USA diagnostiziert Brecht noch einmal als Beginn des Kampfes gegen den Verbündeten, die Sowjetunion, und das heißt als Vorbereitung des 3. Weltkriegs. Brecht hatte 1947 (30. 10.) in seiner Vernehmung vor dem »Ausschuß zur Untersuchung unamerikanischer Betätigung« eigene Erfahrungen gemacht, 1950 sollten dann die amerikanischen »Delinquenten«, die sich auf die Verfassung berufen und die Aussage verweigert hatten, ins Gefängnis. Brechts Artikel *Wir Neunzehn* (19, 490–493) identifiziert sich ganz mit den nun verurteilten amerikanischen Kollegen. Hierzu gehört auch der offene Brief, den Brecht am 26. September 1951 an die deutschen Künstler und Schriftsteller gerichtet hat, der mit den – inzwischen »geflügelten« Worten – schließt: »Das große Carthago führte drei Kriege. Es war noch mächtig nach dem ersten, noch bewohnbar nach dem zweiten. Es war nicht mehr auffindbar nach dem dritten«.

Die Aufsätze und Notate zum »Formalismus« in dieser Zeit führen die »Maximen« des Realismus, wie Brecht ihn verstand, weiter und im Grunde gegen denselben »Gegner«, zu dem Brecht eine – notwendig – widersprüchliche Beziehung hatte. Einerseit war Brecht von der Notwendigkeit, den Sozialismus aufzubauen – und sei es auch nur in einem Teil Deutschlands –, überzeugt; andererseits stand er der Art und Weise, wie der Aufbau in Angriff genommen wurde, sehr skeptisch gegenüber. Da zugleich die Ost-West-Konfrontation als zusätzlicher und sogar kriegdrohender Widerspruch hinzu kam, sah sich Brecht erneut in eine doppelbödige Haltung gedrängt. Alles mußte vermieden werden, was im Westen gegen den Sozialismus auszuschlachten war, andererseits aber sollten nicht die alten – stalinistischen – Fehler wiederholt werden. Für die Kunst hieß dies, den »sozialistischen Realismus«, einen Begriff den Brecht aufnahm, aber neu interpretierte, nicht als Formalismus und möglichst nicht mit »klassischen« Vorbildern bzw. Idealen zu entwickeln. Es sei gefährlich, »den sozialistischen Realismus in Gegensatz zum kritischen Realismus zu bringen [da war der Aspekt der Expressionismus-Debatte!] und ihn damit zu einem *unkritischen Realismus* zu stempeln« (19, 545). »Was *Sozialistischer Realismus* ist, sollte nicht einfach vorhandenen Werken oder Darstellungsweisen abgelesen werden. Das Kriterium sollte nicht sein, ob ein Werk oder eine Darstellung andern Werken oder Darstellungen gleicht, die dem sozialistischen Realismus zugezählt werden, sondern ob es sozialistisch und realistisch ist« (19, 547). Entsprechend könnten neue Formen nur aus neuen Inhalten gewonnen werden, und vor allem müsse die notwendige Kritik an der Vergangenheit geübt werden – hier wurden ähnliche Verdrängungen eingeleitet wie im Westen: »Wir haben allzufrüh der unmittelbaren Vergangenheit den Rücken zugekehrt, begierig, uns der Zukunft zuzuwenden. Die Zukunft wird aber abhängen von der Erledigung der Vergangenheit« (19, 543). Es gibt keine wesentlich neuen Argumente, jedoch verfeinert sich die Argumentation, die nun ja öffentlich geführt werden soll (was Brecht freilich nicht immer gelang). Wenn Brecht listig die Wendung des Sozialistischen Realismus bzw. die seiner Theoretiker gegen den kritischen (bürgerlichen + sozialistischen) Realismus als Qualität des Unkritischen des Sozialistischen Realismus umdeutet, so trifft damit Brecht nicht nur die (ideale) Propagierung des »Positiven« und der »positiven Menschen«, sondern kennzeichnet das gesamte ästhetische Verfahren als unkritisch (was man verbal zumindest ja nicht sein wollte). Diese Umdeutung »sitzt«, ohne daß Brecht die Kritik ganz offen formulierte. Da aber war er recht hartnäckig. Es gibt im Nachlaß noch einige sehr kennzeichnende theoretisch-satirische Texte, in denen Brecht die – sich immer mehr von der Realität entfernende, ideale Vorbilder beschwörende – Kulturpolitik auf den Arm nimmt. Einer der Texte (BBA 95/7–8 = Nr. 17174, Bd. 3, S. 608; unpubliziert) entwirft eine »Utopie« in den neunziger Jahren, wo man es endlich geschafft habe, die Arbeiter weitgehend abzuschaffen, die Bevölkerung ununterbrochen mit Sendungen der Medien zu bedienen, dabei die Errungenschaften des »revolutionären Feudalismus« verwertend, die Romane sich vollständig einander gleichen zu lassen und Erfahrungen nur noch dem Fernsehen zu überlassen: seine Bilder ersetzten in Zukunft alles Reisen, so daß sich die Bevölkerung ihrer Hauptbeschäftigung widmen könnte, Formulare auszufüllen.

Das dritte Thema ist die »Weisheit des Volkes«, das wie die anderen ja stets auch, Thema der Poesie Brechts ist. Brecht setzt – und da vor allem sieht er die realistische Definition von »sozialistisch« – auf die alltäglichen, oft harten Erfahrungen des Volkes, konkreter des Proletariats, die ganz anders und unter ganz anderen Aspekten stehen als die Erfahrungen des Bürgertums – auch des Bürgertums, das sich der Sache des Proletariats widmet – mit eben denselben Ereignissen und Dingen. Bildende Kunst, die *für den* Arbeiter, nicht mehr für den bürgerlichen (Waren-) Kunstbetrieb gefertigt werde, muß sich im klaren sein, daß die Arbeiter sich bisher mit schönen Dingen nicht umgeben konnten und daß sie einen anderen Schönheitsbegriff aus ihrer Arbeit entwickelt haben als die »Handwerks«-Kunst des bürgerlichen Kunstbetriebs – Brecht gibt das Beispiel, das die z. T. auch schönen Dinge, die die Arbeiter in ihren Fabriken vorfinden, keinesfalls den »Eindruck eines menschlichen Fingers« trügen (wie die kunstgewerblichen Produkte, die bis heute mit Vorliebe als Kunst für Arbeiter in der DDR produziert werden; Ulbrichts Wohnung z. B. glich auf frappante Weise einer Kleinbürgerwohnung westlicher Prägung, und zwar vor der »Kunst« der Nierentische etc.; 19, 519f.). Nicht anders waren Brechts Vorschläge für die Architektur (19, 516–519), die im Zusammenhang mit dem Wiederaufbau der Frankfurter Allee stehen, für die Brecht auch lyrische Lösungsvorschläge gemacht hatte. Brecht trat stets für das »Nützliche« an der Schönheit ein und forderte, die Arbeiter an der Konzeption nicht nur zu beteiligen, sondern sie auch ihre Handhabbarkeit ausprobieren zu lassen. Nicht bürgerliche Exklusivität oder bloße »Zivilisation« sollte nachgeahmt oder realisiert werden (in Zürich hatte Brecht in Max Frischs Neubauten »gefängniszellen, räumchen zur wiederherstellung der ware arbeitskraft, verbesserte slums« gesehen; AJ 833; vom 11. 6. 1948). Brecht vertrat damit im Grunde – den veränderten gesellschaftlichen und geschichtlichen Bedingungen angepaßte – Haltungen, die die sowjetische Avantgarde in den zwanziger Jahren (vorab Sergej Tretjakow) vertreten hatte. Der Einfluß der alten Intellektuellen war zu begrenzen, jegliche Propagierung von real nicht überprüfbaren – weil das (notwendige) Wissen noch fehlte – Vorbildern, Idealen zu unterlassen und die Frage Lenins »Für wen?« (zu wessen Nutzen) ernst zu nehmen.

In diesem Zusammenhang stehen auch Brechts *Thesen zur Faustus-Diskussion* (19, 533–537; vom Juli 1953). Und damit wäre denn auch noch das vierte zentrale Thema der späten »Theorie« angedeutet: die Erledigung der Vergangenheit. Die Kritik an der (deutschen) Klassik ist in der Brecht-Forschung, aber auch in der DDR der Jahre 1952–1956 fast ausschließlich als Kritik an den deutschen Klassikern und ihren Werken mißverstanden worden, so, als ob es darum gegangen wäre, die Geschichte nachträglich richtigzustellen und Goethes »Fürstendienst« moralisch zu verurteilen. Kritische Auseinandersetzung mit der klassischen Tradition in Deutschland bedeutet zweierlei: Es ist nicht möglich, die Klassiker und ihre Dichtung ohne die gleich mitgelieferte Darstellung ihre Widersprüche realistisch weiterzugeben (denn das wäre das alte bürgerliche Oberlehrerbild). Und es ist nicht möglich, ihre – buchstäbliche – Verwertung im Bürgertum und vor allem im Faschismus zu den übelsten Verführungszwecken (Übernahme der Techniken, Einfühlung!) zu übergehen, wenn man die positiven und fortschrittlichen Aspekte ihres Werks als Vorbild an die zukünftigen Generationen weitergeben will. Hanns

Eisler, der Komponist, hatte in Zusammenarbeit mit Brecht 1952 – zunächst aufs Libretto beschränkt – versucht, den klassischsten der klassischen Stoffe, den *Faust*, in dieser Weise zu bearbeiten. Er stellte den – schon längst von jeglicher Historie losgelösten – Stoff in seinen historischen Zusammenhang zurück, und das heißt in den Zusammenhang der ersten großen und historisch wirksamen Volkserhebung in Deutschland, in die Bauernkriege. Damit hatte Eisler die historisierende und kritische Perspektive, mit der der Intellektuelle Faust angemessen relativiert werden konnte. Diese Konzeption, die 1952 als Buch vorlag (Hanns Eisler: *Johann Faustus* [Operntext]. Berlin 1952) stieß auf heftigste Kritik, weil mit dem Versuch, den Intellektuellen vom (historisierten) Standpunkt des Volks aus zu kritisieren (als weitgehend wirklichkeitsfremd und im Dienst der herrschenden Klassen wirkend), die an den Klassikern orientierte idealistische Kulturpolitik mitkritisiert wurde (der gesamte Zusammenhang ist hier nicht darstellbar). Brechts Thesen waren dazu gedacht, die von Eisler wirklich gemeinten Zusammenhänge deutlich zu machen und zu erläutern (wobei übrigens weder Eisler noch Brecht Kritik abhold waren – hier ging es um Grundsätzlicheres). »Weil Brecht und Eisler von der Fortdauer des Klassenkampfes in der DDR ausgingen, schien es ihnen nicht ausreichend, die fortgeschrittenen Produktivkräfte, die Technik und Wissenschaft sowie die Kultur der Bourgeoisie in ihrer fortschrittlichen Phase einfach zu erben und weiterzuführen. Sie hielten es für notwendig, die kämpferischen Seiten der bürgerlichen Tradition herauszuarbeiten, sie insgesamt zu relativieren und die Reste und Ansätze der Volkskultur, der Kultur der jeweils unterdrückten Klassen hervorzuheben und besonders als ›Erbe‹ zu pflegen, um so die Arbeiterklasse und die übrigen ›plebejischen‹ Teile des Volkes in der DDR in ihren Auseinandersetzungen um die Erhaltung bzw. wirkliche Gewinnung ihrer Macht und um die Beseitigung der ›Muttermale‹ der alten Gesellschaft zu unterstützen. Auch die Tradition mußte kritisiert werden, und jede ›Einschüchterung durch Klassizität‹ war durch das historische Selbstbewußtsein der neuen Klasse zu ersetzen« (Schlenker, 134).

Hans *Mayer*: Bertolt Brecht und die Tradition. München 1965 (zuerst Pfullingen 1961; S. 28–42 zu Kriminalroman, Sport und Technik). – Werner *Hecht*: Probleme der Edition von Brecht-Texten. In: W'H': Sieben Studien über Brecht. Frankfurt a. M. 1972. S. 220–267. – Jan *Knopf*: Bertolt Brecht. Ein kritischer Forschungsbericht. Fragwürdiges in der Brecht-Forschung. Frankfurt a. M. 1974 (S. 80–90 zur Widerlegung der Behaviorismus-These). – Wolfram *Schlenker*: Das »Kulturelle Erbe« in der DDR. Gesellschaftliche Entwicklung und Kulturpolitik. Stuttgart 1977 (S. 65–136). – Peter *Schmitt*: Faust und die »Deutsche Misere«. Studien zu Brechts Theaterkonzeption. Erlangen 1980 (S. 213–260 zu Eislers *Faust*). – Stephan *Bock*: Literatur, Gesellschaft, Nation. Materielle und ideelle Rahmenbedingungen der frühen DDR-Literatur (1949–1956). Stuttgart 1980 (S. 89–213, allgemein zur Literaturtheorie in der DDR). – Dieter *Thiele*: Bertolt Brecht. Selbstverständnis, Tui-Kritik und politische Ästhetik. Frankfurt a. M., Bern 1981 (S. 249–359 zur politischen Ästhetik). – Rolf *Tauscher*: Brechts Faschismuskritik in Prosaarbeiten und Gedichten der ersten Exiljahre. Berlin 1981 (S. 65–70, 89–91 zu *Notizen zu Heinrich Manns »Mut«*, S. 44–49 zu *Fünf Schwierigkeiten beim Schreiben der Wahrheit)*.

Zur Lyrik

Reflexionen über Lyrik sind in Brechts Werk immer wieder bezeugt. Intensivere theoretische Beschäftigungen mit Lyrik liegen in den Jahren 1926/1927, 1939/40 und 1951/52. Der erste größere Aufsatz zur Lyrik ist durch einen Lyrik-Wettbewerb verursacht, den *Die Literarische Welt* aus Anlaß ihres einjährigen Bestehens ausgeschrieben hatte, zusammen mit einem Prosa- und einem Drama-Wettbewerb. Als (alleinentscheidende) Juroren waren Alfred Döblin (Prosa), Herbert Ihering (Drama) und Brecht (Lyrik) bestellt worden. Brecht benutzte die Gelegenheit, über die 400 Einsender spöttisch herzufallen und statt dessen provokativ das Gedicht *He! He! The Iron Man* von Hannes Küpper zu empfehlen, der sich für den ausgeschriebenen Preis überhaupt nicht beworben hatte (Brecht vergab auch den Preis nicht). Es besteht kein Grund, die Empfehlung besonders ernst zu nehmen oder in ihr eine tiefgreifende Verwandtschaft Brechts zur »Neuen Sachlichkeit« zu vermuten. Küpper ist einzig durch Brechts Empfehlung in die Literaturgeschichte gelangt und wird noch nicht einmal in einschlägigen Autoren-Verzeichnissen geführt (vgl. die zwei Gedicht-Zitate bei Lethen, 66 f.). Brecht wollte mit Küpper den extremen Gegensatz zur Ausdrucks-Lyrik der Einsender, mit den »hübschen Bildern und aromatischen Wörtern« (18, 55) markieren. Statt des lyrischen Gesäusels verwies Brecht auf die sachliche Lyrik, die sich »nicht ausdrückte«, sondern Alltägliches – übrigens durchaus nicht sachlich, sondern hymnisch – besang (in diesem Fall ein Sechstagerennen, das Brecht auch thematisch zupaß kam). Ansonsten ist der *Bericht über junge*

Lyriker (18, 54–59), der am 4.2.1927 in der *Literarischen Welt* abgedruckt worden war, eine Abrechnung mit der bürgerlichen Lyrik, der Brecht »Sentimentalität, Unechtheit und Weltfremdheit« vorwirft, die weder nützlich noch schön seien und keinerlei »dokumentarischen« Wert aufwiesen. »Was nützt es, aus Propagandagründen für uns, Photographien großer Städte zu veröffentlichen, wenn sich in unserer unmittelbaren Umgebung ein bourgeoiser Nachwuchs sehen läßt, der allein durch diese Photographien vollgültig widerlegt werden kann? Was nützt es, mehrere Generationen schädlicher älterer Leute totzuschlagen oder, was besser ist, totzuwünschen [Anspielung auf den »Vätermord der Expressionisten], wenn die jüngere Generation nichts ist als harmlos« (18, 56).

In den dreißiger Jahren entstehen verschiedene Notate – sie sind z. T. nicht genauer datierbar –, die sich vor allem mit »rationalen« Aspekten der Lyrik befassen. Im Prinzip ergibt sich dabei für die Lyrik etwas ganz Ähnliches wie für das Drama. Die Lyrik wird von ihrer einseitigen (individuellen, Ich-) Ausdrucks-Funktion befreit und durch den Einbau rationaler Momente erweitert. Das bloß individuell, meist dumpf erlebte Emotionelle, das bloß Stimmungshafte erweitert sich um die rationale Komponente, die aber nicht im Widerspruch zur (lyrischen) Empfindung steht, sondern auch dem Rationalen Empfindung zuweist. »Einige Leute, deren Gedichte ich lese, kenne ich persönlich. Ich wundere mich oft, daß mancher von ihnen in seinen Gedichten weit weniger Vernunft zeigt als in seinen sonstigen Äußerungen. Hält er Gedichte für reine Gefühlssache? Glaubt er, daß es überhaupt reine Gefühlssachen gibt? Wenn er so etwas glaubt, sollte er doch wenigstens wissen, daß Gefühle ebenso falsch sein können wie Gedanken. Das müßte ihn vorsichtig machen« (19, 391). Es sei ein übliches Mißverständnis, daß Stimmungen durch den Verstand verscheucht würden. Denn wenn dies tatsächlich der Fall sein sollte, dann war die Stimmung oberflächlich, vage, unproduktiv (Brecht formuliert – indirekt – auch auf die politische Stimmungsmache der Nazis hin, mit der jegliche »Vernunft« bewußt abgetötet wird, damit die Stimmung tödlich wirken kann). Die (realen) Widersprüche müßten in Lyrik ebenso zum »Ausdruck« kommen, wie bei der Rezeption von Lyrik nicht vergessen werden dürfe, daß das Gedicht Resultat eines (Schreib-) Arbeitsvorgangs ist, »etwas *zum Verweilen gebrachtes* Flüchtiges ist, also etwas verhältnismäßig Massives, Materielles« (19, 393). Es dürfe deshalb ruhig auch daraufhin geprüft werden (*Über das Zerpflücken von Gedichten*; 19, 393 f.): »Zerpflücke eine Rose, und jedes Blatt ist schön«.

Brechts großer Aufsatz *Über reimlose Lyrik mit unregelmäßigen Rhythmen* erschien erstmals 1939 im 3. Heft von *Das Wort* und ist als ein weiteres Ergebnis der Expressionismus-Debatte innerhalb von Brechts Werk anzusehen. Eine weitere Fassung publizierte Brecht im 12. Heft der *Versuche* (Berlin 1953, S. 141–147). Der als »Nachtrag« qualifizierte Text (19, 403 f.) ist wahrscheinlich ein Bruchstück (ev. Vorstufe) des Aufsatzes, nicht aber ein Nachtrag der späteren Neupublikation (vgl. BBA 332/85 = Nr. 16060, Bd. 3, S. 482). Es handelt sich bei diesem Aufsatz um die erste genuine Reflexion über die »freie Rhythmik« in der modernen Lyrik von Gewicht. Die Literaturwissenschaft tut sich bis heute noch schwer mit den »freien Rhythmen« der modernen Lyrik, die übrigens nicht »frei« sind, weil sie traditionell nach bloßen Formen sucht in einer Zeit, in der die Formen (weitgehend) Formen ihres Inhalts geworden sind (es gibt natürlich auch die spielerische oder zweckgebundene Übernahme von Metrik in der modernen Lyrik, auch bei Brecht häufig; es gibt allerdings auch Kunstgewerbe, das wieder mit Metrik arbeitet).

Brecht war kein Gegner des (gebundenen) Metrums, und er wußte auch, daß man innerhalb eines Metrums »modern«, das heißt der Zeit angemessen, dichten konnte. Denn das Metrum war zunächst einmal eine dichterische Herausforderung, die Auseinandersetzung mit einem vorgegebenen Schema, das zu genauester Arbeit zwang. Immerhin hat Brecht ja versucht, das *Kommunistische Manifest* in Hexameter zu zwingen (allerdings ohne durchschlagenden Erfolg – aber es sind ihm auch schöne Verse gelungen). Die schriftstellerische Erfahrung aber hatte ihm bewiesen, daß die traditionellen Metren regelrecht daran hinderten, das zu sagen, was er sagen wollte. Brecht hat übrigens auch in klassischen Werken, z. B. in Goethes *Tasso*, den Bau der Verse studiert und dabei ausgesprochene Sprachschnitzer, schiefe Bilder und »unglückliche Konstruktionen« gefunden, die allein auf das Metrum zurückzuführen sind (19, 420 f.). Konkrete Erfahrungen, über die Brecht in seinem Aufsatz berichtet, machte Brecht mit dem Stück *Leben Eduards des Zweiten von England* (nach Marlowe): »Ich benötigte gehobene Sprache, aber mir widerstand die ölige Glätte des üblichen fünffüßigen Jambus. Ich brauchte Rhythmus, aber nicht das übliche Klappern« (19, 396). Klaus Birkenhauer, der bisher die einzige eingehende Untersuchung von Brechts Lyrik-Theorie geliefert hat, weist nach, daß Brecht die Rhythmisierung vor allem dadurch gelingt, daß er »kürzere, genau voneinander abgesetzte Rede-Einheiten« wählt und oft Konsonantenballungen bzw. -aneinanderstöße einsetzt: sie zwingen den Sprecher zu Pausen bzw. zu Akzentuierungen, die viel stärker und »aufrauhender« rhythmisieren als der (relativ) regelmäßige Wechsel von Hebung und Senkung im Vers.

Birkenhauer arbeitet mit dem Begriff der »Eigenrhythmik«, um die reimlose Lyrik mit unregelmäßigen Rhythmen begrifflich zu erfassen. Der Begriff ist weiterzugeben. Er besagt einerseits, daß diese Sorte von Gedichten ihren jeweils »eigenen« Rhythmus in sich tragen bzw. aus sich heraus entwickeln, er besagt andererseits, daß es möglich ist, zu gewissen verallgemeinerbaren »formalen« Beschreibungen bzw. zu Formbestimmungen zu gelangen, ohne in den alten Formalismus zurückfallen zu müssen. – Nur als Anmerkung sei gesagt, daß natürlich auch die metrisch geregelten und gebundenen Verse/Gedichte je einen eigenen Rhythmus haben, der sich aber primär aus der Spannung zwischen Metrum und syntaktischer Füllung ergibt, wohingegen die eigenrhythmischen Verse ihren Rhythmus allein aus der Syntax entwickeln müssen.

Die Versgrenzen gewinnen für die eigenrhythmische Lyrik besondere Bedeutung, die bei metrischen Gedichten nicht – oder nicht in dieser Weise – gegeben ist, weil das Metrum Länge und Aussehen der Verse festlegt. Das heißt: Beginn und Ende jedes Verses zeichnen sich besonders aus – und sie verpflichten den Sprecher/Leser zu Aufmerksamkeit, gesonderter Betonung (Versbeginn) und Pausen (Versende). Da aber auch metrisch gebildete Gedichte mit Versbeginn und Versende arbeiten können, ist zunächst eine grundsätzlichere Unterscheidung von – nicht nur – lyrischem Sprechen notwendig. Brecht benutzt dazu den Begriff des »Gestus«. Verse können, indem sie die Versgrenzen syntaktisch überspielen und nicht akzentuiert einsetzen, die Sprache in sich abschließen, also sprachliche Zusammenhänge herstellen. Brecht gibt das Beispiel von Schillers *Der philosophische Egoist.* Der zitierte Satz ist kunstvoll ineinandergefügt, zwingt den Sprecher/Leser aber ganz in seine Bewegung hinein, indem die einzelnen Satzelemente immer wieder auf Vorangehendes zurückverweisen und »mitunter förmlich zum ›Zurückblättern‹« zwingen (Birkenhauer, 57). Die »ungestische« Formulierung hält den Leser/Sprecher in der Formulierung gefangen und der Zusammenhang des Satzes entsteht in ihm selbst und weist nicht nach außen. Birkenhauer spricht deshalb vom »Versus«-Charakter der ungestischen Formulierung, das heißt, die Sprache weist ständig innerhalb ihrer Grenzen »in sich« und auf sich zurück. Gestisches Sprechen dagegen – Brecht gibt das Beispiel der Übersetzung Knebels von Lukrez' *Von der Natur der Dinge* – bricht den Versus-Charakter des ungestischen Sprechens auf. Es setzt an die Stelle gut gefugter Langsätze entweder kurze Sätze oder gut portionierte Teilsätze, die nicht inneren Zusammenhang haben, sondern lediglich durch den Fortgang der Rede zusammengehalten werden. Brecht gibt ein einfaches, aber schlagendes Beispiel, indem er zwei Sätze gegeneinanderstellt. Die erste Fassung ist ungestisch, die zweite, die von Luther stammt, ist gestisch (beide Sätze besagen scheinbar dasselbe):

> Reiße das Auge aus, das dich ärgert.
> Wenn dich dein Auge ärgert: reiß es aus!

Die Version, das sei angemerkt, stammt in dieser sprachlichen Form von Brecht; bei Luther gibt es zwei Fassungen. »Ärgert dich aber dein rechtes Auge, so reiß es aus« (Matthäus 5, 29) und »Und so dich dein Auge ärgert, reiß es aus« (Matthäus 18, 9). Die erste Fassung fugt durch den Relativsatz beide Sätze, Haupt- und Nebensatz, ineinander. Der Grund für die merkwürdige Empfehlung (das Ärgern) wird erst nachgeliefert, so daß das Ende des gesamten Satzes auf seinen Anfang zurückverweist, der Zusammenhang sich erst mit der Beendigung des gesamten Satzes einlöst. Entsprechend »sprachimmanent« bleibt die ungestische Formulierung. Die gestische Formulierung reißt den Zusammenhang auseinander. Statt der syntaktischen Fugung stehen nun zwei Hauptsätze nebeneinander. Der Grund für die Empfehlung ist vorangestellt, die Aufforderung folgt erst auf sie, der Satz also schreitet weiter, geht voran. Zugleich enthält er in der Art seiner Formulierung – indem er nämlich den Sprecher/Leser zwischen beiden Sätzen zu einer Pause zwingt –, gleichsam »körperlichen« Charakter, das heißt, er führt den Sprechenden/Lesenden zu einer bestimmten – den Aufforderungscharakter ungeheuer verstärkenden – Haltung. Sie wird noch stärker dadurch betont, daß Brecht in den Satz Luthers seinen berühmten Doppelpunkt schmuggelt. Er macht für den Leser den Gestus unmittelbar sinnfällig (und sinnlich). Zu erinnern ist an den Doppelpunkt in der *Mutter Courage*, der den Sinn des Satzes auf den Kopf stellt: »Der Mensch denkt: Gott lenkt« (4, 1395); er erfordert, wenn sein Sinn hörbar werden soll, eine völlig andere Artikulation als derselbe Satz mit Komma geschrieben (der auch einen anderen Sinn hat). – Birkenhauer hat dieser gestischen Sprache den »Pro-Vorsa«-Charakter zugeschrieben. Die Unterschiede scheinen auf den ersten Blick gering, stellen sich bei genauerer Untersuchung jedoch als der Unterschied zwischen realistischem Sprechen – auf die Realität hinweisend (nicht auf die Sprache) – und unrealistischem Sprechen – in der Sprache bleibend – heraus.

Wie gesagt, gestisches Sprechen ist auch in metrisch geregelten Dichtungen anwendbar – und Brecht hat sie auch angewendet. In der eigenrhythmischen Lyrik kommt aber noch ein wichtiges Moment hinzu, nämlich die »synkopierende« Spannung, die Brecht zwischen Syntax und Vers herstellt, indem er an markanten Stellen die Syntax an der Versgrenze »bricht« oder »abhackt«. Die folgende Beispiele stammen wiederum aus dem Aufsatz:

> Wenn das Regime händereibend von der Jugend spricht
> Gleicht es einem Mann
> Der, die beschneite Halde betrachtend, sich die Hände reibt und sagt:
> Wie werde ich es im Sommer kühl haben
> Mit so viel Schnee.
>
> Wenn das Regime händereibend von der Jugend spricht
> Gleicht es einem Mann, der
> Die beschneite Halde betrachtend, sich die Hände reibt und sagt:
> Wie werde ich es im Sommer kühl haben mit
> So viel Schnee. (19, 402; vgl. 9, 707)

Die zweite, die gestische Fassung reißt die syntaktischen Zusammenhänge auf, »portioniert« bis zum Einzelwort hin und setzt dadurch markante, aufmerken lassende Bruchstellen. Das Relativpronomen bekommt durch seine Isolierung (»einem Mann, *der/* «) gestischen Charakter, indem sprachlich mit dem Finger auf ihn gezeigt wird. Seht diesen da, was der für einen Unsinn weiszumachen versucht. Das Auseinanderreißen des Präpositionalobjekts (»mit / So viel Schnee«; die *Werkausgabe* schreibt übrigens falsch »Soviel Schnee«) macht nicht nur wieder gestisch auf die Unsinnigkeit der Satzaussage aufmerksam, es nimmt das Bild zugleich das Gedankenbild beim Wort: »So viel Schnee«, liest sich isoliert, wie das metaphorische Resumée des gesamten Gedichts: was das Nazi-Regime verbreitet, ist Schnee (etwas, was nur vorgaukelt und wieder verschwindet).

Die gestische Art der Sprachgebung hält dazu an, das Gesagte mit der – »ausgesagten« – Realität zu vergleichen. Es lullt den Rezipienten nicht in einen immanenten (Sprach-) Zusammenhang ein, sondern bestimmt ihn zur Aktivität, die Darstellungen am Dargestellten kritisch auf ihren Wahrheitsgehalt hin zu prüfen. Ziel dieser Sprache ist es, alle wirksame Realität in »Sprache zu bringen« – vor allem auch das »Niedrige«, Materielle, Alltägliche. Nicht aber, um es in Sprache aufzuheben, sondern durch Sprache erkenntlich und kenntlich zu machen. Gestisches Sprechen hat folglich mit »Formlosigkeit« oder gar mit »abgehackter Prosa« (so die üblich wiederkehrenden Urteile von Literaturkritikern oder -wissenschaftlern) überhaupt nichts zu tun – im Gegenteil, es handelt sich um ein äußerst kompliziertes und auf genauesten Realitätsstudien fundiertes Sprechen, dessen Ergebnis dann »schön« zu nennen ist, wenn die einfachste und eingängigste Lösung gefunden ist (das »Komplizierte« ist dann begrifflich erfaßt und zu Bewußtsein gekommen, wenn es nicht mehr kompliziert ausgedrückt ist – auch dies ist ein Prozeß, der nicht prinzipiell etwas gegen kompliziertes Sprechen sagt – Hegel oder Kant konnten das, was sie zu sagen hatten, *noch* nicht einfach sagen, Heidegger dagegen war auf kompliziertes Sprechen angewiesen, weil sonst die Primitivität seiner Gedanken entlarvt gewesen wäre –, aber sein Ziel im Auge behält, die Wahrheit nämlich so zu sagen, daß sie allen mitteilbar wird – und dies möglichst auf vergnügliche Weise). Brecht betonte übrigens im Zusammenhang seiner theoretischen Überlegungen zur Lyrik, daß »wir nicht ohne den Begriff Schönheit auskommen« (19, 386). Er bestimmt den Begriff aber nicht mehr »interesselos« oder am gegebenen »Geschmack«, sondern an der »praktischen« Bewährung.

Bereits 1935, als er in Moskau war und die neue Metro sah, hat Brecht gefordert, die Lyrik mit der Architektur zu verbinden (19, 387 f.). Der fortschrittliche Bau der Metro habe keine Entsprechung in der qualifizierten Lyrik der Union, denn die neu entstehenden Baulichkeiten zeigten keine Beschriftungen. »Das in Stein getriebene Wort muß sorgfältig gewählt sein, es wird lange gelesen werden und immer von vielen zugleich. Wettbewerbe müßten die Lyrik zu neuen Leistungen anspornen, und die späteren Generationen erhielten zusammen mit den Baulichkeiten die Anweisungen und den Schriftzug der Erbauer« (19, 388). Diesen Gedanken nahm Brecht in der DDR wieder auf, als es darum ging – und er kümmerte sich entschieden darum –, angemessene Wohnungen für die Arbeiter zu erstellen. Obwohl das meiste gar nicht in seinem Sinn ablief, konnte er zwei »Losungsornamente« an Ostberliner Häusern (im Bereich der Frankfurter Allee) in seinem Sinn plazieren. Die theoretischen Überlegungen in der DDR (19, 502–510) sind weitgehend praktischen, das heißt in diesem Fall vor allem pädagogischen, Interessen untergeordnet. Brecht macht Vorschläge für die Schullektüren, stellt Anthologien für Rezitationsabende zusammen und erläutert Jungen Pionieren den Begriff der Schönheit an einem Becher-Gedicht: »Es ist nämlich mit Gedichten nicht immer so wie mit dem Gezwitscher eines Kanarienvogels, das hübsch klingt und damit fertig. Mit Gedichten muß man sich ein bißchen aufhalten und manchmal erst herausfinden, was schön daran ist« (19, 509).

Texte: Schriften zur Literatur und Kunst 1. 1920–1932. Frankfurt a. M. 1967. S. 68–77. – Schriften zur Literatur und Kunst 3. 1934–1956. Frankfurt a. M. 1967. S. 7–61, 159–169. – wa 18, 54–59. – wa 19, 385–410, 422–426, 502–510. – Über Lyrik. Zusammengestellt von Elisabeth *Hauptmann* und Rosemarie *Hill*. Frankfurt a. M. 1964 (5., erweiterte Aufl. 1975) [enthält u. a. einen anderen Text vom *Lyrik-Wettbewerb 1927*, mit Zitat des Küpper-Gedichts, S. 7–13, enthält auch die Gedichte, die Theoretisches zur Lyrik formulieren].

Klaus *Birkenhauer*: Die eigenrhythmische Lyrik Bertolt Brechts. Theorie eines kommunikativen Sprachstils. Tübingen 1971 (S. 7–87). – Jan *Knopf*: Bertolt Brecht. Ein kritischer Forschungsbericht. Frankfurt a. M. 1974 (S. 124–144).

Expressionismus-Debatte, Realismus

Unter der Überschrift *Über den Realismus 1937 bis 1941* sammeln die Ausgaben der *Schriften* die Aufsätze, Notate und Glossen, die Brecht in direktem wie auch lockerem Zusammenhang mit der Expressionismus-Debatte in der in Moskau erscheinenden Exil-Zeitschrift *Das Wort* (1937–1938) geschrieben hat. Die Gründung der Zeitschrift war 1935 auf dem Pariser Kongreß (»Verteidigung der Kultur«) beschlossen worden, und zwar als Organ der Volksfront, als Herausgeber zeichneten Bertolt Brecht als parteiloser Marxist, Willi Bredel als parteigebundener Marxist und Lion Feuchtwanger als bürgerlicher Linker. Fritz Erpenbeck wurde später als Redakteur berufen, der die auf drei Exilländer verteilten Herausgeber kommunikativ zusammenzuhalten hatte; er wurde zum eigentlichen »Macher« des Blatts (vgl. die *Richtlinien für die Literaturbriefe der Zeitschrift »Das Wort«*; 19, 287, deren dritte Richtlinie wesentlich von Brecht beeinflußt ist. Neuerungen seien als »technische Praktiken«, »nicht nur als Ausdrucksformen von Ingenien« zu beschreiben).

Brechts Anteile an der Expressionismus-Debatte waren bis 1966, als Klaus Völker erstmals darüber schrieb, überhaupt nicht bekannt, weil Brecht keinen seiner – z. T. klassisch ausformulierten – Aufsätze in die Debatte eingebracht hat. Die Debatte verband sich mit dem Namen »Expressionismus«, weil die sie auslösenden Artikel von Klaus Mann und Bernhard Ziegler (Heft 9, 1937; bei Schmitt, S. 39–60) die schäbige Rolle, die Gottfried Benn zu Beginn des Nazi-Reichs meinte spielen zu müssen, mit dem Expressionismus identifizierten (Benn hatte als Expressionist begonnen). Ziegler (d. i. Alfred Kurella) stellte die These auf: es sei heute klar zu erkennen, »wes Geistes Kind der Expressionismus war, und wohin dieser Geist, ganz befolgt, führt: in den Faschismus« (bei Schmitt, 50). Auf die Debatte selbst kann hier nicht eingegangen werden. Sie füllt in der Dokumentation von Hans-Jürgen Schmitt ein ansehnliches Buch. Viele verschiedene Beiträger, darunter Ernst Bloch, Rudolf Leonhard, Herwarth Walden, Georg Lukács, brachten viele verschiedene, wichtige Aspekte ein – und ein »Ergebnis«, selbst in einem vorläufigen Sinn, hatte die Debatte nicht. Freilich ein zentrales Thema: den »Realismus«.

Brechts ganzer Anteil wurde erst 1967 mit der Publikation der *Schriften zur Literatur und Kunst* (*Werkausgabe* und 2. Band der *Schriften*) bekannt. Und das war eine kleine Sensation, die immense Wirkungen insofern hatte, als über Brechts Schriften zur Debatte sich wesentlich das theoretische Realismus-Verständnis der Studentenrevolte artikulierte und bildete. Ein kritischer und kämpferischer Realismusbegriff, der die akademischen Nachahmungs- oder Widerspiegelungstheorien sprengte, war hier zu finden. Denn die bundesrepublikanische Linke war bei der Realismusdiskussion vorher weitgehend auf Georg Lukács angewiesen gewesen, gegen den Brecht nun heftigst Front machte (vor der Publikation waren die Unterschiede kaum bekannt, wenn, dann verschwommen). Die Geschichte dieser Wirkung, die bis in die 70er Jahre hineinging, weitgehend doch wieder – wie in Deutschland üblich – theoretisch blieb und akademisch war (ich kann das auch selbstkritisch sagen, weil ich in meinem Forschungsbericht mittheoretisiert habe; das kann man heute oft nur noch mit unguten Gefühlen lesen; Knopf, 145–148), die Geschichte dieser immensen Wirkung ist noch nicht geschrieben. Benannt aber sollte sie wenigstens sein.

Die Debatte bezeichnet sich zwar nach ihrem »Anlaß«, geht aber »eigentlich« um den »Realismus«, und da wiederum im wesentlichen um die Position von Georg Lukács, die innerhalb der kommunistischen Parteien (auch der UdSSR, vor allem in der exilierten KPD) dominierend war und auch nach dem Krieg in der DDR zunächst den Ton angab – weshalb dort Brechts Schwierigkeiten weitergingen. Die – in unglaublich vielen und umfangreichen Büchern entwickelte – Widerspiegelungstheorie von Lukács bedürfte einer eigenen Darstellung. Es kann nur so viel gesagt sein, daß es sich um keinerlei naiven Abbildrealismus (Naturalismus) handelt, daß Lukács sehr wohl wußte, daß die »eigentliche« Realität nicht in den Oberflächenerscheinungen zu finden ist und daß er auch seinen Realismusbegriff als »kritischen« verstand. Da Lukács aufgrund der Polemiken Brechts häufiger in die Rolle des Popanzes gerückt worden ist, sollte davor gewarnt sein. Lukács Gegenposition wird in der folgenden kurzen Zusammenfassung der wesentlichsten Gesichtspunkte des Brechtschen Realismus-Begriffs implizit deutlich werden; ansonsten sei auf Schmitts Dokumentation, die dort genannte weiterführende Literatur sowie auf die – nicht mehr vollständige – Bibliographie in meinem Forschungsbericht verwiesen (Knopf, 195f.).

Brecht geht zwar von der Expressionismus-Debatte aus, ist aber ganz schnell beim Thema und auch bei »dem« Gegner. Lukács nahm an der Debatte selbst nur mit einem Beitrag – allerdings wie immer langen – direkt teil, seine Positionen aber waren durch die anderen Beiträger stets gegenwärtig (bei Schmitt, 192–230). Brechts grundsätzliche Maxime formuliert am griffigsten der Aufsatz *Weite und Vielfalt der realistischen Schreibweise* (19, 340–349): »Über literarische Formen muß man die Realität befragen, nicht die Ästhetik, auch nicht die des Realismus« (19, 349). Brecht wehrt jede innerliterarische Diskussion als einseitig und unsinnig ab. Es kann keine kunst- oder literaturimmanenten Ableitungen der Formen geben (wohl ihre Geschichte, aber die ist wiederum etwas anderes). Der Primat des Abgebildeten läßt keinerlei abstrakte Bestimmung von Ästhetik und ihren Formen mehr zu. Brecht lehnt es daher auch ab, sich in irgendeiner Weise auf Lukács', dem deutschen (dialektischen) Idealismus verpflichteten Vokabular einzulassen (»Vermittlung von Wesen und Erscheinung«). Damit ist die Frage nach den ästhetischen Formen zugleich »historisiert«, das heißt, man kann gar nicht von *dem* Realismus sprechen und auch nicht einen bestimmten realistischen Stil, seine Formen, zur Nachahmung empfehlen, denn die Formen, wie die damit »abgebildete« Realität haben ihre Zeit. Lukács empfiehlt die Romane von Honoré de Balzac (1799–1850) als – weitgehend vollendete – Vorbilder für den Realismus. Brecht widerspricht Lukács nicht darin, daß Balzac Realist, seine Romane realistisch gewesen seien (auch wenn er da einige Einwände hat), aber er widerspricht Lukács, wenn er diese Romane, die Romane des 19. Jahrhunderts sind, den Schriftstellern des 20. Jahrhunderts als Vorbilder hinstellt und meint, die dort ausgebildeten Formen müßten übernommen werden, wollte man realistisch schreiben. Daß der Realismus *keine Formsache* ist, wiederholt Brecht unermüdlich (19, 291, 296 u. ö.). Realismus zeichnet sich durch die »Weite und Vielfalt« der Realität, die sich historisch wandelt, aus, so daß sich Brecht gar nicht erst in Debatten darüber einläßt, ob Balzac *oder* Swift *oder* Tolstoi »der eigentliche« Realist sei. In Brechts Sinn waren sie alle (mehr oder weniger) »eigentliche« Realisten. Die Frage ist falsch gestellt, weil unhistorisch, ohne Beachtung der gewandelten Realitäten und eben »formalistisch«.

Die andere Seite, »realistische Formen« innerliterarisch als Vorbilder aufzustellen, ist die – 1934 auf dem »Allunionskongreß der Sowjetschriftsteller« dominante – Verurteilung neuer, moderner Formen als dekadent oder nihilistisch (so die parteikommunistische Verurteilung von James Joyce). Der Zusammenhang dieser neuen Formen mit der gewandelten Realität wird so nämlich total verdeckt, und indem man diese Formen ablehnt, verdunkelt man die Einflüsse der modernen Technik auf die künstlerischen Formen und auf die Sprache. Der Realismusbegriff von Lukács teilt brav in Vorbilder und Dekadenzerscheinungen, erkennt nicht das Ineinander von Abstieg und Aufstieg – der Kapitalismus enthielt für Brecht stets auch viele Momente des Aufstiegs, die freilich der Umgestaltung bedurft haben –, und er läßt so auch die (im Kampf liegenden) Widersprüche aus bzw. bewertet sie zu gering. Ihre Darstellung aber bedeutet für Brecht gerade Realismus, und je intensiver und reicher sie zum Ausdruck kommen, desto realistischer ist nach Brecht ein Werk. Insofern *muß* ein realistisches Werk des 20. Jahrhunderts die neuen »modernen Formen« in sich aufnehmen, besser kritisch aufheben, nicht unbewußt, sondern bewußt einsetzen. »Es bedeutet eine für einen Klassenkämpfer wie Lukács erstaunliche Verniedlichung der Geschichte, wenn er aus der Literaturgeschichte den Kampf der Klassen beinahe völlig entfernt und in dem Abstieg der bürgerlichen Literatur und dem Aufstieg der proletarischen zwei völlig getrennte Phänomene sieht« (19, 317). Deshalb enthalten die großen bürgerlichen Werke – zu denen Brecht Thomas Manns mit vielen Gründen *nicht* zählte – neben dem Verfall und der Zertrümmerung realistischer Formen auch »den Durchbruch eines neuen Realismus« (19, 317), wie umgekehrt eine proletarische Literatur nicht auf die (kritisch aufgenommenen) neuen Formen verzichten durfte und auch nicht bloß »aufsteigend« sein konnte: das wäre nicht nur formalistisch, sondern sogar idealistisch. Weshalb Brecht auch meinte, es wäre besser, gefragt nach der »kommunistischen Einstellung«, die Werke und nicht die Parteibücher vorzeigen zu können.

Die Verurteilung des Expressionismus als dekadent, nihilistisch und dann sogar unmittelbar in den Faschismus führend, war für Brecht reaktionär. Er erzählt einleitend im Aufsatz *Die Expressionismusdebatte* (19, 290–292) den Aviatiker-Witz. Ein Aviatiker deutet auf eine Taube und sagt: Tauben zum Beispiel fliegen falsch (19, 290). Die Theorie bestimmt, was falsch und richtig ist; und die Tatsache, daß die Tauben *fliegen*, kommt da schnell aus dem Blickfeld. Nicht anders steht es mit dem Expressionismus, der von Brecht in vieler Hinsicht kritisiert wird, deshalb aber nicht einseitig abgelegt werden kann, weil er Tatsache war und literarisch auf eine bestimmte Realität reagiert hat. Und diese Realität in ihren Widersprüchen wäre zu analysieren gewesen, um zu fragen, warum der Expressionismus so war, wie er war; ganz zu schweigen von seiner revolutionären Seite, die – auch wenn sie sich nur von der Grammatik befreite (19, 304) – vorwärtsweisend war, wenn auch einseitig und nur verbal.

Einen weiteren, für Brechts Werk wesentlichen Aspekt nennen die Schriften zur Expressionismusdebatte: die Neubestimmung des Individuums in der technisierten Massengesellschaft. Brecht unterstreicht: »Wir sind weit davon entfernt, das Individuum abschaffen zu wollen. Aber wir sehen immerhin mit einiger Nachdenklichkeit, wie dieser (historische, besondere, vorübergehende) Kult einen André Gide hindert [in seinem Bericht über die Sowjetunionreise *Retour de l'U.R.S.S.*], in der Sowjetjugend Individuen zu entdecken. [...] es lohnt sich für den Schriftsteller nicht, sich sein Problem so zu vereinfachen, daß der riesige, komplizierte, tatsächliche Lebensprozeß der Menschen im Zeitalter des Endkampfs der bürgerlichen mit der proletarischen Klasse als ›Fabel‹, Staffage, Hintergrund für die Gestaltung großer Individuen ›verwendet‹ werden soll« (19, 309 f.). Darauf lief Lukács' Empfehlung, den realistischen Roman des 19. Jahrhunderts zum Vorbild zu nehmen, ebenfalls hinaus. Er kannte den Mittelpunktshelden, die Gruppierung der »Welt« zum Helden hin, auf ihn zu. Das war prinzipiell anders geworden, was aber nicht heißt, daß die Individuen nicht mehr da wären oder daß sie ohne Einfluß wären – die Möglichkeit ihres Einflusses aber kommt nicht mehr aus »innen« heraus, sondern von äußeren Bedingungen her. »Es handelt sich nicht um den Abbau der Technik, sondern um ihren Ausbau. Der Mensch wird nicht wieder Mensch, indem er aus der Masse herausgeht, sondern indem er hineingeht in die Masse. Die Masse wirft ihre Entmenschtheit ab, damit wird der Mensch wieder Mensch (nicht einer wie früher). Diesen Weg muß die Literatur in unserem Zeitalter gehen, wo die Menschen an sich zu ziehen beginnen, was es an Wertvollem, Menschlichem gibt, wo die Massen diese Leute mobilisieren gegen die Entmenschtheit durch den Kapitalismus in seiner faschistischen Phase« (19, 298).

Brechts Romanwerk – ob vollendet oder nicht – führt besser als weiteres Theoretisieren vor, wie er sich den Ausbau der Techniken dachte, wie er die Individuen gestaltete und versuchte, möglichst »viel« Realität – mit ihren Widersprüchen in die Romane »hineinzubekommen«, ohne zu vergessen, daß das poetische Werk auch schön zu sein hatte, die Realität weder »ganz« (Weltbild) noch als Ersatz erfassen konnte, sondern dann am wirksamsten war, wenn über seine Lektüre die erfahrene Realität des Lesers bewahrt blieb. Weitere Aspekte (theoretischer Art) behandelt auch der Dramen-Teil des *Brecht-Handbuchs* (Modell-Begriff, naturwissenschaftliche Erkenntnisweisen etc., vgl. BH 1, 381–383 u. ö.).

»Es gibt vom Standpunkt der Literatur aus gesehen, keine schönere Devise eines großen Reiches für seine Literatur als die: Schreibt die Wahrheit! Seid Realisten! Ein Land, das auf Illusionen verzichten kann, für jede Wahrheit eine Verwendung hat, sich an den Realismus seiner arbeitenden Massen wendet. Auf Grund einfacher nützlicher Gedanken vollzieht sich der Aufbau; wer verstanden hat, der ist einverstanden. Der Begeisterte verliert den Blick für die Wirklichkeit nicht, der Nüchterne nicht den Schwung« (19, 382).

Texte: Schriften zur Literatur und Kunst 2. 1934–1941. Frankfurt a. M. 1967. S. 91–216. – wa 19, 285–382. – Die Expressionismusdebatte. Materialien zu einer marxistischen Realismuskonzeption. Hg. von Hans-Jürgen *Schmitt*. Frankfurt a. M. 1973.

Hans-Albert *Walter*: Deutsche Exilliteratur 1933–1950. Band 4: Exilpresse. Stuttgart 1978 (S. 461–502 zu *Das Wort*).

Klaus *Völker*: Brecht und Lukács. Analyse einer Meinungsverschiedenheit. In: Kursbuch 7, 1966, S. 80–101. – Werner *Mittenzwei*: Die Brecht-Lukács-Debatte. In: Sinn und Form 19, 1967, S. 235–269. – Jan *Knopf*: Bertolt Brecht. Ein kritischer Forschungsbericht. Fragwürdiges in der Brecht-Forschung. Frankfurt a. M. 1974 (S. 145–148; 196 f.: Bibliografie bis 1973). – David *Pike*: Deutsche Schriftsteller im sowjetischen Exil 1933–1945. Frankfur a. M. 1981 (S. 272–309, 352–416 zur »literarischen Volksfront«, Lukács). – Monika *Hähnel*: Partei und Volk im Verständnis Brechts. Berlin 1981 (S. 77–129).

Radiotheorie

Seit Oktober 1923 gab es in der Weimarer Republik das Radio als »öffentlich-rechtliche Einrichtung«, die von der konservativen Kulturkritik als technisches Instrument für die »Massen« verächtlich abgelehnt, von der sich bildenden technisch begeisterten und die Fähigkeiten des Menschen (an sich) feiernden »Neuen Sachlichkeit« als Triumph gefeiert und von den kritischen Intellektuellen mit Skepsis aufgenommen wurde. Da die neuen (Massen-) Medien inzwischen eine neue Wissenschaft ausmachen und gerade der Rundfunk der Weimarer Republik besonderes Interesse angezogen hat, muß sich die folgende Darstellung auf ein Referat der wichtigsten Thesen, die Brecht zwischen 1927 und 1932 zum Radio beigesteuert hat, beschränken. Es handelt sich um Schriften von wenigen Seiten, die gleichwohl nach ihrer Entdeckung sofort als »Radiotheorie« eingestuft und von Peter Groth sowie Manfred Voigts auch gleich noch in »zwei Phasen« eingeteilt worden sind, nämlich in die »neusachliche« und die »revolutionäre«. Ich halte das für übertrieben, bleibe aber beim Begriff »Radiotheorie« für die wenigen Aufsätze zwischen 1927–1932, weil sie immerhin die wichtigsten kritischen Gesichtspunkte gegen den verwertenden Einsatz des Mediums in der kapitalistischen Gesellschaft formulieren und zugleich andere Verwendungsvorschläge machen. Die Unterteilung dagegen in zwei Phasen gibt den wenigen Notizen nicht nur viel zu viel Gewicht, sondern beruht auch auf dem verbreiteten Irrtum, daß Brechts Einstellung (siehe Thematik Einverständnis) auf die Realitäten der Zeit zugleich als deren kritiklose Anerkennung gewürdigt wird. »Neusachlich« war die Anerkennung des Mediums Radio für sich, als technisches Instrument, das bestaunt und kritiklos angenommen wurde, weil es einfach neu war. Den neusachlichen Schwärmern war es dann egal, *was* der Apparat von sich gab, die Hauptsache: er gab etwas von sich. Überdies isoliert die Behauptung Groths und Voigts', die spätere Schrift *Der Rundfunk als Kommunikationsapparat* (18, 127–134; von 1932) entwerfe die Radiotheorie als Revolutionsmodell – eine schon für sich genommen merkwürdige Vorstellung – in abstrakter Weise Kritik und Neuentwurf so, als hätten beide nichts miteinander zu tun. Im übrigen besteht das »Revolutionsmodell« lediglich darin, daß Brecht nüchtern feststellt, daß seine Vorschläge, das Radio als Kommunikationsapparat einzusetzen, in *dieser* Gesellschaftsordnung nicht durchführbar sind. Die Vorschläge dienten »der Propagierung und Formung *dieser* anderen Ordnung«; die basiert aber nicht auf Radiotheorien (vgl. Groth/Voigts, 30–33).

Im frühen Aufsatz *Radio – eine vorsintflutliche Erfindung?* (1927 im BBA eingeordnet: BBA 156/1–4 = Nr. 16887, Bd. 3, S. 576) formuliert Brecht sofort seine beiden entscheidenden Einwände gegen das neue Massenmedium. Es hat *nichts* zu sagen und führt die Leute an der Nase herum, wie Brecht es da noch zart ausdrückt (18, 119–121). Aber er zieht – nicht direkt, sondern im Vergleich – die Konsequenz: »Solange diese Bourgeoisie sie noch in der Hand hat, werden sie fortdauernd. [die Städte nämlich] unbewohnbar sein [das Radio entsprechend unbenutzbar]« (18, 120). Das Fazit lautet entsprechend: »Es [das Radio] ist eine schlechte Sache« (18, 120). Brecht interessiert sich überhaupt nicht für die Technik (an sich), und natürlich wertet er auch das Radio nicht »an sich« als eine schlechte Sache; jedoch macht es die Verwendung dazu. Es liefert nämlich bloß säuselnde Musik, allenfalls noch »mächtige« Opernübertragung als Rauschmittel, angestrengt gekünstelte »Referate« und sonstiges Kunstgewerbe, und zwar mit der Folge, daß das *Massen*-Medium in seiner Wirkung individualisierend und inaktivierend ist. Es stellt sozusagen seine technische Natur auf den Kopf. Brecht findet für die irrwitzige Umkehrung von massentechnischem Produktionsaufwand und individualisierender Rezeption das Bild von den nach Neubabelsberg laufenden ägyptischen Pyramiden, um dort »von einem Apparat, den ein Mann bequem in den Rucksack schieben konnte, abphotographiert zu werden« (18, 121). Das Bild nimmt Brechts spätere Hollywood-Erfahrungen vorweg. Anstatt mit der Natur zu arbeiten und zu produzieren, wird gegen sie künstlich angearbeitet. Anstatt die Möglichkeiten des neuen Apparats zu nutzen, die Pyramiden also vor Ort und damit als »Realität« (die Einschränkungen kannte Brecht) vorzuführen, baut man sie in den Neubabelsberger Filmstudios künstlich auf. Kurz: anstatt das Medium mit seinen neuen Möglichkeiten der Wiedergabe produktiv einzusetzen, benutzt man es nur zur – nun massenhaft gesteigerten – Reproduktion alter Inhalte und alter Formen.

In den *Vorschlägen für den Intendanten des Rundfunks*, publiziert am 25.12.1927 im *Berliner Börsen-Courier* (18, 121–123), fordert Brecht: »*Sie müssen mit den Apparaten an die wirklichen Ereignisse näher herankommen und sich nicht nur auf Reproduktion oder Referat beschränken lassen*« (18, 121). Konkret hieß das: politische Öffentlichkeit herzustellen, indem man Reichstagssitzungen direkt übertrug (damals eine radikale Forderung), daß man den Kanzler zwang, sich öffentlich zu seiner Politik zu rechtfertigen, und ihn zugleich zwang, auf die Argumente der nun massenhaft beteiligten Zuhörer zu antworten (Brecht forderte die Organisation der Kommunikation zwischen Sender und Empfänger!). Weiterhin wollte er, daß man Gerichtsverhandlungen durch Übertragungen öffentlich machte, damit die Formel »Im Namen des Volkes« einigermaßen Sinn bekäme, daß man Personen direkt interviewte, ohne ihnen Zeit zu lassen, sich erst groß Lügen auszudenken, daß man Politiker, Literaten, Künstler, »bedeutende Fachleute« zu öffentlichen Disputationen zusammenführte etc. Die künstlerische Produktion bzw. die Produktion für das Medium (also Hörspiele, Fachsendungen, Schulfunk etc.) sollte nur an 2., unbedeutenderer Stelle stehen. Und wenn man solche Sendungen durchführte, so wäre darauf zu achten, daß die spezifischen Möglichkeiten des Mediums auch berücksichtigt würden (er empfiehlt Bronnen, Döblin).

Es ist richtig, daß Brechts Vorschläge »gesellschaftsimmanent« blieben. Sie fordern einen prinzipiell anderen Einsatz der Medien, ohne zu sagen, wie sie durchsetzbar sein sollten, sozusagen fromme Wünsche, hinter denen auch ganz persönliche Interessen stehen, nämlich selbst an den Medien beteiligt zu werden, die Möglichkeiten zu Sendungen, und dann noch gut bezahlt, zu erhalten. Das aber macht die Forderungen weder »anpasserisch«, noch »neusachlich« (letzteres kann ich im spezifischen Sinn nirgends finden). Die Forderung nach Herstellung politischer Öffentlichkeit mit »Rückkoppelung« ging für die damalige Zeit sehr weit. Wenn sie heute realisiert ist und Übertragungen aus den Parlamenten üblich sind, so sollte nicht vergessen werden, daß diese Medienwirklichkeit wiederum zu einer Scheinwirklichkeit geworden ist. Denn die eigentliche Politik wird in den nicht-öffentlichen Ausschußsitzungen gemacht, und der Rest ist großaufgemachtes Polittheater. Die Forderung, die Gerichte der (Massen-) Öffentlichkeit zu öffnen, geht noch viel weiter (sie ist bis heute nicht eingelöst). Und wirkliche Disputationen, das heißt nicht vorgefertigte, abgesprochene, nach bestimmten Regeln zelebrierte, in bürgerlichen Anstandsformen erstarrte Sendungen, sind noch heute die absolute Ausnahme (und kommen sie mal vor, gelten sie sofort als Entgleisungen; die »Macher« bestimmen, was sein darf, was nicht). So gesehen, gehen Brechts Forderungen sehr weit, auch wenn sie – da haben Groth und Voigts die Beweise geliefert – nicht besonders originell sind: die kritischen Intellektuellen – z.B. Walter Benjamin, Alfred Döblin, Friedrich Wolf – kommen zu ähnlicher Kritik und ähnlichen Vorschlägen, wie sie z.T. auch praktisch mit dem Medium gearbeitet haben (wie Brecht auch).

Auf ein mögliches Mißverständnis ist noch hinzuweisen (von wegen Brechts »mechanistischer Phase«, Behaviorismus etc.). Brechts Vorschlag, »mit den Apparaten an die wirklichen Ereignisse näher heranzukommen«, läuft nicht auf »Authentizität« oder mechanistische Widerspiegelung der Wirklichkeit hinaus. Brecht schreibt sicher nicht ohne Grund »näher heranzukommen« statt »wiederzugeben« (oder das »näher« auszulassen). Soweit es »dokumentarisch« sein konnte, sollte das Radio auch an die Dokumente herangehen; und auf alle Fälle sollte verhindert werden, daß künstlich hergestellt wurde, was realiter zu haben war.

Der späte Aufsatz *Der Rundfunk als Kommunikationsapparat* formuliert die wesentlichen Vorschläge noch einmal konziser, zusammenhängender und begrifflich abgesicherter (der Gegensatz zum Kommunikationsapparat wird nun als »Distributionsapparat« begrifflich fixiert, und der Warenbegriff kommt hinzu). In dieser Hinsicht jedoch bringt der Aufsatz nichts Neues. Aber es sind in ihn die praktischen Erfahrungen, die Brecht mit dem Medium gemacht hat, eingegangen (vor allem mit dem *Ozeanflug*; vgl. BH 1, 74f. Groth und Voigts haben ein Verzeichnis Brecht im *Rundfunk der Weimarer Republik* erstellt, 33–35). Durch sie kommt Brecht zu Folgerungen, die die früheren Arbeiten nur andeuten, nicht aber explizit aussprechen. Diese Vorschläge seien nur in einer anderen Gesellschaft zu verwirklichen.

Texte: Schriften zur Literatur und Kunst 1. 1920–1932. Frankfurt a. M. 1967. S. 119–140. – wa 18, 117–134. – Zwei neuaufgefundene Aufsätze Brechts: *Junges Drama und Rundfunk* (1927) und *Die Geschichte des Packers GALY GAY* (1927) finden sich bei Groth/Voigts 35–39; s. u.). – Texte, die im Zusammenhang mit Brechts Radiotheorie stehen, stehen in: 100 Texte zu Brecht. Materialien aus der Weimarer Republik. Hg. von Manfred *Voigts*. München 1980 (S. 94–145; auch zum Film).

Peter *Groth*/Manfred *Voigts*: Die Entwicklung der Brechtschen Radiotheorie 1927–1932. Dargestellt unter Benutzung zweier unbekannter Aufsätze Brechts. In: Brecht-Jahrbuch 1976, Frankfurt a. M. 1976, S. 9–42. – Manfred *Voigts*: Brechts Theaterkonzeptionen. Entstehung und Entfaltung bis 1931. München 1977 (S. 126–131).

Schriften zur Politik und Gesellschaft

Überblick

Die Ausgaben (Werkausgabe, Band 20 sowie die seitengleiche Einzelausgabe) sammeln unter diesem Titel die verschiedensten Schriften, die im vorliegenden *Handbuch* teilweise anderen Kapiteln zugeschlagen worden sind. So habe ich die *Marxistischen Studien* (20, 45–123), die *Notizen zur Philosophie* (20, 124–178) und die *Aufsätze zum Faschismus* (20, 179–265) weitgehend den »Philosophischen Schriften« zugeordnet (aus den »Aufsätzen« zum Faschismus hat die Forschung inzwischen einige Texte als künstlerische Prosa-Satiren qualifiziert, so daß einige der »Aufsätze« nun als erzählerische Prosa abgehandelt sind; vgl. die Register). So verbleiben aus den *Schriften zur Politik und Gesellschaft* hier noch die Zeitnotizen (20, 3–44; aus der Zeit zwischen 1919–1932 / 20, 267–306; aus der Zeit zwischen 1939–1947) sowie die *Vorschläge für den Frieden* (20, 307–349; aus der Zeit zwischen 1948–1956). Die letztgenannten *Vorschläge* sind genaugenommen auch *Notizen zur Zeit*, der Titel vom Herausgeber Werner Hecht läßt sich aber insofern rechtfertigen, als Brechts Zeitkommentare beinahe ausschließlich dem Thema *Frieden* gelten (ich habe ihm deshalb auch ein gesondertes Kapitel zugewiesen, zumal Brechts Aufzeichnungen, Warnungen, Vorschläge eine beklemmende Aktualität gewonnen haben und in jeder Hinsicht von Brechts Realitätskenntnis zeugen. Viele der Formulierungen wirken so, als seien sie erst heute verfaßt worden).

Außerdem habe ich diesem Abschnitt kleinere Kapitel zu den außerhalb der Ausgaben publizierten *Arbeitsjournal, Tagebüchern* (einschließlich *Autobiographischer Schriften*) und zu den *Briefen* eingefügt, damit diese Bände hier auch berücksichtigt sind. Sie können hier nur im großen charakterisiert werden, zumal sie insgesamt für die Darstellungen ausgewertet sind. Zu rechtfertigen ist ihre Einordnung an dieser Stelle dadurch, daß sie sich insgesamt als Schriften zur »Zeit« darstellen, wobei freilich auch Kunst, Literatur und allgemeinere kulturelle Fragen angesprochen sind (entsprechend sind auch Auszüge aus den *Tagebüchern* über alle Ausgaben der *Schriften* verteilt). Die Negativ-Charakteristik wäre die, daß Brecht seine Notizbücher und Briefe nicht primär privaten, sondern »öffentlichen« Angelegenheiten gewidmet hat, auch wenn sie oft im Zusammenhang mit seinen Werken stehen und natürlich auch Privates enthalten. Daß die frühen *Tagebücher* »privater« sind als das schon ganz anders angelegte *Arbeitsjournal* hängt mit Brechts zunehmender Realitätskenntnis und politischer Entwicklung zusammen, aufs Ganze gesehen jedoch sind auch sie nicht primär »Selbst-Ausdruck«, sondern weitgehend Berichte und Kommentare aus dem schriftstellerischen Arbeitsprozeß (Ausnahme vor allem die Auseinandersetzung: Recht – Brecht um Marianne Zoff). Auch den *Briefen* mangelt insgesamt das sonst übliche »Ausdrucks«-Bedürfnis, und das heißt vor allem die im Bürgertum so ausgeprägte monologische Kunst des Briefeschreibens.

Die im 20. Band der *Werkausgabe* gesammelten Schriften entbehren des privaten Charakters fast ganz. Auch wenn Brecht Themen wie »Gott« und »Tod« anspricht (1919; 20, 3–5), formulieren sich kaum persönliche Auseinandersetzungen, so daß auch Brechts Atheismus ohne die übliche kämpferische Note bleibt: »Als die wimmelnde Masse der Wesen auf dem fliegenden Stern sich kennengelernt und ihre unbegreifliche Verlassenheit empfunden hatte, hatte sie schwitzend Gott erfunden, den niemand sah, also daß keiner sagen konnte, es gäbe ihn nicht, er habe ihn nicht gesehen« (20, 5). Weiteres Thema der frühen Notate ist der »Patriotismus«, den Brecht im Zusammenhang mit dem verlorenen Krieg, der »Revolution« und vor allem mit den Kriegsgewinnlern sieht und verwirft. Die weiteren Notate, die sich verschiedenen Themen widmen (20, 8–14 und 20, 15) entstammen den *Tagebüchern* bzw. den *Autobiographischen Schriften* (der Text 20, 15 ist dort dem Jahr 1927 zugeordnet).

Die folgenden *Notizen zur Zeit* (20, 19–44) behandeln die verschiedensten Themen: die Veräußerlichung der persönlichen Beziehungen (Verträge), Militarismus, den mißlungenen deutschen Ozeanflug, Sexualität, Paragraph 218, die bürgerliche Justiz und den Sport (u. a.). Die kleine Notiz über die Herrenmode (Original ohne Titel; 20, 34–36), die eventuell in einer Münchner Illustrierten publiziert worden ist (März 1929), ist gesondert herauszuheben, weil sie zu einer ausgearbeiteten Prosasatire tendiert. Sie behandelt nämlich die neue Mode unter dem Aspekt ihrer Benutzbarkeit und kommt zu einem vernichtenden Ergebnis.

Eins der wichtigeren Themen der Aufzeichnungen Ende der 20er Jahre ist das Thema des Sports, das dann 1931 im Film *Kuhle Wampe* eine zentrale Rolle spielen sollte. Daß das Thema für Brecht so interessant werden konnte, liegt nicht nur an seinen persönlichen Bekanntschaften, zu denen die Bekanntschaft zum Meisterboxer Samson-Körner gehörte, sondern an der zunehmenden Bedeutung, den der Sport in der industrialisierten Massengesellschaft erhielt. Die Rekordsucht ist für die Weimarer Republik sprichwörtlich geworden. In der bürgerlichen Gesellschaft kam es darauf an, die Sporteuphorie möglichst gewinnbringend zu verwerten, so daß nun – nachdem die Körperfeindlichkeit durch die Entwicklung eingeschränkt und (wenigstens teilweise) verdrängt wurde – die Parole hieß: der Sport diene der Hygiene. »Hygiene ist vorteilhafter als Medizin. Turnlehrer sind rentabler als Ärzte« (20, 28). Brecht gießt über diese »Kultivierung« des Sports – damit seine vorzeigbare Seriosität – seinen ganzen Hohn, und er plädiert statt dessen für den »unzivilisierten« Kampf: »Der große Sport fängt da an, wo er längst aufgehört hat, gesund zu sein« (20, 27). Oder: »Boxen zu dem Zweck, den Stuhlgang zu heben, ist kein Sport« (20, 29). Diese antibürgerliche Wendung dient vor allem dazu, im Sport die Entscheidungen nicht dadurch zu verschleiern und den Charakter des Kampfes nicht zu verdecken, indem man ihn »Experten« ausliefert oder »verwissenschaftlicht«. Brecht gibt das Beispiel des Boxens. Der Punktrichter – als »Kenner« – macht aus dem Boxkampf »l'art pour l'art«. »Sehen Sie sich zwei Männer an einer Straßenecke oder in einem Lokal einen Kampf liefern. Wie stellen Sie sich hierbei einen Punktsieg vor? Die Haupt-Todfeinde des natürlichen naiven und volkstümlichen Boxsportes sind jene Gelehrten, die an den Seilen sitzen und in ihre Hüte hinein Punkte sammeln« (20, 29). Brechts Haltung ist also vornehmlich polemischer Art; er wendet sich gegen die Bestrebungen, den »niedern« Sport zu veredeln und der bürgerlichen Kultur (als Körperkultur) einzuverleiben. Überdies hatte Brecht ja – auch in polemischer Weise – im Sportpublikum sein Publikum fürs Theater gefunden. Nicht die »verfeinerten« Spießer, sondern das mitgehende, aber stets urteilende und genau beobachtende Sportpublikum – mit seiner frischen Naivität, aber auch dem Verstand, falsche Tricks zu durchschauen, sollten die Zuschauer seines Theaters sein (so etwa im Zusammenhang mit *Im Dickicht der Städte*).

Kritische Bemerkungen finden sich u. a. weiterhin über den Verfall der Sexualität (Brecht bemerkt spöttisch, daß die Damen der Gesellschaft deshalb Sport betrieben, weil die erotischen Interessen ihrer Männer zurückgegangen seien), über die Ehe als Kampf um den Besitz der Frau oder das »Wesens« machen in bezug auf die Liebe, die nicht aus dem »gewöhnlichen Leben« herausgenommen werden sollte (20, 34). Daß Brecht mit vielen anderen zusammen auf eine Rundfrage, die die Piscatorbühne im Zusammenhang mit einer Aufführung von Paul Credés Drama »Paragraph 218« veranstaltete, für die Abschaffung des Abtreibungsparagraphen eintrat, ist selbstverständlich (20, 42; die Jahreszahl muß in 1931 verändert werden).

Die Notizen zur Zeit zwischen 1939–1947 beschäftigen sich, wie könnte es anders sein bei Brecht, mit den aktuellen Fragen, die auch Thema der poetischen Werke geworden sind. Wesentliche neue Gesichtspunkte ergeben sich dabei kaum.

Hingewiesen sei auf die nur in schwedischer Sprache überlieferte Satire über den finnisch-russischen Krieg (1940), die, sollte ihr deutscher Text aufgefunden werden, in die (poetischen) Prosasatiren einzuordnen wäre (*Det finska undret*; 20, 278 / deutsche Übersetzung in den Anmerkungen, 12–15: *Das finnische Wunder*). Brecht setzt sich mit westlichen Zeitungsberichten über den Krieg auseinander, die die Finnen heroisieren und die Russen als schmutzige, ungebildete und unzivilisierte Untermenschen charakterisieren. – Ein weiterer fremdsprachiger Aufsatz (diesmal in Englisch) liegt mit den wahrscheinlich 1943 entstandenen Aufzeichnungen *The other Germany* vor (20, 283–289; deutsche Übersetzung Anmerkungen, 15–24). Er gehört in den Rahmen der Auseinandersetzungen unter den exilierten deutschen Intellektuellen, vornehmlich zwischen Brecht und Thomas Mann, zur Beurteilung der »deutschen« Schuld. Brecht weist unermüdlich darauf hin, daß es ein »anderes Deutschland«, das heißt das nichtfaschistische, auch widerständige, Deutschland gibt und daß es »Kollektivschuld« schon deshalb nicht geben kann, weil z. B. im Jahr 1939 200000 »Kriegsgefangene« im eigenen Land, in den KZs nämlich, gehalten worden seien, bewacht wiederum von den Armeen der SS und SA (20, 284). Brecht beharrt immer wieder darauf, die inneren Kämpfe in Deutschland nicht zu übersehen und sich nicht mit der Postulierung eines einheitlichen deutschen Volks indirekt die Naziparolen von der Volksgemeinschaft – nun umgekehrt – zu identifizieren. Überdies konnte nur die Stärkung der deutschen Gegenkräfte dafür sorgen, daß Hitler und die ihn tragenden Wirtschaftsmächte auch von innen – und das heißt dauerhaft – geschlagen würden: »Eines ist sicher. Wenn das deutsche Volk seine Beherrscher nicht abschütteln kann, wenn es diesen Beherrschern im Gegenteil gelingt, eine ›friderizianische Variation‹ zu spielen, das heißt, wenn es ihnen gelingt, den Krieg fortzusetzen, bis Uneinigkeit unter den Alliierten die Gelegenheit für einen Verhandlungsfrieden bietet; oder wenn andererseits die Beherrscher Deutschlands militärisch besiegt werden, wirtschaftlich aber an der Macht bleiben, dann ist eine Befriedung Europas undenkbar« (20, 289; Übersetzung Anmerkungen, 23).

Weiterhin finden sich unter den Notizen eine Zusammenstellung von Texten – unter dem Titel *Briefe an einen erwachsenen Amerikaner* –, die eine kritische, aber nicht bösartige Beschreibung des amerikanischen Exillands geben (20, 293–302), sowie die Erklärung, die Brecht zu seiner Ladung vor den »Ausschuß für unamerikanische Betätigung« (30. 10. 1947) vorbereitet hatte: *Anrede an den Kongreß für unamerikanische Betätigung* (20, 303–306). Brecht gibt da einen kurzen autobiographischen Abriß, stellt sich als Volksschriftsteller dar, der wegen seiner antifaschistischen Haltung sowie seines Kampfes gegen den Krieg verfolgt und schließlich ins Exil vertrieben worden sei. Die inkriminierten Schriften kennzeichnet Brecht als »Stücke und Gedichte, geschrieben in der Periode des Kampfs gegen Hitler« (20, 305). Brecht wollte damit den Vorwurf, kommunistische Propaganda betrieben zu haben (z. B. waren die Lehrstücke ja nicht gegen Hitler geschrieben), von vornherein blockieren. Dazu kam es jedoch nicht, weil der Vorsitzende des Ausschusses, zu dem auch der spätere Präsident Nixon gehörte, Robert E. Stripling, Brecht keine Gelegenheit gab, seine Erklärung zu verlesen. Statt dessen kam es zu dem Interview, in dem sich Brecht relativ dumm stellte, die inkriminierten Gedichtzeilen aus *Die Mutter* bewußt verharmlosend interpretierte und die Frage, ob er zur kommunistischen Partei gehöre, wahrheitsgemäß verneinte. Die Beantwortung dieser Frage sollte sich später als entscheidend herausstellen; die amerikanischen Intellektuellen, die sie nicht beantwortet hatten, und zwar unter Berufung auf ihr verfassungsmäßiges Recht, wurden zu Gefängnisstrafen verurteilt. Brecht rechtfertigte sein Auftreten vor dem Ausschuß später in gewundener Form (*Wir Neunzehn*, 19, 490–493).

Texte: Schriften zur Politik und Gesellschaft. Frankfurt a. M. 1967. S. 3–44, 267–349. – wa 20, 3–44, 267–349. – Stenogramm der Vernehmung Bertolt Brechts vor dem Ausschuß zur Untersuchung unamerikanischer Betätigung am 30. Oktober 1947. In: Frederic *Ewen*: Bertolt Brecht. Sein Leben, sein Werk, seine Zeit. Hamburg und Düsseldorf 1970 (zuerst amerikanisch 1967). S. 445–458.

Roland *Jost*: Panem et circenses? Bertolt Brecht und der Sport. In: Brecht-Jahrbuch 1979, S. 46–66.

Thema: Frieden

Es war die Konsequenz seiner Erfahrungen, daß Brecht sich bei und nach Kriegsende in seinen politischen und gesellschaftlichen Verlautbarungen beinahe nur noch mit dem Thema »Frieden« beschäftigte. Sein Gedächtnis für erduldete Leiden sollte nicht kurz sein und die Vorstellungsgabe für kommende Leiden zeigte sich ausgeprägt. Brecht hatte schon die letzten beiden Kriegsjahre mit Besorgnis beobachtet. Für ihn begannen die Amerikaner immer entschiedener den Krieg nicht mehr nur gegen Hitler-Deutschland, sondern auch gegen ihren sowjetischen Verbündeten zu führen. Der Abwurf der Atombomben auf Hiroshima und Nagasaki (6./8.8.1945) »übertönt alle siegesglokken« (AJ 754; vom 10.9.45). Brecht sah darin ein Zeichen, daß der Krieg, der beendet schien, in Wahrheit weiter ging und daß er mit dem Einsatz der Atombomben Dimensionen angenommen hatte, die nach dem *Welt*krieg nun die globale Bedrohung bedeuteten: »das Entsetzliche ist, daß ein Krieg schon nicht mehr nötig ist, die Welt zu vernichten: Durch die Entwicklung der Atomphysik genügen die Kriegsvorbereitungen dazu« (20, 339), 1954 formuliert, inzwischen fast zur »banalen« Wahrheit geworden, ganz abgesehen davon, daß die Kriege weltweit weitergeführt worden sind.

Am Beginn des Abschnitts *Vorschläge für den Frieden* stehen die *Gespräche mit jungen Intellektuellen*; es handelt sich um fortlaufende Notate, die Brecht anfertigte, als er nach Europa zurückkehrte. Sie beschäftigen sich vor allem mit der Verwüstung der Menschen – ein Gesichtspunkt, der angesichts der zerstörten Städte und vor allem des Jammers um die vernichtete Kultur vereinzelt blieb, für Brecht aber der gewichtigste war. Nicht nur weil alle Kultur, alle Behausung wie immer auch *für* die Menschen da sein sollten (sein altes Thema), sondern weil er auch sehen wollte, *wer* da den Aufbau des Nachkriegsdeutschland leisten sollte. Brecht sieht »Ruinenmenschen« (20, 311), was meint, im Denken und in der Psyche durch den Faschismus verrottete Menschen, hindurchgegangen durch eine doppelte Niederlage (20, 323), nämlich durch die, die ihnen Hitler, und die, die ihnen mit Hitler zusammen durch die Alliierten zugefügt worden war. Er sieht Steine, die nicht reden (wie die stumme Kattrin in der *Mutter Courage*), und er sieht Käfer, die wieder auf den Leim kriechen. In diesem Zusammenhang formuliert Brecht auch, daß die Literatur auf die Vorgänge nicht vorbereitet gewesen sei und keine Mittel für sie gefunden hätte: »Die Vorgänge in Auschwitz, im Warschauer Getto, in Buchenwald vertrügen zweifellos keine Beschreibung in literarischer Form« (20, 313). Das nimmt Theodor W. Adornos berühmt gewordenes Diktum vorweg, daß nach Auschwitz alle Lyrik barbarisch geworden wäre.

Brecht trat in der Zeit zwischen 1950 und 1955 mit allen möglichen Aktivitäten hervor. Weltberühmt wurde sein *Offener Brief an die deutschen Künstler und Schriftsteller* (19, 495 f.) durch seinen Schlußsatz mit dem »Carthago«-Gleichnis. Adressen, Mahnworte, Briefe sammelt der 20. Band zu verschiedenen Anlässen, zum Völkerkongreß für den Frieden (Wien 1952; 20, 322 f.), zum 2. Parteitag der SED (Juli 1952; 20, 321 f.), zur Tagung des Weltfriedensrats (Berlin 1954; 20, 339 f.) oder zu den Pariser Verträgen (Dezember 1954; 20, 341 f.) oder die Rede zur Verleihung des Lenin-Preises (Moskau 1955; 20, 343–346). Im Zentrum steht jeweils neben der Meinung, nicht neu zum Krieg zu rüsten, der schon bekannte zentrale Gedanke Brechts, daß der bürgerliche Freiheitsbegriff den Menschen (nicht nur im Westen) weiterhin vorgaukelt, daß er auf die Dauer ein friedliches Zusammenleben ermögliche. Brecht beschreibt dies als »Widerspruch im Proletariat«:

> Im Proletariat bildet sich mit der Zeit ein immer stärker werdender Widerspruch heraus. Ein Teil der Arbeiter, in gewissen Ländern ein sehr großer Teil, sogar die Mehrheit, hält fest an der bestehenden »Ordnung« und findet sich ab mit der Ausbeutung, zumindest solang der Lebensstandard halbwegs erträglich oder verbesserbar erscheint. Ein Umsturz ist mit großen Mühen, Gefahren, Änderungen aller Gewohnheiten und so weiter verknüpft. Vor allem müssen sich die Arbeiter, die ihn anstreben, in kriegerische Handlungen gegen die Bourgeoisie einlassen und sich unter eine strikte strenge Disziplin stellen, um den sehr harten Kampf führen zu können. So unfrei sie im Kapitalismus sind, schrecken sie doch vor dieser Disziplin zurück und empfinden die Unterordnung unter eiserne Planung, unter Kommandos, ohne welche ein Kampf um die Freiheit keine Aussicht bietet, als eine Unfreiheit, die ihnen schlimmer vorkommt, da sie neu und ungewohnt ist. Deshalb unterstützen sie die Bourgeoisie, ihre Ausbeuterin, in deren Kampf gegen den andern Teil der Arbeiterschaft und geraten in Kampf mit diesem. (20, 337)

Schon die aufmerksame Lektüre der »Friedensvorschläge« Brechts hätte alle Spekulationen darüber, daß Brecht seine Meinungen deshalb habe, weil er in der DDR zu ihnen gezwungen würde und nicht umgekehrt, in der DDR lebte, weil er seine Meinungen hat, verhindern können. Auch seine Haltung zum 17. Juni 1953 ist in der abgedruckten Notiz hinreichend belegt (20, 326–328; ausführlicher ist darüber im Zusammenhang mit den *Bukkower Elegien* gehandelt). Er sah die Ereignisse vor allem unter der Perspektive, daß sie zu einem neuen Krieg führen könnten und würden, wenn sie nicht schnell abgeschlossen sein würden. Die friedliche Koexistenz – die dann ja auch mehr oder weniger stabil zumindest eine Zeitlang realisiert wurde – schien Brecht deshalb auch der einzige Ausweg aus der Tatsache, daß der 2. Weltkrieg mit einer neuen Konfrontation geendet hatte:

Die friedliche Einigung Europas kann nur darin bestehen, daß die Staaten Europas sich darüber einigen, ihre verschiedenen wirtschaftlichen Systeme nebeneinander bestehenzulassen. Im Augenblick gibt es für den Frieden Europas keine größere Gefahr als die Wiederbewaffnung Westdeutschlands, das ohne Zweifel diese Waffen früher oder später zu einer Auseinandersetzung mit dem östlichen Teil Deutschlands einsetzen würde. (20, 348)

Einen Monat vor seinem Tod, formuliert im Krankenbett, schreibt Brecht zu der Parlamentsberatung über die Wiedereinführung der allgemeinen Wehrpflicht einen Offenen *Brief an den Deutschen Bundestag Bonn* (20, 20, 348 f.). Er verweist auf die geschichtliche Erfahrung, wonach die Wiedereinführung der Wehrpflicht – nachdem sie nach den Kriegen erst einmal abgeschafft worden war – stets zum nächsten Krieg geführt habe: »Den letzten Schritt, den in das Nichts, werden wir dann alle tun« (20, 349). Keines der Parlamente, weder das im Westen, noch das im Osten hätten den Auftrag oder die Erlaubnis, »eine allgemeine Wehrpflicht einzuführen«. Und er schlägt deshalb »eine Volksbefragung darüber in beiden Teilen Deutschlands vor«. Brecht schrieb den Brief am 4. Juli 1956; am 7. Juli wurde die allgemeine Wehrpflicht ohne Volksbefragung beschlossen. Die DDR folgte postwendend – auch ohne Volksbefragung. Die Weisheit des Volks, auf die Brecht so entschieden gesetzt hatte, bis zuletzt, war damit wohl endgültig verabschiedet. Sie erwies sich als zu gefährlich: sie hätte zu einem dauerhaften Frieden führen können.

Texte: Schriften zur Politik und Gesellschaft. Frankfurt a. M. 1967. S. 307–349. – wa 20, 307–349.

Ernst *Schumacher*: Mahnung und Aktion. Zum persönlichen Engagement Bertolt Brechts im Kampf um den Frieden. In: Notate 3, Mai 1983, S. 2 f. (ausführliche Fassung erscheint in: Brecht 83. Protokoll der Brecht-Tage 83. Berlin 1983).

Arbeitsjournal

Das *Arbeitsjournal* war die erste große Nachlaßpublikation von Werken, die außerhalb der diversen Werkausgaben stehen und Tagebuch-Charakter aufweisen. Das *Bestandsverzeichnis* des Bertolt-Brecht-Archivs führt die Notate deshalb auch unter der Rubrik *Tagebücher*. Die Überschrift *Journal* taucht nur ein einziges Mal auf (2072/1 = Nr. 17333, Bd. 3, S. 628, Aufzeichnungen »Schweiz [19. 8. 1948 etc.]«). Sonst sind lediglich die Exilländer genannt und die entsprechenden Daten, mit denen die Aufzeichnungen beginnen und enden. Es handelt sich bei den verschiedenen Mappen – das sind 14 Mappen und einige einzelne Notate – offensichtlich um eine »Gattung«, die durch das Exil herausgefordert, nach dem Krieg fortgeführt, aber nicht mehr konsequent und durchgängig bearbeitet worden ist. Spekulationen darüber, die bei der Publikation solcher Nachlaßbände bei Brecht schon penetrant üblich geworden sind, was der Herausgeber Werner Hecht alles unter den Tisch fallen ließ, wären durch einen Blick ins Bestandsverzeichnis gegenstandslos geworden; denn Hecht hat alle dort verzeichneten Mappen aufgenommen, auch die über die letzten Lebenstage von Margarete Steffin (BBA 286/15–18 = Nr. 17323, Bd. 3, S. 627); sie finden sich in den Anmerkungen (Bd. 3, S. 285 f.). Es war Brecht, der das *Journal* nicht bis zu Ende geführt hat.

Das *Arbeitsjournal* weist in zwei Bänden sechs Teile auf, wobei der umfassendste Teil »amerika« sich auf zwei Bände verteilt, der wiederum aus drei Mappen zusammengesetzt ist (nebst Einzelnotaten). Sie entsprechen den fünf Exilländern: Dänemark, Schweden, Finnland, USA, Schweiz und dem Land der Rückkehr, benannt nach der Stadt »Berlin« (es gab ja noch kein Deutschland bzw. die Teilung). Die Notate umfassen den Zeitraum vom 20. 7. 1938 bis zum 18. 7. 1955. Eine größere zeitliche Lücke klafft zwischen dem 5. 1. 1946 und dem 20. 2. 1947 (1946 ist das Jahr, aus dem insgesamt wenig Nachrichten vorhanden sind, was auch auf private »Schwierigkeiten«zurückgeht; z. B. mit Ruth Berlau). Die Nachrichten werden im 2. Halbjahr 1953 sporadisch, so daß bis 1955 nur noch vereinzelte, zeitlich z. T. weiter auseinanderliegende Nachrichten vorhanden sind. Offenbar wurden sie von Brecht auch nicht mehr systematisch zu Mappen geordnet.

Das *Arbeitsjournal* beginnt tagebuchähnlich. Zwar übt Brecht sowohl zu sich als auch zu seinen Familienmitgliedern, Freunden sprachlich Distanz und vermeidet er es, »Persönliches auszudrücken«, so beginnen die Aufzeichnungen doch im privaten Bereich. Die ersten Fotos entstammen grundsätzlich zunächst dem Familienalbum. Inhaltlich jedoch zeigen die Notate, die fast immer mit dem jeweiligen Tagesdatum versehen sind, von Anfang an ihre charakteristische Mischung aus Reflexion über die Schwierigkeiten der eigenen Arbeiten, Berichte über Gespräche, Kontakte mit Kollegen, Freunden, Intellektuellen, Kommentare zur zeitgenössischen Politik sowie Referate über die Einschätzungen anderer allgemeinerer theoretischer Reflexionen – traditionell würde man sagen – philosophischer Art und Beschreibungen der (ja wechselnden) Umgebung. – Mit dem Kriegsbeginn am 1.9.1939 kommt die – von da an als Hauptcharakteristikum geltende – Verbindung von offiziellem Dokument (meist in Form eines, oft illustrierten Zeitungsausschnitts) und erläuternd-kritischem Kommentar hinzu. Brecht versucht, die Nachrichten und Bilder, die er systematisch sammelt, zum Sprechen zu bringen (wie später in der *Kriegsfibel*, zu der es auch direkte Übereinstimmungen gibt). Dadurch wird das *Arbeitsjournal* – über den persönlichen Anlaß hinaus – ein einzigartiges Zeitdokument, das in der deutschen Literatur ohne Beispiel ist.

Die meisten Eintragungen – wenn sie nicht beschreibend sind – haben dialogischen Charakter. Sie gehen entweder von Aussagen anderer aus, berichten ihrerseits auch von Gesprächen mit kontroversen Standpunkten, oder sie bringen Dokumente, Erfahrungen, Stoffe (für die eigene Arbeit) zum Sprechen. Es gibt also fast immer einen Anlaß, der zum Dialogisieren einlädt, was wiederum für Brecht ein Dialektisieren ist, indem er im Kopf anderer denkt und andere in seinem Kopf denken läßt. So kommen die Widersprüche zutage.

Darüber hinaus ist das *Arbeitsjournal* eine Fundgrube für Daten aller Art zu den Werken, deren Produktion sich in den Aufzeichnungen niedergeschlagen hat. Keine Analyse kann mehr ohne das *Arbeitsjournal* auskommen, weshalb es denn auch nach seinem Erscheinen eine der meistzitierten Werke Brechts geworden ist. Aber auch ein Großteil der wichtigsten theoretischen Reflexionen findet sich an diesem Ort. Herausgefordert durch Haltungen und Stellungnahmen anderer entwickelt Brecht in den Notizen seine spezifische, oft vom Parteikommunismus abweichende Auffassung von Marxismus und Sozialismus (nach der Lektüre weiß man, warum Brecht weder die Sowjetunion als Exilland wählte, noch je in die Partei eintrat – und dennoch für die Sowjetunion und für die Partei plädierte). Iring Fetscher hat so geurteilt: »Man kann Brechts zugleich distanzierte und engagierte Haltung gegenüber der kommunistischen Bewegung als inkonsequent kritisieren; aber sie ermöglichte ein Maß von Luzidität (wenn auch keineswegs Unfehlbarkeit), das nur wenige Marxisten jener Jahre erreicht haben. Gewiß: seine Informationen waren nicht immer richtig oder auch nur ausreichend, und seine Schlüsse führten schon deshalb zuweilen in die Irre. Aber seine *Methode* brauchte er nie zu ändern, weil sie nie von dogmatischen Setzungen bestimmt war. So konnte er zuweilen kommunistische Politiker besser verteidigen als diese sich selbst und auf die Verteidigung von Aktionen verzichten, die einfach nicht zu verteidigen waren. Denkend versuchte er alles Interesse der sich emanzipierenden Menschheit (lies: Arbeiterklasse) her zu sehen. Die ständige Frage lautete dann: Inwiefern nützt oder schadet das dem Kampf der sich emanzipierenden Klassen? Was müßte geschehen, um diesem Kampf noch besser zu helfen? Dabei redete sich Brecht nicht ein, daß seine persönlichen Interessen mit diesen historischen identisch seien – im Gegenteil: er war sich der Distanz, ja des teilweisen Gegensatzes durchaus bewußt. Er bleibt ein bürgerlicher Schriftsteller, der seine Arbeit in den Dienst der sich emanzipierenden Arbeiterklasse zu stellen sucht« (Fetscher, 873).

Weiterhin dokumentiert das *Arbeitsjournal* Brechts kritische Adaptionsfähigkeit von ihm übermittelten Erkenntnissen aus anderen Bereichen, vor allem den Naturwissenschaften (in den USA). Die wichtigsten Passagen zum Indeterminismus, zur Unschärferelation, zum Feldbegriff u.ä. sowie zu ihrer Übertragung auf gesellschaftliche Prozesse *und* ihrer Anwendung in der poetischen Arbeit stehen hier (sie sind im vorliegenden *Handbuch* ausgewertet und über das Register zu eruieren).

Und schließlich ist noch auf die im *Arbeitsjournal* dokumentierte Entwicklung von Brechts Einsichten, Kenntnissen und Erfahrungen hinzuweisen. Iring Fetscher hat an einem prägnanten Beispiel darauf aufmerksam gemacht. Unter dem 7.3.1941 widerruft Brecht eine Vorstellung, die er im Zusammenhang mit dem »eingreifenden Denken« vor allem im *Me-ti. Buch der Wendungen* entworfen hat, die der »Großen Ordnung«:

der große irrtum, der mich hinderte, die lehrstückchen vom BÖSEN BAAL DEM ASOZIALEN herzustellen, bestand in meiner definition des sozialismus als einer *großen ordnung.* er ist hingegen viel praktischer als *große produktion* zu definieren. produktion muß natürlich im weitesten sinn genommen werden, und der kampf gilt der befreiung der produktivität aller fesseln. die produkte können sein brot, lampen, hüte, musikstücke, schachzüge, wässerung, teint, charakter, spiele usw usw. (AJ 247)

Der Begriff der »Ordnung« war, so macht Fetscher deutlich, durch den Faschismus dermaßen korrumpiert, daß er schlecht mehr zur Vorstellung des ganz anderen paßte (Fetscher, 884f.). Überdies erwies sich der Begriff als viel zu statisch und falsche Gedanken provozierend, als bestünde

Brechts Vorstellung vom Sozialismus darin, das sog. Paradies einzurichten. Es ist interessant zu beobachten, wie lange Brecht benötigte, die dann doch so einleuchtende Definition begrifflich zu erarbeiten (womit übrigens ein Teil des *Me-ti* »erledigt« war). Von da an ist Brecht in der Lage, alle statischen Entwürfe (auch des offiziellen Parteikommunismus) zu kritisieren, wie dann auch in der DDR dafür einzutreten, die *Produktion* und die Produkteure in das Zentrum zu stellen und das bürgerliche Bedürfnis nach Konsum (Ware) und Vergnügung (Freizeit ohne Produktivität) zu bekämpfen (auch das steckt in der »Weisheit des Volks«).

Die Kritik in der Bundesrepublik hat gemeint, Brecht habe das *Journal* von vornherein auf die Öffentlichkeit hin geschrieben. Deshalb enthalte es auch nichts Privates, sei von vornherein »rechtfertigend« und »maskiert« (der maskierte Brecht spielte ja stets eine entscheidende Rolle). Wenn man dies als Beschreibung des »objektiven« Tatbestands ohne monierenden Unterton nimmt, kann die Kritik gelten (da ist einer, auf den man nicht bauen kann, aber der Vorschläge gemacht hat, die z.T. wenigstens annehmbar erscheinen). Dennoch ist das *Arbeitsjournal* für Brecht vergleichsweise privat. Hier tobt er sich mit eindeutigen und »ungerechten« Urteilen (mußte er gerecht sein, und waren die anderen es?) aus. Vergleicht man etwa die Briefe, die Johannes R. Becher gelten und offiziell sind, und die Notizen, die er zu Reden Bechers ins *Arbeitsjournal* notiert, so wird der Unterschied deutlich. In den Briefen höflicher, anerkennender Ton, im *Journal* bissig-sarkastischer Kommentar (vgl. AJ 771; vom 20.2.47). Das gilt auch für Brechts Verbalattacken gegenüber Thomas Mann, die er sonst in keiner Weise hat öffentlich verlauten lassen. Gerade diese Attacken standen denn auch im Zentrum der unmittelbaren Rezeption des *Arbeitsjournals* nach seiner Publikation 1973. Wobei es typisch war, daß die *persönlichen* Aspekte von Brechts Mann-Kritik – bis zu peinlichen Entgleisungen etwa durch Golo Mann – verhandelt wurden, nicht aber die objektiven historischen Zusammenhänge ins Blickfeld kamen (darüber ist an anderer Stelle des *Brecht-Handbuchs* gehandelt). Diese Kontroversen, die versuchten, 1973 etwas auszutragen, was historisch längst »erledigt« schien, verschütteten zumindest teilweise die insgesamt recht produktive Rezeption, die die Veröffentlichung des *Arbeitsjournals* in der Bundesrepublik auslöste (es erschien in der DDR erst Jahre später, was daran liegt, daß Suhrkamp die Rechte hat). So wurde die Erkenntnis erschwert, daß mit dem *Journal* ein literarisches Dokument vorliegt, das den Literaturbegriff wesentlich zu erweitern hilft. Mehrere Nachdrucke zeigen, daß das allgemeine Lesepublikum wieder einmal angemessener reagierte als Kritik und Forschung (die Nachdrucke waren illegal und zeichneten sich durchweg dadurch aus, die drei Bände zu einem Band zu vereinen dadurch, daß man den vielen leeren Raum füllte – eine Seite, auch für die kürzeste Notiz, was allerdings Brechts Vorgehen entsprach, insofern dem Herausgeber nicht angelastet werden kann; ich besitze eine Ausgabe des »Auf- und Abbau-Verlags« mit »Sitz« in Peking–Moskau–Havanna–Berlin).

Text: Arbeitsjournal 1938 bis 1955. Anmerkungen von Werner *Hecht*. 3 Bände. Frankfurt a.M. 1973.

Iring *Fetscher*: Brecht und der Kommunismus. In: Merkur 27, 1973, S. 872–886. – Roland H. *Wiegenstein*: Er hat Vorschläge gemacht... Vorläufige Bemerkungen zu Brechts »Arbeitsjournal«. In: Merkur 27, 1973, S. 886–888. – Fritz J. *Raddatz*: [Rezension]. In: F.A.Z., Literaturbeilage, 10.3.1973 (auch in: Bertolt Brecht. Arbeitsjournal. Hg. v. Werner *Hecht*. Peking etc. o.J., S. I–VII).

Tagebücher

Die Publikation der frühen *Tagebücher* folgte 1975 durch Herta Ramthun, die emsige Mitarbeiterin des Bertolt-Brecht-Archivs, die zuverlässig Brechts – meist »säuische« – Handschrift zu lesen versteht (sie hat 1983 den Dienst quittiert, so daß der Brecht-Edition schwere Zeiten bevorstehen). Der Band publiziert vier Tagebücher, und zwar aus dem Archiv die Nr. 17315 (BBA 802/1–108, Bd. 3, S. 626), Mitte Juni bis Ende September 1920, die Nr. 17316 (BBA 803/1–23, 36–53, Bd. 3, S. 626), Ende Mai bis Ende September 1921, sowie die Nr. 17317 (BBA 1327/1–72, Bd. 3, S. 626), Ende September 1921 bis Mitte Februar 1922. Das Tagebuch, das die Aufzeichnungen von Februar bis Mai 1921 enthält, hat Hanne Hiob aus ihren Beständen beigesteuert. Diese Aufzeichnungen befassen sich u.a. auch mit ihrer Mutter Marianne Zoff sowie mit den Auseinandersetzungen zwischen dem vornamenlosen Herrn Recht (sein Vorname ist, wenn ich mich nicht irre, Richard, von Beruf Fabrikant) und Brecht (über Recht und Brecht wäre ein gesondertes Kapitel zu schreiben, freilich nicht in einem Handbuch). Darüber hinaus hat Herta Ramthun vereinzelte Notizen autobiographischer Art – die z.T. auch schon vorher publiziert waren – als *Autobiographische Aufzeichnungen 1920–1954* (ab S. 191) aufgenommen, so daß die autobiographischen Notizen mit ihm gesammelt vorliegen.

Die Notizbücher der frühen Jahre zeigen noch ganz den bürgerlichen (jungen) Brecht, vollgestopft mit Plänen, kämpfend mit den üblichen Schwierigkeiten, die eine bürgerliche Schulbildung mit sich brachte und die die Annäherungen an die gesellschaftliche Realität erschweren, sie zeigen das genialische Gehabe, die forschen (ungerechten) Urteile und dokumentieren die Liebschaften (manche, wie die mit Marianne Zoff, in desillusionierender Weise – auch *gegen* den Autor). Von vielen Arbeiten weiß die Forschung nur durch die *Tagebücher*, die überdies reichhaltiges Material über die Entstehung der frühen Dramen – *Baal, Trommeln in der Nacht, Im Dickicht der Städte* – enthalten. Die *Tagebücher* geben auch wichtigen Einblick in Brechts »Kämpfe« mit der (überkommenen) Sprache und den Zweifeln, sich angemessen »ausdrücken« zu können. Sie zeigen ihn damit auf der Schwelle, die Konsequenzen zu ziehen, die dazu führten, nicht mehr nach dem Selbstausdruck zu suchen, sondern zu poetischen Beschreibungen des – sich wandelnden – Zusammenlebens der Menschen. Die Stadt (als Dschungel und Dickicht) ist dabei das nachhaltigste »Erlebnis«, das die frühen Notizen dokumentieren. Für sie, ihre Bedeutung die angemessene Sprache zu finden, vor allem eine, die die neue Dynamik faßt (Vorbild von Alfred Döblin!), ist eine der wesentlichen Anstrengungen der *Tagebücher*, die in stets neuen Ansätzen um dieses Thema kreisen und für es Pläne schmieden (vor allem auch Filme). Die Sprache ist entsprechend »suchend«, oft aufgemotzt, brutal und dann auch wieder »lyrisch«, ungehemmt, auch ungenau, selten aber dunkel, insgesamt aber eigenwillig und »unseriös«(antibürgerlich).

In diesen Zusammenhang gehört auch die am 17. Juni 1921 niedergeschriebene Notiz: »Ich beobachte, daß ich anfange, ein Klassiker zu werden« (*Tagebücher*, 138). Die Kritik hat den Satz verabsolutiert und als »freche Bemerkung« qualifiziert (Reich-Ranicki), als habe Brecht damit sagen wollen, daß sich Brecht schon mit 23 Jahren und einigen schmalen Werken zum Reigen der deutschen Klassiker der Literatur gezählt habe. Der Zusammenhang stellt den Satz anders dar. Brecht mokiert sich immer wieder über das Barock, das ihn in verschiedener Weise stört, z. B. der »Fleischbazar der Rubensorgien« in der Pinakothek (*Tagebücher*, 137; vom 13. 6. 1921) oder der Barock Döblins, den er ansonsten so sehr schätzte (*Tagebücher*, 82; vom 5. März 1921). Gemeint ist, daß sich Brecht gegen die »Schnörkelfülle«, gegen den »gedunkelten Prunk« und die »Oktoberfeste« entschieden hat und die Form, *ihren* Dienst, sucht. Insofern dokumentiert diese Passage, daß Brecht sehr bewußt die Konsequenzen sowohl aus seinen Sprach-»Kämpfen« wie auch aus der Beobachtung der zeitgenössischen Literatur zieht: nicht das ungestalte und ungestaltete Sich-Ausdrücken, sondern das Reglement der Form zu suchen: »Man rügt den Formendienst der Klassik und übersieht, daß es die Form ist, die dort Dienste leistet. [...] Man muß loskommen von der großen Geste des Hinschmeißens einer Idee, des ›Noch-Nicht-Fertigen‹, und sollte hinkommen zu dem Hinschmeißen des Kunstwerks, der gestalteten Idee, der größeren Geste des ›Mehr-als-Fertigen‹« (Tagebücher 138; vom 17. 6. 21, im unmittelbaren Zusammenhang des Satzes).

Obwohl die *Tagebücher* und *Autobiographischen Aufzeichnungen* in vieler Hinsicht privater sind als das *Arbeitsjournal* und häufig »Ich« sagen, hat Kirsten Boie-Grotz, die die erste literaturwissenschaftliche Analyse besorgte, nachgewiesen, daß Brecht auch hier dazu tendiert, vom eigenen Ich zu distanzieren, zu verallgemeinern und zu »objektivieren«. Brecht schreibe so, daß die »außertextuelle Korrespondenz nicht mehr ein bestimmtes Individuum, sondern die Gesamtheit aller mit dem Prädikator erfaßten Subjekte« sei. Grundlage sei in vielen Fällen »die Definition des Ich als ›ähnlich‹ mit anderen«. »Schreiben ist demnach für Brecht die Möglichkeit ideellen Durchspielens alternativer Handlungs- (und Lebens-)möglichkeiten, wie sie von der Theorie des Alltagswissens für die Problembewältigung in der Phase der Handlungsverzögerung untersucht wird. Dabei wird das Prinzip der Verarbeitung mit Hilfe von Analogien und Verallgemeinerungen systematisch und reflektiert genutzt« (Boie-Grotz, 44, 46, 47).

Die *Tagebücher*, die einen »anderen« Brecht vorführten, läuteten das Interesse am jungen Brecht – zuerst in der BRD, dann auch in der DDR – breitenwirksam ein: der Baalstyp wurde der »eigentliche« BB.

Text: Tagebücher 1920–1922. Autobiographische Aufzeichnungen 1920–1954. Hg. von Herta *Ramthun*. Frankfurt a. M. 1975.

Marcel *Reich-Ranicki*: Ich beobachte, daß ich anfange, ein Klassiker zu werden. Bertolt Brechts frühe Tagebücher und autobiographische Zeichnungen [sic]. F.A.Z., Literaturbeilage, 2.8.1975, Nr. 176. – Gerhard *Höhn*: Brecht entre 1920 et 1922. La Quinzaine Littéraire, No. 286, 16/30.9.1978 [zur französischen Übersetzung durch Michel Cadot]. – Kirsten *Boie-Grotz*: Brecht – der unbekannte Erzähler. Die Prosa 1913–1934. Stuttgart 1978 (S. 43–47).

Briefe

Mit der Publikation der *Briefe* 1981 wurde – so die Verlagsankündigung – »der letzte große Komplex der Schriften Bertolt Brechts für die Öffentlichkeit zugänglich«. Während die Kritik sonst bei der Ausgabe von Schriften Brechts stets mutmaßte, die Herausgeber hätten aus – vornehmlich – politischen, aber auch privaten Rücksichten (das wurde auch weniger vornehm formuliert) Texte »unterschlagen«, blieb sie in diesem Fall außerordentlich zurückhaltend, obwohl diesmal die Kritik angebracht gewesen wäre. Bemühten sich die vorangegangenen Ausgaben durchweg um größtmögliche Vollständigkeit (wie sie jeweils möglich war), so wählt die Ausgabe der Briefe aus 2400 Briefen 887 aus. Freilich, daß auszuwählen war, ist nicht dem Herausgeber Günter Glaeser, wie Herta Ramthun Mitarbeiter im Bertolt-Brecht-Archiv, anzulasten. Ihm blieb ein Teil der Briefe entweder ganz verschlossen, oder die Publikation wurde untersagt: »Ausgespart in dieser Ausgabe sind auch Briefe, die legislativ fixierte Persönlichkeitsrechte berühren, sich überwiegend auf die Privatsphäre beziehen oder von den jeweiligen Rechtsinhabern z. Z. noch sekretiert sind« Briefe, S. 795). So ist es ein offenes Geheimnis, daß vor allem die Briefe Brechts an Ruth Berlau und an Margarete Steffin (z. T. auch an Helene Weigel) fehlen. Die Tatsache ist insofern besonders »witzig«, als die Briefe der Forschung z. T. wenigstens zugänglich sind und auch schon aus ihnen zitiert worden ist (das heißt aus dem Konvolut der Korrespondenz Margarete Steffin-Brecht, im Band *Exil in der Tschechoslowakei, in Großbritannien, Skandinavien und in Palästina*, Leipzig 1980, auch Frankfurt a. M. 1981, 5. Band der DDR-Reihe *Kunst und Literatur im antifaschistischen Exil 1933–1945*; dort S. 482–506). Insofern kann die Ausgabe der *Briefe* nur ein vorläufiges Bild des Briefeschreibers Brecht vermitteln, und der möglicherweise doch »vorhandene private Briefeschreiber« Brecht ist noch zu entdecken (und warum sollte es ihn nicht geben). Die Nicht-Aufnahme dieser Briefe ist um so mehr zu bedauern, als sie teilweise entschiedene Aufschlüsse über Intensität und Anteile der Mitarbeiter*innen* zu geben versprechen. Wenn man das *Bestandsverzeichnis* durchgeht, kann man immer wieder entdecken, wie häufig beim Manu- oder Typoskript die Hand von Margarete Steffin, von Ruth Berlau oder Elisabeth Hauptmann vermerkt ist. Margarete Steffins Anteil am *Dreigroschenroman* ist, so geht es aus den publizierten Brief-Teilen hervor, wahrscheinlich sehr hoch einzuschätzen, wie die Steffin überhaupt noch als Schriftstellerin zu entdecken ist (auch als Übersetzerin). Auf teilweise immer noch nicht geklärte »Urheberschaften« zwischen Elisabeth Hauptmann – im Hinblick auf *Happy End* (vgl. BH 1, 81–88) – sei noch einmal verwiesen; noch immer läuft das Stück unter Brechts Namen (was inzwischen nachweislich falsch ist). Es kann zwar ein gewisses Verständnis, Brecht und »seine« Geliebten vor der oft hemmungslosen Unterhosen- und Bettglotz-Philologie zu schützen, entgegengebracht werden, andererseits wird es so sehr schwer bleiben, Brechts Verständnis der Liebe, zu der auch die Sexualität gehörte, als »Produktion« nämlich, zu verbreiten (das beweist jetzt auch die Ratlosigkeit, die die Ausgabe der *Gedichte über die Liebe* von Werner Hecht, Frankfurt a. M. 1982, in Ost *und* West ausgelöst hat). So erhalten sich kleinbürgerliche Vorurteile, und die Öffentlichkeit ist nicht in der Lage, zu überprüfen, ob, wie, in welcher Weise und mit welchen Schwierigkeiten Brecht die »theoretisch« verbreitete Meinung »praktisch« gelebt hat, daß es auf Menschen keinerlei Besitzanspruch geben darf. Stattdessen wird Brecht Potzengehabe, Zynismus etc. gegenüber Frauen vorgeworfen, als ob er als Bürger – und in doch etwas anderen Zeiten als heute – *keine* Schwierigkeiten hätte haben dürfen (er *muß* sie gehabt haben – wie die »Geliebten« auch; die Widersprüche gehen am Sexus nicht vorbei).

Die Ausgabe der Briefe von Günter Glaeser besteht aus zwei Bänden. Der erste Band druckt – meist in Erstpublikation – 887 Briefe ab, unter Auslassung der oben beschriebenen Briefe und der reinen Geschäftspost. Der zweite Band schlüsselt die Briefe über Register auf und kommentiert sie (der Kommentar besteht aus einer kurzen Beschreibung der Textvorlage, des Drucknachweises und einem Sachkommentar). So ergibt sich eine große Fundgrube von Daten zu Brechts Werk, zu Werken anderer und zu den vielen Personen, an die und über die Brecht schrieb.

Auffallend ist, daß die Briefe durchweg relativ kurz sind. Man findet keine briefliche Selbstverständigung, in der der Ansprechpartner eigentlich auch fehlen könnte, wie dies in vielen Dichter-Briefen der Fall zu sein pflegt. Fast alle Briefe sind Gelegenheitsbriefe, sind sachlich, geben Mitteilung oder bitten um Mitteilung. Reflexionen fehlen weitgehend, ebenso ausgiebigere Auseinandersetzungen mit dem eigenen Werk oder dem anderer, so daß die Informationen darüber gleichsam »äußerlich« bleiben, Daten liefern, aber nur wenige Hinweise zur Deutung. – Dennoch üben die Briefe eine große Faszination aus – was die Rezeption auch bewiesen hat. Die Briefe sind nämlich auf nachhaltige Weise kommunikativ. Sie schreiben fast immer unter dem Eindruck des Partners, lassen ihn häufig beinahe als Person entstehen, sind aber immer auf ihn hin geschrieben und suchen den Dialog, sind im besten Sinn dialogisch und verfügen deshalb auch über die verschiedensten Tonarten und Stile. Das Eingehen auf den Briefempfänger geht bis zum hintergründigen Witz. Brecht moniert im Brief an Otto Grotewohl, den Ministerpräsidenten, den er mit »Werter Genosse« anspricht, daß der »Neue Kurs« (nach dem 17. Juni) zu lasch und funktionärsmäßig durchgeführt werde. Brecht schreibt kurz und entschieden, und im letzten Satz: »Entschuldigen Sie meine umschweiflose Kürze: ich weiß, wie wenig Zeit Sie haben!« (Briefe, Nr. 730). So unterstellt man die eigenen Gründe dem anderen, indem man sie als Einstellung auf ihn ausgibt. Das müßte eigentlich gewirkt haben.

Die Reaktion auf die *Briefe*-Ausgabe war durchwegs freundlich und z. T. auch erstaunt über eine Kunst des Briefeschreibens, die so gar nicht wie Kunst aussieht. Die Ausgabe schob sich immerhin über zwei Monate auf die vordersten Plätze der »Bestenliste« des Südwestfunks, die Jürgen Lodemann initiiert hat. Die Anerkennung der Ausgabe durch die »hohe« Kritik hat den Prozeß der »Klassiker-Werdung« Brechts wohl endgültig abgeschlossen – Klassiker auch für die bürgerliche Gesellschaft der Bundesrepublik.

Texte: Briefe. Hg. und kommentiert von Günter Glaeser. 2 Bände. Frankfurt a. M. 1981.

Heinrich *Vormweg*: Persönlich, aber nicht privat. Brecht ist auch in seinen Briefen Brecht. Süddeutsche Zeitung Nr. 236, 14.10.1981, S. IV. – Rolf *Michaelis*: Fragezeichen in Gold. 887 Episteln eines »schlechten Korrespondenten«. Die Zeit Nr. 34, 14.8.1981, S. 35.

Anhang: Film

Vorbemerkung

»Film bei Brecht« ist für die Brecht-Forschung lange Zeit kein Thema gewesen. Die Literaturwissenschaft hatte erst den langen Prozeß durchzumachen, sich nämlich den neuen Medien zu öffnen und einen ihrer »Gegenstände« in ihnen zu erkennen. Die traditionelle Verachtung, die den Massenmedien stets anzuhaften pflegte (im Bürgertum), wirkte nachhaltig weiter – und noch heute ist immer wieder der verächtliche Seitenblick auf das, was angeblich die »Geschmacklosigkeit der Massen« hervorbringt, zu beobachten. Insgesamt jedoch hat sich die Situation grundlegend geändert. Die neuen Medien haben eine so tiefgreifende Verbreitung erfahren und ihre Möglichkeiten haben sich dermaßen erweitert – nicht nur in technischer Hinsicht –, daß nun schon die Literatur und das Lesen in Legitimationsprobleme geraten sind. Fernsehen und Kino haben sich in die Köpfe viel tiefer eingegraben als die Literatur. Trotz dieser Tatsache jedoch – oder vielleicht auch schon wegen ihr – ist immer noch viel zu wenig bewußt, *was* sich da wirklich eingegraben hat und *wie* das sich auch auf die Literatur niederschlägt, sie verändernd. Brechts Beiträge zum Film haben neben denen von Walter Benjamin und Siegfried Kracauer ganz wesentlich in der Bundesrepublik – in anderer Weise auch in der DDR (da Kracauer allerdings weniger) – dazu beigetragen, daß das theoretische Defizit, das die politische Restauration in der Bundesrepublik bewirkt und lange Zeit künstlich aufrecht erhalten hatte, abzubauen. Brechts Beitrag zum Film – sowohl theoretischer als auch praktischer Art mit *Kuhle Wampe* – wird inzwischen als ebenso bedeutend eingeschätzt wie zum Theater oder zur Lyrik, freilich mit dem Unterschied, daß die Berührungen immer noch recht gering sind (Walter Hincks schon sehr frühe Hinweise auf das »dialektische Verhältnis von Theater und Film« in seiner Studie *Die Dramaturgie des späten Brecht*, Göttingen 1959, S. 155–161, haben wenig Impulse ausgelöst).

Genau genommen, hätte ein *Brecht-Handbuch* aus dem Thema »Massenmedien bei Brecht« einen eigenständigen Teil herstellen können (wenn es hätte können: die Probleme sind kaum erst benannt). Hierzu gehören nicht nur die Fragen im Zusammenhang mit der Arbeit mit den Medien oder auch ihres literarischen »Niederschlags« – alles dies berücksichtigt das *Brecht-Handbuch* in ausgiebiger Weise, z. B. *Dreigroschenroman* –, vielmehr gehören hierher auch ganz wesentliche Fragen der Produktion und der Edition. Wie sichert man in Zeiten, in denen die *Massen*kommunikation üblich ist, *individuelle* Produktionsweisen? Wie läßt es sich rechtfertigen, Brechts Werk als individuelles zu dokumentieren, zu besprechen, wenn es die massenkommunikative Produktionsweise gesucht und umgesetzt hat? Wie steht es mit Gesprächen, die überliefert sind durchs Medium, gehören sie zum Werk? Etc.

Da das *Brecht-Handbuch* den Einfluß der Medien und ihre Bedeutung fürs Werk am jeweiligen (literarischen) Ort berücksichtigt hat, sind in diesem Anhang nur noch die beiden Arbeiten Brechts zu besprechen, die unmittelbar mit dem Medium Film zu tun haben. Es handelt sich um die theoretische Schrift *Der Dreigroschenprozeß. Ein soziologisches Experiment* und um den einzigen Film Brechts (Drehbuch), der auch realisiert worden ist, *Kuhle Wampe*, dessen Drehbuch freilich nicht mehr vorhanden ist und also protokollarisch erschlossen werden mußte.

Zum Thema »Film bei Brecht« sei in seiner Gesamtheit auf das gleichnamige Buch von Wolfgang Gersch verwiesen, das handbuchartigen Charakter hat und eine der großen Pioniertaten der Brecht-Forschung darstellt (wie die Schumachers und Hechts fürs Drama bzw. Theater und Schuhmanns für die Lyrik). Dort finden sich alle Daten und Projekte zum Film zusammengestellt und erläutert, einschließlich einer »Brecht-Filmographie«. Die *Texte für Filme*, das sei an dieser Stelle noch einmal wiederholt, hat das *Brecht-Handbuch* der Prosa zugeordnet. Diese Texte sind in erster Linie als Film-*Geschichten* anzusehen, da sie zwar für den Film geschrieben sein mögen (was auch nicht immer sicher ist), zu ihnen aber keine Filme existieren; sie sind also Literatur.

Der Dreigroschenprozeß (1931)

Nach dem großen Erfolg der *Dreigroschenoper* schloß Brecht mit der Filmgesellschaft Nero-Film-AG im Sommer 1929 einen Vertrag über deren Verfilmung. Die Firma verpflichtete sich, nach Brechts Drehbuch-Entwürfen zu drehen und räumte ihm ein »Mitspracherecht bei der kurbelfertigen Bearbeitung des Stoffes ein« (18, 141). Darüber hinaus war vertraglich vereinbart, daß der Film »die stilistischen und inhaltlichen Eigenarten« der Oper zu wahren habe (18, 142). Brecht schrieb daraufhin seinen Drehbuch-Entwurf *Die Beule* (Texte für Filme, II, 329–345), der als Brechts »Dreigroschenfilm« anzusehen ist. Als Brecht 1930 seinen Entwurf der Nero-Filmgesellschaft einreichte, erklärte sie – übrigens mit einem gewissen Recht – Brecht für »vertragsbrüchig«; denn Brechts Filmentwurf war weit von der Oper entfernt, wahrte andererseits aber durchaus die »Eigenarten« (nach Stil und Inhalt).

Der neue Titel des Dreigroschenfilms *Die Beule* leitet sich von der Beule her, die sich ein Bettler Peachums eingehandelt hat, als er Macheath' Leute beim Einbruch verpfiffen hat. Peachum stellt nun seinen Bettler gegen Mac als »Standbild des öffentlichen Unrechts« aus (wobei er – da das Relikt immer wieder bedauerlich »nachzulassen« droht – gelegentlich der Beule wieder auf die Sprünge hilft). Wie mit diesem »Fall« die gesellschaftlichen Zusammenhänge filmisch verdeutlicht werden, so zieht Brecht auch für Macs »Übernahme« der Bank die gesellschaftliche Lösung vor, die sich aus der Oper erst ergibt, in ihr aber nicht vorgesehen war. Die Gangster überfallen die Bank nicht mehr, sie wird vielmehr »legal« – das heißt durch Erpressungen und geschäftliche Tricks vorbereitet – »übernommen« (»historischer Besitzwechsel; II, 338). Dafür erfindet Brecht – wiederum ans andere Medium denkend – eine Szene, die im Theater nicht möglich gewesen wäre:

> Die eigentliche Übernahme der altehrwürdigen National Deposit Bank durch die Macheathplatte läßt sich am besten durch ein Bild vergegenwärtigen: Aussteigend aus ihren gestohlenen Autos, zugehend auf das Vertrauen erweckend bescheidene Tor dieses altrenommierten Hauses, überschreiten etwa 40 Herren eine illusionäre Linie auf dem Bürgersteig. Vor dem seinem Auge nicht trauenden Beschauer verwandeln sie sich im Moment des Überschreitens aus den bärtigen Räubern einer versunkenen Epoche in die kultivierten Beherrscher des modernen Geldmarktes. (II, 338 f.)

Die geschäftlichen Trans-Aktionen geschehen – wiederum die Erfahrungen des Films mit seinen Massenszenerien nutzend – im Rahmen eines Queen-Besuchs, den Peachum zu einer Demonstration des Elends nutzen will. Während die verkommenen Viertel durch Übertünchen »queengerecht« geputzt und die rachitischen Kinder ansehnlich ausstaffiert werden, bereitet Peachum den großen Zug der Bettler vor (die »Beulen«). Da jedoch den Beteiligten – Brown, der Polizeipräsident, an allem beteiligt, träumt, der Zug könnte sich selbständig machen – aufgeht, daß die Inszenierung ihren Händen entgleiten könnte, einigen sie sich lieber und schicken die »Beule« als Schuldigen ins Gefängnis. – Die Liebesgeschichte zwischen Polly und Mac ist entsprechend reduziert und ironisiert, aber wiederum sehr filmgerecht angelegt. Mac entdeckt Polly, die gerade beim Bierholen ist, auf der Straße, sieht sie aber nur von hinten, beschließend: »diesen entzückenden Hintern wird er heiraten«. Sein »menschlicher Nähertritt«, eingebettet in eine Massenszene mit Moritatensänger, der die Moritat von Mackie Messer singt, geschieht durch »einen höchst bedenklichen Trick: hinter dem bewunderten Mädchen stehend, faßt er plötzlich über den Nacken den schmalen Hals mit Daumen und Mittelfinger – allzu geübter Griff eines Verführers der Docks. Auf ihren betroffenen Blick wiederholt er lächelnd den letzten Vers der Moritat – ›dem man nichts beweisen kann‹. Sofort wendet sich die Attackierte zum Gehen, sofort folgt er ihr – sie wird ihm nicht mehr entkommen« (II, 330).

So sinnlich und filmisch *Die Beule* angelegt wurde, wie schade es auch war, daß nicht dieser Entwurf verfilmt worden ist, die Filmgesellschaft konnte sich mit Recht auf den Arm genommen fühlen, zumal Brecht zum Fabelentwurf auch noch ironisch-süffisante Bemerkungen gemacht hatte (z. B. zur Liebesszene – der Mond geht auf – heißt es in der Anmerkung: »Ein bis zwei Monde genügen«; II, 331). Daß die Nero-Film-AG »ihre« *Dreigroschenoper* nicht wiedererkannte, ist also durchaus verständlich, andererseits aber hatte sie bei Vertragsabschluß nicht bemerkt, daß Brecht sich doch sehr weitgehende Rechte ausbedungen hatte. Nero-Film jedenfalls ließ auf der Grundlage der Oper ein eigenes Drehbuch erstellen, das mit der *Beule* so wenig gemeinsam hat, daß kaum anzunehmen ist, die Firma habe sich die Mühe einer »Überarbeitung« unterzogen. Der Film wurde unter der Regie von Georg Wilhelm Pabst gedreht, und zwar 1930/Anfang 1931 (Produktion Nero-Film für Tobis-Klang-Film und Warner Brothers, Produzent Seymour Nebenzahl; Drehbuch Laszlo Wajda, Leo Lania, Béla Balász – frei nach Bertolt Brecht). Brecht wertete den Film als »trauriges Machwerk« und als »schamlose Verschandelung der ›Dreigroschenoper‹« (18, 149) und verklagte die Firma auf Einhaltung der Abmachungen – und das hieß, da der Film bereits fast fertig war und die Nero-Film-AG bereits 800000 Mark gekostet hatte, praktisch, den fertigen Film zu vernichten. Das Gericht wies Brechts Klage ab, im Dezember 1930 willigte Brecht – kurz vor dem Termin der Berufungsverhandlung (23. 12. 1930) – in einen Vergleich ein, der ihm eine Entschädigung von 25 000 Mark einbrachte. Den »Abbruch« des Prozesses, der außerordentlich viel publizistisches Aufsehen erregte, rechtfertigte Brecht damit, daß bereits die Niederlage in erster Instanz die wichtigsten Aspekte des Falls zum Vorschein gebracht hätte, die überhaupt zum Vorschein zu bringen waren. Ein Sieg erst in dritter Instanz hätte das Herauskommen des Films nicht mehr verhindern können, wohl aber die Fiktion bestehen lassen, hier habe doch das »Recht« gesiegt und die Gerechtigkeit; denn das Industrieprodukt wäre ungehindert auf den Markt gekommen, das individuelle »Recht« aber doch noch anerkannt worden (Brecht hätte auch in diesem Fall höchstens mit einer Abfindung rechnen können). Insofern war der Vergleich die beste Lösung für ihn – zumal der *Dreigroschenprozeß* dabei noch heraussprang (der Film von Pabst kam am 19.2.1931 ins Kino, Berliner »Atrium«).

Der *Dreigroschenprozeß* ist zunächst eine Darstellung des Falls und eine reflektierende Auswertung des Urteils und der öffentlichen Reaktionen darauf. Das ist aber nur die reale Folie. Der Untertitel *Ein soziologisches Experiment* wie auch Brechts Erläuterungen funktionieren den realen Fall um. Brecht tut so – nachträglich –, als habe er den Prozeß eigentlich nur inszeniert und die Öffentlichkeit wie das Gericht regelrecht vorgeführt (im Sinn von eine Vorführung veranstalten lassen, dessen Regie er heimlich geführt hat). Da es keine direkteren Zeugnisse über Initiation und Verlauf des Prozesses aus Brechts bzw. beteiligter Seite gibt, ist jedenfalls diese Version anzunehmen. Brecht erkannte im Lauf des Prozesses, daß sich die bürgerliche Gesellschaft, stellvertretend durchs Gericht und die Presse, auf höchst ironische Weise selbst den Prozeß machte, folglich nur noch dessen adäquate Beschreibung zu erfolgen hatte. So ließ sich nachträglich aus einer Niederlage ein grandioser Sieg zaubern, von dem Brecht übrigens meinte, daß er gewisse revolutionäre Impulse aussenden könnte. Man konnte die Gesellschaft mit ihren eigenen Mitteln schlagen (wenn auch nicht verändern!); sie mußte bekennen, und zwar indem sie zu entscheiden hatte zwischen (individuellem) Recht und wirtschaftlicher Macht, daß von bestimmten Tatsachen an – die von den Finanzen und den Einflüssen abhingen – das

Recht nicht mehr zählte. »Wir hatten verbriefte Rechte darauf, Verträge. Aber die Zeit der Verträge war vorüber. Sie waren heilig gewesen in der Zeit der Barbarei. Wer könnte verschlafen haben, daß sie vorüber ist? Jetzt hatte sich die Gesellschaftsordnung bereits so eingelaufen, daß sich alles von selbst reguliert. Gibt es in der Natur Verträge? Braucht die Natur Verträge? Mit Naturgewalt wirken die großen wirtschaftlichen Interessen sich aus. Verträge, wo sie noch vorkommen (sie kommen vor, wo die Gewinne verteilt werden), müssen lediglich nach wirtschaftlichen Gesichtspunkten auf ihre Gültigkeit taxiert werden« (18, 151). – Das ist die »soziologisch« am weitestgehende Passage des *Dreigroschenprozesses.* Sie beschreibt einen gesellschaftlichen Zustand, der schon weit jenseits der bürgerlichen Verdinglichungen und Versachlichungen ist (nach der »Barbarei«). In ihm haben sich eine neue Finanz- und Macht»aristokratie« etabliert, die sich längst jenseits irgendwelcher versachlichten Vertragsbeziehungen befindet, sondern ihr eigenes Recht setzt, das die meisten vom Recht ausschließt. Kurz: Brecht erfaßt soziologisch die Faschisierung der Weimarer Republik vor dem Faschismus; das Gericht dient als Büttel.

Ein weiterer »soziologischer Effekt« entsteht durch die Zeitungs-Öffentlichkeit. Brecht erscheint, indem er vor Gericht die Integrität seines Kunstwerks, sein Recht auf »geistiges Eigentum« einklagt, als der Idealist, als derjenige, der die »ideelle« Seite des Prozesses vertritt. Umgekehrt muß die Filmgesellschaft ihren hohen materiellen Einsatz als gewichtiger und »wertvoller« darstellen (»verkaufen«), um das Gericht zu einer entsprechenden »Würdigung« der materiellen Interessen zu bewegen. Indem die Filmgesellschaft auf den hohen materiellen Einsatz pochen muß, ist das Gericht gezwungen, die ideellen Interessen zu wiegen und für zu leicht zu befinden. Damit aber stellt sich die bürgerliche Ideologie selbst bloß. Ihre Rechtsfiktion gibt vor, das Eigentum, auch das »ideelle« zu schützen und den einzelnen, sein Gewissen, ins Zentrum der Rechtsprechung zu stellen. Auf die Probe gestellt, entscheidet die Rechtsprechung gegen das Recht und seine Ideologie für die nackten materiellen Interessen. Die bürgerliche Presse tut Brecht den Gefallen, in »sauberen« Formulierungen für die Aussetzung des Rechts zu plädieren, wenn es um die Interessen der Industrie geht: »Jeder, der mit dem Film in Arbeits- und Geschäftsverbindung tritt, muß sich darüber klar sein, daß er sich an eine Industrie wendet, an Leute, die ihr Geld auf eine Karte setzen und die nachher den Beifall von einigen tausend Theatern finden müssen oder die dann einfach ihr Geld verlieren« (Passage aus dem *Kinematographen*; bei Brecht zitiert, 18, 147). Die bürgerliche Ideologie habe ihren Verfall im Prozeß offen demonstriert; das Gericht habe mit seinem Urteil darüber hinaus dafür gesorgt, daß das bürgerlich »organische« Kunstwerk und seine (durch den Autor garantierte) »Einheit« zerstört würde (der Film kam ja ohne Brechts Mitwirkung aus (vgl. 18, 147–154).

Neben diesen soziologischen Gesichtspunkten, die für sich schon interessant genug sind, ist der *Dreigroschenprozeß* zugleich eine der bedeutendsten kunsttheoretischen Schriften Brechts, die höchstwahrscheinlich angeregt und beeinflußt ist durch Walter Benjamin, den Brecht seit 1929 kannte, die andererseits aber auch Benjamins große kunsttheoretische Schrift *Die Kunst im Zeitalter seiner technischen Reproduzierbarkeit* angeregt hat (zuerst in *Zeitschrift für Sozialforschung*, I, 1936). Wenn Benjamins Schrift auch zur Kultschrift der bundesrepublikanischen Linken geworden ist, geht Brechts *Soziologisches Experiment* doch entschieden weiter, was die Forschung inzwischen auch bemerkt hat. Da ich die Schrift im *Brecht-Handbuch* an verschiedenen Stellen bereits ausgewertet habe, kann ich mich hier auf wenige übergreifende Gesichtspunkte beschränken.

Wichtig ist zu erkennen, daß Brecht seine ästhetische Maxime, die das Fazit der Auseinandersetzungen mit Georg Lukács in der Expressionismus-Debatte darstellt, schon hier – wenn auch nicht so »klassisch« formuliert: »Als ob man von Kunst etwas verstehen könnte, ohne von der Wirklichkeit etwas zu verstehen!« (18, 161). Der *Prozeß* beschreibt minutiös, nicht immer ohne Umständlichkeit und denkerischer Vertraktheit, wie stark die Technifizierung der gesellschaftlichen Realität zur Technifizierung der Kunst im Film/Radio geführt hat, eine Technifizierung, die aber auch die übrigen Künste nicht unberührt lasse: im Gegenteil. Ob dem (einsamen) Dichter bewußt oder nicht: die neue technische Wirklichkeit führt seinen Griffel mit, wie er sich auch nicht der Illusion hingeben kann, unberührt vom Markt produzieren zu können. Wer seine Kunst verkauft, ist immer auch schon gekauft.

Dadurch, daß den meisten Kunstproduzierenden dies nicht klar ist bzw. sie die Tatsache sogar verdrängen, erkennen sie die eigene Proletarisierung, in die die Gesellschaft sie hineinstößt, nicht. Der Prozeß nämlich legt offen, daß dem Künstler die Produktionsmittel (hier die Filmapparate mit allem, was daran hängt) entzogen werden, er also nur zu ihrer Benutzung gelangen kann, wenn er nun statt – wie der Arbeiter seine Hand – seinen Kopf verkauft. Brecht sieht den Vorgang analog. Der Dichter kommt an die Produktionsmittel nur heran, wenn er seinen Kopf vermietet und die Interessen der Besitzer der Produktionsmittel bedient. Das verändert *alle* Kunstproduktion *grundsätzlich*, es sei denn, sie zöge sich in den Elfenbeinturm zurück und verfügte über die nötigen Mittel aus anderen – aber ja auch mehr oder weniger korrumpierten – Quellen.

Brecht beachtet auch den Rezeptionsaspekt, den die technisierte und vermarktete, die Kunst zur Ware »umfunktionierende« Kunstproduktion hat. Sie wird einzig zur »Reproduktion« der Arbeitskraft eingesetzt, das heißt, alles, was an ihr nach »Produktion« (im weitesten Sinn) aussieht, wird getilgt. Die neuen Apparate, ihre Technik zeigen gerade nicht, *daß* sie und *was* sie mehr produzieren können, sie sind vielmehr weitgehend dazu da, die Darbietungstechniken zu perfektionieren. Brecht spricht von der »Technik des Servierens« (vgl. 18, 164), die die Formen verbessert, die Inhalte aber völlig mißachtet. So spielen die Künste eine wesentliche Rolle im Bereich der »Erholung«, wie Brecht noch die »Freizeit« nannte:

> Aber hauptsächlich der der kapitalistischen Produktionsweise eigentümliche scharfe Gegensatz zwischen Arbeit und Erholung trennt alle geistigen Betätigungen in solche, welche der Arbeit, und solche, welche der Erholung dienen, und macht aus den letzteren ein System zur Reproduktion der Arbeitskraft. Die Erholung darf nichts enthalten, was die Arbeit enthält. Die Erholung ist im Interesse der Produktion der Nichtproduktion gewidmet. Ein einheitlicher Lebensstil ist so natürlich nicht zu schaffen. Der Fehler liegt nicht darin, daß die Kunst so in den Kreis der Produktion gerissen wird, sondern darin, daß dies so unvollkommen geschieht und daß sie eine Insel der »Nichtproduktion« schaffen soll. Wer sein Billett gekauft hat, verwandelt sich vor der Leinwand in einen Nichtstuer und Ausbeuter. Er ist, da hier die Beute in ihn hineingelegt wird, sozusagen ein Opfer der Einbeutung.
>
> (18, 169)

Der Ausbeutung in der Produktion entspricht die »Einbeutung« in der Reproduktion; sie enthält zwar die Illusion von »Ausbeutung« in sich (Nichtstun), verdoppelt in Wahrheit aber die Ausbeutung in der Produktion noch einmal und degradiert den realen Produzenten (Arbeiter) auch im Bereich der »Erholung«. Die »Einbeutung« macht den Rezipienten noch einmal zum Objekt, sie nimmt ihm jegliche produktive Teilhabe und füllt ihn mit dem Dreck an (ein Ausdruck Brechts), freilich in veredelter Form, dessen Bedürfnis zu befriedigen, die Warenkunst vorgaukelt. Leider hat Brecht die »Einbeutung« nicht weiter ausgeführt; sie dürfte noch einige produktive Details enthalten.

Man hat Brecht vorgeworfen – unterm Eindruck von Benjamin –, er »fetischisiere« die Produktion bzw. ihren Begriff (Heeg, 122). Das kann in sinnvoller Weise gewürdigt werden, wenn man zugleich die Folgen einer »eingebeuteten« Rezeption bedenkt (sie ist längst bedenklich geworden). Die Einschätzung der »Produktion« steht und fällt damit, ob man Menschwerdung und Menschsein sowie das Zusammenleben von Menschen über die Produktion oder über die Rezeption definiert sieht. Ist ersteres der Fall, dann kann die Produktion kaum genügend »fetischisiert« werden, freilich nur unter der Hinzufügung: Produktion *für* die Menschen, in *ihrem* Interesse.

Wolfgang Gersch hat darauf aufmerksam gemacht, daß Brecht die »objektive« – und »fortschrittliche« – Funktion der Apparate zu sehr isoliere und überbetone, und er sieht diese Überbetonung dadurch gerechtfertigt, weil das *Experiment* vor allem die Widersprüche *in* der bürgerlichen Gesellschaft bloßlegen möchte. Das heißt, sie arbeitet mit Apparaten und rechtfertigt sie auch öffentlich, obwohl sie und ihr Einsatz der Ideologie geradezu ins Gesicht schlagen. Daß die Apparate gerade auch sehr »subjektiv«, individuell eingesetzt werden können, daß dieser Einsatz sogar üblich geworden ist, kommt explizit bei Brecht kaum vor, ist mit der »Einbeutung« aber immerhin angedeutet. Insgesamt aber gilt wohl, daß Brecht den ungeheuren Einsatz der Massenmedien zur Befriedigung von *individuellen* Bedürfnissen und »Ausdrücken« bzw. »Anliegen« *in der* Produktion kaum erkannt hat. Hier liegt noch ein »weites Feld«, ein »Kraftfeld« für Untersuchungen.

Texte: Der Dreigroschenprozeß. Ein soziologisches Experiment. In: Versuche, Heft 3, Berlin 1931, S. 243–300 [= Versuch, ohne Zählung]. – Schriften zur Literatur und Kunst 1. 1920–1932. Frankfurt a. M. 1967. S. 141–234. – wa 18, 139–209. – Die Beule. Ein Dreigroschenfilm. In: Versuche, Heft 3, Berlin 1931, S. 229–241 [= Versuch, ohne Zählung]. – wa, Texte für Filme II, 329–345.

Wolfgang *Gersch*: Film bei Brecht. Bertolt Brechts praktische und theoretische Auseinandersetzung mit dem Film. München 1975 (S. 48–97). – Helmut *Lethen*: Neue Sachlichkeit 1924–1932. Studien zur Literatur des »Weißen Sozialismus«. Stuttgart 1970 (S. 114–126). – Günther *Heeg*: Die Wendung zur Geschichte. Konstitutionsprobleme antifaschistischer Literatur im Exil. Stuttgart 1977 (S. 119–122). – Renate *Fischetti*: Bertolt Brecht. Die Gestaltung des Dreigroschen-Stoffes in Stück, Roman und Film. University of Maryland, Phil. Diss. 1977 (S. 97–132, 282–288). – Renate *Fischetti*: Über die Grenzen der List oder Der gescheiterte Dreigroschenfilm. Anmerkungen zu Brechts Exposé »Die Beule«. In: Brecht-Jahrbuch 1976, S. 43–60.

Kuhle Wampe (1931/32)

Entstehung

Kuhle Wampe oder Wem gehört die Welt? ist der einzige Film Brechts, das heißt, der einzige Film, der nach seinen Plänen, nach seinem Drehbuch, mit ihm (bei den Dreharbeiten) fertiggestellt worden ist. Dennoch ist *Kuhle Wampe* kein *Brecht*-Film, sondern das Produkt eines einmaligen und auch – glücklicherweise – unter wohl einmaligen Bedingungen arbeitenden Kollektivs. Es hatte die Möglichkeit, unter Verwendung und Ausnutzung der neuen Produktionsmittel der Massenkulturindustrie ein Kunstwerk herzustellen, das zur Revolution aufrief und ein Film des Proletariats wurde.

Zum Kern des Kollektivs gehörten Slatan Dudow, Hanns Eisler und Ernst Ottwalt. Dudow war seit 1929 Mitarbeiter Brechts (*Die Beule, Die Maßnahme*, Neufassung von *Mann ist Mann*). Mit Hanns Eisler hatte Brecht die *Maßnahme* geschrieben, zu der Eisler die Musik komponiert hatte. Eisler verfügte über Erfahrungen mit Filmmusik nicht-illustrierender, sondern »sprechender« Art. Ernst Ottwalt, Mitglied im »Bund proletarisch-revolutionärer Schriftsteller« kam als weiterer Drehbuchautor hinzu. Ihn zeichneten direkte Erfahrungen mit dem Proletariat aus. Er wurde denn auch – wegen seiner anti-individualistischen »Schreibe« – von Georg Lukács heftig angerempelt (u. a. in der *Linkskurve* 1932).

Die Filmgeschichte führt den Film unter dem Namen seines bulgarischen Regisseurs Dudow. Von ihm stammt die Idee. Er wollte »eine parteiliche, wesentliche Darstellung der aktuellen Zustände« in Deutschland geben, über die Massenarbeitslosigkeit und die Verhaltensweisen von Proletariern (vgl. Gersch, 104). Er verfügte nicht nur über filmische Erfahrungen mit dem Thema (z. B. der Dokumentarfilm *Wie der Berliner Arbeiter wohnt*), sondern hatte auch Verbindungen zu proletarischen Künstlergruppen (*Das rote Sprachrohr*) und zu Filmfirmen. Die Produktion wurde denn auch von Dudow an die proletarische Filmgesellschaft Prometheus-Film-Verleih übergeben, die freilich bereits in Finanzschwierigkeiten steckte und 1931 bankrott machte (die Kreditgeber sperrten die Gelder). Die Filmgesellschaft Präsens war dann bereit, unter günstigen Bedingungen das Projekt zu übernehmen; sie hatte Filme über den Paragraphen 218 gedreht, spekulative Objekte, die auch bei *Kuhle Wampe* erwartet wurden (Abtreibung und Schwangerschaft waren im Kleinbürgertum *die* Sensationsthemen). Als ruchbar wurde, daß der Film nicht mit den üblichen Sensationen, sondern mit Politik aufwarten würde, wollte der Kreditgeber noch kurz vor Beendigung der Dreharbeiten den Film verhindern (Januar 1932). Die Begründung, ein »kommunistischer« Film sei ohne Interesse und der »Kommunismus [stelle] für Deutschland keine Gefahr mehr« dar (Gersch, 108). Da die Firma jedoch ihre eigenen Investitionen gefährdet sah, konnte das Kollektiv seine Arbeit beenden, und zwar im März 1932.

Der »innere« Entstehungsprozeß war folgender. Dudows Pläne, einen Arbeiterfilm zu drehen, trafen sich mit Brechts Plänen, nach seinen »antibürgerlichen«, kritischen Arbeiten nun auch die Arbeiter, ihre Lage, ihre Schwierigkeiten, ihre Widersprüche zu »Helden« seiner Werke zu machen. Freilich dachte er keineswegs an den muskelstrotzenden, starkarmigen und hochstirnigen Musterproleten des sozialistischen Realismus, auch hatte er kein Interesse – wie es im Film häufiger geschehen war – erschütternde Bilder von Elend und Armut zu liefern und nach Mitleid zu heischen, er wollte vielmehr ein möglichst realistisches, widersprüchliches Bild entwerfen, das die kleinbürgerliche Seite der Arbeiter nicht verschwieg. Das Sujet entwickelte sich entsprechend, indem es an die *Kleinbürgerhochzeit* zunächst inhaltlich anknüpfte und mit negativem Schluß versah. Die deutschen Arbeiter lernen aus der Arbeitslosigkeit nichts. Sie benehmen sich wie Kleinbürger und resignieren angesichts des »übermächtigen Schicksals«, das über sie hereinbricht. Es sollte zunächst nur die Geschichte der Familie Bönike gezeigt werden, und zwar bis zur Verlobungsfeier von Anni und Fritz: beide gehen desillusioniert – ohne Liebe, ohne Zukunft, aber mit viel Moral – in den kleinbürgerlichen Alltag ein. Im Zentrum stand die kritisch beleuchtete Arbeiterfamilie, die nur äußerlich durch scheinheilige Moral notdürftig zusammengehalten wird, schon aber in ihrem Beginn desolat, brüchig, aussichtslos ist (die Jungen beginnen, wie die Alten aufhören). Selbstverständlich war die Verlobungsfeier als scheinheiliges Saufgelage als Höhepunkt des Films gedacht.

Neue Aspekte ergaben sich für Brecht im Zusammenhang mit seinen Arbeiten am *Brotladen* (1929/30). Die Konfrontation zwischen Kapital und Arbeit war da stärker akzentuiert, wie die Auswirkungen der Weltwirtschaftskrise im Mittelpunkt standen. Als Brecht dann in der Zeitung von einem jungen Arbeiter las, der sich aus dem Fenster gestürzt, vorher aber noch seine Armbanduhr abgelegt hatte, begann die proletarische Seite für Brecht mehr Profil zu erhalten. Unter dem Eindruck dieser denkwürdigen Verzweiflungstat schrieb Brecht das Drehbuch vom Frühjahr 1931 bis zum August des Jahres. Ein Artikel im *Film-Kurier* schrieb darüber: »Bert Brecht hat ein Drehbuch beendet ›Weekend Kuhle Wampe‹ «; es zeige sich, daß die Handlung in die »große Handlung Gegenwart« »eingesenkt« sei. »Selten wurde in Deutschland – nein, es wird wohl hier überhaupt zum erstenmal – ein Drehbuch vorgelegt, in der [sic] *nicht* Theatermenschen oder sozial angemalte Figuren ihr ›Schicksal‹ erleben, sondern in dem der Filmablauf gleichzeitig ein Zeitablauf, einen Querschnitt durch den heutigen Lebensalltag« gibt (*Film-Kurier*; 31.8.1931).

Die Produktion scheint nach den Berichten, die vorliegen, – trotz des Rechtsanwalts, der wegen der finanziellen Schwierigkeiten und der politischen Tendenz als »Mitarbeiter« zur Seite stand – eine sehr vergnügliche und deshalb produktive Sache gewesen zu sein. Die Anforderungen des Kollektivs, die Apparate nicht mit der üblichen technischen Routine, sondern selbst produktiv einzusetzen, ging so weit, daß ein (perfekter) Kameramann gegen einen »schöpferischen Mitarbeiter« ausgetauscht wurde. »Wir kamen immer mehr dazu«, bemerkte Brecht, »die Organisation für einen wesentlichen Teil der künstlerischen Arbeit zu halten« (18, 210). Die Zusammenarbeit – es waren ja unter anderem auch 4000 Arbeitersportler unter den Darstellern – und ihre Organisation standen im Mittelpunkt; Selbstausdruck gab es nicht. Brecht machte zum ersten Mal im großen Zusammenhang die Erfahrung, in einem Kollektiv zu arbeiten, in dem die verschiedensten Personen und die verschiedensten Künste aufeinandertrafen und offenbar glücklich miteinander produzierten.

Das Filmdrehbuch – wie auch die erste Fassung Brechts zu ihm (nach dem Bericht des *Film-Kuriers* ist zu erschließen, daß der endgültige Film noch einige Veränderungen vorgenommen haben muß) – ist leider nicht erhalten. So muß sich die Forschung mit einem Protokoll behelfen, das Wolfgang Gersch und Werner Hecht nach dem Film angefertigt haben. Er beruht auf einer Kopie, in der die notwendige »Selbstzensur« der Autoren sowie die Eingriffe der Staatsanwaltschaft enthalten sind, so daß die ursprüngliche Planung nicht mehr zu erkennen ist. Einzig die offiziellen Eingriffe in den Film sind einigermaßen rekonstruierbar, weil die entnommenen Passagen dokumentiert sind (Gersch und Hecht haben sie im Anhang aufgeführt).

Text: Protokoll des Films: wa, Texte für Filme I, 117–182. – Bertolt Brecht: Kuhle Wampe. Protokoll des Films und Materialien. Hg. von Wolfgang *Gersch* und Werner *Hecht*. Frankfurt a. M. 1969.

Selbstzeugnisse Brechts: wa 18, 210–216.

Hermann *Herlinghaus*: Slatan Dudow. Berlin 1965. – Wolfgang *Gersch*: Film bei Brecht. München 1975 (S. 101–116).

Analyse

Der Film besteht aus vier deutlich voneinander abgesetzten, dennoch aber raffiniert verbundenen Teilen. Der erste Teil gibt die (auf der wahren Begebenheit beruhenden) Ereignisse um den Freitod des Arbeiters Bönike wieder. Die ohnehin schlechte Lage der Arbeiterfamilie Bönike wird durch die Notverordnungen von 1931 (8. Dezember) noch entschieden verschärft. Da der junge Bönike keine Arbeit mehr findet und die übrige Familie in kleinbürgerlicher Resignation verharrt und die Arbeitslosigkeit als »selbstverschuldet« hinnimmt, sieht er keinen Ausweg mehr und stürzt sich – nicht ohne vorher sorgfältig die Armbanduhr »gerettet« zu haben – aus dem Fenster. Seine Schwester Anni, die sich den Arbeitersportlern angeschlossen hat, findet den Toten zusammen mit ihrem Freund Fritz, der in »Kuhle Wampe«, der Obdachlosensiedlung draußen vor der Stadt, wohnt. – Der zweite Teil widmet sich dem weiteren »Schicksal« der Familie Bönike, die durch richterliche Entscheidung – sie kann die Miete nicht mehr zahlen – auf die Straße gesetzt wird (»exmittiert«). Fritz schlägt vor, daß die Familie zu ihm in die Zeltstadt zieht. Er kann dadurch näher und öfter bei Anni sein, die denn auch prompt schwanger wird. Fritz will Anni zunächst nicht heiraten, entschließt sich dann aber – unter Anerkennung der bürgerlichen Moralvorstellungen – doch zur Verlobung (»Da bleibt mir wohl nischt andres übrig«; I, 149). Die Feier wird in »lumpenkleinbürgerlichen Verhältnissen« (18, 212), sprich: standesgemäß, durchgeführt (Vorbild: *Kleinbürgerhochzeit*), das heißt bei Absingung »gemeiner Lieder« und beim Klopfen hohler Sprüche, bis die Gesellschaft besoffen unterm Tisch liegt. Anni, die das Verhalten anwidert, verläßt ihren Verlobten und entschließt sich, das Kind abtreiben zu lassen. – Der dritte Teil zeigt die Arbeitersportbewegung. Anni hat mit Hilfe ihrer Organisation die Abtreibung hinter sich und nimmt engagiert an der Sportbewegung teil. Fritz stößt ebenfalls zur Arbeitersportbewegung, nachdem auch er arbeitslos geworden ist. Dieser Teil führt die »Helden« des Films in ihrem »Aufgehen« im und in ihrer »Neugeburt« durch das Kollektiv vor. Organisation und Abwicklung eines Massensportfests stehen im Mittelpunkt. Es wird nicht abgehalten unter dem Zeichen des Rekords, sondern der Solidarität. Der gesellschaftlichen Vereinzelung im Bürgertum (Zerfall der Familie Bönike) steht die Gemeinsamkeit der Massen konstrastiv gegenüber. Anni und Fritz kommen auf neue Weise zueinander. Die Zwangsgemeinschaft, die durch das Kind entstande wäre und die sie sich nicht leisten können, weicht der freiwilligen Gemeinschaft im Rahmen der größeren Gemeinschaft der Arbeitersportbewegung. – Im vierten Teil sind die Arbeitersportler auf der Heimfahrt in der S-Bahn. Hier stoßen sie auf die Bürger ihrer Gesellschaft, und die Widersprüche treten zutage. Sie entwickeln sich einmal dadurch, daß die Bürger, die in der S-Bahn zunächst vereinzelt waren, durch die Drängelei der Arbeitersportler sich physisch »gestört« fühlen (Bild der Abneigung gegenüber Massen); dann vor allem aber durch einen Zeitungsartikel, der über die Vernichtung brasilianischen Kaffees berichtet. Er wird zum Anlaß eines Streitgesprächs zwischen den Arbeitern (vornehmlich Fritz) und den Bürgern (verschiedene »Typen«) über den Zusammenhang von Hunger, Ausbeutung, Arbeitslosigkeit einerseits und der Vernichtung von Nahrungsmitteln andererseits.

Diese Inhaltsangabe, die nichts über die besondere Machart bzw. »Filmsprache«, die »funktionale dialektische Erzählweise« aussagt (Gersch, 116), betont immer noch zu sehr die Rolle, die den Individuen, vor allen den beiden »Hauptpersonen« Anni und Fritz, im Film wirklich zukommt. Der Film zeigt nicht das Einzelschicksal, sondern das »Schicksal« von Massen, und zwar nicht nur durch die Massenszenen selbst, sondern auch so, daß Fritz und Anni für das Leben der Arbeitermassen in der untergehenden Weimarer Republik – die allerdings optimistisch als revolutionierbar erscheint – »sprechend« wird. Die gesellschaftliche »Vermitteltheit« der Menschen steht im Vordergrund – wie negativ die bürgerliche Vereinzelung, die entschieden zur »Personenwerdung« der Arbeiter im Kollektiv kontrastieren.

So wird z.B. der junge Bönike nicht individualistisch und psychologisierend, sondern in typischen und zugleich existentiell entscheidenden Situationen vorgeführt. In seinem Freitod spiegelt sich das Leben von vielen anderen Arbeitern, ohne daß dabei der einzelne und sein Fall bagatellisiert würden (aber: Mitleid hilft nichts). Am einprägsamsten geschieht dies in der »Vorbereitung« des Freitods. Der junge Bönike legt sein wertvolles Instrument ab, um es seiner Familie zu hinterlassen. Während er in den Hof stürzt, behält die Kamera die Uhr im Blickfeld. »Diese Typisierung bewirkte eine der anklagendsten und zugleich ungewöhnlichsten Darstellungen der Arbeitslosigkeit, auch weil der Film sich jeder trauernd-klagenden Stimmung enthält« (Gersch, 124). Den Autoren gelingt es dadurch nicht nur, die Diskrepanz zwischen dem *Wert der Sache* und dem *Unwert des Menschen* nachhaltig im Bild zu fixieren, sondern auch die brutale Entmachtung des einzelnen durch die Arbeitslosigkeit vorzuführen.

Es war kein Wunder, daß die Zensur gerade an dieser Darstellung einhakte: »Niemand bestreitet Ihnen das Recht, einen Selbstmord zu schildern. Selbstmorde kommen vor. Sie können ferner auch den Selbstmord eines Arbeitslosen schildern. Auch sie kommen vor. Ich sehe keinen Grund, das zu verheimlichen, meine Herren. Ich erhebe aber einen Einwand gegen die Art, in der Sie den Selbstmord Ihres Arbeitslosen geschildert haben. Sie verträgt sich nicht mit den Interessen der Allgemeinheit, die ich zu verteidigen habe. [...] Sie haben keinen Menschen geschildert, sondern eine, ja, sagen wir es ruhig, eine Type. Ihr Arbeitsloser ist kein richtiges Individuum, kein Mensch aus Fleisch und Blut, unterschieden von allen andern Menschen, mit besonderen Sorgen, mit besonderen Freuden, letzten Endes mit besonderem Schicksal. Er ist ganz oberflächlich gezeichnet, verzeihen Sie mir als Künstler diesen starken Ausdruck dafür, daß wir *zu wenig von ihm erfahren*, aber die Folgen sind *politischer* Natur und zwingen mich, Einspruch gegen die Zulassung Ihres Filmes zu erheben. Ihr Film hat die Tendenz, den Selbstmord als typisch hinzustellen, als etwas nicht nur dem oder jenem (krankhaft veranlagten) Individuum Gemäßes, sondern als Schicksal einer ganzen Klasse! Sie stehen auf dem Standpunkt, die Gesellschaft veranlasse junge Menschen zum Selbstmord, indem sie ihnen Arbeitsmöglichkeiten verweigert. [...] Es lag Ihnen nicht daran, ein erschütterndes Einzelschicksal zu gestalten, was Ihnen niemand verwehren konnte«. Brecht, der diese Worte des Zensors überliefert, kommentiert dazu, sie – die Autoren – hätten nach diesen Worten betreten dagesessen: »Wir hatten den unangenehmen Eindruck, durchschaut worden zu sein. Eisler wischte betrübt seine Brille, Dudow krümmte sich wie vor Schmerz. Ich stand auf und hielt trotz meiner Abneigung gegen Reden eine Rede. Ich hielt mich streng an die Unwahrheit« (Protokoll, Einzelausgabe, 94f.).

Dieser Typisierung des Einzelfalls steht in *Kuhle Wampe* die Personwerdung im Kollektiv positiv gegenüber. Wird dort das Individuum nicht nur gesellschaftlich, sondern auch physisch vernichtet, so lernt es Fritz, sich aus den zerfallenden kleinbürgerlichen Konventionen zu befreien und in der Arbeitersportbewegung ein neuer Mensch zu werden. War Anni zunächst für ihn »Objekt« und die Bindung an sie konventionell bestimmt, so kommen beide in der Bewegung neu zusammen, und zwar über die gemeinsame Produktion (hier gezeigt in der gemeinsamen Organisation des Sportfests). Diese Neubestimmung der Person kommt auch im Ablauf des Sportfests zum Ausdruck. Der Arbeitersportwettkampf vollzieht sich nicht als Kampf jeder gegen jeden und als Bestätigung individueller Leistungsfähigkeit, sondern ist gemeinsames Kräftemessen ohne Rekordwahn. Die Wettkämpfe »finden im Massenmaßstab statt und sind ausgezeichnet organisiert. Ihr Charakter ist durchaus politisch; die Erholung der Massen hat kämpferischen Charakter« (Protokoll, Einzelausgabe, 91). Dieser Kampf aber wird nicht »innen«, sondern nach außen geführt – wie es dann der 4. Teil zeigt. Deshalb auch verbinden die Autoren den Sportwettkampf mit politischer Agitation (das *Rote Sprachrohr* tritt im Rahmen des Wettkampfs auf) und mit gemeinsamer »Bildung« (man liest sich etwas vor, singt, diskutiert).

Im Gegensatz zu dieser Gemeinsamkeit steht der »Wettkampf« gegeneinander in der bürgerlichen Gesellschaft. Die Autoren des Films haben dafür die adäquate und passende »Einstellung« gefunden: die Radfahrt. Sie stellt die eigentliche Eingangsszene des Films dar, und sie »hat seit eh als das beste des Films gegolten« (Witte, 87), wie sie auch mit Recht nur mit Chaplins Fließbandsequenz aus *Modern Times* (1936) verglichen wird. Es handelt sich um die Radfahrt, die die Arbeitslosen als *Die Jagd nach Arbeit* täglich veranstalten müssen. Nur der erste wird Arbeit erhalten, wenn überhaupt einer Arbeit erhalten wird. So jagen sie also, einer den anderen »heruntertretend«. Die Szene demonstriert nicht nur eine völlig andere Art des Wettkampfs, sie verbindet auch glücklich das Bild der vergeblichen Arbeitssuche und den dabei verschwendeten Einsatz an Muskelkraft sowohl mit dem Komplementärbild der Maschine (drehende Räder, auf die Straße projiziert, die Bediener nur als Schatten erkennbar; vgl. Bild: Protokoll, Einzelausgabe, 11) als auch mit dem Komplementärbild des bürgerlichen Wettkampfs. Wie sich die Arbeiter gegenseitig, um ihre Existenz kämpfend, »heruntertreten« und dadurch vereinzeln, so fordert der bürgerliche Sport den Einzelkämpfer und interessiert sich nur für den Gewinner. Es gibt aber nicht bloß diese Spiegelungen. Die Fahrt am Beginn korrespondiert mit der am Ende. Ist es zu Beginn der Wettkampf der Arbeiter untereinander, so zeigt die Szene in der S-Bahn den Klassengegensatz Arbeiter–Bürger. Die Arbeiter haben gelernt, daß der Kampf untereinander sinnlos ist. Selbst wenn einer mal Arbeit erhalten sollte, so stellt dies doch keinerlei wirkliche Hilfe dar (die enttäuschte Arbeitssuche ist so aufgenommen, daß dem Zuschauer klar wird: es wird keine Arbeit mehr geben, und die Arbeiter beginnen, neue Wege zu suchen). Der Kampf ist anders zu führen, das heißt gegen diejenigen, die von der Gesellschaft profitieren, die ihnen keine Arbeit gibt.

Zuletzt sei noch auf die berühmte »Mata-Hari-Montage« (Einstellung 188–205) aufmerksam gemacht. »Der Vater liest einen Artikel vor, der schmalzig-lüstern den Körper der mondänen Nackttänzerin Mata Hari beschreibt. Daneben mit sorgenvollem Gesicht die Mutter, die, ohne zuzuhören, ihre Haushaltsausgaben berechnet. Diese Verfremdung wird erweitert durch fortwährende Zwischenschnitte, die Bilder ausgepreister Lebensmittel aus Schaufenstern zeigen: nicht nur jegliche Einfühlung wird so verhindert, sondern die kritische Zielrichtung auf die großen Klassengegensätze gelenkt. Als erste Ebene erfaßt der Film die soziale Notlage der Arbeiter, in der zweiten polemisiert er gegen die politische Indifferenz ›gewisser Arbeiterschichten‹ (der Vater, der sich stotternd, aber begierig um das Sublimat der bourgeoisen Welt bemüht, während ihn die materiellen Sorgen unberührt lassen), und in der dritten Ebene konfrontiert der Film die Klassen, die existentielle Not der Arbeiter mit der Dekadenz der Bourgeoisie, die über den perfiden Illusionismus der kapitalistischen Bewußtseinsindustrie vermittelt wird, das als vierte Ebene zu bewerten ist« (Gersch, 127f.). So entsteht in der »Kollision von unabhängigen Aufnahmen« ein Bild von der Wirklichkeit, ihrem »Ineinander«, das realiter *so nicht zu sehen* ist, die Zusammenhänge aber freilegt. Die soziale Notlage objektiviert sich in den hohen Preisen für die Lebensmittel im Gegensatz zu den kargen Haushaltsmitteln, die das Buch der Frau Bönike offenlegt. Vater Bönike delektiert sich zweiter Hand an Genüssen, die ihm entzogen sind, gibt sich aber mit ihrer »Ersatzbefriedigung« zufrieden und erkennt als Kleinbürger die Illusionierungen der Bewußtseinsindustrie an. Insgesamt zeigt die Szene »das müde und untätige Sicheinrichten gewisser Arbeiterschichten im ›Sumpf‹ « (Protokoll, Einzelausgabe, 95).

Karsten *Witte*: Brecht und der Film. In: Text + Kritik. Sonderband Bertolt Brecht I. München 1972. S. 81–99. – Wolfgang *Gersch*: Film bei Brecht. München 1975 (S. 116–139). – Roland *Jost*: Panem et circenses? Bertolt Brecht und der Sport. In: Brecht-Jahrbuch 1979, S. 46–66.

Zensur und Aufführung

Im März 1932 legen die Autoren ihren Film der Filmprüfstelle vor; diese Vorlage ist nach dem Reichslichtspielgesetz vom 12.5.1920 vorgeschrieben. Die Zensoren erkennen sofort den überdurchschnittlichen Wert des Films und seine »kommunistische« Tendenz. Der Filmzensor Erbe jedoch will die Entscheidung – Freigabe, Schnittauflagen oder Verbot – nicht allein tragen. Deshalb wird der Fall ans Reichsministerium des Inneren weitergegeben. Von dort kommt dann der Vorschlag, den Film zu verbieten, weil er »in allen wesentlichen Teilen entsittlichend wirkt und die öffentliche Sicherheit und Ordnung und lebenswichtige Interessen des Staates gefährdet« (Protokoll, Einzelausgabe, 184). Es erfolgt darauf das erste Verbot des Films, dessen Begründung u.a. ausführt:

> In dem nach dem Sportfest verlesenen Hegel-Zitat sowohl wie in der Unterhaltung über den in Brasilien verbrannten Kaffee wird nochmals der Gedanke zum Ausdruck gebracht, daß die gegenwärtige Wirtschaftsordnung und der Staat darauf aufgebaut sei [sic], daß Unterschied der Stände, Armut und Reichtum, Hunger und unbefriedigte Lebensbedürfnisse entstehen müssen. Dadurch wird der Eindruck erweckt, daß der Staat in seiner gegenwärtigen Form, weil eben die Not einzelner Volksteile eine Voraussetzung für seinen Aufbau ist, kein Interesse daran habe, die Not von sich aus zu beseitigen. Der Sinn der Geschehnisse und der bildlichen Wirkung des Films läuft darauf hinaus, die Masse der Arbeiterschaft mit Mißtrauen gegen den Staat zu erfüllen, zur Selbsthilfe als einziger wirksamer Hilfe hinzuweisen, während der Staat in seiner heutigen Form als unfähig und vernichtenswert hingestellt wird. Ein Film, der in so wirksamer Form in den Beschauern jedes Vertrauen in die Wirksamkeit und in den Hilfswillen des Staates im Kampf gegenüber Not und Elend untergräbt, erschüttert die Grundlagen des Staates, der sich auf einer republikanisch-demokratischen Verfassung aufbaut. (Protokoll, Einzelausgabe, 112f.)

Mit dem Verbot geht zugleich durch zwei Beisitzer der Filmprüfstelle (Rudolf Olden und Paul Otto) eine Beschwerde gegen das Verbot ein. Der Film sei wahrheitsgetreu, rufe nirgends zu Gewalt auf und kritisiere die Anordnungen des Staats, die Notverordnungen, kaum schärfer als es durch die Öffentlichkeit geschehe, zumal die Staatsorgane selbst sich nicht mit den bestehenden wirtschaftlichen Zuständen zufrieden zeigten.

Im April kommt es zu einer Protestwelle gegen das Verbot in der Öffentlichkeit, die freilich keinerlei Erfolgt zeitigt. Die durch die Beschwerde notwendig gewordene Überprüfung des Verbots führt nur zu dessen Bestätigung. Daraufhin erfolgen verschiedene weitere Protestbekundungen, u.a. durch die Deutsche Liga für Menschenrechte (»geistiger Terror«) oder durch die Junge Volksbühne.

Die Filmfirma entschließt sich, eine Fassung des Films herzustellen, in der die beanstandeten Stellen fehlen, und legt den Film erneut vor. Die Prüfstelle entscheidet daraufhin für Freigabe des Films, allerdings mit erneuten Auflagen. So fällt nun u.a. auch die Nacktbadeszene zum Opfer – sie sollte einen befreiten Umgang mit dem Körper (gegenüber bürgerlichen Gewohnheiten der damaligen Zeit) demonstrieren und entbehrt jeglichen Aufreizes, zumal Brecht sicherlich bewußt keine »Schönheiten« ausgesucht hat (»Bei der Lebensweise, in der Fabrik und in den dumpfen Wohnungen und bei der Ernährung können die Leut nicht wie lauter Venusse und Adonisse aussehn«, sagt der Arbeiter Ziffel über seine Erfahrungen mit der »Freikörperkultur«, sicherlich eine Reminiszenz an *Kuhle Wampe*; 14, 1417). – Der Vorsitzende der Filmprüfstelle legt im gleichen Atemzug mit der Freigabe seine Beschwerde gegen sie ein, zieht sie Ende April jedoch zurück, so daß der Film mit den Auflagen freigegeben wird.

Eine erste Aufführung des Films erfolgt Mitte

Mai 1932 in Moskau. Brecht und Dudow sind dabei. Die Reaktion der Zuschauer ist absolut enttäuschend. Sie erwarteten Propaganda, Aktion, statt dessen erzählt der Film raffiniert, aber ruhig und distanziert seine Geschichten. Der Selbstmord des jungen Bönike stieß auf Mißverständnis, da der Besitz eines Fahrrads und einer Armbanduhr in der Sowjetunion derzeit noch als Reichtum galt. Die Filmsprache, der Versuch, mehr sichtbar zu machen, als die alltägliche Realität zu zeigen bereit ist, blieb unverstanden.

Die deutsche Erstaufführung erfolgte am 30. Mai 1932 und war sehr erfolgreich (Berliner *Atrium*). Der Film hatte 14000 Besucher in der ersten Woche, wurde verlängert und in 15 weiteren Berliner Kinos gezeigt. Da das Berliner *Atrium* ein typisches Uraufführungstheater war, mußte auch die bürgerliche Presse Stellung beziehen. Völlig »einseitige Propagandadarstellung«, »Hymnus auf die Vereinsmeierei«, »nicht über die theoretisierende Anschauung vom Arbeiter« hinausgelangend, waren die Urteile. Aber auch die linke bzw. kommunistische Presse fand kaum Urteile für die besondere Machart des Films, sondern lobte in erster Linie die »Tendenz«, so daß sich die Kritik ideologisch in die Gruppierungen spaltete, die der Film zeigte. Brechts Urteil, daß der Zensor »weit tiefer in das Wesen unserer künstlerischen Absichten eingedrungen [sei] als unsere wohlwollendsten Kritiker«, gibt rückblickend den Stand der künstlerischen Bewertungskriterien am besten wieder (Protokoll, Einzelausgabe, 96; dort auch eine Zusammenfassung der bürgerlichen Kritik, 165–167). – Am 26.3.1933 wird *Kuhle Wampe* erneut verboten: der Faschismus war ausgebrochen.

Monika *Wyss* (Hg.): Brecht in der Kritik. München 1977 (S. 157–160; Kritiken aus Moskau und Berlin).

Übersicht: Leben, Zeit, Werke

Jahreszahlen	Leben
	Augsburg 1898–1917
1898	Ich, Bertolt Brecht, in die Asphaltstädte verschlagen / Aus den schwarzen Wäldern, in meiner Mutter in früher Zeit. (8, 263) *Geburt: 10.02. Name: Berthold Eugen Brecht* *Mutter: Sofie Brecht geb. Brezing (aus Achern/Schwarzwald) (1871–1920)* *Vater: Berthold Friedrich Brecht (Kaufmännischer Angestellter, später Prokurist, dann Direktor der Papierfabrik Haindl, Augsburg) (1869–1939)* *Bruder: Walter Brecht (geb. 1900)*
1904 bis 1917	Die Volksschule langweilte mich 4 Jahre. Während meines 9jährigen Eingewecktsein an einem Augsburger Realgymnasium gelang es mir nicht, meine Lehrer wesentlich zu fördern. Mein Sinn für Muße und Unabhängigkeit wurde von ihnen unermüdlich hervorgehoben. (Briefe, Nr. 74) Groß tritt dem jungen Menschen in der Schule in unvergeßlichen Gestaltungen der *Unmensch* gegenüber. Dieser besitzt eine fast schrankenlose Gewalt. Ausgestattet mit pädagogischen Kenntnissen und langjähriger Erfahrung erzieht er den Schüler zu seinem Ebenbild. – Der Schüler lernt alles, was nötig ist, um im Leben vorwärts zu kommen. Es ist dasselbe, was nötig ist, um in der Schule vorwärts zu kommen. Es handelt sich um Unterschleif, Vortäuschung von Kenntnissen, Fähigkeit, sich ungestraft zu rächen, schnelle Aneignung von Gemeinplätzen, Schmeichelei, Unterwürfigkeit, Bereitschaft, seinesgleichen an die Höherstehenden zu verraten usw. usw. (14, 1402) *Schule: 1904–1908 Barfüßer-Schule* *1908–1917 Realgymnasium*
	Augsburg–München 1917–1924
1917 bis 1921	Auf der Universität hörte ich Medizin und lernte das Gitarrespielen. In der Gymnasiumszeit hatte ich mir durch allerlei Sport einen Herzschock geholt, der mich mit den Geheimnissen der Metaphysik bekannt machte. Während der Revolution war ich als Mediziner in einem Lazarett. (Briefe, Nr. 74) Es ist schrecklich viel los hier. Ich habe mich für Medizin umschreiben lassen – eine Mordslauferei! Jetzt ist es Mittag. Nachm. 3 Std. Kolleg, dann Kartoffelknödel und Theater. 4 Stunden »Palestrina« (stehend...). Aber das alles ist sehr schön. Es ist ein frischer Zug drinnen. (Briefe, Nr. 31) *Abitur: 1917 (Not-Abitur)* *Kriegsdienst: 1918 als Sanitätssoldat (Reservelazarett Augsburg)* *Studium: 1917-1921 in München (Medizin, Theaterwissenschaft)*

Zeit	Werke
Steil. Treu. Unbeugsam. Stolz. Gerad. / König des Lands / Immanuel Kants. / Hart kämpfend um der Schätze hehrsten: / Den Frieden. So: im Frieden Streiter und Soldat. / Einer Welt zum Trotz hielt Er Frieden dem Staat. – / Und – trug ihn am schwersten. (III, 20) *Wilhelm II., deutscher Kaiser (1859–1941)* Heil unserm König, Heil! / Lang Leben sei sein Teil! / Gerecht und fromm und mild / Ist er dein Ebenbild. – Gott, gib ihm Glück! / – Fest wie des Königs Thron, / Die Wahrheit seine Kron' / Und Recht sein Schwert. / Von Vaterlieb erfüllt. / Regiert er groß und mild. / Heil sei ihm, Heil! (Bayrische Königshymne) *Ludwig III., König von Bayern (1845–1921)*	
Dieses Jubeln, das an den äußersten Enden der Stadt hörbar war, diese Gesichter, die in frommer, heiliger Begeisterung glühten, sie zeigten an, daß dieser Krieg den wir Deutschen um unsere Existenz führen, ein Volkskrieg, eine Erhebung der Nation ist. (Frisch/Obermeier, 230) Der Ausspruch, daß es süß und ehrenvoll sei, für das Vaterland zu sterben, kann nur als Zweckpropaganda gewertet werden. Der Abschied vom Leben fällt immer schwer [...]. Nur Hohlköpfe können die Eitelkeit so weit treiben, von einem leichten Sprung durch das dunkle Tor zu reden [...]. Tritt der Knochenmann aber an sie selbst heran, dann nehmen sie den Schild auf den Rücken und entwetzen, wie des Imperators feister Hofnarr bei Philippi, der diesen Spruch ersann. (Frisch/Obermeier, 86 f.) Als Chima, das Land der Mitte [...] vier Jahre lang mit 37 Völkern im Krieg verharrt hatte, zeigte es zum Schrecken seiner Regierung Zeichen von Entmutigung. (12, 623) *1. Weltkrieg, 1914–1918*	Die Bibel (1913) Lyrik und Prosa für »Die Ernte« (1913/14) Zeitungsbeiträge (1914/15)
Bevor die Armeen, die alle auf feindlichen Boden kämpften, zu weichen und die Bevölkerung sich in einem Aufruhr zu erheben begann, hatten die Überlebenden ihre Toten schon in Papier begraben und Gras gegessen. Das Volk war eines der geduldigsten, über das je eine Regierung verfügt hatte, und auch sein Aufruhr war noch sanftmütig. Er entstand aus Ordnungsliebe. [...] die Chimesen streiten sich auf eine Weise, die die Ordnung nicht gefährdet. (12, 623 f.) Die Sterne sind nicht immer da / Es kommt ein Morgenrot. / Doch der Soldat, so wie er's gelernt / Zieht in den Heldentod. (8, 259) *Revolution in Deutschland 1918/19 (November–Februar)* »Ich habe die Republik ausgerufen«, stammelte er totenbleich. »Was?« schrie der Hafner. – »Es ist ein Mißverständnis passiert«, verteidigte sich Schi-meh, es vermeidend dem Freund in die Augen zu sehen. – Seine Frau setzte die Kaffeetass nieder, stand auf und verabreichte ihm eine Ohrfeige. (12, 629) Ungehindert konnten die Tuis nun dem Volk eine neue Verfassung geben. Es sollte die freieste der Welt werden. [...]	

Jahreszahlen	Leben
1918	Sie ist wundervoll weich und frühlingshaft, scheu und gefährlich. Tagtäglich führe ich mich in Versuchung, um mich von allen Übeln zu erlösen. Aber ich will nicht tun, was ich tun will? Was aber, wenn *sie* will? (Briefe, Nr. 19)
1919	In seiner Begeisterung fuhr er nicht nach München, sondern nach Augsburg, um dort seinen Freunden freudestrahlend zu verkünden, daß er Vater geworden sei. – Über den Vornamen unseres Sohnes wurde nicht lange diskutiert. – Er sollte und durfte nur Frank heißen, nach Frank Wedekind. (Paula Bannholzer; genannt »Bittersüß« oder »Bi«) *Kind: Frank (30.07.1919–13.11.1943; gefallen in der SU)*
1920	ich bin jetzt in Berlin, und es gefällt mir hier (wie fast überall). Der Schwindel scheint hier größer als anderswo, und er wird mit mehr Ernst betrieben. (Briefe, Nr. 45) Berlin ist eine wundervolle Angelegenheit, kannst Du nirgends 500 M stehlen und kommen? Da ist z. B. die Untergrundbahn und Wegener. Alles ist schrecklich überfüllt von Geschmacklosigkeiten, aber in was für einem Format, Kind! (Briefe, Nr. 47) Die Theater sind wundervoll: Sie gebären mit hinreißender Verve kleine Blasensteine. Ich liebe Berlin, aber m. b. H. (Briefe, Nr. 48) *Erste Berlin-Reise (21.02.–13.03.)*
1921	Nach einer guten Zeit in der Schaufensterstadt ab nach Berlin. [...] Es ist eine graue Stadt, eine gute Stadt, ich trolle mich so durch. Da ist Kälte, friß sie! [...] Eines ist im ›Dickicht‹: die Stadt. Die ihre Wildheit zurückhat, ihre Dunkelheit und ihre Mysterien. Wie ›Baal‹ der Gesang der Landschaft ist, der Schwanengesang. Hier wird eine Mythologie aufgeschnuppert. [...] Es existiert eine einzige Ansicht über die Leute und Vorgänge im Theater, das ist die des Dichters. Das Parkett lernt »alles zu verstehen«. Es gibt keine Leidenschaften mehr im Parterre. Man läuft in diese Bordelle, um einen Trieb loszuwerden. (Tagebücher, 173, 174, 176, 175) *Zweite Berlin-Reise (7./8.11.1921–26.4.1922)*
1922	Plötzlich schiffe ich Blut. Ich versuche zwar noch, auf großem Fuße weiterzuleben, [...] aber dann kommen deutlichste Winke meines Unterleibs. [...] Jetzt liege ich die dritte Woche zwischen den weißen Wänden. Es ist völlige Windstille. [...] Im Dickicht / Bronnen / Charité / Jessner / Das kalte Chicago / Aufzeichnungen. (Tagebücher, 185, 186, 187, 189) So entlädt sich die schwangere Hure! Und diesen gesprungenen Topf, in den die Abflüsse aller Männer rinselten, habe ich in meine Stuben stellen wollen! [...] Ich bin der Politiker, der Intrigant, ich verderbe Jünglinge und fresse junge Weiber. Was ich auch tue, er sucht und findet Politik darinnen. [...] sie braucht ein Kind. Es ist häßlich, wenn ich weggehe, aber was soll ich bei ihr, ich verdiene kein Geld und bin nicht gut und will mein Hemd auf dem Leib haben und mag Verträge nicht. (Tagebücher, 118, 90, 91) *Heirat: Marianne Zoff (03.11.)* Nach 24 Jahren Licht der Welt bin ich etwas mager geworden. (Briefe, Nr. 74)
1923	Man konnte meinen, wir säßen in einem Provinztheater letzten Rangs und sähen gerade den Aufzug der spanischen Wache im ›Egmont‹. Etwas lustiger geworden, verabschiedeten wir uns schnell und gingen nach Hause. Die Augen Brechts glänzten spöttisch. (Bernhard Reich) Was ich hier tue? Ich kaue Gummi. – In dieser Stadt kann man sich nicht umdrehen, und die Leute sind so dumm, daß man so viel Humor braucht, daß man schlechter Laune wird. Das kommt vom schlechten Wasser [über München]. (Briefe, Nr. 79) Laßt sie wachsen, die kleinen Brechts! *Kind: Hanne (12.03.1923)*

Zeit	Werke
»[...] Schreib: Die Abgeordneten sind Vertreter des ganzen Volkes. Sie sind nur ihrem Gewissen unterworfen und an Aufträge nicht gebunden. Wenn sie nur ihrem Gewissen unterworfen sind, sind sie ziemlich frei, wie? Und wenn wir dann noch haben, daß sie an die Aufträge ihrer Wähler nicht gebunden sind... ja, das genügt.« (12, 632, 642) *Beginn der Weimarer Republik; Verfassung 1918/19*	
	Baal
	Trommeln in der Nacht Einakter Bargan läßt es sein Ein gemeiner Kerl »Hauspostillen«-Gedichte Augsburger Theaterkritiken (bis 1920)
Nachdem die Republik ausgerufen worden war, nahm die Ordnung in Chima einen immer ausschweifenderen Charakter an. Das jahrhundertelange Wirken der Tuis trug Frucht. – Es gab jetzt beinahe schon kein Gras mehr zum Essen, aber die Weiber verteilten Nummern unter sich und standen in deren Reihenfolge vor den leeren Läden und sie gingen mit leeren Taschen in der Reihenfolge der Nummern weg. Die Fabriken schlossen, da die Heeresleitung nichts mehr abnahm. [...] Und die an der Grippe Erkrankten starben genau in der Reihenfolge, in der ihre Spitalbetten standen. (12, 647) *Die Weimarer Republik nach dem Krieg; Inflation (1919–1923)*	Sentimentales Lied Nr. 1004 »Hauspostillen«-Gedichte Filmskripte
Nun liquidiert die SPD den Krieg zu ungunsten der Revolution. (Die Sozialisierung der Industrie würgt sie ab, »weil sonst die Industrie dem Feind gehört«, die Zerschlagung des Großgrundbesitzes, »weil sonst die Brotversorgung gefährdet ist«.) Der Militarismus wird abgebaut, die Industrie wird aufgebaut. Die innere Politik: Protektionismus gegenüber der Arbeiterschaft. Die äußere: Pazifismus. Der Pazifismus ruiniert den Protektionismus. Die Industrie ist eine imperialistische, da Profit erzeugende, auf Militarismus angewiesene. (12, 593) *Restauration 1918–1924*	Geschichte auf einem Schiff Die dumme Frau Der Javameier Der Vizewachtmeister »Hauspostillen«-Gedichte
Die Kämpfe um das Essen / Zeitigten schreckliche Verbrechen. Der Bruder / Trieb die Schwester vom Tisch weg. Die Ehepaare / Rissen sich die Teller aus den Händen. Für ein Stück Fleisch / Verriet der Sohn die Mutter. (»Sezuan«-Materialien, 109) *Hunger in Deutschland 1918–1924*	Im Dickicht der Städte
Oh Java, Java, Java. / Und diese Kavalkaden von trüben Hundsföttchen! / Und Hitler auf dem Monoptoros, auf Moses Iglstein scheißend. / Und die Lackieranstalt in der Augustenstraße. (Briefe, Nr. 81) *Hitler-Putsch in München (8./9. 11. 1923)*	Der Tiger

Jahreszahlen	Leben
1924	Lernen: / *Chauffieren* / Moderne Jamben / *Stückkomponieren* / *Fotografieren* / Schifahren / Segeln / Reiten / Zeitunglesen auf Geld / Sprachen / Geldwirtschaft / *Technik* / Anatomie / Englisch / Jiu-Jitsu. (Tagebücher, 203)
	Liebe Helle [= Helene Weigel], ich habe die Lederhandschuhe angetan, ein Streichholz entzündet, eine Zigarre geraucht, etwas notiert, Schokolade gefressen, mich geschneuzt, und ich bin müde davon. – Besonders aber von der Fahrt nach Berlin mit Dir zusammen. – [...] Ich bin ihnen fortdauernd reichlich gewogen, Madamme. (Briefe, Nr. 93)
	Kind: Stefan (03.11.1924) *Mutter: Helene Weigel*
	Berlin 1924–1933
1925	Du hast einen Cocktail vor dir, den du selber gemacht hast, eine starke schwarze Zigarre, einen Stuhl für dein Hinterteil, einen Stuhl für die Füße und einen Ausblick, wie er für dich geeignet ist, und du bist nicht zufrieden, Bidi. – In Kalifornien sind Erdbeben, in Galizien ist eine Überschwemmung. Amundsen mußte, ohne den Pol erreicht zu haben, umkehren. Du konntest bisher noch jede Gemeinheit durchführen, die dir nicht zu anstrengend war. – Du bist nicht zufrieden.
	Liebe Helli, ich bin seit gestern in Wien. Ich konnte nicht mehr über München kommen. Du schreibst gar nicht warum. Es ist so ungemein langweilig überall. [...] – Gehe ich Dir ab??? Bist Du auch zurückhaltend gegen die Herrn und ordentlich früh und spät??? Ich will da nichts hören müssen. (Briefe, Nr. 100)
	Liebe Helle, ich bin in Capri mit Marianne, die sehr elend dran ist. Bitte schreib mir genau, was in Berlin los ist und wie es Dir geht! [...]. Ich freue mich sehr auf Berlin und die Spichernstraße [Atelierwohnung in Berlin]. Sei *nicht* blöd, kein Grund!!! (Briefe, Nr. 95)
	Reise nach Wien und Capri mit Marianne Zoff und Tochter Hanne [in der Briefe-Ausgabe sind irrtümlich einige Briefe mit falscher Jahreszahl eingeordnet] (Juni/Juli 1925)
	Bidis Ansicht über die großen Städte. Allenthalben sagt man es nackt: / Jetzt wachsen die Städte zuhauf! / Und dieses Petrefakt / Hört nicht mehr auf. – / Weil ich bekümmert bin / Daß dieser Menschheit abgeschmackt – / es Gewäsch zu lang in / Den Antennen hackt – / Sage ich mir: den Städten ist / Sicher ein Ende gesetzt / Nachdem sie der Wind auffrißt / Und zwar: jetzt. (8, 128)
	Man kann sich keinen Betrachter vorstellen, der den Reizen der Stadt, sei es dem Häusermeer, sei es dem atemberaubenden Tempo ihres Verkehrs, sei es ihrer Vergnügungsindustrie, fühlloser als Brecht gegenüberstünde. (Walter Benjamin)
1926	Wäre ich unzufrieden, so könnte es nur sein: mit jeder eventuell zutage tretenden Zufriedenheit anderer. [...] Vom heutigen Theater ist nichts mehr zu retten, und je relativ besser es arbeitet, desto absoluter ist es zu bekämpfen. (Briefe, Nr. 109)
	Es ist, in diesen Jahren, eine dünne Luft um meine Angelegenheiten. (Briefe, Nr. 110)
	Ich stecke acht Schuh tief im »Kapital«. Ich muß es jetzt genau wissen. Ich schwanke sehr, mich der Literatur zu verschreiben. Bisher habe ich alles mit der linken Hand gemacht. [...] Würde ich mich entscheiden, es mit der Literatur zu versuchen, so müßte ich aus dem Spiel Arbeit machen, aus den Exzessen ein Laster. (Tagebücher, 207)
	Ich sitze nicht bequem auf meinem Hintern: Er ist zu mager. [...] Ich möchte gern eine Kunst machen, die die tiefsten und wichtigsten Dinge berührt und tausend Jahre geht: Sie soll nicht so ernst sein. (Tagebücher, 209)
1927	Alle Typen, die ich schaffe, sind Kollektive. (20, 24)
	Ich mache Ihnen [= Erwin Piscator] einen Vorschlag: Sie ändern den literarischen Charakter des Theaters in einen politischen um, gründen einen »Roten Klub« (R.K.) und nennen das Theater das R.T.K. (»Rotes Klubtheater«). Zu Beginn könnte dieser Klub, der sich auch nach außen hin deutlich des Theaters lediglich zu politischen Zwecken bedient, als Mitglieder nur die schon genannten Mitglieder haben (allerdings auch Leute

Zeit	Werke
Für den Frieden arbeiten hieß, ebenso wie für die Kultur arbeiten den Staat gefährden, und das tun die Tuis. Sie halten den Krieg für überwunden, weil die Menschen ihn kennengelernt haben und »dagegen« sind. – Der Krieg wird vorbereitet von den alten und zukünftigen Gegnern dadurch, daß sie ihr Kapital ins Land pumpen, um es hoch zu verzinsen. So bauen sie eine sehr potente Wirtschaft auf, die dann den Krieg braucht (und ermöglicht). (12, 667) *Dawes-Plan (»Auslandsanleihe« von 800 Mill. Mark) (April/ August 1924)*	Leben Eduards des Zweiten von England Mann ist Mann (bis 1926) Der Tod des Cesare Malatesta Brief über eine Dogge
In den kultivierten Ländern gibt es keine Moden. Es ist eine Ehre, den Vorbildern zu gleichen. Ich freue mich, daß in den Varietés die Tanzmädchen [Tiller-Girls] immer mehr gleichförmig aufgemacht werden. Es ist angenehm, daß es viele sind und daß man sie auswechseln kann. (Tagebücher, 205) Was einige Querulanten betrifft / Die sich gegen die Gesetze auflehnen, so sollte man ihnen / Nicht mit Gründen kommen. / Das merken sie nicht. / Man sollte sie lieber abfotografieren. – Nichts Kluges sollte man mit ihnen reden, nichts Schwieriges. / Einige meiner Freunde aus dem Süden sollten mit ihnen reden: / Keinen Bums ohne Inhalt / Keine Leere mit Tempo / Sondern / Deutlich. (8, 127) Die Oberfläche hat eine große Zukunft. (20, 21)	Karl der Kühne Das Renomee (Ein Boxerroman) Der Kinnhaken Lebenslauf des Boxers Samson-Körner
Die bürgerliche Klasse bringt keine Monumente mehr hervor – als Klasse. Ihre Arbeiten zeigen nicht mehr das Gesicht ihrer Klasse. Würde man in 1000 Jahren die Fordschen Fabriken ausgraben, so würden die Leute nicht leicht feststellen können, ob sie vor oder nach der Weltrevolution so gebaut worden sind. (20, 24) *Wirtschaftsaufschwung in Deutschland (ab 1926)* Fortab ließ Kückelmann im Hotel auf seinem Zimmer servieren und teilte sein Essen mit Josef Kleiderer, so daß dieser, der übrigens in seinem ganzen Dreck der Welt erhalten blieb, im Verlauf dreier Wochen sich wieder völlig erholte, ja ein geradezu blühendes Aussehen annahm. Leute, die Kleiderer vorher gekannt hatten, sagten, sie kennten ihn nicht mehr: er sei so fett, daß man einen Schnaps auf ihn trinken müsse. Kückelmann aber verlangte dafür von ihm nichts, als daß er mit ihm zu einer Lebensversicherungsgesellschaft gehe, da ihm, Kückelmann, sein, Kleiderers Leben, so teuer sei, daß er auf alle Fälle gedeckt sein wolle, was Kleiderer auch einsah. (11, 171)	Joe Fleischhacker Müllers natürliche Haltung Nordseekrabben Schlechtes Wasser Eine kleine Versicherungsgeschichte Vier Männer und ein Pokerspiel Das Paket des lieben Gottes »Taschenpostille«
Hallo, wir wollen mit Amerika sprechen / Über das Atlantische Meer mit den großen Städten / Von Amerika, hallo! / Wir haben uns gefragt, in welcher Sprache / Wir reden sollen, damit man / Uns versteht / Aber jetzt haben wir unsere Sänger beisammen / Die man versteht hier und in Amerika /	Mahagonny Songspiel Barbara »Hauspostille«

Jahreszahlen	Leben
	wie Ihering, Grosz, Schlieber, Weill, Sternberg usw.). Später aber, und zwar sobald als möglich, müßten auch die Zuschauer eintreten können. (Briefe, Nr. 124)
	und schicke mir alle marxistische Literatur. Besonders die neuen Hefte der Revolutionsgeschichte. (Briefe, Nr. 126; an Helene Weigel)
	Scheidung von Marianne Zoff (02. 11. 1927)
1928	Da ich Sie nun beide schon nicht aufhängen kann [= Alfred Kerr und Hans Weichert], was ich als Dichter natürlich am liebsten möchte, lassen Sie mich wenigstens auch einmal ganz unverhohlen und offen meine Meinung sagen. [...] Wenn das Theater in einer Krise ist, dann habe ich da einen Vorschlag: Sie schließen einfach das Theater. [...] – Die meisten führten unsere Stück wohl auf, da sie ja eine neue Zufuhr brauchten und ihr Theater nicht zur bloßen Amüsierbude erniedrigen wollten, aber sie führten sie falsch auf, im alten Stil. Wenn Sie auf ein Auto mit einer alten Droschkenkutscherpeitsche einhauen, dann läuft es noch lang nicht. Zur Rettung des alten Theaters sind unsere Stücke völlig ungeeignet. (Brecht im Gespräch, 10)
	[Was war Ihr stärkstes Leseerlebnis, Rundfrage] Sie werden lachen: die Bibel.
1929	So weit wir sehen konnten, waren die Demonstranten nicht bewaffnet. Mehrfach schoß die Polizei, und während wir zunächst glaubten, daß dies nur Schreckensschüsse seien, sahen wir dann, daß mehrere Demonstranten niederstürzten und auf Bahren weggetragen wurden. [...] Als Brecht die Schüsse hörte und sah, wie Menschen getroffen wurden, war er so weiß im Gesicht geworden, wie ich ihn nie zuvor in meinem Leben gesehen hatte. Ich glaube, daß es nicht zuletzt dieses Erlebnis war, das ihn dann stärker zu den Kommunisten trieb. (Fritz Sternberg)
	Es wird eine Erklärung verlangt [Verwendung von Zitaten aus Ammers Villon-Übersetzungen in der *Dreigroschenoper*]. Ich erkläre also wahrheitsgemäß, daß ich die Erwähnung des Namens Ammer leider vergessen habe. Dies wiederum erkläre ich mit meiner grundsätzlichen Laxheit in Fragen geistigen Eigentums. (18, 100)
	Heirat: Helene Weigel (10. 04. 1929)
1930	Oft wundere ich mich selber, daß mein Gedächtnis so schwach ist. Alle meine Angelegenheiten, auch die gefährlichsten, vergesse ich umgehend. [...] – Ich habe mich schwer an die Städte gewöhnt. Ich hatte kein Geld und zog immerzu um. [...] Die Zimmer waren zu häßlich und zu teuer. Um es in ihnen auszuhalten, hätte ich viel schwarzen Kaffee und Kognak trinken müssen, aber ich hatte nicht einmal genügend Geld zum Rauchen. (Tagebücher, 213)
	Nicht für Geselligkeit – sondern für Männergespräche / nicht für Liebe – sondern für Wollust / Nicht für gut essen, sondern für Hunger stillen / nicht für Spielen, sondern für Arbeiten / nicht für Muße, sondern für Faulheit / nicht für Mädchen, sondern für Frauen. (Tagebücher, 214)

Zeit | Werke

Und überall in der Welt. / Hallo, hört, was unsere Sänger singen, unsere schwarzen Stars / Hallo, paßt auf, wer für uns singt... / *Die Maschinen singen.* (8,297)

Die Menschen fangen einander mit Schlingen. / Groß ist die Bosheit der Welt. / Darum sollst du dir Geld erringen / Denn größer ist ihre Liebe zum Geld. – / Hast du Geld, hängen alle an dir wie Zecken: / Wir kennen dich wie das Sonnenlicht. / Ohne Geld müssen dich deine Kinder verstecken / Und müssen sagen, sie kennen dich nicht. (8,303)

Nach ihm [Tiger flowers, dem Neger und Pfarrer] war Weltmeister im Mittelgewicht / Der Nachfolger des boxenden Pfarrers / *Mickey Walker*, der den mutigsten Boxer Europas / Den Schotten Tommy Milligan / Am 30. Juni 1927 zu London in 30 Minuten / In Stücke schlug. (8,310)

In Wirklichkeit werde der Kunde [...] zutiefst mißverstanden und verkannt. Er sei im Grunde seines Wesens nämlich besser, als er aussehe. Nur gewisse tragische Erlebnisse im Schoße seiner Familie oder im Erwerbsleben hätten ihn mißtrauisch und verschlossen gemacht. Im Grunde seines Wesens lebe eine stille Hoffnung, als das erkannt zu werden, was er sei: ein ganz großer Käufer! Er *wolle* nämlich kaufen! Denn ihm fehle ja so unendlich viel! Und wenn ihm nichts fehle, fühle er sich unglücklich! Dann wolle er, daß man ihn überzeuge, daß ihm etwas fehle! Er wisse so wenig. [...] – *Man muß ihnen wie Kindern sagen, was sie brauchen. Sie müssen kaufen, was sie brauchen können, nicht was sie haben müssen.* (13,873)

Die »Goldenen Zwanziger« der Weimarer Republik (bis 1929)

Die Dreigroschenoper
Aufstieg und Fall der Stadt Mahagonny (bis 1929)
Die Bestie

Der Sozialismus als Ware. Die Tuis von der Se-pe-deh verkaufen ihre Ansichten über die Gemeingefährlichkeit des Warencharakters aller Dinge und schaffen dadurch eine neue Branche. Konkurrenz treibt sie hoch. Sie klagen vor Gerichten gegen Plagiate von Kollegen, die ihnen ihre Nachweise, daß die Gerichte nur den Besitz schützen und ungerecht sind, entwendet haben. Die von ihnen entlarvte Polizei schützt sie. (12,659)

Blutmai (1. Mai in Berlin): Polizeichef Zörgiebel (SPD) gibt Feuerbefehl auf die Mai-Demonstration der Arbeiter, 33 Tote.

22 Ärzte versuchen die Verdauungstrakte von 500 Reichen so zu verbessern, daß sie pro Person täglich 5 Rinder und 1 Waggon Getreide verzehren können. Dies ist die Lösung der Krise! Die Biologen in Zusammenarbeit mit den Konjunkturforschern. (12,661)

Wehe! Ewig undurchsichtig / Sind die ewigen Gesetze / Der menschlichen Wirtschaft! / Ohne Warnung / Öffnet sich der Vulkan und verwüstet die Gegend! / Ohne Einladung / Erhebt sich aus den wüsten Meeren das einträgliche Eiland! / Niemand benachrichtigt, niemand im Bilde! Aber den letzten / Beißen die Hunde! (3,735)

Börsenkrach in New York (Oktober 1929); Beginn der Weltwirtschaftskrise.

Der Ozeanflug
Das Badener Lehrstück vom Einverständnis
(Happy End)
Der Soldat von La Ciotat

Während jede bessere Industriefirma heute weiß, daß Qualitätswaren den Gewinn erhöhen und darum Fachmänner engagiert, die ihr diese Qualität beschaffen, verschmäht die Branche nach Möglichkeit jede fachmännische Beihilfe und setzt ihren Ehrgeiz daran, selber den Geschmacksrichter zu spielen.

(Frankfurter Zeitung zum »Dreigroschenprozeß«; 18,163)

So wie der Staat es in seiner Justiz macht – er bestraft den Mord, sichert sich aber das Monopol darauf –, so macht er es

Der Jasager
Der Jasager und der Neinsager
Die Maßnahme
Die Ausnahme und die Regel
Die Heilige Johanna der Schlachthöfe (bis 1931)
Die Beule
»Geschichten vom Herrn Keuner«
Ein neues Gesicht
»Versuche« (1. Heft)

Jahreszahlen	Leben
	Im übrigen handelt es sich um einen absolut durchsichtigen Kampf für das allzu berühmt gewordene Ich, um die Wahrung stilistischer Belange, nicht um Vertretung einer Gesinnung. Diesem Ich-Kultus steht auf der anderen Seite ein deutliches Geschäftsinteresse gegenüber. – Ästhetischer Nihilismus kämpft einen Windmühlenkampf gegen das internationale Großkapital. [...] Was geht es uns an? [Über den »Dreigroschenprozeß«] (18, 147 f.) *Kind: Barbara (18. 10. 1930)* *Mutter: Helene Weigel*
1931	Seit langem schon denke ich, daß ich nicht recht imstande bin, mich unter den Menschen und Dingen zurechtzufinden, und daß ich doch dazu besser imstande sein könnte [...]: ich wollte alles so betrachten, daß ich mich zurechtfände, weder länger noch kürzer; ich wollte mich nicht zu lange beim Unvermeidlichen aufhalten, noch zu früh etwas für vermeidlich erklären. (Tagebücher, 215 f.) Ein wirklich merkwürdiger Nachmittag mit Brecht. Ein Diskurs über die »Sätze« wie er jetzt beinahe täglich von Brecht zu hören ist, nahm durch einen Einwand, den ich ihm machte, eine sonderbare Wendung. Ich trat seiner Suche nach »Vorstellungen« entgegen und verlangte an dessen Stelle, ich weiß selbst nicht mehr wie, die Untersuchung von Verhaltensweisen. – Brecht stellt den Kafka – die Figur des K. – dem Schweyk gegenüber: der, welchen alles und der, den nichts wundert. (Walter Benjamin) *Urlaub in Le Lavandou (Südfrankreich) (Mai/Juni 1931)*
1932	Liebe Helli, ich schreibe, statt zu sprechen, weil das leichter ist, gegen das Sprechen habe ich eine solche Abneigung, das ist immer ein Kämpfen. Für gewöhnlich ist es bei uns so: Aus kleinen psychischen Verstimmungen, die viele Ursachen haben können und meist unaufklärbar sind [...], entsteht dann eine große undurchdringliche Verstimmung. [...] Wenn es nicht so scheint, vergiß nicht, ich lebe gerade (und meistens) in schwieriger Arbeit und schon dadurch ohne rechte Möglichkeit, mimisch usw. mich auszudrücken, und fürchte Privatkonflikte, Szenen usw., die mich sehr erschöpfen. Nicht aber lebe ich ausschweifend. (Briefe, Nr. 161) Liebe Helli, wir sollten nicht ohne jeden Sinn eine nicht nötige Kluft unnötig verbreitern. Wie ich Dir sagte und wie ich es auch meinte, war die Unterbringung der Grete [Margarete Steffin] eine rein praktische Frage. (Briefe, 163) Mein Lehrer [Karl Korsch] ist ein enttäuschter Mann. [...] – Mein Lehrer dient der Sache der Freiheit. Er hat sich selber ziemlich frei gemacht von allerlei unangenehmen Aufgaben. (20, 65) Brechtisierung. (20, 68)
	Dänemark 1933–1939
1933	Von Natur unfähig, mich großen und mitreißenden Gefühlen vertrauensvoll hinzugeben und einer energischen Führung nicht gewachsen, fühlte ich mich recht überflüssig, und vorsichtige Umfragen in meiner näheren Umgebung sowie einige Besuche machten mich darauf aufmerksam, daß [...] nun wirklich eine große Zeit angebrochen war, wo Leute meines Schlages nur das große Bild störten. (20, 183) Immer fand ich den Namen falsch, den man uns gab: Emigranten. / Das heißt doch Auswanderer. Aber wir / Wanderten doch nicht aus, nach freiem Entschluß / Wählend ein anderes Land. Wanderten wir doch auch nicht / Ein in ein Land, dort zu bleiben, womöglich für immer. / Sondern wir flohen. Vertriebene sind wir, Verbannte. [...] / Aber keiner von uns / Wird hier bleiben. Das letzte Wort / Ist noch nicht gesprochen. (9, 718) *Flucht nach Prag, Wien, Zürich, Carona, Paris; Hauskauf in Skovsbostrand (Dänemark); Beginn der Freundschaft mit Ruth Berlau.*

Zeit	Werke
eben überhaupt: Er verbietet uns, unsere Nachkommen am Leben zu verhindern – er wünscht dies selber zu tun. Er behält sich vor, selber abzutreiben, und zwar erwachsene, arbeitsfähige Menschen. (20, 42)	
Das riesige Bildmaterial, das tagtäglich von den Druckerpressen ausgespien wird und das doch den Charakter der Wahrheit zu haben scheint, dient in Wirklichkeit nur der Verdunkelung der Tatbestände. Der Photographenapparat kann ebenso lügen wie die Schreibmaschine. Die Aufgabe der A-I-Z [Arbeiter Illustrierte Zeitung], hier der Wahrheit zu dienen und die wirklichen Tatbestände wiederherzustellen, ist von unübersehbarer Wichtigkeit und wird von ihr, wie mir scheint, glänzend gelöst. (20, 43) Man muß zumindest verlangen, daß die Möglichkeit gegeben wird, auf diese *subjektiv hetzerischen* Reden gegen die Sowjetunion von derselben Stelle aus zu *antworten*! Die Methode der unwidersprochenen Vorträge ist ein Mißbrauch des Rundfunks [...]. (20, 43)	Die Mutter Kuhle Wampe
Der Anblick der Ideologien untergehender Klassen ist jammervoll. Unschuld findet sich nur bei den Eroberern, die Verteidiger sind wissend. Ein ganzer Haufen übelriechender Haufen von Literatur besorgt unter dem Vorgeben, die Politik der Kunst fernzuhalten, lediglich noch die dunklen Geschäfte einer Politik, die sich nur mehr halten kann, indem sie eben die Politik (anderer) fernhält. (20, 44) Die deutsche Politik wird nicht der Welt verheimlicht – sondern Deutschland. [...] – Einer riesigen Mehrheit aller Deutschen muß die deutsche Politik verheimlicht werden: Sie wären aus Überzeugung und nacktem Interesse Verräter. (20, 44)	»Geschichten vom Herrn Keuner«
Das erste Land, das Hitler eroberte, war Deutschland; das erste Volk, das er unterdrückte, das deutsche. Es ist nicht richtig, wenn man sagt: Die deutsche Literatur vollzog einen exodus in toto. Es ist richtig, wenn man sagt: Die Literatur wurde dem deutschen Volk ausgetrieben. (18, 219 Der Anstreicher kam zur Macht nicht nur durch einen Staatsstreich, sondern auch auf gesetzmäßige Weise. [...] Die Kälber, unzufrieden mit ihren Scherern und Futtermeistern und Hütern, entschieden, nun einmal den Metzger ausprobieren zu wollen. (20, 181) Und an diesem Montag abend / Stand ein hohes Haus in Brand. / Fürchterlich war das Verbrechen / Und der Täter unbekannt. – Zwar ein Knabe ward gefunden / Der nur eine Hose trug / Und in Leinwand eingebunden / Der Kommune Mitgliedsbuch. (9, 409) Genosse Dimitroff! / Seit Du vor dem faschistischen Gerichtshof kämpfst / Spricht, umstellt von den Haufen der SA-Banditen und Würger / Durch das Sausen der Stahlruten und Gummiknüppel / Laut und deutlich die Stimme des Kommunismus / Mitten in Deutschland. (9, 458) *»Ausbruch« des Faschismus (30. Januar), Reichtstagsbrand (27. Februar), Reichstagsbrand-Prozeß (Ende 1933)*	Die sieben Todsünden der Kleinbürger Dreigroschenroman Berichtigung alter Mythen Der Arbeitsplatz Safety first

Jahreszahlen	Leben
1934	Geflüchtet unter das dänische Strohdach, Freunde / Verfolg ich Euren Kampf. Hier schick ich euch / Wie hin und wieder schon die Verse, aufgescheucht / Durch blutige Gesichte über Sund und Laubwerk. / Verwendet, was euch erreicht davon, mit Vorsicht! (9,631) Der Herr der Strohhütten an den Herrn der Wolkenkratzer [= George Grosz]. Gefährte glücklicher Zeiten! Seit einigen Monaten haust Dein Freund in einem strohgedeckten, länglichen Hause auf einer Insel mit einem alten Radiokasten. Wie so manchen andern hat auch ihn der *Zorn des Volkes* hinweggespült. Obwohl seine Nase einen Sattel und sein Haar keine Locken im Nacken hat, mußte auch er den goldenen Staub seiner Heimat von den Füßen schütteln. Vorüber sind die Zeiten der Asphaltliteratur. [...] Ein kleiner Ford aus der Urzeit verschafft Bequemlichkeit. Nirgends sitzest Du näher an Deiner Heimat! (Briefe, Nr. 211)
1935	Liebe Helli, Dank für die Postsendung. Ich habe an Dich sieben eingeschriebene Pakete mit Büchern schicken lassen [...]. Leider habe ich rheumatisches Kopfweh hinten links, das sehr lästig ist. Ich sehe den chinesischen Schauspieler Mei Lan-fang mit seiner Truppe. Er spielt Mädchen und ist wirklich herrlich. [...] Ottwald ist wieder Dampf in allen Gassen, verliert viel und hat nichts. Tretjakow managed Mei Lan-fang, hat also wenig Zeit, ist aber sehr nett. [...] Mit dem deutschen Theater steht es faul. (Briefe, Nr. 251) *Reise nach Moskau (Frühjahr 1935)* Teurer Bruder [George Grosz], ich habe mit Betrübnis erfahren, daß das Schiff Dich forttrug, das mich brachte. Ich kann Dir jedoch eine wichtige Mitteilung machen: Wir haben soeben die Kultur gerettet. Es hat 4 (vier) Tage in Anspruch genommen, und wir haben beschlossen, lieber alles zu opfern als die Kultur untergehen zu lassen. Nötigen Falles wollen wir 10–20 Millionen Menschen dafür opfern. (Briefe, Nr. 263) *Pariser Schriftstellerkongreß »zur Verteidigung der Kultur« (21.–25. Juni 1935)*
1936	Mir selber ist durch die Bemühung alter Freunde erlaubt worden, ein wenig am internationalen Rauschgifthandel teilzunehmen. Ich glätte Filmdialoge und hoffe, dadurch den Svendborger Schornstein wieder etwas rauchen zu machen. Mein unmittelbares Ziel ist der Erwerb einer kleinen Handdruckmaschine, auf der man kleinere Arbeiten selbst drucken kann [...]. Meine Arbeit erinnert an die Köhlerschen Intelligenzprüfungen bei Menschenaffen, bei denen die Versuchstiere nur dann zu gewissen Früchten gelangen, wenn sie sich von dem vergitterten Fenster abwenden und, den Früchten zunächst den Rücken kehrend, die Tür wählen. (Briefe, Nr. 290) Da ich auf Wochenlohn gesetzt bin, ist es für mich nicht gut, wenn die Arbeit rasch fortschreitet, ganz im Gegenteil. Ich merke sogar schon, daß ich gegen Abend häufig die Uhr ziehe: ich will weg, das eigentliche Leben soll jetzt beginnen. (Tagebücher, 223) *In Fritz Kortners Diensten Filmskriptschreiber (London); Korsch (in London und Svendborg), Benjamin; Gründung von »Das Wort« (Mitherausgeber)*
1937	Kin-jehs Schwester ging an die Front, um einen Bericht über den Bürgerkrieg anzufertigen. Er bekam lange keine Nachricht und konnte ihr lange nicht schreiben. [...] Kin-jeh rechnete sich nach der Zeit, wo seine Schwester, fern von ihm, im Bürgerkrieg gewesen war, seiner Besorgnis um sie wegen stets zu den feigen Leuten. (12, 577, 579) leider konnte ich am Kongreß nicht teilnehmen, obgleich ich das außerordentlich gern getan hätte. [...] Es ist wirklich ein Skandal, mich so spät einzuladen. (Briefe, Nr. 329) *Ruth Berlau geht nach Spanien (Bürgerkrieg); Brecht nimmt am 2. Schriftstellerkongreß (Madrid) nur schriftlich teil; Paris*

Zeit | Werke

Ui geht auf Roma zu und streckt ihm die Hand hin. Roma ergreift sie lachend, In diesem Augenblick, wo er nicht nach seinem Browning greifen kann, schießt ihn Givola blitzschnell von der Hüfte aus nieder. (4, 1809)

»Röhm-Putsch« (30. Juni 1934); standrechtliche Erschießung Ernst Röhms und anderer SA-»Führer«

Wenn die Greuel ein bestimmtes Maß erreicht haben / Gehen die Beispiele aus. / Die Untaten vermehren sich / Und die Wehrufe verstummen. / Die Verbrechen gehen frech auf der Straße / Und spotten laut der Beschreibung. (9, 501)

Die Horatier und die Kuriatier
Die Rundköpfe und die Spitzköpfe
Tui-Roman (bis ca. 1942)
Die Geschichte des Giacomo Ui (auch 1938)
Die Horst-Wessel-Legende (bis 1935)
Me-ti. Buch der Wendungen (bis 1937)
»Lieder – Gedichte – Chöre«

Von der Maas bis an die Memel / Da läuft ein Stacheldraht / Dahinter kämpft und blutet jetzt / Das Proletariat. / Haltet die Saar, Genossen / Genossen, haltet die Saar. / Dann werden das Blatt wir wenden / Ab 13. Januar. (9, 542)

Saarabstimmung (13. 01. 1935); »Rückkehr« der Saar ins »Reich«

Ich teile nicht Ihre [Bernhard von Brentanos] Ansicht über Stalin. Das Weihrauchschwingen allzu Eifriger und die Angriffe der aus dem russischen Kampf (freiwillig oder unfreiwillig) Ausgeschiedenen verdunkeln sein Bild. [...] Daß er gewisse Verhimmlungen duldet, deutet auf schlechten Geschmack. [...] Selbst wenn Sie annähmen, ich hätte mit all dem unrecht – auch dann noch muß es ein Faktum sein, daß [sic] Ihre Haltung Ihnen nehmen muß. Ihr Kampf gegen eine schlechte verwandelt sich in einen Kampf gegen die bisher höchstentwickelte Staatsform. Wie können Sie die Bolschewiken Faschisten nennen? Dann schafften also Faschisten das Privateigentum an Produktionsmitteln ab? Dann errichteten und unterbauten Faschisten die Diktatur des Proletariats? (Briefe, Nr. 241)

Furcht und Elend des Dritten Reiches (bis 1938)
Karins Erzählungen

Als Hitler gegen Frankreich eine militärische Besetzung ins Rheinland vorschob [= 7. März 1936], hielt er eine große Rede, in der er schluchzend ausrief, er habe kein Rittergut und kein Bankkonto. Dieser Satz hinterließ allgemein einen tiefen Eindruck. (20, 200)

Als der Sommer kam, zu der Zeit der abessinischen Regen / Die die Waffen der Faschisten abwuschen, als die Flugzeuge / Zahlreicher wurden über den Vorstädten, kamen in London / Die Verfasser zusammen, um zu beraten, was zu machen sei / Gegen [...].... (9, 565)

Der Raum, den mein Bruder eroberte / Liegt im Guadarramamassiv / Er ist lang einen Meter achtzig / Und einen Meter fünfzig tief. (9, 648)

Der Anstreicher spricht von den kommenden großen Zeiten. / Die Wälder wachsen noch. / Die Äcker tragen noch. / Die Städte stehen noch. / Die Menschen atmen noch. (9, 634)

Wenn die Oberen vom Frieden reden / Weiß das gemeine Volk / Daß es Krieg gibt. – Wenn die Oberen den Krieg verfluchen / Sind die Gestellungsbefehle schon ausgeschrieben. (9, 636)

Auf der Mauer stand mit Kreide: / Sie wollen den Krieg. / Der es geschrieben hat / Ist schon gefallen. (9, 637)

Die Gewehre der Frau Carrar
Für die Suppe

Jahreszahlen	Leben
1938	Wo ich hinkomme, bin ich so gebrandmarkt / Vor allen Besitzenden, aber die Besitzlosen / Lesen den Steckbrief und / Gewähren mir Unterschlupf. Dich, höre ich da / Haben sie verjagt mit / Gutem Grund. (9, 722)
	Tafel. / Uns haben geholfen: aus Deutschland / Suhrkamp, Müllereisert und Weiskopf. / in Österreich / Karl Kraus. / in Dänemark / Ruth Berlau. / in England / Fritz Kortner / und / in Amerika / Jerome. / in Schweden / Georg Branting / Naima Wifstrand, Ninnan Santesson / und Alwa Anderson. (Tagebücher, 227)
	Brecht spricht von seinem eingewurzelten, von der Großmutter her ererbten Haß gegen die Pfaffen. Er läßt durchblicken, daß die, welche die theoretischen Lehren von Marx sich zu eigen gemacht und in Behandlung genommen haben, immer eine pfäffische Kamarilla bilden werden. (Walter Benjamin)
1939	Die grünen Boote und die lustigen Segel des Sundes / Sehe ich nicht. Von allem / Sehe ich nur der Fischer rissiges Garnnetz. [....] – In mir streiten sich / Die Begeisterung über den blühenden Apfelbaum / Und das Entsetzen über die Reden des Anstreichers. / Aber nur das zweite / Drängt mich zum Schreibtisch. (9, 743 f.)
	Statt im Gehölz zu spielen mit Gleichaltrigen / Sitzt mein junger Sohn über die Bücher gebückt / Und am liebsten liest er / Über die Betrügereien der Geldleute / Und die Schlächtereien der Generäle. / [...] Ich billige das / Aber ich wollte doch, ich könnte ihm / Eine Jugendzeit bieten, in der er / Ins Gehölz spielen ginge mit Gleichaltrigen. (9, 744)
	erst abends dämmerte allen die furchtbare wahrheit. (AJ 58)
	Lidingö (Schweden) 1939–1940
1939 bis 1940	reise nach stockholm, der kriegsgefahr wegen. visum beschafft durch schwedisches sozialdemokratisches komitee (branting, ström usw) für vortrag in der studentenbühne stockholm. land nr. 3. (AJ 49)
	ich besitze: / ein chinesisches rollbild *Der Zweifler* / 3 japanische masken / 2 kleine chinesische teppiche / 2 bayrische bauernmesser / 1 bayrisches jägermesser / einen englischen kaminstuhl / kupferne fußwanne, kupferne krüge, kupferne aschbecher / messingwännchen / 2 große bretter von neher, *Alter Mann* und *Baal* / 6 bretter von neher *Die Maßnahme* / ein paar abzüge *Der Herr der Fische* von neher / eine silberne whiskyflasche / eine dunnhillpfeife / *Caesar* in schweinsleder / *Lukrez* alte ausgabe / vollständige *Neue Zeit* / *Me-ti* in leder / alte hölzerne bettstelle / graue bettdecke / stählerne taschenuhr / 2 bände der *Versuche* / einen leica-fotoapparat mit theaterlinse / gips- und erzabgüsse meines gesichts und kopfes / büste der weigel von *Santesson* / eine mappe mit fotos / die manuskripte der *Heiligen Johanna, Rundköpfe, Galilei, Courage* / 2 bände *Breughelbilder* / ein ledernes taschennotizbuch / einen ledernen tabakbeutel / einen schwarzen ledermantel / einen alten runden tisch (AJ 73)
	Finnland 1940–1941
1940 bis 1941	unter hinterlassung der möbel, bücher usw nach finnland mit schiff. der schlosser, der die bücher nimmt, die niemand anders haben will. auf dem schiff die junge witwe, die von der eisscholle aus auf einer leiter das schiff besteigt, das anhält. (AJ 93)
	Ich wußte, ein Friede mit ihnen [den Nazis] würde nicht möglich sein, [...], die plötzlich eingetretne Ruhe, als hätten sie [...] schon alles erreicht [...]. Dieses Innehalten war es jedoch, das am siebzehnten April [1940] die Abfahrt des nach Helsingfors bestimmten Schiffs [...] zuließ. Matthis [...] beschrieb mir den Augenblick. Brecht sei, links, auf dem Blasieholm, vom Gebäude der deutschen Botschaft, und rechts, am Stadsgardhafen, von den deutschen Frachtern, wehten die Hakenkreuzfahnen, beim Weg über die Laufbrücke zusammengebrochen, mußte gestützt, fast getragen werden an Bord. (Peter Weiss)
	H[ella] W[oulijoki] äußert sich über den *neuen menschen* [...]. sie findet überall den alten menschen ›mit seinen ewigen eigenschaften, passionen, problemen usw‹. ich finde das postulat selber ein religiöses, es ist der alte adam. (AJ 212)

Zeit	Werke
Der berühmte Ausspruch des Generals Göring / Kanonen sind wichtiger als Butter / Ist insofern richtig, als die Regierung / Desto mehr Kanonen braucht, je weniger sie Butter hat / Denn je weniger sie Butter hat / Desto mehr Feinde hat sie. (9, 705) Ein Künstler kann bekanntlich dumm sein und doch / Ein großer Künstler sein. Auch darin / Gleicht die Regierung dem Künstler. Wie man von Rembrandt sagt / Daß er nicht anders gemalt hätte, ohne Hände geboren, so kann man / Auch von der Regierung sagen, sie würde / Ohne Kopf geboren, nicht anders regieren. (9, 715) In Rußland herrscht eine Diktatur *über* das Proletariat. Es ist so lange zu vermeiden, sich von ihr loszusagen als diese Diktatur noch praktische Arbeit für das Proletariat leistet – das heißt als sie zu einem Ausgleich zwischen Proletariat und Bauernschaft unter Wahrnehmung der proletarischen Interessen beiträgt. (nach Walter Benjamin)	Leben des Galilei (1. Fass.) Die Geschäfte des Herrn Julius Caesar (bis ca. 1942) Der verwundete Sokrates Gaumer und Irk
Aber anstatt daß die Polen den Frieden aufrechterhalten haben, haben sie sich eingemischt in ihre eigenen Angelegenheiten. (4, 1374)	Mutter Courage und ihre Kinder Das Verhör des Lukullus (Hörspiel) Einakter Das Experiment Der Mantel des Ketzers Die Trophäen des Lukullus Die unwürdige Greisin »Svendborger Gedichte« Messingkauf (bis 1955)
Das Frühjahr kommt. Die linden Winde / Befreien die Schären vom Wintereis. / Die Völker des Nordens erwarten zitternd / Die Schlachtflotten des Anstreichers. (9, 815) Die Konstrukteure hocken / Gekrümmt in den Zeichensälen: / Eine falsche Ziffer, und die Städte des Feindes / Blieben unzerstört. (9, 817) das tempo wird zu einer neuen qualität der kriegshandlungen. der deutsche blitzkrieg wirft alle berechnungen über den haufen, indem die vorhergesehenen vorgänge so schnell eintreffen, daß ihre folgen ganz unvorhergesehen sind. und die technik fügt dem kriegstheater eine neue dimension zu; das schlachtfeld wird zum schlachtwürfel oder schlachtraum. (AJ 98) in der nr. 38 finde ich auf einander folgenden seiten das bild des gebombten london und dann *deutsche baumeister.* (AJ 174)	
die norwegischen zeitungen bringen kochrezepte neuer art: wie man krähen und möven zubereitet. und die gottesdienste werden von polizisten überwacht. [...] der krieg ist zu einer industrie geworden. er hängt hauptsächlich davon ab, ob das öl ausgeht, nicht davon, ob der fleiß ausgeht. im augenblick sucht hitler einen markt für seine ›produkte‹, einen kriegsschauplatz. (AJ 244) Flüchtend vom sinkenden Schiff, besteigend ein sinkendes – / Noch ist in Sicht kein neues –, notiere ich / Auf einem kleinen Zettel die Namen derer / Die nicht mehr um mich sind. / Kleine Lehrerin aus der Arbeiterschaft / *Margarete Steffin.* Mitten im Lehrkurs / Erschöpft von der Flucht /	Der gute Mensch von Sezuan Herr Puntila und sein Knecht Matti Flüchtlingsgespräche (bis 1944) Der Augsburger Kreidekreis Eßkultur

Jahreszahlen	Leben

diese hellen nächte sind sehr schön. gegen drei uhr stand ich auf, der fliegen wegen, und ging hinaus. hähne krähten, aber es war nicht dunkel gewesen. und ich liebe es so, im freien das wasser abzuschlagen. (AJ 130)

›acht uhr morgen grete bekam ihr telegramm und las es ruhig. um 9 uhr morgens [4. Juni 1941] starb sie. mit tiefem mitgefühl und gruß, Ihre hand *Fadejew, Apletin.*‹ (AJ 285)

USA 1941–1947

1941

wir fuhren am 13. [Mai 1941] ab und waren am 15. in leningrad. der sibirische expreß braucht 10 tage von moskau nach wladiwostok. [...] – am 13. juni fahren wir mit der ›annie johnson‹ nach den USA ab. nach einem aufenthalt von 5 tagen in manila kommen wir am 21. juli in san pedro an. [...] – – martha feuchtwanger und der schauspieler alexander granach holen uns am pier ab. elisabeth hauptmann hat durch eine freundin ein flat für uns mieten lassen. (AJ 285, 289)

1942

ich komme mir vor wie aus dem zeitalter herausgenommen. das ist ein tahiti in großstadtform [Los Angeles, Hollywood]. (AJ 159)

sanfte hügellinien, zitronengebüsch, eine kalifornische eiche und auch die eine oder andre tankstation ist eigentlich lustig; aber all das steht wie hinter einer glasscheibe, und ich suche unwillkürlich an jeder hügelkette oder an jedem zitronenbaum ein kleines preisschildchen. diese preisschildchen sucht man auch an den menschen. (AJ 362)

Jeden Morgen, mein Brot zu verdienen / Gehe ich auf den Markt, wo Lügen gekauft werden. / Hoffnungsvoll / Reihe ich mich ein zwischen die Verkäufer. (10, 848)

1943

die entschlossene jämmerlichkeit dieser ›kulturträger‹ lähmte selbst mich wieder für einen augenblick, der modergeruch des frankfurter parlaments betäubt einen heute noch. mit goebbels behauptung, hitler und deutschland sei eins, stimmen sie überein, wenn hearst [New Yorker »Zeitungskönig«] sie übernimmt. ist dem deutschen volk, sagen sie, nicht zumindest knechtseligkeit vorzuwerfen, wenn es sich goebbels so unterwarf, wie sie sich hearst unterwerfen? und waren die deutschen nicht schon vor hitler militaristisch?
(AJ 599; zu Thomas Manns Unterschriftenrückzug)

In dem kleinen Garten von Santa Monika / Lese ich unter dem Pfefferbaum / Lese ich beim Horaz von einem gewissen Varius / Der den Augustus besang, das heißt, was das Glück, seine Feldherrn / Und die Verderbtheit der Römer für ihn getan. Nur kleine Fragmente / Abgeschrieben im Werk eines andern, bezeugen / Große Verskunst. Sie lohnte nicht / Die Mühe längeren Abschreibens. (10, 869 f.)

1944

Sie alle verschleppen ihre Bäuche / Als wäre es Raubgut, als würde gefahndet danach / Aber der große Laughton trug ihn vor wie ein Gedicht / Zu seiner Erbauung und niemandes Ungemach. / Hier war er: nicht unerwartet, doch nicht gewöhnlich / Und gebaut aus Speisen, ausgekürt / In Muße, zur Kurzweil. / Und nach gutem Plan, vortrefflich ausgeführt. (10, 875)

immer noch habe ich vor meinem schreibmaschinentischchen an der wand, wie seit jahren, die karte europas, auf der die eroberungen der nazis in einem krebsigen rot prangen. jetzt reißt diese armee wie zunder. die generäle desertieren, ihren krieg preisgebend, mit lautem geschrei, daß der gefreite ihn verpfuscht habe. welch ein gesindel! einfachste aller tatsachen: sie haben ihn mit allen mitteln verloren. (AJ 674)

Zeit	Werke
Hinsiechte und starb die Weise. / So auch verließ mich der Widersprecher / Vieles wissende, Neues suchende / *Walter Benjamin.* An der unübertretbaren Grenze / Müde der Verfolgung, legte er sich nieder. / Nicht mehr aus dem Schlaf erwachte er. [...] (10, 829) Wir [4000] liegen allesamt im Kattegatt. / Viehdampfer haben uns hinabgenommen. / Fischer, wenn dein Netz hier viele Fische gefangen hat / Gedenke unser und laß einen entkommen! (9, 822)	
	Der aufhaltsame Aufstieg des Arturo Ui Die Geschichte der Simone Machard (bis 1943)
die nazis dringen in die krim ein, bedrohen den kaukasus, leningrad und moskau, die engländer schauen ›beunruhigt‹ zu, aber *feuchtwanger* zeigt äußerstes erstaunen, wenn jemand daran zweifelt, daß die russen noch siegen könnten. ein zweifel daran erscheint ihm reiner aberwitz. ich freue mich sehr. (AJ 309) die kriege nehmen einen revolutionären charakter an und entwickeln allein die produktivkräfte weiter. die herrschenden klassen zeigen sich außerstand, diese geschäfte mit anderen mitteln weiterzuführen. die uneffektivität der gedrosselten destruktion ist gefährlicher als die der gedrosselten produktion (der friedenszeit). es ist schwierig, wie ein amerikanischer writer hier sagte, im boxkampf den gegner so niederzuschlagen, daß er nur auf 9 niedergeht. (AJ 375) keine schlechte woche ist vorüber: stalingrad hielt, willkie fordert eine zweite front von tschunking aus. USA-flugzeuge griffen in den kampf über deutschland ein [...]. (AJ 527)	Cäsars letzte Tage Cäsar und sein Legionär Die seltsame Krankheit des Henry Dunant
die großen verbrechen sind nur möglich durch ihre unglaublichkeit. gewöhnlicher betrug, einfache lüge, schiebung mit einem mindestmaß an scham, das trifft viele unvorbereitet. [...] sie weigern sich, staatsmänner mit pferdedieben, generäle mit börsenspekulanten zu verwechseln, und so bleiben ihnen die pferdediebstähle und börsenspekulationen ganz unverständlich. (AJ 608) das herz bleibt einen stehen, wenn man von den luftbombardements berlins liest. da sie nicht mit militärischen operationen verknüpft sind, sieht man kein ende des kriegs, nur ein ende deutschlands. (AJ 613)	Schweyk im Zweiten Weltkrieg The Duchess of Malfi (bis 1945)
In jener Juni-Früh nah bei Cherbourg / Stieg aus dem Meer der Mann aus Maine und trat / Laut Meldung gen den Mann an von der Ruhr / Doch war es gen den Mann von Stalingrad. (Kriegsfibel, Nr. 53) da sind immerzu die fragen, warum die deutschen noch kämpfen. nun, die bevölkerung hat die SS auf dem genick, außerdem hat sie keine politische willensrichtung, der paar parlamentarischen institutionen zweifelhafter art beraubt und ökonomisch unter dem stiefel der besitzenden, wie immer. [...] die deutschen kämpfen noch, weil die herrschende klasse noch herrscht. (AJ 675)	Der kaukasische Kreidekreis

Jahreszahlen	Leben
1945	*nazideutschland kapituliert bedingungslos.* früh sechs uhr im radio hält der präsident eine ansprache. zuhörend betrachte ich den blühenden kalifornischen garten. (AJ 740) freilich wir, die mit hitler nicht gesiegt hätten, sind mit ihm geschlagen. (AJ 750) wir hören, daß in berlin die *Dreigroschenoper* aufgeführt wurde, vor vollen häusern; dann abgesetzt werden mußte, auf betreiben der russen. [...] in abwesenheit einer revolutionären bewegung wird die ›message‹ purer anarchismus. (AJ 756)
1946	Es ist klar, daß es sich jetzt hauptsächlich darum handelt zu überleben. Am besten wäre es, wenn wir unsere Theaterzusammenarbeit so schnell wie möglich wieder aufnehmen könnten. Ich habe Anfragen nach Stücken [...]. (Briefe, Nr. 514) Lieber George [Pfanzelt], ich weiß ja nicht, was geschehen ist, aber ich habe das Gefühl, daß Du noch da bist. (Briefe, Nr. 518) Den Haien entrann ich / Die Tiger erlegte ich / Aufgefressen wurde ich / Von den Wanzen. (10, 942) Lieber Cas [Neher], daß sie jetzt versuchen, alles wieder in alter Scheußlichkeit aufzubauen ist kein Wunder. Das ist nicht nur auf dem Theater. Aber wie sie weitermachen, werden auch wir weitermachen. Da ist Wiederaufbau des alten Seuchenherdes, und da wird das andere Bauen sein. Die Nazis hatten ihre Schicksalstragödie mit sich; jetzt fischen die Pariser sie als Existenzialismus aus ihren Kloaken. (Briefe, Nr. 532)
1947	Herr Vorsitzender, ich habe gehört, daß meine Kollegen diese Frage [nach der Mitgliedschaft in der KPD] für unangemessen gehalten haben, aber ich bin Gast in diesem Lande und möchte nicht auf irgendwelche juristische Streitfragen eingehen. Deshalb möchte ich Ihre Frage vollständig und so gut ich kann beantworten. Ich war und bin kein Mitglied irgendeiner Kommunistischen Partei. (Vor dem »Ausschuß zur Untersuchung unamerikanischer Betätigung«; Oktober 1947) wir besuchten einen schriftsteller, der die bekannte these wiederholte, daß der amerikanische arbeiter den marxismus ablehnt, weil er durch wohlleben (verursacht durch ›kulturellen imperialismus des bürgertums‹) bestochen ist [...]. (AJ 781)
	Schweiz (Zürich) 1947–1948
1947	Als ich wiederkehrte / War mein Haar noch nicht grau / Da war ich froh. – Die Mühen der Gebirge liegen hinter uns / Vor uns liegen die Mühen der Ebenen. (10, 960)
1948	*Frisch* führt mich durch städtische siedlungen mit drei- oder vierzimmerwohnungen in riesigen häuserblöcken. häuserfronten zur sonne gewendet, zwischen den häusern ein bißchen grün, im innern ›komfort‹ (badewanne, elektrische kochöfen), aber alles winzig, es sind gefängniszellen, räumchen zur wiederherstellung der ware arbeitskraft, verbesserte slums. frisch zeigt uns dann die baustätte eines großen städtischen schwimm[bads], das er für die stadt baut. man sieht noch mit vergnügen den plan, den der bau dann austilgt. diese riesenbassins für

Zeit	Werke
Double Cross wütete schlimm genug / Hakenkreuz wütete schlimmer. / Hakenkreuz wollte zehntausend Jahr / Dauern. Double Cross immer. (10,883)	
der sieg in Japan scheint denen, die ungeduldig ihre männer und söhne zurückerwarten, vergällt. dieser superfurz übertönt alle siegesglocken. (AJ 754) Die amerikanischen Korrespondenten beschweren sich / Über die Gleichgültigkeit der deutschen Bevölkerung gegenüber / Den Enthüllungen der Kriegsverbrechen. Wie, wenn diese Leute / Über ihre Obrigkeit schon Bescheid wüßten und nur / Auch jetzt noch nicht sähen, wie / Die Verbrecher loswerden? (10,939) Soll die letzte Tafel dann so lauten / Die zerbrochene, die ohne Leser: / Der Planet wird zerbersten. / Die er erzeugt hat, werden ihn vernichten. (10,935)	Leben des Galilei (2. Fass., bis 1947)
im großen und ganzen mußte die europäische bourgeoisie ihre einzige neue creation, eben den faschismus, schnell wieder einziehen und damit die hoffnungen auf einen weiterbestand um einige 30000 jahre. nürnberg: die konterrevolution frißt ihre eigenen kinder. die russen tun, was die europäischen bourgeoisien versäumt haben, sie bringen die agrarreform. und, das große ereignis: sie sind nicht vernichtet. und weniger vernichtbar denn je. so ist der katzenjammer beträchtlich. (AJ 770) Hier liegt / Karl Liebknecht / Der Kämpfer gegen den Krieg / Als er erschlagen wurde / Stand unsere Stadt noch. (10,958) Der Fabrikbesitzer läßt sein Flugzeug überholen. / Der Pfaffe denkt nach, was er vor acht Wochen über den Zinsgroschen gepredigt hat. / Die Generäle ziehen Zivilkleider an und sehen aus wie Bankleute. (10,931)	Die zwei Söhne
Große Kriege sind erlitten worden, größere stehen, wie wir hören, bevor. Einer von ihnen mag sehr wohl die Menschheit in ihrer Gänze verschlingen. Wir mögen das letzte Geschlecht der Spezies Mensch auf dieser Erde sein. (20,306) Die Vorgänge in Auschwitz, im Warschauer Getto, in Buchenwald vertrügen zweifellos keine Beschreibung in literarischer Form. Die Literatur war nicht vorbereitet auf und hat keine Mittel entwickelt für solche Vorgänge. (20,313)	Die Antigone des Sophokles Der Mantel Offenbachs »Hoffmanns Erzählungen«
Frühling wurd's in deutschem Land. / Über Asch und Trümmerwand / Flog ein erstes Birkengrün / Probweis, delikat und kühn – Als von Süden, aus den Tälern / Herbewegte sich von Wählern / Pomphaft ein zerlumpter Zug / Der zwei alte Tafeln trug. – Mürbe war das Holz von Stichen / Und die Inschrift sehr verblichen / Und es war so etwas wie / Freiheit und Democracy. (10,943 f.)	
wieder erschwindelt sich diese nation eine revolution durch angleichung. die dialektik, welche alles aufregt, um es zu beruhigen, die den fluß der dinge selber in ein starres ding verwandelt, die materie zu einer idee ›erhebt‹, gibt so recht eigentlich den zauber- und tricksack ab für eine solche be-	Die Tage der Commune (bis 1949) Eulenspiegel-Geschichten »Kalendergeschichten« (auch 1949) Kleines Organon für das Theater

Jahreszahlen	Leben
	tausende machen übrigens das hauspostillengedicht *Vom Schwimmen in Flüssen und Teichen* schon zur historischen reminiszenz. (AJ 833)
	abfahrt nach berlin. am bahnhof hirschfeld, barbara, lerski, die jungen mertens, die uns ihre zimmerwohnung ein jahr lang zur verfügung gestellt haben, dazu in der arbeit halfen. – abends salzburg. (AJ 841)
	Berlin 1949–1965
1949	durch alle diese wochen hindurch halte ich im hinterkopf den sieg der chinesischen kommunisten, der das gesicht der welt vollständig ändert. dies ist mir gegenwärtig und beschäftigt mich alle paar stunden. (AJ 892)
	fahre nach leipzig und diskutiere in hans mayers kolleg über theater mit arbeiterstudenten. ein selbst physiognomisch verändertes bild einer universität! hier hat man nicht nur eine neue klasse eindringen lassen, sondern die alte nahezu ausgesperrt, so daß die neuen studenten nur ihresgleichen vorfinden und durch kein beispiel zu kommilitonen degradiert werden können. (AJ 894)
	Zurückgekehrt nach fünfzehnjährigem Exil / Bin ich eingezogen in ein schönes Haus. / [...] Fahrend durch die Trümmer / Werde ich tagtäglich an die Privilegien erinnert / Die mir dieses Haus verschafften. Ich hoffe / Es macht mich nicht geduldig mit den Löchern / In denen so viele Tausende sitzen. Immer noch / Liegt auf dem Schrank mit den Manuskripten / Mein Koffer. (10, 962)
1950	Inzwischen haben wir uns halbwegs eingewöhnt, zumindest in den Wechsel, in dem hier alles begriffen ist. Helli, seit sie auf dem Planwagen der Courage auf die deutsche Bühne rollte, hat enorm gearbeitet, aber nicht unbemerkt. (Briefe, Nr. 632)
	Es hängt soviel davon [vom österreichischen Paß] ab für die künstlerische Arbeit (und Zusammenarbeit), da ja viele Länder, darunter eventuell auch einmal Westdeutschland ohne Papiere unbereisbar werden. (Briefe, Nr. 636)
	Die Liebste gab mir einen Zweig / Mit gelbem Laub daran. – Das Jahr, es geht zu Ende / Die Liebe fängt erst an. (10, 994)
1951	vorige woche eine diskussion mit studenten der arbeiter-und-bauern fakultät in einem FDJ-haus. schlechte verständigung. vornehmlicher wunsch, tagesprobleme gestaltet zu bekommen, als welche jedoch recht schwächlich und völlig unproblematisch zur sprache kommen. (AJ 955)
	Lieber Suhrkamp! Es ist so wichtig, daß wir wenigstens auf dem Theater die schreckliche Zerreißung nicht mitmachen. – Ich habe für das »Berliner Ensemble« ein Gedicht »An meine Landsleute« [10, 965] drucken lassen; wir hängen es überall, wo wir hinkommen, auf. (Briefe, Nr. 659)
	Sehr geehrter Herr Sothmann [Deutsches Pädagogisches Zentralinstitut], mir fehlen in Ihren Materialien für den Literaturplan die abschreckenden Beispiele. Weder politische noch geschmackliche Urteile können gebildet werden nur an Gutem. (Briefe, Nr. 666)
1952	In Erwägung, daß ich nur ein paar Wochen im Jahr für mich arbeiten kann – In Erwägung, daß ich, arbeitend, auf meine Gesundheit achten muß – In Erwägung, daß bei dem Schreiben von Stücken und dem Lesen von Kriminalromanen jede menschliche Stimme im Haus oder vor dem Haus eine willkommene Ausrede für eine Unterbrechung bildet – habe ich beschlossen, mir eine Sphäre der Isolierung zu schaffen und benutze dazu das Stockwerk mit meinem Arbeitszimmer und den kleinen Platz vor dem Haus, begrenzt durch Gewächshaus und

Zeit	Werke
schissene zeit. zugleich kann dieses deutschland gar nicht mehr begriffen werden ohne dialektik, denn seine einheit muß es durch weitere zerreißung erkämpfen, die freiheit kriegt es diktiert usw usw... (AJ 813) berlin, eine radierung churchills nach einer idee hitlers. / berlin, der schutthaufen bei potsdam. / über den völlig verstummten ruinenstraßen dröhnen in den nächten die lastaeroplane der luftbrücke. (AJ 852) das deutsche bürgertum ›entnazen‹ heißt, es entbürgern. es hat keinen weg vor sich, immer nur den oder jenen ausweg. [...] wenn er aufhörte, ein nazi zu sein, könnte er kein bürger mehr sein; nur wenn er kein bürger mehr ist, ist er kein nazi mehr. (AJ 805)	
Zuerst vernichtend geschlagen von Hitler, dann, zusammen mit Hitler, von den Alliierten, findet es [das deutsche Volk] sich nun im Abgrund der Erschöpfung zusammen mit seinen Unterdrückern, die nur das eigene Volk besiegen konnten. Wenn die Betäubung weicht, sieht man allenthalben das Pack wieder auf die Plattformen kriechen, hinken und humpeln. (20, 323) Ihr, die ihr überlebtet in gestorbenen Städten / Habt doch nun endlich mit euch selbst Erbarmen! / Zieht nun in neue Kriege nicht, ihr Armen / Als ob die alten nicht gelanget hätten: / Ich bitt euch, habet mit euch selbst Erbarmen! (10, 965)	Der Hofmeister nach Lenz »Kalendergeschichten«
strahlender tag [1. Mai 1950]. [...] voraus die *Freie Deutsche Jugend* mit blauen hemden und fahnen und die volkspolizei in kompanien. dann ein stundenlanger zug mit maschinen, waggons, kleiderausstellungen usw auf lastwägen, bildern und transparenten. die demonstranten gehen schlendernd, wie spazierend, und halten ein wenig vor der tribüne. während der rede des chinesischen teilnehmers werden tauben losgelassen. (nebenan kreist in der luft über der gegendemonstration hinter dem brandenburger tor ein amerikanischer schraubenflieger.) (AJ 924) Der Stier, er kann nichts Rotes sehn. / Da können wir nichts zu sagen. / Die roten Fahnen werden wehn. / Er wird's schon müssen ertragen. / Das Rad der Zeit – zum Glücke / Dreht es sich nicht zurücke. (10, 977)	Coriolan (bis 1953)
Offener Brief an die deutschen Künstler und Schriftsteller. Mit Entsetzen habe ich, wie viele andere, der Rede Otto Grotewohls, in der er die gesamtdeutsche Beratung zur Vorbereitung allgemeiner freier Wahlen fordert, entnommen, wie ernst die Regierung der Deutschen Demokratischen Republik die Lage in Deutschland beurteilt. – Werden wir Krieg haben? Die Antwort: Wenn wir zum Krieg rüsten, werden wir Krieg haben. Werden Deutsche auf Deutsche schießen? Die Antwort: Wenn sie nicht miteinander sprechen, werden sie aufeinander schießen. – [...] Das große Carthago führte drei Kriege. Es war noch mächtig nach dem ersten, noch bewohnbar nach dem zweiten. Es war nicht mehr auffindbar nach dem dritten. (26. 09. 1951)	Die Verurteilung des Lukullus (bis 1952) Herrnburger Bericht »Hundert Gedichte«
Das Gedächtnis der Menschheit für erduldete Leiden ist erstaunlich kurz. Ihre Vorstellungsgabe für kommende Leiden ist fast noch geringer. [...] Der Hamburger ist noch umringt von Ruinen, und doch zögert er, die Hand gegen einen neuen Krieg zu erheben. (20, 322)	Der Prozeß der Jeanne d'Arc zu Rouen 1431

Jahreszahlen	Leben
	Laube. – Ich bitte, diese Regelung nicht als allzu bindend aufzufassen. Prinzipien halten sich am Leben durch ihre Verletzung. [Zettel am Arbeitszimmer, Landhaus in Buckow]
1953	der 17. juni hat die ganze existenz verfremdet. in aller ihrer richtungslosigkeit und jämmerlicher hilflosigkeit zeigen die demonstrationen der arbeiterschaft immer noch, daß hier die aufsteigende klasse ist. nicht die kleinbürger handeln, sondern die arbeiter. (AJ 1009)
1954	Ohne schwere Krankheit, ohne schwere Feindschaft. / Genug Arbeit. / Und ich bekam meinen Teil von den neuen Kartoffeln / Den Gurken, den Spargeln, den Erdbeeren. / Ich sah den Flieder in Buckow, den Marktplatz von Brügge / Die Grachten in Amsterdam, die Hallen von Paris. / Ich genoß die Freundlichkeiten der lieblichen A.T. / Ich las die Briefe des Voltaire und Maos Aufsatz über den Widerspruch. / Ich machte den Kreidekreis am Schiffbauerdamm. (10, 1022)
1955	Im Falle meines Todes möchte ich nirgends aufgebahrt und öffentlich aufgestellt werden. Am Grab soll nicht gesprochen werden. Beerdigt werden möchte ich auf dem Friedhof neben dem Haus, in dem ich wohne, in der Chausseestraße.
1956	Als ich in weißem Krankenzimmer der Charité / Aufwachte gen Morgen zu / Und die Amsel hörte, wußte ich / Es besser. Schon seit geraumer Zeit / Hatte ich keine Todesfurcht mehr. Da ja nichts / Mir je fehlen kann, vorausgesetzt / Ich selber fehle. Jetzt / Gelang es mir, mich zu freuen / Alles Amselgesanges nach mir auch. (10, 1031) *Tod: 14. August 1956* *Todesursache: Herzinfarkt*
	Die Weisheit des Volkes muß in allem das letzte Wort sprechen und doch ist sie vermengt mit Aberglaube. Irgendwo

Zeit	Werke
Aber herrscht nicht besonders erbitterter Krieg gerade in der Wirtschaft der DDR? Und Polens und Chinas? Ja, gegen die Reste der kriegerischen Wirtschaft in der DDR, Polen, China. (20, 324)	
Der Einarmige im Gehölz. Schweißtriefend bückt er sich / Nach dem dürren Reisig. Die Stechmücken / Verjagt er durch Kopfschütteln. Zwischen den Knieen / Bündelt er mühsam das Brennholz. Ächzend / Richtet er sich auf, streckt die Hand hoch, zu spüren / Ob es regnet. Die Hand hoch / Der gefürchtete SS-Mann. (10, 1013)	Turandot oder der Kongreß der Weißwäscher Don Juan nach Molière [Buckower Elegien]
Aber das Entsetzliche ist, daß ein Krieg schon nicht mehr nötig ist, die Welt zu vernichten: Durch die Entwicklung der Atomphysik genügen die Kriegsvorbereitungen dazu. – Auf japanische und amerikanische Städte gehen seit Wochen radioaktive Regen nieder. Mit Furcht betrachtet die Bevölkerung Japans die Fischdampfer, die immer ihre Hauptnahrung gebracht haben. Denn das Meer und die Luft, jahrtausendelang ohne Besitzer, haben nun Herren gefunden, die sich das Recht über sie anmaßen, nämlich das Recht, sie zu verseuchen. Die Gesundheit des Menschengeschlechts ist bedroht auf Jahrhunderte hinaus. (20, 339)	
Heute vor 10 Jahren wurde Dresden, eine der schönsten Städte Deutschlands, in wenigen Stunden durch Fliegerbomben so zerbrochen und verkrüppelt, daß die Verwüstungen heute noch sichtbar sind. (Die Spuren sind schrecklich, aber erschrecken sie jedermann?) [...]. »Wir erkennen die Pariser Abmachungen, die von der Adenauer-Regierung für ganz Deutschland geplant sind, nicht an. – Wir wollen kein Deutschland, das in einem Kriegslager steht, denn ein dritter Krieg würde Deutschland unbewohnbar machen.« (20, 342)	Pauken und Trompeten
Die geschichtliche Würdigung Stalins bedarf der Arbeit der Geschichtsschreiber. Die Liquidierung des Stalinismus kann nur durch eine gigantische Mobilisierung der Weisheit der Massen durch die Partei gelingen. Sie liegt auf der geraden Linie zum Kommunismus. (20, 326)	
Wenn Deutschland einmal vereint sein wird – jeder weiß, das wird kommen, niemand weiß, wann – wird es nicht sein durch Krieg. (20, 349)	
müssen wir anfangen, nirgends dürfen wir aufhören. (20, 332)	

Register

Vorbemerkung zu den Registern

Das Namenregister führt alle genannten Personen in alphabetischer Reihenfolge auf.

Das *Werkverzeichnis* gliedert die behandelten und erwähnten Werke Brechts nach Gattungen; bei der alphabetischen Einordnung mußten Artikel mitberücksichtigt werden (d.h. *Ballade vom Wasserrad* ist unter D als *Die Ballade vom Wasserrad* zu finden); Erstfassungen von Gedichten etc. sind gesondert ausgewiesen (nach den ursprünglichen Titeln). Das Register der von Brecht benutzten *Quellen und Vorlagen* nennt nur Autoren und entsprechende Titel; die genauen bibliographischen Daten sind bei den Literaturangaben der jeweiligen Kapitel angegeben.

Das *Sachregister* der wichtigsten Begriffe Brechts führt nur die wichtigsten Stellen an; Verweise (wie auch bei den übrigen Registern) mit »s. a.« nennen mit dem jeweiligen Stichwort zusammenhängende Begriffe, die gesondert angegeben sind; Verweise mit »s.« nennen den Begriff, unter den das Stichwort fällt.

Stellen, an denen eingehendere Analysen (oder das Referat von Deutungen) vorliegen, sind jeweils kursiviert. Auf diese Weise sind über die Register Einzelanalysen zu Gedichten, Gedichtsammlungen, Erzählungen, Schriften etc. zu eruieren. Kursivierungen im *Sachregister* verweisen auf die Explikation des jeweiligen Stichworts.

Namenregister

Werkverzeichnis

Lyrik

Gedichtsammlungen

Die einzelnen Gedichte

Prosa

Sammlungen

Geschichten

Romane, Romanprojekte

Texte für Filme, Drehbücher

Schriften

Stücke, Stückfragmente, Projekte

Quellen und Vorlagen

Sachregister